JN434643

경추 도수치료 총론

임상증후군 및 도수치료

2권

나의 부인인 Begoña 와 나의 아이들인 Begoña, Rafael, Pablo, Andrés, Lidia, Ángela, Jaime, Irene 그리고 Rocío 에게

경추 도수치료 총론

임상증후군 및 도수치료

2권

김 명 준 외 옮김

La Columna Cervical - Volume 2

Síndromes Clínicos y su Tratamiento Manipulativo

RAFAEL TORRES CUECO PHD PT

Professor, Department of Physiotherapy, University of Valencia, Spain
Director of Masters program on Manual Therapy, University of Valencia
President and founder of the Spanish Society of Physiotherapy and Pain (Sociedad Españla de Fisioterapia y Dolor SEFID)
Facilitator, WCPT Physical Therapy Pain Network
Instructor, Neuro-Orthopaedic Institute (NOI)
Member of the Spanish Pain Society (Sociedad Españla del Dolor SED), Spanish Society of Craneomandibular Dysfunction and Orofacial Pain (Sociedad Españla de Disfunción Craneomandibular y Dolor Orofacial SEDCYDO) and the International Association for the Study of Pain (IASP)

FOREWORD BY

LORIMER MOSELEY PhD FACP

Professor of Clinical Neuroscience and Foundation Chair in Physiotherapy, The Sansom Institute for Health Research, University of South Australia, Adelaide, Australia
Senior Principal Research Fellow, Neuroscience Research Australia, Sydney, Australia
NHMRC Principal Research Fellow

영 문 출 판 사

■ **옮긴이** (가나다 순)

강명길 DC MS
대한 카이로프랙틱 협회 정회원 및 정책이사
강남 면역증진센터 원장

김명준 경동대학교 물리치료학과 교수
근골격물리치료종별학회 회장

김지혁 경남정보대학교 물리치료과 교수
대한정형도수물리치료학회 학술국제이사

김진영 전주비전대학교 물리치료과 교수
대한정형도수물리치료학회 출판이사

김항진 대한 카이로프랙틱 협회 국제이사
MPI 모던필라테스 대표이사

안준용 DC
보나트 청담본점 대표원장
차의과학대학교 통합의학대학원 교수

안한나 DC
대한 카이로프랙틱 협회 정회원
팔머 카이로프랙틱 교육원 강사

La Columna Cervical – Volume Two
Síndromes Clínicos y su Tratamiento Manipulativo

by Rafael Torres Cueco

〈주의〉
발행인이나 편집자는 이 책에 포함된 자료의 사용으로 인해 또는 이와 관련하여 발생하는 손실이나 부상 및/또는 인명 또는 재산 피해에 대해 책임을 지지 않는다. 환자에 대한 독립적인 전문지식 및 지식에 의존하여 환자에게 최상의 치료법과 적용방법을 결정하는 것은 임상의의 책임이다.
–발행인–

경추 도수치료 총론 ❷ 권
임상증후군 및 도수치료

2022년 10월 10일 초판인쇄
2022년 10월 17일 초판발행

지은이 : Rafael Torres Cueco
옮긴이 : 김 명 준 외
발행인 : 박 병 조
발행처 : 도서출판 영문출판사
등 록 : 1987년 12월 21일 제2–419호
주 소 : 서울시 강남구 삼성동 69–1
전 화 : (02) 514–5590, 776–5590
팩 스 : (02) 756–8943
E–mail: yeongmunsa@empas.com
홈페이지 : www.ymsbook.net
정 가 : 90,000 원 (세트)
ISBN 978–89–7224–540–7 94510
978–89–7224–538–4 (세트)

※ 파본은 교환해 드립니다.

목차

CONTENTS

머리말

FOREWORD

목 통증은 치명적이진 않지만 인류가 직면한 건강 문제에서 가장 부담스러운 문제 중 하나로 지속적으로 꼽히고 있다. 이런 목 통증은 전 세계적으로 20명 중 1명에게 영향을 미치며 그들이 충만하고 생산적인 삶을 영위하지 못하게 하고 있다. 목을 다친 사람들의 상당 부분은 치료에도 불구하고 추가적인 증상이나 지속적인 통증을 경험한다. 이러한 상황은 자주 물리적, 사회적, 경제적 불이익의 하락 소용돌이로 이어진다. 목 통증 문제를 해결하는 것은 엄청나게 긍정적인 영향을 미칠 것이고, 효과적인 치료가 절실히 필요하다는 것은 의심할 여지가 없다.

물론 목 통증의 문제는 단순한 문제가 아니기 때문에 많은 문제들이 남아 있는 이유일 것이다. 그 통증이 어디에 있던지 간에 목 통증에 대해 더 많이 배울수록 우리는 이것이 다요인적이고, 다층적인 문제라는 것을 점점 더 깨닫게 될 것이다. 통증은 자신의 신체 부위를 보호하기 위해서 역할을 하게 만든 불편한 느낌으로서 가장 잘 개념화한 복잡한 인간의 경험이라는 것을 이제 알게 되었다.

목 통증도 이런 규칙에 예외는 아니다. 사실 목 통증은 목 자체가 복잡한 해부학적 부위이기 때문에 특히 어렵게 여겨져 왔다. 목에 관절, 근육, 인대 등 통각기능 구조가 얼마나 많은지 생각해보고, 우리의 생존에 요구되는 척수를 보호하는 구조를 제공하고, 여러 단면으로 광범위한 움직임을 제공하고 아마도 우리의 가장 큰 자산이고 한 개를 제외한 모든 감각을 공급하는 머리를 지탱하는 목의 고유한 요구사항을 생각해 보자. 다른 신체 부위에는 이러한 특별한 특성이 없다.

이제 Rodeus와 Bilby(물론 가상의 인물, 이들이 경부 척수의 천부적 보호에 대한 은유로 설명하기 위해) 간의 대화를 고려하여 목 구조의 통각기능에 초점을 맞춰보자.

Mr Bilby: Rodeus, 당신이 아주 귀중한 보석을 가지고 있다고 상상해 보세요. 세상에서 가장 귀중한 것입니다.

Rodeus: 뭐, 상상할 필요도 없어요, Mr Bilby. 저는 당신과 달리 자랑스러운 최상급 귀족이기 때문입니다. 나는 네 번째 왕의 성지 팔찌의 소유자입니다. 이것은 틀림없이 세상에서 가장 귀중한 유물입니다.

Mr Bilby: 훌륭합니다, Rodeus, 당신 말이 맞습니다. 나는 멸종 위기에 처한 작은 오스트레일리아 유대류에 불과합니다. 하지만 이 소중한 팔찌를 어디에 보관할 수 있을까요?

Rodeus: 물론 빌리 씨, 정확한 위치를 말씀 드리지는 못하지만, 논의를 위해 그리고 질문의 취지에 따라, 나는 쉽게 움직여지는 숨긴곳의 접근을 해야 하지만, 엄청난 강도의 구조물 뒤에 깊숙히 묻힌 곳을 선택해야 합니다. 나는 이 희귀한 걸작을 보호하는 데에만

집중하는 날카로운 눈과 의심이 많은 경비병을 배치할 것입니다. 나는 그들을 모든 포탑, 모든 구석,
모든 복도에 빼곡히 놓을 것입니다.

Mr Bilby: Rodeus, 팔찌를 잘 보호해야 한다고
생각합니다. 하지만 지구가 흔들리고 당신이 만든
요새 전체가 이리저리 흔들린다면요?

Rodeus: 나는 그 위대한 보석 주위에 최고급 비단
으로 된 쿠션과 패딩을 둘 것이고, 앞으로 이러한
흔들림이 도래할 경우 경비원에게 특히 의심스럽고
예리한 눈을 갖도록 주의를 줄 것입니다.

Mr Bilby: 알겠습니다. Rodeus. 알겠어요.
당신은 팔찌를 잘 보호했습니다 — 이것은 요새에
보관되어 있으며 부드러운 쿠션으로 둘러싸여
있으며 모든 포탑과 모든 복도에 수천 명의 경비원
의 경보 시스템을 설치했습니다 — 더 의심하고
경계하게 될 경비원들은 그곳에 증원해야 한다.

이 대화는 우리의 경추 척수에 제공되는 보호 범위를 얘기한다. 생명을 유지하는 대단히 중요한 구조를 방어적으로 유지하기에 매우 합리적이다. 이것을 운동학적 및 운동적 요구 사항과 결합하면 누군가가 왜 아프고 어떻게 이를 완화할 수 있는지 판독하는 정말 복잡한 작업에 직면한다. 이럴때 이 책이 절실히 필요하게 된다.

Rafael Torres Cueco는 이 모든 복잡성을 이해 가능하고 합리적인 형태로 포장하는 뛰어난 내용을 구성했다. 이처럼 엄청난 일을 맡는 데 이보다 더 좋은 사람은 없을 것이다. Rafael은 뛰어난 임상의이자 영리하고 학구적인 학자이다. 근골격계 의학의 풍부한 역사와 더 광범위하고 완전한 생물심리사회적 모델 내에서 가장 유용한 역할에 대한 그의 이해는 아마도 타의 추종을 불허할 것이다. 그는 현자와 학생의 희귀한 조합과 어울리는 자료를 여기에서 구성했으며, 나는 모든 새내기와 모든 기존 임상의에게 이 자료를 적극 권장한다.

내가 강의를 마치고 일어나 복도에 있는 마이크 쪽으로 걸어갔을 때 나는 Rafael의 임상적 지성과 과학적 탐구의 전례 없는 혼합을 처음 경험했다. (그가 필요하지 않았다는 것은 아니다. 그의 목소리는 놀라운 울림과 투사의 목소리이다!) 그리고 매우 특정한 분야의 과학적 발전에 완전히 정통한 매우 경험이 풍부한 임상의에게서만 나올 수 있는 질문을 나에게 했다. 이 두 가지를 잘 다룰 수 있는 사람은 거의 없으며 Rafael은 확실히 그 중 하나이다. 이 책에서 예리한 독자는 각각의 설명, 통찰력 있는 팁, 각각의 관찰에서 Rafael의 임상적 지혜와 과학적 엄격함이 혼합되어 있음을 알 수 있다.

나는 Rafael의 책에 대한 서문을 써달라는 초대를 받아 영광이었다. 나는 Rafael이 내 작업과 내 그룹의 작업에 대한 교육적이고 건설적인 공헌에 감사하게 여긴다. 나는 Rafael이 물리치료사, 의사 및 환자의 커뮤니티에 제공한 서비스에 가장 깊은 인상을 받았었다. 받아들이는 속도가 느린 우리에 대한 그의 에너지와 인내심, 다른 분야의 전문가를 기꺼이 데려오려는 의지, 자신의 전문 지식을 자신의 직계 그룹 이외의 사람들과 공유하려는 준비성은 근골격계 의학 및 물리치료의 미래를 위해 많은 도움이 될 것이다.

LORIMER MOSELEY

서문

PREFACE

이 책은 경추의 복잡하고 자극적인 임상적 상태를 다루며, 경추에 대한 필수 안내서로 함께하는 책이다. — 제1권: 임상평가 및 치료접근법. 이 책의 목적은 첫째, 경추에 의해 나타나는 다양한 임상적 상태의 병태생리학과 증후학에 대한 가장 최신의 이론적 정보를 제공하고, 둘째, 과학적 증거와 임상적 경험에 비추어 치료에 대한 접근을 제공하는 것이다. 이 목적을 위해 최선의 증거로 뒷받침되는 정보를 제공하려는 시도가 있어 문헌에 대한 상당한 검토가 이루어졌다. 또 다른 목표는 저자의 임상에서 보다 효과적인 평가 및 치료 절차를 보여주는 것이었다. 물리치료사의 직업적 진화뿐만 아니라 과학 분야에서 일어난 변화는 우리를 전문적인 실습에서 절차를 적용하는 목표로 발전시키는 새로운 치료 모델로 이끌고 있고, 전문가가 진단 및 치료를 확립할 능력과 책임을 가져야 하는 임상 모델을 지향한다.

이런 도전을 수행하기 위해 전문가는 단순한 기술 시행자가 아니라 진정한 임상의가 되어야 한다. 이를 위해 현재 도수치료의 핵심 요소는 다음과 같다. 임상 추론, 근골격계 병리학에 대한 최신 지식, 경추 통증 치료의 다중 모드 접근, 통증과 관련된 말초 및 중추 기전에 대한 이해, 그리고 위에 언급한 모두, 가족 간 학습과 사회적, 문화적 환경에 의해 결정되는 신념, 기대 및 행동에 의해 고통 경험이 조절되는 사람을 치료한다는 것을 이해할 필요가 있다. 이를 위해 우리는 증거 기반 시술, 환자 치료의 생물심리사회적 모델 및 통증에 대한 업데이트된 관점을 사용해야 한다.

생의학 모델이라 불리던 고전적 치료 모델은 환자의 증상이 질병이나 기능장애의 직접적인 결과라고 간주한다. 생의학 모델은 주로 급성 질환의 치료에서 건강에 중요한 기여를 해왔다. 그러나 생물학적 요인에 대한 독점적 관심은 필요하지만 임상 시술에서는 불충분하다. 이 병리해부학적 모델은 도수치료 분야에 여전히 적용되어 과도한 기전을 초래한다. 최근 수십 년 동안 생물심리사회적 모델이 널리 보급되어 환자의 임상적 표현, 예후 및 치료 결과가 특정 병리 또는 신체 기능장애에만 의존하지 않는다. 신념, 행동 및 사회적 맥락은 임상 양상의 발현 및 진화에서 매우 중요하다. Waddell이 지적한 바와 같이, 환자의 의료 요구는 통증 경험과 관련된 증상 및 행동의 문화적 패턴에 대한 환자의 해석에 더 많이 의존한다.

생물심리사회적 패러다임은 모든 생물학적, 심리적, 사회적, 문화적 요인을 통합하고자 하며, 이것들이 모두 통증의 발달, 유지 및 악화에 필수적이라고 생각한다. 경추의 많은 임상적 실체는 병태생리학과 치료 가능성에 대해 상당한 논란의 대상이 되고 있다. 첫 번째 논쟁은 이렇게 많은 임상 실체에 대해 신뢰할 수 있는 진단이 가능한지 여부이다. 그리고 생물심리사회적 모델의 도입은, 비록 통증을 이해하는 데 필수적이기는 하지만, 때때로 생물학적 및 병리해부학적 측면이 수행하는 역할에 대한 오해를 수반한다는 것을 유의해야 한다는 점이다. 통증이 있는 환자의 임상적 의사결정에서 병리해부학적 요인은 거의 중요하지

않다고 자주 잘못 가정하곤 한다.[3]

현재 많은 임상 가이드라인은 위험신호를 제외하고는 병리해부학적 측면에 근거한 분류 또는 특정 치료를 권장하지 않는다.[4] 매우 적은 수의 경우를 제외하고는 병리해부학적 기준에 따른 하위군 식별이 불가능하다고 간주된다. Hancock이[5] 요통을 언급할 때 말한 것처럼, 병리해부학적 진단에 대한 거의 모든 고려 사항이 임상 진료 지침에서 사라졌으며 이는 대부분의 임상 개체 또는 질병의 의학적 접근 방식과 반대인 것이다.[6] 별다른 근거도 없이 병리해부학적 측면에 기초한 분류는 임상적 유용성이 제한적이며 결과를 개선하는 대신 악화시키는 경향이 있다고 한다.[7,8] 대부분의 목 통증 환자에서 통증의 원인을 진단할 수 없으므로 '비특이성' 또는 '특발성'이라는 용어를 사용해야 한다. 그러나 비특이성은 실제로 무엇을 의미하는가? 기본적으로 영상 검사는 통증을 진단할 수 없으며, 비특이적 통증을 치료하기 위한 관련 정보를 제공하지 않는다. 영상 검사는 항상 보조적 검사이며 그 자체로는 진단적이지 않기 때문에 이 가정은 올바르지 않다.

환자의 통증과 영상 검사를 사용한 척추의 해부학적 또는 퇴행성 변화의 식별 사이에는 확실히 직접적인 관계가 없다. 퇴행성 변화가 만성 통증의 위험 요인이라는 증거도 없다. 그러나 일부 개인의 통증과 관련이 없는 병리학이 중요하지 않다는 것을 의미하지는 않는다.

영상 검사는 때때로 환자의 병리 진단에 도움이 될 수 있기 때문이다. 많은 경우 영상 검사가 조직의 상태와 환자에 대한 다른 접근 방식을 결정하는 변화를 보여주기 때문에 치료와 관련된 정보를 제공하지 않는다는 믿음은 완전히 정확한 것은 아니다. 실제로, 예를 들어, 심각한 불안정성, 척추관 협착증 등의 경우 심각한 병리를 확인하거나 도수치료나 물리치료를 금지하기 위해 영상 검사가 때때로 필요하다.

Hancock 등이[5] 지적한 바와 같이 진단이 치료 결과를 개선할 수 있을 때까지 추가 연구에 관심이 없다는 오해가 자주 발생하곤 한다. 그러나 진단이 치료 결과를 향상시킨다는 증거가 없더라도 이것이 진단이 잘못되었다는 의미는 아니다. 진단은 치료가 가능하기 전에 유효할 수 있다. 합리적인 치료를 설계하는 첫 번째 단계일 수도 있다.[5] 임상 상태의 진단을 확립하는데 도움이 되는 것 외에도, 자연사를 이해하고 중재 결과와 비교할 수 있다. 통증의 원인에 대한 현재 수준의 불확실성으로 인해 연구에서 또는 임상 맥락에서 병리해부학적 접근을 배제할 수 없다.

실제로, 환자의 임상 상황과 관련될 수 있는 다양한 심리사회적 요인을 고려하는 것이 필수적이다. 그러나 임상 및 연구 환경 모두에서 병리해부학적 요인의 배제를 지지하는 주장은 현재 문헌과 양립할 수 없다.[6,9,10]

역설적이게도 특정 병리학적인 판단을 거부한 후 때때로 발생하는 일은 조직 기반 진단이라고 부를 수 있는 것이다. 치료사는 다양한 관절, 근육 및 신경 조직의 관련성을 결정하기 위해 노력하고, 이러한 조직의 침해수용성 반응이나 움직임 패턴의 변화를 기반으로 치료사는 진단 범주를 생성한다. 이 모델을 사용하는 치료사는 선호하는 도수치료 기술을 기반으로 하는 경우가 많다.

이미 언급한 바와 같이 비특이적 통증의 개념에 대한 수용은 최근 몇 년 동안 상당한 관심을 불러일으키며 치료 결과 개선을 목적으로 통증이 있는 환자를 균질한 그룹으로 세분화할 수 있게 되었다. 병리해부학적 기준에 근거하지 않은 분류가 필요했다. 따라서 요통 및 경추통과 같은 일반적인 근골격계 통증과 관련하여 최근 분류가 등장했다.

시도된 하위 분류의 예는 특정 물리치료 모델과 관련이 있는 것으로 간주되는 임상 측면을 기반으로 한 분류이다.[11] 다른 분류는 특정 치료에 대한 가능한 유리한 반응을 나타내는 환자 특성을 식별하는 것을 목표로 한다. 동일한 세션 또는 연속 세션에서의 환자의 부정적 또는 긍정적 반응을 통해 치료사는 이러한 반응에 대한 치료를 조정하여 좋은 치료 결과를 얻을 수 있다.[12-14] 그러나 통증이나 신체 소견의 즉각적인 변화와 장기적인 반응 사이에 반드시 관계가 있는 것은 아니다.[15] 오히려 환자 반응에 기반한 이 모델이 장기적인 기능 개선과 반드시 관련이 있는 것은 아닌 것 같다. 다른 분류는 운동 기능장애의 진단을 기반으로 한다. 이러한 분류의 문제는 운동 기능장애가 매우 다양하고 통증에 반응할 수 있다는 것이다. 통증과 운동조절 기능장애 사이에는 명확한 인과 관계가 없다. 그들은 적응하거나 보호적인 행동이 될 수 있으며 부하, 두려움, 불안 또는 통증의 원인에 대한 오해에 대한 반응이 될 수 도 있다.[16]

이처럼 서로 다른 분류를 다룰 때 나타나는 문제점 중 하나는 평가방법이 모든 유형의 경추 통증 환자에게 적용되는 것은 아니라는 점이다. 환자 하위 그룹을 정의하기 위한 대부분의 연구는 여전히 가설 생성 단계에 있다. 현대 임상진료에서 사용을 권장하기에 충분한 증거를 갖는 어떤 분류 시스템도 없다.

환자를 하위 분류하려는 또 다른 시도는 통증과 관련된 지배적 기전을 기반으로 한다.[17] 지배적인 기전(통각수용성, 염증성, 신경병성 등)을 고려하는 것이 환자 관리와 관련이 있지만 이 접근 방식으로는 충분하지 않다. 매우 다양한 자연사를 가진 다양한 임상 개체가 동일한 통증 기전을 공유할 수도 있다.

이러한 모든 분류를 검토한 후에는 다음과 같은 질문이 필요하다. 처음에 '비특이성'이라는 용어가 사용된 이유는 무엇인가? 일부 사람들이 말했듯이 통증의 원인을 아는 것이 불가능하기 때문이 아니라, 과도한 진단을 선호하는 불필요한 검사를 피하는 등 통증 환자의 치료를 합리화하고 통합한다고 한다. 그러면 떠오르는 질문은, 목 통증의 원인에 대해 스스로에게 묻지 말아야 합니까? 또한 이러한 분류 체계는 다음과 같은 문제를 제기한다. 첫째, 그들은 환자가 묻는 세 가지 주요 질문에 답해라: 나에게 무슨 문제가 있습니까? 당신은 무엇을 할 수 있습니까? 예후는 무엇입니까? 둘째, 우리는 분류에 익숙하지 않은 다른 물리치료사 또는 다른 의료 전문가와 토론을 만들어 갈 수 있을까요? 그리고 마지막으로, 이러한 분류 시스템이 문제에 대한 이해를 향상시키는가? 따라서 대부분의 비특이적 목 통증 환자의 경우 통증의 '특정 원인'이 있기 때문에, 조직 병리학 및 생물학에 대한 재연구가 필요하다. 다양한 임상 상태에 대한 업데이트된 검토가 필요하고 치료 과정의 네 가지 필수 측면에 대해 임상 가설을 수립하는 것이 필수적이다. (1)진단 수립을 위해; (2)과정의 자연사를 알기 위해; (3)적절한 치료 전략을 설계하기 위해; (4)예후를 확립하기 위해. 따라서 우리는 목 통증의 임상적 표현과 관련될 수 있는 심리적, 사회적 요인을 잊지 않고 병리해부학적 및 신경생리학적 기전을 계속 조사해야 한다고 생각한다.

Jull과 Moore가[6] 지적한 바와 같이, 사회적 압력과 전문적인 경향에도 불구하고, 도수치료를 사용해야 한다는 증거가 제시될 때 환자가 나타낼 수 있는 다양한 임상상태에 대한 최신 지식을 보유하는 것이 중요하다는 것을 잊지 말아야 한다. 언급한 바와 같이 이것은 단순한 학문적 문제가 아니며 통증을 해결하기 위한 적절하고 정확하며 신뢰할 수 있는 전략의 개발은 임상증후군 또는 임상증상과 관련된 원인과 기전에 대한 적절한 이해에 달려 있다.[18] 따라서 임상증후군과 다양한 임상증상, 진단기준, 병리생리학 및 자연사, 특정 신체검사 및 치료 가능성에 대한 최신 지식이 필요하다. 따라서 우리는 양방향 모델을 지지한다. 첫째, 해부학적 요소의 구조와 기능의 변화와 관련된 임상적 상태에 대한 것, 둘째, 환자의 통증과 관련된 심리사회적 측면에 대한 추가 연구가 필요하다. 그래야만 통증의 경험에서 '생체적' 역할과 '심리사회적' 역할에 대해 보다 균형 잡힌 관점을 갖게 될 것이다.

이것이 이 책의 각 장들이 목 통증이 있는 환자의 디스크 병리 및 신경근병증, 후관절 통증, 경추 및 두개경추부 불안정성, 경추 척수병증, 경추성 두통의 감별진단 및 치료, 빈번한 감각 운동 기능장애와 편타성 경추 손상을 관리하기에 임상적으로 복잡하게 하는 신체적, 심리적 요인 같이 환자가 제시할 수 있는 다양한 임상요소를 중심으로 구성되어 있는 이유이다. 끝에서 두 번째 장은 경추의 도수치료로 발생할 수 있는 합병증, 특히 신경 혈관 사고에 대한 광범위한 검토이다.

마지막 장은 15년 이상 동안 나의 임상시술의 주요 부분인 복합 만성통증을 가진 환자의 관리에 전념했다. 이 장에서는 지난 수십 년 동안 개발된 신경생물학적 모델의 진화를 설명하는 통증의 신경생리학 측면을 검토하고 마지막으로 생물심리사회적 통합 관점에서 접근 방식을 제시하고 있다.

내가 제안한 접근 모델은 임상상태 및 중증도 및 관련 기능장애의 유형, 관련 신체손상, 통증기전(통각수용성, 염증성, 신경병성 또는 복합성), 중추과민 현상, 환자신념(적응 또는 부적응), 환자행동(공포회피 및 질병행동) 및 관련된 심리사회적 측면과 같은 다양한 영역에서 가장 관련성이 높은 요인을 평가하는 것을 기반으로 하고 있다. 직장이나 일상 활동 및 사회적 상호작용의 제한과 같은 사회적 참여 및 상호작용을 평가하는 것이 중요하다. 임상의로서 우리의 목표는 조직 손상을 '수정'하거나 환자의 신체 기능장애를 개선하는 것 뿐만 아니라, 환자가 일과 사회적 참여 및 상호작용을 재개하도록 돕는 것이다. 이 책은 복합 만성통증 환자와 경추의 복합 병리를 효과적이고 안전하게 관리할 수 있는 이론적 및 임상적 도구를 제공하는 것을 목표로 한다. 이런 접근 방식이 독자에게 임상, 교육 또는 연구 작업에서 명확하고 완전하며 엄격한 참조를 제공하기를 바란다.

Rafael Torres Cueco
Valencia 2017

참고문헌

1. Torres-Cueco R. Aproximación biopsicosocial del dolor crónico y de la fibromialgia. In: Salvat IS, editor. Fisioterapia del Dolor Miofascial y de la Fibromialgia. Sevilla: Universidad Internacional de Andalucía; 2009. p. 78–110.
2. Waddell G. 1987 Volvo award in clinical sciences. A new clinical model for the treatment of low-back pain. Spine 1987;12(7): 632–44.
3. Weiner BK. Spine update: the biopsychosocial model and spine care. Spine 2008;33(2):219–23.
4. Childs JD, Cleland JA, Elliott JM, et al. Neck pain: Clinical practice guidelines linked to the International Classification of Functioning, Disability, and Health from the Orthopedic Section of the American Physical Therapy Association. J Orthop Sports Phys Ther 2008;38(9):A1–34.
5. Hancock MJ, Maher CG, Laslett M, et al. Discussion paper: what happened to the 'bio' in the bio-psycho-social model of low back pain? Eur Spine J 2011;20(12):2105–10.
6. Jull G, Moore A. Hands on, hands off? The swings in musculoskeletal physiotherapy practice. Man Ther 2012;17(3):199–200.
7. Deyo RA, Mirza SK, Turner JA, et al. Overtreating chronic back pain: time to back off? J Am Board Fam Med 2009;22(1):62–8.
8. Pransky G, Buchbinder R, Hayden J. Contemporary low back pain research - and implications for practice. Best Pract Res Clin Rheumatol 2010;24(2):291–8.
9. Ford JJ, Hahne AJ. Pathoanatomy and classification of low back disorders. Man Ther 2013;18(2):165–8.
10. Hancock M, Maher C, Macaskill P, et al. MRI findings are more common in selected patients with acute low back pain than controls? Eur Spine J 2012;21(2):240–6.
11. McKenzie R, May S. The lumbar spine, mechanical diagnosis and therapy. 2nd ed. Waikanae: Spinal Publications New Zealand Ltd; 2003.
12. Delitto A, Erhard RE, Bowling RW. A treatment-based classification approach to low back syndrome: identifying and staging patients for conservative treatment. Phys Ther 1995;75(6):470– 85, discussion 485-9.
13. Fritz JM, Brennan GP. Preliminary examination of a proposed treatment-based classification system for patients receiving physical therapy interventions for neck pain. Phys Ther 2007;87(5):513–24.
14. Kamper SJ, Maher CG, Hancock MJ, et al. Treatment-based subgroups of low back pain: a guide to appraisal of research studies and a summary of current evidence. Best Pract Res Clin Rheumatol 2010;24(2):181–91.
15. Tuttle N. Is it reasonable to use an individual patient's progress after treatment as a guide to ongoing clinical reasoning? J Manipulative Physiol Ther 2009;32(5):396–403.
16. Fairbank J, Gwilym SE, France JC, et al. The role of classification of chronic low back pain. Spine 2011;36(21 Suppl.):S19–42.
17. Smart KM, Blake C, Staines A, et al. The Discriminative validity of "nociceptive, "peripheral neuropathic, and "central sensitization as mechanisms-based classifications of musculoskeletal pain. Clin J Pain 2011;27(8):655–63.
18. Carragee EJ, Alamin TF, Miller JL, et al. Discographic, MRI and psychosocial determinants of low back pain disability and remission: a prospective study in subjects with benign persistent back pain. Spine J 2005;5(1):24–35.

역자 서문

Translator's Preface

경추도수치료 총론 1권에서 목의 해부학적 구조와 기능적 구조를 이해하고, 임상적 평가와 진단을 통한 정보를 더욱 확실하게 임상적 결과를 얻기 위한 임상적 접근(Clinical Approach)에 필요한 병리적 이해와 손상, 통증기전을 11개의 카테고리로 설명하고 있다.

경추도수치료 총론 2권을 통하여 예리한 병리설명과 통찰력 있는 관찰이 당신의 임상적 지혜와 엄격한 과학적 접근을 안내할 것이다. 경추는 생명을 유지하는 뇌와 척수를 연결하는 길목이며, 기능적 · 해부학적 구조와 운동학적 및 운동적 움직임의 결합에서 찾아야 할 지식이 요구될 때, 매우 다양하고 복잡한 상태를 판독하고 해석하여 임상적 해답을 얻기 위해서 이 책이 절실이 필요하게 된다.
특히 만성적 목 통증이 생명에 있어서 치명적이지는 않지만 삶의 질을 저하시키는 가장 부담스러운 문제 중 하나이다. 목 통증의 원인은 단순한 문제가 아니기 때문에 여전히 많은 문제가 남아 있다는 증거이다. 다요인적이고 다층적인 문제를 해석하고 복잡한 문제를 임상적으로 접근하기 위해 목의 관절, 근육, 인대, 척추 전체에서의 목 기능, 균형, 자세, 직업, 환자 중심의 사회심리 등이 연관되어 있기 때문에 그동안 목 통증의 기전을 밝히는 것을 목표로 수 많은 연구와 조사가 있었다.

이 책에서는 과학문헌의 심층적 검토와 임상적 관점에서 관련성이 가장 높은 정보를 비교하고 있다. 따라서 임상의와 물리치료사는 단순하게 기술적 시행자가 아닌 진정한 임상의가 되어야 한다. 과학적 근거, 해부학, 생체역학, 병리학 및 생리학을 기반으로 한 관련 지식이 견고해야만 한다. 도수치료에서 임상추론의 역할을 설명하고 치료절차와 적합성의 결정 과정에서도 통증의 신경생리학의 심층적 지식은 필수적이므로 이 책의 11가지 임상적 접근방법으로 이해할 수 있기를 바란다.

독자는 새로운 개념과 접근방식을 받아드릴 용기와 에너지를 가져야 하며, 새로운 지식에 호기심을 가져야 한다. 이것이 자신의 전문지식을 남보다 빠르게 확립시키는 방법이며, 다른 전문가와 지식을 공유하려는 준비가 될 수 있고 근골격계의학, 물리치료학에 미래가 될 수 있을 것이다.

근골격물리치료종별학회회장
경동대학교 물리치료학과 교수 김명준

감사의 말

ACKNOWLEDGEMENTS

먼저 이 책에 기여한 Michelle Sterling, Lucy Thomas, Julia Treleaven, Pieter Westerhuis 그리고 특별히 Gwendolen Jull 이 모든 저자에게 감사한다. 이 책에서 수집한 지식의 대부분은 Gwendolen Jull 의 호의로 제공되었고, 근골격계 물리치료 및 도수치료 연구에 대한 그녀의 엄청난 공헌(그녀의 연구원들과 함께)을 기반으로 한다. 또한 고통을 이해하려는 열정을 전해준 David Butler와 이 책의 서문을 기꺼이 써준 Lorimer Moseley 에게도 감사의 인사를 전하고 싶다.

나는 모델로 참가한 Tamara Gonzálvez, Manuela Gomez, 특히 Raquel Heredia, 그리고 최고의 사진들에 함께 해준 Yvonne Ribes 이 모든 사람들에게 감사한다. 발렌시아 대학교 물리치료학과 동료들에게 감사한다. 복합적인 환자를 매일 함께 치료하는 동료인 Jesus Aguiló-Furio와 Mar Machiran-Matallín에게 감사드린다. 그들과 함께 일하는 것이 내 지식을 지속적으로 수정하게 해주었기에, 내가 가르치는 대학의 학부생과 대학원생에게도 감사드린다.

또한 출판사 Elsevier, 특히 이 프로젝트에 큰 관심을 보여준 Rita Demetriou-Swanwick, 그리고 신뢰와 인내를 준 Sally Davies와 Andrew Riley에게 깊은 감사를 드린다.

그리고 끝으로, 집을 떠나 일에 몰두하는 엄청난 시간에도 불구하고 지지와 격려를 아끼지 않은 사랑하는 아내와 아이들에게 감사드린다.

RAFAEL TORRES CUECO

Valencia 2017

발행인의 감사의 말

PUBLISHER'S ACKNOWLEDGEMENTS

Elsevier는 Rubén Francés Garcia가 제공한 초기 스페인어-영어 번역에 감사 말씀을 드린다.

Elsevier는 또한 Nicholas Southorn이 수행한 영어 번역에 대한 동료 평가에 감사의 말씀을 드린다.

기고자
CONTRIBUTORS

GWENDOLEN JULL DipPhty GradDipManipTher MPhty PhD FACP
Emeritus Professor, Physiotherapy, School of Health and Rehabilitation Sciences, The University of Queensland, Brisbane, Queensland, Australia

MICHELE STERLING MPhty GradDipManipPhysio BPhty PhD FACP
Director, NHMRC Centre of Research Excellence in Road Traffic Injuries; Associate Director, Centre of National Research on Disability and Rehabilitation Medicine (CONROD); Menzies Health Institute, Griffith University, Parklands, Queensland, Australia

LUCY C. THOMAS MMedSc(Phty) GradDipAppSc(ManipPhty) DipPhys PhD
Lecturer, School of Health and Rehabilitation Sciences, The University of Queensland, Brisbane, Queensland, Australia

RAFAEL TORRES CUECO PhD PT
Professor, Department of Physiotherapy, University of Valencia, Spain; Director of Masters Program on Manual Therapy, University of Valencia; President and founder of the Spanish Society of Physiotherapy and Pain (Sociedad Española de Fisioterapia y Dolor SEFID); Facilitator, WCPT Physical Therapy Pain Network; Instructor, Neuro-Orthopaedic Institute (NOI); Member of the Spanish Pain Society (Sociedad Española del Dolor SED), Spanish Society of Craniomandibular Dysfunction and Orofacial Pain (Sociedad Española de Disfunción Craneomandibular y Dolor Orofacial SEDCYDO) and the International Association for the Study of Pain (IASP)

JULIA TRELEAVEN BPhty PhD
Lecturer, Division of Physiotherapy, School of Health and Rehabilitation Sciences, The University of Queensland, Brisbane, Queensland, Australia

PIETER WESTERHUIS
Physiotherapist, Private Practice, Grenchen, Switzerland; Teacher, Postgraduate Manipulative Therapy, Switzerland, Germany and Austria

1 경추 추간판성 통증 및 신경근병증에 대한 임상적 접근

CLINICAL APPROACH TO CERVICAL DISCOGENIC PAIN AND RADICULOPATHY

이 장에서는 경추 추골간 원반, 경추 추간판성 통증 및 추간판 탈출증으로 인한 신경근 통증과 관련된 증후군에 대해 설명한다. 이것은 또한 디스크 외에 추간공을 구성하는 구조의 비대성 퇴행변화의 발달과 관련된 외측 척추관 협착증으로 인한 신경근 통증을 포함한다.

먼저, 경추 추간판성 통증을 분석한 후, 경추의 신경근 통증을 살펴보고 보존적 치료 선택을 검토할 것이다.

경추상완 통증과 관련하여 가장 먼저 지적해야 할 점은 요추 신경근 증후군에 비해 감별 진단이 훨씬 복잡하다는 점이다. 경추의 신경근 통증양상들의 임상적 징후와 증상은 요추 신경근병증 만큼 분명하지 않다. 마지막 경우에 대부분의 환자는 신경근 통증 증후군의 전형적인 징후와 증상을 나타내지만, 경추의 신경근병증을 가진 환자의 1/3 만이 분명한 신경근 경완 통증을 보인다.[1]

일상적인 진료에서는 흉곽출구증후군, 추간판 원인 또는 후관절 원인의 상지 관련 통증, 또는 다른 말초신경 압축 증후군과 같은 임상적으로 경추의 신경근병증과 유사한 방식으로 나타날 수 있다는 점을 감안할 때 진단하는 것에 문제가 될 수 있다.

추간판성 증후군
DISCOGENIC SYNDROMES

경추에서 두 가지 유형의 임상 증후군이 디스크 병리와 관련이 있다: *경추 추간판성 통증과 추간판 신경근병증.*

이 구별은 요추 디스크와 같은 방식으로 경추 디스크는 섬유륜의 외부 섬유가 파열되지 않고, 따라서 신경 요소의 압박이나 자극 없이 증상을 유발할 수 있는데도 일반적으로 디스크 병리가 전적으로 디스크 탈출이라고 생각되기 때문에 중요하다. 따라서 신경근병증 외에도 경추 디스크는 *내부 디스크 파열과 고통스러운 퇴행성 변화*로 인한 경추 통증의 원인이 될 수 있다.

경추 추간판성 통증
CERVICAL DISCOGENIC PAIN

경추 추간판성 통증은 주로 내부 추간판 파열의 결과물이다. Crock이 처음으로 설명한 내부 디스크 파열의 개념은 핵 물질의 외부 이동 없이 섬유륜의 균열을 의미한다. 이는 외상성 손상으로 인한 핵 물질의 분해, 굴곡-회전 기전으로 인한 섬유륜 손상, 경추편타 또는 디스크의 반복적인 전단에 의해 생성된다.

섬유륜의 신경 분포된 부분의 파열은 증상의 출현

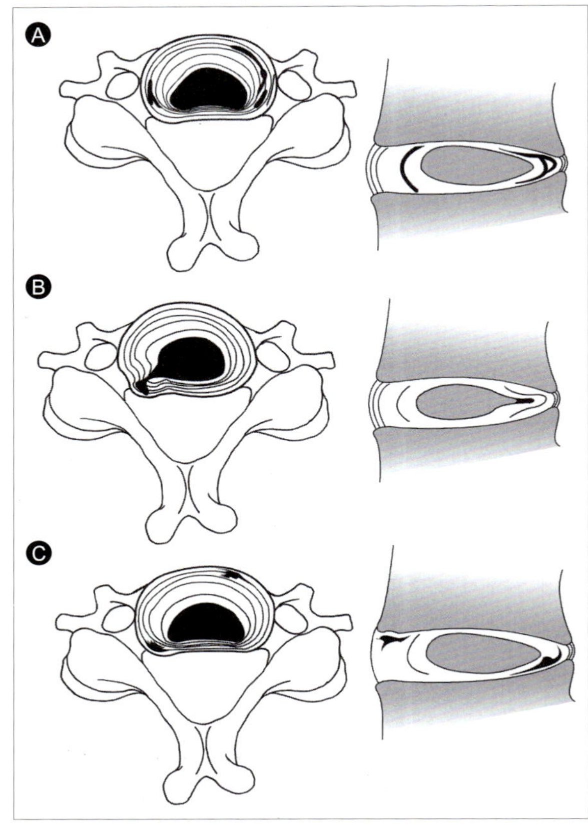

그림 1-1 ■ 섬유륜 파열에는 (A)동심 또는 원주, (B)반형 및 (C)변연 또는 테두리 병변의 3가지 분류가 있다.

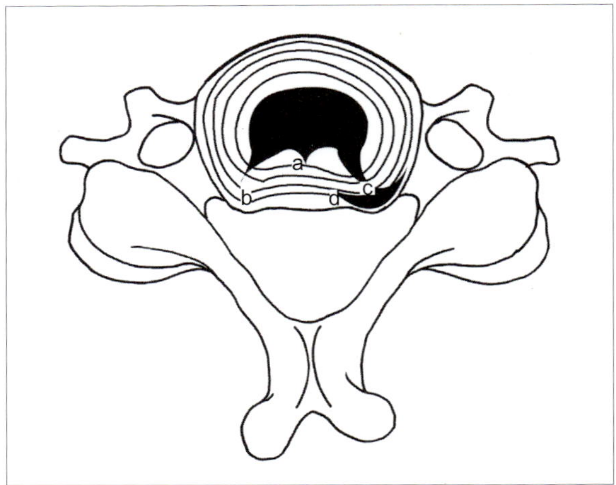

그림 1-2 ■ 내부 디스크 파열은 균열의 정도에 따라 등급으로 분류된다. (a)1단계, 균열이 섬유륜의 내부 1/3에 도달할 때; (b)2단계, 균열이 중간 3분의 1에 도달할 때; (c)3단계, 균열이 외부 1/3에 도달할 때; (d)4단계는 섬유륜의 외부 1/3에서 원주 방향으로 30° 이상 확장되는 3도의 반형 균열을 의미한다.

을 결정한다. 내부 디스크 파열은 반복되는 미세 외상 또는 급성 외상으로 인해 발생할 수 있으며, 후자의 경우 더 자주 증상이 나타날 수 있다. 연구에 따르면 경추 편타손상 후 급성 디스크 부상의 발생률이 높게 나왔다.[3,4]

환형 파열에는 동심 또는 원주, 반형 및 변연부 또는 가장자리 병변으로 세 가지 유형이 있다.(**그림 1–1**). 이런 발달은 비록 중년 이후로 매우 일반적이지만, 나이와 관련이 없다. 동심원 파열은 인접한 박판 사이에 공간이 있다고 가정한다. 반형 파열은 중앙에서 주변으로 진행하는 박판의 가로형 파열을 의미한다. 이러한 반형 파열은 수핵의 점진적인 이동을 허용하게 된다. 변연 파열 또는 변연 병변은 고리 골단에 삽입된 섬유륜의 주변 부분의 국소 박리의 결과이다. 흔히 이런 병인은 외상에 있다.

환형의 파열은 조영제 주입 후 컴퓨터 단층 촬영(CT)을 사용하여 관찰된 균열의 정도에 따라 분류된다.[5]

- 1단계: 균열이 섬유륜의 내부 1/3에 도달할 때.
- 2단계: 균열이 중간 3분의 1에 도달할 때.
- 3단계: 균열이 외부 1/3에 도달할 때.
- 4단계 : 섬유륜의 외부 1/3에서 원주 방향으로 30° 이상 확장되는 3단계 반형 균열을 의미한다(**그림 1–2**).

이 분류에 추가적으로 3가지 단계가 더해졌다.

- 5단계: 섬유륜 외부의 조영제 출현과 함께 국소적 및 원주 방향으로 확장된 디스크의 파열을 나타낸다.
- 6단계: 분리된 디스크를 나타낸다.
- 7단계: 퇴행성 원인의 확산성 환상 파열을 나타낸다.

내부 디스크 파열의 생리병리학은 완전히 알려져 있지 않은 상태이다. 연골 종말판의 피로골절 후 핵기질의 저하의 결과로 인해 생성된 것으로 생각된다.[6]

결과적으로, 이 상황은 프로테오글리칸의 손실과 핵의 차후적 탈수로 이어져 많은 양의 부하가 섬유륜으로 전달된다. 이런 과도한 자극은 섬유륜의 반형 및 동심 균열을 유발할 수 있다. 추간판성 통증은 디스크 반형 균열에 이차적인 염증과 고리의 손상되지 않은 섬유가 겪는 장력 증가의 결과이다.

*퇴행성 추간판 변화*들이나 *소위 퇴행성 추간판 질환*은 환상 파열, 추간판 높이 감소 및 수핵 퇴행의 존재를 의미한다. 많은 경우에 퇴행성 디스크 질환은 내부 디스크 파괴 후 퇴행성 변화의 결과이다. 경추의 퇴행성 질환은 불수의적 변화와 감별이 어려우며, 대부분의 경우에서 그 증상의 원인이 되지 않는다. 섬유륜의 균열의 결과로 디스크는 20대부터 퇴화하기 시작한다. 디스크 높이의 손실은 수핵의 분해에 따른 섬유륜의 반형 팽창의 결과이다.[7] 마지막으로 퇴행성 변화는 고립된 디스크 흡수로 이어질 수 있다.[8] 디스크의 충격흡수능력의 감소는 척추 추체 경화증 및 골극 형성을 유발한다.

추간판성 통증 양상
(Discogenic pain patterns)

디스크는 신경지배를 받으며 통증의 원인이 될 수 있다. 그러나 수십 년 동안 추간판성 통증은 추간판 탈출과 관련이 있다고 여겨져 왔다. 앞서 5장에서 언급했듯이, 통증을 유발하는 디스크의 능력을 보여주고 관련 통증 부위를 기술한 사람은 Smith와 Nichols[9] 및 Cloward[10]였다. 경추 추간판의 신경 분포는 전방 및 외측 부분에서 외측 교감신경 사슬의 섬유와 이에 상응하는 회색 가지 교감신경의 결합에 의해 형성되는 전방 신경총과 일차 전방 가지의 섬유에 의존하고, 후방 부분에서 재발성 뇌수막 신경에서 유래된 후방 신경총 및 척추 동맥과 관련된 혈관주위 신경총에 의존한다.[11-13] 섬유륜의 신경 분포는 외부쪽 1/3에서 분명하게 밝혀졌으며, 일부 저자에 따르면 섬유에 중간까지 도달한다.[11,14]

R. Torres의 책인 경추(The Cervical Spine): *임상적 평가 및 치료적 접근*에 자세히 설명되어 있는 후방 및 후전방 부분이 실질적으로 존재하지 않음을 보여주는 경추 디스크에 대한 최근 설명에 비추어 볼 때, 추간판성 통증은 두 가지 상황에서 발생할 수 있다. 주로 과신전의 외상으로 인해 전방 부분의 고리륜이 늘어나거나 파열되거나 디스크 돌출부에 의해 압축될 때 후방종인대(PLL)가 받는 긴장 또는 스트레칭이다.

추간판성 통증은 과신전의 외상으로 인한
이차적인 섬유륜의 앞쪽 부분의 스트레칭 및 파열,
또는 디스크 돌출부에 의해 압축될 때
후방종인대가 받는 긴장으로 인해 발생할 수 있다.

따라서 내부 추간판 파열은 경추의 통증을 유발하고 흉추와 견갑골 부위의 연관통을 유발할 수 있다. 경추 2번–경추 3번 및 경추 3번–경추 4번 디스크에서 디스크 손상이 발생하면, 통증이 종종 두개–척추 영역으로 야기되고 경추성 두통이 될 수 있다.[16-25] 또한 디스크 물질이 추체로 돌출되어 통증을 유발할 수 있는데, 이 경우 쉬몰결절(schmorl node)에 염증성 초점의 존재가 필요한 것이다.[26]

추간판성 통증은 목의 통증으로 표현될 수 있지만, 특히 견갑골과 흉추 상부 부위의 연관통으로 나타나곤 한다.[12,21-23,27-31] 때때로, 이 통증은 협심증을 나타내 주는 앞쪽 흉벽에 나타날 수도 있다.[28,29] 통증은 편측 및 양측이 될 수 있는데, 이는 디스크성 연관통증을 관절돌기간 관절 통증과 구별하는 데 도움이 될 수 있다.

아래는 최근 Slipman 등에 의해 설명된 디스크성 통증지도에 대한 자세한 내용이다.[31]

- 경추 2번–경추 3번 디스크는 목, 후두하부 및

안면 통증과 관련 있다.

- 경추 3번~경추 4번 추간판은 목 뒤 및 앞쪽 통증, 후두하부 통증, 안면 통증, 등세모근(승모근) 부위, 어깨, 견갑간 부위 및 상지의 통증을 말한다.
- 경추 4번~경추 5번 디스크는 목 뒤 통증, 후두하부 통증, 안면 통증, 등세모근 및 어깨 부위, 견갑골간 부위, 상지 및 가슴 앞쪽 부위의 통증을 말한다.
- 경추 5번~경추 6번 디스크는 목 뒤 통증, 후두하부 통증, 안면 통증, 등세모근 부위, 어깨, 견갑골간 부위, 흉부 앞부분, 상지 부위의 통증을 말한다.
- 경추 6번~경추 7번 디스크는 목 뒤 통증과 후두하부 통증, 등세모근 부위, 어깨, 견갑골간 부위 및 상지의 통증을 말한다.
- 경추 7번~흉추 1번 디스크는 경추 후부 통증과 견갑간 통증을 말한다(**그림 1-3**).

Slipman 등의 연구를 사용하여 우리는 추간판성 통증이 매우 광범위하고 요추 부위까지 나타날 수도 있다는 결론을 내릴 수 있다. 서로 다른 디스크 사이에는 상당한 중복이 있으므로 디스크 통증 지도는 임상적으로 거의 사용되지 않는다. 이러한 패턴은 훨씬 더 광범위하지만, 동일한 부위에 분절 별로 해당하는 관절돌기간 관절의 패턴과 지형학적으로 유사하므로 통증이 관절 구조 중 하나에서 발생하는지 또는 다른 것으로부터 발생하는지 구별하는 데 도움이 되지 않는다. 디스크의 대부분은 신경근병증처럼 보여질 수 있는 손까지 도달할 수 있는 상지 통증을 나타내고 있다.

경추 추간판 통증의 임상 증상(Clinical manifestations of cervical discogenic pain)

임상적으로 더 잘 알려진 요추에서 일어나는 것과 달리, 경추의 내부 디스크 파열의 징후와 증상은 명확하게 정의되지 않고 있다.

임상적으로는 급성 중증 통증 발병 또는 일시적일 수 있는 진행 중인 경미한 통증으로 볼 수 있다. 급성 추간판성 통증은 깊고 광범위하며 찾기가 어렵다. 이런 통증은 일반적으로 심각하고 견디기 어렵다.

이 증상들은 후관절 활막염이 있는 대상과 유사하게 굴곡 또는 굴곡 및 측면 굽힘의 진통 자세가 뒤따른다. 그러나, 임상 양상과 발병 증상의 이력에 따라 추간판 문제인 이차적 사경(기운목)과 후관절 원인인 것의 문제를 구별하는 것은 어렵지 않다. 디스크성 사경의 발병은 일반적으로 서서히 나타나기 때문에 급성 증상이 나타나기까지 며칠이 필요한 반면, 후관절의 사경은 이를 유발한 움직임 직후 또는 몇 시간 후에 나타난다. 추간판성 통증은 일반적으로 후관절 통증보다 훨씬 더 심하고 아프며, 자주 불안감 및 기타 자율신경증상을 동반한다.

추간판성 사경에서 가동성 제한은 급성 후관절 통증과 달리 기계적이 아니라 증상의 중증도에 따른 진통 자세의 결과이다. 추간판성 통증은 자세나 움직임으로 즉시 나타나지 않지만 자극적인 움직임과 통증의 시작 사이에 특징적인 잠복기가 있다.

디스크성 통증은 광범위한데, 환자는 상부 등세모근(승모근)과 흉추 견갑골 부위의 넓은 부위를 가리키는 경향이 있다. 특히 견갑골 내측 경계에서 심한 추간판성 통증이 감지되며 대부분의 경우 목 통증은 없다. 그러나 경추가 증상을 악화시키는 곳에 위치하게 되면 경추 전체에 일반적이고 광범위한 불편감이 나타날 수 있다.

추간판성 목 통증이 있는 환자는 통증을 완화하는 자세를 찾는 데 큰 어려움을 겪는다. 특히 앉았을 때, 목이 머리의 무게를 지탱하는 자세가 증상을 악화시키는 경우가 많다. 중력이 작용하는 위치와 누운 자세 사이의 이동성의 차이를 찾는 것이 일반적이다. 눕는 것은 통증 없이 더 넓은 범위의 가동성을 허용하는 반면 중력이 있는 자세는 통증회피성보강 태도를 유발할 수 있다. 마찬가지로 차량운전 중 발생하

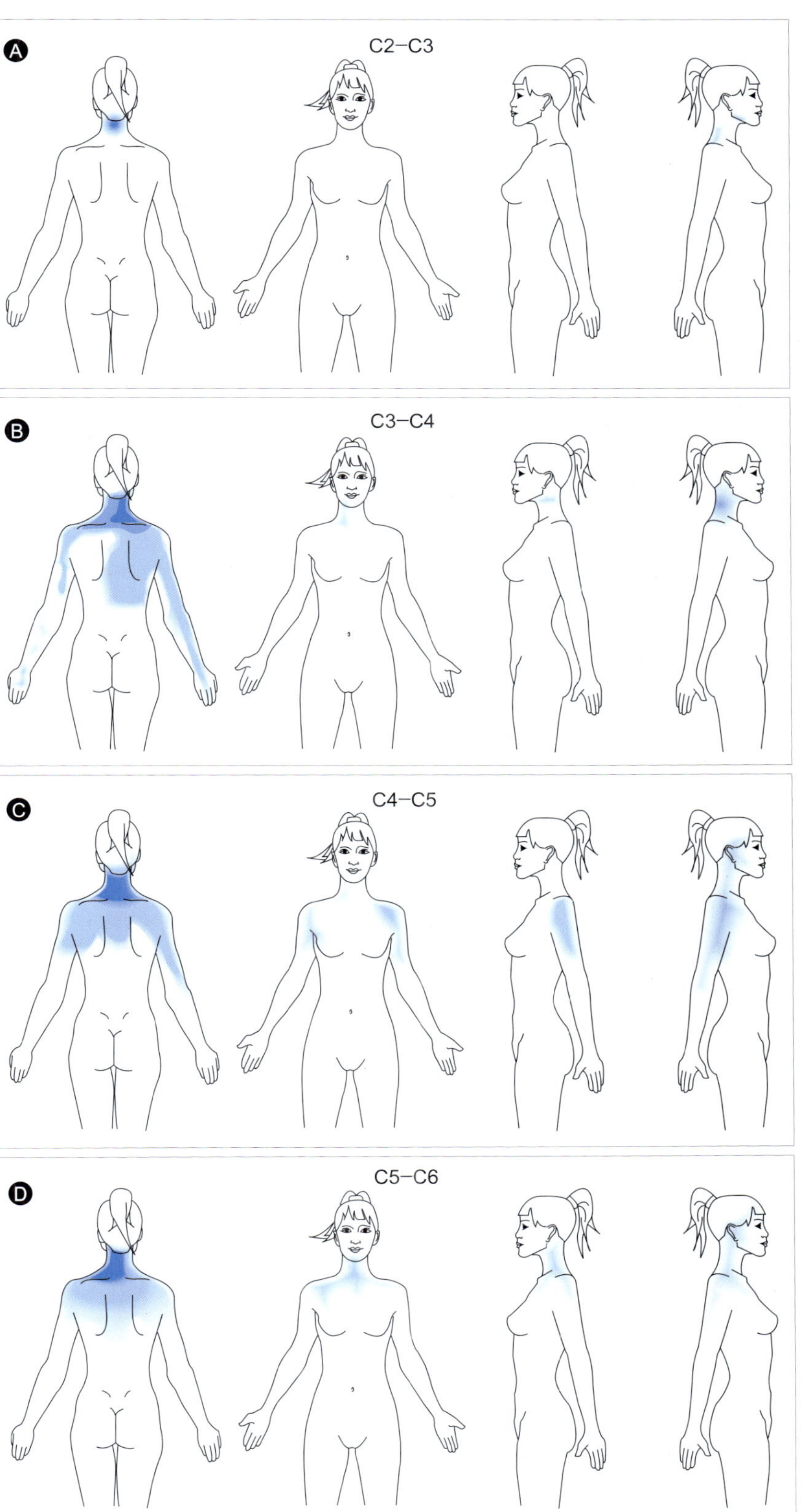

그림 1-3 ■ 추간판인성 관련 통증 패턴.
(A) 경추 2~3번 추간판인성 통증지도
(B) 경추 3~4번 추간판인성 통증지도
(C) 경추 4~5번 추간판인성 통증지도
(D) 경추 5~6번 추간판인성 통증지도
(E) 경추 6~7번 추간판인성 통증지도
(F) 경추 7번~흉추 1번 추간판인성 통증지도
(Slipman 등을 변형함[31])

계속

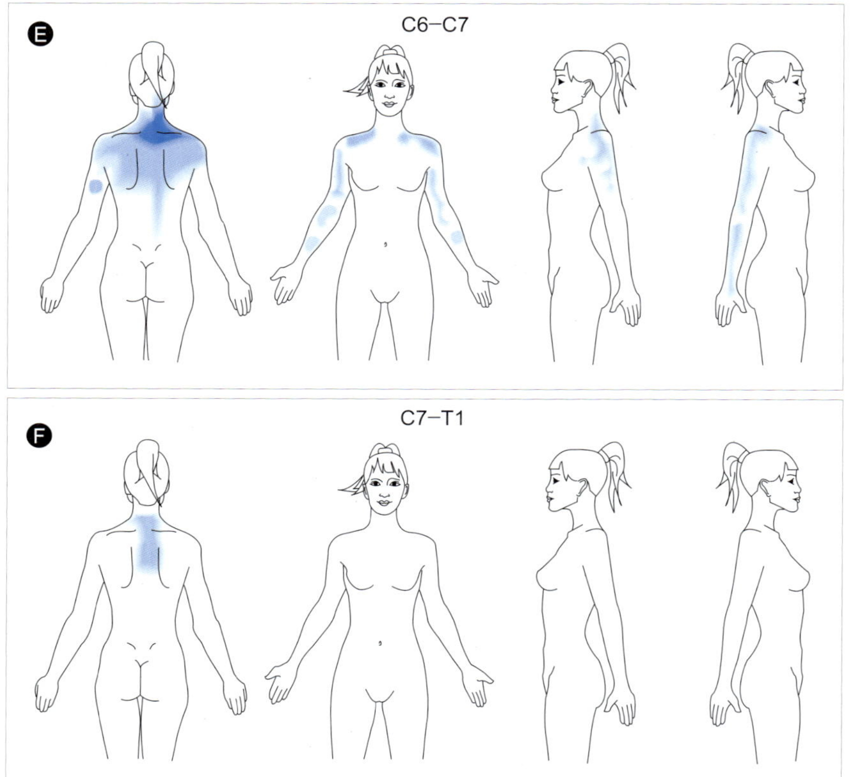

그림 1-3 ■ (계속) 추간판인성 관련 통증 패턴.

는 것과 같은 진동자극뿐만 아니라, Valsalva 검사 같은 추간판내 압력을 증가시키는 활동은 증상을 악화시킨다. 또한 방금 설명한 내부 디스크 파열의 특징 증상은 신경뿌리 구성 요소가 있는 디스크 탈출증의 근위 증상들과 유사하다. 진통 자세와 통증의 특성은 매우 유사하므로 하나의 임상 상태와 다른 상태를 구별하는 것은 근위 신경 징후와 증상의 여부에 달려있다. 경추 추간판성 통증의 진단은 종종 신경근병증의 징후가 없거나 관절돌기간 관절의 평가가 음성인 경우 배제되곤 한다. 디스크의 물리적 평가는 촉진에 대해 고통스러운 반응과 후방 관절의 유발 검사에 대한 음성적인 반응이 없는 것이 특징이다. 추간판인성 통증지도는 통증이 추간판에서 오는지 확인하는데 도움이 될 수 있다. 디스크에 조영제를 주입하여 환자의 통증을 재현하면 디스크의 원인을 확인하는데 도움이 될 수 있다(**그림 1-4**).

경추 급성 추간판성 통증의 임상적 특징

- 통증 유형: 깊고 광범위하며 찾기 어렵다.
- 통증 부위: 견갑골 내측, 대부분의 경우 목에 통증이 없다.
- 통증 강도: 심각하고 견디기 어렵다.
- 통증 잠복기
- 환자가 통증을 완화시키는 자세를 찾기 어렵다.
- 중력이 있는 자세와 누운 자세 사이의 경추 가동성의 차이
- 굽힘 또는 굽힘 및 측면 굽힘의 통증자세.
- 진행성 임상 발병
- 이동성 제한이 역학적이지 않다.
- 추간판내 압력과 진동 자극의 증가는 증상을 악화시킨다.
- 디스크표기법은 추간판성 통증의 진단에 도움이 될 수 있다.

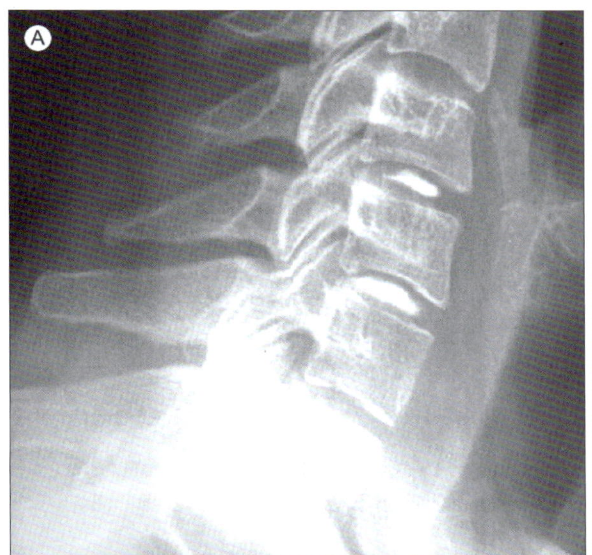

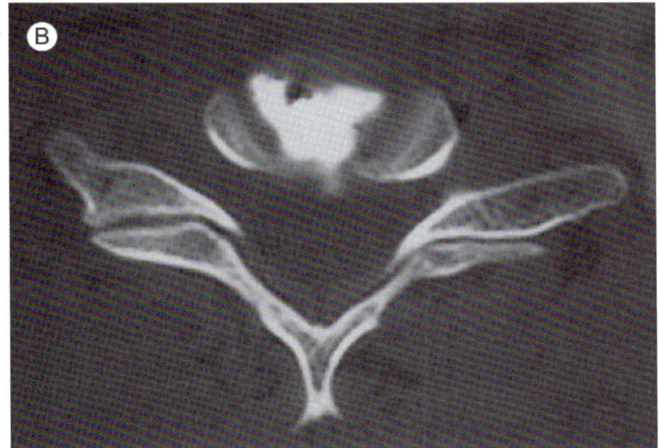

그림 1-4 ■ 경추 디스크 조영술. 측면 방사선 투사(A) 및 CT(B)에서 관상면.

경추 방사통 및 신경근병증
CERVICAL RADICULAR PAIN AND RADICULOPATHY

방사통과 신경근병증은 경추 추간판 탈출이나 외측관의 퇴행성 협착의 결과일 수 있으며 퇴행성 협착의 원인이 가장 흔하다.

두 경우 모두에서 환자가 신경근병증을 앓고 있지만 임상 증상과 그 진화에는 몇 가지 차이점이 있다. 따라서 추간판 탈출증으로 인한 신경근 발현과 외측관의 퇴행성 협착으로 인한 신경근 발현은 별도로 논의 되야 한다. 추간판 탈출증이나 퇴행성으로 인한 이차적인 신경근 징후를 설명하기 전에 '신경근병증'과 '신경근통'이라는 용어가 동의어가 아니라는 점을 지적하는 것이 중요하다. 신경근의 기계적 압박이 신경근 통증의 중요한 기전이지만, 신경근 압박은 통증 없이 나타날 수 있다. 이러한 차이는 통증 증상이 없을 수 있는 만성 신경근병증을 보이는 외측관의 퇴행성 협착증이 있는 일부 환자에서 명백하게 보인다.

경추 신경근병증의 가장 흔한 원인은
외측관의 퇴행성 협착

신경병성 통증에는 감각이상성과 신체성 신경인성의 두 가지 유형이 있다. 감각이상성 통증은 기계적 공격, 혈액 관류의 변화 또는 디스크에서 나오는 화학적 염증 자극제의 확산으로 인한 신경근 복합체의 병태생리학적 변화의 결과이다.[32-35]

신체의 신경성 통증은 신경근 복합체의 결합층에 대한 기계적 또는 화학적 자극의 결과이다.[36-38]

이러한 생리병리학적 변화는 신경 조직에서 비정상적인 자극 생성 부위(AIGS) 또는 이소성 심박 조율기 부위(EPS)의 발달에 의해 나타난다.[39] 이러한 이소성 심박조율기 부위(EPS)는 특히 후근신경절(dorsal root ganglion) 또는 국소 탈수초화 또는 구조적 손상으로 고통 받는 축삭과 같이 미엘린이 부족한 구조에서 발생한다.[40,41] 신경근복합체에서 가장 민감한 요소는 후근신경절이다. 따라서 탈출된 디스크로 인한 신경근의 직접적인 압박은 해당 신경근이 병리학적 변화나 민감도 변화를 겪을 필요가 있는 건 아니다. 실제로 염증은 기계적 자극에 대한 신경 조직 민감성이 주요 원인인 것으로 보인다.[35] 이소성 심박 조율기 부위 발달의 결과로 부상을 입거나 재생 과정에서 이들은 압박 또는 스트레칭과 같은 기계적; 신경근 복합체의 허혈과 같은 혈관; 염증 매개체 또는 노르아드레날린(노르에피네프린)과 같은 신경 전달 물질의 존재로 인한 화학적과 같은 다양한 유형의 자극에 대한 민감도가 증가하는 것을 보여준다. 이 증가된 과민성은 신경근 통증의 양상을 설명한다.

신경 뿌리는 반드시 직접적인 압박을 겪지 않고도 추간판 탈출증이 있는 경우 병리학적 변화를 겪을 수 있다.

이러한 모든 유형의 과민성 자극에는 임상적 해석이 있다. Gifford는 신경근 민감도로 인한 임상 증상을 설명했다.[42]

기계적 자극에 대한 민감성은 스트레칭이나 압박을 야기하는 움직임과 자세에서 통증이 시작되는 것으로 표현된다. 압박이나 스트레칭에 대한 이러한 신경근의 기계적 민감도는 신경근 통증의 임상적 평가에 유용하다. 스트레칭에 대한 민감도의 몇 가지 예는 팔 외전 징후와 Elvey가 설명한 상완 신경총의 신경 역학적 검사이다. 이러한 자극은 자극이 제거된 후에도 유지되는 통증의 갑작스러운 발현을 유발한다. 이러한 기계적 민감성은 일반적으로 통증이 시작될 때와 완화되는 동안 모두에서 주로 잠복기가 있다. 또한 뿌리는 허혈에 민감하다. 신경의 압박은 신경 혈액 관류를 조정 시킬 수 있다. 국소적 수소이온 농도지표(pH)를 감소에 따른 허혈은 비정상적인 자극 생성 부위에서 자극의 발현을 증가시킬 수 있다. 종종 위 내용은 신체평가하는 동안 증상을 유발하기 위해 지속적인 압박이 필요하다는 것을 설명한다.

신경근병증에는 카테콜아민에 대한 민감도도 있다. 통각수용기(nociceptor) 뿐만 아니라 후각신경원(dorsal horn neuron)에서 이소성 심박조율기 부위도 노르아드레날린에 민감할 수 있다. 체세포 축삭이 국소 탈수초화를 겪은 곳과 후근 신경절 주변의 두 곳 모두에서 연관될 수 있는 구조적 변화 중 하나는 축삭 교감 신경 새싹의 성장이다. 이것이 신경손상 후 교감적으로 유지되는 통증의 기초가 되는 주요 생리병리학적 기전이라고 추측된다. 이것은 신경근 통증의 증폭에서 불안의 잠재적인 영향을 설명할 수 있다. 신경근병증을 앓은 피험자가 수개월이나 수년 후 부하가 상황에서 상지의 감각이상 증상을 언급하는 경우는 드물지 않다. 특히 등쪽뿌리신경절(DRG)에서 변화를 일으킬 때 신경근병증은 중추신경계(CNS)의 신경 가소성 변화를 유발할 수 있으며, 이는 뚜렷한 기계과민증, 피부 감각과민 및 이질통으로 나타날 수 있으며 이는 만성 통증으로의 바뀌는 것을 유발할 수 있다.[44]

구멍의 해부학(Anatomy of the foramen)

해부학적 협착의 과정에서 겪는 변화가 일반적으로 경추 신경근병증의 원인이 되기 때문에 구멍의 해부학을 이해하는 것이 중요하다.

경추와 요추에서 신경근 압박 위치에는 차이가 있다. 요추에서는 뿌리가 외측면 함요부의 높이에 갇히는 경향이 있는 반면, 경추에서는 구멍에서 뿌리 손상이 발생한다. 특히 경추 하부 분절의 측면 관이 두꺼운 등쪽뿌리신경절(DRG)에 의해 점유되는 반면에, 경추의 측면 함요부가 넓기 때문이다.

구멍들은 타원형이며 시상 직경은 10mm, 전후 직경은 5mm 이다. 구멍은 가로돌기의 전방 결절과 후방 결절의 결합으로 만들어지는 방법으로 계속된다.

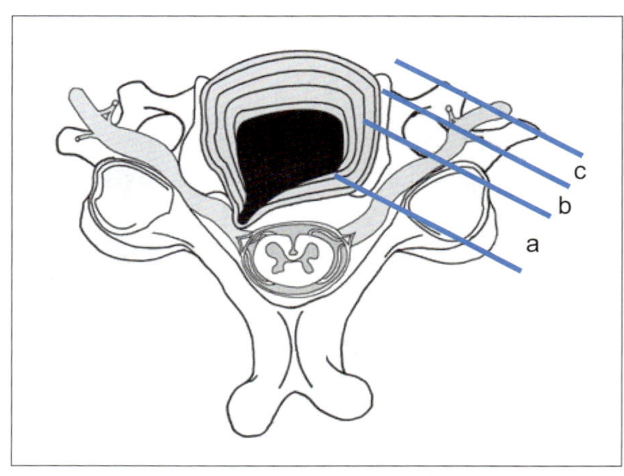

그림 1-5 ■ 외측 척추관에서 세 부분을 볼 수 있다 (a) 척추교(두 인접 척추경 사이), (b) 척추후방(척추동맥 뒤) 및 (c) 횡단(가로돌기에 의해 형성된 척추관).

외측 척추관에서 척추교(인접한 두 척추경 사이), 척추 뒤(척추 동맥 뒤) 및 횡단(가로돌기에 의해 형성된 채널)의 세 부분으로 구분할 수 있다(**그림 1–5**).

구멍의 첫 번째 부분에서 분리된 배쪽 뿌리와 등쪽 뿌리를 찾는다. 두 번째에서는 등근 신경절이 발견된다. 그리고 세 번째에서 척수 신경이 위치하며, 이는 전방 및 후방 1차 가지 사이에 즉시 분할된다.

추간공의 직경은 경추가 취하는 위치에 따라 확대되거나 축소된다. 굴곡 및 반대측 회전은 크기를 증가시키고 신전 및 동측 회전은 감소시킨다[45] (**그림 1–6**).

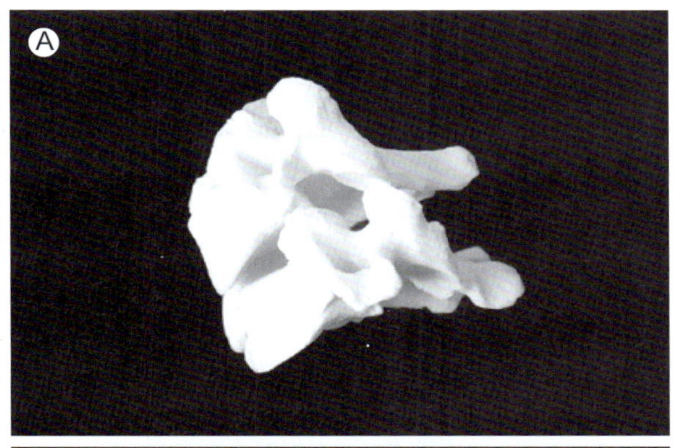

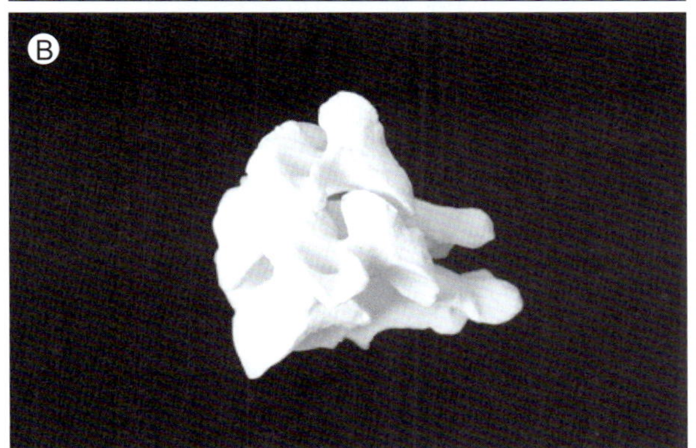

그림 1–6 ■ 추간공의 직경은 경추의 위치에 따라 확대되거나 축소된다. 굴곡 및 반대측 회전은 크기를 증가시키는 반면(A) 신전 및 동측 회전은 크기를 감소시킨다(B).

구멍의 신경 요소

(Neural elements of the foramen)

구멍 내부에 위치한 신경근 복합체는 외부 외상으로부터 비교적 잘 보호된다. 따라서 콜라겐 함량이 말초 신경보다 낮을 가능성이 크다. 이것은 신경주막이나 신경내막이 없으며 신경근 소매로 알려진 얇은 결합 및 투과성 층으로 덮여 있다. 결합 조직의 양이 적으면 인접 구조의 압박을 받기 쉬워진다.[46] 경추의 등쪽 뿌리 신결정(DRG)는 척수 신경보다는 기계적 자극에 더 취약하다.

신경근복합체는 구멍 표면의 20~50%를 차지하며 [47,48] 구멍의 아래쪽에 위치한다(**그림 1–7**).

나머지 표면은 지방, 경막외강과 연속되는 정맥 신경총, 재발성 수막 신경으로 채워져 있다. 하부 경추 신경근은 상완 신경총에서 가장 두꺼우며, 구멍이 더 좁아지는 경향이 있어 이곳에서 신경근병증의 높은 발병률을 설명할 수 있다.

> 하부 경추에서 신경근병증의 발생률이 높은 것은 하부 경추의 신경근이 상완 신경총에서 가장 두껍고 구멍이 더 좁아지는 경향이 있기 때문일 수 있다.

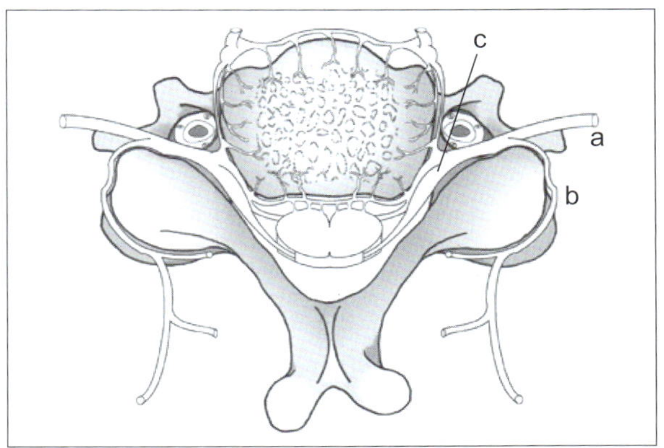

그림 1–7 ■ 3가지 신경 요소는 신경근 복합체와 척수 신경에서 나온다. 전방 1차 가지(a), 후방 1차 가지(b) 및 재발성 수막신경(c).

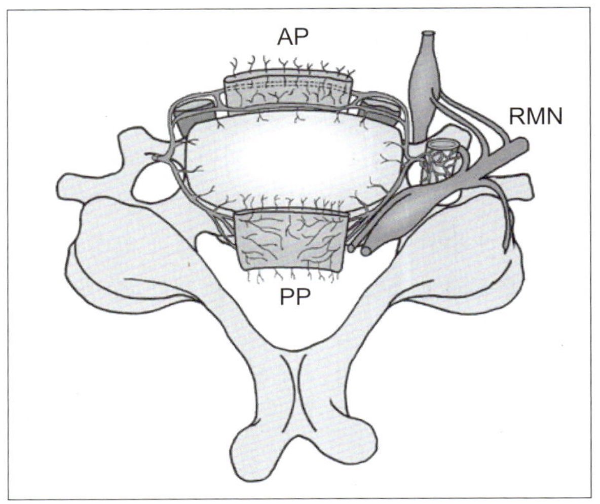

그림 1-8 ■ 회귀성 수막신경(RMN)은 척수신경공(foramen)에서 나오는 것과 같이 척수신경의 전방일차가지에서 기시하여 후방종인대(PLL)를 동반하는 후방신경총(posterior plexus, PP)을 구성한다. AP, 전방 신경총.

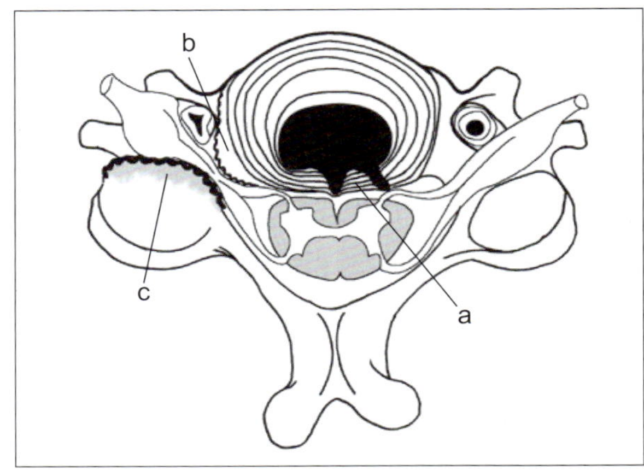

그림 1-9 ■ 앞 방향으로는 추간판(a)에 의해, 구상돌기의 골극(b)에 의해, 후방으로는 척추뼈 관절돌기간 관절의 퇴행성 비대(c)에 의해 구멍의 뿌리 압박은 발생할 수 있다.

전방일차가지(anterior primary ramus)와 후방일차가지로 빠르게 분할되기 때문에, 척수신경은 길이가 몇 밀리미터에 불과하다. 경추 4번-흉추 1번의 전방 1차 가지가 상완 신경총의 형성을 결정한다. 추간판과 관련된 통증에서 매우 중요하게 나타나는 세 번째 신경은 동척추신경(sinuvertebral nerve) 또는 회귀성 수막신경(recurrent meningeal nerve)이다.[11,12,49] 회귀성 수막신경은 척수 신경이 구멍에서 나오자 마자 척수 신경의 전방 일차 가지에서 시작된다(**그림 1-8**). 이것은 교감신경계로부터 회색가지 교감신경(gray ramus communicans)을 통해 섬유를 받고 다시 구멍으로 들어가 후방종인대(posterior longitudinal ligament, PLL), 섬유륜, 경막외혈관, 경막 및 척추골막과 같은 척추중심관의 전방 구조를 자극한다. 이 신경의 자율 구성 요소는 디스크 손상을 자주 동반하는 자율신경 증상을 설명한다.[50]

신경근 압박(Radicular compression)

구멍에 있는 뿌리의 압박은 앞쪽 부분에서 추간판과 구상돌기의 골극에 의해, 또는 뒤쪽 부분에서 관절돌기간 관절의 퇴행성 비대에 의해 유발될 수 있다[51](**그림 1-9**).

신경근의 압박은 신경 섬유, 결합 조직 및 혈관 이 모든 구성에 영향을 준다. 만약 신경근 조직들이 기계적 변형에 적응하는 능력을 초과하면, 기능적 및 구조적 변화를 겪을 것이다.

신경근의 기능적 변화는 신경 섬유 구멍의 압박의 결과일 뿐만 아니라, 혈관 형성과 축삭 전달 시스템에 대한 압박의 결과이기도 하다. 신경근은 말초 신경보다 혈관 변화에 더 민감하다. 구멍의 공간을 줄이는 것은 무엇이든 신경을 따라 흐르는 혈류 압력의 변화를 변경하는 경향이 있다. 공간을 차지하는 물질은 부종이나 돌출된 디스크 물질처럼 일시적이거나 골극처럼 영구적일 수 있다.[52,53]

구멍 신경근의 압박은 신경근의 직접적인 압박의 영향뿐만 아니라 혈관 형성 및 축삭 수송 시스템에 대한 압박의 영향으로 인해 기능적 변화를 결정할 수 있다.

뿌리, 특히 등쪽뿌리신경절(DRG)에는 말초신경의 신경내막의 모세혈관 벽과 같은 혈액 확산 장벽이 없다. 따라서 등쪽 뿌리 신경절의 미세 혈관 투과성이 더 높다. 이러한 해부학적 특성은 기계적 압박의 결과로 등쪽뿌리신경절(DRG)이 부종을 일으키는 경향이 있다. 부종은 관절 내 및 관절 주위 섬유증을 유발하여 신경 섬유에 구조적 손상을 일으킬 수도 있다.

신경근의 기능적 완전성을 유지하는 것은 부분적으로 축삭 수송 시스템, 전방 및 역행 시스템에 의해 수행된다. 만성 압박은 뉴런에서 영양적 역할을 하는 이러한 수송 시스템을 변경할 수 있으며 악화로 이어질 수 있다. 또한, 축삭 수송 시스템은 통증을 유발하는 물질 및 신경 펩티드의 합성과 관련이 있기 때문에 통각에 관여한다. 특히, 등쪽 뿌리 신경(DRG)은 물질 P 및 칼시토닌 유전자 관련 펩티드와 같은 신경 펩티드의 합성뿐만 아니라 축삭 수송 시스템에 의해 중추 및 말초로 수송되는 기타 물질의 합성에 중요한 장소이다.

압박의 결과는 압박이 가해지는 구조에 따라 달라진다. 신경근의 급성 압박은 단지 몇 초간 반복된 방출을 생성하지만 이것이 등쪽 뿌리 신경(DRG)에 가해질 때, 몇 분 동안 축삭 활동에 더 폭넓은 반응이 야기된다. 신경근이 염증 과정이나 지속적인 자극을 받으면 민감해지고 압축될 때 지속적이고 반복적인 방출을 유발할 수 있다. 이러한 관찰은 신경 구조의 자극이 통증과 관련된 신경 생리학적 반응의 전제 조건인 이유를 설명할 수 있다.

신경근에 대한 만성적 압박은 탈수초화, 신경 섬유의 퇴행 및 재생, 등쪽뿌리신경(DRG) 위축과 같은 구조적 변화를 유발할 수 있다.[41]

또한 신경근 기능에 미치는 압박의 영향은 압박을 받는 섬유의 유형에 따라 달라진다. 따라서 운동신경근의 기능은 감각신경근의 기능보다 압축 해제 후 더 빠르고 완전하게 회복될 수 있다.

추간판 탈출증에 의한 경추 신경근병증 (Cervical radiculopathy by a disc herniation)

추간판 탈출증으로 인한 경추 신경근병증의 임상 양상은 요추에 비해 현저한 차이가 있다.

이러한 차이점은 외부 형태와 내부 구성, 신경 요소와의 관계 모두에서 경추 추간판의 상이한 해부학과 관련이 있다. 그러나 요추 디스크에 대해 수행된 많은 연구와 달리, 경추 추간판의 형태와 생화학을 조사한 연구는 거의 없다. 지난 몇 년 동안 경추 추간판 수술의 중요한 발전을 고려하면 이것은 흥미로운 상황이다.

경추 추간판의 해부학적 구조에 대한 새로운 기여는 요추 추간판과 경추 추간판 사이에 현저한 형태학적 차이가 있음을 보여주기 때문에, 경추 추간판이 겪는 병리학적 또는 퇴행성 변화에는 다른 해석이 필요하다. 경추 추간판의 수핵은 젤라틴 같은 일관성을 갖지 않지만[54-58] 섬유 연골 조직의 코어에 의해 형성되며, 섬유연골조직은 성인의 구상돌기 관절의 발달로 인해 전후 직경의 2/3로 분할되어 종종 섬유연골의 고립된 긴 조각을 남긴다.[59-61]

따라서 추간판 수핵 탈출은 심각한 외상 사고를 제외하고는 요추의 경우보다 빈도가 적다. 추간판 탈출증이 발생하면 일반적으로 후외측인 요추와 대조적으로 후내측에서 발생하는데, 이는 구상돌기가 실제 해부학적 장벽처럼 행동하여 추간판이 이 방향으

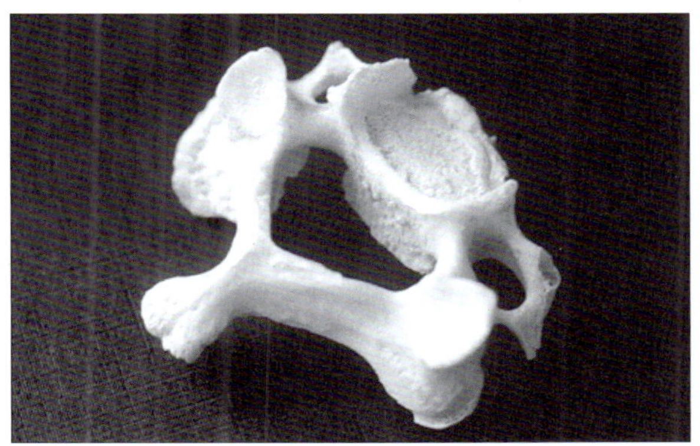

그림 1-10 ■ 구상돌기는 해부학적 장벽으로 작용하여 추간판 물질이 후외측으로 이동하는 것을 어렵게 만든다.

로 이동하는 것을 어렵게 하고 따라서 신경근 통증은 경추에서 덜 나타난다(**그림 1-10**). 중년의 개인에서는 척추관에서 골극이 동반되는 섬유륜의 돌출이 관찰되는 경우가 많다.

- 경추 추간판 핵 탈출증은 요추보다 빈도가 적다.
- 경추 추간판 탈출증은 일반적으로 후외측인 요추 탈출증과 달리 대개 후내측이다.
- 중년의 경우 척추관의 골극을 동반한 섬유륜의 돌출이 자주 관찰된다.

경추 추간판 탈출증
(Cervical disc herniation)

경완 통증과 추간판 탈출증 사이의 관계에 대한 인식은 비교적 최근에 이루어졌다. 1943년 Semmes와 Murphey[62]는 상완통이 경추 추간판 탈출증에서 파생될 수 있음을 보여주었는데, 이는 좌골신경통과 요추 추간판 탈출증 사이의 관계에 대해 Mixter와 Barr[63]가 고전적인 연구를 발표한지 거의 10년 후이다.

1950년대에 경추 추간판 수술이 발전하기 시작했다. 1955년에 Robinson과 Smith[64]는 전방 추간판 제거 기술을 설명했다. 그 이후로, 관절고정술과 관련된 이 접근법의 다양한 변형이 개발되었으며, 경추 추간판 탈출증의 치료를 위한 후궁 절제술 및 후궁 성형술과 같은 후방 접근법도 개발되었다. 그러나 지난 수십 년 동안 경추 디스크 수술의 실행이 크게 증가했다. 이것은 수술 적응증의 확장, 기술을 알고 있는 더 많은 외과의사 수, 특히 진단 영상 기술의 발전에 의해 촉진되었다.

경추 추간판 탈출증은 흔하지 않다. 증상이 있는 경추 추간판 탈출증과 요추 추간판 탈출증의 비율은 1:10[65] 이다. 그러나 자기공명영상(MRI)에 대한 과도한 진단 의존도는 현재 추간판 탈출증을 과잉 진단하는 상황을 초래하고 있다.[66] 자기공명영상을 주의해서 해석하지 않으면 신경 구조를 손상시키지 않는 작은 후방 돌출이 외과적 절제를 해야 하는 추간판 탈출 진단으로 이어질 수 있다.

경추에서 추간판 탈출증과 같은 추간판의 병리학적 변화는 각자 일생 동안 경추 추간판에 나타나고 병리학적 중요성이 없는 무의미한 변화로 자주 오인될 수 있다.[67-69] 사실, 요추와 경추 추간판의 구별되는 측면 중 하나는 경추 추간판이 나이가 들면서 상당한 퇴행성 변화를 겪는다는 사실이다. 모두에게 보편적인 이러한 변화는 종종 병리학적 변화와 구별하기 어렵다.

경추 추간판의 자연적 진화를 무시하는 것은 신경근병증의 원인으로 각자 일생 동안 추간판의 정상적 구조변화로 간주될 수도 있다. 이러한 상황은 각자의 삶 동안 추간판의 정상적인 구조적 변화를 신경근병증의 원인으로 간주하도록 이끌 수 있다.

진단 영상은 이것이 신경 조직의 압박이나 자극의 결과인지, 증상이나 징후와 관련이 있는지 여부와 상관없이 병리학적으로 간주되어야 한다. 따라서 신경근 징후 또는 증상이 있는 모든 환자에 대한 철저한 임상 평가는 요추보다 경추에서 더 중요하다.

지적한 바와 같이 경추 추간판성 신경근병증은 요추 추간판 탈출증으로 인한 것보다 빈도가 적다. 이 상황은 신경근의 방향 및 구상돌기의 존재라는 해부학적 사실에 의한 것이다.

경추 4번~경추 8번의 신경근은 척추체와 같은 높이에 있는 척수에서 기시하므로 요추에서와 같이 추간판 근처를 지나가지 않으면서 비스듬히 아래쪽으로 향하지 않고 옆으로 향하게 된다. 따라서 척추체와 구상돌기관절 뒤로 내려가고 추간판 높이에서 4-8mm 아래로 구멍의 아래쪽에 위치하기 때문에 더 잘 보호된다. 구상돌기의 이러한 방식으로 추간판 물질의 이동에 대한 해부학적 장벽으로 작용한다. 이러한 해부학적 차이로 인해 경추 추간판 탈출증은 요추의 탈출증보다 빈도가 적다. 그러나 추간판 탈출증에 대한 이러한 해부학적 보호는 척추체 또는 구상돌기에서 퇴행성 변화가 발생할 때 외측관 협착을 촉진할 수 있다.

추간판 탈출증의 분류

경추 추간판 탈출증은 그 성질, 생성 기전, 위치 및 종인대와의 관계에 따라 분류할 수 있다.

성질. *(a) 핵 또는 연조직 탈출.* 탈출은 섬유륜의 균열을 통해 나오는 수핵의 물질에 의해 형성된다. 이러한 유형의 탈출이 더 자주 발생하는 분절은 경추 5번~6번 또는 경추 6번~7번 사이이다. 요추에서 발생하는 것과 달리 이러한 유형의 탈출은 경추에서 가장 많이 발생하는 유형은 아니다[72](**그림 1-11**).

(b) 환상 또는 강성 추간판 탈출. 골극 연장과 연관될 수 있는 것은 섬유륜의 후방 돌출이다. 섬유륜의 후방 돌출은 추간판 퇴행과 그에 따른 높이 감소의 결과이다. 이것은 경추에서 발생하는 가장 흔한 유형의 돌출이며, 무증상이거나 신경근의 손상을 동반한 외측관 협착증에 기여하거나 중심관 협착증 및 경추 척수병증의 발병에 기여할 수 있다. 드문 경우지만 이러한 유형의 탈출은 단독으로 구멍(척추공)의 협착을 유발할 수 있음을 알아야만 한다.

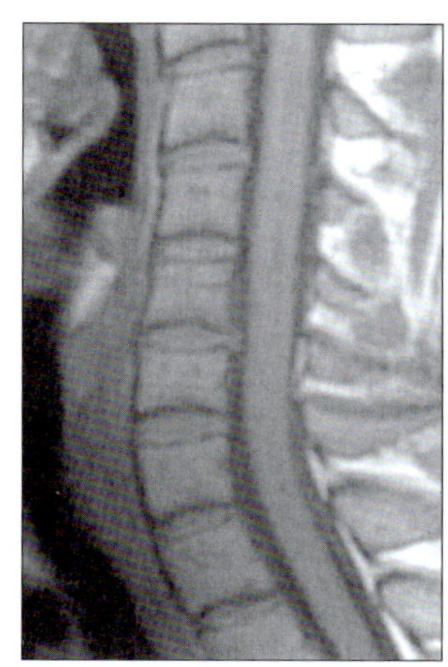

그림 1-11 ■ 이런 자기공명진단(MRI)에서 연성 추간판 탈출증을 볼 수 있다. 이러한 유형의 탈출은 요추보다 경추에서 덜 일반적이다.

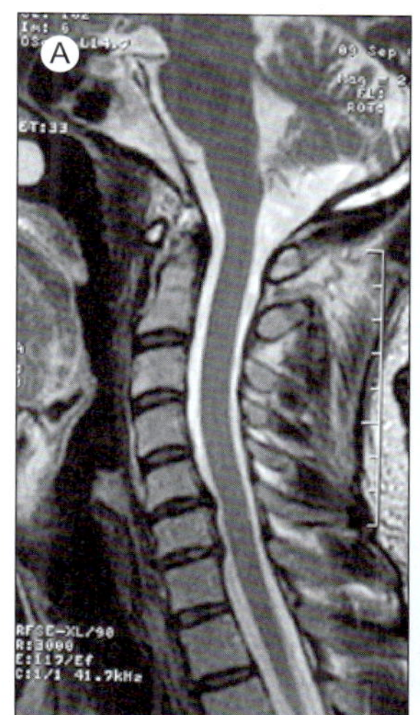

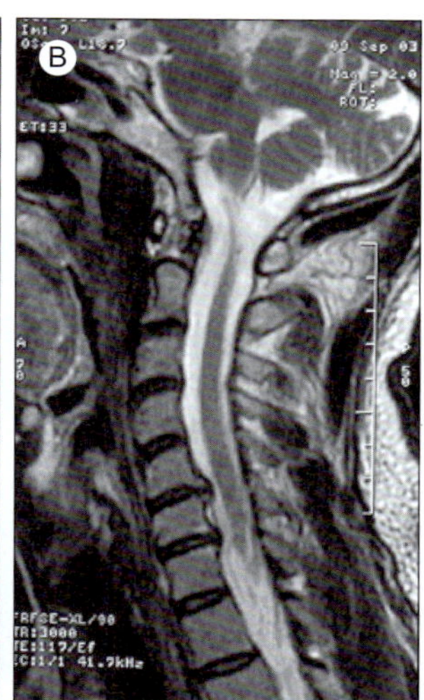

그림 1-12 ■ 이런 자기공명진단(MRI)에서 강성 추간판 탈출증을 볼 수 있다. 이것은 섬유륜(A)의 후방 돌출을 가지고 있으며 자주 후방 골극(B)과 연관된다.

이것이 발생하기 위해서는 후방외측 가장자리와 구상돌기 및 후방 관절에서 골극이 발달하여 척추체에 더 많은 퇴행성 변화가 필요하게 된다(**그림 1-12**).

최근까지 추간판 탈출증에 관여하는 물질은 핵과 섬유륜 뿐이라고 생각되었다. 그러나 Kokubun 등 연구에 의해 입증된 것처럼 경추에서 탈출은 연골 종판의 탈출된 물질 부분을 포함하여 연골 종판의 박리와 관련될 수 있다.

생산기전. (a)*급성 외상성 디스크 탈출증.* 이것은 섬유륜의 외상성 파열의 결과로 발생하며 종종 상당한 양의 디스크 물질이 유출됨을 의미한다. 이를 위해서는 경추 편타 손상과 같은 심각한 외상이 있어야 한다. 신경학적 징후 및 증상과 관련된 심한 통증의 빠른 발현이 증상의 특징이다.

(b)*아급성 추간판 탈출증.* 임상 증상은 작은 과부하 또는 경미한 외상의 결과로 서서히 나타난다. 이것은 만들어지는 가장 빈번한 방식이며 추간판의 퇴행성 변화가 있는 개인에게 나타난다. 추간판 물질의

돌출은 구상돌기 및 후관절 퇴행성 변화로 인해 이전에 협착된 측면관을 더욱 감소시킨다.

위치. 추간판 탈출증은 경추 5번~6번 및 경추 6번~7번 분절에서 더 자주 발생한다. 이 상황은 이러한 분절의 높은 이동성과 경흉추에 대한 근접성 및 경흉추의 이동성 감소와 관련이 있는 것으로 보인다.[50,74] 척추관에서의 위치에 따라 다음과 같이 분류할 수 있다.

(a) *후내측.* 증상이 있을 수 있지만, 일반적으로 신경근병증으로 이어지지는 않는다. 만약 부피가 상당하고 척추중심관의 시상 직경이 감소하면, 척수증성 징후를 유발할 수 있다.

(b) *후외측.* 그들은 신경근 복합체에 영향을 미치고 운동 및 감각 결손 징후를 유발할 수 있다.

(c) *척추 구멍.* 척추 구멍은 외측 강에서 사용 가능한 공간의 감소에 대한 원인이 되고 따라서 신경근 징후의 존재에 대한 원인이 된다(**그림 1-13**).

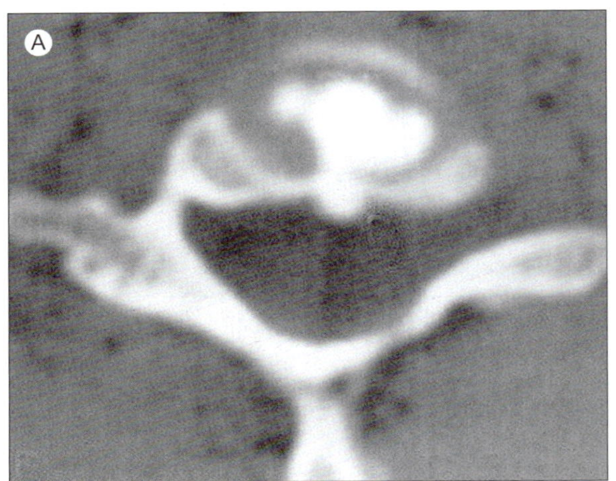

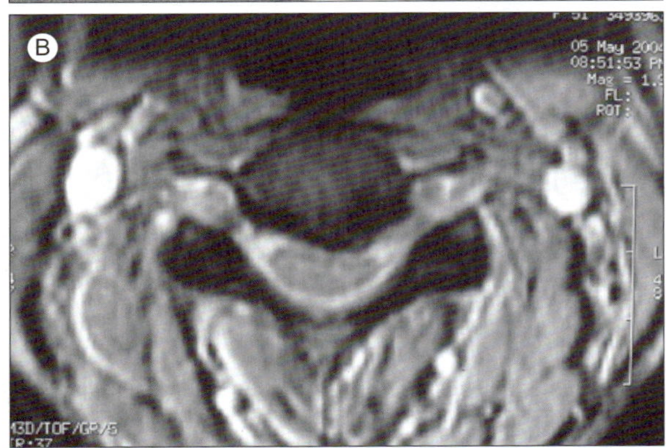

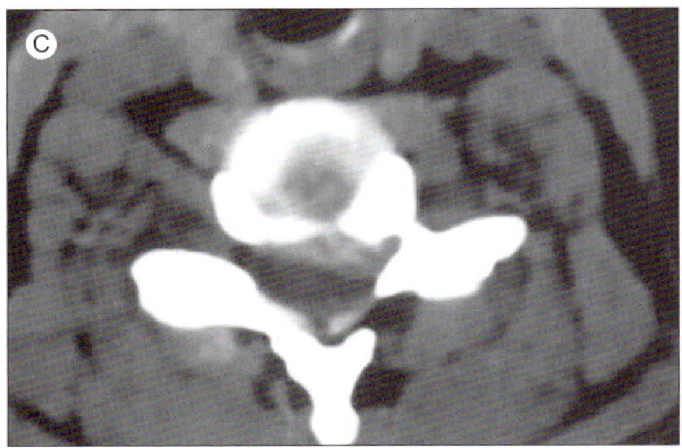

그림 1-13 ■ 디스크 조영술의 후내측 추간판 탈출증(A) 및 자기공명영상장치, MRI(B) 및 컴퓨터단층촬영, CT(C)의 후내측 추간판 탈출증.

핵 물질과 섬유륜 사이의 관계.[75] (a) 돌출. 돌출은 척추 형태의 제한을 넘어서는 국소 탈출을 의미하지만, 섬유륜의 가장 바깥쪽 섬유 내에 국한된다. 따라서 핵과 추간판 외 공간 사이에는 접촉이 없다.

(b) *압출.* 섬유륜과 후방종인대(PLL)의 제한을 넘어서는 물질의 방출이 있다. 핵의 물질은 경막외강으로 이동하지만 추간판과의 접촉을 유지한다.

(c) *격리.* 압출된 추간판 물질의 조각이 추간판과 접촉하지 않는다.

추간판 탈출로 인한 경추 신경근 통증
CERVICAL RADICULAR PAIN DUE TO DISC HERNIATION

추간판 탈출증 환자가 겪는 통증의 원인은 체성 또는 신경근성일 수 있다. 추간판성의 체성 관련 통증은 신경근성 통증과 유사한 분포를 가지고 있다. 따라서 통증 분포의 패턴은 이들을 구별하기에 충분하지 않다. 그것들을 구별할 수 있는 유일한 측면은 신경근병증의 징후와 증상의 존재이다.

추간판 병리학의 특별한 특징은 돌출된 물질의 양과 통증의 중증도 사이에 직접적인 상관관계가 없다는 사실이다. 최근까지 신경근 통증의 생리학적 기전은 신경근의 압박과 기계적 변형에 의해 직접적으로 발생하는 것으로 여겨졌으나, 이 기전으로는 추간판 탈출증으로 인한 신경근 통증을 설명하기에는 불충분하다. 사실, 압출된 물질이 척수신경에 물리적인 압력을 가하지 않는 것을 수술에서 관찰하는 것은 드문 일이 아니다. 추간판 손상이 신경 조직을 물리적으로 압박한다는 개념은 임상 진료에서 관찰되는 추간판 손상의 대부분을 설명하지 못한다.[76]

기계적 압박을 야기하는 더 큰 추간판 탈출증이 통증을 만드는 유일한 기전이 아니기 때문에 작게 돌출된 추간판 탈출증은 많은 통증과 신경근에 심각한 구조적 손상을 일으킬 수 있다. 국소 마취제로 시행된 수술은 기계적 부하를 받을 때 신경근이 염증의 징후를 보일 때만 통증 반응을 유도하는 것으로 나타났다.[40,77]

따라서 신경근 통증에는 2차적 조직 변화가 수반되어야 한다. 더욱이, 임상적 관찰은 격리된 추간판이 종종 추간판 탈출을 갖는 것보다 더 확연한 신경근 통증과 관련이 있음을 보여준다. 이러한 관찰은 압축 기전없이 수핵과 신경근의 접촉만이 전도 속도를 변경하고 슈반 세포에서 조직학적 변화를 일으킬 수 있다는 것을 보여주는 실험 연구와 일치하며, 이는 인간의 추간판 탈출에서 볼 수 있는 것과 동일하다.[32,78-85] 이러한 연구로부터 신경압박은 신경근 통증과 관련이 있지만, 신경근 복합체가 겪는 변화에서 가장 중요한 측면을 구성하지 않는다는 결론을 내릴 수 있다.[32,83,86-88]

지난 몇 년 동안 수행된 연구에 따르면 신경근 통증과 신경근병증은 핵 물질의 자극적이며 신경 독성과 관련이 있다. 자가 수핵의 경막외강에서의 실험적 적용은 염증반응뿐만 아니라 신경근과 등쪽뿌리신경(DRG)의 기능적 및 구조적 변화를 유도한다.[96]

수핵은 축삭 성장을 차단하여 축삭에 직접적인 신경 독성 효과를 나타낸다.[97] 이러한 신경근의 변화는 수핵 적용 후 24시간 후에 볼 수 있으나 섬유륜 조직을 적용할 때는 이러한 효과가 관찰되지 않는다.

핵으로 인한 신경 전도의 변화는 수핵 적용 후 처음 24시간 이내에 적용되는 경우 고용량의 메틸프레드니솔론을 정맥 주사함으로써 완전히 근절될 수 있다.[94,98] 이 관찰은 신경근의 구조적 악화를 최소화하기 위해 급성 신경근병증에서 코르티코이드 투여를 정당화해준다. 수핵의 신경 독성 작용은 자기 공명에서 또는 수술 중에 돌출된 추간판 물질이 관찰되지 않더라도 가장 바깥쪽 고리의 최소 균열에 의해 발생할 수 있다. 이것은 명백한 추간판 탈출증 없는데도 어떻게 신경근병증과 신경근 통증이 가능한지를 설명해줄 것이다. 임상적 및 실험적 증거 모두 수핵에 의한 신경근의 생화학적 자극이 신경근 통증의 생성 기전에 중요한 역할을 한다는 것을 나타낸다.

지난 몇 년 동안 신경근의 신경성 염증을 담당하는 화학적 및 면역학적 매개체에 대한 연구에서 상당한 진전이 있었다. 이러한 염증 및 면역 매개체는 신경근의 증상과 기능적 변화 모두에서 중요한 역할을 한다. 추간판 탈출증으로 인한 방사통과 신경근병증은 돌출된 수핵이 신경근 복합체와 접촉할 때 방출되는 염증유발 사이토카인 및 염증 물질의 신경독성 작용의 결과이다.[32-34,78,99-113] 이 염증성 및 면역학적 반응은 경추 추간판 탈출증의 자발적 퇴행으로 이어진다. 처음에는 이 현상이 흔하지 않은 것으로 생각되었지만,[114] 오늘날 우리는 이것이 실제로 추간판 탈출증의 자연적인 진화에 해당한다는 것을 알고 있다.[88] 최근 몇 년 동안, 많은 연구에서 경추 추간판 탈출증이 대부분의 환자에서 점진적으로 사라지는 방향으로 발전한다는 것이 입증되었다.[52,88,115-123]

- 추간판 탈출증으로 인한 방사통과 신경근병증은 돌출된 수핵이 신경근 복합체와 접촉할 때 방출되는 염증유발 사이토카인 및 염증 물질의 신경독성 작용의 결과이다.
- 이 염증성 및 면역학적 반응은 경추 추간판 탈출증의 자발적 퇴행으로 이어진다.

추간판 탈출증의 퇴행은 후방세로인대(PLL)과 관련된 상황에 따라 달라지며, 경막외강에 노출된 돌출된 추간판에서 더 두드러진다. 실제로 추간판이 더 많이 돌출될수록 볼륨 감소는 더 중요하다[52,117,119,124].

이 염증 반응의 기초는 핵과 같은 무혈관 조직과 신경근과 같이 혈관이 상당히 발달된 다른 조직 사이의 접촉이다. 이 염증 반응은 돌출된 추간판 물질의 신생혈관을 유발한다.[125-127]

이 신생혈관은 대식세포 활동을 수반하며, 이는 추간판 탈출증의 크기 감소에 영향을 준다.[125,126,128-133] 핵과 고리의 물질을 동반하는 어떤 경우에는 연골 종판 조각들은 이러한 재흡수 과정을 거치지 않으며 심지어 신생혈관 과정을 방해할 수 있다.[117,131,134,135]

탈출된 핵 물질 주변의 신생혈관 과정은 조영제를 사용한 자기공명영상장치(MRI)의 T2 배열에서 고강도 영역을 결정한다. 탈출된 조각에 의한 조영제 흡수는 섬유륜에 연속성 용액이 있는 지점에서 염증에 다음으로 화학적 신경근병증을 시사한다.[136] 혈관 신생의 이 명백한 징후는 긍정적인 예후와 관련이 있다. 그러나 주로 요추 추간판 탈출증에서 관찰되었다.

Saal 등[86]은 요추에서 발생했을때, 탈출된 추간판 탈출증은 내재된 탈출증보다 더 긍정적인 예후를 보인다는 점을 강조했다. 개념적으로 이것은 포함된 추간판이 수핵 탈출과 생리학적으로 다른 임상적 실체라는 전제와 일치한다.

치료적 관점에서 실험적으로 유도된 추간판 탈출증으로 인한 전도의 변화는 7일째에 최고조에 이르렀다가 완전히 회복되는 두 번째 달까지 회복되기 시작한다는 점을 이해하는 것은 흥미롭다. 따라서 신경근병증은 대개 1~2개월 내에 자연스럽게 회복되는 경향이 있다.[87,88]

결론적으로, 추간판 탈출증의 치료에 있어 필수적인 측면은 특히 최근 연구에 비추어 볼 때 돌출된 경추 추간판 탈출증이 자연적으로 퇴행한다는 것을 보여주는 자연사를 아는 것이다. 추간판 탈출로 인한 방사통 및 신경근병증은 경막외강의 신경 조직과 수핵의 접촉에 의해 유도된 면역 및 염증 과정의 결과이다. 신생혈관형성 및 후속적인 식균작용은 추간판 물질의 신경독성을 억제하고 디스크 물질의 분해를 유도한다.

대부분의 경우 추간판 탈출증이 근절되어야 한다고 주장했던 과거의 중재술적 태도와 달리, 오늘날에는 압출된 추간판 탈출증이 점진적으로 퇴행한다는 증거가 있다. 탈출된 디스크 물질의 점진적인 소실은 디스크 탈출로 인한 신경근병증의 무해한 자연적 진화를 의미한다.

최대 75%의 자연 회복률과 함께 이 상태의 유리한 장기 예후와 크기 감소 및 진행성 소실에 대한 영상 연구의 입증은 예외적인 경우를 제외하고는 수술을 정당화하지 않는다.[88,117,137]

추간판 탈출증으로 인한 신경근병증은 증상의 적절한 조절이 유지되고 신경학적 악화가 방지되는 한 긍정적으로 발전하는 경우가 많다.

따라서 추간판 탈출증으로 인한 경추 신경근병증은 대부분의 경우 긍정적인 자연적 진화를 보이는 자가 제한적 상태이다. 대규모 역학 연구에 따르면, 5년의 추적 기간 동안 환자의 거의 90%가 무증상이거나 약간만 통증이 있는 것으로 나타났다.[138]

일반적으로 신경근 통증은 신경근 자극의 원인이 되는 압출된 물질의 분해 결과로 몇 주 안에 사라진다.[139]

그러나 그럼에도 불구하고 외과적 치료를 선택하는 경우가 많다. 전통적으로 이 결정은 2주에서 8주 사이의 비수술적 치료 후에도 신경학적 결함 증상과 심한 통증 또는 통증이 지속되는 경우에 내려졌다. 사용되는 비수술적 치료의 유형은 다양한 불특정 방법들로 제한적이다.[140] 이러한 방식으로 반복적인 자기공명영상(MRI) 검사를 통해 돌출된 추간판 조각이 사라지거나 크기가 크게 감소하여 신경 요소를 압박하지 않는다는 것을 이해하고 확인할 수 있게 되었을 때, 돌출된 추간판 탈출증은 정당하지 않은 이유에서 명백한 외과적 징후로 간주되어 왔다.[52,88,114,116,117,121]

최근까지 진행된 경추 신경근병증의 비수술적 치료와 수술적 치료를 비교한 연구에서는 비수술적 치료가 외과적 개입의 단점과 위험 없이 동일한 수준의 효율성을 보이는 것으로 나타났다.[86,142-146] 현재 대부분의 저자들은 근위축증이 있더라도[86,142-144,146-150] 추간판 탈출증과 외측관 협착증으로 인한 경추 신경근병증에 대해 비수술적 치료를 권장한다.[117]

한가지 예로, Saal 등[86]의 연구에서 추간판 탈출증 환자 24명 중 특정 물리치료, 견인 및 비스테로이드성 소염제를 기반으로 한 보존적 치료 후 20명이 좋거나 우수한 결과를 보였다는 것을 보여주었고, 이는 보존적 치료를 받는 환자의 83%에 해당한다는 것을 보여준다. Saal에 따르면 보존적 치료의 결과는 자연병력보다 우수하다.

Heckmann 등은[142] 보존적 치료와 수술적 치료 간의 흥미로운 비교 연구를 진행했다.[142] 경추 신경근병증이 있는 60명의 환자에 대한 이 연구에서 39명은 보존적 치료로, 21명은 수술로 치료를 받았다. 그들 모WWWW두는 감각, 운동 및 반사 결손 징후와 자기공명영상(MRI)으로 확인된 추간판 탈출증을 동반한 상완통을 가지고 있었다. 평균 관찰 기간은 5.5년이었다.[154,155] 비수술적 치료를 받은 군에서 상완통은 100%, 감각 징후의 완전 또는 현저한 개선 97%, 신경반사 정상화 59.2%, 운동쇠약 94.1% 개선이 있었다.

또한, 이러한 비술적 형태의 치료는 2차적 결과를 수반하지 않기 때문에 보존적 치료가 수술보다 바람직하다. 추간판 절제술과 관절 고정술을 받은 환자의 25%가 10년 이내에 접합된 분절에 인접한 분절의 퇴행성 변화를 겪는 것으로 알려져 있다.[151] 이는 접합된 영역에 인접한 가동 분절에 증가된 생체 역학적 부하와 관련이 있다고 추측된다.[141,152,153] 이 수술이 인접한 추간판의 추간판내 압력을 증가시키고 적응성 과운동성을 유발하여 접합된 분절 근처의 분절이 조기에 악화되는 것을 설명할 수 있는 실험적으로 입증되었다.[155]

이러한 골관절염 변성은 빈번하지만 반드시 임상적 악화를 의미하지는 않는다고 언급되어 있다.[156] 그러나 이것은 Goffin 등의 연구를 포함한 최근 연구에 의해 반증되었다.[157] 이 저자들은 전방 체간 융합 후 인접 분절에서 퇴행성 악화가 발생하는 빈도와 임상 상황에 미치는 영향을 연구했다. 수술을 받은 180명의 환자에서 수술 6주 후와 이후 60개월 후에 임상 및 방사선학적 추적관찰을 시행하였다. 이 기간 후, 92%의 환자에서 퇴행성 변화의 진행이 방사선학적으로 관찰되었으며 대부분의 환자와 관련된 임상적 악화가 나타났다. 전방 융합 후 인접 분절의 퇴행성 변화를 일으키는 요인 중 하나는 경추에서의 후만곡선 변화이다.[158]

Fouyas 등은[159,160] 신경근병증의 외과적 치료가 비수술적 치료보다 더 나은 결과를 가져오는지 결정하기 위해 2002년에 코크란 체계적인 검토를 수행했다. 이 메타분석에서 Persson 등의 연구[145]는 전향적 무작위 조절 연구로서 선택되었다.[159,160] 이 연구에서 81명의 환자를 세 그룹으로 무작위로 나누어 수술, 물리치료 및 단단한 목고정대로 움직임제한의 세 가지 다른 유형의 치료를 받았다. 3개월 후, 수술적 치료를 받은 그룹은 증상과 감각, 운동 신경결손에서 더 나은 결과를 가져왔으나, 1년 후 세 그룹 사이에 유의한 차이가 없었다. 이 검토에 따르면, 수술 결과는 보존적 치료로 얻은 결과와 유사하다. 비록 단기적 이점은 외과적 치료로 더 우수할 수 있지만, 이 치료에 따르는 위험이 있다는 점과 함께 장기적으로 봤을 때 치료결과가 유사하다는 사실은 이 치료의 한 형태로 수술을 사용하는 것이 정당화되지 않는다.[160]

코크란 체계적 검토는 같은 그룹에 의해 2010년에 업데이트 되었다.[161] 이 검토에서는 오늘날 경추 신경근병증 환자에서 수술이 물리치료나 단단한 목지지대 움직임 제한보다 더 빠르게 통증 완화를 제공한다는 낮은 수준의 근거가 있지만, 장기적으로는 거의 또는 전혀 차이가 없다고 결론지었다.

- 경추 추간판 탈출증의 보수적인 방법과 외과적 치료방법으로 얻은 결과 사이에는 큰 차이가 없다.
- 아주 대부분의 경추 신경근병증 환자의 치료는 보수적이어야만 한다.
- 추간판 탈출증으로 인한 경추 신경근 통증의 수술적 치료는 신경학적 결손이 나타날 때, 적절한 보존적 치료에도 불구하고 악화될 때와 피라미드형 신경학적 증상이 나타날 때 시행한다.

대부분의 경추 신경근병증 환자의 치료는 보수적이어야 한다. 추간판 탈출증으로 인한 경완 통증에서 신경학적 결손이 확인될 때 적절한 보존적 치료에도 불구하고 악화될 때 수술을 시행한다. 또한 피라미드형 신경학적 증상, 외측 반절단 증후군, 하반신 마비 또는 사지 마비로 나타날 때 고려될 수 있다.[66]

물리치료에 추가로 의료적 치료가 필요한 보존적 치료는 반드시 충분히 진행되어야 하고, 탈출증이 사라질 때까지 기다리면서 임상 징후와 통증의 진행을 적절히 조절하는 것이 중요하다.[52,88,117]

외측관 협착증으로 인한 경추상완 통증 CERVICOBRACHIAL PAIN CAUSED BY LATERAL CANAL STENOSIS

외측관 협착증은 경추 신경근병증의 빈도와 관련된 주요 원인으로 전체 사례의 70~75%에 이른다.[162] 대부분의 경우 협착증은 퇴행성 비대의 결과로 추체간, 관절돌기간관절 및 구상돌기 관절에서 발생한다.[163-166]

앞에서 설명한 것처럼 경추의 관절 퇴행성 변화는 실제로 보편적이다.[167] 자기공명영상(MRI)를 사용해서 Matsumoto 등은[68] 무증상 피시험자에서 20세 남성 17%와 여성 12%, 60세 이상의 개개인의 86%와 89%에서 퇴행성 변화가 관찰될 수 있음을 보여주었다. 외측관의 협착은 특히 경추 5번–경추 6번 및 경추 6번–경추 7번 분절에서 경추증 환자의 80% 이상에서 방사선학적으로 관찰된다.[168] 그러나 대부분은 증상을 나타내지 않는다.[76] Boden 등은 63명의 무증상 피험자를 대상으로 한 자기공명영상을 이용한 연구에서 40세 미만의 피험자의 14%에서 척추 구멍 협착이나 탈출이 있었고 이 비율은 40세 이상의 피험자에서 25%에 이른다는 것을 관찰했다. 따라서, 구멍의 직경이 감소하는 것은 매우 흔한 현상이지만 대다수의 개인에게 반드시 증상이 있는 것은 아니다.[76] 경추의 퇴행성 변화와 증상 사이의 연관성이 적기 때문에 영상 검사에서 보이는 소견을 주의해서 해석해야 한다.

- 경추에서는 퇴화기와 퇴행성 변화를 구별할 수 없다.
- 척추증은 실질적으로 보편적인 현상이며 반드시 증상과 관련이 있는 것은 아니다.

퇴행성 척추 구멍 협착증은 그로 인한 증상과 마찬가지로 점진적으로 발생한다. 협착은 구멍의 중간 부분에서 더 뚜렷하기 때문에, 갈고기돌기와 후관절에서 구멍이 8자 모양을 띠고 신경근이 구멍의 상부 쪽으로 자주 밀린다(**그림 1-14**).

경추증은 경추의 모든 관절 시스템에 영향을 미치는 과정이며 추간판의 퇴행성 변화, 척추체의 골극, 관절돌기간관절과 척추고리(후궁)의 비대를 동반한다.

이제 초기에는 자연적인 연령 관련 과정으로 간주되어야 하고, 형태학적 관점에서 이러한 변화를 구별할 수 없다는 점을 고려하여 병리적 상황으로 발전할 수 있는 점진적인 변화에 대해 간략하게 설명한다.[69]

추간판의 퇴행성 과정은 비록 핵에서 더 두드러지지만 핵, 환형 및 연골 종판에서 볼 수 있다. 추간판은 주로 수핵에서 탈수를 겪게 된다.[170]

수핵의 부피의 점진적인 감소는[171] 섬유륜의 균열

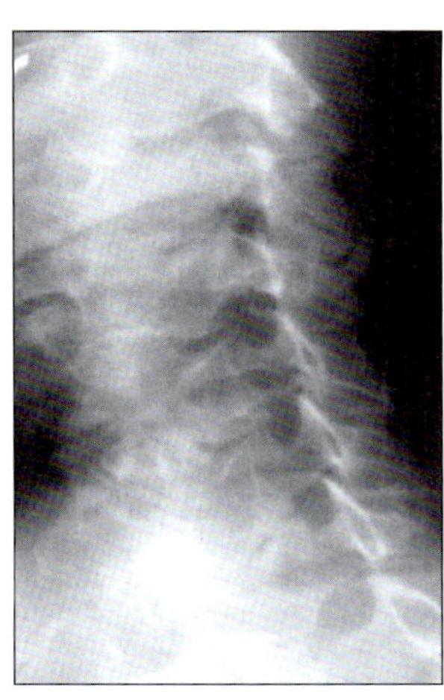

그림 1-14 ■ 여러 분절에서 척추공의 퇴행성 협착이 있는 비스듬한 돌출.

과 관련이 있다.[3] 이 모든 것은 섬유륜의 높이 감소와 부풀림을 초래하여 강성 추간판 탈출의 형태로 나타나며, 이는 구멍의 빛을 줄이는 경향이 있다. 추간판 퇴행은 추체 가장자리의 골극 성장을 결정한다.[67,165,173,174]

추간판 높이의 감소는 관절면의 해부학적 관계를 변형하며, 이는 추간 구멍 직경의 더 큰 감소에 기여할 것이다.

따라서 상부 척추뼈의 아래쪽 면은 아래쪽과 뒤쪽으로 미끄러지는 경향이 있는 반면, 밑에 있는 척추뼈의 위쪽 면은 더 앞쪽과 위쪽에 있는 경향이 있다. 관절면에서 볼 수 있는 퇴행성 변화는 연골하 경화증, 골극 형성 및 관절 연골의 소실이다. 관절낭은 두꺼워지고 때로는 활액낭이 구멍 크기를 상당히 감소시킬 수 있다. 구멍의 전후 직경의 감소는 주로 하부 관절면의 비대에 의해 발생한다.[165] 따라서 후관절 비대 및 척추고리(후궁)과 황색 인대의 비대가 신경근병증의 발병에 관여할 수 있다.[175] 추간판이 얇아 짐에 따라 구상돌기 관절은 더 높은 압축 하중을 견디고 퇴행성 변화도 겪게 된다. 이런 과압력은 척추 신경이나 척추 동맥을 압박할 수 있는 외측 척추관을 향한 구상돌기의 골극증을 유발한다.[176] 경추 5번~흉추 1번의 등쪽뿌리신경(DRG)들은 매우 두껍고 측면으로 구상돌기관절에 가깝다. 일부분에서 이러한 골극은 매우 길고 척수의 앞쪽 부분을 압박할 수 있다[177,178](**그림 1-15**).

추간판과 관절돌기간관절의 구조적 변화는 분절 불안정의 발달에 책임이 있다.[179] 역전위술과 관련된 경우 국소적 불안정성은 압박을 더욱 증가시킬 수 있다.[180,181]

추간공 협착증은 경추의 굴곡 및 신전 운동이 구멍의 크기를 변형하여 압박을 증가 또는 감소시킬 수 있기 때문에 역동적 상태로 간주되어야 한다. 굴곡할 때 추간공의 크기가 증가하고 동측 회전 시 감소하여 신경근 복합체의 손상이 높아진다.

결론적으로, 추체간, 관절돌기간 및 구상돌기 관절의 퇴행성 변화는 기계적 부하에 대한 신경근의 취약성을 증가시킬 수 있다. 따라서 퇴행성 변화가 증가하면 움직임 중에 신경근이 손상될 가능성이 증가하는 것이 분명하다.

*임상적 상태*는 종종 퇴행성 변화로 인해 이전에 협착된 척추관이 있는 피시험자의 취약한 균형을 변경하는 과부하의 결과이다. 유발 요인은 관절 활막염 또는 이미 기계적으로 손상된 신경근의 골극 또는 염증성 변화로 인한 직접적인 신경근 자극일 수 있다. 척추 협착증으로 인한 신경근 압박의 생체역학은 추간판 탈출증으로 인한 것과 다르다는 점을 강조하는 것이 매우 중요하다. 척추 협착증은 일반적으로 구멍 내부에 있는 조직의 어느 정도 적응을 허용하는 느린 과정이다. 또한 압축은 동적이며 간헐적이다. 자세에 따라 달라지며 신경근을 따라 한 곳 이상의 여러 곳에서 발생한다. 그러나 추간판 탈출증에서는 퇴행성 협착증보다 국소적 압박이 더 높다. 앞서 기술한 바와 같이, 추간판 탈출증에서 압박 및 수핵의 신경독성 효과 이 두 가지 자극 현상이 신경근과 연관될 수 있다. 추간판 탈출증에서 발생하는 이 두 가지 기전의 조합이 심한 신경근 통증의 가장 흔한 원인이다.[182] 퇴행성 협착증은 외관 직경을 더 줄일 수 있지만,

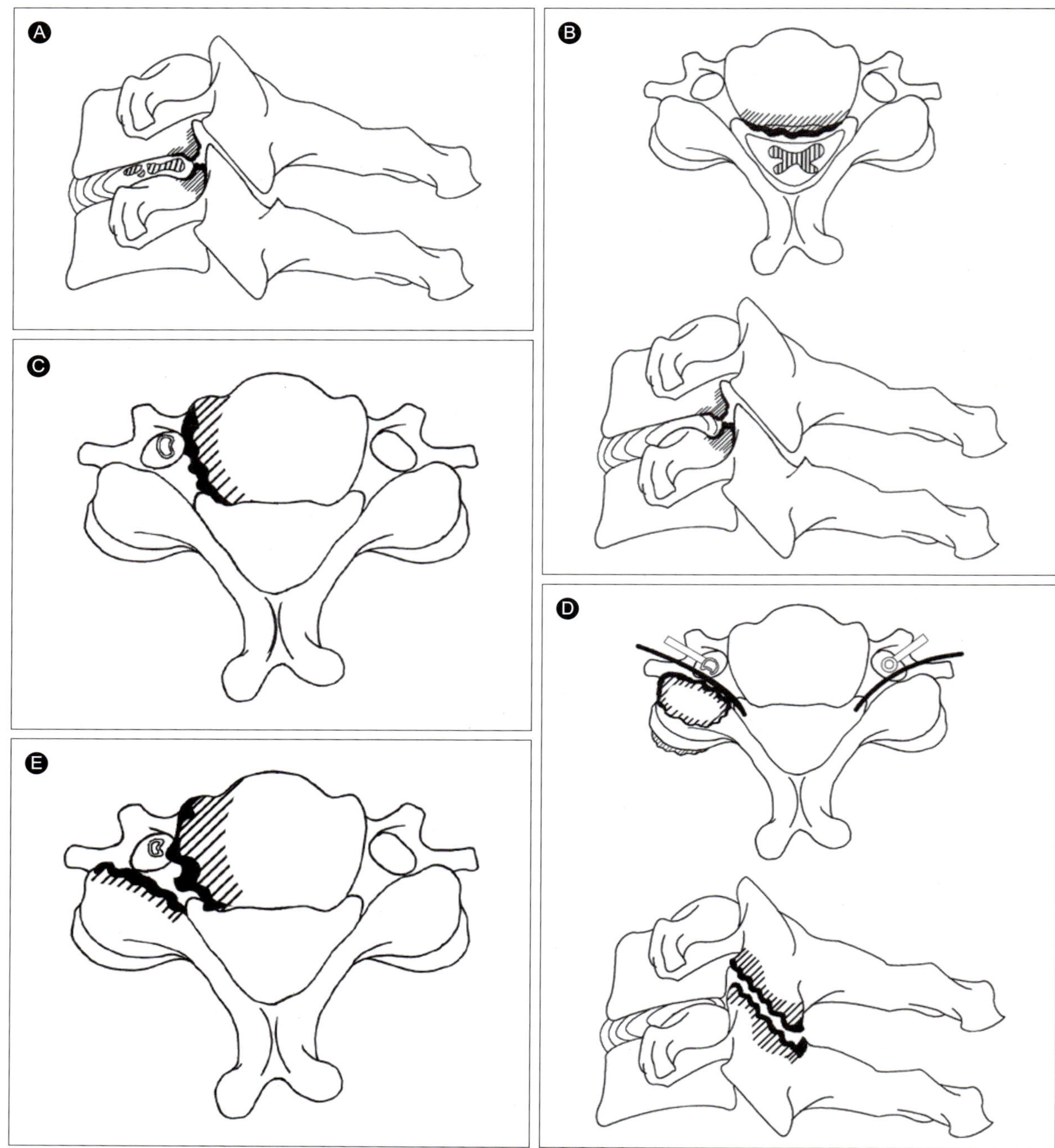

그림 1-15 ■ 외측척추관 협착증으로 이어질 수 있는 퇴행성 변화는 퇴행성 추간판 병증(A)과 척추증(B), 무관절증(C), 후관절의 퇴행성 비대(D), 후관절 및 구상관절의 퇴행성 비대(E)이다.

탈출보다는 증상이 적다.

- 외측 척추관의 협착은 경추 신경근병증의 첫 번째 원인이다.
- 척추관 협착으로 인한 신경근병증의 임상적 양상은 추간판 탈출증과 다르다. 비록 척추관의 직경을 크게 줄일 수 있지만, 일반적으로 탈출보다 증상이 적다.
- 외측 척추관의 퇴행성 협착증은 종종 만성 신경근병증으로 나타나며, 신경근 통증은 완화될 수 있고 심지어 없을 수도 있다.

신경근의 기능장애는 압박의 강도와 관련이 있을 뿐만 아니라 지속시간과도 연관되어 있다. 빠르게 유도된 압박은 더 느린 속도로 압박이 유도될 때보다 조직 변화가 더 뚜렷하고 기능 저하가 더 많이 발생한다. 따라서 급성 압박은 신경근 부종, 축삭 수송 감소 및 신경 전도의 변화와 같이 점진적인 압박보다 더 뚜렷한 변화를 유발한다. 압박 속도에 의존하는 이러한 생리학적 효과는 신경근 조직의 점탄성 특성에 기초한 것 같다. 따라서 추간판 탈출증은 수년에 걸쳐 천천히 진행되는 외측 협착증보다 구조적 및 기능적 악화를 더 많이 유발한다. 따라서 척추관 협착으로 야기된 신경근병증의 임상 양상은 추간판 탈출증과 다르다.

외측 척추관의 퇴행성 협착증은 종종 신경근 통증이 중간/중증도 이거나 아예 없을 수 있는 만성 신경근병증으로 나타난다. 그러나 이러한 환자들은 관절돌기간 관절의 체성 관련 통증을 겪을 수 있다. 이러한 경우에 구멍의 외과적 확대는 신경근병증을 완화하지만, 체성 관련 통증에는 영향을 미치지 못한다.

퇴행성 신경근병증의 자연병력 (Natural history of the degenerative radiculopathy)

특정 치료법을 권장하기 전에 보존적 치료와 수술적 치료 두 방법 모두의 결과를 질병의 자연적 진행과 비교해야 하기 때문에, 퇴행성 신경근병증의 자연적 병력을 이해하는 것은 매우 중요하다. 일반적으로 경추관 협착으로 인한 신경근병증 환자는 수술을 받지 않는 한 증상이 계속되고 증상이 진행된다고 가정한다. 그러나 이 주장을 입증할 증거는 없다.

Lees와 Turner는[169] 퇴행성 협착으로 인한 신경근병증의 자연적 진행을 19년 이상 동안 경추 신경근병증 환자 51명의 경과를 관찰하여 조사했다. 환자의 45%는 재발 없이 신경근병증의 단일 증상이 있었다. 30%는 중등도의 증상을 보였다. 25%는 악화된 지속적인 증상을 보였다. 즉, 수술을 받지 않은 환자의 4분의 1만이 악화되었다. 또한 Persson 등의[145] 연구인 3개월 이상 경과된 추간공 협착으로 인한 경추 신경근 통증이 있는 환자에서 12개월 후에도 외과적 치료와 비수술적 치료를 받은 환자 간에 임상적 또는 기능적 차이가 없는 것으로 나타났다는 내용을 언급할 가치가 있다.

Saal 등이[124] 최근에 외측 척추관 협착증에서 보존적 치료가 치료 옵션이 될 수 있음을 보여주었다. 그들의 연구에서 53명의 환자에게 비수술적 치료를 적용했으며, 그 중 77%는 신경학적 결함이 있었고 이후 2년 동안 추적 관찰을 했다. 치료 후 환자의 88%가 신경학적 결손을 회복했으며 94%에서 팔 신경근 통증이 사라졌다.

경완관절통 진단 (Diagnosis of cervicobrachialgias)

경추 신경근 통증과 신경근병증의 감별 진단은 요추보다 훨씬 더 복잡하다. 신경근 통증은 그 분포가 특정 신경근의 신경 분포와 일치하는 통증으로 정의되었다.[179]

그러나 상지의 통증 분포는 통증이 신경근이라고 추론할 수 있는 주장을 거의 제공하지 않는데, 왜냐하면 많은 경우 다른 개체들인 추간판인성 및 관절돌기간 관절의 관련 통증, 흉곽 출구 증후군, 어깨로부터의 관련 통증, 심지어 상지의 말초 신경병증과 같은 유사한 통증 패턴을 공유하기 때문이다.

초기감별은 추간판 탈출로 인한 신경근 통증과 외측관 협착으로 인한 통증에서 임상적 표현을 구분해야 한다. 추간판 탈출증으로 인한 신경근 경추상완통은 급성 또는 아급성으로 나타나는 경우가 많으며, 경추관 협착증은 서서히 그리고 만성적으로 나타난다.

*추간판 탈출증으로 인한 신경근병증*은 통증의 특성과 행동으로 인해 종종 의심될 수 있다. 고전적 패턴은 상부 흉부 부위, 특히 견갑골 내측 경계에서 강하고 타는 듯한 통증으로 시작하여 며칠 후 상지에 감각 이상,[183] 매우 불편한 팔 무거움, 관련 근육의 약화와 점진적 약화와 관련된 심한 통증이 나타난다. 최근 연구에서 Tanaka 등은 신경근 통증의 근위 영역이 영향을 받는 신경근을 식별하는 데 유용할 수 있음을 보여주었다. 이 연구에 따르면 견갑상부 통증은 종종 경추 5번 또는 경추 6번의 신경근 자극을 나타낸다. 견갑골 사이 부위의 통증은 경추 7번 또는 경추 8번 신경근의 영향을 시사하고 견갑골의 통증은 경추 8번 신경근의 영향을 시사한다(**그림 1-16**).

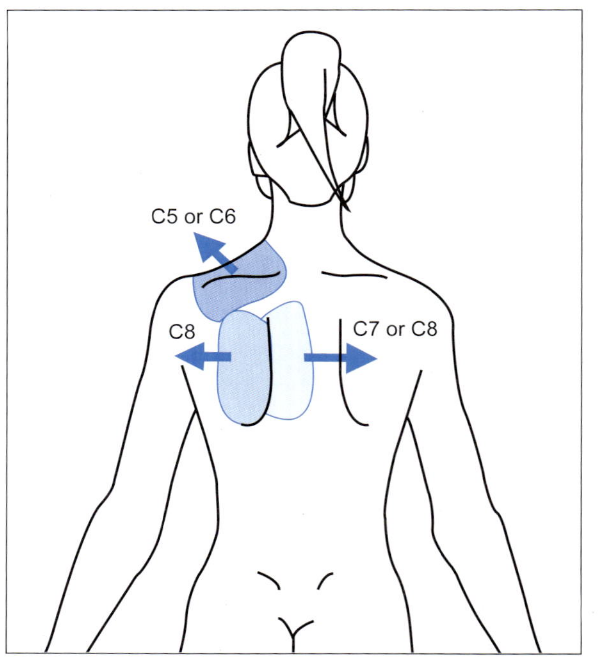

그림 1-16 ■ 근위 신경근 통증 지도.(Tanaka 등에서 발췌[183])

통증은 급성 신경근 염증 상태와 관련이 있기 때문에 일반적으로 극도로 심각하고 일정하다. 환자는 통증 완화 자세를 찾는데 어려움을 겪으며 통증은 불편함과 때로는 메스꺼움을 동반한다. 이 상황은 신경근 자율신경 구성 요소 또는 동척추신경에 의한 디스크의 동일한 신경 분포가 이러한 구성 요소를 연결한다는 사실과 연결될 수 있다. 통증이 밤에 악화되어 잠을 잘 이루지 못하는 것이 일반적이다. 원위부 통증은 관련 통증과 구별되는 근위부 통증보다 더 중요할 수 있다. 추간판성 통증과 공유되는 추간판 기원의 신경근 통증의 특징은 통증 잠복기이다. 움직임이 신경조직을 자극하면 통증이 즉시 나타나지 않고 몇 초 동안 지연된다. 이런 현상은 통증의 심각도가 점진적으로 증가하고 몇 초 동안 최고 수준으로 유지되고 점진적으로 가라앉는 데 몇 초가 걸린다는 것을 의미하는 통증 파동으로 알려진 또 다른 현상이 자주 동반된다. 따라서 신체평가 시 이러한 불쾌한 현상을 방지하기 위해 자극 기동을 천천히 수행해야 한다.

*외측척추관 협착증으로 인한 신경근병증*은 주로 신경근 징후의 진행성 발병이 특징이며 통증은 중등도일 수 있다.

추간판 탈출증과 관련된 신경근병증과 외측관 협착증으로 인한 신경근병증을 감별할 때 나이는 중요한 부분이다. 일반적으로 추간판 탈출증 환자는 40세 미만인 경우가 많고, 50세 이상에서는 외측 척추관의 퇴행성 협착이 더 자주 나타난다.

경추 신경근병증 환자의 임상 양상을 이해하기 위해 전방 및 후방 1차 가지에서 척수 신경의 분할되기 전에 항상 우리는 압박과 자극이 신경근의 출현, 등쪽뿌리신경(DRG) 또는 척수 신경 수준에서 발생할 수 있음을 기억해야 한다. 신경근의 증상은 상완통으로 나타나는 전방 1차 가지의 영역만을 포함하는 것이 아니라 후방 1차 가지의 영역도 포함한다. 이것은 특히 초기 단계에서 통증이 상지의 원위부보다 후방가지에 의해 신경지배되는 부위의 근위부에서 더 심한 이유를 설명할 것이다. 이 사실은 또한 추간판의 염증과 관련될 수 있으며 추간판 생성 관련 통증에 불과할 수 있다. 원인에 관계없이 급성 흉추 통증으로 진단된 경추 신경근병증 환자를 흔히 볼 수 있다.

신체평가(Physical assessment)

관찰(Observation)

경추와 상지의 자세를 관찰하면 환자의 증상이 신경근성인지 판단하는 데 도움이 될 수 있다. 경완관절통에서는 기계적 자극에 대한 신경 조직의 감각이 중요하기 때문에 통증과 다양한 자세 사이의 관계 분석과 움직임들은 진단적 관련성이 있다.

신경근병증 환자는 병인에 관계없이 굴곡 또는 굴곡 및 반대쪽 측굴에서 진통자세를 보이며 상완통 측으로의 운동가동범위가 감소한다. 이 진통 자세는 구멍의 직경을 증가시키고 염증이 있는 신경근에 가해지는 압력을 감소시킨다. 급성 신경근 질환 환자의 소수는 통증이 있는 쪽으로 몸을 기울이는 자세를 취함으로써 완화를 발견했다. 이러한 진통 작용이 역효과를 불러일으키는 것처럼 보일 수 있지만 신경근에 대한 긴장을 줄일 수 있다. 이러한 진통 자세는 요추 5번 추간판 탈출증에서 흔히 볼 수 있는 요추의 직접적인 패턴과 유사하다. 돌출된 추간판 물질로 신경근을 대체하기 충분하게 반대측 측면 굽힘을 할 수 없는 것은 동측 측면 굽힘의 진통 패턴이 엉치뼈 1번 신경근에 대한 장력의 효과적인 감소를 허용하게 한다.

신체 활동, 기침 등과 같이 Valsalva의 징후가 양성일 수 있는 이유가 내부 압력을 증가시키는 상황에서 증상이 악화된다. 통증은 밤에 더욱 심해 잠을 잘 이루지 못한다. 앙와위 자세는 일반적으로 전만도를 증가시키는 경향이 있으므로 환자는 침대에서 쉬는 것을 피하고 잠을 자기 위해 앉아 있는 것을 선호한다. 일부 환자는 충분한 경추 굴곡을 유지하기 위해 두세 개의 베개로만 잠을 잘 수 있다. 점차적으로 운동 및 원위부 감각 징후도 마찬가지로 근위부 통증이 감소하기 시작하고 감각이상이 악화되기 시작한다.

경추 신경근병증은 다른 방식으로 나타나기도 한다.[42] 때때로 환자는 상완 통증을 동반하지 않는 견갑골 내측 경계의 심한 통증을 언급하는데, 이는 이러한 증상을 흉추의 관절 기능장애로 돌릴 수 있을 수 있다. 그러나 경추의 자극검사는 증상을 악화시키며, 반사신경의 감소와 관련 근육의 강도가 확연하다. 다른 경우에는 환자가 상지의 통증이 최소화된 급성 원위 감각만 언급하기 때문에 임상적 표현이 손목터널 증후군과 같은 말초 신경병증을 나타낼 수 있다. 통증은 또한 심장 허혈로 인한 통증을 나타내는 전흉벽으로도 언급될 수 있다. 흉부 또는 상지에 증상이 있는 모든 환자에서 경추 신경근병증을 배제하는 것을 추천한다.

상부 경추 분절인 경추 2번~경추 3번의 신경근

그림 1-17 ■ 어깨 외전 완화 징후는 급성 신경근병증의 특징이다. 환자는 상지를 외전 상태로 유지하고 팔뚝을 머리 위로 지지함으로써 상지의 증상을 줄일 수 있다.

병증은 후두부 통증, 두통 및 안면 감각 이상으로 나타날 수 있다.[21,185]

또한 드물기는 하지만 심각한 추간판 탈출증의 결과로 양측 경완관절통으로 나타날 수 있다. 급성 하반신마비,[186] Brown – Séquard 증후군,[187-190] 심지어 사지마비[191,192]의 증상이 설명되었다.

급성 신경근병증의 특징적인 임상 징후가 있다. 환자는 팔을 외전 상태로 놓고 팔뚝을 머리 에 받쳐 상완 통증을 완화할 수 있다(**그림 1–17**). 이 조작은 신경근 통증을 상당히 감소시킨다. 어깨 외전을 동반한 이 통증 완화 징후는 Davidson 등이 기술하였고, 그리고 경추 5번, 경추 6번 및 경추 7번 신경근에서 척추공 내압을 상당히 감소시키는 것이 새로운 표본에서 실험적으로 입증되었다. 경추 추간판 탈출증의 특징이라고 볼 수 있다. 이 자세는 환자가 오랜 시간 앉아 있을 때 흔히 취하는 자세이다.

이 통증 완화를 설명하는 기전은 신경근에 대한 긴장의 감소이다. 어깨의 외전은 신경총을 오훼뼈에 더 가깝게 해주지만 견갑골의 상승을 동반할 때 척추에 더 가깝게 움직이고 신경 요소의 장력이 감소하고 팔꿈치가 구부러지면 신경 장력이 더욱 감소한다. 환자가 통증을 줄이기 위해 사용하는 상지의 또 다른 위치는 반대쪽 팔로 아픈 팔을 지지하여 어깨가 약간 높게 유지되고 어깨가 몸통에서 분리되도록 하는 것이다. 통증에 대한 효과는 신경근의 긴장 감소와 관련이 있다.

- 상지의 신경근성통증은 매우 과민한 임상 상황이다.
- 징후와 증상이 신경근통 기원을 나타낼 경우, 신체평가가 간단해야 하고, 통증 유발이나 신경 역학적 검사를 하지 않아야 한다.

환자 평가에서 고려해야 할 매우 중요한 측면은 경완관절통이 과민성이 높은 증후군이라는 것이다. 신경근병증이 있는 환자의 신체평가는 매우 신중해야 한다. 염증이 있는 신경 조직의 작은 자극은 이후 수시간, 며칠 동안 증상을 극적으로 악화시킬 수 있다. 징후와 증상이 신경근 기원을 암시하는 경우, 통증 유발이나 신경역학 검사 또는 통증을 재현할 수 있는 움직임을 진행하지 않고 신체평가를 간단히 해야 한다.

신경근 통증 패턴(*Radicular pain patterns*)

앞서 기술한 바와 같이 신경근병증의 신경학적 위치는 통증의 영역만 근거하여 유추할 수 없다. 통증의 영역은 통증이 신경근성인지 여부를 나타내지 않고 또한 경우에 따라 신경근병증의 신경학적 위치를 결 정하는 데 사용할 수도 없다. 그럼에도 불구하고, 관절돌기간 또는 추간판성이 있는 대상은 신경근 통증이 있는 대상보다 더 근위부인 관련 통증 영역을 보여준다.[23,196]

견갑대와 팔의 통증은 체성 관련 또는 신경근이 될 수 있는 반면, 팔뚝과 손에서 감지되는 통증은 신경근 기원일 가능성이 더 크다. 신경근 통증에 대한 근위 기준 영역은 이미 **그림 1–16**에 나와 있다.

신경근 통증의 분포는 일반적으로 확인된 피부절 패턴을 따르지 않는다. 이 개념은 잘못된 것이며 부적절한 치료 결정으로 이어질 수 있다.[1,70,71,197] Slipman 등의[198] 연구 신경근 통증은 종종 신경절 지도의 영역 밖에 있으며 감각 결손이 나타나는 피부 영역과 다르다. 이 저자들은 신경근 통증이 감지되는 영역을 지칭하기 위해 '다이나톰(역학분절)'이라는 용어를 제안했다. 따라서, 특히 감각이상 특징이 있는 신경근 통증은 피부절과 반드시 일치하지 않는 지형 영역에서 표현된다(**그림 1–18**). 감각 이상과 마찬가지로 피부감각저하 부위인 피부 분절은 진단적 관점에서 더 신뢰할 수 있다. 그럼에도 불구하고 감각 저하나 이상 감각의 위치만을 근거로 특정 신경근의 탓이라고 할 때는 주의해야 한다. 신경근통의 특징은 동일한 분포를 갖는 체성 통증과 구별할 수 있게 해준다. 방사통은 일반적으로 환자가 타는 듯하거나, 날

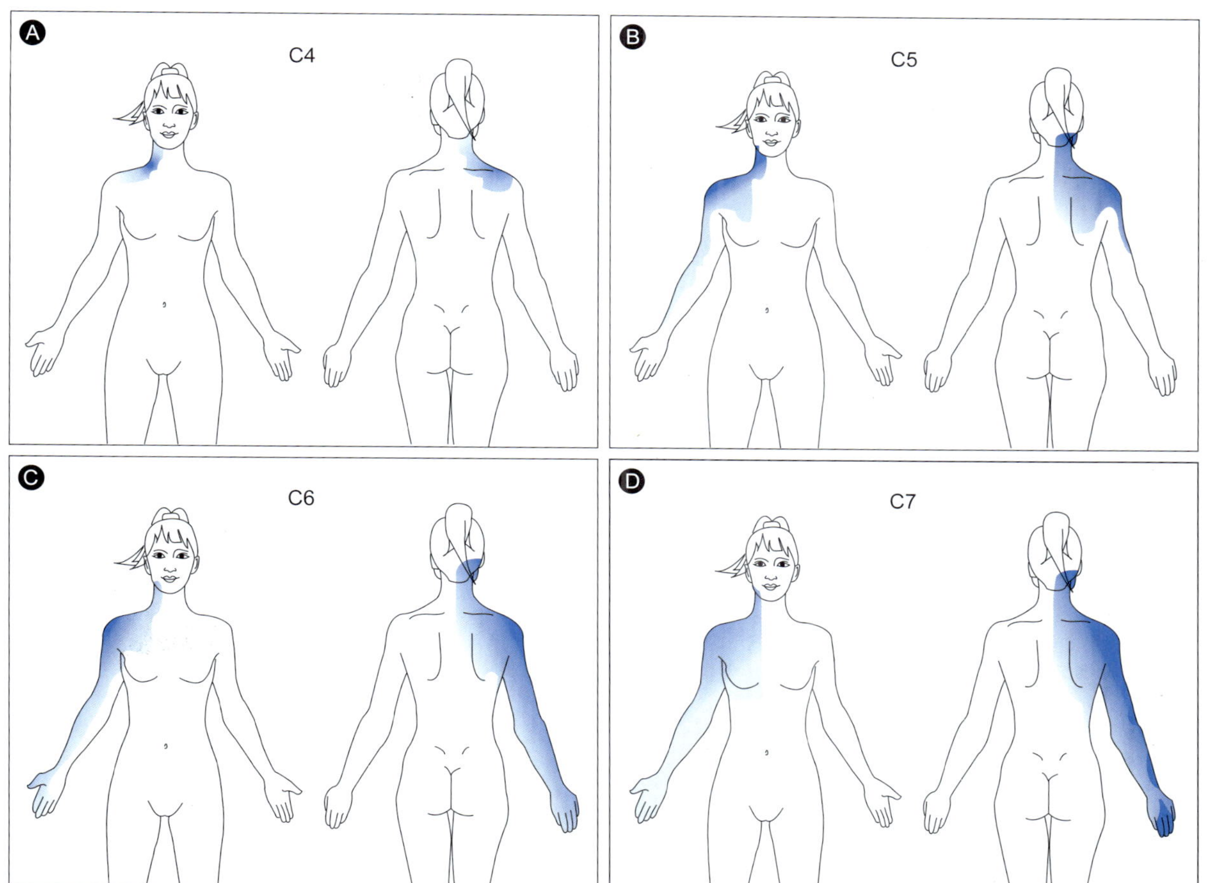

그림 1-18 ■ 역학분절: (A) C4 역학분절; (B) C5 역학분절; (C) C6 역학분절; 및 (D) C7 역학분절.(Slipman 등[198] 에서 수정)

카로운 쏘는 또는 깊은 경련으로 지칭하는 감각 이상이다. 그러나 외측관의 협착으로 인한 신경근병증을 보이는 피험자의 경우, 통증이 체성일 수 있으며, 깊고 광범위하며 불분명한 위치에서 인식될 수 있다.

유발 검사(Provocation test)

역학적 상호작용을 수정하는 움직임과 신경 역학 검사는 유발 검사로 사용된다.

역학적 상호작용 검사. 기계적 상호작용 검사는 신전, 측면 굽힘 및 통증 쪽을 향한 회전과 같은 추간구멍의 영역을 줄이는 검사이다. 처음에는 신경근의 과도한 자극을 피하기 위해 각 동작을 고립개별적으로 수행해야 한다. 이러한 위치를 더욱 예민하게 만들기 위해 20~30초 동안 압력을 가할 수도 있다. 결과적으로 반응이 확실히 나타나지 않는 경우 횡축 압축 구성요소인 신전, 측면 굽힘과 관련된 Spurling 검사를 사용할 수 있다(**그림 1-19**). 자기공명영상(MRI)과[45] 표본 연구에서 이 방법이 추간구멍의 공간을 감소시키는 것으로 나타났다.[199] 이 검사는 경추 신경근병증을 확인하는데 임상적으로 유용하며, 대단한 민감도는 없으나 특이성이 매우 좋다.[200]

감각이상이나 통증과 같은 증상이 원위부에 있을 때 검사가 양성으로 간주된다는 점을 고려해야 한다. 근위부 통증의 시작은 대상이 신경근병증을 앓고 있음을 의미하지 않는다. 동일한 움직임 조합은 관절돌

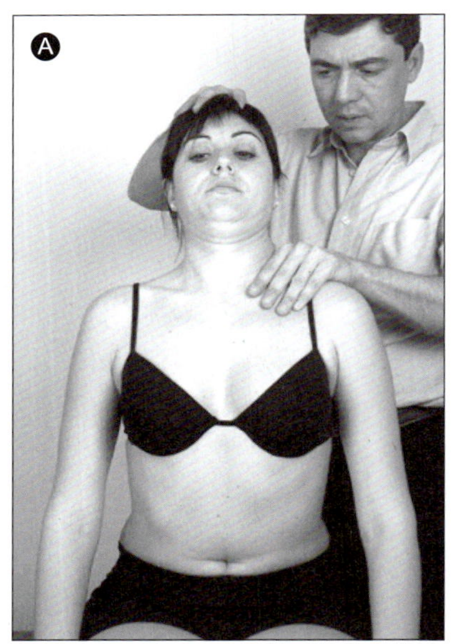

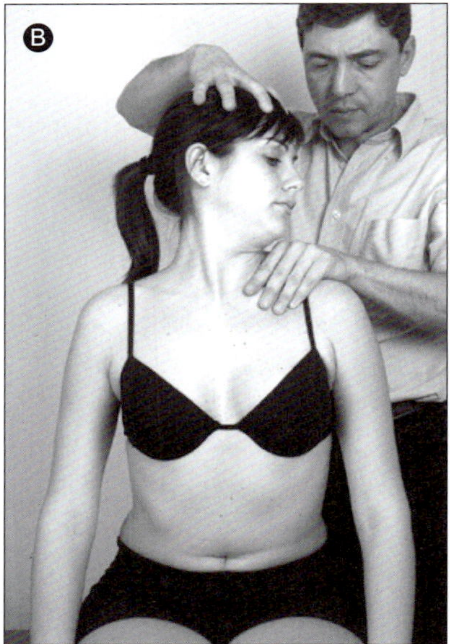

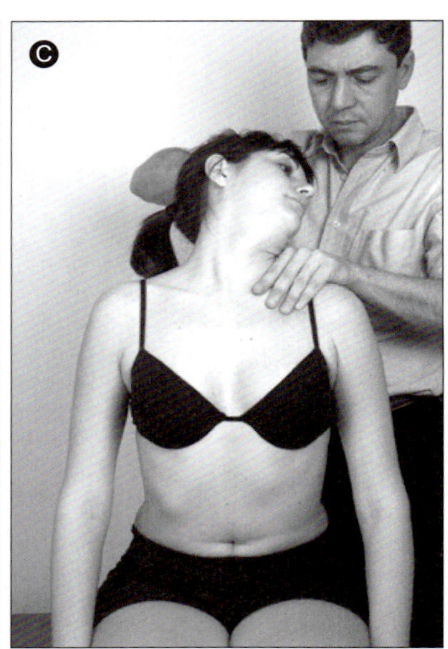

그림 1-19 ■ 역학적 상호작용 검사. 치료사는 수동적으로 환자의 경추를 신전, 측면 굽힘 및 통증 쪽으로 회전한다. 처음에는 각각의 동작을 구분하여 독립적으로 진행하고 반응을 관찰한다(A). 검사를 더욱 민감하게 만들기 위해 압박을 적용할 수 있다(B). 그런 다음 Spurling의 방법이 수행된다(C).

기간 관절에 대한 집합 및 압력의 증가를 의미하며, 자극을 받으면 신경근 통증과 마찬가지로 흉추 통증의 근위 통증을 나타낼 수 있다.

경추 신경근병증에 대한 다른 유용한 진단 검사는 압박 및 견인 검사이다. 압박을 통한 상완 통증의 재현과 견인에 의한 통증 완화는 신경근병증을 시사한다. 때때로 증상을 증폭시키는 압박 검사의 변형은 다음과 같다. 경추의 굴곡에서 시작하여 압박을 가하고 이 굴곡을 유지하면서 경추를 적절히 신전시킨다(**그림 1-20**).

신경역학 검사. 신경역학 검사는 신경근병증의 평가 및 감별진단에 매우 유용하다.[43,201-209] 이 검사의 목적은 신경 조직의 역학민감도를 평가하는 것이다. 3가지 신경역학적 검사 중 1979년 Elvey에[43] 의해 처음 기술된 상지신경역학적 검사 1(ULNT1) 또는 상완신경총 장력 검사는 경추 신경근 통증의 평가와 관련하여 가장 좋은 검사 중 하나이다(**그림 1-21**).[201, 203,207] 표본에서 이 검사가 정중 신경에 유도된 장력을 이용하여 경추 신경근에 효율적으로 장력을 전달한다는 것이 입증되었다.[207]

임상적으로도 상완 신경총의 증상을 식별할 수 있음이 입증되었으며[210] 검사자 간 신뢰도가 입증되었다.[205]

하지보다 상지에서 신경 역학 검사로 증상을 악화시키는 것이 훨씬 쉽다는 것을 기억해야한다. 신경은 상지에서 더 약하고 그 궤적이 더 복잡하므로 급성 신경근병증이 있는 경우 이 검사를 주의 깊게 수행해야 한다. 신경역학적 검사는 환자가 인지하는 긴장도, 증상의 재현 등 주관적인 정보와 움직임의 크기, 치료사의 저항에 대한 인지와 같은 객관적인 정보를 제공한다. 증상이 있는 반대쪽과 반응을 비교할 필요가 있다. 검사의 각 구성 요소 순서와 관련하여 다양한 변형이 있다. 경추 8번의 신경근병증에서 상지신경역학적 검사 3(ULNT3)은 팔꿈치 신경을 통해 장력을 전달하기 때문에 사용할 수 있다(**그림 1-22**).

환자가 신경근병증을 앓고 있음을 확인할 수 있는 또 다른 검사는 가로돌기의 전방 및 내측 부분의 촉

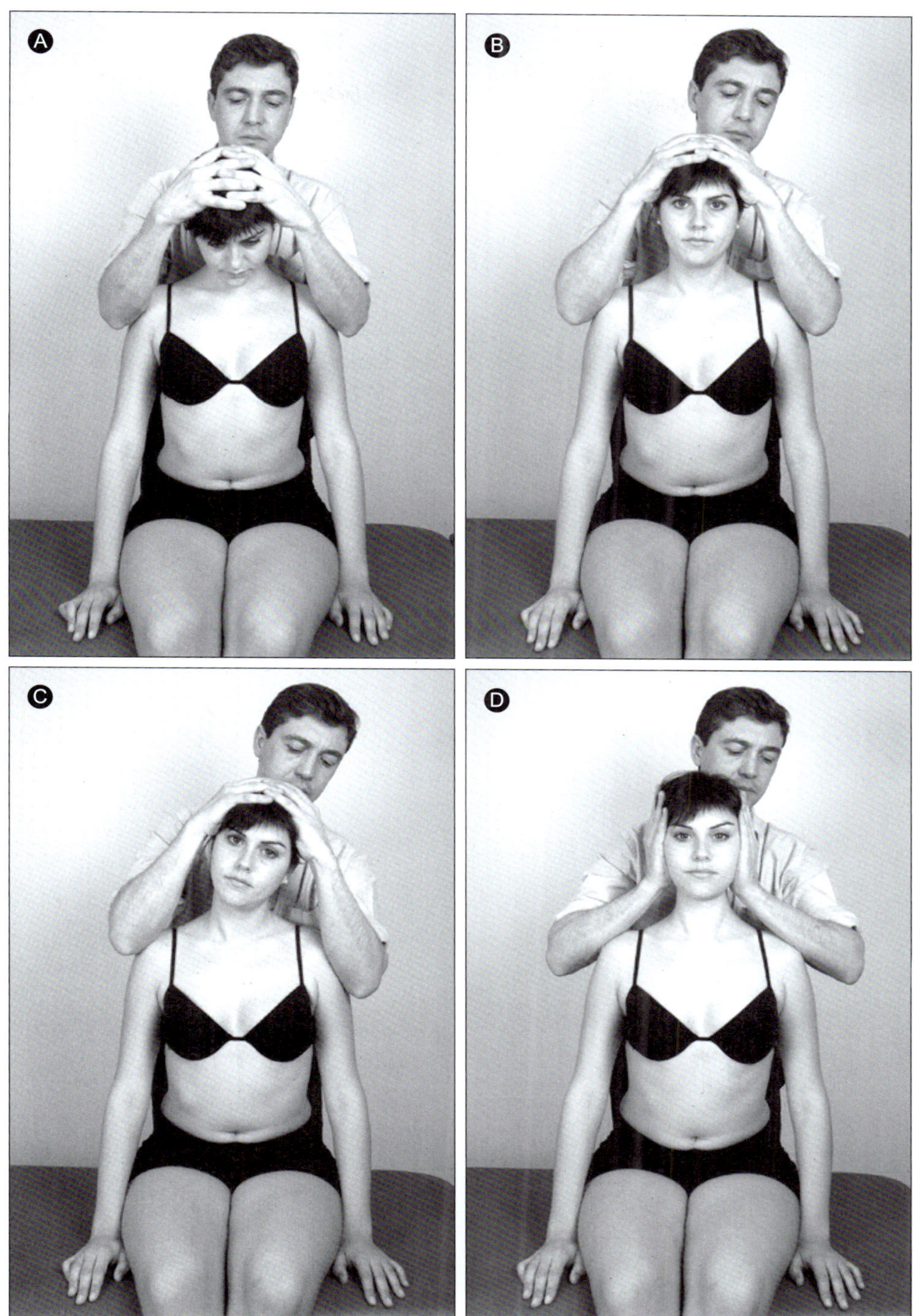

그림 1-20 ■ 압박 및 견인 검사. 굴곡 위치(A)에서 시작하여 경추를 신전으로 향하게 하는 압박(B). 검사를 좀 더 민감하게 하기 위해, 통증이 있는 쪽으로 경추를 옆으로 굽히면서 압박을 가할 수 있다(C). 견인(D)으로 증상 완화.

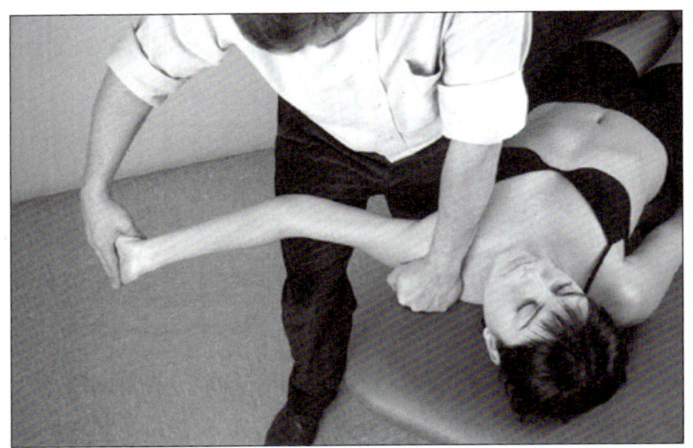

그림 1-21 ■ 상지 1(ULNT1)에 대한 신경역학 검사.

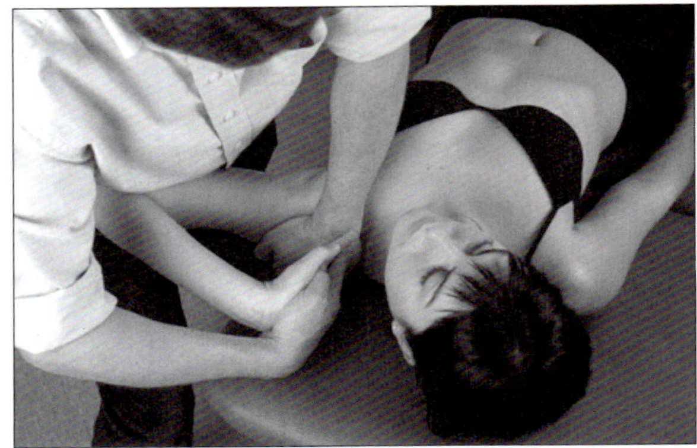

그림 1-22 ■ 상지 3(ULNT3)에 대한 신경역학 검사.

진이다. 이 부위를 부드럽게 촉진해도 견갑골이나 상지에서 심한 통증이 나타난다면 신경근병증을 의심할 더 큰 이유가 된다. 경추 신경근병증에서 다양한 임상 검사의 신뢰도와 진단 정확도를 검토하기 위해 Wainner 등의[201] 연구를 추천한다.

신경학적 검사(Neurological examination)

임상평가 동안 신경근병증에 대한 확신을 제공하는 유일한 방법은 신경학적 결함을 평가하는 것이다. 감각과 운동 결손과 골건 반사를 기반으로 함축 분절을 찾는 것이 필수적이다.

피부분절은 감각의 특정 변경이 관찰되는 영역을 기반으로 특정 신경학적 위치를 식별하는 데 유용할 수 있다.[212,213] 그러나 상당한 변동성이 있고[214-216] 상당수의 환자에서 설명된 전통적 지도가 일치하지 않기 때문에 신뢰도가 절대적이지 않다.[217]

감각 변화와 피부 지도 사이의 상관 관계의 부족은 신경근, 척수 신경, 신경총 및 척수신경근 사이의 분절간 연결의 분할에서 해부학적 다양성과 연결될 수 있다.[11,218,219] Moriishiet 등은[219] 성인 100명을 대상으로 척수를 해부한 결과 61%에서 경추 후방신경근들 사이의 연결이 관찰되었다. 같은 영역의 감각신경 전달은 거의 언제나 적어도 두 개의 신경근에서 나온다.[220,221]

또한 신경총과 경막주위 높이에서 모두에서 섬유의 재분배가 발생한다. 따라서 우리는 피부분절 지도를 지나치게 엄격하고 단순하게 보는 것을 피해야 한다.

피부분절을 탐색하기 위해, 가장 신뢰할 수 있는 방법은 면봉을 사용하여 미세한 촉감의 지각으로 변형을 평가하는 것이다.

경추 1번 위치는 피부신경자극을 제공하지 않으므로 탐색할 수 없다. 경추 2번 피부분절은 귀 뒤의 머리 뒤쪽 부분을 포함한다. 경추 3번 피부분절은 목의 전방 및 후방 영역에 해당한다. 경추 4번 피부분절은 쇄골 위의 긴 피부 부위, 어깨의 전면 및 등세모근(승모근)영역에 해당한다. 경추 5번 피부분절은 팔의 측면을 포함하여 어깨의 영역에 해당한다. 경추 6번 피부분절에서는 엄지와 검지에서 감각 변화가 감지된다. 경추 7번에서는 가운데 손가락의 감각 변화가 있으며, 인접한 손가락과 어느 정도 겹치는 것을 볼 수 있다. 경추 8번의 피부분절은 팔꿈치 손과 팔꿈치 손가락에 해당한다. 흉추 1번 피부분절은 팔뚝의 안쪽 면을 둘러싸고 있다(**그림 1-23**).

근절 평가 및 골건 반사의 평가는 신경근병증의 객관적인 징후를 제공하기 때문에 중요하다. 근육의 신경자극은 일반적으로 단일 신경근에 의존하지 않으므로 찾는 징후가 마비가 아니라 근육 약화임을 기억해야 한다. 따라서 검사는 근육 약화를 나타낼 수 있는 반복적인 수축을 요청하는 것에 기반한다.

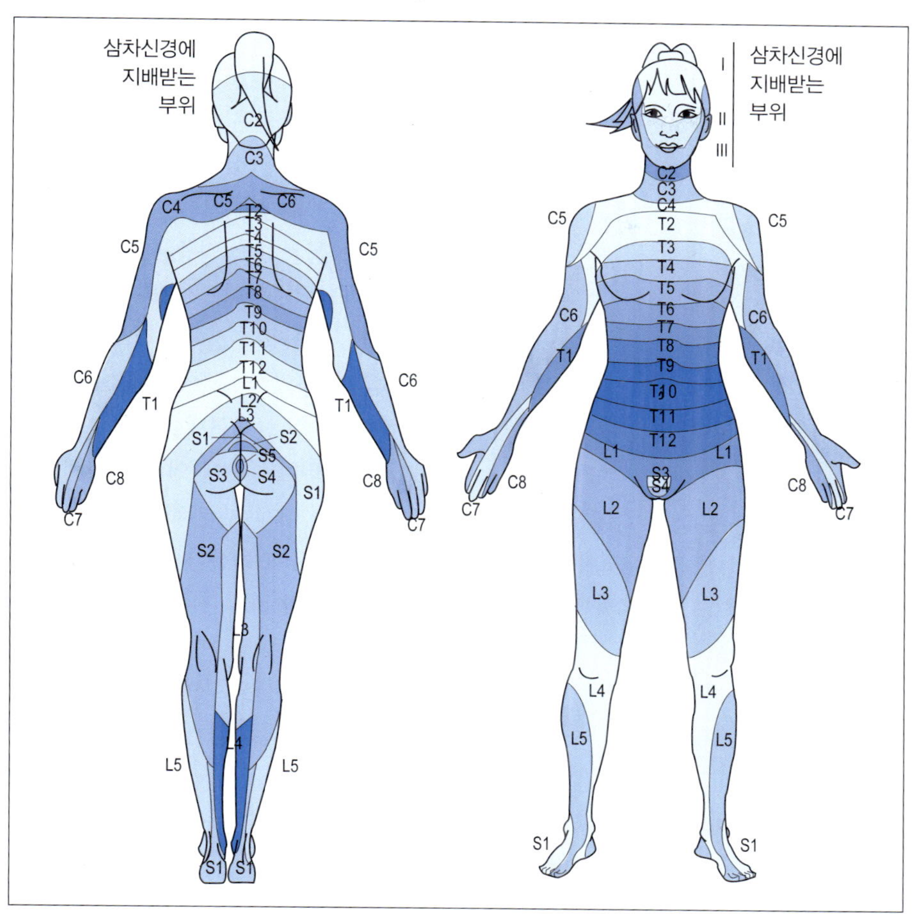

그림 1-23 ■ 피부분절 지도.

경추 5번의 근절은 어깨의 외전으로 관찰되는데, 이는 삼각근이 경추 5번 신경근에 의해 거의 완전히 신경지배되기 때문이다. 경추 6번 근절은 팔꿈치의 굴곡과 손목의 신전으로 관찰된다. 경추 7번의 근절은 팔꿈치와 손가락의 신전으로 관찰된다. 경추 8번의 신경근의 운동 구성요소는 엄지손가락의 맞섬과 손가락 굴곡으로 관찰된다. 흉추 1번의 근절은 손가락의 외전과 내전으로 관찰된다. 근절을 평가하기 위해 근육을 중간 위치에 놓고 환자에게 치료사가 가하는 힘에 대해 몇 초 동안 등척성 수축을 유지하도록 요청한다.

골건 반사의 변화, 반사저하 또는 무반사는 반사궁의 간섭이 더 크거나 작음을 나타낸다. 위팔두갈래근(이두근) 반사는 주로 경추 5번의 신경근, 상완요골 반사 또는 요골형태를 평가하고, 경추 6번의 신경근을 알려주고, 마지막으로 위팔세갈래근(삼두근) 반사는 경추 7번 신경근을 평가한다. 반사 반응은 부하나 불안과 같은 비병리적 상황에 의해 변형될 수 있기 때문에, 감각 운동 변화를 동반하지 않는 반사의 독립적 감소는 임상적 중요성이 부족할 수 있다는 점을 강조해야 한다.

감별 진단(Differential diagnosis)

후관절 또는 추간판성 연관통, 어깨 병리학, 상지 신경병증, 흉곽 출구 증후군 및 파소니지-터너 증후군과 같이 경추 신경근병증의 감별 진단을 요구하는

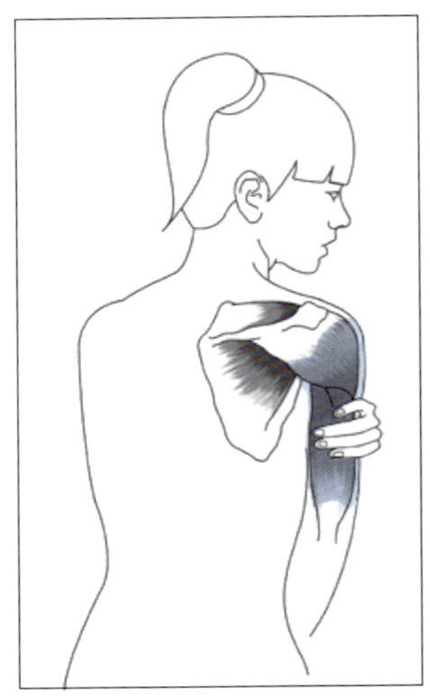

그림 1-24 ■ 파소니지-터너 증후군은 견갑대와 상지에 심한 통증이 있으며, 그 후 약화와 심한 근육 위축이 특징이다.(Modified from Waldman S. Síndromes dolorosos poco frecuentes. Madrid: Elsevier; 2004.)

다른 요소들이 있다.[222,223]

관절돌기간관절 및 추간판성 관련 증상은 척추증의 가능한 방사선적 징후를 더해서 경완근통과 유사할 수 있다. 그러나 이런 참고적 형태는 손에 덜 자주 도달하고 근위 통증은 항상 원위 통증보다 더 강하다.

파소니지-터너 증후군(Parsonage-Turner syndrome) 또는 급성 상완 신경총 신경염은 쉽게 경추 신경근병증과 혼동될 수 있다.[223,224] 이 증후군은 심한 통증의 급성 발병이 특징이며 며칠 또는 몇 주 후에 사라진다. 그것이 사라지자마자 상지 근육에서 현저한 약화 또는 마비가 발생한다(**그림 1-24**). 현저한 상지 약화는 증상의 급격한 감소와 일치한다.[223,225] 이러한 행동은 신경근병증이 발달하는데 며칠이 필요하기 때문에 신경근병증과 다르다. 약화에 선행하는 이 제한적 통증개요는 신속한 진단을 확립하고 이 상태를 경추 신경근병증과 구별하는 데 중요하다. 신경근병증의 증상은 경추 운동에 의해 악화될 수 있지만, 파소니지-터너 증후군에는 전혀 영향을 미치지 않는다. 다른 차이점은 파소니지-터너 증후군에서는 두 개 이상의 신경이 관련되지만 신경근병증은 하나의 신경근으로 제한된다는 것이다. 이 증후군은 주로 상완 신경총의 상부 몸통에 영향을 미치기 때문에 이 증후군은 가시위근(극상근), 가시아래근(극하근), 세모근(삼각근) 및 위팔두갈래근(이두근)에서 흔히 볼 수 있다.

포착성 상지 신경병증은 경완근통과 유사한 방식으로 나타날 수 있다. 신경근병증과 말초신경병변을 구별하기 위해서는 신경학적 검사, 통증의 위치, 티넬 징후 및 병력이 중요한 역할을 한다. 운동 징후와 관련하여 경추 신경근병증에서 거의 모든 근육이 하나 이상의 척수 신경에 의해 신경지배를 받기 때문에 근육 약화는 대개 부분적이거나 불완전하다. 따라서 심각한 약화와 위축은 매우 드물다. 신경근병증에서는 심부 힘줄 반사가 저하되거나 없다. 신경근병증의 감각 증상은 피부분절형태를 따른다. 관련된 척수 신경의 피부분절 말단부에서 감각감소 및 감각이상이 발생하며 전체 감각 상실은 거의 발생하지 않는다.

*흉곽 출구 증후군*도 유사한 임상 증상을 유발할 수 있다. 이러한 증후군은 3장에 설명되어 있다.

*근육 관련 통증*은 경우에 따라 경완관절통을 만들어 낼 수 있다. 통증 패턴이 신경근 통증을 만들 수 있는 이러한 근육은 가시아래근(극하근), 목갈비근(사각근), 앞톱니근(전거근), 넓은등근(광배근), 어깨밑근(견갑하근), 큰원근(대원근), 큰가슴근(대흉근), 작은가슴근(소흉근), 가시윗근(극상근) 및 위팔세갈래근(삼두근)이다(**그림 1-25**). 연관 통증 근육의 존재가 통증이 신경뿌리라는 것을 배제하지 않는다는 점에 유의하는 것이 중요하다. 근육 관련 통증은 일반적으로 많은 통증 병인과 관련된 부수 현상이다.

*폐상부 종양*은 경추 신경근병증을 만들어 낼 수 있다. 흡연 이력이 있는 대상에서 치료에 저항하는 진행성 약화를 동반한 신경근 통증은 이 개체를 의심해야 한다. 덜 자주, 경부 또는 흉부 척추 종양과 탈수초 질환은 유사한 징후를 보인다.

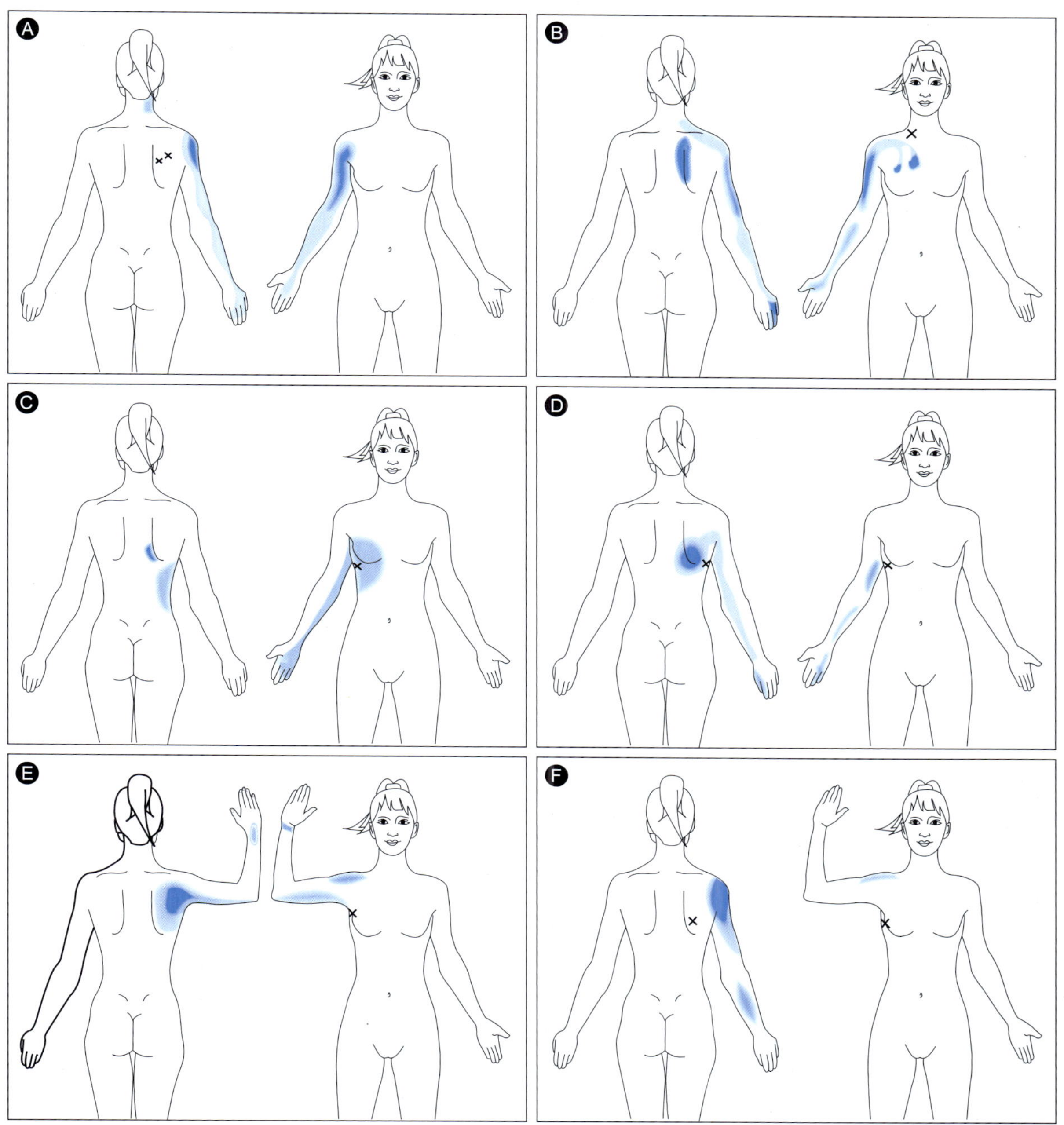

그림 1-25 ■ 신경근병증을 보여줄 수 있는 근막 관련 통증 패턴: (A) 가시아래근(극하근), (B) 목갈비근(사각근), (C) 앞톱니근(전거근), (D) 넓은등근(광배근), (E) 어깨밑근(견갑하근), (F) 큰원근(대원근).

(계속)

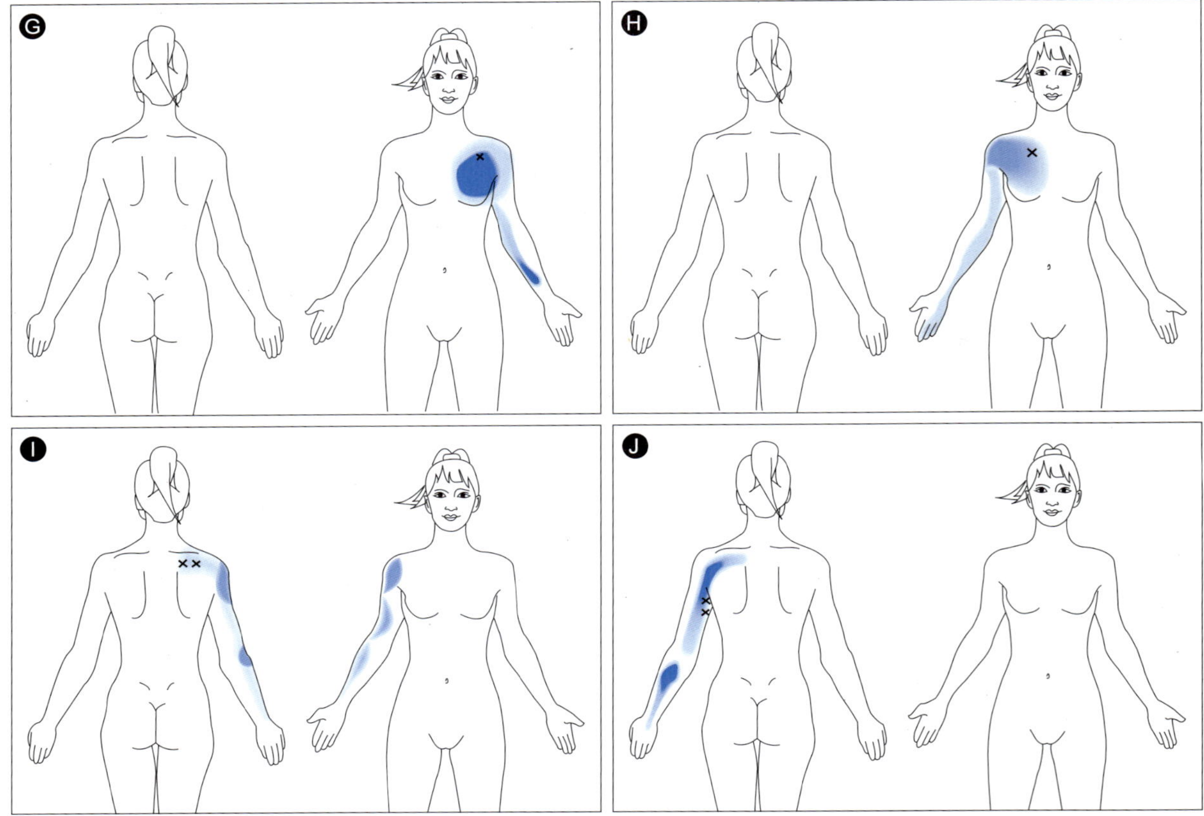

그림 1-25. (계속) ■ 신경근병증을 보여줄 수 있는 근막 관련 통증 패턴: (G) 큰가슴근(대흉근), (H) 작은가슴근(소흉근), (I) 가시윗근(극상근) 및 (J) 위팔세갈래근(삼두근).

진단 영상 기술
(Diagnostic imaging techniques)

신경근병증의 진단은 주관적인 평가와 신체적인 평가로 수행할 수 있다. 그러나 영상 검사는 흥미로운 정보를 제공할 수 있다.

전통적인 방사선학은 제한된 정보를 제공하지만 일반적으로 경추 평가의 초기 관찰이다. 연조직과 관련된 정보를 제공하지 않으므로 추간판 탈출증을 진단하는 데 사용할 수 없다. 이것은 단지 전방 또는 후방 골극뿐만 아니라 체간사이 간격의 감소가 보일 때 추간판 퇴행의 간접적인 정보를 제공한다. 기존의 방사선학은 체간 관절과 관절돌기간 관절의 퇴행성 변화를 관찰하는 데 유용할 수 있다. 경사 투영법은 추간공을 보여주며 외측관 협착증을 진단할 때 관심을 가질 수 있다.

현재 자기공영상(MRI)은 경추 병리 진단에 가장 널리 사용되는 영상 기술이다. 자기공영상(MRI)은 뼈 구조와 추간판 및 신경 조직과 같은 연조직 사이의 관계를 전체적으로 볼 수 있기 때문에 선호되는 영상 검사이다. 자기공영상(MRI)은 추간판의 우수한 시야, 추간판 탈출의 위치 및 크기에 대한 정보를 제공하며, 또한 신경근과 척수와 같은 신경 조직의 시각화를 허용한다(**그림 1-26**). 또한 골수의 모딕(Modic) 변화를 보여줄 수도 있다. 컴퓨터단층촬영(CT)은 뼈 구조에 대한 더 나은 정의를 제공하며 경추 외상을 나타내 줄 수 있다.

경추 추간판 조영술은 한편으로는 추간판의 내부 손상을 인지하고 다른 한편으로는 추간판 통증을 유

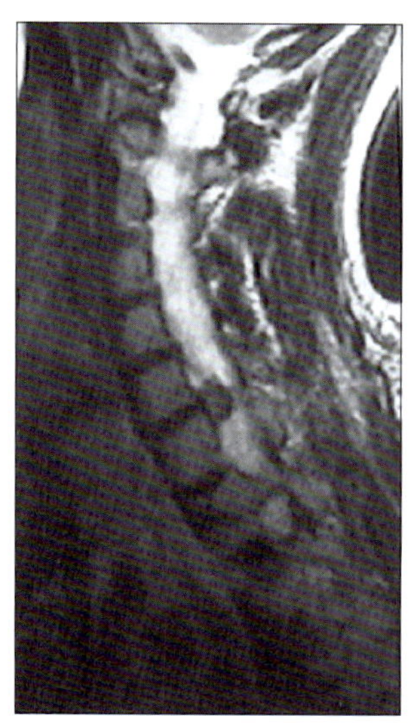

그림 1-26 ■ 부피가 큰 연성 추간판 탈출증.

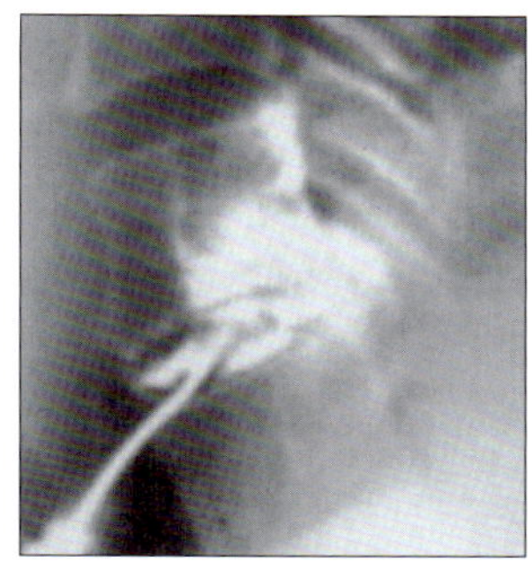

그림 1-27 ■ 디스크 물질의 후방 이동을 보여주는 추간판조영법.

발하는 검사로 사용된다. 이 검사는 일반적으로 정상적인 추간판에서는 통증이 없지만, 심한 디스크성 통증이 있는 모든 피험자에게는 매우 자극적이다. 그러나 추간판 조영술은 침습적 기술이며 결과적으로 위험성이 있기 때문에 진단 도구로 사용하는 데 여전히 논란이 있다(**그림 1-27**).

신경생리학적 평가
(Neurophysiological evaluation)

신경생리학적 평가, 근전도 검사 및 신경 전도 연구는 신경근 위치를 찾을 때 유용하다. 그러나 대부분의 경우 이러한 진단 평가는 신경근병증의 특징적인 증상이 있을 때 필요한 것은 아니지만, 말초 신경병증과 이 진단을 구별하는 효과적인 수단이다. 따라서 신경생리학적 연구는 경추 신경근병증과 다른 말초 신경학적 진단 사이에 진단적 의심이 있을 때 시작된다.

경완신경통의 관리
MANAGEMENT OF CERVICOBRACHIALGIAS

이 절에서는 추간판 탈출증과 외측관 협착증으로 인한 신경근병증의 치료에 대해 설명한다. 이 두 진단의 관리는 크게 다르지 않다. 대부분의 경우 적절한 초기 치료로 몇 주 안에 통증이 감소한다. 심한 통증을 동반한 추간판 탈출증으로 인한 신경근병증은 증상이 덜한 경추 후관절 증후군을 치료하는 데 필요한 치료기간보다 짧은 치료기간이 필요한 경우가 많다는 점에 유의해야 한다. 그러나 첫 번째 경우 급성기에 상태를 적절하게 관리하는 것이 중요하다.

급성기 관리
(Management during the acute phase)

신경근병증의 관리에는 신경학적 상태의 모니터링, 통증 조절 및 환자 교육이라는 세 가지 주요 측면을 고려해야 한다. 특히 첫 3주 동안은 신경학적 결손의 악화가 매우 빠를 수 있으므로, 환자는 변화를 제어하기 위해 적어도 일주일에 한 번은 병원을 방문해야 한다.

관리의 첫 번째 단계는 환자에게 이 상태에 대해 교육하는 것이다. 그들은 자기 제한적 실체로서의 신경근 통증의 자연병력를 알아야만 하고, 통증 조절의 중요성 및 신경학적 악화 방지의 중요성을 알아야 한다.

특히 추간판 탈출증에서 비롯된 경우의 신경근 통증은 일상활동을 제한하고 밤에 휴식을 취하기 어렵게 만들어 매우 심각할 수 있다. 첫 번째 단계에서 심한 통증은 보통 2주 동안 지속되지만 4주 또는 5주

그림 1-28 ■ 긴장 대응 위치. 이 자세 또는 자세의 조합은 신경 조직의 긴장을 줄이고 증상을 조절하는 데 도움이 될 수 있다. 추간공의 직경을 증가시키기 위해 경추는 약간 굴곡되어야만 한다. 견갑대는 높혀 유지되어야 하며, 팔은 하나 또는 여러 개의 베개에 지지된 약간의 수평 외전 상태에 있어야 하며, 팔꿈치는 굴곡 상태에 있고 팔뚝은 회내 상태에 있어야 한다.

동안 연장될 수도 있다. 따라서 가능한 한 빨리 통증을 줄이는 것이 중요하다. 이를 위해서는 통증을 재현하는 활동을 최소화하고 통증을 완화할 수 있는 자세를 환자에게 교육한 후(**그림 1-28**), 약물치료를 시작해야 한다.

설명된 바와 같이 신경근병증의 발병에서 신경 요소의 염증은 단순한 압박보다 더 중요하다. 비스테로이드성 항염증제(NSAIDs)[226]가 일반적으로 사용된다. 이들 약물은 실험적으로 신경전도 회복에 어느 정도의 효능을 나타내었지만,[227] 신경근병증의 초기 단계에서 금기가 아닌 경우, 단기간 치료에 고용량 코티코스테로이드를 사용하는 것이 통증 조절 및 신경 조직의 구조적 악화 감소에 훨씬 더 효과적이다.[100]

이 치료로 심한 통증이 지속되면 형광투시 제어 하에 선택적 신경근주위 침윤을 사용할 수 있다. 이것은 훈련이 필요하고 약간의 위험이 있지만,[228] 또한 신경근 압박이 척추구멍에 발생하는 경우에 이것은 추간판 탈출증에 대한 보다 효과적인 기술이다.[229]

목 지지대를 사용하는 것은 논란의 여지가 있지만 통증 완화에 도움이 될 수 있다.[230] 이것의 목적은 경추를 고정시키는 것이 아니다. 이것은 효과가 없는 것으로 입증되었지만,[231-233] 통증을 악화시킬 수 있는 자발적인 움직임을 제한한다. 부드러운 목 지지대는 단단한 보조기보다 장점이 있다. 즉, 환자가 굴곡 또는 굴곡 및 측면 구부림에서 진통 자세를 유지하는 데 도움이 되며 훨씬 더 편안하다.[230]

따라서 목지지대의 위치는 상지 통증을 가장 많이 감소시키는 위치가 필수적이다. 지지대로 환자가 약간의 통증 완화를 느끼다면, 증상이 더 심한 첫 2~3주 동안은 사용하고 그 이후에는 사용을 중지하는 것이 좋다. 이후부터는 야간이나 통증을 악화시킬 수 있는 활동을 할 때 사용할 수 있다.

도수치료(Manual therapy)

신경근병증의 관리에 도움이 될 수 있는 치료 방법은 관절 가동술, 견인과 같은 역학적 상관관계 치료를 목적으로 하는 치료와 특히 신경조직 움직임을 목적으로 하는 치료 방법으로 나눌 수 있다.

관절 가동술(Joint mobilization techniques)

관절 가동술은 급성 및 만성 단계 모두에서 경추 신경근병증의 치료에 사용할 수 있다.[234-236] 목표는 통증을 줄이는 것이며 신경근 주위 부종을 제거하는 데 도움이 될 수 있다. 영향을 받는 신경 조직 주변의 모든 해부학적 구조에 대해 리듬감있게 수행되는 제어된 진동 가동을 적용하는 것이 좋다. 기술 중에 사용되는 크기과 구성 요소는 통증의 심각도와 과민성에 따라 다르다. 도수치료기술을 적용하는 동안 상지에서 어떤 증상도 재현하지 않는 것이 필수적이다. 치료 중 신경근 자극을 키우게 되면 다음 시간에 심한 통증을 유발할 가능성이 크다. 신경근 통증이 있는 환자에게는 빠른 속도의 기법이 권장되지 않는다. 수동 치료 기술은 첫 번째 세션부터 능동적 치료법과 연관되어야 한다.[237] 관절 가동술은 추간구멍의 직경을 증가시킬 수 있는 위치에서 수행되어야 한다.

경추 견인(*Cervical traction*)

경추 견인은 급성 및 만성 단계 모두에서 경추 신경근병증의 관리에 사용할 수 있다. 견인의 효과는 다른 도수치료기술과 마찬가지로 통증에 대한 직접적인 신경생리학적 효과에서 파생될 수 있다. 또한 추체간 공간의 거리와 추간구멍의 직경을 늘리고 신경 조직의 부종과 염증 상황을 줄이며 유도할 수도 있다.[238,239] 실험적으로 견인이 추간구멍의 직경을 크게 증가시키는 것으로 나타났다.[239] 일부 저자들은 큰 부피 디스크로 인한 경우에도 디스크 탈출로 인한 신경근병증에 대해 견인이 선호되는 치료 형태라고 생각한다.[240]

일정하고 간헐적인 역학적 견인 및 간헐적 수동 견인이라는 다양한 유형의 견인이 제시되었다: 몇몇 연구에서 경추 신경근병증의 증상을 줄이는데 간헐적 기법 또는 역학적 견인이 더 높은 효과가 있음을 보여준다.[86,237,240-244] 신경근증상이 있든 없든 만성 목 통증이 있는 환자의 관리에서 기계적 견인에 대한 최근의 체계적인 검토에서는 사용을 권장하거나 반대할 근거가 충분하지 않았다.[245]

간헐적 도수 견인은 추간구멍의 공간을 충분히 개방할 수 있도록 경추를 굴곡한 상태에서 수행되어야 한다.[239]

이 효과는 굴곡이 측면 굽힘 및 통증의 반대측 회전과 결합되면 증폭될 수 있다(**그림 1-29**). 신경근 충돌이 가장 자주 발생하는 하부 경추 분절에 더 나은 효과를 얻고, 턱관절에 대한 압박 효과를 피하기 위해 환자 목에 손가락을 얽고 치료사의 손으로 조정하는 방법이 사용될 수 있다. 견인은 외전 정도에 따라 상지를 위치시켜 신경역학적 조작으로 수행할 수 있다(**그림 1-30**).

외측면활주(*Lateral side-glide*)

Elvey와 Hall이[202,234,235,246,247] 설명한 이 도수치료는 어떤 경우에는 신경 조직의 역학적 민감도가 높은 경우에도 환자 증상에 즉각적인 효과를 얻을 수 있다.[236,248-252] 초기에는 상지의 긴장 없이 시행할 수 있다. 환자는 앙와위 자세로 어깨를 약간 외전 및 내회전하고 팔꿈치를 90° 굴곡하여 손이 대상자의 가슴과 복부에 놓이도록 한다(**그림 1-31**).

치료사는 한 손으로 경추를 잡고 복부로 환자의 머리를 고정하고 다른 손의 2번째 손가락을 관련 관절 부분에 측면으로 놓는다. 몸통의 움직임과 함께 치료사는 진동하는 것처럼 통증의 반대쪽에 측면 활주를 적용한다. 급성인 상황에서는 도수기법의 효과로 어깨를 들어올릴 수 있으면서, 그 크기가 저항이 감지되는 범위의 크기까지 제한될 수 있다. 환자의 증상이 호전됨에 따라 상지는 어깨를 더 외전, 팔꿈치는 신전, 전완은 회외와 같은 점진적인 신경 긴장 자세를 취하게 된다. 또한 한 손으로 머리와 목을 잡고 다른 손으로 어깨를 고정하여 어깨의 높이를 조절할 수 있다.

하부 경추 부분에 더 큰 영향을 미치기 위해 손가락들을 딱 붙이고 손이 환자 목의 형태에 맞게 조정되는 손 잡는 법을 사용한다(B).

경추 측굴(*Cervical side-bending*)

이 기법은 경추를 굴곡 상태로 유지하면서 통증이 있는 반대쪽으로 측면 굽힘을 가하는 것이다. 이 기술은 외측 관의 직경을 변형할 수 있으며 신경 조직 가동을 강조할 수 있다. 앞의 기법과 마찬가지로, 초

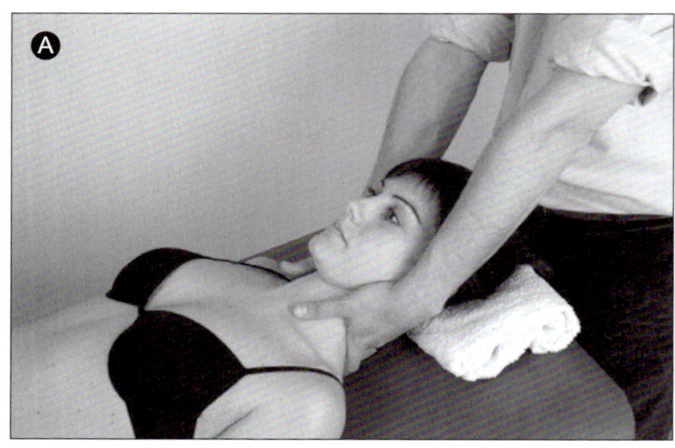

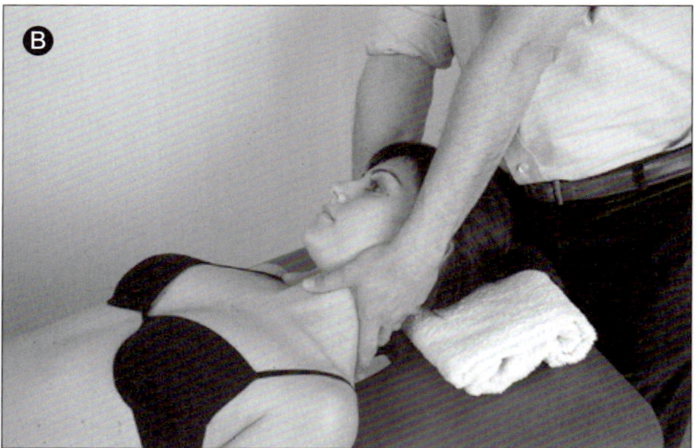

그림 1-29 ■ 간헐적 도수 견인은 경추를 굴곡시킨 상태에서 수행하여 구멍이 충분히 열리도록 해야 한다. 굴곡은 측면 굽힘 및 통증의 반대측 회전과 관련될 수 있다(A).

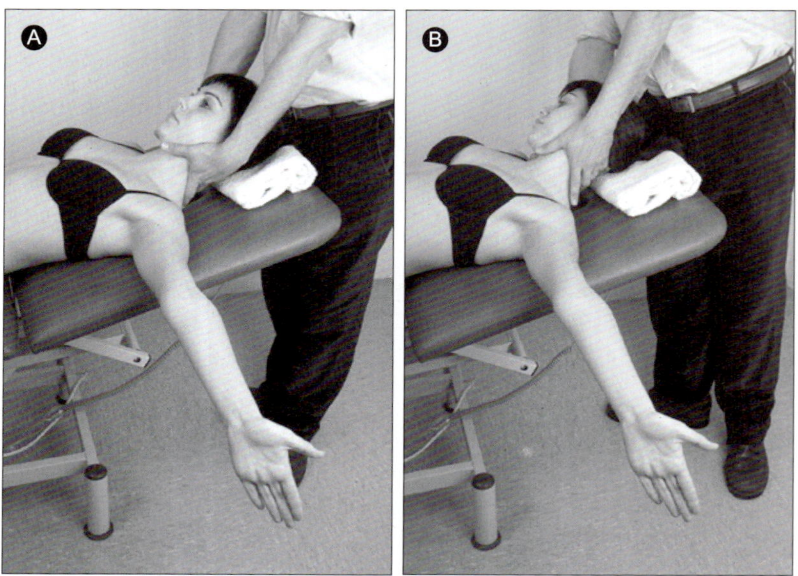

그림 1-30 ■ 상지를 외전 상태로 만들기 위한 신경역학적 기법으로서의 견인. 중립 자세에서의 견인(A) 및 회전 및 반대쪽 측면 굽힘(B).

기에는 상지가 긴장되지 않은 위치에 있다가 점차적으로 증상이 진행되면서 신경조직에 일정한 긴장을 내포하는 위치에 놓이게 된다(**그림 1-32**).

경추 회전(Cervical rotation)

반대측 회전의 가동화는 외측 척추관에 개방 효과가 있다. 경추를 굴곡 상태로 유지하면서 리듬감있게 통증의 반대쪽으로 회전을 유도한다. 환자가 심한 통증이나 뚜렷한 과민 반응을 나타내지 않는 한, 경추 회전은 신경역학적 기법과 연관될 수 있다(**그림 1-33**). 굴곡, 측면 굽힘 및 반대쪽 회전과 관련된 다양한 움직임 조합을 적용할 수 있다.

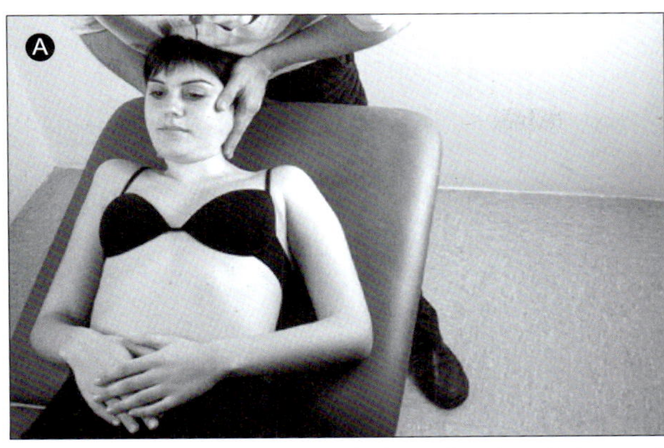

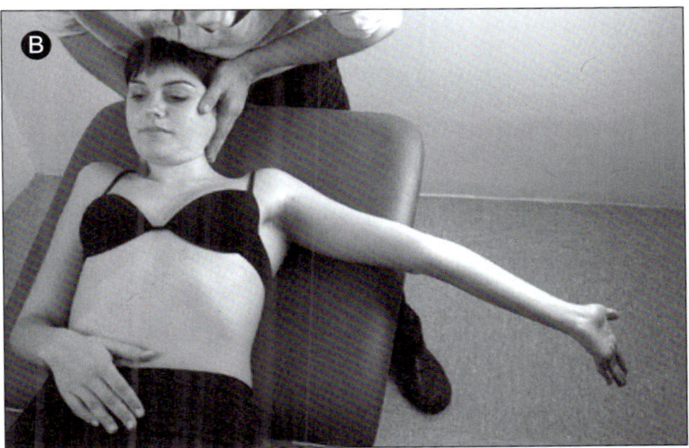

그림 1-31 ■ 외측면 경추 측면 활주. 치료사는 한 손으로 경추를 잡고, 다른 한 손으로 검지손가락으로 통증이 있는 쪽 반대쪽으로 천천히 진동하는 방식으로 측면활주를 적용한다(A). 환자의 증상이 호전됨에 따라 상지는 신경 긴장의 점진적인 자세에 놓인다(B).

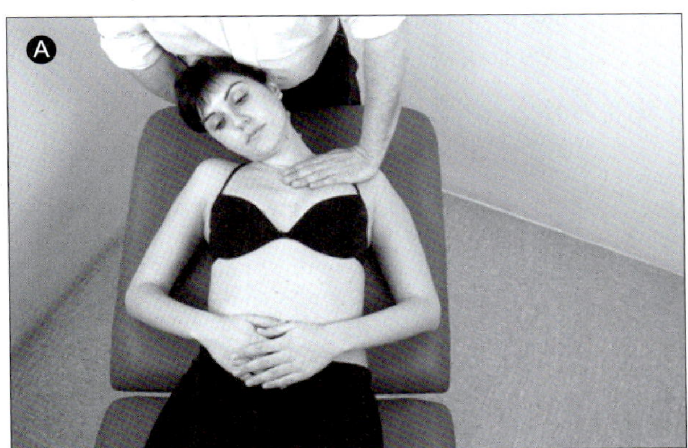

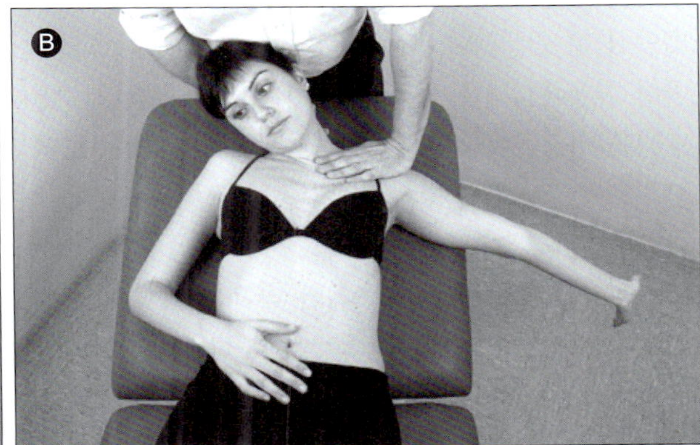

그림 1-32 ■ 경추 측면 굽힘 . 굴곡 자세를 유지하면서 경추를 통증 반대 방향으로 측면 굽힘을 가한다(A). 증상이 개선됨에 따라 환자는 신경 조직의 특정 긴장을 수반하는 위치에 놓인다(B).

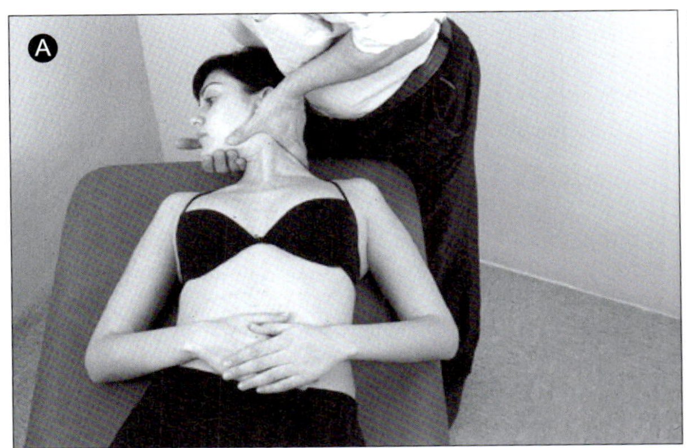

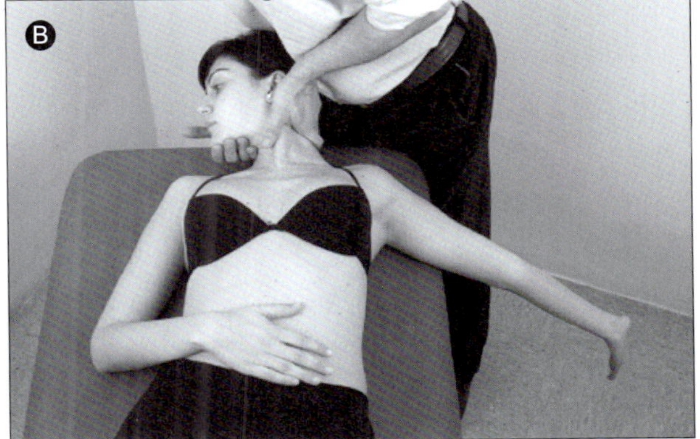

그림 1-33 ■ 경추 회전. 경추의 굴곡을 유지하면서 상완통의 반대쪽으로 회전을 부드럽게 유도한다(A). 경추 회전은 신경역학적 미끄러짐 기법(B)과 연관될 수 있다.

신경역학적 기법
(Neurodynamic techniques)

신경계의 움직임은 신경근 병리학에서 새롭고 효과적인 치료 접근법이다.[202,208,236,253,254] 이 기술의 목적은 신경 조직의 기계적 민감도를 줄이는 것이다. 신경내 또는 신경외 부종을 분산시키는 데 도움이 될 수 있으므로, 가능한 한 빨리 신경근의 가동을 시작하는 것이 중요하다.

발달, 기술 유형 및 신경 가동화의 강도는 증상이 과민성, 비과민성, 급성, 아급성 또는 만성인지 여부와 신경근병증의 원인이 디스크 탈출인지 퇴행성 외측관 협착증인지에 따라 달라진다. 이 치료 양식은 환자의 임상 상황에 적응할 수 있다는 장점이 있다. 다양한 움직임 조합을 사용하여 급성, 아급성 또는 만성 단계에서 행동하는 것이 가능하다. 경추 신경근병증은 신경근복합체에 더 높거나 더 낮은 압축을 가함으로써 병리역학의 영역에 속하고 신경 조직에 변화가 있기 때문에 생리병리학의 영역에 속한다. 어떤 상황에서는 병리역학적 지배가 우세하고 다른 상황에서는 생리병리학적 지배가 우세하다. 추간판 탈출증으로 인한 신경근병증에서는 두 영역이 모두 존재하는 반면 외측관 협착증에서는 병리역학적 요소가 더 우세하다.

급성기에는 활주 기술이 장력 기술보다 더 중요하다. 만성 상황에서는 긴장기술을 사용하여 증상이 악화되는 것을 방지할 수 있다.

처음에는 두 가지 가능성이 있다. 부상 위치에서 멀리 떨어진 곳에서 치료하거나 외측 운하에서 직접 가동하는 것인데 여러 가지 가능한 조합이 있다. 신경 조직에 긴장이 없는 한 손상 부위 근처에서 치료하는 것이 임상 상황에 더 긍정적인 영향을 미칠 것이다. 이 경우 목적은 추간구멍과 관련하여 신경 조직을 움직이는 것이다. 다음 장에서는 가능한 많은 신경역학 기술의 일부 표본이 제공된다.

경추 굽히기 또는 수동적 목 굴곡

환자의 자세: 상지에 신경 조직의 장력이 없는 자세(예: 손으로 복부를 짚은 자세)에 반듯이 누운 앙와위 자세.

치료사의 자세: 환자의 머리 옆에 서 있는다.

방법: 치료사는 반복적이고 부드러운 방식으로 중간 정도의 경추 굴곡 운동을 적용한다. 신경 미끄러짐 기법이 필요한 경우, 치료사가 경추굴곡을 수행하는 동안 환자에게 팔꿈치를 구부리거나 견갑대를 올리도록 요청할 수 있다(**그림 1–34**). 초기에 환자가 경추의 굴곡을 견디지 못한다면, 중립 위치에서 두개경추의 굴곡을 적용할 수 있다. 과민성 및 증상의 심각성이 감소함에 따라 신경 조직의 기계적 요구를 증가시킬 목적으로 초기에 다른 각도의 팔꿈치의 신전과 어깨의 외전을 도입할 수 있다. 심화단계에서는 신경 장력기술을 수행할 수 있다. 이 경우 환자는 팔꿈치의 신전 또는 어깨의 하강을 수행하도록 요청 받는 반면 치료사는 동시에 경추 굴곡을 수행한다. 이 기법은 I에서 IV까지 리드미컬하게 반복된다.

상지의 신경역학적 기법

예 1 (*ULNT2*)

환자의 자세: 상지를 몸에 붙힌 앙와위 자세. 환자가 신경 조직의 과민성으로 인해 이 위치를 유지할 수 없는 경우, 영향을 받은 상지를 긴장이 없는 위치에 놓을 수 있다(예: 손으로 복부에 놓는다).

치료사의 자세: 환자의 머리 쪽에 서 있는다.

방법: 치료사는 베개나 손으로 환자의 경추 굴곡을 유지하면서 부드러운 움직임을 적용하여 견갑대를 누른다. 신경 미끄러짐 기법이 필요한

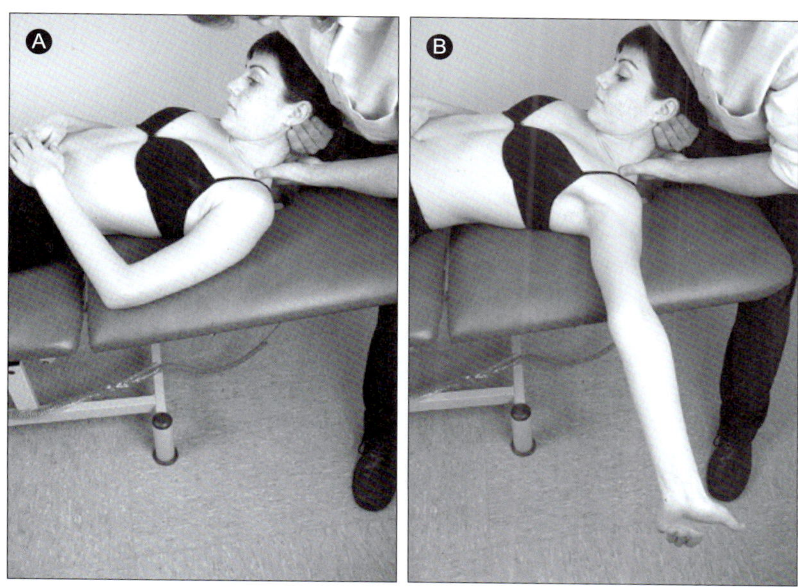

그림 1-34 ■ 신경 미끄러짐 기법(B)과 관련된 수동적 목 굴곡(A).

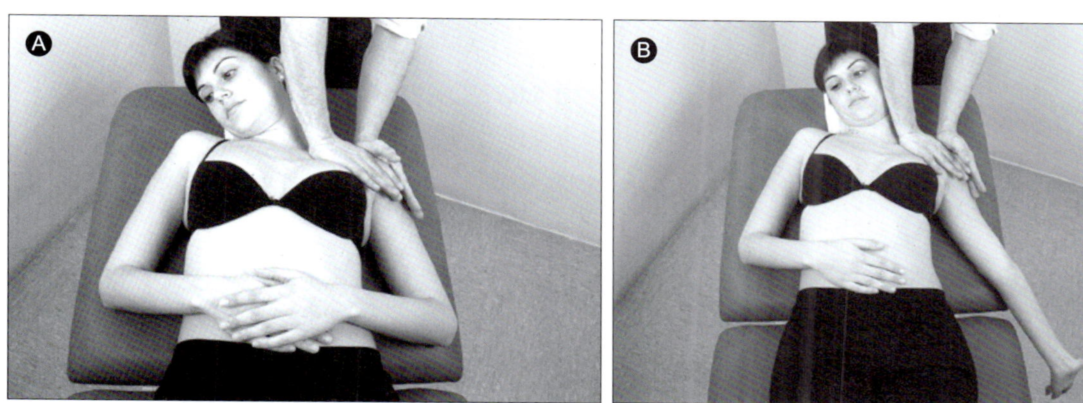

그림 1-35 ■ 팔꿈치 굴곡 및 측면 굽힘의 견갑대 내림과 및 반대쪽 경추 회전을 연관시키는 신경 미끄러짐 기법(A). 나중에 환자가 팔꿈치를 펴고 경추를 중립 위치로 가져오는 동안 견갑대의 함몰이 감소한다(B).

경우 환자는 어깨 내림 시 어깨를 굴곡하고 치료사가 어깨 내림을 줄이면 어깨를 신전하도록 요청할 수 있다(**그림 1-35**). 치료의 심화 단계에서 신경 조직에 대한 기계적 요구를 증가시킬 목적으로 시작 위치는 환자의 머리를 약간 반대쪽으로 측면 굴곡할 수 있다.

이 기법은 부드럽고 반복적으로 I에서 IV까지 반복된다.

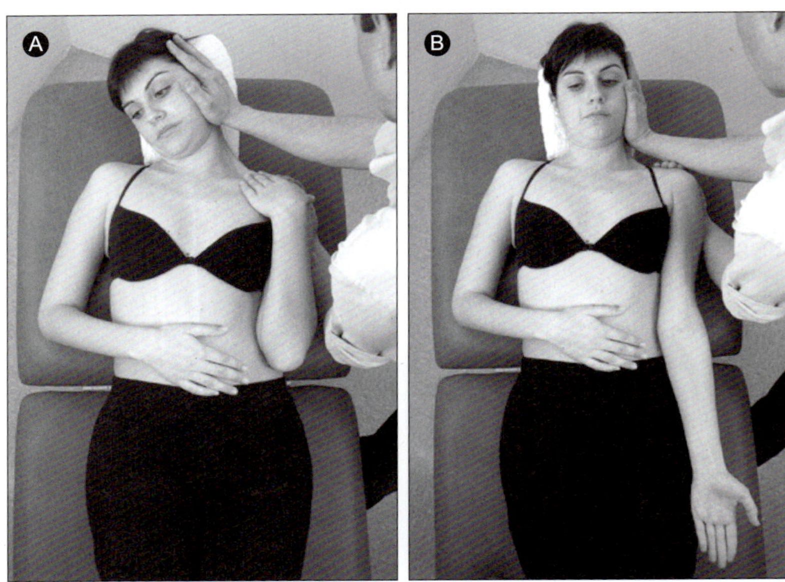

그림 1-36 ■ 팔꿈치 굴곡반대쪽 경추 측면 굽힘 및 회전과 함께 견갑대의 꼬리쪽(하방쪽) 견인을 연관시키는 신경 슬라이더 기동(A). 이후 환자는 팔꿈치를 펴고 경추를 중립 위치로 만들어서 견갑대의 견인력이 감소된다(B).

예 2 (ULNT2)

환자의 자세: 앙와위.

치료사의 자세: 환자를 바라보고 환측의 상지 옆에서 있는다.

방법: 환자에게 더 가까운 손으로 치료사는 어깨의 윗면을 잡고 환자 머리의 측면에 손을 지지한다. 그런 다음 그는 견갑대의 하강을 만들어주면서 동시에 머리의 반대쪽 측면 굽힘을 적용하고 환자는 신경 슬라이더 기법을 적용할 목적으로 팔꿈치를 능동적으로 굽힌다. 이 기법은 견갑대가 하강하고 어깨가 초기 위치로 수동 복귀하면서 환자는 머리를 중립 위치로, 팔꿈치를 신전 위치로 가져간다. 이 기법은 부드럽고 반복적으로 1단계부터 4단계까지 반복된다(**그림 1-36**).

예 3 (ULNT1)

환자의 자세: 앙와위.

치료사의 자세: 환측 상지의 측면으로 환자 옆에 앉는다.

방법: ULNT1의 상지 자세에서 시작하여 치료사는 환자에게 더 가까운 손으로 상지에 견인 구성요소를 도입하고 다른 손으로 팔꿈치를 굽히고 환자가 반대쪽 측면 굽힘을 수행한다. 그런 다음 팔의 견인력을 줄이고 팔꿈치를 펴면서 환자는 머리를 중립 위치에 놓는다. 이 기법은 신경조직이 활강하도록 한다. 치료의 심화 단계에서 상지의 견인 단계는 환자의 팔꿈치 신전과 관련될 수 있으며, 따라서 이 기법을 긴장도 기법으로 수정할 수 있다 (**그림 1-37**).

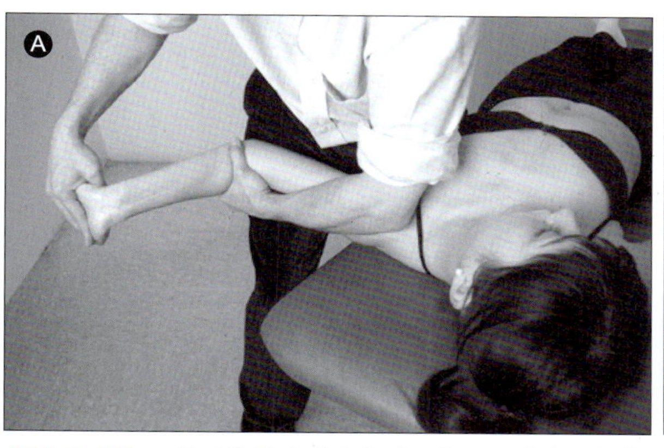

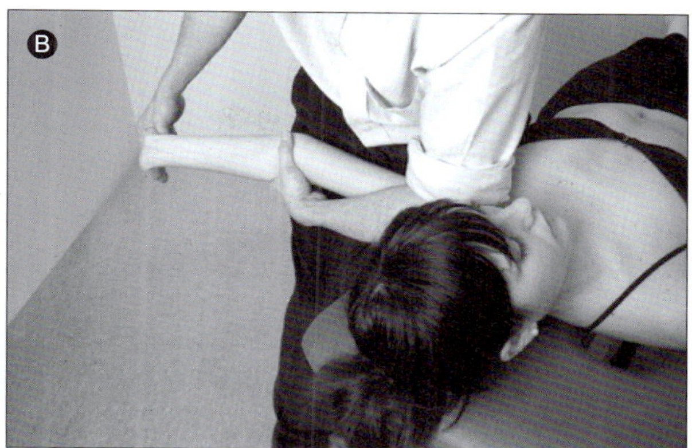

그림 1-37 ■ 상지의 측면 견인과 팔꿈치 굴곡 반대측의 경추 측면 굽힘을 연관시키는 신경 활주 기법(A). 이후 팔꿈치가 펴지면서 상지의 측면 견인력이 감소하고 환자는 경추를 제자리로 옮긴다(B).

그림 1-38 ■ 치료사가 팔꿈치 굴곡과 관련된 견갑대의 함몰을 적용하는 상지 신경역학 검사 2(ULNT2)를 사용한 신경 미끄러짐 기법(A). 이후 팔꿈치가 신전될 때 견갑대의 함몰이 감소된다(B).

예 4 (ULNT2)

환자의 자세: 앙와위.

치료사의 자세: 환자의 발을 보면서 환측의 상지 옆에 서 있는다.

방법: ULNT2(요골의)의 초기 위치에서 시작하여 치료사는 골반의 도움을 받아 환자의 팔꿈치를 구부리면서 부드러운 견갑대 내림을 적용한다. 어깨가 초기 위치로 돌아가면 팔꿈치의 신전이 수행된다. 이 활주기술을 장력기술로 전환하려면 견갑대의 함몰 구성 요소에 팔꿈치의 확장이 동반되어야 한다(**그림 1-38**).

예 5 (ULNT3)

환자의 자세: 앙와위.

치료사의 자세: 환측의 상지 옆에 서서 환자의 머리를 향한다.

방법: ULNT3의 초기 위치에서 시작하여 치료사는 팔꿈치 굴곡을 수행하면서 환자의 견갑대를 내린다. 이 신경 미끄러짐 기술을 긴장하는 기술로 전환하려면 견갑대의 함몰 구성 요소에 팔꿈치 신전이 동반되어야 한다(**그림 1-39**).

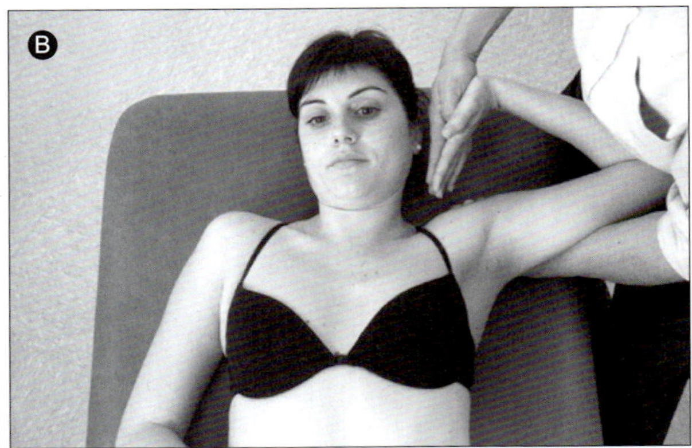

그림 1-39 ■ 치료사가 팔꿈치 신전과 관련된 견갑대의 함몰을 적용하는 낮은 신경근병증에 대한 상지 신경역학 검사 3 (ULNT3)을 사용한 신경 미끄러짐 기법(A). 견갑대의 함몰이 감소함에 따라 팔꿈치의 굴곡이 증가한다(B).

환자의 증상으로 인해 경추의 신경조직 가까이에서 가동화가 어려운 경우에는 수근관, 팔목관, 제1갈비뼈 등 주변부에서 원거리 가동술을 시행할 수 있다. 매우 심한 통증 초기 단계에서는 말초의 신경 긴장이 신경근의 기계적 민감도를 낮추기 때문에 반대쪽에서 영향을 받는 환측 쪽으로 신경 조직을 가동하여 치료를 시작할 수 있다. 이런 식으로 상황이 급성이고 매우 과민할 때 증상을 악화시킬 위험 없이 특정 증상 완화를 달성할 수 있다. 이 급성기 동안에 사용된 신경 가동화가 기능장애의 위치에 대해 근위이든 원위이든 상관없이, 가동화 동안 추간구멍의 직경을 증가시키고 신경근의 미끄러짐을 용이하게 하기 위해 경추를 굴곡 위치에 놓아야 한다. 설명된 기술의 결과는 강도가 아니라 적용 빈도에서 파생된다. 따라서 치료 첫날부터 환자에게 기술을 가르쳐 하루에 여러 번 집에서 시행할 수 있도록 하는 것이 중요하다.[236,250]

신경역학적 가정운동

- 신경 요소에 과도한 긴장이 가해지지 않도록 팔꿈치의 굴곡 위치에서 시작하여, 환자는 서서 환측 상지의 견갑대를 휘돌림을 수행한다. 이 운동은 환자의 증상이 신경 미끄러짐 기술을 허용하지 않는 초기 단계에서 수행할 수 있다. 이후에 환자는 견갑대의 함몰이 팔꿈치의 굴곡과 관련되고 어깨의 상승이 팔꿈치의 굴곡과 관련이 있는 경우 신경 미끄러짐 기법을 적용할 수 있다 (**그림 1-40**). 이 기술은 팔꿈치의 신전에 의해서 견갑대의 함몰이 동반되면 신경 장력으로 전환될 수 있다.
- 환자는 서서 팔꿈치를 굽힌 상태의 초기 위치에서 시작하여 환측상지의 측면 견인을 수행한다. 움직임에는 반대쪽 경추 측굴 및 회전이 관련된다. 그런 다음 환자는 견인 요소를 이완하고 중립 위치에 도달할 때까지 팔꿈치 신전 운동과 측면 굽힘을 결합한다 (**그림 1-41**). 이러한 방식으로 상지의 신경 조직 미끄러짐이 달성된다. 더 진행된 단계의 치료에서 신경 조직의 긴장을 증가시키려는 요구가 있을 때 움직임 매개변수가 변경된다. 상지의 측면 견인에는 신경 조직 장력을 이루기 위해 팔꿈치 신전과 함께 반대쪽 경추 측면 굽힘이 연관된다. 긴장 단계 후 상지의 견인이 해제되고 팔꿈치 굴곡과 동측 경추 측굴 운동이 결합된다.

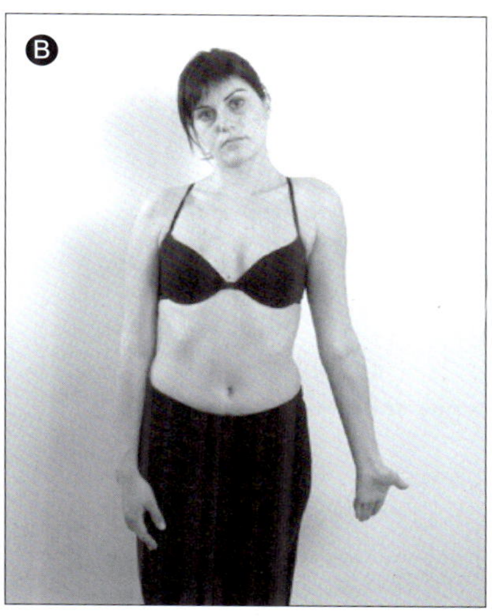

그림 1-40 ■ 신경 미끄러짐 운동. 환자는 견갑대 내림을 팔꿈치 굴곡(A)과 연관시키고 견갑대 상승을 팔꿈치 신전(B)과 연관시킬 때 신경 슬라이더 운동을 적용할 수 있다.

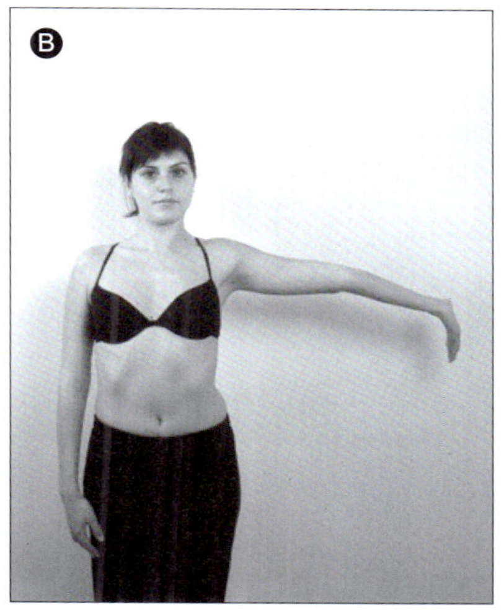

그림 1-41 ■ 신경 미끄러짐 운동. 환자는 팔꿈치를 구부리면서 측면 굽힘과 반대쪽 경추 회전을 수행한다(A). 그런 다음 상지를 옆으로 당기고 팔꿈치를 펴고 경추를 중립 위치(B)로 한다.

아급성기 치료

아급성기는 덜 심한 통증을 특징으로 하지만 감각 이상과 감각 및 운동 결손이 더 빈번한다. 증상의 중증도가 감소함에 따라 신경역학 및 가동화 기법을 더 강도 높게 수행할 수 있다. 미끄러짐 기술은 신경 조직의 더 높은 사전 장력으로 수행되며 신경 장력 기술은 점진적으로 도입한다. 이 단계에서 신경 긴장은 경추와 같이 신체의 더 가까운 부분에서 항상 먼저 도입된다. 예를 들어, 신경계에 장력을 가하는 경추의 측면 굽힘 자세에서 팔의 리드미컬한 견인 등을 사용하여 팔꿈치에서 가동화를 수행할 수 있다. 이러한 방식으로 기계적 접촉면은 어느 정도의 신경 긴장을 가하는 자세에서 가동될 수 있다. 아래에 예가 나와 있다.

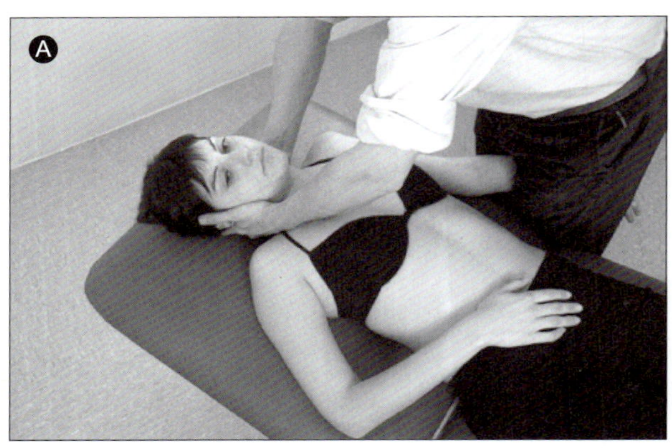

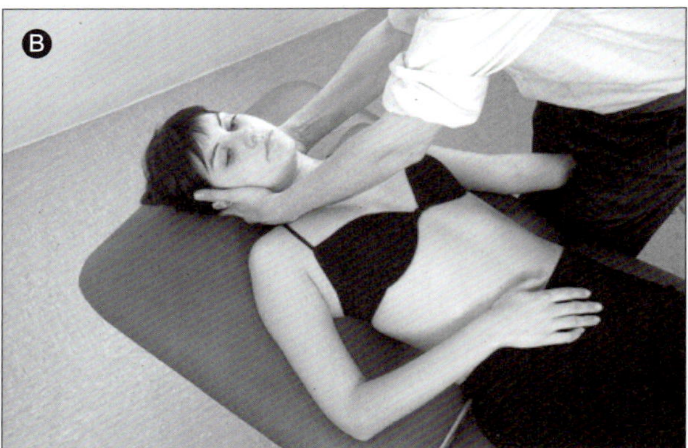

그림 1-42 ■ 환자의 머리를 잡고 있는 동안 미끄러짐 움직임이 필요한 경우 치료사는 팔의 견인력을 줄여 반대쪽 가동성을 적용할 수 있다(A). 텐셔너 기술이 필요한 경우 치료사의 하지의 견인력을 높인다(B).

예 6

환자의 자세: 앙와위.

치료사의 자세: 환측 상지 옆으로 환자 앞에 서 있는다.

방법: 치료사는 두 손으로 환자의 경추를 감싸고 영향을 받은 상지를 하지 사이에 끼운다. 이 위치에서 상지의 꼬리쪽 견인을 동측 경추 측면 굽힘과 연관시키는 미끄러짐 기법 또는 상지의 꼬리 견인과 반대쪽 측면 굽힘을 결합한 텐셔너 기법을 수행할 수 있다(**그림 1-42**).

관절 기능장애의 치료 (Treatment of articular dysfunction)

신경 기계적 민감도가 감소함에 따라 목표는 경추 관절의 이동성과 기능을 개선하고 분절 안정성을 회복하는 것이다.

가동성을 정상화하기 위해 분절 가동화 기술, 보조 움직임 및 고속 도수치료 기술과 같은 다양한 치료 가능성이 있다. 관절 운동 범위 증가의 기계적 효과는 신경 조직 주변의 부종 및 통증유발성 물질의 제거에 유리할 수 있다.

신경근병증은 고속 기법의 사용을 포함하여 기법의 사용을 조언하지 않는다. 여러 연구에 따르면 추간판 탈출증으로 인한 신경근병증이 있는 환자의 경우 전문 치료사가 수행할 때 기법이 안전하다.[255-259]

그러나 신경근병증에서는 도수치료보다 관절 가동화 기법과 보조적 움직임을 선택하는 것이 좋다. 반사 경련이 있거나 증상을 자극하는 경우 어떠한 조작 기술도 권장되지 않는다. 보조 운동 기술은 환자의 증상을 피하기 위해 필요한 경추 굴곡과 함께 수행된다. 급성기에는 1단계과 2단계로 시작하여, 증상의 감소에 따라 3단계과 4단계로 진행될 수 있다.

신경근병증의 치료에 유용할 수 있는 수동적 보조 운동 기법은 편측 전후방 압력이다.

환자의 자세: 앙와위.

치료사의 자세: 환자의 머리 쪽에 선다.

방법: 치료사는 두 엄지손가락을 오른쪽 횡돌기에 내측으로 위치시키고 가동이 불편하지 않도록 엄지손가락 끝과 넓게 접촉한다. 오른손의 두 번째와 세 번째 손가락은 오른쪽 관절면의 뒤쪽에 위치한다. 치료사는 오른쪽 가로돌기에 엄지손가락을 사용하여 전후방 진동 운동을 적용한다. 더 진행된 단계에서 환자의 상지는 긴장 위치에 놓는다(**그림 1-43**).

어떤 경우에는 신경근병증의 분절에서 멀리 떨어져 있는 저가동성 관절의 가동화가 환자의 증상을 개

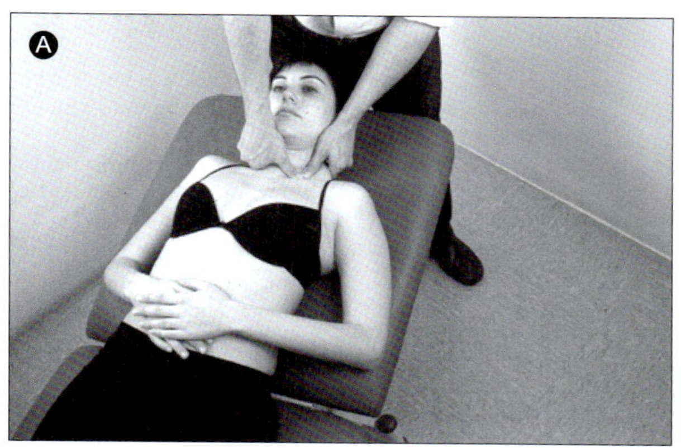

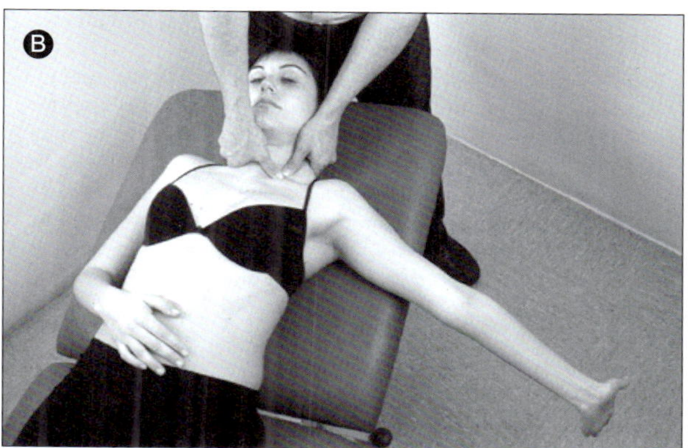

그림 1-43 ■ 부가적 이동 기술. 휴식 자세(A)에 있는 팔다리와 장력 자세(B)를 유지하는 전후 편측 압력.

선할 수 있다. 아마도 인접한 분절의 더 높은 가동성이 영향을 받는 분절에 대한 기능적 요구를 감소시키기 때문일 것이다. 흉추의 가동화 또는 기법은 경추의 증상을 개선할 수 있다.

운동(*Exercises*)

초기에는 증상을 악화시키는 운동과 진통자세를 교정하려는 운동을 피해야 한다. 이는 기계적 민감도를 증가시켜 신경근 복합체의 자극을 악화시킬 수 있기 때문이다. 신경 미끄러짐 운동 외에 머리를 뒤로 젖히는 운동으로 환자의 증상을 개선할 수 있다. 또한 치유 과정에서 미세 외상을 최소화하고 상태의 재발을 피하기 위해 경추 운동조절 운동이 필요하다.[86]

결론 CONCLUSION

추간판 탈출증으로 인한 경추 추간판성 통증과 신경근병증 및 외측관 협착증은 흔한 임상적 질환이다. 경추 신경근병증의 감별 진단은 다른 조건이 유사한 방식으로 임상적으로 나타날 수 있기 때문에 복잡하다. 지난 몇 년 동안 경추해부학에 대한 철저한 검토와 경추 추간판 탈출증 및 외측관 협착증의 자연병력에 대한 더 깊은 이해 덕분에 병리학 및 퇴행성 변화에 대한 새로운 해석이 등장하기 시작했다.

최근까지 신경근통증의 병태생리학적 기전은 신경근의 압박에서 직접적으로 유래하는 것으로 여겨졌다. 그러나, 특히 추간판 탈출증에서 유래된 신경근 통증 및 신경근병증은 경막외강의 신경 조직과 수핵의 접촉에 의해 유발된 염증 과정의 결과이다. 과거의 중재적 접근과 대조적으로 오늘날에는 돌출된 디스크 탈출증이 점진적으로 퇴행한다는 증거가 있다. 대부분의 경추 신경근병증 환자의 치료는 보수적이어야 한다. 환자 교육, 통증 조절 및 물리치료가 가장 중요한 치료이어야 한다. 신경근병증의 진행을 수정할 수 있는 보존적 치료 방법은 기계적 관절 접촉면과 신경 조직 모두의 가동화를 목표로 한다. 약리학적 치료와 관련된 이러한 보존적 접근은 필요한 경우 수술에 대한 효과적인 치료 대안이 될 수 있다.

참고문헌

1. Woertgen C, Holzschuh M, Rothoerl RD, et al. Clinical signs in patients with brachialgia and sciatica: a comparative study. Surg Neurol 1998;49(2):210–14.
2. Crock HV. Normal and pathological anatomy of the lumbar spinal nerve root canals. J Bone Joint Surg Br 1981;63B(4):487–90.
3. Taylor JR, Twomey LT. Acute injuries to cervical joints. An autopsy study of neck sprain. Spine 1993;18(9):1115–22.
4. Taylor J, Taylor M. Cervical spine injuries: an autopsy study of 109 blunt injuries. J Musculoeskel Pain 1996;4(4): 61–79.
5. Peh W. Provocative discography: current status. Biomed Imaging Interv J 2005;1(1):e2.

6. Bogduk N. The lumbar disc and low back pain. Neurosurg Clin N Am 1991;2(4):791–806.
7. Abdulkarim JA, Dhingsa R, L Finlay DB. Magnetic resonance imaging of the cervical spine: frequency of degenerative changes in the intervertebral disc with relation to age. Clin Radiol 2003;58(12):980–4.
8. Venner RM, Crock HV. Clinical studies of isolated disc resorption in the lumbar spine. J Bone Joint Surg Br 1981;63B(4): 491–4.
9. Smith GW, Nichols P Jr. The technic of cervical discography. Radiology 1957;68(5):718–20.
10. Cloward RB. Cervical diskography. A contribution to the etiology and mechanism of neck, shoulder and arm pain. Ann Surg 1959;150:1052–64.
11. Groen GJ, Baljet B, Drukker J. Nerves and nerve plexuses of the human vertebral column. Am J Anat 1990;188(3): 282–96.
12. Bogduk N, Windsor M, Inglis A. The innervation of the cervical intervertebral discs. Spine 1988;13(1):2–8.
13. Bogduk N, Lambert GA, Duckworth JW. The anatomy and physiology of the vertebral nerve in relation to cervical migraine. Cephalalgia 1981;1(1):11–24.
14. Mendel T, Wink CS, Zimny ML. Neural elements in human cervical intervertebral discs. Spine 1992;17(2):132–5.
15. Mercer S, Bogduk N. The ligaments and annulus fibrosus of human adult cervical intervertebral discs. Spine 1999;24(7):619– 26, discussion 627–8.
16. Biondi DM. Cervicogenic headache: diagnostic evaluation and treatment strategies. Curr Pain Headache Rep 2001;5(4): 361–8.
17. Bogduk N. Cervicogenic headache: anatomic basis and pathophysiologic mechanisms. Curr Pain Headache Rep 2001; 5(4):382–6.
18. Fredriksen TA, Sjaastad O. Cervicogenic headache: current concepts of pathogenesis related to anatomical structure. Clin Exp Rheumatol 2000;18(2 Suppl. 19):S16–18.
19. Bogduk N, Windsor M, Inglis A. The innervation of the cervical intervertebral discs. Spine 1988;13(1):2–8.
20. Aprill C, Bogduk N. High-intensity zone: a diagnostic sign of painful lumbar disc on magnetic resonance imaging. Br J Radiol 1992;65(773):361–9.
21. Schellhas KP, Garvey TA, Johnson BA, et al. Cervical diskography: analysis of provoked responses at C2-C3, C3-C4, and C4-C5. AJNR Am J Neuroradiol 2000;21(2):269–75.
22. Schellhas KP, Smith MD, Gundry CR, et al. Cervical discogenic pain. Prospective correlation of magnetic resonance imaging and discography in asymptomatic subjects and pain sufferers. Spine 1996;21(3):300–11, discussion 311–12.
23. Grubb SA, Kelly CK. Cervical discography: clinical implications from 12 years of experience. Spine 2000;25(11): 1382–9.
24. Blume HG. Cervicogenic headaches: radiofrequency neurotomy and the cervical disc and fusion. Clin Exp Rheumatol 2000;18(2 Suppl. 19):S53–8.
25. Bogduk N. Distinguishing primary headache disorders from cervicogenic headache: clinical and therapeutic implications. Headache Currents 2005;2(2):27–36.
26. Lipson SJ, Fox DA, Sosman JL. Symptomatic intravertebral disc herniation (Schmorl's node) in the cervical spine. Ann Rheum Dis 1985;44(12):857–9.
27. Senter BS. Cervical discogenic syndrome: a cause of chronic head and neck pain. J Miss State Me Assoc 1995;36(8):231–4.
28. Brodsky AE. Cervical angina. A correlative study with emphasis on the use of coronary arteriography. Spine 1985;10(8): 699–709.
29. Mork AA, Haufe SM, Yancey WB. Sometimes (what seems to be) a heart attack is (really) a pain in the neck. J Am Board Fam Pract 2004;17(1):74–7.
30. Schellhas KP. Diskography. Neuroimaging Clin N Am 2000; 10(3):579–96.
31. Slipman CW, Plastaras C, Patel R, et al. Provocative cervical discography symptom mapping. Spine J 2005;5(4):381–8.
32. Olmarker K, Rydevik B, Nordborg C. Autologous nucleus pulposus induces neurophysiologic and histologic changes in porcine cauda equina nerve roots. Spine 1993;18(11): 1425–32.
33. Byrod G, Olmarker K, Konno S, et al. A rapid transport route between the epidural space and the intraneural capillaries of the nerve roots. Spine 1995;20(2):138–43.
34. Tracey DJ, Walker JS. Pain due to nerve damage: are inflammatory mediators involved? Inflamm Res 1995;44(10): 407–11.
35. Bove GM, Ransil BJ, Lin HC, et al. Inflammation induces ectopic mechanical sensitivity in axons of nociceptors innervating deep tissues. J Neurophysiol 2003;90(3):1949–55.
36. Asbury AK, Fields HL. Pain due to peripheral nerve damage: an hypothesis. Neurology 1984;34(12):1587–90.
37. Jinkins J. The anatomic and physiologic basis of local, referred and radiating lumbosacral pain syndromes related to disease of the spine. J Neuroradiol 2004;31:163–80.
38. Sauer SK, Bove GM, Averbeck B, et al. Rat peripheral nerve components release calcitonin gene-related peptide and prostaglandin E2 in response to noxious stimuli: evidence that nervi nervorum are nociceptors. Neuroscience 1999;92(1): 319–25.
39. Angus-Leppan H, Lambert GA, Michalicek J. Convergence of occipital nerve and superior sagittal sinus input in the cervical spinal cord of the cat. Cephalalgia 1997;17(6):625–30, discussion 623.
40. Howe JF, Loeser JD, Calvin WH. Mechanosensitivity of dorsal root ganglia and chronically injured axons: a physiological basis for the radicular pain of nerve root compression. Pain 1977;3(1):25–41.
41. Parke WW, Whalen JL. The vascular pattern of the human dorsal root ganglion and its probable bearing on a compartment syndrome. Spine 2002;27(4):347–52.
42. Gifford L. Acute low cervical nerve root conditions: symptom presentations and pathobiological reasoning. Man Ther 2001;6(2):106–15.
43. Elvey R. Brachial plexus tension test and the pathoanatomical origin of arm pain. In: Glasgow E, Twomey L, editors. Aspects of manipulative therapy. Melbourne: Lincoln Institute of Health Sciences; 1979. p. 105–10.
44. Nakamura SI, Myers RR. Injury to dorsal root ganglia alters innervation of spinal cord dorsal horn lamina involved in nociception. Spine 2000;25(5):537–42.
45. Muhle C, Bischoff L, Weinert D, et al. Exacerbated pain in cervical radiculopathy at axial rotation, flexion, extension, and coupled motions of the cervical spine: evaluation by kinematic magnetic resonance imaging. Invest Radiol 1998;33(5): 279–88.
46. Panjabi MM, Takata K, Goel VK. Kinematics of lumbar

intervertebral foramen. Spine 1983;8(4):348–57.
47. Epstein BS, Epstein JA, Jones MD. Anatomicoradiological correlations in cervical spine discal disease and stenosis. Clin Neurosurg 1978;25:148–73.
48. Sunderland S. Meningeal-neural relations in the intervertebral foramen. J Neurosurg 1974;40(6):756–63.
49. Grenier F, Senegas J, Lavignolle B. Les nerfs rachidiens cervicaux et leur distribution La douleur cervicale. In: Senegas J, editor. Les cervicalgies – la cervicarthrose et ses complications. Bordeaux: L'Unité de Pathologie Rachidienne CHR de Bordeaux; 1986. p. 39–62.
50. Heller JG. The syndromes of degenerative cervical disease. Orthop Clin North Am 1992;23(3):381–94.
51. Tanaka N, Fujimoto Y, An HS, et al. The anatomic relation among the nerve roots, intervertebral foramina, and intervertebral discs of the cervical spine. Spine 2000;25(3):286–91.
52. Maigne JY, Deligne L. Computed tomographic follow-up study of 21 cases of nonoperatively treated cervical intervertebral soft disc herniation. Spine 1994;19(2):189–91.
53. Olmarker K, Rydevik B, Holm S. Edema formation in spinal nerve roots induced by experimental, graded compression. An experimental study on the pig cauda equina with special reference to differences in effects between rapid and slow onset of compression. Spine 1989;14(6):569–73.
54. Bland JH. Cervical and thoracic pain including thoracic outlet syndrome and brachial neuritis. Curr Opin Rheumatol 1990;2(2):242–52.
55. Oda J, Tanaka H, Tsuzuki N. Intervertebral disc changes with aging of human cervical vertebra. From the neonate to the eighties. Spine 1988;13(11):1205–11.
56. Scott JE, Bosworth TR, Cribb AM, et al. The chemical morphology of age-related changes in human intervertebral disc glycosaminoglycans from cervical, thoracic and lumbar nucleus pulposus and annulus fibrosus. J Anat 1994;184(Pt 1): 73–82.
57. Taylor JR, Scott JE, Cribb AM, et al. Human intervertebral disc acid glycosaminoglycans. J Anat 1992;180(Pt 1):137–41.
58. Tonetti J, Potton L, Riboud R, et al. Morphological cervical disc analysis applied to traumatic and degenerative lesions. Surg Radiol Anat 2005;27(3):192–200.
59. Bogduk N, Mercer S. Biomechanics of the cervical spine. I: Normal kinematics. Clin Biomech (Bristol, Avon) 2000;15(9): 633–48.
60. Mercer SR, Bogduk N. Joints of the cervical vertebral column. J Orthop Sports Phys Ther 2001;31(4):174–82, discussion 183.
61. Mercer S. Comparative anatomy of the spinal disc. In: Boyling J, Jull G, editors. Grieve's modern manual therapy. The vertebral column. 3rd ed. Philadelphia: Elsevier Churchill Livingstone; 2004. p. 9–16.
62. Semmes R, Murphey F. Syndrome of unilateral rupture of the sixth cervical intervertebral disc, with compression of the seventh cervical nerve root. JAMA 1943;121:1209.
63. Mixter W, Barr J. Rupture of the intervertebral disk with involvement of the spinal canal. N Engl J Med 1934;211: 210–15.
64. Robinson R, Smith G. Anterolateral cervical disc removal and interbody fusion for cervical disc syndrome. Bull Johns Hopkins Hosp 1955;96:602–17.
65. Schutta H. Intervertebral disc disorder and other spondyloarthropathies. In: Joynt R, Griggs R, editors. Clinical neurology. Philadelphia: Lippincott-Raven; 1996. p. 1–152.
66. Herrera A, Rodríguez J. Tratamiento de la hernia discal cervical. In: Paz J, Belmonte M, editors. Cervicobraquialgia. Barcelona: Masson; 2002. p. 89–115.
67. Connell MD, Wiesel SW. Natural history and pathogenesis of cervical disk disease. Orthop Clin North Am 1992;23(3): 369–80.
68. Matsumoto M, Fujimura Y, Suzuki N, et al. MRI of cervical intervertebral discs in asymptomatic subjects. J Bone Joint Surg Br 1998;80(1):19–24.
69. Lestini WF, Wiesel SW. The pathogenesis of cervical spondylosis. Clin Orthop Relat Res 1989;239:69–93.
70. Henderson CM, Hennessy RG, Shuey HM Jr, et al. Posteriorlateral foraminotomy as an exclusive operative technique for cervical radiculopathy: a review of 846 consecutively operated cases. Neurosurgery 1983;13(5):504–12.
71. Woertgen C, Holzschuh M, Rothoerl RD, et al. Prognostic factors of posterior cervical disc surgery: a prospective, consecutive study of 54 patients. Neurosurgery 1997;40(4):724–8, discussion 728–9.
72. Yamano Y. Disc herniation of cervical spine. Arch Orthop Trauma Surg 1980;96(4):271–7.
73. Kokubun S, Sakurai M, Tanaka Y. Cartilaginous endplate in cervical disc herniation. Spine 1996;21(2):190–5.
74. Corrigan B, Maitland G. Vertebral musculoskeletal disorders. Oxford: Butterworth-Heinemann; 1998.
75. Humphreys SC, Hodges SD, Fisher DL, et al. Reliability of magnetic resonance imaging in predicting disc material posterior to the posterior longitudinal ligament in the cervical spine. A prospective study. Spine 1998;23(22):2468–71.
76. Boden SD, McCowin PR, Davis DO, et al. Abnormal magneticresonance scans of the cervical spine in asymptomatic subjects. A prospective investigation. J Bone Joint Surg Am 1990;72(8): 1178–84.
77. Smyth MJ, Wright V. Sciatica and the intervertebral disc; an experimental study. J Bone Joint Surg Am 1958;40-A(6): 1401–18.
78. Olmarker K, Blomquist J, Stromberg J, et al. Inflammatogenic properties of nucleus pulposus. Spine 1995;20(6):665–9.
79. Cornefjord M, Olmarker K, Farley DB, et al. Neuropeptide changes in compressed spinal nerve roots. Spine 1995;20(6): 670–3.
80. Kawakami M, Tamaki T, Hashizume H, et al. The role of phospholipase A2 and nitric oxide in pain-related behavior produced by an allograft of intervertebral disc material to the sciatic nerve of the rat. Spine 1997;22(10):1074–9.
81. Kawakami M, Tamaki T, Hayashi N, et al. Possible mechanism of painful radiculopathy in lumbar disc herniation. Clin Orthop Relat Res 1998;351:241–51.
82. Kawakami M, Matsumoto T, Kuribayashi K, et al. mRNA expression of interleukins, phospholipase A2, and nitric oxide synthase in the nerve root and dorsal root ganglion induced by autologous nucleus pulposus in the rat. J Orthop Res 1999;17(6):941–6.
83. Lidslot L, Olmarker K, Kayama S, et al. Nucleus pulposus inhibits the axonal outgrowth of cultured dorsal root ganglion cells. Eur Spine J 2000;9(1):8–13.
84. Kawakami M, Tamaki T, Matsumoto T, et al. Role of leukocytes in radicular pain secondary to herniated nucleus pulposus. Clin Orthop Relat Res 2000;376:268–77.

85. Kawakami M, Hashizume H, Nishi H, et al. Comparison of neuropathic pain induced by the application of normal and mechanically compressed nucleus pulposus to lumbar nerve roots in the rat. J Orthop Res 2003;21(3):535–9.
86. Saal JS, Saal JA, Yurth EF. Nonoperative management of herniated cervical intervertebral disc with radiculopathy. Spine 1996;21(16):1877–83.
87. Otani K, Arai I, Mao GP, et al. Experimental disc herniation: evaluation of the natural course. Spine 1997;22(24):2894–9.
88. Bush K, Chaudhuri R, Hillier S, et al. The pathomorphologic changes that accompany the resolution of cervical radiculopathy. A prospective study with repeat magnetic resonance imaging [see comment]. Spine 1997;22(2):183–6, discussion 187.
89. Olmarker K, Nordborg C, Larsson K, et al. Ultrastructural changes in spinal nerve roots induced by autologous nucleus pulposus. Spine 1996;21(4):411–14.
90. Takebayashi T, Cavanaugh JM, Cuneyt Ozaktay A, et al. Effect of nucleus pulposus on the neural activity of dorsal root ganglion. Spine 2001;26(8):940–5.
91. Chen C, Cavanaugh JM, Song Z, et al. Effects of nucleus pulposus on nerve root neural activity, mechanosensitivity, axonal morphology, and sodium channel expression. Spine 2004; 29(1):17–25.
92. Kallakuri S, Takebayashi T, Ozaktay AC, et al. The effects of epidural application of allografted nucleus pulposus in rats on cytokine expression, limb withdrawal and nerve root discharge. Eur Spine J 2005;14(10):956–64.
93. Ozaktay AC, Kallakuri S, Takebayashi T, et al. Effects of interleukin-1 beta, interleukin-6, and tumor necrosis factor on sensitivity of dorsal root ganglion and peripheral receptive fields in rats. Eur Spine J 2006;15(10):1–9.
94. Murata Y, Rydevik B, Takahashi K, et al. Incision of the intervertebral disc induces disintegration and increases permeability of the dorsal root ganglion capsule. Spine 2005;30(15): 1712–16.
95. Byrod G, Rydevik B, Nordborg C, et al. Early effects of nucleus pulposus application on spinal nerve root morphology and function. Eur Spine J 1998;7(6):445–9.
96. Iwabuchi M, Rydevik B, Kikuchi S, et al. Effects of anulus fibrosus and experimentally degenerated nucleus pulposus on nerve root conduction velocity: relevance of previous experimental investigations using normal nucleus pulposus. Spine 2001;26(15):1651–5.
97. Olmarker K, Byrod G, Cornefjord M, et al. Effects of methylprednisolone on nucleus pulposus-induced nerve root injury. Spine 1994;19(16):1803–8.
98. Kayama S, Konno S, Olmarker K, et al. Incision of the anulus fibrosus induces nerve root morphologic, vascular, and functional changes. An experimental study. Spine 1996;21(22): 2539–43.
99. Furusawa N, Baba H, Miyoshi N, et al. Herniation of cervical intervertebral disc: immunohistochemical examination and measurement of nitric oxide production. Spine 2001;26(10): 1110–16.
100. Saal JS, Franson RC, Dobrow R, et al. High levels of inflammatory phospholipase A2 activity in lumbar disc herniations. Spine 1990;15(7):674–8.
101. Franson RC, Saal JS, Saal JA. Human disc phospholipase A2 is inflammatory. Spine 1992;17(Suppl. 6):S129–32.
102. Chen C, Cavanaugh JM, Ozaktay AC, et al. Effects of phospholipase A2 on lumbar nerve root structure and function. Spine 1997;22(10):1057–64.
103. Kang JD, Georgescu HI, McIntyre-Larkin L, et al. Herniated cervical intervertebral discs spontaneously produce matrix metalloproteinases, nitric oxide, interleukin-6, and prostaglandin E2. Spine 1995;20(22):2373–8.
104. Kang JD, Stefanovic-Racic M, McIntyre LA, et al. Toward a biochemical understanding of human intervertebral disc degeneration and herniation. Contributions of nitric oxide, interleukins, prostaglandin E2, and matrix metalloproteinases. Spine 1997;22(10):1065–73.
105. Olmarker K, Larsson K. Tumor necrosis factor alpha and nucleus-pulposus-induced nerve root injury. Spine 1998; 23(23):2538–44.
106. Olmarker K, Rydevik B. Selective inhibition of tumor necrosis factor-alpha prevents nucleus pulposus-induced thrombus formation, intraneural edema, and reduction of nerve conduction velocity: possible implications for future pharmacologic treatment strategies of sciatica. Spine 2001;26(8):863–9.
107. Olmarker K. Radicular pain – recent pathophysiologic concepts and therapeutic implications. Schmerz 2001;15(6): 425–9.
108. Aoki Y, Rydevik B, Kikuchi S, et al. Local application of discrelated cytokines on spinal nerve roots. Spine 2002;27(15): 1614–17.
109. Brisby H, Byrod G, Olmarker K, et al. Nitric oxide as a mediator of nucleus pulposus-induced effects on spinal nerve roots. J Orthop Res 2000;18(5):815–20.
110. McCarron RF, Wimpee MW, Hudkins PG, et al. The inflammatory effect of nucleus pulposus. A possible element in the pathogenesis of low-back pain. Spine 1987;12(8):760–4.
111. Saal JS. The role of inflammation in lumbar pain. Spine 1995;20(16):1821–7.
112. Yabuki S, Onda A, Kikuchi S, et al. Prevention of compartment syndrome in dorsal root ganglia caused by exposure to nucleus pulposus. Spine 2001;26(8):870–5.
113. Murata Y, Olmarker K, Takahashi I, et al. Effects of selective tumor necrosis factor-alpha inhibition to pain-behavioral changes caused by nucleus pulposus-induced damage to the spinal nerve in rats. Neurosci Lett 2005;382(1–2):148–52.
114. Westmark RM, Westmark KD, Sonntag VK. Disappearing cervical disc. Case report. J Neurosurg 1997;86(2):289–90.
115. Vinas FC, Wilner H, Rengachary S. The spontaneous resorption of herniated cervical discs. J Clin Neurosci 2001;8(6): 542–6.
116. Yoshida M, Tamaki T, Kawakami M, et al. Indication and clinical results of laminoplasty for cervical myelopathy caused by disc herniation with developmental canal stenosis. Spine 1998;23(22):2391–7.
117. Mochida K, Komori H, Okawa A, et al. Regression of cervical disc herniation observed on magnetic resonance images. Spine 1998;23(9):990–5, discussion 996–7.
118. Song JH, Park HK, Shin KM. Spontaneous regression of a herniated cervical disc in a patient with myelopathy. Case report. J Neurosurg 1999;90(Suppl. 1):138–40.
119. Saal JA, Saal JS. Nonoperative treatment of herniated lumbar intervertebral disc with radiculopathy. An outcome study. Spine 1989;14(4):431–7.
120. Mimori K, Muneta T, Komori H, et al. Relation between the painful shoulder and the cervical spine with narrow canal in patients without obvious radiculopathy. J Shoulder Elbow Surg 1999;8(4):303–6.
121. Krieger AJ, Maniker AH. MRI-documented regression of

a herniated cervical nucleus pulposus: a case report. Surg Neurol 1992;37(6):457–9.

122. Kobayashi N, Asamoto S, Doi H, et al. Spontaneous regression of herniated cervical disc. Spine J 2003;3(2):171–3.
123. Reddy PK, Sathyanarayana S, Nanda A. MRI-documented spontaneous regression of cervical disc herniation: a case report and review of the literature. J la State Med Soc 2003; 155(2):97–8.
124. Saal J, Saal J, Gamburd R. Non-operative treatment of patients with cervical stenosis and radiculopathy: a two year follow-up study. In: Proceedings of the NASS 18th Annual Meeting. San Diego: The Spine Journal; 2003. p. 67S–171S.
125. Baba H, Maezawa Y, Furusawa N, et al. Herniated cervical intervertebral discs: histological and immunohistochemical characteristics. Eur J Histochem 1997;41(4):261–70.
126. Minamide A, Hashizume H, Yoshida M, et al. Effects of basic fibroblast growth factor on spontaneous resorption of herniated intervertebral discs. An experimental study in the rabbit. Spine 1999;24(10):940–5.
127. Komori H, Shinomiya K, Nakai O, et al. The natural history of herniated nucleus pulposus with radiculopathy. Spine 1996;21(2):225–9.
128. Yukawa Y, Kato F, Matsubara Y, et al. Serial magnetic resonance imaging follow-up study of lumbar disc herniation conservatively treated for average 30 months: relation between reduction of herniation and degeneration of disc. J Spinal Disord 1996;9(3):251–6.
129. Ozaki S, Muro T, Ito S, et al. Neovascularization of the outermost area of herniated lumbar intervertebral discs. J Orthop Sci 1999;4(4):286–92.
130. Pai RR, D'sa B, Raghuveer CV, et al. Neovascularization of nucleus pulposus. A diagnostic feature of intervertebral disc prolapse. Spine 1999;24(8):739–41.
131. Carreon LY, Ito T, Yamada M, et al. Histologic changes in the disc after cervical spine trauma: evidence of disc absorption. J Spinal Disord 1996;9(4):313–16.
132. Doita M, Kanatani T, Ozaki T, et al. Influence of macrophage infiltration of herniated disc tissue on the production of matrix metalloproteinases leading to disc resorption. Spine 2001; 26(14):1522–7.
133. Haro H, Crawford HC, Fingleton B, et al. Matrix metalloproteinase-7-dependent release of tumor necrosis factor-alpha in a model of herniated disc resorption. J Clin Invest 2000;105(2):143–50.
134. Carreon LY, Ito T, Yamada M, et al. Neovascularization induced by anulus and its inhibition by cartilage endplate. Its role in disc absorption. Spine 1997;22(13):1429–34, discussion 1446–7.
135. Moses MA, Sudhalter J, Langer R. Identification of an inhibitor of neovascularization from cartilage. Science 1990;248(4961): 1408–10.
136. Saifuddin A, Mitchell R, Taylor BA. Extradural inflammation associated with annular tears: demonstration with gadoliniumenhanced lumbar spine MRI. Eur Spine J 1999;8(1):34–9.
137. Polston DW. Cervical radiculopathy. Neurol Clin 2007; 25(2):373–85.
138. Radhakrishnan K, Litchy WJ, O'Fallon WM, et al. Epidemiology of cervical radiculopathy. A population-based study from Rochester, Minnesota, 1976 through 1990. Brain 1994;117(Pt 2):325–35.
139. Ito T, Yamada M, Ikuta F, et al. Histologic evidence of absorption of sequestration-type herniated disc. Spine 1996;21(2): 230–4.
140. Lunsford LD, Bissonette DJ, Jannetta PJ, et al. Anterior surgery for cervical disc disease. Part 1: Treatment of lateral cervical disc herniation in 253 cases. J Neurosurg 1980;53(1):1–11.
141. Herkowitz HN, Kurz LT, Overholt DP. Surgical management of cervical soft disc herniation. A comparison between the anterior and posterior approach. Spine 1990;15(10):1026–30.
142. Heckmann JG, Lang CJ, Zobelein I, et al. Herniated cervical intervertebral discs with radiculopathy: an outcome study of conservatively or surgically treated patients. J Spinal Disord 1999;12(5):396–401.
143. Wolff MW, Levine LA. Cervical radiculopathies: conservative approaches to management. Phys Med Rehabil Clin N Am 2002;13(3):589–608, vii.
144. Boyce RH, Wang JC. Evaluation of neck pain, radiculopathy, and myelopathy: imaging, conservative treatment, and surgical indications. Instr Course Lect 2003;52:489–95.
145. Persson LC, Carlsson CA, Carlsson JY. Long-lasting cervical radicular pain managed with surgery, physiotherapy, or a cervical collar. A prospective, randomized study. Spine 1997; 22(7):751–8.
146. Ahn NU, Ahn UM, Andersson GB, et al. Operative treatment of the patient with neck pain. Phys Med Rehabil Clin N Am 2003;14(3):675–92.
147. Rothman RH, Marvel JP Jr. The acute cervical disk. Clin Orthop Relat Res 1975;109:59–68.
148. Schimandle JH, Heller JG. Nonoperative treatment of degenerative cervical disk disease. J South Orthop Assoc 1996;5(3): 207–12.
149. Truumees E, Herkowitz HN. Cervical spondylotic myelopathy and radiculopathy. Instr Course Lect 2000;49:339–60.
150. Eubanks JD. Cervical radiculopathy: nonoperative management of neck pain and radicular symptoms. Am Fam Physician 2010;81(1):33–40.
151. Hilibrand AS, Carlson GD, Palumbo MA, et al. Radiculopathy and myelopathy at segments adjacent to the site of a previous anterior cervical arthrodesis. J Bone Joint Surg Am 1999; 81(4):519–28.
152. Baba H, Furusawa N, Imura S, et al. Late radiographic findings after anterior cervical fusion for spondylotic myeloradiculopathy. Spine 1993;18(15):2167–73.
153. Maiman DJ, Kumaresan S, Yoganandan N, et al. Biomechanical effect of anterior cervical spine fusion on adjacent segments. Biomed Mater Eng 1999;9(1):27–38.
154. Pospiech J, Stolke D, Wilke HJ, et al. Intradiscal pressure recordings in the cervical spine. Neurosurgery 1999;44(2):379– 84, discussion 384–5.
155. Eck JC, Humphreys SC, Lim TH, et al. Biomechanical study on the effect of cervical spine fusion on adjacent-level intradiscal pressure and segmental motion. Spine 2002;27(22): 2431–4.
156. Cherubino P, Benazzo F, Borromeo U, et al. Degenerative arthritis of the adjacent spinal joints following anterior cervical spinal fusion: clinicoradiologic and statistical correlations. Ital J Orthop Traumatol 1990;16(4):533–43.
157. Goffin J, Geusens E, Vantomme N, et al. Long-term follow-up after interbody fusion of the cervical spine. J Spinal Disord 2004;17(2):79–85.

158. Katsuura A, Hukuda S, Saruhashi Y, et al. Kyphotic malalignment after anterior cervical fusion is one of the factors promoting the degenerative process in adjacent intervertebral levels. Eur Spine J 2001;10(4):320–4.
159. Fouyas IP, Statham PF, Sandercock PA, et al. Surgery for cervical radiculomyelopathy. Cochrane Database Syst Rev 2001;(3):CD001466.
160. Fouyas IP, Statham PF, Sandercock PA. Cochrane review on the role of surgery in cervical spondylotic radiculomyelopathy. Spine 2002;27(7):736–47.
161. Nikolaidis I, Fouyas IP, Sandercock PA, et al. Surgery for cervical radiculopathy or myelopathy. Cochrane Database Syst Rev 2010;(1):CD001466.
162. Carette S, Fehlings MG. Clinical practice. Cervical radiculopathy. N Engl J Med 2005;353(4):392–9.
163. Yu YL, Woo E, Huang CY. Cervical spondylotic myelopathy and radiculopathy. Acta Neurol Scand 1987;75(6):367–73.
164. Ebraheim NA, Lu J, Biyani A, et al. Anatomic considerations for uncovertebral involvement in cervical spondylosis. Clin Orthop 1997;(334):200–6.
165. Humphreys SC, Hodges SD, Patwardhan A, et al. The natural history of the cervical foramen in symptomatic and asymptomatic individuals aged 20–60 years as measured by magnetic resonance imaging. A descriptive approach. Spine 1998; 23(20):2180–4.
166. Boyd-Clark LC, Briggs CA, Galea MP. Segmental degeneration in the cervical spine and associated changes in dorsal root ganglia. Clin Anat 2004;17(6):468–77.
167. Fenlin JM Jr. Pathology of degenerative disease of the cervical spine. Orthop Clin North Am 1971;2(2):371–87.
168. Lee C, Woodring JH, Rogers LF, et al. The radiographic distinction of degenerative slippage (spondylolisthesis and retrolisthesis) from traumatic slippage of the cervical spine. Skeletal Radiol 1986;15(6):439–43.
169. Lees F, Turner JW. Natural history and prognosis of cervical spondylosis. Br Med J 1963;5373:1607–10.
170. Resnick D. Degenerative diseases of the vertebral column. Radiology 1985;156(1):3–14.
171. Kumaresan S, Yoganandan N, Pintar FA, et al. Morphology of young and old cervical spine intervertebral disc tissues. Biomed Sci Instrum 2000;36:141–6.
172. Lu J, Ebraheim NA, Huntoon M, et al. Cervical intervertebral disc space narrowing and size of intervertebral foramina. Clin Orthop Relat Res 2000;370:259–64.
173. Kumaresan S, Yoganandan N, Pintar FA, et al. Contribution of disc degeneration to osteophyte formation in the cervical spine: a biomechanical investigation. J Orthop Res 2001;19(5): 977–84.
174. Gore DR, Sepic SB, Gardner GM. Roentgenographic findings of the cervical spine in asymptomatic people. Spine 1986; 11(6):521–4.
175. Epstein JA, Epstein BS, Lavine LS, et al. Cervical myeloradiculopathy caused by arthrotic hypertrophy of the posterior facets and laminae. J Neurosurg 1978;49(3):387–92.
176. Balla JI, Langford KH. Vertebral artery compression in cervical spondylosis. Med J Aust 1967;1(6):284–6.
177. Bohlman HH, Emery SE. The pathophysiology of cervical spondylosis and myelopathy. Spine 1988;13(7):843–6.
178. Clark CR. Cervical spondylotic myelopathy: history and physical findings. Spine 1988;13(7):847–9.
179. Dai L. Disc degeneration and cervical instability. Correlation of magnetic resonance imaging with radiography. Spine 1998;23(16):1734–8.
180. Farmer JC, Wisneski RJ. Cervical spine nerve root compression. An analysis of neuroforaminal pressures with varying head and arm positions. Spine 1994;19(16):1850–5.
181. Yoo JU, Zou D, Edwards WT, et al. Effect of cervical spine motion on the neuroforaminal dimensions of human cervical spine. Spine 1992;17(10):1131–6.
182. Olmarker K, Myers RR. Pathogenesis of sciatic pain: role of herniated nucleus pulposus and deformation of spinal nerve root and dorsal root ganglion. Pain 1998;78(2):99–105.
183. Tanaka Y, Kokubun S, Sato T, et al. Cervical roots as origin of pain in the neck or scapular regions. Spine 2006;31(17): E568–73.
184. Mitchell LC, Schafermeyer RW. Herniated cervical disk presenting as ischemic chest pain. Am J Emerg Med 1991;9(5): 457–60.
185. Chen TY. The clinical presentation of uppermost cervical disc protrusion. Spine 2000;25(4):439–42.
186. Suzuki T, Abe E, Murai H, et al. Nontraumatic acute complete paraplegia resulting from cervical disc herniation: a case report. Spine 2003;28(6):E125–8.
187. Watters MR, Stears JC, Osborn AG, et al. Transdural spinal cord herniation: imaging and clinical spectra. AJNR Am J Neuroradiol 1998;19(7):1337–44.
188. Rumana CS, Baskin DS. Brown–Séquard syndrome produced by cervical disc herniation: case report and literature review. Surg Neurol 1996;45(4):359–61.
189. Kobayashi N, Asamoto S, Doi H, et al. Brown–Séquard syndrome produced by cervical disc herniation: report of two cases and review of the literature. Spine J 2003;3(6):530–3.
190. Mastronardi L, Ruggeri A. Cervical disc herniation producing Brown–Séquard syndrome: case report. Spine 2004;29(2): E28–31.
191. Kotilainen EM, Karki T, Satomaa OK. Traumatic cervical disc herniation –tetraparesis in a patient kicked by a horse. Acta Orthop Scand 1997;68(2):176–7.
192. Sadanand V, Kelly M, Varughese G, et al. Sudden quadriplegia after acute cervical disc herniation. Can J Neurol Sci 2005;32(3):356–8.
193. Davidson RI, Dunn EJ, Metzmaker JN. The shoulder abduction test in the diagnosis of radicular pain in cervical extradural compressive monoradiculopathies. Spine 1981;6(5):441–6.
194. Beatty RM, Fowler FD, Hanson EJ Jr. The abducted arm as a sign of ruptured cervical disc. Neurosurgery 1987;21(5): 731–2.
195. Fast A, Parikh S, Marin EL. The shoulder abduction relief sign in cervical radiculopathy [see comment]. Arch Phys Med Rehabil 1989;70(5):402–3.
196. Lord SM, Barnsley L, Wallis BJ, et al. Chronic cervical zygapophysial joint pain after whiplash. A placebo-controlled prevalence study. Spine 1996;21(15):1737–44, discussion 1744–5.
197. Bove GM, Zaheen A, Bajwa ZH. Subjective nature of lower limb radicular pain. J Manipulative Physiol Ther 2005;28(1): 12–14.
198. Slipman CW, Plastaras CT, Palmitier RA, et al. Symptom provocation of fluoroscopically guided cervical nerve root stimulation. Are dynatomal maps identical to dermatomal maps? Spine 1998;23(20):2235–42.
199. Nuckley DJ, Konodi MA, Raynak GC, et al. Neural space integrity of the lower cervical spine: effect of normal range of motion. Spine 2002;27(6):587–95.

200. Tong HC, Haig AJ, Yamakawa K. The Spurling test and cervical radiculopathy. Spine 2002;27(2):156–9.
201. Wainner RS, Fritz JM, Irrgang JJ, et al. Reliability and diagnostic accuracy of the clinical examination and patient self-report measures for cervical radiculopathy. Spine 2003;28(1):52–62.
202. Elvey R. Treatment of arm pain associated with abnormal brachial plexus tension. Aust J Physiother 1986;32:225–30.
203. Quintner JL. A study of upper limb pain and paraesthesiae following neck injury in motor vehicle accidents: assessment of the brachial plexus tension test of Elvey. Br J Rheumatol 1989;28(6):528–33.
204. Butler DS. Mobilisation of the nervous system. Melbourne, Australia: Churchill Livingstone; 1991.
205. Yaxley G, Jull G. A modified upper limb tension test: an investigation of responses in normal subjects. Aust J Physiother 1991;37:143–51.
206. Selvaratnam PJ, Matyas TA, Glasgow EF. Noninvasive discrimination of brachial plexus involvement in upper limb pain. Spine 1994;19(1):26–33.
207. Kleinrensink GJ, Stoeckart R, Mulder PG, et al. Upper limb tension tests as tools in the diagnosis of nerve and plexus lesions. Anatomical and biomechanical aspects. Clin Biomech (Bristol, Avon) 2000;15(1):9–14.
208. van der Heide B, Allison GT, Zusman M. Pain and muscular responses to a neural tissue provocation test in the upper limb. Man Ther 2001;6(3):154–62.
209. Shacklock M. Improving application of neurodynamic (neural tension) testing and treatments: a message to researchers and clinicians. Man Ther 2005;10(3):175–9.
210. Selvaratnam PJ, Matyas TA, Glasgow EF. Noninvasive discrimination of brachial plexus involvement in upper limb pain. Spine 1994;19(1):26–33.
211. Balster SM, Jull GA. Upper trapezius muscle activity during the brachial plexus tension test in asymptomatic subjects. Man Ther 1997;2(3):144–9.
212. Foerster O. The dermatomes in man. Brain 1933;102:1–39.
213. Keegan J, Garrett F. The segmental distribution of cutaneous nerves in the limbs of man. Anat Rec 1948;102:409–37.
214. Thomas R, Nanson J. Dermatomal disparity. Anaesthesia 1998;53(6):613.
215. Owen JH, Padberg AM, Spahr-Holland L, et al. Clinical correlation between degenerative spine disease and dermatomal somatosensory-evoked potentials in humans. Spine 1991; 16(Suppl. 6):S201–5.
216. Owen JH, Bridwell KH, Lenke LG. Innervation pattern of dorsal roots and their effects on the specificity of dermatomal somatosensory evoked potentials. Spine 1993;18(6):748–54.
217. Nemecek AN, Avellino AM, Goodkin R, et al. Mapping dermatomes during selective dorsal rhizotomy: case report and review of the literature. Surg Neurol 2003;60(4):292–7, discussion 297.
218. Goldstein B. Anatomic issues related to cervical and lumbosacral radiculopathy. Phys Med Rehabil Clin N Am 2002;13(3): 423–37.
219. Moriishi J, Otani K, Tanaka K, et al. The intersegmental anastomoses between spinal nerve roots. Anat Rec 1989;224(1): 110–16.
220. Dux M, Jancso G. A new technique for the direct demonstration of overlapping cutaneous innervation territories of peptidergic C-fibre afferents of rat hindlimb nerves. J Neurosci Methods 1994;55(1):47–52.
221. Takahashi Y, Nakajima Y, Sakamoto T, et al. Capsaicin applied to rat lumbar intervertebral disc causes extravasation in the groin skin: a possible mechanism of referred pain of the intervertebral disc. Neurosci Lett 1993;161(1):1–3.
222. McGillicuddy JE. Cervical radiculopathy, entrapment neuropathy, and thoracic outlet syndrome: how to differentiate? Invited submission from the Joint Section Meeting on Disorders of the Spine and Peripheral Nerves, March 2004. J Neurosurg Spine 2004;1(2):179–87.
223. Mamula CJ, Erhard RE, Piva SR. Cervical radiculopathy or Parsonage–Turner syndrome: differential diagnosis of a patient with neck and upper extremity symptoms. J Orthop Sports Phys Ther 2005;35(10):659–64.
224. Saleem F, Mozaffar T. Neuralgic amyotrophy (Parsonage–Turner syndrome): an often misdiagnosed diagnosis. J Pak Med Assoc 1999;49(4):101–3.
225. Misamore GW, Lehman DE. Parsonage–Turner syndrome (acute brachial neuritis). J Bone Joint Surg Am 1996;78(9): 1405–8.
226. Hoving JL, Gross AR, Gasner D, et al. A critical appraisal of review articles on the effectiveness of conservative treatment for neck pain. Spine 2001;26(2):196–205.
227. Cornefjord M, Olmarker K, Otani K, et al. Effects of diclofenac and ketoprofen on nerve conduction velocity in experimental nerve root compression. Spine 2001;26(20):2193–7.
228. Strobel K, Pfirrmann CW, Schmid M, et al. Cervical nerve root blocks: indications and role of MR imaging. Radiology 2004;233(1):87–92.
229. Slipman CW, Lipetz JS, Jackson HB, et al. Therapeutic selective nerve root block in the nonsurgical treatment of atraumatic cervical spondylotic radicular pain: a retrospective analysis with independent clinical review. Arch Phys Med Rehabil 2000;81(6):741–6.
230. Naylor JR, Mulley GP. Surgical collars: a survey of their prescription and use. Br J Rheumatol 1991;30(4):282–4.
231. Colachis SC Jr, Strohm BR, Ganter EL. Cervical spine motion in normal women: radiographic study of effect of cervical collars. Arch Phys Med Rehabil 1973;54(4):161–9.
232. Johnson RM, Owen JR, Hart DL, et al. Cervical orthoses: a guide to their selection and use. Clin Orthop Relat Res 1981;154:34–45.
233. Fisher SV, Bowar JF, Awad EA, et al. Cervical orthoses effect on cervical spine motion: roentgenographic and goniometric method of study. Arch Phys Med Rehabil 1977;58(3):109–15.
234. Hall TM, Elvey RL. Nerve trunk pain: physical diagnosis and treatment. Man Ther 1999;4(2):63–73.
235. Hall T, Elvey RL. Management of mechanosensitivity of the nervous system in spinal pain syndromes. In: Boyling J, Jull G, editors. Grieve's modern manual therapy: the vertebral column. 3rd ed. Edinburgh: Churchill Livingstone; 2004. p. 413–31.
236. Allison GT, Nagy BM, Hall T. A randomized clinical trial of manual therapy for cervico-brachial pain syndrome – a pilot study. Man Ther 2002;7(2):95–102.
237. Tan JC, Nordin M. Role of physical therapy in the treatment of cervical disk disease. Orthop Clin North Am 1992;23(3): 435–49.
238. Wong AM, Leong CP, Chen CM. The traction angle and cervical intervertebral separation. Spine 1992;17(2):136–8.
239. Humphreys SC, Chase J, Patwardhan A, et al. Flexion and traction effect on C5-C6 foraminal space. Arch Phys Med Rehabil 1998;79(9):1105–9.

240. Constantoyannis C, Konstantinou D, Kourtopoulos H, et al. Intermittent cervical traction for cervical radiculopathy caused by large-volume herniated disks. J Manipulative Physiol Ther 2002;25(3):188–92.
241. Swezey RL, Swezey AM, Warner K. Efficacy of home cervical traction therapy. Am J Phys Med Rehabil 1999;78(1): 30–2.
242. Moeti P, Marchetti G. Clinical outcome from mechanical intermittent cervical traction for the treatment of cervical radiculopathy: a case series. J Orthop Sports Phys Ther 2001;31(4):207–13.
243. Zylbergold RS, Piper MC. Cervical spine disorders. A comparison of three types of traction. Spine 1985;10(10):867–71.
244. Joghataei MT, Arab AM, Khaksar H. The effect of cervical traction combined with conventional therapy on grip strength on patients with cervical radiculopathy. Clin Rehabil 2004;18(8):879–87.
245. Graham N, Gross A, Goldsmith CH, et al. Mechanical traction for neck pain with or without radiculopathy. Cochrane Database Syst Rev 2008;(3):CD006408.
246. Elvey R, Hall T. Neural tissue evaluation and treatment. In: Donatelli R, editor. Physical therapy of the shoulder. 3rd ed. New York: Churchill Livingstone; 1997. p. 131–52.
247. Hall T, Elvey R. Evaluation and treatment of neural tissue pain disorders. In: Donatelli R, Wooden M, editors. Orthopaedic physical therapy. 3rd ed. Philadelphia: Churchill Livingstone; 2001.
248. Coppieters MW, Stappaerts KH, Wouters LL, et al. The immediate effects of a cervical lateral glide treatment technique in patients with neurogenic cervicobrachial pain. J Orthop Sports Phys Ther 2003;33(7):369–78.
249. Vicenzino B, Collins D, Wright A. The initial effects of a cervical spine manipulative physiotherapy treatment on the pain and dysfunction of lateral epicondylalgia. Pain 1996;68(1): 69–74.
250. Cowell IM, Phillips DR. Effectiveness of manipulative physiotherapy for the treatment of a neurogenic cervicobrachial pain syndrome: a single case study – experimental design. Man Ther 2002;7(1):31–8.
251. Vicenzino B, Neal R, Collins D, et al. The displacement, velocity and frequency profile of the frontal plane motion produced by the cervical lateral glide treatment technique. Clin Biomech (Bristol, Avon) 1999;14(8):515–21.
252. Coppieters MW, Stappaerts KH, Wouters LL, et al. Aberrant protective force generation during neural provocation testing and the effect of treatment in patients with neurogenic cervicobrachial pain. J Manipulative Physiol Ther 2003;26(2): 99–106.
253. Sweeney J, Harms A. Persistent mechanical allodynia following injury of the hand. Treatment through mobilization of the nervous system. J Hand Ther 1996;9(4):328–38.
254. Kaye S, Mason E. Clinical implications of upper limb tension test. Physiotherapy 1989;75:750–2.
255. Beneliyahu DJ. Chiropractic management and manipulative therapy for MRI documented cervical disk herniation. J Manipulative Physiol Ther 1994;17(3):177–85.
256. Beneliyahu DJ. Magnetic resonance imaging and clinical follow-up: study of 27 patients receiving chiropractic care for cervical and lumbar disc herniations. J Manipulative Physiol Ther 1996;19(9):597–606.
257. Brouillette DL, Gurske DT. Chiropractic treatment of cervical radiculopathy caused by a herniated cervical disc. J Manipulative Physiol Ther 1994;17(2):119–23.
258. Pollard H, Tuchin P. Cervical radiculopathy: a case for ancillary therapies? J Manipulative Physiol Ther 1995;18(4): 244–9.
259. Eriksen K. Management of cervical disc herniation with upper cervical chiropractic care. J Manipulative Physiol Ther 1998;21(1):51–6.
260. Rathore S. Use of McKenzie cervical protocol in the treatment of radicular neck pain in a machine operator. J Can Chiropr Assoc 2003;47(4):291–7.
261. Abdulwahab SS, Sabbahi M. Neck retractions, cervical root decompression, and radicular pain. J Orthop Sports Phys Ther 2000;30(1):4–9, discussion 10–12.

경추 척추성경수증 대한 임상적 접근

CLINICAL APPROACH TO CERVICAL SPONDYLOTIC MYELOPATHY

경추 척추성경수증은 척추의 변화 또는 기타 퇴행성 병리학적 상태로 인해 경추의 만성 진행성 압박을 수반하는 흔한 장애이다.[1,2] 경추 척추성경수증은 경추의 퇴행성 변화의 결과로 발생할 수 있는 가장 심각한 상태이다. 중년 이후 척수 기능장애의 가장 흔한 원인이기 때문에 이 개체를 검토하는 것이 중요하다. 퇴행성 경추 척수병증의 유병률은 인간 수명의 증가와 함께 증가했다.[3]

척추증은 모든 개인에게 영향을 미치는 정상적인 관련 과정의 일부이다. 중년 인구의 절반 이상이 척추증의 특징인 방사선학적 변화를 보인다. 60세에 이러한 변화는 개인의 85%와 80세 이상의 거의 모든 개인에서 나타난다.[4] 이러한 변화는 목 통증이 있는 대상자 뿐만 아니라 무증상 대상자의 25% 이상에서 관찰 가능한 어느 정도의 협착증을 동반한다. 그러나 경추증이 있는 개인의 10%에서 15% 사이에서만 신경근병증이나 척수병증이 발생한다.[6]

경추 척추성경수증(CSM)은 원래 1928년 Stookey[7]에 의해 기술되었다. 그에 따르면, 척수 압박은 퇴행성 경추 디스크에서 파생된 연골 결절에 의해 발생했다. 자체적인 별개의 실체로서 경추 척추성 척수증 대한 고려는 Brain 등[8]의 연구와 함께 1952년에 시작되었다. 4년 후 Clarke와 Robinson[9]은 척수증 환자를 치료한 경험을 발표하고 이를 디스크 탈출로 인한 신경근병증과 구별했다. 척수병증의 가장 흔한 원인은 퇴행성 척추관 협착증으로 모든 경추 척수병증의 약 55%를 차지하지만, 부피가 큰 중심 추간판 탈출에 의한 압박, 후종인대의 골화, 매우 흔한 아시아인, 외상성 상해 및 종양에서도 볼 수 있다.[11](**그림 2-1**).

경추 척추성경수증(CSM)의 증상은 척수 압박의 위치와 정도에 따라 매우 다양할 수 있다. 척추증의 변화는 여러 척추위치에서 동시에 발생할 수 있으며, 또한 추간구멍에 영향을 주어 척수병증과 신경근병증의 조합을 유발할 수 있다. 척수병증은 균형과 손재주 감소와 같은 미묘한 징후나 요실금이나 사지마비와 같은 심각한 장애로 나타날 수 있다. 남성에게 더 흔하며 일반적인 경과[12]는 일반적으로 점진적이거나 일시적인 증상이 악화되는[3] 진행성이지만 어떤 경우에는 경미한 부상이나 최소한의 과부하 후에 갑작스러운 신경 징후를 유발할 수 있다.[13]

자연병력 NATURAL HISTORY

척수병증의 자연병력는 다양하며 일부 개인은 개선을 경험하고 다른 개인은 악화된다. 치료받지 않은 환자에 대한 양질의 전향적 코호트 연구가 수행되지 않았기 때문에 불확실성도 있다.[14]

척수병증의 예후에 관한 진술은 첫 연구가 수행된 이래로 논란의 여지가 있었다. 1956년 Clarke와 Robinson[9]은 경추 척추성경수증(CSM) 환자 120명의 경험을 발표했다. 보존적 치료와 고정이 증상을 개선할 수 있음을 보았지만 수술을 받지 않은 환자의 75%는

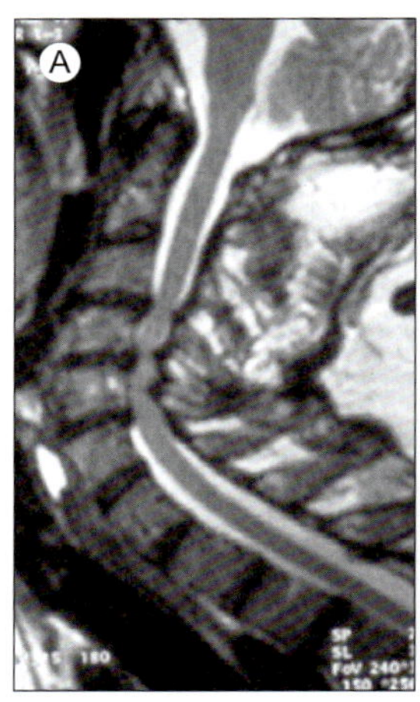

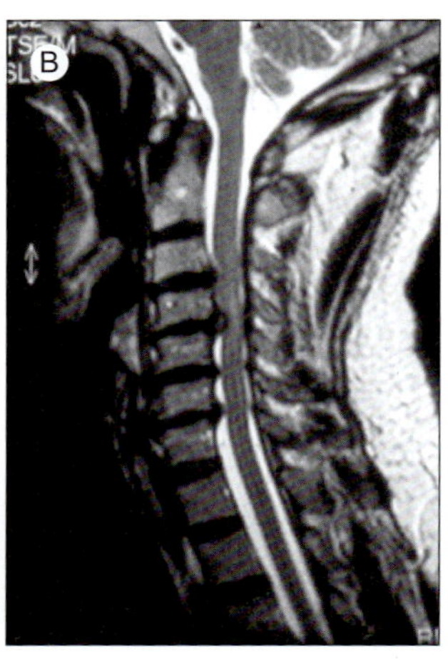

그림 2-1 ■ 자기공명영상(MRI)에서(A) 심한 경추척추성 경수증(CSM)을 볼 수 있다. 자기공명영상(MRI)(B)에서 협착은 방대한 C4-C5 추간판 탈출증의 결과이다.

진행성 신경학적 악화를 겪는 경향이 있었다. 이러한 결론과 달리 1963년 Less와 Turner는[15] 경추 척추성 경수증(CSM) 증상이 있는 44명의 환자를 대상으로 질병의 자연병력 및 보존적 치료의 효율성을 연구했으며 그 중 57%가 중증 형태[16]를 보였다. 10년 이상 된 사람들은 심각한 장애가 있었고 대부분이 질병의 심각한 진행을 겪었다. 그러나 중등도의 증상을 보인 사람들은 더 나은 예후를 보였다. 초기에 급성 증상을 보였던 15명의 환자 중 1명을 제외하고 모두 장기간 추적 관찰 후에도 중등도 또는 중증의 증상을 지속하였다. Lees와 Turner는 퇴행성 경추 척추성경수증(CSM)이 장기간의 비 진행성 장애와 함께 정상적으로 나타나고, 소수의 경우에만 점진적인 악화가 있다고 결론지었다.

Nurick은[17] 보존적 치료와 20년의 추적 기간을 가진 36명의 환자를 대상으로 경추 척추성경수증(CSM)의 자연병력도 연구했다. 초기에 중등도의 장애를 보였던 27명의 환자 중 18명은 최종 평가에서 동일한 장애가 계속되었다. 초기에 중등도에서 급성 증상을 보인 사람들 중 2/3가 추적관찰이 끝날 때 동일한 증상을 나타냈다.

Fouyas 등은[18,19] 2002년 코크란 검토에서 경추 척추성경수증(CSM) 환자가 외과적 개입 없이 진행성 장애로 진행될 것이라는 믿음은 신뢰할 수 있는 증거로 뒷받침될 수 없음을 보여주었다. 이 질병은 오랜 기간 동안 변하지 않을 뿐만 아니라 중증 장애를 가진 일부 환자의 경우 치료 없이도 호전될 수 있다.[17] 마찬가지로, 신경근병증이 있는 환자가 이후 몇 년 동안 척수병증으로 발전할 것이라는 널리 퍼진 믿음을 뒷받침하는 증거는 없다.[19] 따라서 척수병증 환자의 진행은 원칙적으로 예측할 수 없다. 일부 환자는 양성 임상 진행을 경험하는 반면, 다른 환자는 신경학적 상태가 악화된다. 환자가 척수병증의 징후를 보이기 시작하면 종종 3분의 1 법칙이 사용된다.[20] 이 규칙에 따르면 환자의 1/3은 호전되고 1/3은 그대로 유지되며 1/3은 악화된다. 보존적 치료에 반응하지 않는 보행 변화, 손 장애 및 신경성 방광과 같은 진행성 척수증상 및 징후가 있는 환자는 수술 대상자로 고려되어야 한다. 수술은 척수병증의 진행을 막을 수 있고 많은 환자에서 기능적 개선을 가져올 수 있지만, 예후는 상당히 다양하고 완전한 차도는 매우 드물다.[1] 운동증상은 감각증상보다 더 진행되고 덜 개선되는 경향이 있다. 결론적으로 경추 척추성경수증(CSM)은 매우 가변적인 조건이다. 일부 환자는 수술의 이점을 얻을 수 있는 반면, 경미한 형태의 상태를 가진 다른 환자는 보존적 치료로 관리할 수 있다.[14]

병리생리학 PATHOPHYSIOLOGY

경추증으로 인한 척수병증의 병태생리는 역학적 요인, 퇴행성 요인 및 혈관 요인이 복합적으로 작용한 결과이다.[21-24]

경추 척추관은 전방에서 척추체와 후방 종인대에 의해 덮인 디스크에 의해 옆으로는 고리뿌리와 관절주에 의해 그리고 뒤에서는 고리판과 황색 인대에 의해 제한된다. 면적이 정상이면 척수, 수막층, 인대 및 경막외 지방을 편안하게 수용할 수 있는 충분한 공간이 있다. 경추 척수병증은 척수중심관의 면적 감소의 결과로 발생하며 척수 손상의 정도와 척추관의 시상 직경 감소 사이에는 직접적인 상관 관계가 있다.[25] 정상인에서 이 척수중심관의 시상 직경은 경추 3번에서 경추 7번까지 17–18mm이며,[26] 성별에 따라 약간의 차이가 있다. 경추관의 크기는 일본인과 다른 아시아인들 사이에서 더 작다.[27] 척수의 두께는 경추 1번에서 경추 7번까지 약간 다르며, 대략 8.5에서 11.5mm 사이로 측정되며 평균은 10mm 이다.[28] 척수중심관과 신경축의 관계는 수준에 따라 다르지만, 경추 1번–경추 3번에서는 척수가 신경관의 절반 미만을 차지하지만, 경추 4번–경추 7번 분절에서는 척수가 3분의 2를 차지한다. 정상 척수관은 척추증의 변화가 발생하더라도 척수 압박이 발생하지 않을 만큼 충분히 넓다.

경추 척추성경수증(CSM)의 심각성은 완전히는 아니지만 압축의 크기와 관련이 있다.[29,30] 척수압박 증상은 척수가 30% 감소하거나 횡단면적이 60mm^2 미만일 때 나타난다.[31]

가로 영역은 수술 후 결과의 예후와 관련이 있다. 가로 영역이 30mm 이상인 환자의 경우 감압 후 기능 회복이 가능하지만 이 값 이하에서는 가능성이 매우 낮다. ; 30mm^{2}는 임계 두께로 간주되며 이 값 이하에서는 척수가 스스로 회복할 수 없다.[32,33]

척추관 협착증의 발달에서 정적 요인, 동적 요인 및 혈관 요인을 구별하는 것이 필요하다. 정적 요인은 선천적 척추관 협착증과 경추 척추증 뿐만 아니라 후종인대의 골화와 같이 덜 빈번한 요인이다. 동적 요인은 경추 움직임 동안의 척추관의 직경의 감소를 의미한다. 마지막으로, 혈관적 요인은 정적 및 동적 요인의 결과로 척수 수준에서 혈액 관류의 변경을 한다.

정적 요인(Static factors)

체질성 협착증(Constitutional stenosis)

경추의 퇴행성 변화의 존재는 연령과 관련된 것으로 나타났으며 증상이 있는 대상과 무증상 대상 모두에서 나타난다. 따라서 경추 척추증 자체는 일반적으로 척수병으로 이어지지 않는다. 압박에 대한 척수의 충분한 내성은 퇴행성 변화가 척수병으로 이어지기 위해서는 좁은 척수관이 이전에 존재해야 함을 의미한다. 이러한 상황이 발생하면 사소한 외상이나 중등도의 퇴행성 변화가 척수병증을 유발할 수 있다.[34]

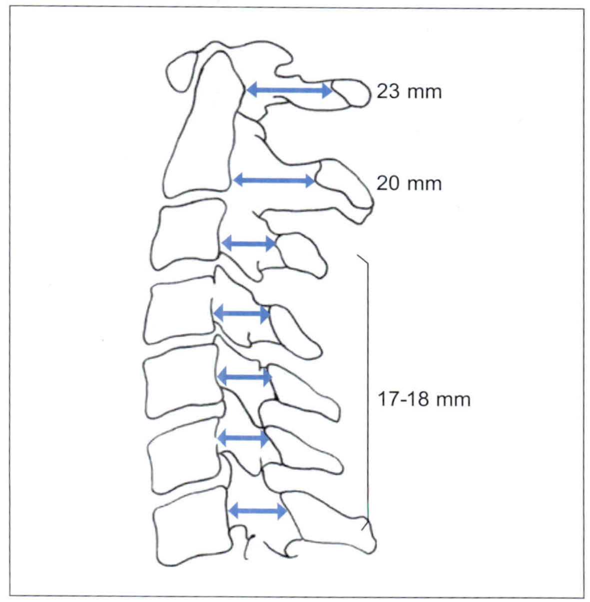

그림 2-2 ■ 체질적 시상지름은 척추체 뒤쪽의 중간점과 고리판의 앞쪽 경계 사이의 거리이다. 정상 척추관의 평균값은 경추 2번의 경우 20mm, 경추 3번~경추 7번의 분절의 경우 17–18mm이다.

1996년에 Hinck와 Sachdev는[35] 경추 척추관의 발달적 협착의 개념을 제안했다. 이후 경추 척추성경수증(CSM) 구축에 있어 가장 중요한 요소로 여겨져 왔다.[29] 발달적 협착을 평가하기 위해 체질적 시상 직경을 측정한다(**그림 2–2**). 이 직경은 척추체 뒤쪽의 중간점과 고리판의 앞쪽 경계 사이의 거리이다. 이 거리는 퇴행성 변화로 변하지 않는다.[28] 정상 척추관의 평균값은 경추 2번의 경우 20mm, 경추 3번~경추 7번의 분절의 경우 17–18mm이다. 측방방사선촬영에서 경추 척추관의 직경이 13mm 미만이면 체질적 협착으로 본다.[36,37]

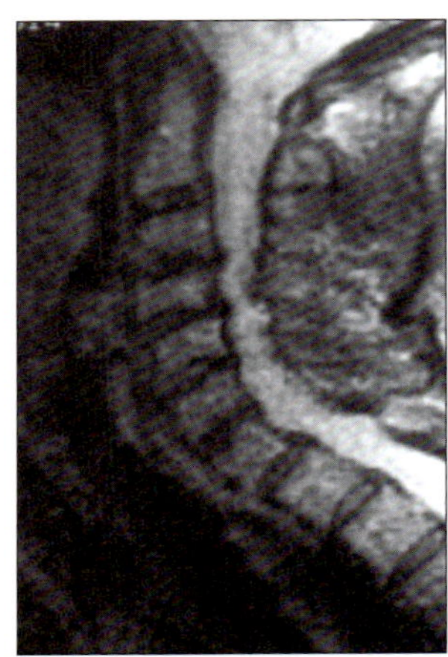

그림 2-3 ■ 이 자기공명영상(MRI)은 심각한 경추 척추중심관 협착증을 보여준다.

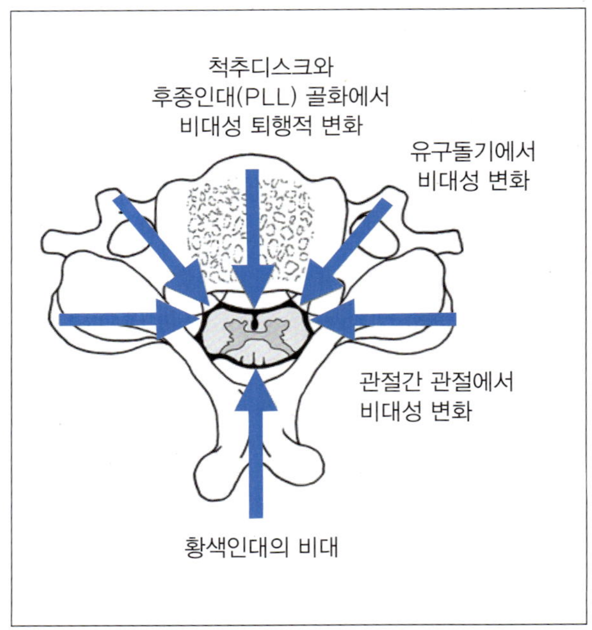

그림 2-4 ■ 경추 척추성경수증(CSM) 에서는 척추체에 큰 골극성 막대, 추간판 변성 및 돌출과 같은 비대성 퇴행성 변화가 있으며, 갈고리 돌기 및 관절돌기간관절의 비대성 변화 및 황색인대의 비대가 원주방향으로 척추관 크기의 감소로 이어진다. PLL, 뒤세로인대.

경추증(Cervical spondylosis)

이전에 설명된 바와 같이, 체질적 협착증은 척수병증에 대한 기존의 상태이다. 그러나 궁극적으로 척수를 손상시키고 임상적 진행을 결정할 수 있는 협착증을 결정하는 것은 퇴행성 변화일 것이다. 이러한 변화에는 추간판 퇴행 및 후방 골극 증식, 전방 외측 방향의 갈고리 관절의 과골증 및 후관절 비대증, 황색 인대의 비대 및 좌굴이 포함된다(**그림 2–3**).

퇴행성 현상의 연쇄 작용은 추간판의 퇴행으로 시작된다.[36] 이 과정은 서서히 이루어지며 정상적인 상황에서는 증상을 일으키지 않는다.[38] 추간판 높이의 감소는 척추관 내부의 다양한 돌출 정도와 함께 시상 직경의 증가로 이어진다.

추간판 퇴행은 이에 수반되는 과가동성과 불안정성으로 인해 퇴행된 추간판 뒤쪽을 가로질러 골극 막대가 증식하여 척수 공간을 더욱 감소시키는 반응성 과골증을 유발한다. 추간판 퇴행 및 관련 불안정성으로 인해 관절돌기간관절 및 갈고리돌기관절은 비대를 겪고 척추관에 골극이 돌출되고 직경이 감소한다. 같은 방식으로, 척추 중심관의 후방 부분에서 황색인대의 섬유화 및 고리판의 비대가 발달할 것이다. 이러한 모든 비대성 퇴행성 변화는 척추관의 둘레 치수를 감소시킨다(**그림 2–4**).

경추의 퇴행성 변화는 전만의 형태를 바꾼다. 경추 척추증과 추간판 높이의 연속적 감소는 분절 강직과 후만 변형으로 이어진다. 이 기형은 종종 인접한 분절에서 보상적 과신전 및 과가동성의 출현을 초래한다. 바로 아래 분절이 겪기 시작하는 역학적 과기능으로 인해 불안정해지고 퇴행성 변화가 가속화된다. 따라서 생리학적 전만곡선의 변형은 경추의 정적 및 동적 균형의 변경과 함께 관절 악화를 강조하고 여러 분절에서 협착증의 발달을 촉진하는 불안정성의 모양을 선호한다. 척추관 직경의 가장 중요한 감소는 척추체의 후하부 가장자리의 골극과 고리판의 아래쪽 부분 사이에서 발생한다. 이 거리는 척추의 시상 직경(SSD)이 된다(**그림 2–5**). 이 직경의 측정은 퇴행성 협착을 정량화하는 가장 정확한 시상 측정을 나타내기 때문에 매우 중요하다.[28]

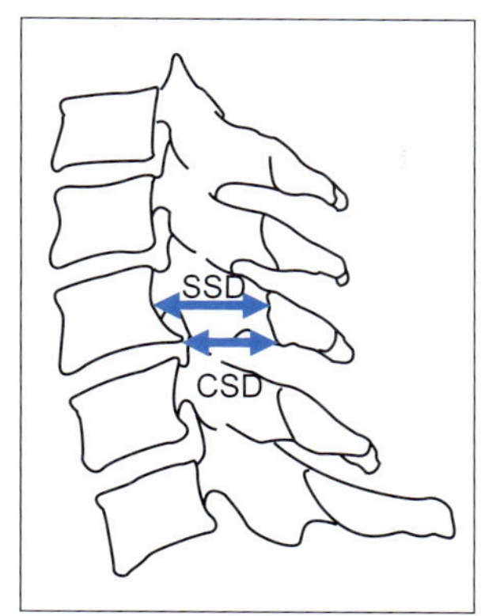

그림 2-5 ■ 척추증의 시상 직경(SSD)은 척추체의 후하부 가장자리와 고리판의 아래쪽 가장자리 사이의 거리이다. 체질성 시상 직경 CSD(constitutional sagittal diameter)는 척추체 뒤쪽의 중간점과 고리판의 앞쪽 경계 사이의 거리이다.

Edwards와 LaRocca는[39] 척추증 환자에서 체질적 시상 직경(CSD)과 SSD를 비교했다. 척추증 지수라고 하는 두 직경간의 차이는 각 경추 분절의 퇴행성 협착 정도를 나타낸다. 그들은 경추 척추관이 이전에 협착했던 환자들이 2mm의 척추증 지수와 함께 증상이 있음을 발견했다. 이 값은 정상적인 척추관 치수를 가진 환자에게 필요한 3.45mm와 비교할 수 있다. 이 연구자들은 척추관의 시상 직경이 10mm에서 13mm 사이에서 변하는 '골수병증 전' 대상 그룹이 있다고 제안했다. 이 그룹에서 약 2mm의 협착은 척수병증이 발병하기에 충분하다. 대조적으로, 시상 직경이 17 mm 이상인 대상은 척수병증 발병 위험이 매우 낮았다(**표 2-1**). 척수병증의 발병에서 이전에 선천적으로 좁은 척추관을 가졌던 대상에서 퇴행성 협착이 필연적이라는 결론을 내릴 수 있다.[36]

후방종인대의 골화

후종인대(PLL)의 골화(OPLL) 또는 후종인대골화(PLLO)로 인한 경추 척수병증은 발병률이 일본에서[40] 인구의 4% 이상으로 비교적 흔한 척수병증의 원인이다.[41] 사실은 1960년에 처음 기술한 일본 연구원은 Tsukimoto 였다.[42] 유럽과 미국에서는 훨씬 덜 유

표 2-1

경추 발달성 시상 협착증

지름	
10mm 이하	경추척추증이 있는 경우 척수병증이 발생할 가능성이 있음
10 – 13 mm	척수증 전 그룹
13 – 17 mm	증상성 척추증에 대한 경향
〉17 mm	질병에 걸릴 가능성이 적음

행하지만 원래 생각했던 것보다 더 흔하고 CT 스캔이나 자기 공명과 같은 영상 기술 덕분에 식별할 수 있게 됐다. 현재 북미와 일본의 후방종인대의 골화를 가지고 있는 경추 척수병증 환자는 약 1/4 정도로 생각된다. 이 상태는 더 높은 경추분절에서 더 자주 나타난다: 경추 2번–경추 4번에서 70%, 흉추 1번–흉추 4번에서 15%, 요추 1번–요추 3번에서 15%. 발병률은 여성에서 보다 남성에서 2배 더 흔하게 나타난다.[46,47]

후방종인대의 골화와 확산 특발성 골격 과골증 사이에 관계가 있는 것으로 보인다. Resnick 등이[48] 채택한 이 이름은 Forestier 및 RotesQuerol 질병의 이전 이름을 대체했다. 이 상태로 고통 받는 환자 중 60%는 후방종인대의 골화를 가지고 있으며, 이는 이를 확산 특발성 골격 과골증의 비정형 형태로 간주하게 되었다.[48-51]

일본 및 기타 아시아 인구 그룹의 높은 유병률을 식단과 관련시키는 일부 연구가 있다.[52] 다른 저자들은 비만과 포도당 과민증이 발병의 위험 요소라고 제안한다.[41]

후방종인대의 골화는 다양한 유형으로 분류되었다[53](**그림 2-6**).

- *연속형:* 골화가 인접한 척추체로 확장된다.
- *분절형:* 골화는 척추체의 후방 가장자리로 제한된다.
- *혼합형:* 연속형과 분절형이 혼합된 형태이다.
- *탈출형:* 추간판 탈출 후 골화.

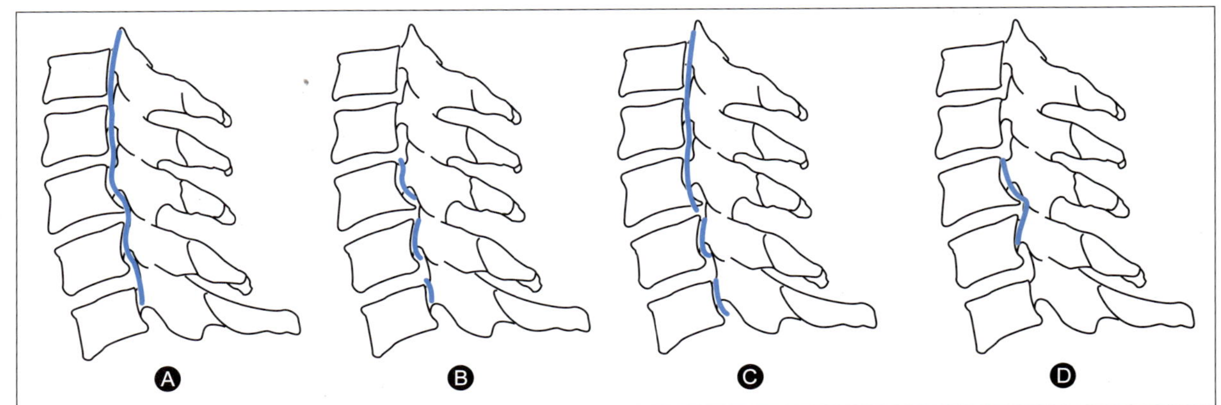

그림 2-6 ■ 후방외측인대의 골화는 4가지 유형으로 분류된다. (A) 연속 유형, 골화는 인접한 척추체로 확장된다. (B) 분절 유형, 골화는 척추체의 후방 가장자리로 제한된다. (C) 혼합 유형, 연속유형과 분절유형의 혼합; (D) 탈출 유형, 추간판 탈출 후 골화.

후방종인대의 골화에서 척수 압박의 원인은 정적이지만 동적 요인도 신경학적 결손의 발병에 기여한다.[40,54,55] 과신전의 기전이 급성 신경 손상의 발병에 책임이 있는 것으로 보인다.[40]

이 상태에서 척수병증의 증상은 50대 초반, 때로는 더 일찍 나타나기 시작한다.[46] 신경학적 악화는 일반적으로 점진적으로 진행되지만 10%의 경우 경미한 외상 후에 갑자기 나타날 수 있다.[40,55] 인대가 척추관의 40%를 차지할 때 증상이 발생할 위험이 높다.[47]

후방종인대의 비대라는 후방종인대의 골화와 유사한 또 다른 실체가 있다.[56,57] 이 후방종인대의 비대는 추간판 탈출 및 경추 추간판 퇴행과 관련이 있는 것으로 보인다. 추간판의 돌출은 연골 조직의 증식을 촉진할 수 있고,[56] 인대 비대의 발달은 척수병증을 일으키고 경우에 따라 후방종인대의 골화를 유발할 수 있다.

후방종인대의 비대와 골화 사이의 가능한 관계에 대해서는 동의된 것이 없다. 일부 저자는 비대가 골화의 초기 단계 또는 비정형 패턴이라고 말하고 이를 '진화의 후방종인대 골화'[47]로 간주한다. 반대로, 다른 사람들은 비대가 인대의 콜라겐 섬유가 연골 세포로 변질되는 것을 특징으로 하는 퇴행성 과정이지만 골화는 없다고 믿는다. 이것은 비정형 형태의 확산 특발성 골격 과골증으로 간주되기 때문에 후방종인대의 골화와 구별된다.[48,49]

동적 요인(Dynamic factors)

동적 요인은 척추관의 수직 치수와 단면적 모두에 상당한 영향을 미칠 수 있다. 척추 중심관은 안정적 길이를 갖지 않는다. 오히려 척추의 굴곡 및 신전 운동에 의해 변형된다. 신전 위치에서 굴곡까지의 척추관 전체 길이는 5~9cm 사이로 늘어나는데, 이 길이는 특히 경추와 요추 부위에서 발생한다.[58,59] 이러한 길이의 변화는 섬유골의 경우와 관련하여 전체적으로 척수의 변위를 유발한다. 목을 구부리면 척수 전체가 머리쪽으로 활주하게 되고, 곧은 다리는 꼬리 방향으로 올라간다(**그림 2-7**). 경추의 경우 경추 굴곡 시 척수가 3mm 변위 되며, 위치에 따라 이동 방향이 변하는데,[60,61] 경추 5번~경추 6번 위쪽에서는 꼬리쪽 방향으로 변위 되고, 이 아래쪽에서는 머리쪽 방향으로 변위 된다[59,61](**그림 2-8**).

변위 되는 것 이외에도 척수는 길어진다. Yuan 등[61]은 자기공명영상(MRI)을 통해 정상인을 대상으로 수행한 연구에서 척수가 중립 위치와 굴곡 위치 사이에서 후방 표면과 전방 표면을 따라 각각 10% 및 6%의 길이가 증가한다는 것을 보여주었다. 이 길이연장

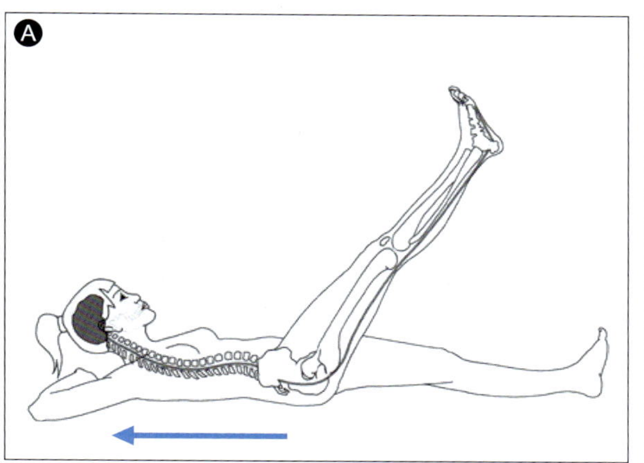

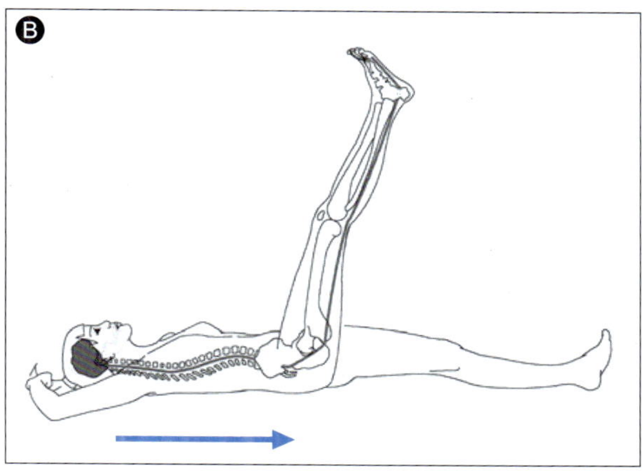

그림 2-7 ■ 척수의 변위 방향은 경추 굴곡 시 두개골 방향(A), 곧게 다리들어 올리기 시 꼬리 방향(B)이다.

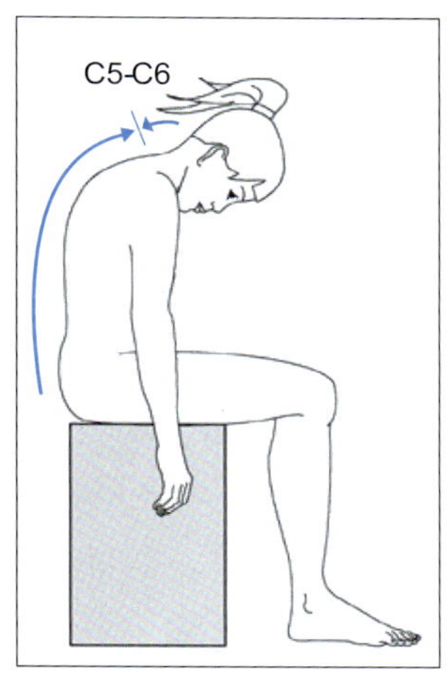

그림 2-8 ■ 척수는 경추 굴곡 동안 3mm 변위된다: 경추 5번~경추 6번 분절 위의 꼬리 방향과 이 분절 아래의 두개골 방향.(Shacklock 에서 수정[60])

은 동맥 및 정맥 관류의 변화뿐만 아니라 척수, 신경근 및 수막층의 장력 증가를 의미한다.

척수는 또한 상지의 움직임에 의해 생성된 장력으로 인해 척추관 내부의 횡단 운동을 겪을 수 있다. 이는 상지 신경역학 검사가 사지에 증상을 유발할 때 이 자세를 유지하면, 다른 쪽 사지에 동일한 검사를 시행할 때 증상이 변형될 수 있다는 사실에 의해 입증된다.[62]

척추중심관의 단면적은 목의 굴곡과 신전의 움직임 동안 다양한 변화를 겪는다. 정상적인 경추 운동학에서 인접한 척추 사이의 신전은 척추관의 직경을 감소시킨다.[63,64] 퇴행성 변화가 있는 경우 이 직경을 임계 수준으로 줄일 수 있다.[64,65]

굴곡은 경추 척추관의 길이를 늘림으로써 척수의 장력을 증가시켜 허혈을 유발할 수 있다. 또한 척추체의 뒤쪽면에 골극이 있는 경우에는 이 운동 중에 척수의 앞쪽 부분이 이에 대해 압축될 수 있다.[66]

반면, 경추가 신전되면 황색 인대가 척추관 내부로 휘어지게 되어 경추 척추관의 단면적이 감소하게 된다.[36] 추간판과 황색 인대가 같은 높이에 있기 때문에 둘 다 척추관에 돌출되어 있는 상태에서 동시에 경추 신전을 하게 되면 자극이나 척수 압박을 받을 가능성이 매우 높아진다. 또한 배쪽 골극은 시상면의 생리학적 움직임 동안 척수의 위쪽 및 아래쪽 움직임을 감소시킬 수 있는 것으로 나타났다.[67]

신전하는 동안 척수 압박의 위험을 증가시키는 또 다른 요인은, 이 동작에서 척수의 단축과 관련된 척수의 단면적의 증가이다. 척추관 직경의 최대 감소와 척수 단면적의 증가의 조합은 척수 압박의 위험을 증가시킨다. 이 '충돌' 또는 압박은 앞쪽으로는 척추체의 후하방 가장자리와 뒤쪽으로는 아래쪽 추체의 얇은 고리판과 황색인대 사이에 위치한 척수 부분으로 제한된다.[65]

이러한 임상 상황은 진행성 경추증이 있는 무증상

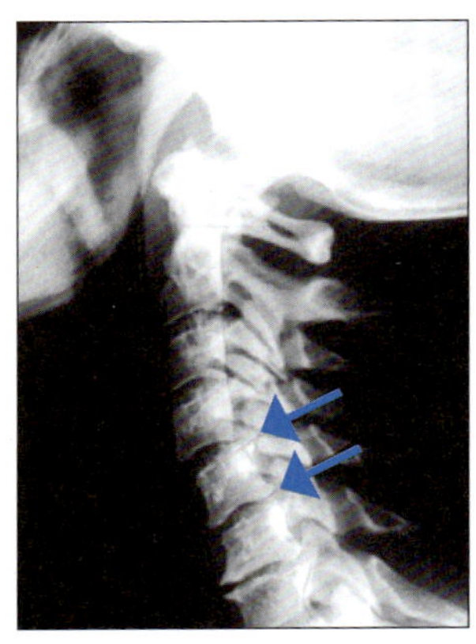

그림 2-9 ■ 이 방사선 사진은 하부 분절의 심각한 퇴행과 경추 4번~경추 5번 분절의 척추전방전위증을 보여준다.

피험자가 과신전 손상 또는 경추 편타로 고통받을 때 관찰될 수 있다. 예를 들어, 수술 전에 환자에게 기관내 삽관을 할 때와 같이 비외상적 원인의 심각한 급성 신경학적 악화 사례가 발표된 바 있다.[5,68]

56세 환자가 바닥에 1시간 동안 앙와위 자세로 낮잠을 자고 나서 심각한 사지마비가 발생했다는 것과 같이 최소한의 역학적 부하 후에 발생할 수 있다는 이러한 급성 신경학적 악화의 몇 가지 경우가 Young 등에서 보고되었다.

퇴행성 척추전방전위증

퇴행성 척추전방전위증(degenerative spondylolisthesis) 현상과 경추 척추성경수증(CSM)에 대한 연관성은 지난 몇 년 동안 연구의 주제였다.[69-71] 전방 및 후방 모두에서 미끄러져 움직인 크기는 거의 2-3mm를 초과하지 않지만, 척추관 협착증을 악화시킬 가능성이 있다.[72] 퇴행성 전위의 발병은 추간판 퇴행외에도 골관절염과 후관절 불안정성을 앓는 삼관절 복합체의 퇴행의 결과이다. 하부 척추의 척추체에 대한 척추체의 변위가 2mm 이상인 경우 척추전방전위증으로 판단된다(**그림 2-9**).

동적 협착증의 가장 심각한 경우는 노인의 퇴행성 척추전방전위증과[69,70] 이전에 경추하부의 관절고정술로 인한 동적 협착증이다.[73]

고령자의 퇴행성 척추전방전위증

Perlman과 Hawes의 첫 번째 설명 이후,[74] 척추 아탈구로 알려진 경추 척추전방전위증은[63] 요추에서 발생하는 것과는 달리 매우 드문 현상으로[75,76] 자주 간주되었다. 그러나 경추의 이 개체는 처음에 생각했던 것보다 훨씬 더 자주 발생하며 특히 노인 환자에서 그렇다.[26,71] 경추 척추성경수증(CSM)을 보이는 65세 이상의 환자에서 약 70%의 경우에서 척추전방전위증이 관찰되며 전방 또는 후방 변위가 3mm 이상이다.[69,77] 따라서 노인 환자의 척수병증은 주로 왕성하다.[77]

노인 환자의 척수병증은 젊은 환자와 비교하여 다른 척추 위치에서 만들어진다는 사실로 구별된다. 젊은 환자의 경우 협착증이 경추 하부분절인, 경추 5번~경추 6번 및 경추 6번~경추 7번에 나타나는 반면, 노인 환자의 경우 경추 3번~경추 4번 분절부분에 더 자주 나타나며 그 다음으로 경추 4번~경추 5번 분절에 나타난다.[69-71]

하부경추는 조기 골관절염성 퇴행을 보이는 경향이 있으며, 전방 추간 관절의 퇴행성 변화가 더 많다. 이 골극비대는 척추중심관 직경을 감소시키므로 주로 정적 협착으로 간주된다. 이전에 설명된 것처럼 경추 하부는 경직의 방향으로 진화하며, 이는 어떤 경우에는 진정한 자연적인 관절 고정으로 이어진다. 역설적이게도, 이 경직은 더 하부 부분을 경추밀림으로부터 보호한다. 퇴행성 변화는 상부 경추 분절의 디스크에 너무 일찍 영향을 미치지 않는데, 이는 적절한 경추 기능을 유지하기 위한 목적으로 과가동성으로 진화하기 때문이다(**그림 2-10**). 경추 3번~경추 4번 또는 경추 4번~경추 5번 분절에[70,71] 부과되는 이러한 보상적 과가동성은 노인 환자에서 척추전방전위증으로 인한 척수병증의 높은 발생을 야기하는 요인 중 하나이다.[70]

이러한 환자에서 상부 경추 분절의 척추전방전위증은 또한 연령과 관련된 자세의 변화와 관련이 있다. 노화는 척추의 나머지 부분에 영향을 미치는 흉추후만증의 증가를 동반한다. 마찬가지로, 하부 경추는

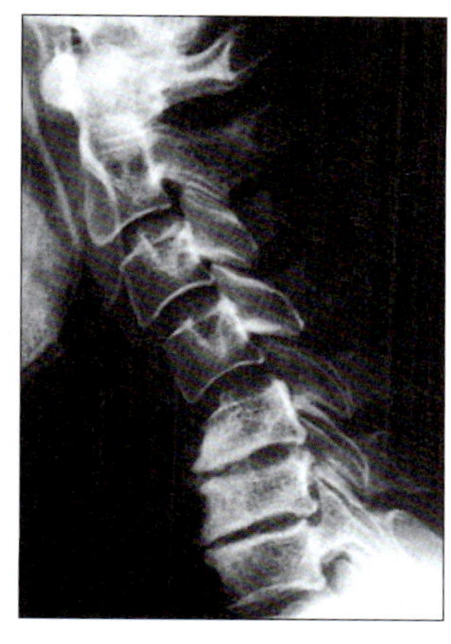

그림 2-10 ■ 하부 경추의 척추증에서 경추 4번~경추 5번 분절의 보상적 과가동성.

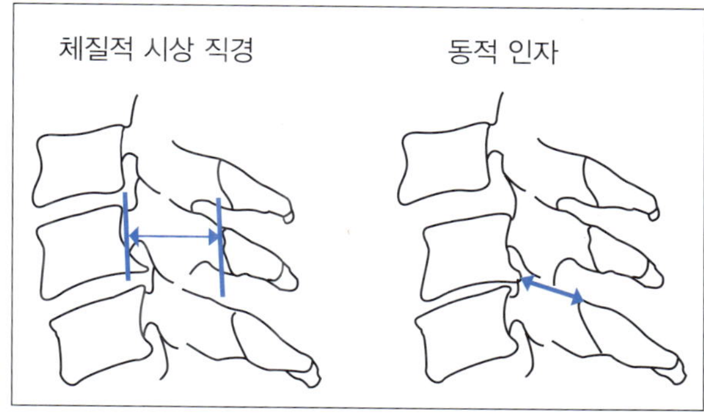

그림 2-11 ■ 동적 인자(DF)는 체질적 시상 직경(CSD)보다 신전 시 동적 협착증의 더 나은 지표이다. 이것은 경추가 신전된 상태에서 추체의 후하방 가장자리와 밑에 있는 고리판의 전방 가장자리 사이의 거리에 해당한다. 12mm보다 짧은 거리는 양성 동적 요소가 된다.

후만증을 나타내는 경향이 있으며, 어떤 경우에는 척추 분절의 상당한 전방 경사가 있다. 이 상황은 경추 3번 척추가 신전에서 후방전위증과 과가동성으로 이 전방 각을 보상하려는 시도를 한다. 신전에서 척추후전전위증은 역동적인 요인으로 경추가 신전된 상태에서 척추체의 후하부 가장자리와 하부추체의 고리판의 앞쪽 가장자리에서 측정된다. 12mm 미만의 거리는 양성 동적 요소로 간주된다(**그림 2-11**).

결론적으로 고령 환자의 경우, 정적 협착에 동적 협착이 추가되며 상위 레벨 경추 3번-경추 4번 및 경추 4번-경추 5번이 일반적으로 가장 영향을 받는 부분이다.[71]

협착증의 역동적인 특성과 관련하여 고령 환자에서 고려해야 할 또다른 요인은 척수병증의 급속한 진행이다. Barnes와 Saunders는[78] 경추의 가동성이 감소된 피험자에서 척수병증의 진행이 안정화될 수 있는 반면, 경추 가동성이 유지된 피험자에서는 병리적 발달이 극적일 수 있음을 보여주었다.

경추의 가동성이 감소된 피험자에서 척수병증의 진행은 안정화될 수 있는 반면, 경추 가동성이 유지된 피험자의 발달은 극적일 수 있다.

또한 Tani 등의 척추전방전위증(spondylolisthesis) 위치에서 현저한 각 이동성과 관련된 상당한 척추전위가 척수 손상의 가능성을 증가시킨다는 것을 보여주었다. 따라서 20%의 이동성과 결합된 3.5mm이상의 척추전위는 중심 전도 차단을 동반한다.[79]

수술 후 동적 협착

경추 척추성경수증(CSM)환자에서 경추관절 유합술이 많이 사용되는 수술임에도 불구하고 수술 후 증상이 악화되는 경우가 있다.[80-82] 이것은 수술 후 퇴행성 변화에 기인한다.

관절 고정술로 분절의 움직임이 없는 결과로, 가동 분절은 더 높은 기능 요구를 겪으며 척추관 동적 협착으로 이어질 수 있는 불안정성의 발달에 이르게 된다. 따라서 수술 전에 관절 유합술을 받을 분절의 인접 분절에 기저의 동적 요인이 있는지 여부를 평가해야 한다.[83] 이 동적 요인의 존재는 특히 여러 분절의 관절 고정술에서 수술 후 악화의 명백한 위험 요인이 된다.

경추에 의해 고통받는 동적 및 정적 변경은 척수 압박 및 혈관 관류의 변경을 초래할 수 있다. Ogino 등의[29] 부검 연구에서 경추 척추성경수증(CSM) 환자의 척수가 겪는 변화와 척수의 압박이 회백질의 광범위한 파괴 및 광범위한 탈수초와 관련이 있음을 발견했다.

혈관 요인(Vascular factors)

병리학적 변화는 신경 요소에 대한 직접적인 역학적 압박에서 비롯될 뿐만 아니라 이러한 압박과 관련된 혈관 현상도 중요한 역할을 한다. 척수의 허혈성 손상의 개념은 Nurick이[84] 제시했다. 동물에 대한 실험 연구에서 척추관 협착증으로 인한 척수병증에서 허혈의 역할이 확인되었다.[29,85-87] 보다 최근에 Yoshizawa는[88] 혈액 관류 변화가 척수병증의 생리병리학에 미치는 역할을 검토했다. 전방척수동맥은 척수의 65~70%를 연결하는 역할을 한다. 척수의 압박 현상이 진행됨에 따라 척수 내 전방 척수 동맥 말단 가지의 혈액 관류가 중단된다.[89] 이러한 관류의 변화가 시간이 지남에 따라 연장되면, 허혈은 탈수초화와 신경 손상뿐만 아니라 축색질 흐름의 손실을 유발한다.[90] 따라서, 허혈이 압박의 병리학적 효과를 더욱 악화시킨다는 것은 명백하다.[91,92]

뇌척수액(CSF) 흐름의 변화도 척수병증의 발병과 관련이 있다. 뇌척수액은 영양을 공급하고 척수와 신경근에서 노폐물을 제거하는데 중요한 역할을 한다. 척추관 협착으로 인한 지주막하 공간의 감소는 뇌척수액의 흐름을 차단하여 척수 영양의 변화를 일으킬 수 있다. 압박은 정맥성 울혈로 인해 혈뇌 장벽을 바꿀 수 있다(88). 신경축과 그 결합층의 자극은 신경 악화를 증가시키고 유착의 발달을 촉진하는 신경성 염증 현상을 유발할 수 있다.

척수 압박 패턴
CORD COMPRESSION PATTERNS

척수병증은 가장 영향을 받는 신경 주행로에 따라 다양한 방식으로 임상적으로 나타날 수 있다. 개발된 다양한 분류 체계 중에서 가장 널리 사용되는 분류 체계는 Crandall과 Batzdorf가[93] 다른 척수 신경로의 서로 다른 민감도에 근거하여 제시한 것이다.

이는 5가지 다른 증후군으로 구별된다.

- *가로 병변 증후군:* 가장 흔한 증후군으로 뒤기둥과 척수시상로 및 피질척수로에 영향을 미친다.
- *운동계 증후군:* 피질척수로에만 영향을 미치는 것이 특징이며 상지의 쇠약, 보행 변화 및 경직으로 나타난다.
- *중추 척수 증후군:* 상지의 약화가 하지의 약화보다 크고 손이 심하게 영향을 받는다.
- *브라운-세카르 증후군(Brown-Séquard syndrome):* 한쪽 척수 압박을 수반한다. 피질척수로의 압박은 동측 편마비로 이어진다. 뒤섬유기둥-안쪽섬유띠로(뒤기둥-내측섬유대로)의 압박은 진동 감각과 미세한 촉각의 상실, 고유 감각의 상실을 초래하고, 척수 시상관의 압박은 통증 및 온도 감각 상실을 야기한다.
- *상완 척수 증후군:* 이것은 경추 신경근 압박과 척수 압박으로 인한 긴 신경로의 압박 징후를 함께 보여준다. 이 증후군은 신경근 통증, 감각이상, 반사과다, 긴 신경로 징후, 쇠약 및 보행 변화를 특징으로 한다. 가장 좋은 예후는 감압수술 이후이다.

감별 진단이 다발성 경화증 및 근위축성 측색 경화증과 같은 다른 신경계 질환을 배제해 준다. 다발성 경화증은 또한 상지 및 하지의 감각과 운동성 변화를 유발할 수 있다. 그러나 경추 척추성경수증(CSM)과 대조적으로, 돌발적 발병이 있으며 일반적으로 비정상적인 하악 반사와 함께 신체 검사에서 나타날 수 있는 뇌신경의 기능장애를 나타낸다. 근위축성 측색 경화증은 운동 신경세포에 영향을 미치므로 표면 및 심부 감각에는 변화가 없다. 척수 종양 및 척수공동증과 같은 다른 병리학적 실체는 척수병증과 유사한 증상을 유발할 수 있다. 그러나 자기공명영상(MRI)은 확실한 진단을 내릴 수 있다.

경추 척추성경수증(CSM)의 임상적 표현은 Crandall과 Batzdorg에 따르면[93] 5가지 증후군으로 분류된다.

- 횡단 병변 증후군
- 운동계 증후군
- 중추 척수 증후군
- 브라운-세카드 증후군
- 상완신경 증후군

임상 징후 및 증상 (Clinical signs and symptoms)

경추 척추성경수증(CSM) 환자는 척추 기능장애의 정도, 압박 위치, 진행의 만성도에 따라 다양한 징후와 증상을 나타낸다. 일부 피험자는 증상이 없지만 다른 피험자는 심각한 장애를 초래할 수 있다.

척수병증은 압박 아래에 위치한 상부 운동 신경세포에 영향을 미치고 척추 압박 위치에서 하부 운동 신경세포의 기능장애를 특징으로 한다. 상부 운동 신경세포의 기능장애는 주로 경직 및 보행 변화의 형태로 나타나며, 하부 운동 신경세포의 기능장애는 반사저하 및 근육경련과 같은 감각 운동 결핍 징후로 해석된다.

초기 임상 증상들은 일반적으로 손재주 감소와 균형 및 보행의 미묘한 변화이다. 단추를 잠그려고 할 때와 같이 작은 물체를 다루는 데 어려움이 있는 것이 특징이다. 경직은 처음에는 환자가 다리가 뻣뻣한 느낌이라고 한다.

하지의 징후가 비대칭인 경우는 드물지 않으며, 한 쪽 다리가 다른 쪽 다리보다 더 영향을 받는다. 의복과 접촉할 때 이질통에 의해 나타나는 것처럼, 감각 과민의 형태로 감도의 변화는 매우 빈번하다. 요실금과 성기능장애는 덜 빈번하지만, 존재하는 경우 심각한 임상 상태와 관련이 있다.

척추증의 발달은 추간구멍 협착증을 유발하기 때문에 척수병증은 신경근병증과 함께 발생할 수 있다.

신체 검사(Physical examination)

경추 척추성경수증(CSM)의 진단은 특히 초기 단계에서 어려울 수 있다. 목의 통증과 뻣뻣함, 감각이상, 통증, 이질통, 한쪽 또는 양쪽 상지의 신경근 징후, 손의 기민성 상실과 같은 많은 다른 징후와 증상이 상지에 나타날 수 있다. 하지에서는 서투른 걸음걸이 및 반사항진과 같은 증상이 있을 수 있다.

운동증상(*Motor signs*)

척수병증의 가장 흔한 징후는 영향을 받는 피질척수로의 결과로 인한 하지의 쇠약이다. 병리학적으로 진행되면 후부가 영향을 받고 고유 감각의 후속 변경이 발생한다. 이것은 환자가 균형을 유지하기 위해 지지 기반을 확장하는 특징적인 보행을 초래한다. 흔하지는 않지만 상지에서 운동 징후를 볼 수도 있다. 팔의 경직 및 과반사와 같은 긴신경로의 기능장애 증상은 근육위축 및 근육경련과 같은 손상 위치에서 하부 운동 신경세포의 징후를 동반한다.

Ono 등이[94] 기술한 바와 같이 척수병증 환자의 손은 기능장애의 특징을 갖는다. 환자는 네 번째 및 다섯 번째 손가락의 내전 및 신전 능력이 상실되고 이 손가락으로 빠르게 쥐고 놓을 수 없게 된다. 이 변형은 소위 *손가락 탈출 기호*로 평가된다(**그림 2-12**). 이 징후를 평가하기 위해 환자는 손가락을 쭉 뻗은 상태를 유지해야 한다. 약지와 새끼손가락을 구부리고 외전되면 검사에서 양성이다. 평가는 또한 환자가 손을 빠르게 열고 닫는 능력을 확인한다. 정상적인 성인은 10초 동안 20회 이상 빠른 접음과 펼침 동작을 수행할 수 있다.[94] 이것을 접음과 펼침 검사(grip-and-release test)라고 한다. 이러한 손의 경련 행동은 감각 결손과 관련이 있다.

Ebara 등은[95] 척수병증 환자에서 손의 기능장애에

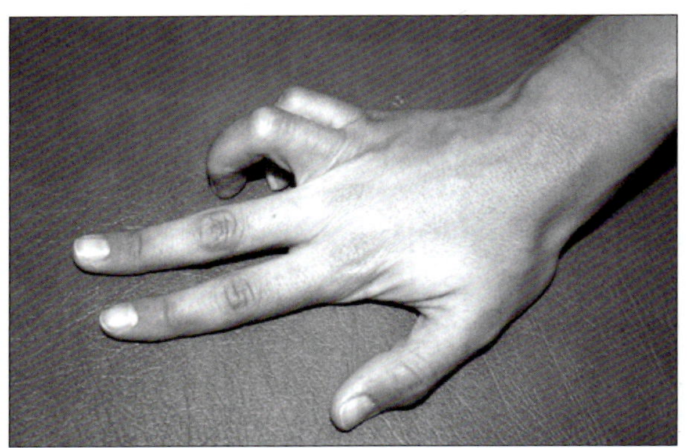

그림 2-12 ■ 손가락 탈출 기호. 환자가 손가락을 계속 펴고 있도록 요청하면, 약지와 작은 손가락이 구부러지고 외전된다.

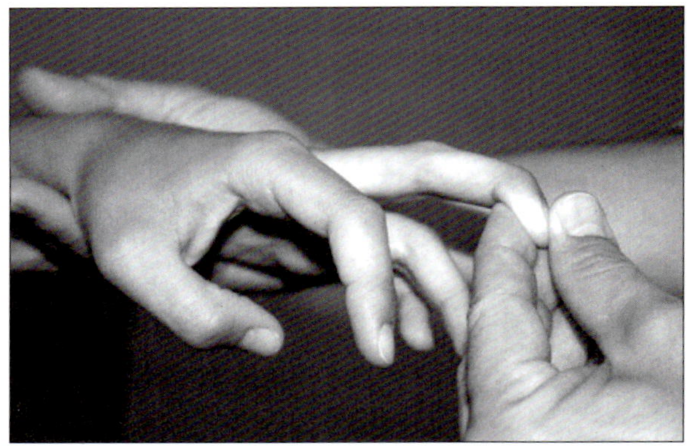

그림 2-13 ■ 치료사가 환자의 중지의 말단 지골을 빠르게 구부리는 것을 따라서 엄지의 굴곡이 지절간 관절에서 발생하면 호프만 징후(Hoffman's sign)는 양성이다.

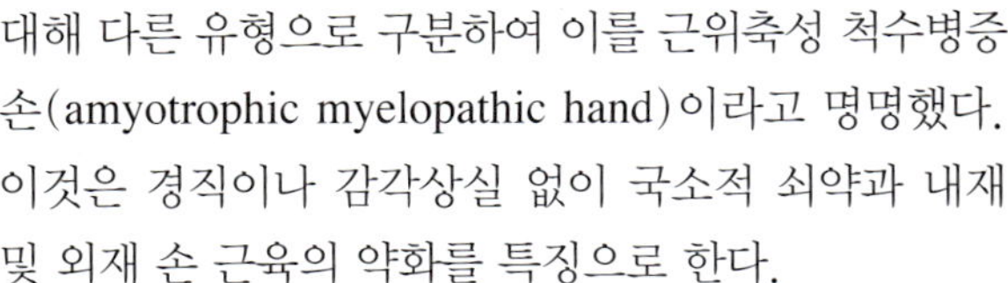

대해 다른 유형으로 구분하여 이를 근위축성 척수병증 손(amyotrophic myelopathic hand)이라고 명명했다. 이것은 경직이나 감각상실 없이 국소적 쇠약과 내재 및 외재 손 근육의 약화를 특징으로 한다.

하지의 운동 기능 평가는 환자에게 일렬로 걷기, 발끝과 발뒤꿈치로 걷기, 한쪽 다리 서기를 하도록 요청하여 수행된다.

감각 징후(Sensory signs)

감각 변화는 척수 기능장애의 위치와 확장에 따라 크게 다르다. 상지의 감각장애는 여러 분절위치에서 척수 압박과 영향을 받은 신경근 모두의 결과이다. 상지의 통증과 감각이상이 가장 흔한 징후이다.

척수병증이 만성이거나 심하면 깊은 촉각, 진동 및 고유수용성 감각을 잃는 것이 일반적이다. 그러나 진동 감도의 상실은 당뇨병성 신경병증, 갑상선 질환, 알코올 중독 또는 금속 중독에서도 발생할 수 있다. Romberg의 검사는 고유수용성 감각의 변화가 영향을 받은 뒤기둥 때문인지 평가하는 데 사용된다. 또는 앞에서 설명한 대로 환자에게 곧게 걷도록 요청한다.

확인 검사(Confirmatory test)

심부건반사 변화는 경추 척추성경수증(CSM)환자를 평가할 때 중요하다. 일반적으로 하지에는 과반사(hyperreflexia)가 나타난다. 상지 심부 반사는 척수 손상 위치에 따라 반사과다 또는 반사저하일 수 있다. 이 검사의 신뢰성과 진단 정확도는 Cook 등에 의해 연구되었다.[96]

경추 척추성경수증(CSM)의 진단에서 호프만 증후, 회외증후, 바빈스키증후 및 간헐적 경련과 같은 일부 병리학적 반사의 존재를 탐색하는 것이 매우 중요하다.

손가락 굴근 반사라고도 알려진 호프만 징후는 피질척수로가 관련되어 있는지 확인하려고 할 때 유용하다. 이 신호는 중지의 말단 지골이 빠르게 굴곡될 때 유발된다. 엄지손가락이 지절간 관절에서 구부러지면 검사는 양성이다(**그림 2-13**).

위팔노근건(상완요골근건) 반사를 수행할 때 역회외징후가 관찰된다. 양성일 때, 정상적인 약간의 손목 신전, 요골 편위 및 회외 대신에, 반응은 손가락과 손목 굴곡근의 경련 수축이다(**그림 2-14**).

상부 경추 척수(경추 1번-경추 3번)의 압박은 견갑상완 반사를 악화시킬 수 있다. 이 반사를 얻기 위해 견갑극 끝과 견봉을 꼬리 방향으로 두드린다.

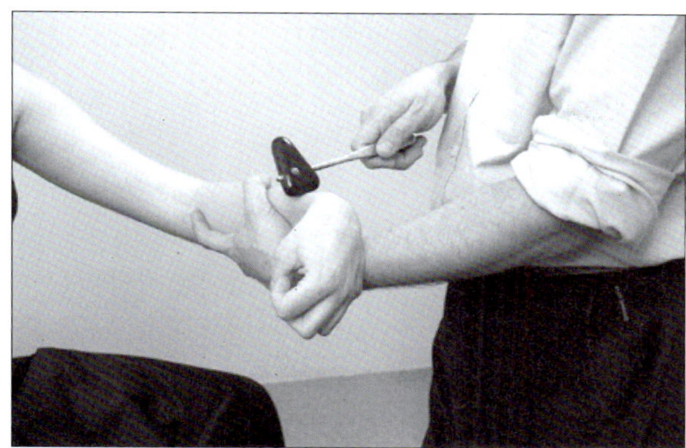

그림 2-14 ■ 위팔노근건(상완요골근건) 반사를 수행할 때 역회외전 징후가 관찰된다. 양성일 때 반응은 경직된 손가락과 손목 굴곡이다.

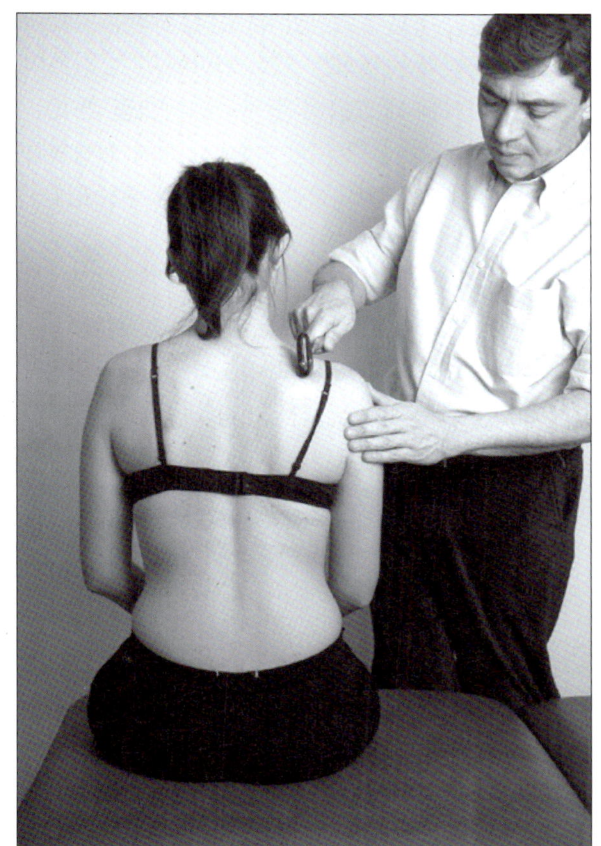

그림 2-15 ■ 상부 경추 척수(경추 1번-경추 3번)의 압박은 견갑상완 반사를 악화시킬 수 있다. 과민성 반사는 견갑골의 상승과 어깨의 외전을 유발한다.

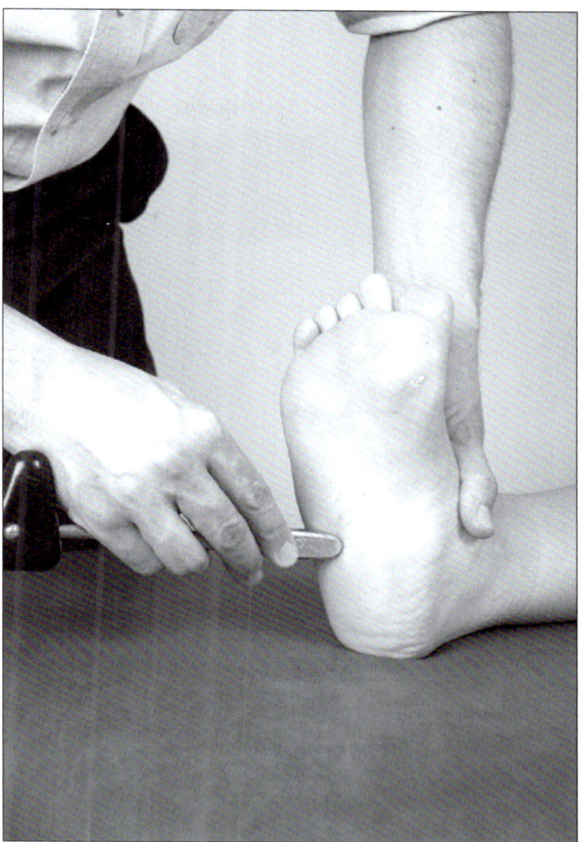

그림 2-16 ■ 양성의 바빈스키 징후는 나머지 발가락의 펼침분리와 관련된 첫 번째 발가락의 신전이다.

과민성 반사는 견갑골의 상승과 어깨의 외전을 유발한다(**그림 2-15**).

바빈스키 징후는 발바닥의 외측면을 자극하여 탐색한다. 음성의 반응은 손가락의 굴곡으로 표현되고 양성의 반응은 나머지 발가락의 펼침분리와 관련된 첫 번째 발가락의 신전으로 표현된다(**그림 2-16**).

반사과다증이 있다고 해서 극상 질환이나 부상과 척수병증을 구별할 수 없다는 것을 기억하는 것이 매우 중요하다. 따라서 하악 반사를 평가하는 것은 흥미롭다. 이 반사는 제5 뇌신경의 지배를 받는 깨물근(교근)과 측두 근육을 포함한다. 이 반사를 탐색하기 위해 환자에게 입을 약간 벌린 다음 턱을 두드린다. 과대 반응 반사(입이 닫히는 방향의 과도한 수축)의

그림 2-17 ■ 하악 반사를 관찰하기 위해 환자에게 입을 약간 벌리고 치료사가 턱을 두드린다. 과민성 반사의 나타나면 두개내 병리 또는 전신 장애를 나타낸다.

존재는 갑상선 기능 항진증 또는 고칼슘혈증과 같은 두개내 병리적 또는 전신 질환을 나타낸다(**그림 2-17**). 따라서 하악 반사가 양성이면 반사과다증은 척수병증이 아니라 대후두구멍(foramen magnum) 위에 위치한 구조의 신경학적 관여에 기인한다. 척수 압박을 나타낼 수 있는 또 다른 징후는 러미츠 징후(Lhermitte's sign)이다. 환자가 앉아 있는 동안 검사자는 수동적으로 환자의 머리를 구부린다. 피험자가 등과 팔다리로 흐르는 전기 감각을 보고하면 검사가 양성이다(**그림 2-18**).

수동적 목 굴곡, 앉아 있는 동안의 수동적 목 굴곡(경추 후만) 및 모든 변형의 슬럼프 검사와 같은 신경역학 검사는 말초 증상의 존재뿐만 아니라 신경 역

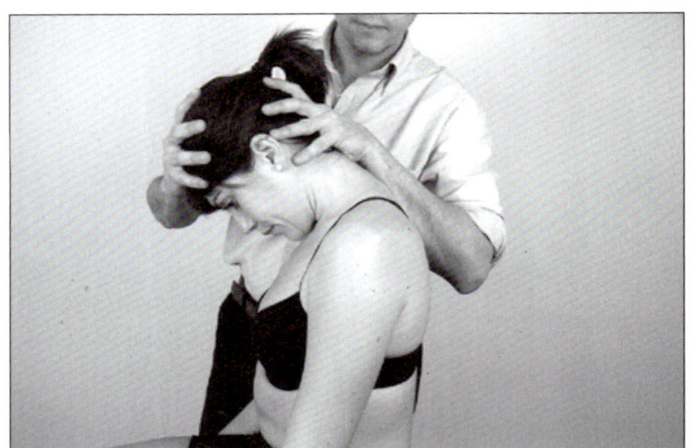

그림 2-18 ■ 검사자가 환자의 머리를 구부리고 환자가 등과 팔다리로 흐르는 전기자극의 감각을 나타낼 때 러미츠 징후(Lhermitte's sign)는 양성이다.

학감각에 관한 정보를 제공할 수 있다. 이러한 유형의 검사에서 나타나는 변화는 치료 전반에 걸쳐 환자의 진행을 평가하는 데 도움이 될 수 있다(**그림 2-19**). 척수근 이상 증상이 있는 피험자에서 상지 신경역학 검사를 사용하여 신경 역학감각을 평가할 수도 있다.

경추 척수병증 평가 척도 (Cervical myelopathy assessment scales)

척수병증의 신경학적 악화 정도를 정량화하기 위해서는 척도를 사용하는 것이 중요하다. 개발된 첫

표 2-2
Nurick의 분류 단계

단계	
0	척수 질환의 증거가 없는 신경근병증의 징후 또는 증상
1	척수 질환의 징후이지만 걷는 데 어려움이 없음
2	전일제 업무를 방해하지 않는 약간의 걷기 어려움
3	전일제 업무를 방해하는 걷기의 어려움 또는 모든 가사를 수행할 수 있는 능력이 있지만, 다른 사람의 도움이 필요할 정도로 심각하지 않은 걷기 어려움
4	다른 사람의 도움이나 지원도구로 걸을 수 있음
5	휠체어 사용이나 침대에 누워 있음

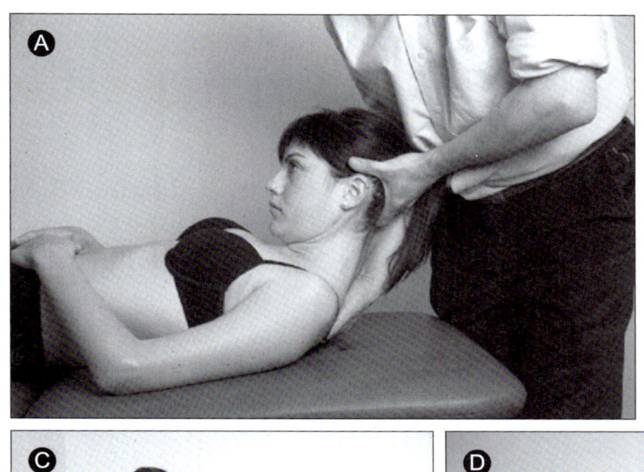

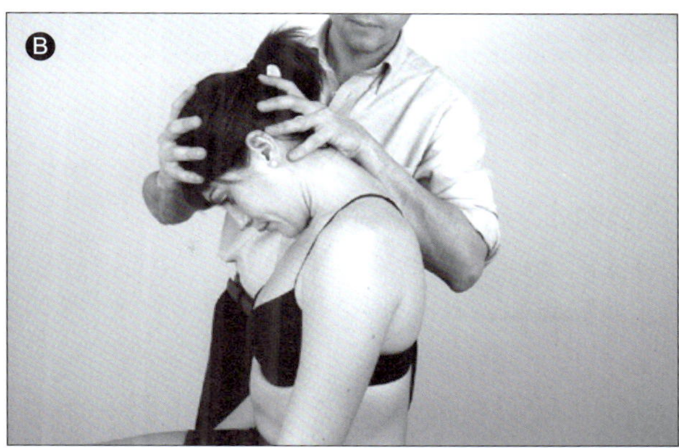

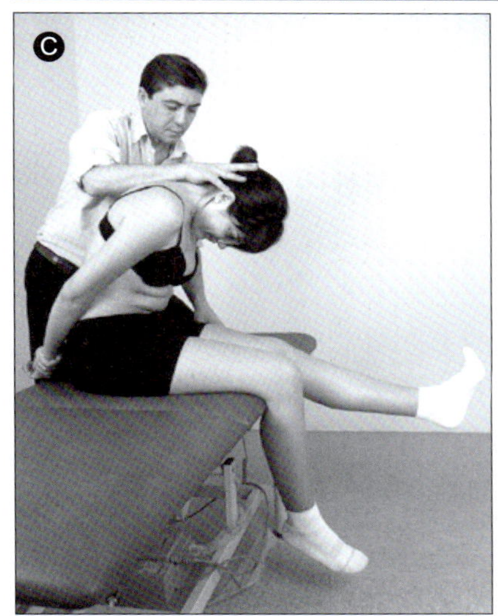

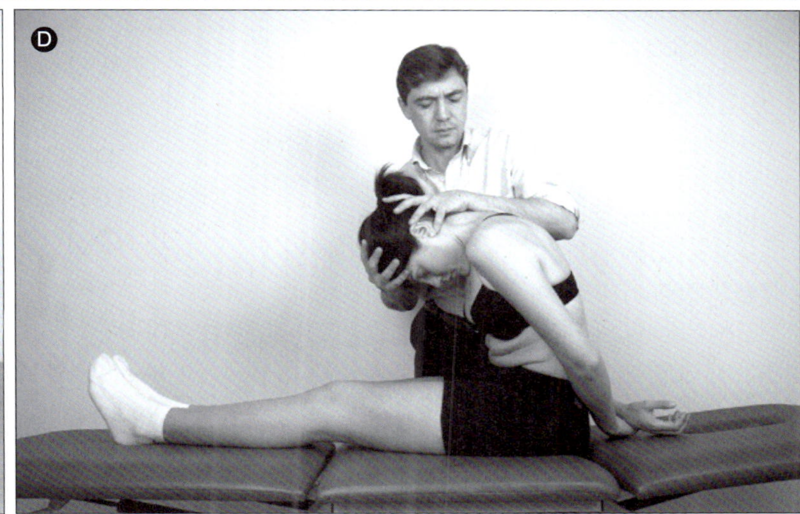

그림 2-19 ■ 수동적 목 굴곡(A), 앉은 자세에서의 수동적 목 굴곡(경추 슬럼프)(B), 슬럼프 검사(C) 및 슬럼프 오래 앉아 있는 검사(D)와 같은 신경 역학적 검사는 신경 역학적 감각을 평가하는 매우 흥미로운 정보를 제공한다. 이 검사 동안 적용되는 운동가동범위는 환자의 임상 상황에 맞게 조정되어야 한다.

번째 척도는 운동 기능의 상실을 평가하는 Nurick 척도였다.[17] 이 분류는 정상 보행을 하는 척수병증의 징후가 있는 것이 특징인 1등급에서 걸을 수 없는 중증 척수병증인 5등급이나 심각한 척수병증 나타낸다 (표 2-2).

Nurick의 척도는 잘 확립되어 널리 사용되지만, 하지의 기능만 측정하기 때문에 사용이 제한적이다. 가장 일반적으로 사용되는 척도 중 하나는 일본 정형외과 협회 점수(JOA score)이다.[97] 이 척도는 하지와 상지의 운동 기능장애, 감각 결손의 정도 및 조임근(괄약근) 기능장애를 기반으로 하여 척수병의 중증도를 수량화한다. 이 척도는 이후에 검토 및 검증 되었다.[98,99] 최대 참조 값은 17이며 정상 기능에 해당한다(표 2-3). 이 척도에 따르면 척수병증은 점수가 17~14점이면 경증, 13~6점이면 중등도, 5~0점이면 중증으로 간주한다.[100]

최근 JOA는 삶의 질과 관련된 항목을 포함하는 경추 골수병증 평가설문지(JOACMEQ, Cervical Myelopathy Evaluation Questionnaire)라는 새로운 평가 척도를 개발하여 신뢰할 수 있는 평가를 제공하는 것으로 입증되었다.[102] 기타 골수병증 평가 점수 개발된 것은 Cooper myelopathy scale,[103] modified

표 2-3

Benzel 등이 기술한 변형된 일본정형학회점수

	점수
I. 상지의 운동 기능장애 점수	
손을 움직일 수 없음	0
숟가락으로 먹을 수 없지만 손을 움직일 수 있음	1
셔츠 단추를 낄 수 없지만 숟가락으로 먹을 수 있음	2
매우 어려운 단추 셔츠를 낄 수 있음	3
조금 어려운 단추 셔츠를 낄 수 있음	4
기능장애 없음	5
II. 하지의 운동 기능장애 점수	
운동 및 감각 기능의 완전 상실	0
다리를 움직일 수 없는 감각 보존	1
다리를 움직일 수 있지만 걸을 수 없음	2
보행 보조기(예: 지팡이 또는 목발)를 사용하여 평평한 바닥에서 걸을 수 있음	3
난간을 이용하여 위아래로 걸을 수 있음	4
중간에서 상당한 정도의 안정성 결여가 있지만 난간 없이 위층 또는 아래층을 걸을 수 있음	5
안정성이 약간 부족하지만, 점진적인 왕복 운동으로 도움 없이 걸을 수 있음	6
기능장애 없음	7
III. 감각	
손 감각의 완전한 상실	0
심한 감각 상실 또는 통증	1
가벼운 감각 상실	2
감각 상실 없음	3
IV. 조임근(괄약근) 기능장애	
자발적으로 소변을 볼 수 없음	0
배뇨에 현저한 어려움	1
배뇨에 경증에서 중등도의 어려움	2
정상적인 배뇨	3

Prolo score[104] 및 European myelopathy score 이다.[105] 최근에 Singh 등은[106] 경추의 척추성 척수병증에 대한 평가 도구의 타당성과 신뢰성에 대한 체계적인 검토를 발표했다.

보완적 진단 검사
COMPLEMENTARY DIAGNOSTIC TESTS

방사선 평가(Radiographic evaluation)

영상 검사를 통해 경추척추관 협착증으로 인한 척수병증을 식별하는 방법에는 여러 가지가 있다. 기존의 방사선 사진의 측면 투사는 선천성 협착, 퇴행성 협착, 뒤세로인대의 골화 및 전방전위 여부를 보여줄 수 있다. 굴곡 및 신전의 동적 방사선 사진은 운동 범위와 강직 또는 불안정성이 있는 분절의 존재를 평가할 때 유용하다.[90]

측방 방사선 촬영을 통한 전신 협착증의 방사선학적 평가를 위해 방사선 초점을 1.5m 떨어진 곳에 놓고 경추 5번을 향하게 한다. 앞에서 설명한 바와 같이 구조적 시상 직경은 척추체 뒤쪽의 중간점과 극돌기고리판선 사이의 거리이다. 경추 1번과 경추 2번 위치에서 볼 수 있듯이 경추척추관은 위쪽 부분에서 더 넓으며 평균 직경은 각각 24mm와 21mm 이다. 그러나 경추 3번과 경추 7번의 하위 위치에서는 치수가 15~25mm이고 평균이 17~18mm이다.[26,72,107-109]

정상 시상 직경의 하한은 14mm 이며,[110] 경추 척추관의 직경이 12mm 이하일 때 구조적 협착이 나타난다.[72,90,111,112]

퇴행성 협착증은 골극의 신생 형성을 포함하는 척추의 아래쪽 가장자리에서 고리판의 앞쪽 가장자리까지의 거리인 척추증 시상 직경을 사용하여 평가한다. 이 직경은 척추성 협착증을 정량화하는 가장 정확한 시상 측정값을 나타낸다.[39,113]

구조적 직경과 척추성 직경의 차이는 분절 협착 지수라고도 알려진 척추성 지수를 제공한다. 구조적 협착증이 있는 피험자에서 1.5~2mm의 지수가 척수병증의 임상적 징후 특성이 나타나기에 충분하다. 측방 방사선 촬영에서 동적 척추관 협착증의 평가는 경추를 신전시킨 상태에서 척추체의 아래쪽 가장자리에서 아래쪽 척추판의 앞쪽 가장자리까지 측정하여

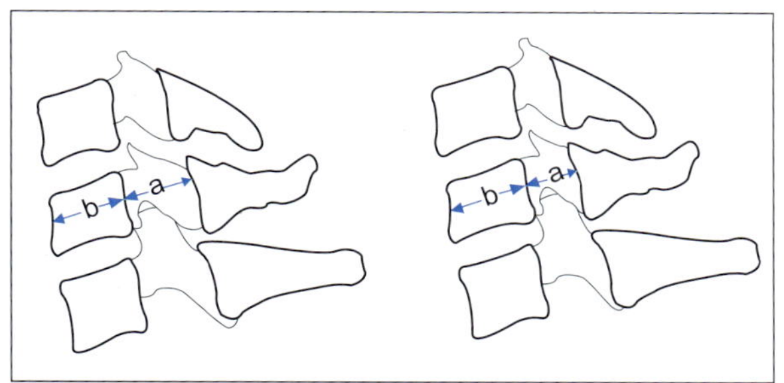

그림 2-20 ■ Pavlov의 비율은 추체의 전후방 직경과 척추관의 시상 직경간의 차이이다. 정상적인 Pavlov의 비율(a)과 좁은 척추관(b).

수행된다. 12mm 이하의 직경은 양성의 동적 요소로 간주된다. 경추가 신전된 상태에서 후방 전위증의 크기는 동적 협착증의 가장 중요한 진단 변수이다.[31,114]

파블로프의 비율(Pavlov's ratio)

경추 척추관 면적의 절대 값은 방사선 배율의 가변성으로 인해 부정확할 수 있다. 이를 피하기 위해 Pavlov 등은[115] 시상 척추관 직경과 시상 척추체 직경 사이에 상관관계가 있음을 관찰한 후 경추 협착을 판단하는 방법을 고안하였다. 이것은 Torg의 비율[116] 이라고도 알려진 Pavlov의 비율이며 척추체의 전후방 직경과 시상 척추관 직경의 차이와 관련이 있다.
1 이상의 값은 정상 거리에 해당한다(**그림 2-20**). 이 비율이 0.82 이하인 경우, 절대 협착이 있으므로 척수병증이 발생할 위험이 높은 것으로 간주된다.

고려해야 할 측면은 남성과 여성 간의 이 비율에 차이가 있다는 것이다. 척추관의 직경은 남녀 모두 동일하지만 척추체의 직경은 여성보다 남성에서 더 크며,[117,118] 이는 남성에서 이 상태의 더 높은 발병률과 관련이 있다.[117] Hukuda와 Kojima는 건강한 남성과 여성에서 Pavlov의 비율을 비교한 결과 여성의 4.4%가 협착관을 가지고 있는 반면 남성의 비율은 19.4%로 증가함을 관찰했다. 이전 연구에서 이 저자들은 큰 척추체가 척수병증의 위험 요소임을 입증했다. 큰 척추체는 골극이나 더 큰 디스크와 관련이 있다고 생각되기 때문에, 척추체가 큰 남성은 여성보다 척수병증을 더 앓기 쉽다.

그럼에도 불구하고, 위양성의 가능성으로 인해 지난 몇 년 동안, 이 방법의 신뢰성은 의문이 제기되었다.[28,107,120] Blackley 등은[120] Pavlov의 비율과 CT로 측정한 척추관의 실제 시상 직경 사이에 낮은 상관관계가 있음을 보여주었다. 그들은 이 비율이 경추 척추관의 실제 직경을 평가할 때 제한적으로 사용해야 한다고 결론지었다.

Prasad 등은[107] 경추 척수의 단면적과 뇌척수액이 차지하는 공간을 측정하여 자기공명연상(MRI)과 일반 방사선 사진을 사용한 Pavlov의 비율을 비교했다. 그들은 Pavlov의 직경과 가능한 코드 압축 사이에 약한 상관 관계가 있다고 결론지었다. 반면에 중심 척추관의 면적인 척수가 사용할 수 있는 공간은 시상 직경뿐만 아니라 관상 직경에 따라 달라진다. 알려진 바와 같이 정상적인 경추 척추관에서 관상 직경은 시상 직경보다 크다.

경추척추관 협착증의 병리학은 주로 시상면에서 발생하지만 이 평면에서만 발생하는 협착은 단면적의 척추관 면적의 유의한 감소를 나타내지 않을 수 있다.[107] 정상 피험자에서 관찰되는 광범위한 해부학적 변이 때문에 이 비율은 그 자체로는 척수병증의 존재를 예측하기에 충분하지 않다. 그러나 수행하기 쉽고 경추 척추관 협착증 가능성을 경고할 수 있다는 점에서 매우 타당한 방법이다.

측면 방사선 촬영을 사용하여 구조적 협착의 존재를 확인하는 데 사용되는 또 다른 방법은 안전한 공간으로 알려져 있다. 측면 방사선 사진에서 경추 척추관은 척추경(고리뿌리), 관절 및 고리판의 세 부분으로 나눌 수 있다(**그림 2-21**). 안전 공간은 이 마지막 고리판 부분에 해당하며 평균 4mm로 측정되어야 한다(**그림 2-22**).

고리판의 저형성 또는 관절고리간 관절의 퇴행성 비대의 결과로 안전 공간이 줄어들 수 있다. 그러나 정상적인 안전 공간을 가진 구조적 협착이 있을 수

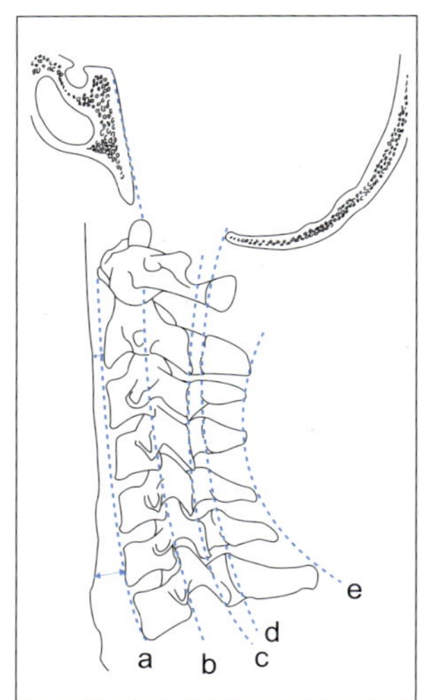

그림 2-21 ■ 측면 방사선 사진에서 전방 척추선(a), 후방 척추선(b), 후방 기둥선(c), 극돌기고리판선(d) 및 후방 극돌기선(e)의 5개 선을 볼 수 있다. 중심 척추관은 후방 척추선과 극돌기고리판선 사이에 위치한다. 안전 공간은 척추관의 고리판 부분에 해당하며 평균 4mm로 측정되어야 한다.

있다. 예를 들어, 척추경의 저형성이 있거나 관상면 정렬이 과도할 때, 또는 아시아인에서 흔히 발생하는 척추체의 전후 직경이 과도한 피험자의 경우일 수 있다(**그림 2-23**).

특히 컴퓨터단층촬영(CT) 및 자기공명영상장치(MRI)와 같은 영상 기술은 경추 협착증 및 척수병증에 대한 보다 신뢰할 수 있는 평가를 제공할 수 있다. 컴퓨터단층촬영(CT) 시상면의 뼈 구조에 관한 좋은 정보를 제공하므로 골극이나 후방종인대의 석회화와 같이 협착을 담당하는 뼈 요소와 척추관 면적을 줄일 수 있는 연조직에 대한 정보를 제공한다. 이 기술의 효과는 조영제와 함께 증가한다.

컴퓨터단층촬영(CT)-척수조영술은 척추압박의 정도를 보여줄 수 있으며, 굴곡 및 신전 자세에서 시행할 때 동적 협착증을 식별하는 데 도움이 될 수 있다. 그러나 자기공명영상장치(MRI)와 관련하여 몇 가지 단점이 있는데, 침습적 기술이며 골수 내 척수 변화를 관찰할 수 없다는 것이다. 자기공명영상장치(MRI)는 연조직과 척수의 평가를 가능하게 하고,[121] 디스크 돌출 및 황색 인대의 비대와 같은 협착의 비골성 원인을 시각화하는 데 도움이 된다. 척추관의 직경은 시상 및 축 투영에서 분석할 수 있다.

자기공명영상장치(MRI)는 정상 인구 구성원 내에서 척수 직경에 폭넓은 다양성이 있음을 보여주었다. 따라서 단순 엑스레이로 뼈의 직경을 측정하는 것만으로는 경추 척수병증의 중증도를 평가하기에

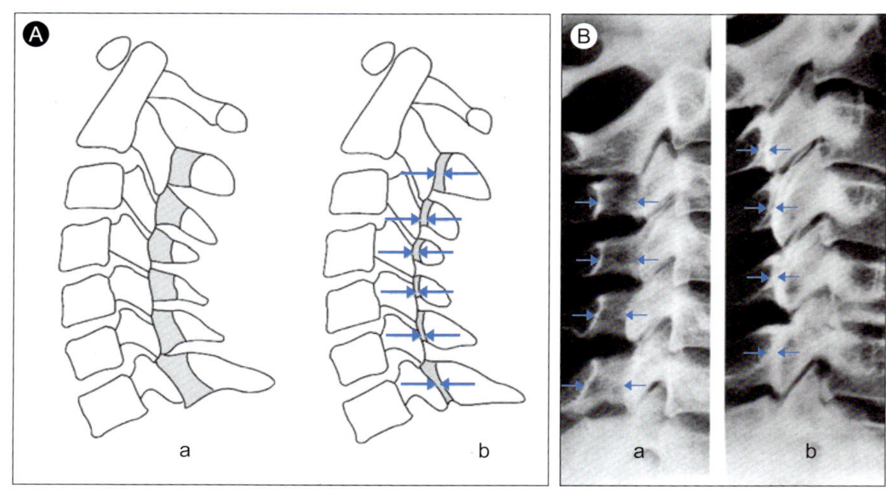

그림 2-22 ■ (A) 이 도표에서 회색으로 표시된 일반 안전 공간(a)과 축소된 공간(b)을 볼 수 있다. (B) 방사선 사진에서는 정상 척추관(a)과 안전 공간의 축소로 인한 좁은 척추관(b)을 보여주고 있다.

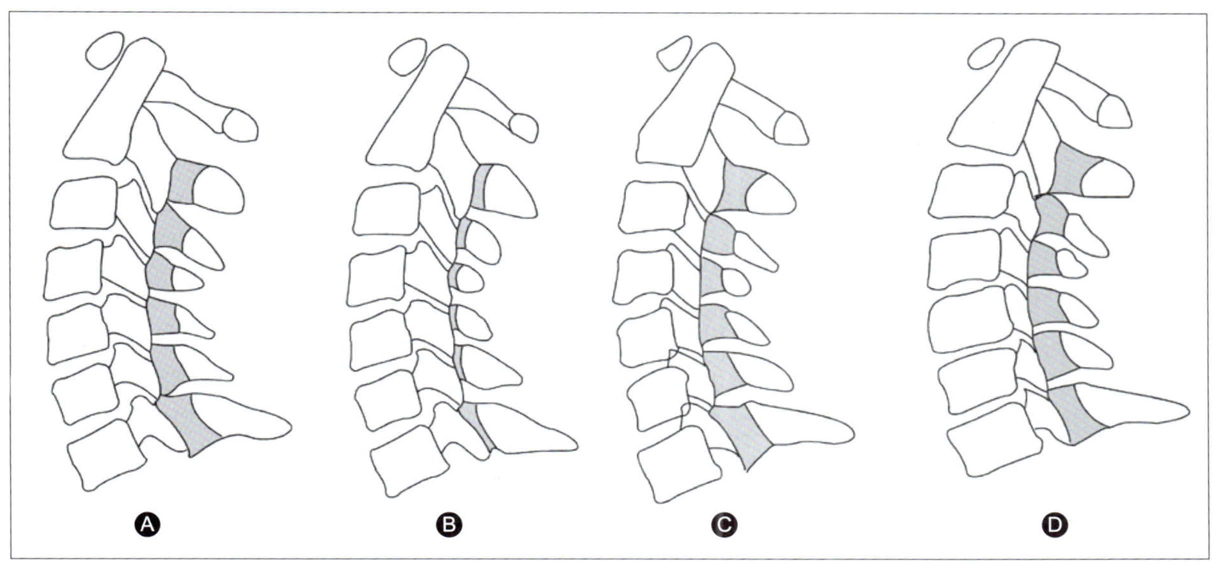

그림 2-23 ■ 정상 척추관(A). 척추 중심관은 구조적으로 협소할 수 있고 정상적인 안전 공간에서 척추경의 저형성(B)이 있거나 이들 척추경이 관상면에서 과도한 방향을 가질 때(C), 피험자의 척추체 전후 직경이 과도할 때(D).

충분하지 않다.[122] 척수 압박 정도는 척수의 시상 직경, 척수의 단면적 및 뇌척수액이 차지하는 공간을 측정하여 자기공명영상장치(MRI)에서 정량화할 수 있다. 경추 척수의 시상 직경은 5mm에서 11.5mm까지 다양하며 평균은 10mm이다.[28] 척수 단면적은 $40mm^2$ 이거나 그 이상이어야 한다. 자기공명영상장치(MRI)에서 이 영역의 크기는 척추관협착 척수병증 환자에서 척수병증의 중증도, 진행 기간 및 수술 후 기능 회복에서 좋은 상관관계가 있음을 보여주었다.[123,124] 또한 자기공명영상장치(MRI)는 T2 염기서열의 고강도 신호, T1 염기서열의 신호강도 감소 등 척수 실질 손상 징후를 관찰할 수 있는 장점이 있다. (그림 2-24).

고강도 신호의 의미는 완전히 명확하지 않다. 일부 연구자들은 이것을 골수연화증 및 비가역적인 척수 변화의 징후로[125] 간주하여 척수병증에 대한 좋지 못한 예후의 징후로 간주한다. 그러나 다른 사람들은 병리학적 변화를 반영하지만 척수증의 중증도와 상관관계가 없으며 예측 값으로 사용할 수 없다고 말한다.[126-128]

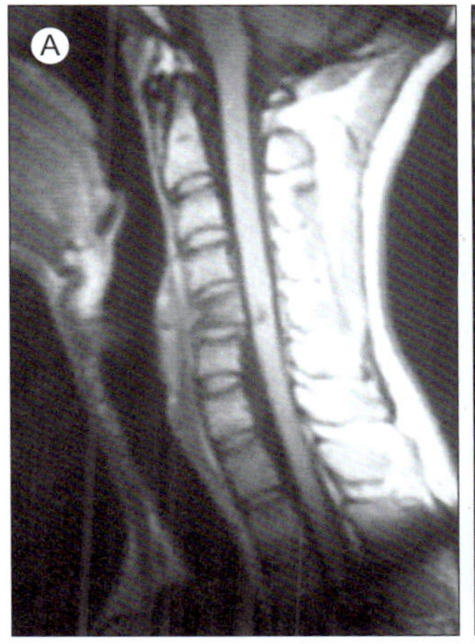

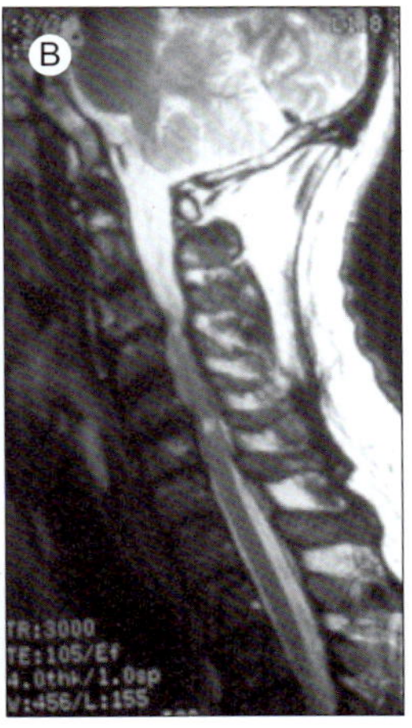

그림 2-24 ■ 자기공명영상장치(MRI)에서 볼 수 있는 T1의 저강도 신호(A)와 T2의 고강도 신호(B)는 괴사와 골수연화증이 있는 심각한 손상과 좋지 못한 회복 예후를 나타낸다.

현재, 고강도 신호는 염증, 부종, 허혈, 신경교증 또는 골수연화증과 같은 척수 손상의 비특이적이고 광범위한 스펙트럼을 나타내는 것으로 간주된다.[129,130] 경증 척수병증 환자에서 고강도 신호는 나쁜 보존적 치료결과 또는 척수증의 중증도와 관련이 없다.[131]

고강도 신호 이미지에서 비가역적 손상과 가역적 손상 사이의 차이가 확인되었다.[132] 가역적 손상에서는 부종이 덜 밝고 경계가 T2 강조에서 덜 분명하지만, 골수연화증 또는 낭성괴사와 같은 비가역적 변화는 선명한 경계로 밝은 이미지를 제공한다. 그러나 가역적 손상과 비가역적 손상을 구별하는 것이 항상 가능한 것은 아니다. T1 시퀀스에서 저강도 신호의 표시와 관련하여 더 많은 동의가 있다. T2의 고강도 신호와 관련된 T1의[128,129] 저강도 신호는 괴사와 골수연화증으로 인한 심각한 손상을 나타내며 따라서 좋지 못한 회복의 예후를 나타낸다.[123,125,129,133,134]

보존적 치료
CONSERVATIVE TREATMENT

경추 척추성경수증(CSM)을 포함한 경추 척추증의 치료를 위한 구조화된 물리치료 프로그램의 사용에 대한 여러 시도와 체계적인 검토가 있었다. 경추 척추성경수증(CSM)의 치료는 특히 빠른 진행이 관찰되지 않는 경증 및 중등도 형태에서 여전히 논란의 여지가 있다. 보존적 치료의 효과와 경추 척추성경수증(CSM)의 자연병력을 수정하는 능력은 최근까지 완전하게 연구되지 않았다. 1956년 Clarke와 Robinson의 연구 발표 이후 여러 연구에서 보존적 치료가 장기적으로 효과가 없다는 것이 밝혀졌다.[9,17,135] 그러나 초기 간행물에서는 다양한 보존적 조치가 피험자의 50%에서 증상을 개선할 수 있음을 보여주었다. 일반적으로 보존적 치료에 비해 수술적 치료의 결과가 더 우수하여 보존적 치료를 거부하는 경향이 있어 수술이 치료적 중재의[123,136,137] 첫 번째 선택으로 여겨진다. 그러나 이러한 믿음에 어떤 경우에는 수술이 보존적 치료보다[138-141] 더 나은 결과를 얻지 못한다는 것을 보여준 일부 연구자에 의해 의문이 제기되어 왔다. 보존적 치료는 현재 장기간에 걸쳐 높은 비율의 환자에서 좋은 결과를 보이는 경증 경추 척추성경수증(CSM)에 대한 치료적 대안으로 인식되고 있다.[131,135,142-148] 최근에는 수술적 치료와 보존적 치료의 결과를 비교한 연구가 있다.

2000년에 Cervical Spine Research Society는 보존적 치료와 수술적 치료의 효과를[149] 알아보기 위해 전향적 다심적 비무작위 연구를 실시했다. 이 시험에서 43명의 환자가 치료를 받았으며 이 중 54%는 의학적 치료를 받았고 46%는 수술적 치료를 받았다. 추적관찰 기간은 8~13개월로 그리 길지 않았다. 보존적 치료를 받은 환자는 일상생활 수행 능력이 저하되었으며 수술을 받은 환자의 기능적 상태는 유의하게 개선되었다. 신경학적 증상의 개선은 두 군 모두 하지 증상의 유의한 변화를 보이지 않았다. 그러나 수술을 받은 환자들은 상지 증상이 호전되었다. 이러한 개선은 상지 증상이 이전에 설명된 바와 같이 종종 척수병증과 관련된 신경근병증과 관련이 있다는 사실에 기인할 수 있다.

확실히, 수술은 더 이상의 신경학적 악화를 멈추게 하기 때문에 심한 척수병증의 경우와 중등도에서 중증의 경우에 권장된다. 임상 결과는 척수병증의 중증도, 상태의 정도 및 환자와 관련된 기타 요인에 따라 다르다.[150] 전방 또는 후방 수술 후 신경학적 개선은 가변적이지만[151] 환자의 50%가 결국 심각한 장애가 되기 때문에 경추 척추성경수증(CSM)의 자연병력과 차이가 있다.

한편, 앞서 설명한 바와 같이 경증 척수병증의 보존적 치료를 옹호하는 여러 연구가 있다. 이 치료법을 선택할 때 고려해야 할 요소는 이 병리학의 치료에 사용하는 다양한 외과적 치료법의 신경학적 및 비신경학적 모두 높은 발병율이다.[81,138,148,152-156]

Matsumoto 등은[131] 경추 척추성경수증(CSM)의 비수술적 치료에 관한 연구를 수행했다. 34명(65%)의 환자는 자기공명영상장치(MRI) 검사에서 고강도 신호(HIS) 영역이 있었다. 그 결과 평균 일본정형의학협회(JOA) 점수는 14.0에서 시작하여 3년의 추적기간 후에 평균 14.4를 유지하는 것으로 나타났다.

그들의 결과에 따르면, 보존적 치료는 척수병증의 진행을 안정화시켰다. 만족스러운 결과는 고강도 신호(HIS)가 없는 경우와 고강도 신호(HIS)가 있는 경우 각각 78%와 65%에서 분명했다. 고강도 신호(HIS) 회귀는 추적 영상에서 환자의 18%에서 기록되었다. 이 회귀는 일본정형의학협회(JOA) 점수의 상당한 개선과 관련이 있다.

Kadanka 등은[144,145] 각각 경증 및 중등도 형태의 경추 척추성경수증(CSM)에서 보존적 치료와 수술적 치료의 결과를 비교하기 위한 전향적 무작위 연구 결과를 2000년과 2002년에 발표했다. 환자는 일본정형의학협회(JOA) 점수에서 12점 이상의 점수를 받았다. 2~3년의 추적 관찰 결과, 수술을 받은 환자의 기능 개선은 보존적 치료를 받은 환자보다 통계적으로 우수하지 않았다. 따라서 감압 수술이 경증 척수병증 환자의 임상 결과를 향상시킨다는 확실한 증거는 없으며, 이것이 수술이 금기라는 의미는 아니다. 수술의 목적은 진행을 멈추고 경미한 외상으로 인한 갑작스러운 악화를 방지하는 것이다. 이 연구의 결과는 보존적 치료가 이러한 경미한 형태의 수술과 동일한 결과를 적어도 처음 3년 동안은 가질 수 있음을 보여준다.

이러한 상황을 명확히 하기 위해 2002년에 Fouyas 등은[18,19] 척수병증의 외과적 치료가 보존적 관리와 비교하여 개선된 결과와 관련이 있는지 확인하기 위한 코크란 체계 평가를 발표했다. 또한 이 검토는 수술 시기(즉시 또는 지연)가 결과에 영향을 미치는지 여부를 설명하기 위한 것이었다. 49명의 경추척수병증 환자를 대상으로 한 Bednarik 등의 연구를[157] 참고 연구로 선정하였다. 이 연구에서는 보존적 및 외과적 치료 후 장애를 분석하기 위해 다양한 매개변수가 사용되었다. 사용된 매개변수는 일본정형의학협회(JOA) 척도를 사용하여 상부 및 하부 운동 신경세포 기능, 고유감각, 합동조정, 팔다리의 감각이상 및 조임근(괄약근) 조절이었다. 이 연구는 보존적 치료를 받은 환자가 6개월 후에 유의하게 개선되었음을 보여주었다. 치료 시작 후 12개월과 24개월에 두 그룹 간에 차이가 없었다. 이러한 체계적인 검토에 따르면 수술 결과가 항상 만족스러운 것은 아니며 보존적 치료를 통해 얻은 결과와 유사할 수 있다. 수술의 위험이 장기적인 이점을 보상하는지 여부는 분명하지 않다.[19] 이 검토에서는 영국에서 매년 경추증과 관련된 병리학에 대해 4,000건의 중재를 수행했음에도 불구하고 경추 신경근 척수 병증의 수술적 치료를 지지하는 결정적인 증거가 없다고 결론지었다. Cochrane 체계 평가는 2010년에 같은 그룹에 의해 업데이트 되었다.[158]
이 고찰의 결론은 경증 척수병증 환자가 수술 직후 주관적으로 좋아진다는 것을 보여주는 매우 낮은 품질의 증거가 있지만 차이가 장기적으로 거의 또는 전혀 차이가 없다는 것이었다.

2012년 Hirpara 등에[159] 의해 증상이 있는 경추증을 치료하기 위한 비수술적 방법의 사용에 관한 또 다른 검토가 수행되었다. 검토에서는 초기에 수술로 치료한 경추 척추성경수증(CSM) 환자가 초기 추적기간에 통증, 근력 및 감각 기능에서 더 큰 개선을 얻었지만 1년 시점에서 객관적으로나 환자 만족도 측면에서 그룹 간에 차이가 없다고 결론지었다.

Rhee 등은[160] 2013년 경추척수병증의 비수술적 치료에 대한 체계적인 고찰을 발표하였다. 저자들은 중등도에서 중증 척수병증 환자의 수술적 치료와 경증 척수병증의 치료 선택으로 비수술적 치료를 권장한다. 그러나 저자들은 이 두 가지 관리 전략간의 추가 비교 연구가 필요하다는 점을 인정한다. 그들은 또한 특정 유형의 비수술적 치료를 척수병증의 자연병력과 비교할 필요가 있다고 덧붙혔다.

결론적으로, 비수술적 관리는 특히 질병의 초기 단계에서 사용할 때 이전에 생각했던 것보다 더 나은 결과를 가질 수 있다. 보존적 치료는 경추 척추성경수증(CSM)의 진행을 멈추고 경증 골수병증이 있는 일부 환자의 증상을 역전시킬 수 있다.[161]

보존 치료: 기준 및 적응증(Conservative treatment: criteria and indications)

이 검토 후에, 보존적 치료를 옹호하는 데 사용되는 기준을 강조하는 것은 흥미롭다. 이 기준은 장애의 지속 기간, 징후와 증상의 중증도, 협착증의 병인 및 중증도, 환자의 연령으로 요약될 수 있다.

척수병증의 기간은 수술 또는 보존적 치료 후 예후와 결과에 가장 중요한 변수 중 하나이다.[162] 보존적 치료는 주로 척수병증의 초기 징후가 있는 환자에게 효과적이다. 5년 이상의 척수병증 환자에서 효과가 매우 제한적이므로 첫 징후와 증상이 나타날 때 치료를 시작하는 것이 좋다.[64,146] 척수병증의 초기 증상은 잦은 목 통증과 제한된 경추 운동범위이다.[163] 아직 척수 압박 징후가 없는 환자의 영상 검사에서 전척수병증 상태가 나타나면 척수병증으로의 진행 가능성을 제한하기 위해 보존적 치료를 시작하는 것이 좋다.

보존적 치료와 수술적 치료 중 선택은 징후와 증상의 중증도에 따라 다르다.[22,23] 보존적 치료는 경증 또는 중등도 형태의 척추성 척수병증, 특히 목발 없이 걸을 수 있는 환자에서 상지 운동장애 일본정형의학협회(JOA) 점수가 2점 이상인 경우, 일본정형의학협회(JOA) 전체 점수가 12점 이상인경우 또는 Nurick 등급 3이하인 경우에만 권장된다.[141,164,165]

협착의 중증도와 관련하여 경증에서 중등도 협착의 경우 보존적 치료를 따라야 한다. 척추중심관 직경/척추체 직경 비율이 0.8 이하인 경우 골수병증의 예후가 좋지 않은 것으로 판단된다.[33] 마찬가지로 최대 압박 수준에서 척수의 횡단면적이 치료 결과의 기본 변수가 된다.[141,162] 기존의 방사선 촬영과 자기공명영상장치(MRI)에서 심각한 척추관 협착증을 나타내는 모든 매개변수는 초기에 보존적 치료를 금한다. 앞서 기술한 바와 같이, T2 강조에서 자기공명영상장치(MRI) 신호 강도의 증가는 경증 골수병증 환자의 보존적 치료에서 반드시 좋지 못한 결과를 의미하지는 않는다.[131,141]

보존적 치료의 가능성은 또한 협착증의 병인에 의해 정의된다. 연부 추간판 탈출증이나 척추관협착증과 같이[162,164] 가역적인 경우 보존적 치료의 효과가 확인될 때까지 수술을 연기해야 한다.[12,162] 여러 연구에서 경추연부 추간판 탈출증으로 인한 경증 경추 척추성경수증(CSM)에 대해 보존적 치료가 효과적인 관리 선택임을 보여주었다.[162,164] Matsumoto등의 연구에서,[164] 경추연부 추간판 탈출증으로 인한 경증 경추 척추성경수증(CSM) 환자 27명이 보존적 치료를 받았다. 이 치료는 환자의 63%에서 효과적이었고, 그 중 59%는 신경학적 증상의 동반된 해결과 함께 디스크 탈출증의 자발적 퇴행을 보였다. 1장에서 설명한 바와 같이 현재 돌출된 디스크 물질은 탈출된 덩어리를 감소시키는 경향이 있는 퇴행을 겪는 것으로 알려져 있으며, 이는 심지어 사라질 수도 있다.[166] 이러한 현상은 주로 디스크 물질이 경막외강에 위치할 때 발생하며, 혈관신생의 명백한 징후가 있다.[167] 반대로 구조적 같이 변하지 않는 병인학적 요인이나 후방종인대의 골화와 같이 진행성인 병인학적 요인이 있는 경우에는 수술적 치료를 고려해야 한다.[148,162,165]

연령은 보존적 치료 결과의 영향을 평가할 때 논란의 여지가 있는 요소이다. 일부 연구에서는 고령이 보존적 치료의 예후에 부정적인 영향을 미친다는 사실을 확인했지만[150,168] 다른 연구에서는 상관 관계가 발견되지 않았다.[141,148]

보존적 치료의 효과는 또한 경추의 가동성 및 환자의 성별에 달려 있다.[78] 여성이고 경추의 높은 가동성은 신경학적 상태의 악화를 촉진한다.[146] 더욱이 경추 척추성경수증(CSM)에 대한 보존적 치료를 선택된 환자에서 집중적으로 시행할 경우 효과적인 것으로 간주된다.[146]

치료 기법 TREATMENT TECHNIQUES

보존적 치료는 경추 척수병증의 해결을 시도하는 것이 아니라 신경 기능 개선에 기여하고 통증 및 기타 증상을 감소시키며 피험자의 삶의 질을 향상시키려는 것이다.

도수치료(Manual therapy)

다양한 형태의 도수치료는 경추 척추성경수증(CSM)에 금기 사항이 아니다. 그러나 충격을 이용한 고속 조작 기술은 척수병증뿐만 아니라 경추의 심각한 퇴행성 변화가 있는 경우에도 실제로 금기시된다. 가동술, 견인술 및 보조운동 기술과 신경역학 기술은 환자의 임상 상태를 개선할 수 있다.[169]

어떤 경우에도 이 부분에 설명된 치료 기술의 예를 무분별하게 수행해서는 안된다. 환자의 임상 상황에 적합한 기법만을 선택하는 것이 중요하며 기법 적용 중 또는 적용 후 증상이나 신경 기능의 악화가 있는지 상시 확인해야 한다. 환자의 증상을 개선하기 위해 목을 약간 굴곡한 상태를 유지시키는 목 지지대로 환자를 고정시키는 것도 필요할 수 있다.[15,17,135,142]

경추 견인(*Cervical traction*)

견인이 이전에 금기였음에도 불구하고[9,90] 현재 이러한 유형의 환자 치료에 가장 일반적으로 사용되는 방법 중 하나이다.[131,142,146] 견인의 효과는 신경조직과 신경조직과 중앙척추관 사이의 관계를 수정하는 능력에서 파생될 수 있다. 신중하고 점진적으로 적용해야 하며, 증상의 악화 여부를 상시 점검해야 한다. 어떤 구조가 척추 협착증과 가장 관련이 있는지 아는 것이 중요하다. 즉, 협착증이 주로 디스크나 척추체 골극과 같은 전방 구조에 의해 유발되는 경우 척수의 앞쪽 부분에 대한 압축력을 악화시키기 때문에 굴곡 견인을 피해야 한다. 반면에 후방 구조가 이를 담당하는 경우, 관절돌기간관절, 고리판 비대 또는 황색인대의 굽음의 경우와 같이 굴곡 시 견인력을 가하면 압축력을 줄일 수 있다. 간헐적인 견인과 지속적인 견인 모두 유용할 수 있다[170,171](**그림 2-25**). 일부 저자는 병원 환경에서 집중적이고 지속적인 견인 치료과정을 권장한다.[146,172,173]

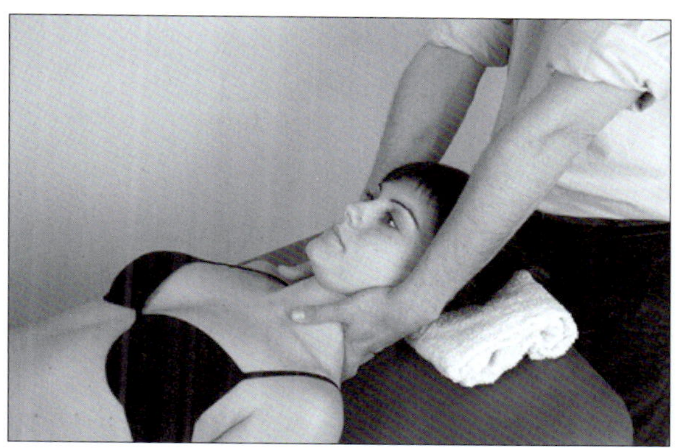

그림 2-25 ■ 간헐적인 도수 견인.

가동화 기술(*Mobilization techniques*)

가동화 기술은 역학적 상관관계 또는 신경조직을 겨냥할 수 있다. *역학적 상관관계 가동화 기술*은 가동성의 증가가 신경학적 악화를 가속할 수 있는 상당한 동적 협착증이 있는 대상을 제외하고 표시된다. 이러한 기술의 목적은 신경 요소에 작용하는 압박력을 줄이는 것이다. 따라서 견인 기술과 마찬가지로 먼저 어떤 구조가 협착에 관여하는지 평가할 필요가 있다. 이러한 기술의 사용은 신중하고 점진적이어야 한다. 고속 조작 기술 또는 끝 범위 진폭을 암시하는 기술은 금기이다. 이러한 유형의 환자에게 가장 적합한 기술은 낮은 진폭의 생리학적 및 보조 관절 가동 기술이다.

*외측 측면활주 기술*은 경추 척수에 최소 부하를 유발하는 위치에 적용해야 하며 점차적으로 작은 견인 구성요소를 연관시켜야 한다. 이 가동화는 특히 환자가 척수근병증이 있는 경우 수행할 수 있으며 상지의 위치가 경추 신경근의 긴장을 변형할 수 있다.

측면활주 기법의 예는 치료사가 환자의 경추와 머리를 두손 사이에 잡고 리드미컬하게 낮은 진폭의 좌우 분절의 측면활주 움직임을 도입하는 것을 포함한다. 초기에는 신경조직을 과도하게 자극하지 않기 위해 환자의 손을 복부에 올려 놓고 신경의 긴장이 없는 자세를 취한다. 그런 다음 더 많은 신경 긴장을 가하기 위해 한쪽 또는 양쪽의 상지를 신전할 수 있다

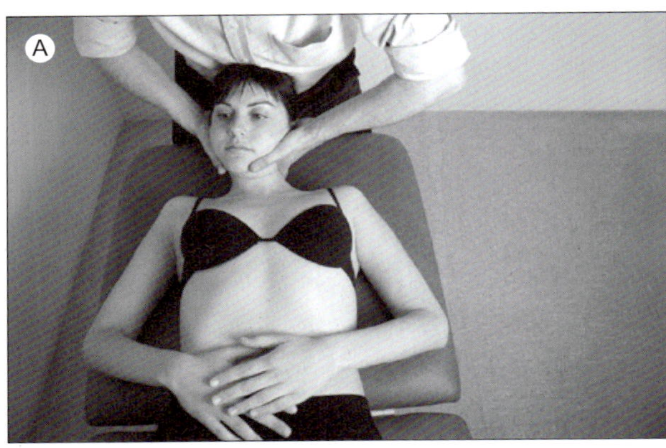

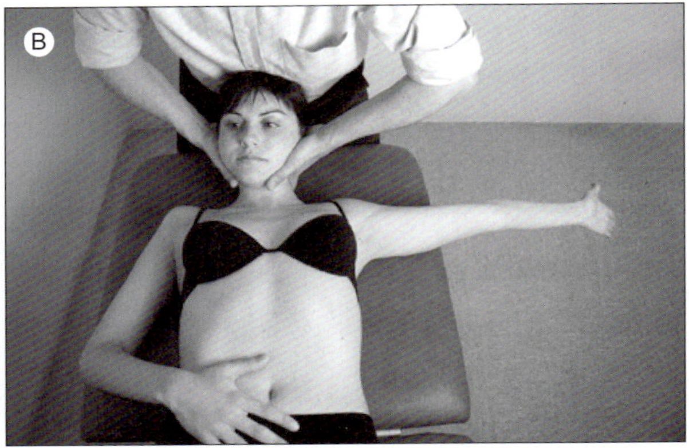

그림 2-26 ■ 측면 활주 기술. 전위 동안 환자는 팔을 복부에 대고(A) 전위가 중단되면 환자는 상지(B)를 신전하여 뻗는다.

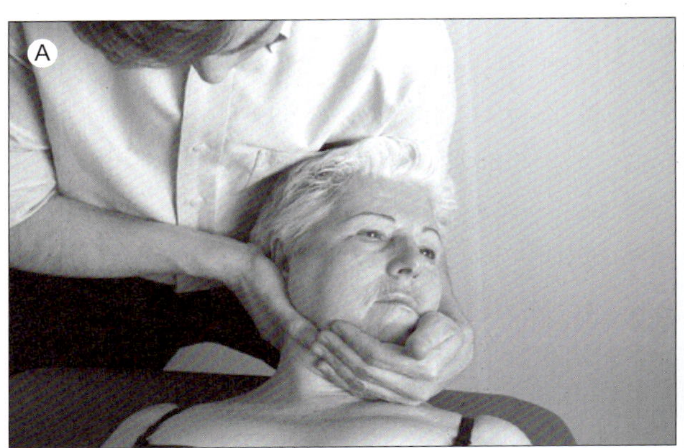

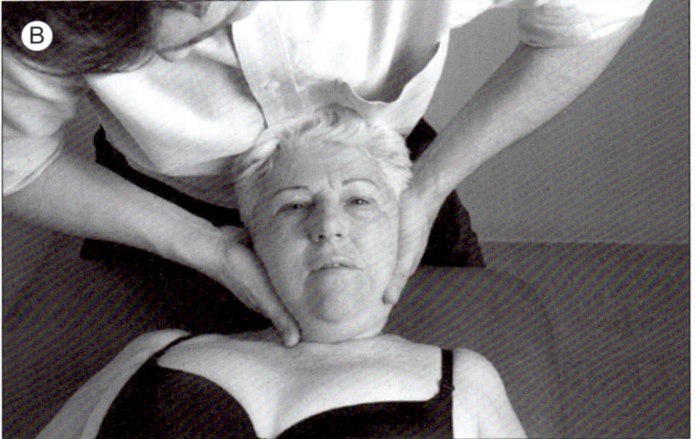

그림 2-27 ■ 초기 단계의 회전(A) 및 측면 굽힘(B) 가동은 첫 번째 치료 단계에서 추가할 수 있다.

(**그림 2-26**).

*생리적 움직임*에서 측면 굽힘의 고립된 가동화와 초기 각도의 회전은 첫 번째 치료 단계에서 통합될 수 있다(**그림 2-27**). 절차는 견인의 작은 구성요소가 추가될 수 있는 측면 굽힘 및 동측 회전의 결합된 움직임으로 계속될 수 있다. 협착을 담당하는 구조가 전방인 경우 굴곡의 가동화는 매우 평범해야 한다.

특히 직접 접근을 사용하면 초기에 증상이 악화될 수 있는 경우 여러 기술을 원거리에서 적용할 수 있다. 예를 들어, 흉추와 요추의 가동화는 경추의 신경조직에 가해지는 부하를 줄이는 데 도움이 되는 흥미로운 전략이 될 수 있다. 아래에는 수동 치료의 몇 가지 예가 설명되어 있다.

신경역학적 기술(Neurodynamic techniques)

신경조직 가동기술은 심한 과민반응이 있는 경우를 제외하고는 경추 척추관 협착증을 치료하는 데 사용할 수 있다. 목적은 신경조직의 기계 감각도를 감소시키고 혈액 관류를 개선하며 신경내 또는 신경외 부종의 분산을 돕는 것이다. 유형과 기술 및 강도는 환자의 임상 상황에 따라 다르다. 처음에는 활주 기술이 장력 기술보다 이 개체에 더 적합해 보인다. 그러나 후자는 신경 기계 감각도이 감소함에 따라 도입될 수 있다. 두 가지 유형의 기술 모두 신경근병증의 경우와 같이 주변부에서 가동을 시작한 다음 신경수막 조직을 더 강력하게 가동할 수 있다. 추천하는 신경역학적 기법은 상지와 하지로 신경조직을 가동하는

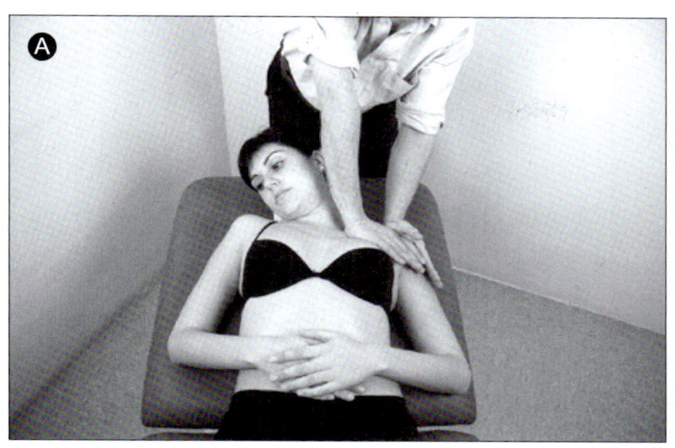
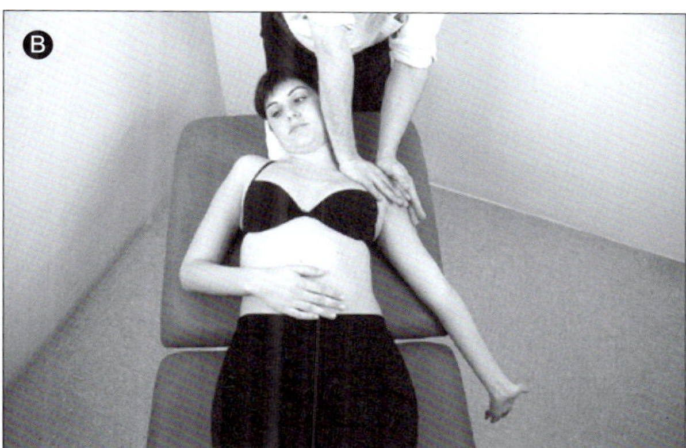

그림 2-28 ▪ 신경 미끌림 움직임(ULNT2). 환자는 경추를 약간 옆으로 굽히고 반대측 회전을 유지한다(A). 치료사는 견갑대의 함몰을 적용하고 이 함몰을 풀 때 환자는 팔꿈치를 신전하여 뻗는다(B).

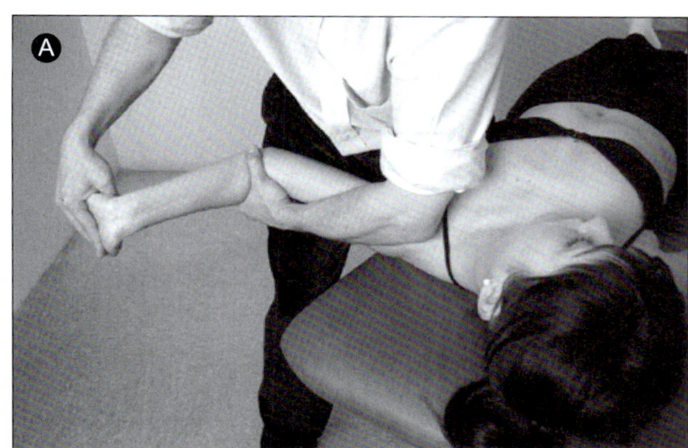
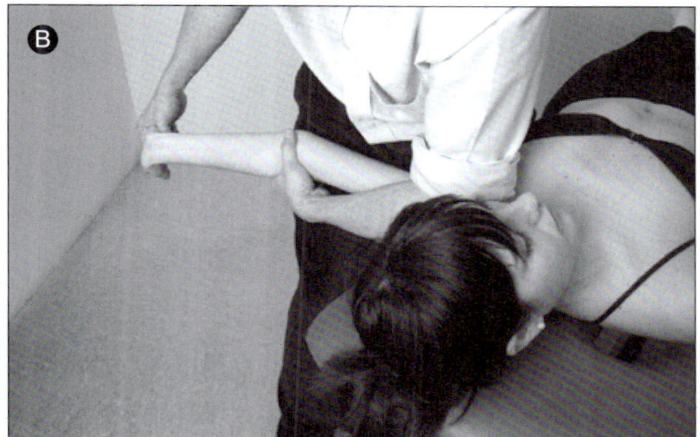

그림 2-29 ▪ 신경 미끌림 움직임(ULNT1)은 상지의 측면 견인(A)과 팔꿈치 굴곡(B)을 연관시킨다.

방법과 신경축을 가동하는 방법이다.

상지 신경역학 기법. 신경역학 기법의 목적은 누워있는 'H'자 형태로 볼 수 있는 신경축을 가로로 가동시키는 것이다. 한쪽 끝에 가해지는 장력은 다른 쪽에서 분산되는 경향이 있다. 처음에 모든 기술은 환자의 반응을 관찰할 수 있을 때까지 등급 I 및 등급 II에서 수행된다. 만약 증상이 악화되지 않으면 III 및 IV 등급의 가동으로 진행한다. 이 기술의 몇 가지 예는 1장에서 설명했다(**그림 2-28** 및 **2-29**).

경추 슬럼프 또는 수동적 경추 굴곡.

환자의 자세: 바로 누운 자세, 처음에는 손으로 복부를 짚는다(상지의 신경 긴장 방지 자세).

치료사의 자세: 침대 머리에 선다.

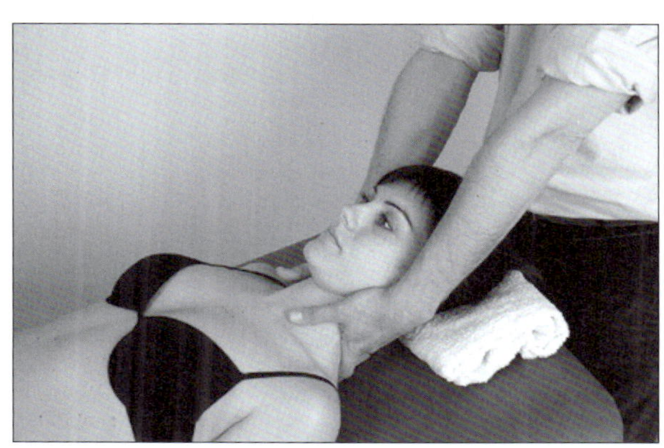

그림 2-30 ▪ 수동적 목 굴곡.

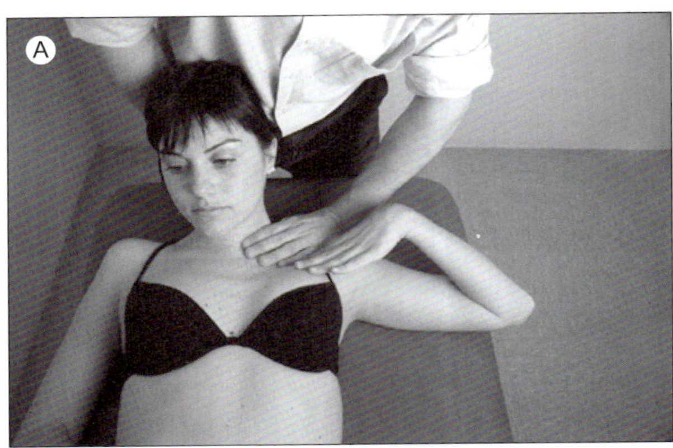

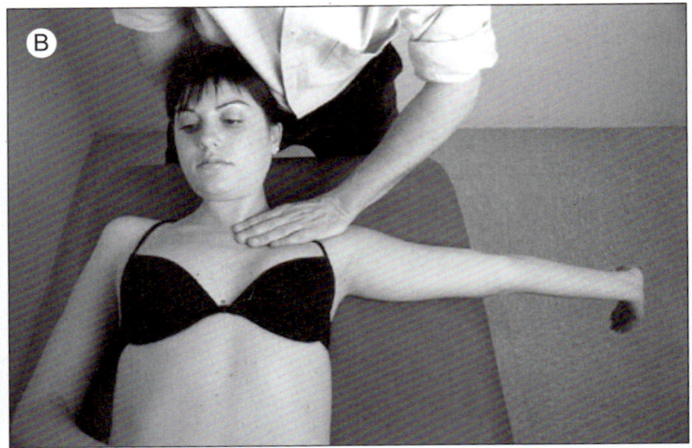

그림 2-31 ■ 신경 활주와 관련된 수동적 목 굴곡(A 및 B).

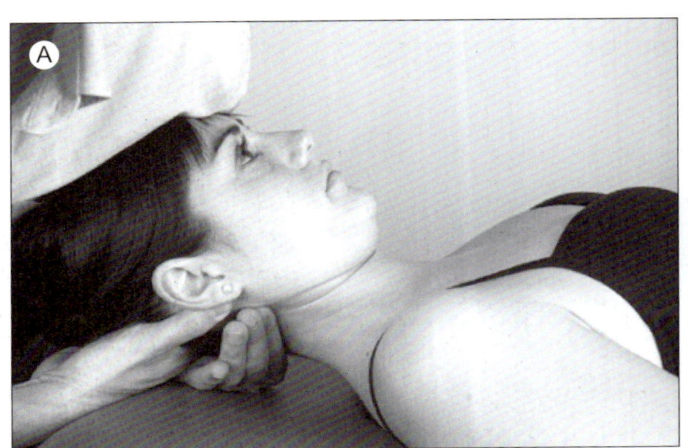

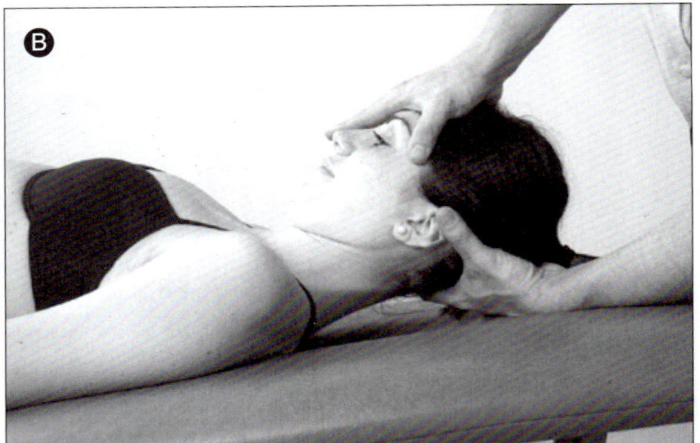

그림 2-32 ■ 전두-후두 잡음(B)과 C2(A) 안정화하는 두개경추의 굴곡.

방법: 치료사는 경추 굴곡 운동을 리드미컬하고 반복적으로 적용한다(**그림 2-30**). 그 후, 상지는 신경조직에 초기 장력의 더 큰 구성요소를 도입하기 위해 어깨 외전 및 팔꿈치 신전의 다른 각도에 위치된다. 이 기술이 신경 활주 기술이 되기 위해서는 목을 굴곡하는 동안 환자에게 팔꿈치를 구부리거나 어깨 거들을 올리도록 요청할 수 있다(**그림 2-31**). 이 조작은 한쪽 상지 또는 두쪽을 동시에 수행할 수 있다. 후자의 경우 신경조직 움직임의 측방 운동이 감소한다.

머리 목 부위 척추 굴곡.

이 동작은 환자의 증상이 경추 굴곡을 허용하지 않을 때 가장 일반적으로 사용된다(**그림 2-32**). 환자의 임상 상황이 허용하는 경우 활주 구성요소를 포함하기 위해 환자는 두개경추 견인을 감소시켜 다리 곧게 들기 또는 상지의 외전을 수행할 수 있다(**그림 2-33**).

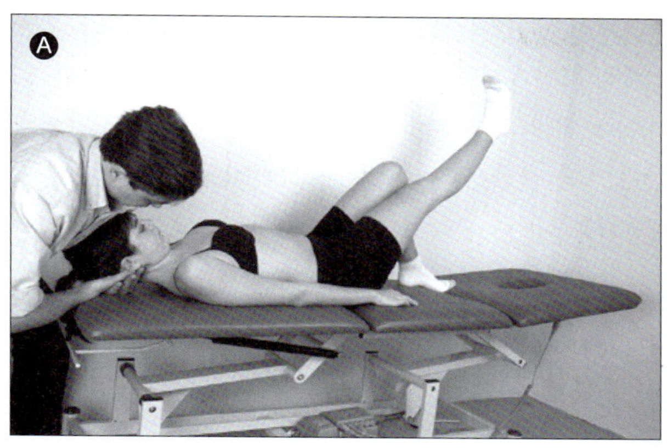
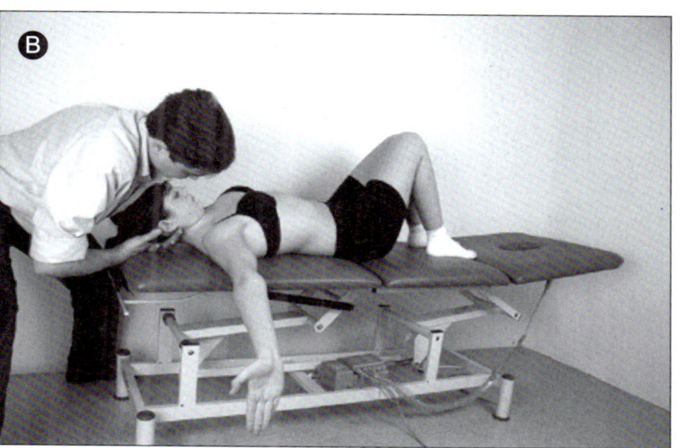

그림 2-33 ■ 곧게 다리들기(A) 및 상지 외전(B)과 관련된 두개경추의 굴곡.

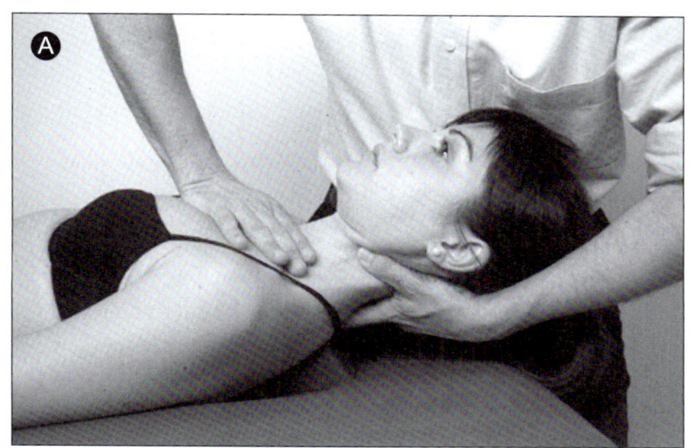
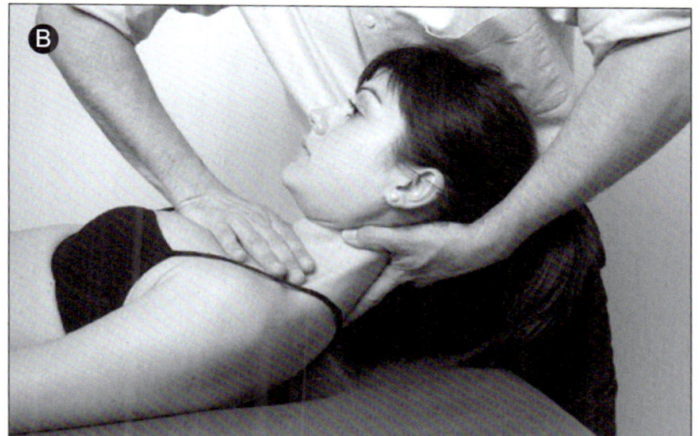

그림 2-34 ■ (A, B) 흉추에 쐐기를 사용하여 경추 굴곡과 관련된 앙와위 자세에서 전후 흉추 가동화.

앙와위 자세에서 흉추 가동화.

환자의 자세: 앙와위.

치료사의 자세: 침대 머리에 선다.

방법: 치료사는 지렛대 역할을 하는 상부 흉추 부위에 쐐기를 놓고 한 손으로 경추의 굴곡을 수행한다. 다른 한편으로, 치료사는 흉추 전방 부위를 사용하여 흉추에 위치한 받침점을 향해 전후방 압력을 가한다(**그림 2-34**).

외과적 치료(Surgical treatment)

중증 또는 중등도에서 중증의 척수병증 환자와 신경계 징후가 진행되는 경증 척수병증 환자의 경우 수술을 선택하는 것이 좋다. 수술 후 결과는 척수병증의 중증도에 따라 다르다.[150,151,174-177]

수술 결정은 척수 기능장애와 관련된 요인에 대한 철저한 지식을 기반으로 한다. 비정상 방사선 소견은 무증상 대상자에서 흔하기 때문에[38] 임상의는 환자의 불만을 신체 검사 및 영상 검사 결과와 연결할 때 주의해야 한다. 수술의 목표는 척수의 효과적인 감압을 얻는 것이다. 경추 척수병증에서는 전방 및 후방 접근법이 모두 사용된다. 어떤 접근 방식을 사용할지 결정은 척추 압박의 원인, 관련된 분절의 수, 척추 정렬, 목 통증의 중증도, 환자 동반 질환 및 다양한 기술에 대한 외과의의 친숙도와 같은 다양한 요인을 기반으로 한다.

앞서 언급한 접근법은 추간판 탈출증, 전방 골극증 또는 후방종인대의 골화와 같이 협착증이 척수 전방에 있는 경우에 매우 적합하다. 감압은 일반적으로 협착이 한 분절 또는 두 분절로 존재할 때 사용된다. 이 접근 방식은 척수를 조작하지 않고 직접 시각화 및 협착을 담당하는 요소를 제거할 수 있는 가능성을 허용한다. 척추 정렬이 중립이거나 후만인 경우 전방 절차는 경추 전만을 복원한다. 전만의 회복은 척수가 후방으로 변위 되도록 하여 전방 압박을 감소시킨다. 감압 후 척추의 안정성은 분절성 관절 고정술로 이뤄진다. 앞서 언급한 접근 방식의 문제점은 2~3단계 이상에서 시행할 때 관절유합술의 실패율이 높다는 것이다.[178-183]

후방 접근법과 관련하여 후궁 절제술과 후궁 성형술은 척수의 광범위한 감압을 허용한다. 이 외과적 접근은 척수병증과 관련된 여러 분절이 있고 척수 압박의 원인이 후방일 때 사용된다. 후궁 절제술의 문제는 후방 요소를 제거함으로써 종종 후만증이나 전위증의 기형이 발생한다는 것이다.[184] 고리판을 노출시키기 위해서는 목반가시근(경반극근)을 절단해야 하며 이는 꼬리쪽 후방이동으로 이어진다. Vasavada 등은[185] 이 근육이 경추 신전의 37% 이상을 담당하고 경추 전만을 유지하는 데 중요한 역할을 한다는 것을 입증했다. Nolan과 Sherk은[186] 또한 신전 근육이 동적 안정제 역할을 하며 목반가시근의 부착을 제거함으로써 추궁 절제술이 정상적인 경추 정렬에 상당한 손실을 초래한다고 지적했다. 심각한 경추 전만 손실이 있는 환자의 회복 수준은 정상적인 곡률을 유지하는 환자보다 훨씬 낮다.[187] 더욱이, 전만 손실은 신경구조가 받는 부하의 지속을 유발할 수 있다.[188]

통증은 후방 접근에서 파생되는 또 다른 도전이며 후궁 성형술 후 개인의 40−60%에 영향을 미칠 수 있다.[189,190] 따라서 후방 감압은 협착이 여러 위치에서 존재할 때만 권장된다.[70,156,176] 또한, 후방 근육의 재부착이 불안정성 및 후만 변형의 위험을 줄이는 수단으로 제안되었다.[189,191,192] 가장 일반적인 수술 방법은 개복 후궁성형술(open−door laminoplasty)이다.[187]

경추 후궁성형술이후 경추전만의 소실은 또한 근육의 안정화 소실과 관련이 있으며, 이는 수술 후 재활 프로그램을 조속히 수립하는 것이 중요함을 증명한다.[193]

결론 CONCLUSION

보존적 치료는 효과적인 치료 선택이 될 수 있으며 특히 경증의 골수병증이 있고 병인이 가역적인 경우에 적합하다.[15,17,142] 그러나 유의한 기능적 개선 없이 보존적 치료를 연장하면 긴 수술전 기간은 수술의 최종 결과에 부정적인 영향을 미칠 수 있기 때문에, 치료 후 좋은 결과를 얻을 가능성이 제거될 수 있다.[131,194] 신경근병증 환자보다 척수병증 환자에서 보존적 치료와 수술적 치료 사이에서 선택할 때 더 주의해야 한다.[164] 협착증의 생리병리학에 대한 현재 지식으로 경추 척추성경수증(CSM)에서는 증상이 경미한 상태에 대한 조기 수술이 감소했다.

현재로서는 가능한 최상의 결과를 얻고 결과가 보존적 치료 또는 질병의 자연병력보다 나은 결과를 보장하기 위해 수술 대상자를 신중하게 선택하는 것이 중요하다고 생각된다.

보존적 치료를 선택한 경우 치료 시작 후 최소 3개월 동안 경과를 지속확인하기 위해 환자의 신경학적 상태를 자주 평가하는 것이 중요하다. 이 기간 동안 신경학적 악화가 관찰되면 수술적 감압을 고려해야 한다.[164]

참고문헌

1. Edwards CC 2nd, Riew KD, Anderson PA, et al. Cervical myelopathy. Current diagnostic and treatment strategies. Spine J 2003;3(1):68–81.
2. Kalsi-Ryan S, Karadimas SK, Fehlings MG. Cervical spondylotic myelopathy: the clinical phenomenon and the current pathobiology of an increasingly prevalent and devastating disorder. Neuroscientist 2013;19(4):409–21.
3. Ito T, Oyanagi K, Takahashi H, et al. Cervical spondylotic myelopathy. Clinicopathologic study on the progression pattern and thin myelinated fibers of the lesions of seven patients examined during complete autopsy. Spine 1996; 21(7):827–33.
4. Young IA, Burns SP, Little JW. Sudden onset of cervical spondylotic myelopathy during sleep: a case report. Arch Phys Med Rehabil 2002;83(3):427–9.
5. Greene KA, Gorman WF, Sonntag VK. Gentle cervical hyperextension causing quadriplegia in an older man with symptomatic cervical spondylosis. J Am Geriatr Soc 1998;46(2): 208–9.
6. Teresi LM, Lufkin RB, Reicher MA, et al. Asymptomatic degenerative disk disease and spondylosis of the cervical spine: MR imaging. Radiology 1987;164(1):83–8.
7. Stookey B. Compresion of the spinal cord due to ventral extradural cervical chondromas. Arch Neurol Psychiatry 1928;20:275–91.
8. Brain WR, Northfield D, Wilkinson M. The neurological manifestations of cervical spondylosis. Brain 1952;75(2):187–225.
9. Clarke E, Robinson PK. Cervical myelopathy: a complication of cervical spondylosis. Brain 1956;79(3):483–510.
10. Bernhardt M, Hynes RA, Blume HW, et al. Cervical spondylotic myelopathy. J Bone Joint Surg Am 1993;75(1):119–28.
11. Fischgrund J, Herkowitz H. Cervical degenerative disease. In: Garfin S, Vaccaro A, editors. Orthopedic knowledge update spine. Illinois: AAOS; 1997. p. 75–86.
12. Heller JG. The syndromes of degenerative cervical disease. Orthop Clin North Am 1992;23(3):381–94.
13. Yu YL, Woo E, Huang CY. Cervical spondylotic myelopathy and radiculopathy. Acta Neurol Scand 1987;75(6):367–73.
14. Fouyas IP, Sandercock PA, Statham PF, et al. How beneficial is surgery for cervical radiculopathy and myelopathy? BMJ 2010;341:c3108.
15. Lees F, Turner JW. Natural history and prognosis of cervical spondylosis. Br Med J 1963;5373:1607–10.
16. Phillips DG. Surgical treatment of myelopathy with cervical spondylosis. J Neurol Neurosurg Psychiatry 1973;36(5): 879–84.
17. Nurick S. The natural history and the results of surgical treatment of the spinal cord disorder associated with cervical spondylosis. Brain 1972;95(1):101–8.
18. Fouyas IP, Statham PF, Sandercock PA, et al. Surgery for cervical radiculomyelopathy. Cochrane Database Syst Rev 2001;(3):CD001466.
19. Fouyas IP, Statham PF, Sandercock PA. Cochrane review on the role of surgery in cervical spondylotic radiculomyelopathy. Spine 2002;27(7):736–47.
20. Heller J. Surgical treatment of degenerative cervical disc disease. In: Fardon D, Garfin S, editors. Orthopedic knowledge update spine 2. Illinois: AAOS; 2002. p. 299–309.
21. Taylor AR. Vascular factors in the myelopathy associated with cervical spondylosis. Neurology 1964;14:62–8.
22. Sampath P, Bendebba M, Davis JD, et al. Outcome in patients with cervical radiculopathy. Prospective, multicenter study with independent clinical review. Spine 1999;24(6):591–7.
23. McCormack BM, Weinstein PR. Cervical spondylosis. An update. West J Med 1996;165(1–2):43–51.
24. Bohlman HH. Cervical spondylosis and myelopathy. Instr Course Lect 1995;44:81–97.
25. Fehlings MG, Skaf G. A review of the pathophysiology of cervical spondylotic myelopathy with insights for potential novel mechanisms drawn from traumatic spinal cord injury. Spine 1998;23(24):2730–7.
26. Hayashi H, Okada K, Hamada M, et al. Etiologic factors of myelopathy. A radiographic evaluation of the aging changes in the cervical spine. Clin Orthop 1987;214:200–9.
27. Lee HM, Kim NH, Kim HJ, et al. Mid-sagittal canal diameter and vertebral body/canal ratio of the cervical spine in Koreans. Yonsei Med J 1994;35(4):446–52.
28. Herzog RJ, Wiens JJ, Dillingham MF, et al. Normal cervical spine morphometry and cervical spinal stenosis in asymptomatic professional football players. Plain film radiography, multiplanar computed tomography, and magnetic resonance imaging. Spine 1991;16(6 Suppl.):S178–86.
29. Ogino H, Tada K, Okada K, et al. Canal diameter, anteroposterior compression ratio, and spondylotic myelopathy of the cervical spine. Spine 1983;8(1):1–15.
30. Bucciero A, Vizioli L, Tedeschi G. Cord diameters and their significance in prognostication and decisions about management of cervical spondylotic myelopathy. J Neurosurg Sci 1993;37(4):223–8.
31. Penning L, Wilmink JT, van Woerden HH, et al. CT myelographic findings in degenerative disorders of the cervical spine: clinical significance. AJR Am J Roentgenol 1986;146(4): 793–801.
32. Fujiwara K, Yonenobu K, Hiroshima K, et al. Morphometry of the cervical spinal cord and its relation to pathology in cases with compression myelopathy. Spine 1988;13(11):1212–16.
33. Fujiwara K, Yonenobu K, Ebara S, et al. The prognosis of surgery for cervical compression myelopathy. An analysis of the factors involved. J Bone Joint Surg Br 1989;71(3):393–8.
34. Bernhardt M, Hynes RA, Blume HW, et al. Cervical spondylotic myelopathy. J Bone Joint Surg Am 1993;75(1):119–28.
35. Hinck V, Sachdev N. Developmental stenosis of the cervical spinal canal. Brain 1966;89:27–36.
36. Parke WW. Correlative anatomy of cervical spondylotic myelopathy. Spine 1988;13(7):831–7.
37. Martin-Laez R, Pinto-Rafael JI, Carda-Llop JR, et al. [Current controversies in pathophysiology of cervical spondylotic myelopathy.]. Neurologia 2004;19(10):738–60.
38. Boden SD, McCowin PR, Davis DO, et al. Abnormal magneticresonance scans of the cervical spine in asymptomatic subjects. A prospective investigation. J Bone Joint Surg Am 1990;72(8): 1178–84.
39. Edwards WC, LaRocca H. The developmental segmental sagittal diameter of the cervical spinal canal in patients with cervical spondylosis. Spine 1983;8(1):20–7.

40. Koyanagi I, Iwasaki Y, Hida K, et al. Acute cervical cord injury associated with ossification of the posterior longitudinal ligament. Neurosurgery 2003;53(4):887–91, discussion 891-2.
41. Shingyouchi Y, Nagahama A, Niida M. Ligamentous ossification of the cervical spine in the late middle-aged Japanese men. Its relation to body mass index and glucose metabolism. Spine 1996;21(21):2474–8.
42. Kojima T, Waga S, Kubo Y, et al. Surgical treatment of ossification of the posterior longitudinal ligament in the thoracic spine. Neurosurgery 1994;34(5):854–8, discussion 858.
43. Epstein N. The surgical management of ossification of the posterior longitudinal ligament in 51 patients. J Spinal Disord 1993;6(5):432–54, discussion 454-5.
44. Epstein NE. The surgical management of ossification of the posterior longitudinal ligament in 43 North Americans. Spine 1994;19(6):664–72.
45. Matsunaga S, Sakou T, Arishima Y, et al. Quality of life in elderly patients with ossification of the posterior longitudinal ligament. Spine 2001;26(5):494–8.
46. Epstein N. Ossification of the cervical posterior longitudinal ligament: a review. Neurosurg Focus 2002;13(2):ECP1
47. Epstein NE. Ossification of the posterior longitudinal ligament in evolution in 12 patients. Spine 1994;19(6):673–01.
48. Resnick D, Shaul SR, Robins JM. Diffuse idiopathic skeletal hyperostosis (DISH): Forestier's disease with extraspinal manifestations. Radiology 1975;115(3):513–24.
49. Forestier J, Rotes-Querol J. Senile ankylosing hyperostosis of the spine. Ann Rheum Dis 1950;9(4):321–30.
50. Resnick D, Guerra J Jr, Robinson CA, et al. Association of diffuse idiopathic skeletal hyperostosis (DISH) and calcification and ossification of the posterior longitudinal ligament. AJR Am J Roentgenol 1978;131(6):1049–53.
51. Kamizono J, Matsunaga S, Hayashi K, et al. Occupational recovery after open-door type laminoplasty for patients with ossification of the posterior longitudinal ligament. Spine 2003;28(16):1889–92.
52. Wang PN, Chen SS, Liu HC, et al. Ossification of the posterior longitudinal ligament of the spine. A case-control risk factor study. Spine 1999;24(2):142–4, discussion 145.
53. Onari K, Akiyama N, Kondo S, et al. Long-term follow-up results of anterior interbody fusion applied for cervical myelopathy due to ossification of the posterior longitudinal ligament. Spine 2001;26(5):488–93.
54. Matsunaga S, Kukita M, Hayashi K, et al. Pathogenesis of myelopathy in patients with ossification of the posterior longitudinal ligament. J Neurosurg 2002;96(2 Suppl.): 168–72.
55. Matsunaga S, Sakou T, Taketomi E, et al. The natural course of myelopathy caused by ossification of the posterior longitudinal ligament in the cervical spine. Clin Orthop Relat Res 1994;305:168–77.
56. Mizuno J, Nakagawa H, Hashizume Y. Analysis of hypertrophy of the posterior longitudinal ligament of the cervical spine, on the basis of clinical and experimental studies. Neurosurgery 2001;49(5):1091–7, discussion 1097-8.
57. Kondo S, Onari K, Watanabe K, et al. Hypertrophy of the posterior longitudinal ligament is a prodromal condition to ossification: a cervical myelopathy case report. Spine 2001; 26(1):110–14.
58. Breig A. Adverse mechanical tension in the central nervous system. Stockholm: Almqvist and Wiksell; 1978.
59. Louis R. Vertebroradicular and vertebromedullar dynamics. Anatomica Clinica 1981;3:1–11.
60. Shacklock M. Clinical neurodynamics: a new system of musculoskeletal treatment. Oxford: Elsevier Science; 2005.
61. Yuan Q, Dougherty L, Margulies SS. In vivo human cervical spinal cord deformation and displacement in flexion. Spine 1998;23(15):1677–83.
62. Butler DS. Mobilisation of the nervous system. Melbourne, Australia: Churchill Livingstone; 1991.
63. Epstein JA, Carras R, Epstein BS, et al. Myelopathy in cervical spondylosis with vertebral subluxation and hyperlordosis. J Neurosurg 1970;32(4):421–6.
64. Fukui K, Kataoka O, Sho T, et al. Pathomechanism, pathogenesis, and results of treatment in cervical spondylotic myelopathy caused by dynamic canal stenosis. Spine 1990;15(11): 1148–52.
65. White AA 3rd, Panjabi MM. Biomechanical considerations in the surgical management of cervical spondylotic myelopathy. Spine 1988;13(7):856–60.
66. Panjabi M, White A 3rd. Biomechanics of nonacute cervical spinal cord trauma. Spine 1988;13(7):838–42.
67. Bartels RH, Verbeek AL, Grotenhuis JA. Design of Lamifuse: a randomised, multi-centre controlled trial comparing laminectomy without or with dorsal fusion for cervical myeloradiculopathy. BMC Musculoskelet Disord 2007;8:111.
68. Deem S, Shapiro HM, Marshall LF. Quadriplegia in a patient with cervical spondylosis after thoracolumbar surgery in the prone position. Anesthesiology 1991;75(3):527–8.
69. Tani T, Kawasaki M, Taniguchi S, et al. Functional importance of degenerative spondylolisthesis in cervical spondylotic myelopathy in the elderly. Spine 2003;28(11):1128–34.
70. Mihara H, Ohnari K, Hachiya M, et al. Cervical myelopathy caused by C3-C4 spondylosis in elderly patients: a radiographic analysis of pathogenesis. Spine 2000;25(7):796–800.
71. Hayashi H, Okada K, Hashimoto J, et al. Cervical spondylotic myelopathy in the aged patient. A radiographic evaluation of the aging changes in the cervical spine and etiologic factors of myelopathy. Spine 1988;13(6):618–25.
72. Murone I. The importance of the sagittal diameters of the cervical spinal canal in relation to spondylosis and myelopathy. J Bone Joint Surg Br 1974;56(1):30–6.
73. Panjabi MM. Biomechanical evaluation of spinal fixation devices: I. A conceptual framework. Spine 1988;13(10): 1129–34.
74. Perlman R, Hawes LE. Cervical spondylolisthesis. J Bone Joint Surg Am 1951;33-A(4):1012–13.
75. Deburge A, Mazda K, Guigui P. Unstable degenerative spondylolisthesis of the cervical spine. J Bone Joint Surg Br 1995;77(1):122–5.
76. Kopacz KJ, Connolly PJ. The prevalence of cervical spondylolisthesis. Orthopedics 1999;22(7):677–9.
77. Kawaguchi Y, Kanamori M, Ishihara H, et al. Pathomechanism of myelopathy and surgical results of laminoplasty in elderly patients with cervical spondylosis. Spine 2003;28(19): 2209–14.
78. Barnes MP, Saunders M. The effect of cervical mobility on the natural history of cervical spondylotic myelopathy. J Neurol Neurosurg Psychiatry 1984;47(1):17–20.

79. Tani T, Yamamoto H, Kimura J. Cervical spondylotic myelopathy in elderly people: a high incidence of conduction block at C3-4 or C4-5. J Neurol Neurosurg Psychiatry 1999;66(4): 456–64.
80. Okada K, Shirasaki N, Hayashi H, et al. Treatment of cervical spondylotic myelopathy by enlargement of the spinal canal anteriorly, followed by arthrodesis. J Bone Joint Surg Am 1991;73(3):352–64.
81. Saunders RL, Bernini PM, Shirreffs TG Jr, et al. Central corpectomy for cervical spondylotic myelopathy: a consecutive series with long-term follow-up evaluation. J Neurosurg 1991;74(2):163–70.
82. Yonenobu K, Okada K, Fuji T, et al. Causes of neurologic deterioration following surgical treatment of cervical myelopathy. Spine 1986;11(8):818–23.
83. Shoda E, Sumi M, Kataoka O, et al. Developmental and dynamic canal stenosis as radiologic factors affecting surgical results of anterior cervical fusion for myelopathy. Spine 1999;24(14):1421–4.
84. Nurick S. The pathogenesis of the spinal cord disorder associated with cervical spondylosis. Brain 1972;95(1):87–100.
85. Gooding MR, Wilson CB, Hoff JT. Experimental cervical myelopathy: autoradiographic studies of spinal cord blood flow patterns. Surg Neurol 1976;5(4):233–9.
86. Gooding MR, Wilson CB, Hoff JT. Experimental cervical myelopathy. Effects of ischemia and compression of the canine cervical spinal cord. J Neurosurg 1975;43(1):9–17.
87. Doppman JL. The mechanism of ischemia in anteroposterior compression of the spinal cord. Invest Radiol 1975;10(6): 543–51.
88. Yoshizawa H. Presidential address: pathomechanism of myelopathy and radiculopathy from the viewpoint of blood flow and cerebrospinal fluid flow including a short historical review. Spine 2002;27(12):1255–63.
89. Turnbull IM. Microvasculature of the human spinal cord. J Neurosurg 1971;35(2):141–7.
90. Adams CB, Logue V. Studies in cervical spondylotic myelopathy. II. The movement and contour of the spine in relation to the neural complications of cervical spondylosis. Brain 1971;94(3):568–86.
91. Hamburger C, Buttner A, Uhl E. The cross-sectional area of the cervical spinal canal in patients with cervical spondylotic myelopathy. Correlation of preoperative and postoperative area with clinical symptoms. Spine 1997;22(17):1990–4, discussion 1995.
92. Kameyama T, Ando T, Yanagi T, et al. Cervical spondylotic amyotrophy. Magnetic resonance imaging demonstration of intrinsic cord pathology. Spine 1998;23(4):448–52.
93. Crandall PH, Batzdorf U. Cervical spondylotic myelopathy. J Neurosurg 1966;25(1):57–66.
94. Ono K, Ebara S, Fuji T, et al. Myelopathy hand. New clinical signs of cervical cord damage. J Bone Joint Surg Br 1987; 69(2):215–19.
95. Ebara S, Yonenobu K, Fujiwara K, et al. Myelopathy hand characterized by muscle wasting. A different type of myelopathy hand in patients with cervical spondylosis. Spine 1988;13(7):785–91.
96. Cook C, Roman M, Stewart KM, et al. Reliability and diagnostic accuracy of clinical special tests for myelopathy in patients seen for cervical dysfunction. J Orthop Sports Phys Ther 2009;39(3):172–8.
97. Hirabayashi K, Miyakawa J, Satomi K, et al. Operative results and postoperative progression of ossification among patients with ossification of cervical posterior longitudinal ligament. Spine 1981;6(4):354–64.
98. Benzel EC, Lancon J, Kesterson L, et al. Cervical laminectomy and dentate ligament section for cervical spondylotic myelopathy. J Spinal Disord 1991;4(3):286–95.
99. Yonenobu K, Abumi K, Nagata K, et al. Interobserver and intraobserver reliability of the Japanese Orthopaedic Association scoring system for evaluation of cervical compression myelopathy. Spine 2001;26(17):1890–4, discussion 1895.
100. Hirabayashi K, Toyama Y, Chiba K. Expansive laminoplasty for myelopathy in ossification of the longitudinal ligament. Clin Orthop 1999;359:35–48.
101. Fukui M, Chiba K, Kawakami M, et al. An outcome measure for patients with cervical myelopathy: Japanese Orthopaedic Association Cervical Myelopathy Evaluation Questionnaire (JOACMEQ). Part 1. J Orthop Sci 2007;12(3):227–40.
102. Fukui M, Chiba K, Kawakami M, et al. Japanese Orthopaedic Association Cervical Myelopathy Evaluation Questionnaire. Part 3. Determination of reliability. J Orthop Sci 2007;12(4): 321–6.
103. Chiles BW 3rd, Leonard MA, Choudhri HF, et al. Cervical spondylotic myelopathy: patterns of neurological deficit and recovery after anterior cervical decompression. Neurosurgery 1999;44(4):762–9, discussion 769-70.
104. Prolo DJ, Oklund SA, Butcher M. Toward uniformity in evaluating results of lumbar spine operations. A paradigm applied to posterior lumbar interbody fusions. Spine 1986;11(6): 601–6.
105. Herdmann J, Linzbach M, Krzan M. The European myelopathy score. In: Baucher B, Brock M, Klinger M, editors. Advances in neurosurgery. Berlin: Springer; 1994. p. 266–8.
106. Singh A, Tetreault L, Casey A, et al. A summary of assessment tools for patients suffering from cervical spondylotic myelopathy: a systematic review on validity, reliability and responsiveness. Eur Spine J 2015;24(Suppl. 2):209–28.
107. Prasad SS, O'Malley M, Caplan M, et al. MRI measurements of the cervical spine and their correlation to Pavlov's ratio. Spine 2003;28(12):1263–8.
108. Moiel RH, Raso E, Waltz TA. Central cord syndrome resulting from congenital narrowness of the cervical spinal canal. J Trauma 1970;10(6):502–10.
109. Eismont FJ, Clifford S, Goldberg M, et al. Cervical sagittal spinal canal size in spine injury. Spine 1984;9(7):663–6.
110. Wilkinson HA, LeMay ML, Ferris EJ. Roentgenographic correlations in cervical spondylosis. Am J Roentgenol Radium Ther Nucl Med 1969;105(2):370–4.
111. Nagashima C. Cervical myelopathy due to developmental stenosis of the cervical canal. Part 1: The sagital diameter of the spinal canal. Noushinkeigeka 1973;1:163–71.
112. Epstein JA, Carras R, Hyman RA, et al. Cervical myelopathy caused by developmental stenosis of the spinal canal. J Neurosurg 1979;51(3):362–7.
113. White A, Panjabi M. Clinical biomechanics of the spine. 2nd ed. Philadelphia: Lippincott Williams & Wilkins; 1990.
114. Penning L, van der Zwaag P. Biomechanical aspects of spondylotic myelopathy. Acta Radiol Diagn (Stockh) 1966;5: 1090–103.
115. Pavlov H, Torg JS, Robie B, et al. Cervical spinal stenosis: determination with vertebral body ratio method. Radiology

1987;164(3):771–5.
116. Torg JS, Pavlov H, Genuario SE, et al. Neurapraxia of the cervical spinal cord with transient quadriplegia. J Bone Joint Surg Am 1986;68(9):1354–70.
117. Hukuda S, Kojima Y. Sex discrepancy in the canal/body ratio of the cervical spine implicating the prevalence of cervical myelopathy in men. Spine 2002;27(3):250–3.
118. Robinson MD, Northrup B, Sabo R. Cervical spinal canal plasticity in children as determined by the vertebral body ratio technique. Spine 1990;15(10):1003–5.
119. Hukuda S, Xiang LF, Imai S, et al. Large vertebral body, in addition to narrow spinal canal, are risk factors for cervical myelopathy. J Spinal Disord 1996;9(3):177–86.
120. Blackley HR, Plank LD, Robertson PA. Determining the sagittal dimensions of the canal of the cervical spine. The reliability of ratios of anatomical measurements. J Bone Joint Surg Br 1999;81(1):110–12.
121. Brown BM, Schwartz RH, Frank E, et al. Preoperative evaluation of cervical radiculopathy and myelopathy by surface-coil MR imaging. AJR Am J Roentgenol 1988; 151(6):1205–12.
122. Hulcelle P, Dooms G, Demeure R, et al. Cervical myelopathy: MRI evaluation of cord compression. J Belge Radiol 1990;73(1):15–19.
123. Okada Y, Ikata T, Yamada H, et al. Magnetic resonance imaging study on the results of surgery for cervical compression myelopathy. Spine 1993;18(14):2024–9.
124. Fujiwara K, Fujimoto M, Owaki H, et al. Cervical lesions related to the systemic progression in rheumatoid arthritis. Spine 1998;23(19):2052–6.
125. Takahashi M, Yamashita Y, Sakamoto Y, et al. Chronic cervical cord compression: clinical significance of increased signal intensity on MR images. Radiology 1989;173(1):219–24.
126. Morio Y, Yamamoto K, Kuranobu K, et al. Does increased signal intensity of the spinal cord on MR images due to cervical myelopathy predict prognosis? Arch Orthop Trauma Surg 1994;113(5):254–9.
127. Wada E, Ohmura M, Yonenobu K. Intramedullary changes of the spinal cord in cervical spondylotic myelopathy. Spine 1995;20(20):2226–32.
128. Morio Y, Teshima R, Nagashima H, et al. Correlation between operative outcomes of cervical compression myelopathy and MRI of the spinal cord. Spine 2001;26(11):1238–45.
129. Ohshio I, Hatayama A, Kaneda K, et al. Correlation between histopathologic features and magnetic resonance images of spinal cord lesions. Spine 1993;18(9):1140–9.
130. Mehalic TF, Pezzuti RT, Applebaum BI. Magnetic resonance imaging and cervical spondylotic myelopathy. Neurosurgery 1990;26(2):217–26, discussion 226-7.
131. Matsumoto M, Toyama Y, Ishikawa M, et al. Increased signal intensity of the spinal cord on magnetic resonance images in cervical compressive myelopathy. Does it predict the outcome of conservative treatment? Spine 2000;25(6):677–82.
132. Ramanauskas WL, Wilner HI, Metes JJ, et al. MR imaging of compressive myelomalacia. J Comput Assist Tomogr 1989;13(3):399–404.
133. Matsuda Y, Miyazaki K, Tada K, et al. Increased MR signal intensity due to cervical myelopathy. Analysis of 29 surgical cases [see comment]. J Neurosurg 1991;74(6):887–92.
134. Wada E, Yonenobu K, Suzuki S, et al. Can intramedullary signal change on magnetic resonance imaging predict surgical outcome in cervical spondylotic myelopathy? Spine 1999; 24(5):455–61, discussion 462.
135. LaRocca H. Cervical spondylotic myelopathy: natural history. Spine 1988;13(7):854–5.
136. Guidetti B, Fortuna A. Long-term results of surgical treatment of myelopathy due to cervical spondylosis. J Neurosurg 1969;30(6):714–21.
137. Nagata K, Ohashi T, Abe J, et al. Cervical myelopathy in elderly patients: clinical results and MRI findings before and after decompression surgery. Spinal Cord 1996;34(4):220–6.
138. Rowland LP. Surgical treatment of cervical spondylotic myelopathy: time for a controlled trial. Neurology 1992;42(1): 5–13.
139. Hunt WE. Cervical spondylosis: natural history and rare indications for surgical decompression. Clin Neurosurg 1980;27: 466–80.
140. Long DM. Lumbar and cervical spondylosis and spondylotic myelopathy. Curr Opin Neurol Neurosurg 1993;6(4):576–80.
141. Kadanka Z, Mares M, Bednarik J, et al. Predictive factors for spondylotic cervical myelopathy treated conservatively or surgically. Eur J Neurol 2005;12(1):55–63.
142. Nakamura K, Kurokawa T, Hoshino Y, et al. Conservative treatment for cervical spondylotic myelopathy: achievement and sustainability of a level of 'no disability'. J Spinal Disord 1998;11(2):175–9.
143. Montgomery DM, Brower RS. Cervical spondylotic myelopathy. Clinical syndrome and natural history. Orthop Clin North Am 1992;23(3):487–93.
144. Kadanka Z, Bednarik J, Vohanka S, et al. Conservative treatment versus surgery in spondylotic cervical myelopathy: a prospective randomised study. Eur Spine J 2000;9(6):538–44, discussion 545-6.
145. Kadanka Z, Mares M, Bednanik J, et al. Approaches to spondylotic cervical myelopathy: conservative versus surgical results in a 3-year follow-up study. Spine 2002;27(20):2205–10, discussion 2210-1.
146. Yoshimatsu H, Nagata K, Goto H, et al. Conservative treatment for cervical spondylotic myelopathy. prediction of treatment effects by multivariate analysis. Spine J 2001;1(4): 269–73.
147. Ahn NU, Ahn UM, Andersson GB, et al. Operative treatment of the patient with neck pain. Phys Med Rehabil Clin N Am 2003;14(3):675–92.
148. Kadanka Z, Mares M, Bednarik J, et al. Predictive factors for mild forms of spondylotic cervical myelopathy treated conservatively or surgically. Eur J Neurol 2005;12(1):16–24.
149. Sampath P, Bendebba M, Davis JD, et al. Outcome of patients treated for cervical myelopathy. A prospective, multicenter study with independent clinical review. Spine 2000;25(6): 670–6.
150. Kohno K, Kumon Y, Oka Y, et al. Evaluation of prognostic factors following expansive laminoplasty for cervical spinal stenotic myelopathy. Surg Neurol 1997;48(3):237–45.
151. Lesoin F, Bouasakao N, Clarisse J, et al. Results of surgical treatment of radiculomyelopathy caused by cervical arthrosis based on 1000 operations. Surg Neurol 1985;23(4):350–5.
152. Ebersold MJ, Pare MC, Quast LM. Surgical treatment for cervical spondylitic myelopathy. J Neurosurg 1995;82(5):745–51.
153. Magnaes B, Hauge T. Surgery for myelopathy in cervical spondylosis: safety measures and preoperative factors related to outcome. Spine 1980;5(3):211–14.

154. van Berge Henegouwen DP, Roukema JA, et al. Esophageal perforation during surgery on the cervical spine. Neurosurgery 1991;29(5):766–8.
155. Bertalanffy H, Eggert HR. Complications of anterior cervical discectomy without fusion in 450 consecutive patients. Acta Neurochir (Wien) 1989;99(1–2):41–50.
156. Herkowitz HN, Kurz LT, Overholt DP. Surgical management of cervical soft disc herniation. A comparison between the anterior and posterior approach. Spine 1990;15(10):1026–30.
157. Bednarik J, Kadanka Z, Vohanka S, et al. The value of somatosensory- and motor-evoked potentials in predicting and monitoring the effect of therapy in spondylotic cervical myelopathy. Prospective randomized study. Spine 1999;24(15): 1593–8.
158. Nikolaidis I, Fouyas IP, Sandercock PA, et al. Surgery for cervical radiculopathy or myelopathy. Cochrane Database Syst Rev 2010;(1):CD001466.
159. Hirpara KM, Butler JS, Dolan RT, et al. Nonoperative modalities to treat symptomatic cervical spondylosis. Adv Orthop 2012;2012:294857.
160. Rhee JM, Shamji MF, Erwin WM, et al. Nonoperative management of cervical myelopathy: a systematic review. Spine 2013;38(22 Suppl. 1):S55–67.
161. Matz PG. Does nonoperative management play a role in the treatment of cervical spondylotic myelopathy? Spine J 2006;6(6 Suppl.):175S–181S.
162. Yonenobu K. Cervical radiculopathy and myelopathy: when and what can surgery contribute to treatment? Eur Spine J 2000;9(1):1–7.
163. Gregorius FK, Estrin T, Crandall PH. Cervical spondylotic radiculopathy and myelopathy. A long-term follow-up study. Arch Neurol 1976;33(9):618–25.
164. Matsumoto M, Chiba K, Ishikawa M, et al. Relationships between outcomes of conservative treatment and magnetic resonance imaging findings in patients with mild cervical myelopathy caused by soft disc herniations. Spine 2001; 26(14):1592–8.
165. Kadanka Z, Bednarik J, Vohanka S, et al. Conservative treatment versus surgery in spondylotic cervical myelopathy: a prospective randomised study. Eur Spine J 2000;9(6):538–44, discussion 545-6.
166. Doita M, Kanatani T, Ozaki T, et al. Influence of macrophage infiltration of herniated disc tissue on the production of matrix metalloproteinases leading to disc resorption. Spine 2001; 26(14):1522–7.
167. Komori H, Shinomiya K, Nakai O, et al. The natural history of herniated nucleus pulposus with radiculopathy. Spine 1996;21(2):225–9.
168. Arnold H, Feldmann U, Missler U. Chronic spondylogenic cervical myelopathy. A critical evaluation of surgical treatment after early and long-term follow-up. Neurosurg Rev 1993; 16(2):105–9.
169. Zvulun I. Mobilizing the nervous system in cervical cord compression. Man Ther 1998;3(1):42–7.
170. Hattori M, Shirai Y, Aoki T. Research on the effectiveness of intermittent cervical traction therapy, using short-latency somatosensory evoked potentials. J Orthop Sci 2002;7(2):208–16.
171. Browder DA, Erhard RE, Piva SR. Intermittent cervical traction and thoracic manipulation for management of mild cervical compressive myelopathy attributed to cervical herniated disc: a case series. J Orthop Sports Phys Ther 2004;34(11): 701–12.
172. Borden JN. Good Samaritan cervical traction. Clin Orthop 1975;113:162–3.
173. Spadaro JA. Constant Good Samaritan cervical traction. Clin Orthop 1976;118:267–8.
174. Carol MP, Ducker TB. Cervical spondylitic myelopathies: surgical treatment. J Spinal Disord 1988;1(1):59–65.
175. Teramoto T, Ohmori K, Takatsu T, et al. Long-term results of the anterior cervical spondylodesis. Neurosurgery 1994; 35(1):64–8.
176. Yonenobu K, Hosono N, Iwasaki M, et al. Laminoplasty versus subtotal corpectomy. A comparative study of results in multisegmental cervical spondylotic myelopathy. Spine 1992; 17(11):1281–4.
177. Wada E, Suzuki S, Kanazawa A, et al. Subtotal corpectomy versus laminoplasty for multilevel cervical spondylotic myelopathy: a long-term follow-up study over 10 years. Spine 2001;26(13):1443–7, discussion 1448.
178. Emery SE, Bolesta MJ, Banks MA, et al. Robinson anterior cervical fusion comparison of the standard and modified techniques. Spine 1994;19(6):660–3.
179. Wang JC, McDonough PW, Endow KK, et al. Increased fusion rates with cervical plating for two-level anterior cervical discectomy and fusion. Spine 2000;25(1):41–5.
180. Wang JC, Hart RA, Emery SE, et al. Graft migration or displacement after multilevel cervical corpectomy and strut grafting. Spine 2003;28(10):1016–21, discussion 1021-2.
181. Swank ML, Lowery GL, Bhat AL, et al. Anterior cervical allograft arthrodesis and instrumentation: multilevel interbody grafting or strut graft reconstruction. Eur Spine J 1997; 6(2):138–43.
182. Vaccaro AR, Urban WC, Aiken RD. Delayed cortical blindness and recurrent quadriplegia after cervical trauma. J Spinal Disord 1998;11(6):535–9.
183. Hilibrand AS, Fye MA, Emery SE, et al. Increased rate of arthrodesis with strut grafting after multilevel anterior cervical decompression. Spine 2002;27(2):146–51.
184. Seichi A, Takeshita K, Ohishi I, et al. Long-term results of double-door laminoplasty for cervical stenotic myelopathy. Spine 2001;26(5):479–87.
185. Vasavada AN, Li S, Delp SL. Three-dimensional isometric strength of neck muscles in humans. Spine 2001;26(17): 1904–9.
186. Nolan JP Jr, Sherk HH. Biomechanical evaluation of the extensor musculature of the cervical spine. Spine 1988;13(1):9–11.
187. Satomi K, Nishu Y, Kohno T, et al. Long-term follow-up studies of open-door expansive laminoplasty for cervical stenotic myelopathy. Spine 1994;19(5):507–10.
188. Ishida Y, Suzuki K, Ohmori K, et al. Critical analysis of extensive cervical laminectomy. Neurosurgery 1989;24(2): 215–22.
189. Yoshida M, Tamaki T, Kawakami M, et al. Does reconstruction of posterior ligamentous complex with extensor musculature decrease axial symptoms after cervical laminoplasty? Spine 2002;27(13):1414–18.
190. Hosono N, Yonenobu K, Ono K. Neck and shoulder pain after laminoplasty. A noticeable complication. Spine 1996;21(17): 1969–73.
191. Yoshida M, Otani K, Shibasaki K, et al. Expansive laminoplasty with reattachment of spinous process and extensor musculature for cervical myelopathy. Spine 1992;17(5):491–7.

192. Iizuka H, Shimizu T, Tateno K, et al. Extensor musculature of the cervical spine after laminoplasty: morphologic evaluation by coronal view of the magnetic resonance image. Spine 2001;26(20):2220–6.
193. Maeda T, Arizono T, Saito T, et al. Cervical alignment, range of motion, and instability after cervical laminoplasty. Clin Orthop 2002;401:132–8.
194. Koyanagi T, Hirabayashi K, Satomi K, et al. Predictability of operative results of cervical compression myelopathy based on preoperative computed tomographic myelography. Spine 1993;18(14):1958–63.

3 흉곽출구증후군에 대한 임상적 접근

CLINICAL APPROACH TO THORACIC OUTLET SYNDROMES

흉곽출구증후군(TOS)은 경추에서 겨드랑이까지의 경로 전체에 걸쳐 신경 혈관 구조의 압박에서 파생되는 다양한 복잡한 임상 개체를 포함하는 용어이다. 압박을 받는 이러한 구조는 상완 신경총과 쇄골하 동맥 및 정맥이다. 흉곽 출구는 3개의 해부학적 협착 영역으로 구성되어 있다: 목갈비근(사각근)간 삼각공간(interscalene triangle), 늑골쇄골 공간(costoclavicular space) 및 흉근하공간(retropectoral space)(**그림 3-1**). 흉곽출구증후군(TOS)의 병인은 매우 다양하며 일반적으로 이러한 해부학적 공간에 존재하는 뼈, 결합 및 근육 구조의 선천적 또는 후천적 변화의 결과이다. 흉곽출구증후군(TOS)은 늑쇄골 증후군, 작은 가슴근(소흉근) 증후군, 첫 번째 늑골 증후군 등과 같은 이 압박의 잠재적인 원인이나 과외전 증후군과 같은 압박을 악화시키는 운동의 근원을 설명하는 다른 이름이 있다.[1,2]

흉곽출구증후군(TOS)은 임상 양상의 다양성, 진단 복잡성 및 외과적 치료에 이차적인 높은 이환율로 인해 관리하기 가장 어려운 신경혈관 압박상태 중 하나이다.[3,4]

현재 흉곽출구증후군(TOS)은 가장 논란의 여지가 있는 임상 사례 중 하나이다.[4-10] 일부 저자는 너무 자주 진단된다고 생각하지만[11,12] 다른 저자는 충분히 진단되지 않는다고 주장한다.[4,6,13-19] Birch 등과[20] 같은 일부 저자는 '흉곽출구증후군은 오랜 역사, 복잡성 및 중요성, 치료 및 결과의 가변성에 관한 논란으로 인해 모든 포착 증후군의 근본 원인이다' 라고 논했다.

논란은 일련의 요인에 기인할 수 있다. 첫째, 해당 부위의 해부학적 복잡성과 압박을 받을 수 있는 다양한 신경혈관 구조로 인해 임상적으로 다양한 방식으로 나타날 수 있다. 따라서 단일 임상 상태 프로파일을 식별하기가 어렵다.[8,21,22] 그러나 이 부위의 복잡한 해부학적 구조를 이해하면 이러한 다양한 임상적 특징을 설명할 수 있다. 둘째, 많은 경우 임상 검사로 흉곽출구증후군(TOS)의 객관적인 징후를 감지하는 것이 불가능하다. 결과적으로 보완적인 검사로 진단적 확인을 얻기가 어렵다.[5,10]

- 흉곽출구증후군(TOS)은 다양한 임상 양상과 진단 복잡성으로 인해 관리하기 가장 어려운 압박성 신경혈관 질환 중 하나이다
- 임상 양상이 매우 다양하여 쉽게 식별할 수 있는 임상 프로파일이 없다.
- 많은 경우 임상 검사로 흉곽출구증후군(TOS)의 객관적인 징후를 감지할 수 없다. 마찬가지로 보완적인 검사로 진단적 확인을 얻기가 어렵다.

모든 경우는 아니지만 선천적 및 후천적 기형은 종종 흉곽출구증후군(TOS)의 발달에 역할을 한다. 가장 흔한 선천적 기형은 경추늑골, 횡돌기 증식, 첫 번째 갈비뼈 기형, 목갈비근(사각근)의 해부학적 기형이다. 흉곽출구증후군(TOS)이 있는 피험자의 약 20%

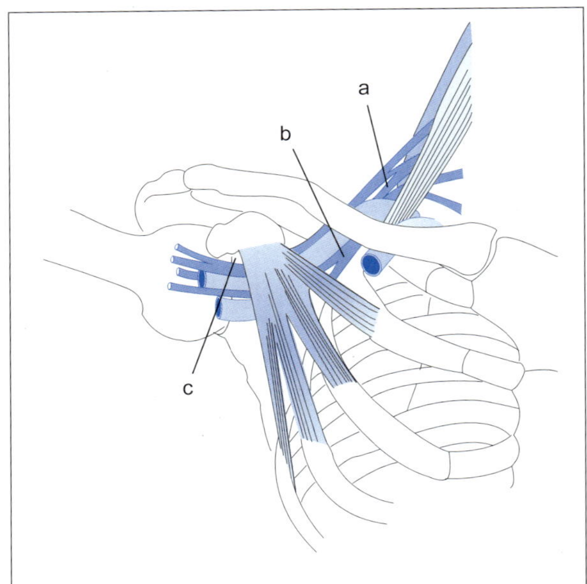

그림 3-1 ■ 흉곽 출구는 3개의 해부학적 협착 영역으로 구성되어 있다. 목갈비근(사각근) 간 삼각공간(a), 늑쇄골 공간(b) 및 흉근하 공간(c)이다.

는 이러한 해부학적 기형 중 하나의 영향을 받는다.[23] 흉곽출구증후군(TOS)은 쇄골 또는 첫 번째 갈비뼈 골절 후 비대 뼈 재형성 또는 목갈비근(사각근)의 비대와 같은 외상의 2차 효과이다.

흉곽출구증후군(TOS)의 생리 병리학을 이해하기 위해서는 대상이 수행하는 활동의 자세 변경 또는 변경이 심오한 영향을 미치는 동적 개체로 흉곽출구증후군(TOS)을 고려하는 것이 중요하다. 견갑대와 경추 및 흉추의 정적 및 동적 균형의 변화는 신경혈관 구조의 정상적인 기능을 유지하는 데 사용할 수 있는 공간을 감소시킬 수 있다. 현재, 이러한 자세 변화는 흉곽출구증후군(TOS)의 발달에 중요한 요소라고 믿어진다.[8,24-29]

흉곽출구증후군(TOS)은 견갑대와 경추 및 흉추의 정적 및 동적 균형의 변화가 발달에 유리할 수 있는 동적 실체이다.

분류 CLASSIFICATION

이전에 논의한 바와 같이 압박을 겪을 수 있는 구조는 상완 신경총과 쇄골하 동맥 및 정맥이다. 흉곽출구증후군(TOS)은 압박을 받는 구조에 따라 신경성 증후군, 동맥 증후군 또는 정맥 증후군으로 분류할 수 있다. 긍정적인 객관적 검사를 얻는 것이 종종 어렵다는 점을 감안할 때, 네 번째 범주는 증상이 있는 흉곽출구증후군(TOS) 및 아마도 신경성 흉곽출구증후군(TOS)라고도 하는 비특이성 흉곽출구증후군(TOS)이다.[9-11,30-34] 비특이적 흉곽출구증후군(TOS) 범주는 환자가 상완 신경총이 영향을 받았음을 시사하는 만성 통증이 있지만, 객관적인 신경학적 평가가 정상인 경우에 사용된다.[30]

환자가 경추 및 급성 혈관 기능부전이 있는 경우 혈관 흉곽출구증후군(TOS)을 쉽게 인식할 수 있다.[8,35] 마찬가지로, 피험자가 손의 내재 근육의 위축이 있고 전기 생리학적 연구에서 더 많은 말단 영향을 나타내지 않으면 신경성 흉곽출구증후군(TOS)이 쉽게 인식된다. 불행히도 진단적 관점에서 볼 때 많은 환자들이 이러한 명백한 특징을 보이지 않는다. 비특이적 흉곽출구증후군(TOS)은 임상에서 가장 흔히 발견되는 유형이다.[8]

발병 INCIDENCE

이와 같이 진단된 흉곽출구증후군(TOS)의 발생률은 낮다.[4,6,10,25,26,31,36-41] 진정한 신경성 흉곽출구증후군(TOS)의 발생은 약 100만 건 중 1건으로 추정된다.[42] 예를 들어, 매년 3500명의 환자를 검사하는 전기 진단 센터는 4~5건의 사례만 감지한다.[31] 그러나 특히 비특이적 흉곽출구증후군(TOS)이 포함된 경우 모든 유형의 흉곽출구증후군(TOS)의 실제 발생률에 대한 불확실성이 있다. 이는 환자가 일반적으로 간헐적으로 증상을 겪기 때문이다. 그러나 급성이 아니므로 진단되지 않는다.

나이에 관한 한 사춘기 이전과 폐경 이후에 상태를 찾는 것은 드물다.[8,43] 증상이 시작되는 가장 흔한 연령은 25세에서 50세 사이이다.[10,43] 소아에서 발생하는 경우는 예외이지만 일부 경우가 있었고, 모두 경추 늑골과 같은 명백한 구조적 이상이 있었다.[44,45]

흉곽출구증후군(TOS)은 노인 환자에서 발생할 수 있다. 그러나 60세 이상의 환자에서 신경 압박 증상이 있는 경우 척추관 협착으로 인한 신경근병증을 의심해야 하며 환자가 흡연자라면 분명히 폐종양 병리 가능성이 있다.[41]

흉곽출구증후군(TOS)은 남성보다 여성에서 2~4배 더 흔하다.[6,8,10,27,43,46–49] 이 차이는 성장하는 동안 견갑골이 흉부의 아래쪽을 통해 점차적으로 내려가고, 이 하강은 여성에서 더 크다는 사실에 의해 설명되었다.

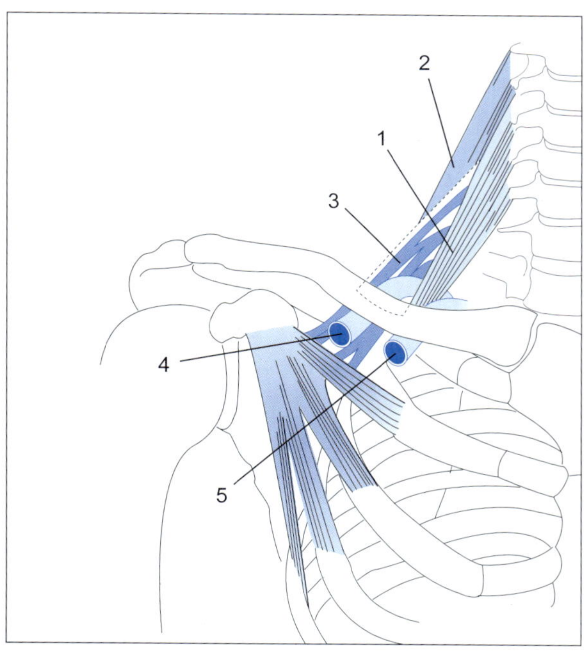

그림 3-2 ■ 목갈비근(사각근) 간 삼각공간에서 쇄골하 동맥은 첫 번째 갈비뼈 위, 전측 목갈비근(1)과 중간 목갈비근(2) 사이에 있다. 상완 신경총(3)은 쇄골하 동맥(4) 뒤와 위에 있다. 쇄골하 정맥(5)은 목갈비근 앞쪽에 있으며 이 위치는 일반적으로 압박을 겪지 않는다.

흉곽출구의 해부학
ANATOMY OF THE THORACIC OUTLET

신경혈관 구조의 압박이 일어날 수 있는 가능한 장소는 목갈비근(사각근)간 삼각공간(interscalene triangle), 늑골쇄골 공간(costoclavicular space) 및 흉근하공간(retropectoral space)이다.

목갈비근(사각근)간 삼각공간 (Interscalene triangle)

목갈비근(사각근) 삼각공간은 앞쪽 부분이 앞쪽 목갈비근(전사각근)에 의해 제한되고 뒤쪽 부분이

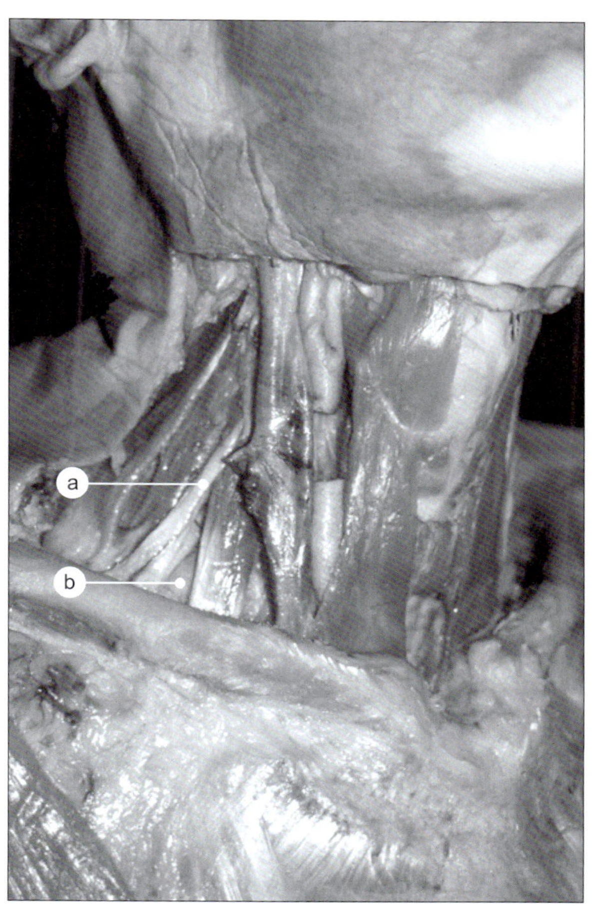

그림 3-3 ■ 이 표본에서 목갈비근(사각근)간 삼각공간을 구성하고 이를 통과하는 구조가 표시된다: 상완 신경총(a) 및 쇄골하 동맥(b).

중간목갈비근(중사각근)에 의해 그리고 밑부분이 첫 번째 갈비뼈에 의해 제한된다(**그림 3-2**).

목갈비근(사각근)간 삼각공간에서 쇄골하 동맥은 첫 번째 갈비뼈 위에 위치하여 곡선을 묘사하고 앞목갈비근(전사각근)과 중간목갈비근(중사각근) 사이를 통과하며 즉시 아래쪽과 바깥쪽을 향한다. 상완신경총은 이 공간에서 발견되며 쇄골하동맥의 뒤와 위쪽에 있으며 경추 8번과 흉추 1번의 신경근의 동맥에 매우 가깝다. 그러나 쇄골하정맥은 전방 목갈비근의 앞쪽에 위치하여 결과적으로 이 수준에서 압박을 받는 경우는 흔하지 않다(**그림 3-3**). 이 해부학적으로 좁은 공간은 경추 갈비뼈, 첫 번째 갈비뼈와 목갈비근 근육의 형태 변화 또는 비정상적인 섬유 띠의 존재와 같은 다양한 기형으로 인해 더 많이 좁아질 수 있다.[6,10,50–54]

늑쇄골 공간(Costoclavicular space)

이 공간은 상부에서 늑쇄골 인대, 빗장밑 근육(쇄골하 근육) 및 쇄골의 내측 부분으로 구성되고 하부에서 첫 번째 늑골로 구성된다(**그림 3-4**). 앞부분과 뒷부분으로 나뉜다. 쇄골하 정맥은 늑쇄골 공간의 앞부분을 지나고 상완신경총과 쇄골하동맥은 뒷부분을 지나간다(**그림 3-5**).

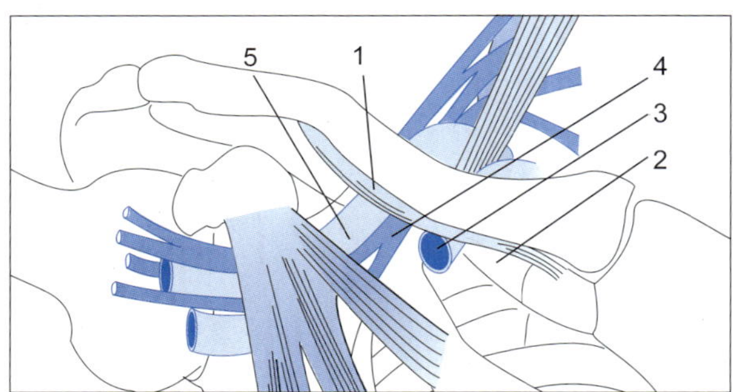

그림 3-4 ■ 늑쇄골 공간은 상부에서 늑쇄골 인대와 쇄골하 근육(1), 쇄골의 내측 부분과 그 하부에서 첫 번째 늑골(2)로 구성된다. 앞부분과 뒷부분 두 부분으로 나뉜다. 쇄골하 정맥(3)이 전방을 관통하고 상완 신경총(4)과 쇄골하 동맥(5)이 후방을 관통한다.

늑쇄골 공간을 가로지르는 모든 신경혈관 구조는 압박을 받을 수 있다. 이 임상적 상황은 빗장밑 근육(쇄골하 근육), 전측 목갈비근(사각근) 또는 늑쇄골 인대의 선천적 또는 후천적 변화와 관련이 있다.[2,43,49,55–60] 이것은 또한 쇄골 또는 첫 번째 갈비뼈 골절의 결과일 수 있으며, 이 두 뼈와 인접한 연조직 사이의 관계를 수정하는 자세 변화의 결과일 수도 있다.

흉근하공간(Retropectoral space)

흉근하공간 또는 오훼돌기하 터널은 오훼돌기에 의해 상부가 제한되고, 작은가슴근(소흉근)의 힘줄에 의해 앞쪽이 제한되며, 첫 번째 늑골에 의해 뒤쪽이 제한된다. 외전 과정에서 공간이 좁아지게 되는데, 이는 신경혈관 다발이 오훼돌기에 대해 지지되면서 작은가슴근(소흉근)의 힘줄에 의해 압축되기 때문이다(**그림 3-6**). 과외전 증후군은 1945년 Wright에[61] 의해 기술되었다. 그 이름은 이 동작 중에 압박

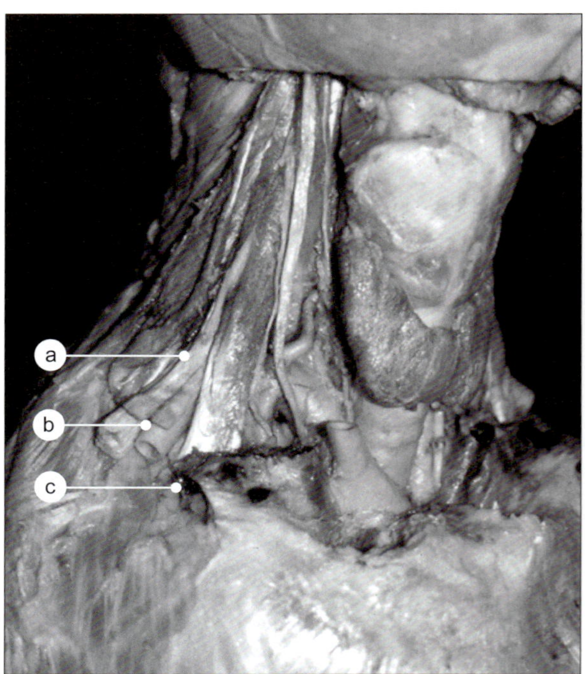

그림 3-5 ■ 이 표본에서 첫 번째 늑골이 절개되었고 늑쇄골 공간을 관통하는 구조가 표시된다: 상완 신경총(a), 쇄골하 동맥(b) 및 쇄골하 정맥(c).

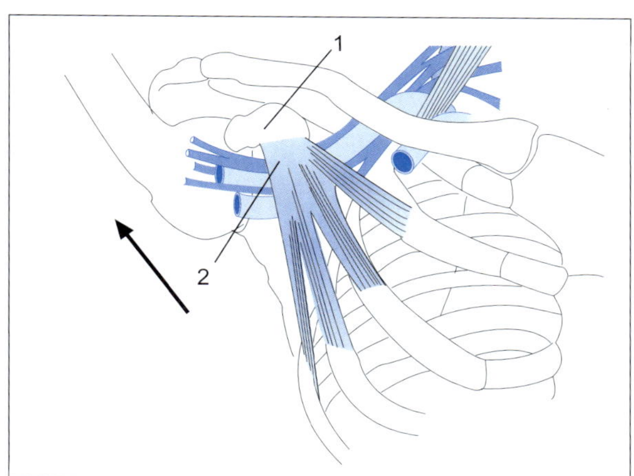

그림 3-6 ■ 흉근하공간은 상부의 오훼돌기(1), 앞쪽의 작은가슴근(소흉근) 힘줄(2), 뒤쪽의 첫 번째 늑골로 구성된다.

이 발생한다는 사실을 강조한다.

이 공간의 압박은 흉근 등쪽근육 또는 Langer의 근육으로 알려진 겨드랑이 근육곡선과 같은 비대 또는 섬유증과 같은 작은가슴근(소흉근)의 변화와 겨드랑이의 근육궁과 같은 섬유 또는 섬유근 띠의 존재의 결과일 수 있다.[23,62–67] 이 근건 구조는 겨드랑이 부위에서 가장 흔한 해부학적 변형으로 인구의 2~3%에서 나타난다. 겨드랑이 부위의 가로로 위치한다. 일반적으로 넓은 등쪽 근육에서 시작하여 위팔두갈래근(이두근) 근고랑이나 오훼돌기(coracoid process)에 붙기 위해 큰가슴근(대흉근)을 향한다.[2,65, 66,68–75]

병인학 AETIOLOGY

흉곽출구증후군(TOS)의 병인은 선천성과 후천성으로 나눌 수 있다. 또한 후자는 과부하 또는 자세 변화의 결과로 인한 외상으로 분류될 수 있다. 흉곽출구증후군(TOS)을 유발하는 가장 흔한 해부학적 원인은 선천적 또는 후천적 기형이며 여기에는 일부 유형의 외상이나 기계적 과부하가 추가될 수 있다.[76] 신경혈관 압박은 흉곽 출구의 세 공간 중 어느 곳에서나 발생할 수 있으며 목갈비근(사각근)간 삼각공간에서

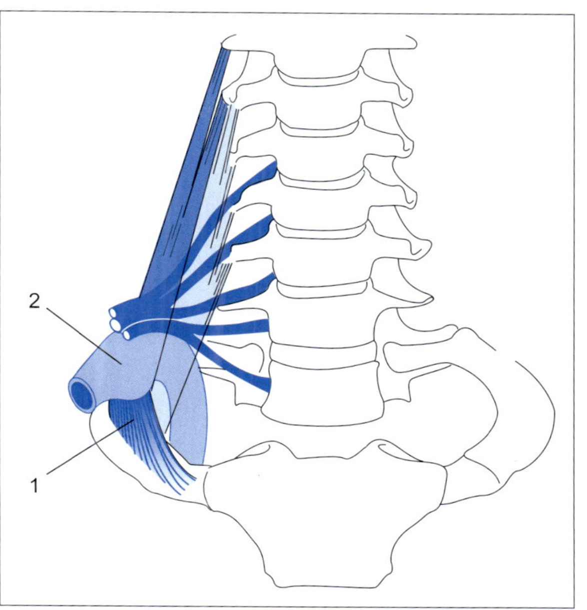

그림 3-7 ■ 중간목갈비근(중사각근)(1)이 비정상적으로 앞쪽에 삽입된 목갈비근간 삼각공간은 전방 목갈비근과 함께 이 공간의 협착과 쇄골하 동맥(2)의 협착 후 신전을 결정한다.

더 자주 발생한다.[10]

목갈비근(사각근)간 삼각공간의 변형 (Alterations in the interscalene triangle)

목갈비근(사각근)간 삼각공간에서 발생하는 가장 흔한 변화는 목갈비근 근육의 해부학적, 선천적 또는 후천적 변화에 의해 결정된다. 이 변경 그룹은 Naffziger 증후군으로도 알려진 전측 목갈비근 증후군 또는 전방 증후군의 원인이 될 수 있다.[77-79] 이 이름은 목갈비근 근육 그룹의 앞쪽 구성 요소를 나타내지만, 이러한 기형은 작은목갈비근 또는 중간 목갈비근과 관련될 수 있다.[2] 이러한 기형에는 앞쪽 목갈비근과 중간 목갈비근의 완전한 결합 지점, 두 관절의 삽입이 포함되며,[2,80] 이는 목갈비근간 삼각공간의 아래를 좁게 하고,[37,80] 첫 번째 갈비뼈[80] 또는 과잉 목갈비근 근육 여부에서 중간 목갈비근이 더 앞쪽으로 삽입된.[43] (**그림 3–7**).

목갈비근(사각근) 근육의 얻어진 변화는 과부하

또는 외상의 결과일 수 있다. 후자의 경우와 관련하여 다른 연구에서 목갈비근 근육이 비대 또는 경련을 일으키는 것으로 나타났다.[43,46,81-83]

이것은 왜 흉곽출구증후군(TOS)의 존재가 경추 편타손상 후 드문 일이 아닌지 설명한다.[32,81] Machleder 외[83]는 외상 전후에 목갈비근(사각근)의 근섬유에서 일어나는 조직화학적 변화를 연구했다. 그들은 느린 수축 유형 I 섬유가 파상풍 수축을 일으킬 수 있는 급속 수축 유형 II 섬유로 대체되었음을 발견했다. Sanders 외[81]는 동일한 변화를 관찰했으며 외상 후 목갈비근의 결합 조직 증가도 주목했다. 구성의 이러한 변화는 사각 근육의 긴장과 강성을 증가시킨다.

섬유 밴드(Fibrous bands)

연조직에서 발생하고 스케일간 공간에서 압박을 유발할 수 있는 또 다른 이상은 섬유 띠의 존재이다. 다양한 유형이 설명되었다.[50,84,85] 이러한 섬유 구조는 앞목갈비근(전사각근), 중간목갈비근(중사각근) 또는 작은목갈비근(소사각근)을 동반하거나 자유로울 수 있으며 경추 7번 또는 Sibson 근막의 횡단 과정에서 경부 늑골 또는 비정상적인 첫 번째 늑골에서 기원하는 것으로 밝혀졌다.[54] 이러한 섬유 띠는 다음과 같다. 흉곽출구증후군(TOS)을 담당하는 늑골 이상보다 더 자주 발생한다.[6,10,50,53,54,86] 흉곽출구증후군(TOS) 수술을 받은 200명의 환자를 대상으로 수행한 연구에서 Makhoul과 Machleder는[43] 이들 중 66%가 연조직에 명백한 기형을 갖고 있고 8.5%만이 경추 또는 비정상 첫번째 갈비를 가지고 있음을 발견했다.

경추 늑골(Cervical rib)

의학 문헌에서 경추 늑골에 대한 첫 번째 언급은 BC15년 2세기 Galeno에 기인한다[15](**그림 3-8**). 경추 늑골은 인구의 약 0.2%와 1-5%에 존재한다. 50~80%에서 양측성으로 발생하며 여성에게 더 흔하다.[6,46,54,87-90] 증상이 있는 쪽은 환자의 72% 이상에서 우세한 팔에 해당한다.[6,46] 경추 늑골의 존재가 반드시 피험자가 흉곽출구증후군(TOS)을 겪을 것이라는 것을 의미하지는 않는다.[46] Sanders와 Hammond는[88] 경추 늑골이 있는 피험자의 10%만이 증상을 보인다는 것을 보여주었다.

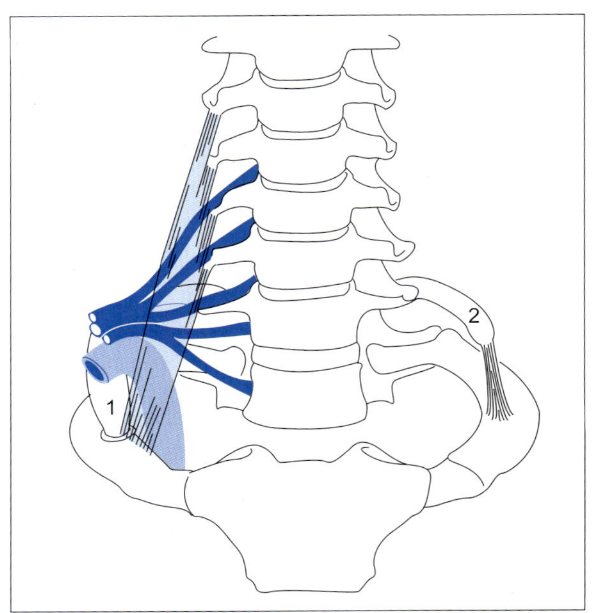

그림 3-8 ■ 첫 번째 늑골에 연결된 경추 늑골(1) 및 섬유 띠와 연결된 경추 늑골(2).

경추 늑골의 분류

1869년 Gruber는 다양한 유형의 경추를 분류하고 네 그룹으로 나누었다(**그림 3-9**).

- Type I은 경추 7번의 비대횡돌기에 해당한다(**그림 3-10**).
- 유형 II는 끝이 자유로우며 첫 번째 늑골에 연결되지 않은 기본적인 늑골이다.
- 유형 III은 섬유 띠로 첫 번째 늑골과 연결되는 불완전한 경추 늑골이다.
- Type IV는 연골성 가관절(**그림 3-11**)로 첫 번째 늑골과 연결된 완전한 경추 늑골이다.

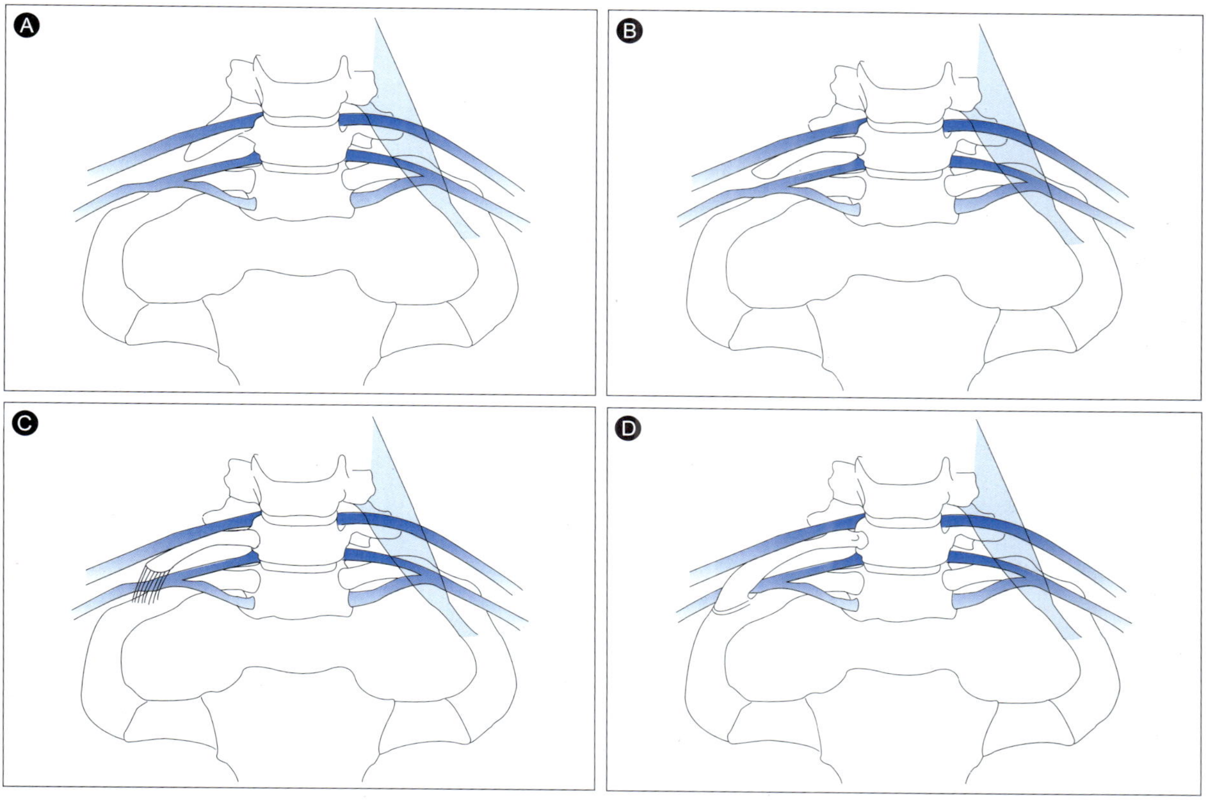

그림 3-9 ▪ Gruber의 분류. 유형 I(A)는 경추 7번의 비대 횡단 과정에 해당한다. 유형 II(B)는 끝이 자유로우며 첫 번째 늑골에 연결되지 않은 기본적인 늑골이다. 유형 III(C)는 섬유 띠에 의해 첫 번째 늑골에 연결된 불완전한 경추 늑골이다. 유형 IV(D)는 연골 유사 관절로 첫 번째 늑골에 연결된 완전한 경추 늑골이다.

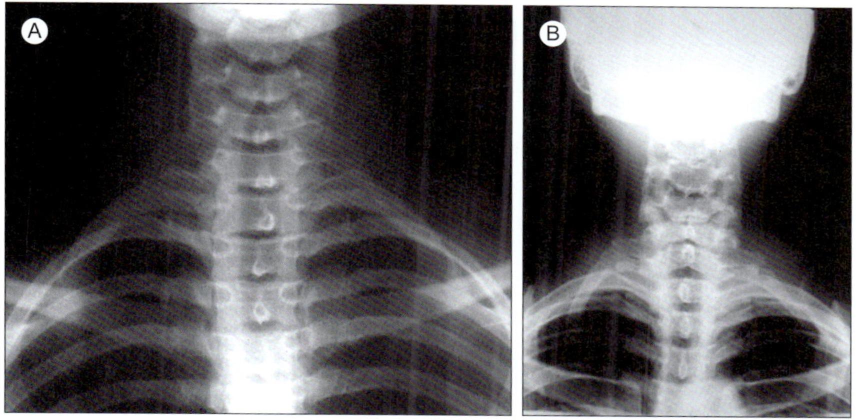

그림 3-10 ▪ 방사선 사진에서 경추 7번의 가로 거대돌기가 왼쪽(A)과 전체 경추(B)에서 양측으로 보인다.

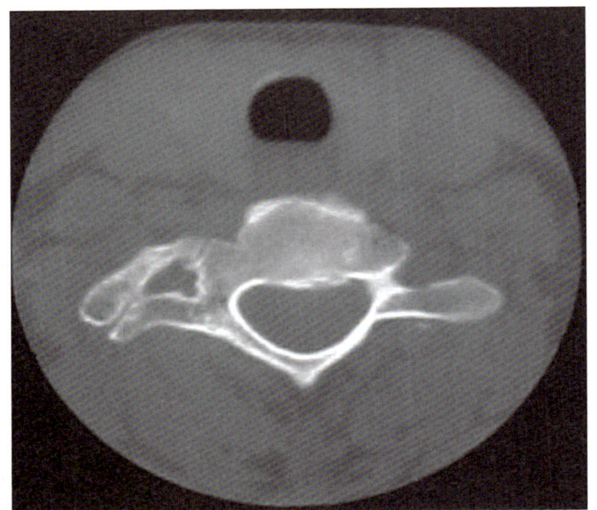

그림 3-11 ■ 늑척추 및 늑횡관절과 함께 경추 늑골이 보이는 컴퓨터단층촬영(CT) 스캔.

경추 늑골이 늑연골을 통해 흉골과 관절하는 상황을 제외하고 경추 늑골은 항상 첫 번째 흉추 늑골에 연결되는 경향이 있다. 많은 경우 첫 번째 늑골이 반드시 압박을 유발하는 것은 아니다. 오히려 첫 번째 늑골에 연결하는 섬유 띠로 인해 발생한다.

Sargent가 고안한 것과 같은 다른 분류 시스템이 개발되었다.[92] 이 분류는 경추 늑골을 5가지 다른 범주로 나눈다. I, 경추 7번의 가로돌기 비대; II, 섬유성 연장을 통해 첫 번째 늑골과 관련된 작은 늑골; III, 제8 경추신경을 동반할 만큼 충분히 긴 늑골; IV, 첫 번째 흉부 늑골에 연결되거나 그것과 연결되는 늑골; 및 V, 첫 번째 늑연골 또는 흉골과 연골 접합부가 있는 완전한 경추늑골.

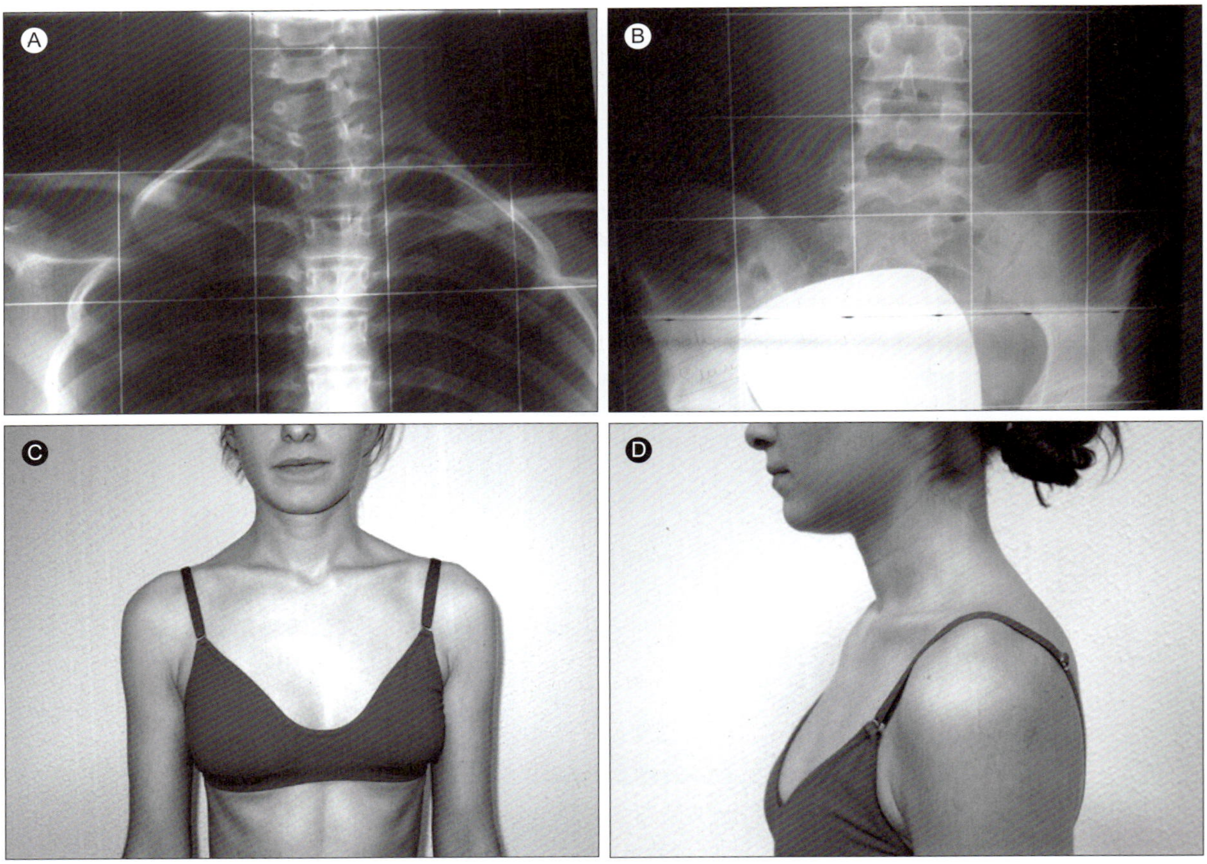

그림 3-12 ■ 경추 늑골과 요천추 이행 기형 사이의 연관성은 빈번하다. 방사선 사진에서 경추 7번(A)과 연결되는 첫 번째 갈비뼈와 두 번째 갈비뼈 사이의 오른쪽에 동화가 보인다. 동일한 대상은 요추(B)의 반천추화를 나타낸다. 정면 및 프로필 사진(C)에서 첫 번째 오른쪽 갈비뼈의 돌출부를 확인할 수 있다(D).

Gruber의 분류에 따르면, 가장 일반적인 유형의 경추 늑골은 유형 III 늑골이고 그 다음이 유형 I이다.[46]

경추 늑골의 존재와 요천추의 이행 기형 사이에 관계가 있다는 점을 지적하는 것은 흥미롭다(**그림 3-12**). 경추 갈비뼈가 있는 471명의 대상자를 대상으로 수행한 연구에서 73% 이상이 요추 5번의 천골화를 나타냈다. 경추 늑골과 천골화 사이의 연결은 척추의 발생학적 발달로 설명할 수 있다.

이전에 논의한 바와 같이, 흉곽출구증후군(TOS)은 견갑대 하강과 같은 자세 변화의 결과로 어떤 유형의 구조적 기형 없이 발생할 수 있으며, 이는 첫 번째 늑골에 대한 신경혈관 다발의 압박으로 이어진다.

늑쇄골 공간의 변형
(Alterations in the costoclavicular space)

늑쇄골 공간의 압박은 1943년 Falconer와 Weddell에 의해 처음으로 기술된 것 같다. 이러한 임상적 상황은 쇄골하 근육 및 쇄골 인대의 비대 또는 섬유증으로 인한 것일 수 있다[2,43,49-59](**그림 3-13 및 3-14**). 이 공간에서 쇄골하 정맥은 전방 목갈비근(사각근)의 전방 삽입 또는 쇄골하 위치와 같은 설명된 과잉 근육의 존재에 의해 압축될 수 있다. 늑쇄골 공간의 협착증은 경추 7번의 비대 횡단 과정으로 인해 발생

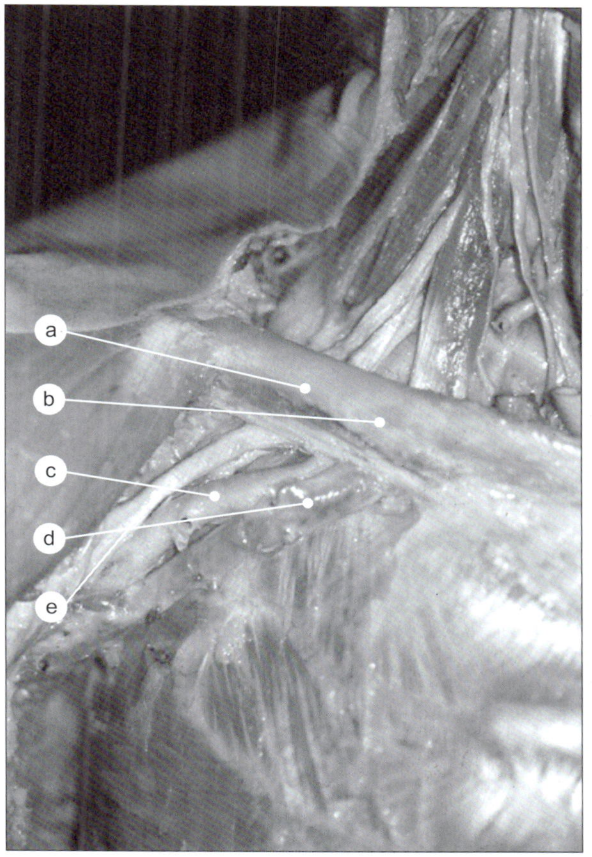

그림 3-13 ■ 늑쇄골 공간. 쇄골(a) 및 쇄골하 근육(b) 및 쇄골하 동맥(c), 쇄골하 정맥(d) 및 상완 신경총(e)과의 밀접한 관계.

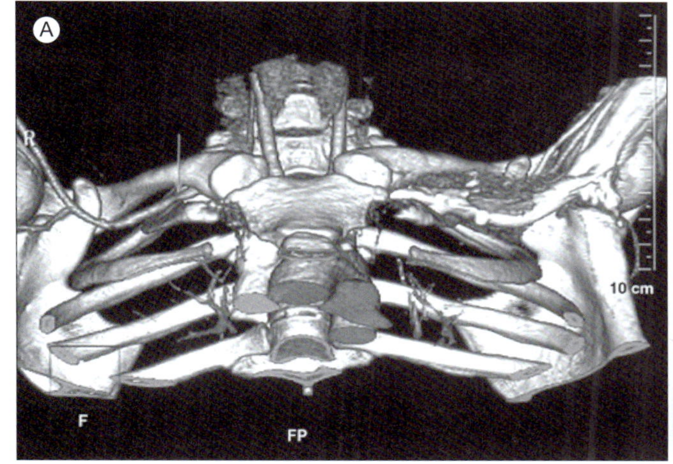

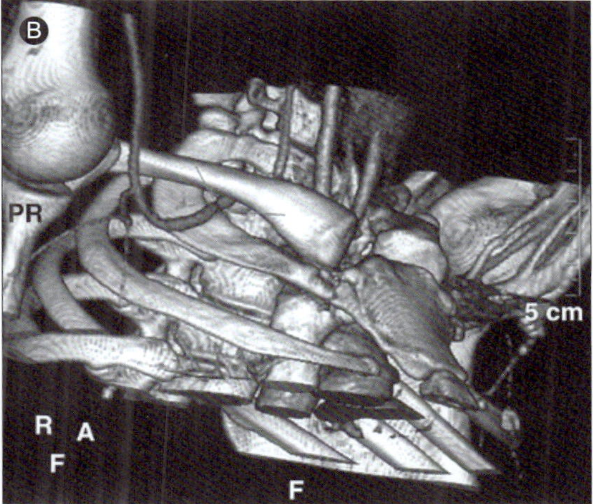

그림 3-14 ■ (A, B) 컴퓨터단층촬영(CT)의 이러한 3차원 재현에서 쇄골하 동맥의 압박이 늑쇄골 공간에서 보인다.

할 수 있다.

늑쇄골 공간은 쇄골 또는 첫 번째 늑골 골절에 의해 감소될 수 있다. 이 경우 흉곽출구증후군(TOS)의 발달과 가장 일반적으로 관련된 상황은 상당한 변위와 쇄골 또는 첫 번째 늑골의 가관절증을 가진 쇄골 중간 1/3의 골절이다. 혈종의 신체, 비대성 경화 또는 주변 조직의 변화는 골절보다 더 큰 범위에서 흉곽출구증후군(TOS)에 대한 책임이 있다.

이 공간의 압박은 쇄골의 수평화 및 하강으로 이어지는 자세 변화로 인한 것일 수 있으며, 경련 또는 종골 근육의 수축으로 인한 첫 번째 늑골의 상승으로 인한 것일 수 있다.

후흉하 공간의 변형 (Alterations in the retropectoral space)

앞서 기술한 바와 같이, 이 공간의 압박은 작은가슴근(소흉근)의 비대와 겨드랑이의 근육궁과 같은 섬유 또는 섬유근 근육의 존재로 인한 것일 수 있다.[23,24,62-69,104,105] 또한, 자세 변경은 이 공간 내에서 신경혈관 압박을 촉진할 수 있다.

생리병리학 PHYSIOPATHOLOGY

흉곽출구증후군(TOS)은 종종 다인자적이지만 뼈나 연조직의 해부학적 기형이 압박과 관련될 수 있음이 분명하다. 흉곽출구증후군(TOS)로 고통받는 많은 환자들은 이러한 변화의 징후를 보이지 않으며, 이는 이러한 해부학적 기형을 보이는 많은 사람들이 어떠한 유형의 증상도 나타내지 않는 것과 같다. 이 모든 것은 흉곽 출구의 신경혈관 압박이 과도한 기능적 요구 사항이나 외상에 의해 유발된 근육과 연조직의 근본적인 형태학적 변화, 구조적 변형 및 조직학적 변화의 조합에서 파생된다는 것을 나타내는 것 같다.[43]

> 흉곽 출구 증후군은 체질적이거나 후천적인 형태학적 변화에서 비롯된다. 증상을 유발할 수 있는 외상이나 과부하와 관련된 요인도 있다.

흉곽출구증후군(TOS)의 유발 요인은 외상, 과부하 및 자세 변화이다.

경추의 편타손상과 같은 외상성 부상이 흉곽출구증후군(TOS)의 발달을 촉진하는 견갑대 근육의 병리학적 변화를 유발할 수 있음을 보여주는 증거가 지속적으로 증가하고 있다.[8,19,32,88,106-115] 흉곽 출구의 협착은 목갈비근(사각근), 쇄골하근 및 작은가슴근(소흉근) 과 같은 근육 변화의 발달과 인대 및 근막 조직의 비대 및 섬유증의 결과일 수 있다. 외상에 2차적인 연조직의 이러한 변화는 이전에 무증상의 해부학적 변화와 관련되어 흉곽출구증후군(TOS)을 유발할 수 있다.[6,43,88,116,117] 경추 또는 비정상적인 첫 번째 늑골이 있는 신경성 흉곽출구증후군(TOS)로 치료받은 환자에 대한 검토에서 Sanders와 Hammond는[88] 환자의 80%에서 유발 요인이 외상임을 관찰했다.

과부하를 수반하는 업무 관련 활동은 특히 구조적 이상이 있는 과목에서 흉곽출구증후군(TOS)의 출현을 유발할 수 있다.[88,118-123] Sällström과 Schmidt는[118] 팔 사용과 관련된 반복 작업을 요구하는 다양한 작업 활동에서 흉곽출구증후군(TOS)의 발생이 모든 부상의 18%에 달하는 매우 높다는 것을 관찰했다. 대부분의 환자는 반복적인 작업을 수행하고 몇 년 후에 증상이 명백해지는 여성이었다. 따라서 지속적인 상지 움직임이 필요하고 손의 점진적인 약화를 보고하는 젊은 여성에서 흉곽출구증후군(TOS)을 의심하는 것이 좋다.[121]

흉곽출구증후군(TOS)은 운동선수, 특히 수영과 같이 팔 외전의 반복적인 움직임이 필요한 스포츠에서도 볼 수 있다. 또한, 음악가에게서도 발견되었으며, 아마도 그들이 채택한 위치 때문일 것이다.[131]

흉곽출구증후군(TOS)의 발달은 견갑대와 경추의

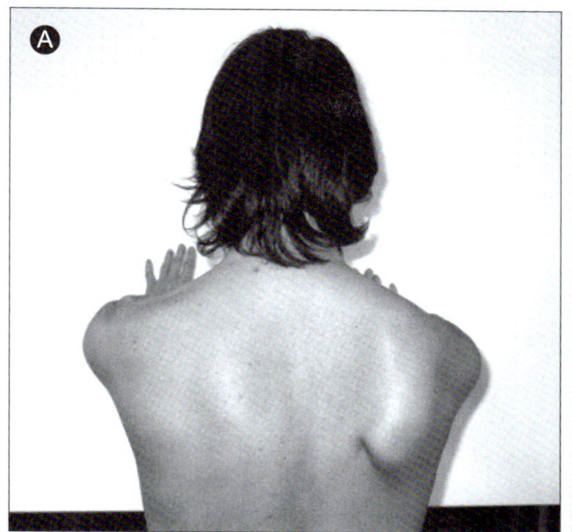

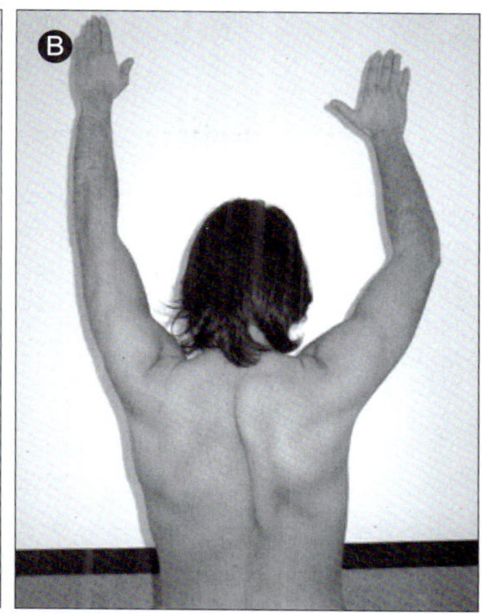

그림 3-15 ■ 긴가슴신경(장흉신경)의 손상과 결과적으로 앞톱니근(전거근)의 마비가 발생하면 흉곽 출구에서 신경혈관 압박이 유발될 수 있다. (A) 견갑골의 하강과 펄럭임이 보인다. (B) 상지의 능동 외전의 한계가 표시된다.

정렬 수정을 포함하는 자세적 측면, 특히 경추 견갑골 근육의 신장성 감소 및 단축을 허용하는 위치와 관련이 있다. 이러한 단축된 근육은 최소한의 스트레칭으로 흉곽 출구의 신경혈관 구조를 압박하는 경향이 있다. 예를 들어, 머리는 앞으로, 어깨는 앞으로 내미는 피험자가 있다. 이 피험자들은 목갈비근(사각근)과 작은가슴근(소흉근)을 짧게 하는 경향이 있다. 흉곽출구증후군(TOS)이 있는 여성은 목이 길고 경사진 특징적인 유형을 가지고 있는 것 같다.[8,23,25,29,54,132,133] Demondion 등은[49] 또한 남성에 비해 여성의 첫 번째 갈비뼈의 경사도가 더 높은 것을 관찰했다. 이것은 여성에서 더 높은 발생을 설명할 수 있다. 과체중 여성뿐만 아니라 지나치게 큰 가슴을 가진 여성에서도 발병률이 더 높다. 남성의 경우 흉곽출구증후군(TOS)은 일반적으로 경흉부 근육, 주로 목갈비근(사각근) 근육이 비대해진 근육질 피험자에서 나타난다.[29,54,132]

흉곽출구증후군(TOS)의 가능한 원인은 보조 척수신경 또는 긴 흉부 신경의 손상으로 인해 어깨 띠가 매달리는 방식이나 안정성이 변경되는 것이다.
앞톱니근(전거근) 또는 등세모근(승모근) 및 목빗근(흉쇄유돌근)의 마비 또는 마비는 흉곽 출구에서 신경혈관 압박을 유발할 수 있다[135](**그림 3-15**).

흉곽출구증후군과 관절기능장애 (Thoracic outlet syndrome and articular dysfunction)

흉곽출구증후군(TOS)의 생리 병리학에서 경추와 견갑대는 기능적 단위로 관련된다. 흉곽출구증후군(TOS)은 해부학적 기형의 결과로 발생할 뿐만 아니라 대부분의 경우 신경 혈관 구조와 관련된 관절 및 근육 구조의 기능 변화로 인해 발생한다.[136,137] 관절기능장애는 흉곽출구증후군(TOS)의 출현에 기여할 수 있다. 견갑대 또는 경추 관절의 정상적인 가동성의 감소는 흉곽 출구의 공간을 감소시키거나 감압 가능성을 제한할 수 있다.[138-140] Lindgren 등은[137] 컴퓨터 단층촬영(CT)을 이용한 3차원 재건술 시 첫 번째 갈비뼈의 상부 아탈구를 보인 흉곽출구증후군(TOS)을 가진 여성의 증례를 제시하였다. 이 저자들은 목갈비근(사각근) 스트레칭 기법으로 첫 번째 갈비뼈의 가동성을 개선하면 환자의 증상을 해결할 수 있음을 증명했다.

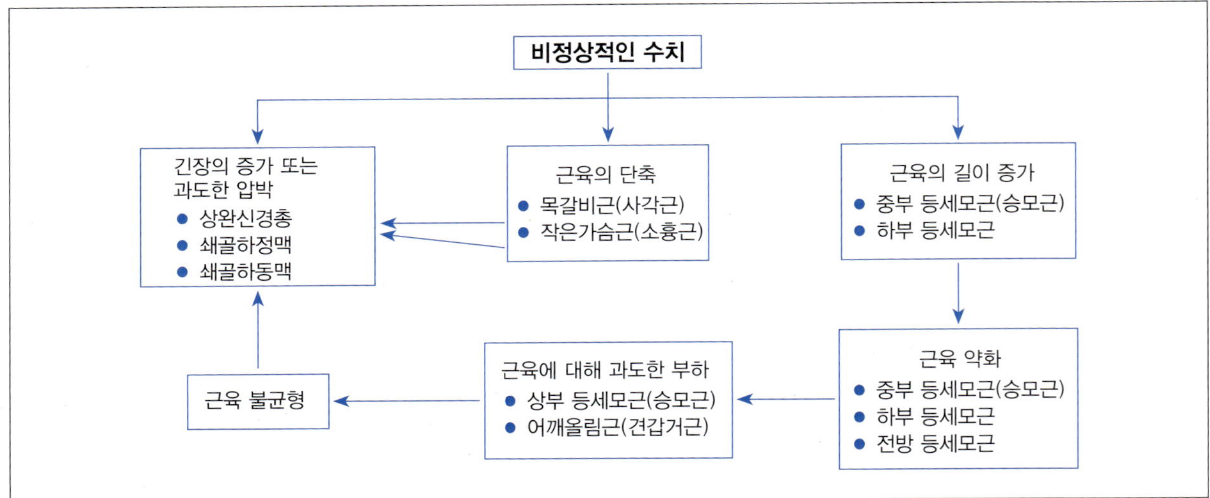

그림 3-16 ■ Mackinnon과 Novak의 통합 가설은 경추와 상지의 정적 변화가 흉곽 출구 증후군을 유발할 수 있음을 시사한다(Mackinnon과 Novak에서 발췌).

흉곽출구증후군과 자세 (Thoracic outlet syndrome and posture)

앞에서 설명한 것처럼 흉곽출구증후군(TOS)의 유발 요인은 자세 불균형일 수 있다. Janda가 설명한 상부 교차 증후군과 같은 자세는 근육이 수축하는 동안 휴식 위치에 적응하는 데 도움이 된다. 단축된 근육은 근절의 길이를 줄이고 평행한 근절의 수를 늘린다. 근육의 이러한 형태적 변화는 근육과 연결된 신경혈관 구조에 대한 부하를 증가시킨다. 1994년에 Mackinnon과 Novak은 흉곽출구증후군(TOS)을 포함한 상지의 다발성 미만성 장애의 생리병리학에 대한 통합 가설을 개발했다. 이 가설은 머리, 경추 및 상지의 반복적인 움직임과 변화가 신경 압박과 근육 불균형이라는 두 가지 주요 결과를 결정한다고 제안한다. 결핍된 정역학과 반복적인 근육은 세 가지 효과로 이어진다. (1) 덫에 걸리기 쉬운 신경에 대한 압력을 직접 증가시키고 만성 압박 상황을 만들어 지지하는 긴장을 증가시킨다. (2) 특정 자세는 근육을 비정상적으로 단축된 위치에 유지하여 길이를 수정하여 신경혈관 구조를 가로지를 때 근육이 늘어나면서 압축되도록 한다. (3) 이들 근육이 단축되는 상황은 다른 근육의 연장을 유도하여 근육 불균형을 유발한다. 근육 불균형은 머리의 전방 위치와 흉추 후만증을 유발한다. 이것은 중간 및 하부 등세모근(승모근)과 앞톱니근(전거근)의 약화와 함께 견갑골 운동의 비정상적인 패턴으로 이어진다. 이러한 근육의 약화는 상부 등세모근 및 어깨올림근(견갑거근)과 같은 다른 근육의 과도한 부하로 이어진다. 비정상적인 자세 패턴을 가진 피험자의 반복적인 활동은 신경압박의 진행으로 이어져 근육 불균형-신경압박의 주기가 만성이 된다(**그림 3-16**).

흉곽출구증후군과 견갑대의 운동조절 변화(Thoracic outlet syndrome and alteration of the motor control of the shoulder girdle)

흉곽출구증후군(TOS)의 발달을 설명하는 데 도움이 될 수 있고 이전에 설명된 자세 불균형 개념의 발달을 구성하는 틀 중 하나는 어깨 띠의 운동 제어 변경이다. 상지가 올바르게 기능하려면 동적 안정성 제어가 필수적이다. 견갑골은 각 어깨의 움직임에 적합한 위치에 견갑골이 위치하도록 적절하게 방향을 잡

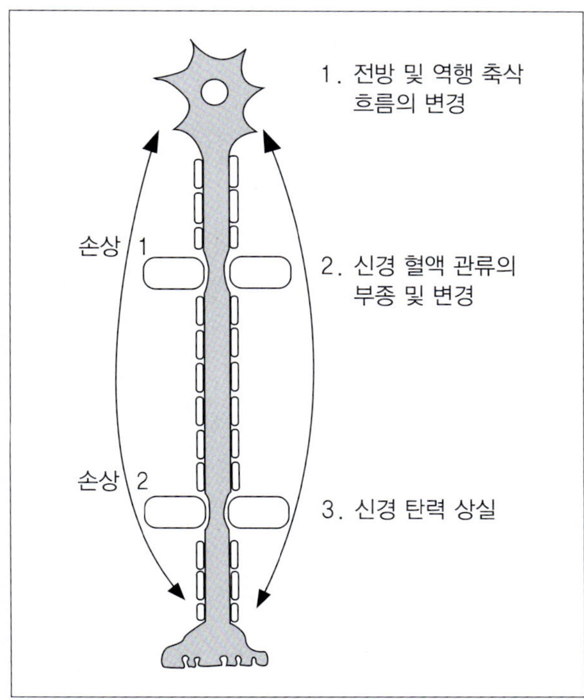

그림 3-17 ■ 이중 포착 또는 2단계 압박의 가설은 근위 수준(손상 1)에서 신경 압박 상황의 존재를 확인하고 다양한 방법으로 신경 말단 부분(손상 2)의 취약성을 증가시킨다. 기전: 전방 및 역행 축삭 흐름의 변경(1), 신경 혈액 관류의 부종 및 변경(2), 신경 탄력 상실(손상 1의 섬유증 및 유착은 손상 2의 스트레칭을 증가시킨다)(3).

아야 하며, 동시에 상지의 움직임을 가능하게 하는 안정적인 기초가 되어야 한다. 견갑골의 안정성이 부족하면 견갑대의 올바른 기능이 바뀌고 견봉하 증후군과 같은 다양한 임상 증상이 나타난다. 견갑골 조절의 이러한 변화는 흉곽출구증후군(TOS)의 발달에서 가장 중요한 유발 요인이 될 수 있다.

안정화에 사용되는 주요 견갑골 근육은 등세모근(승모근)과 앞톱니근(전거근)이다. 상부 등세모근과 하부 등세모근과 앞톱니근이 함께 작용하여 쇄골 말단부의 상승과 관련된 견갑골의 우수한 회전을 만든다.

견갑골의 움직임에 주로 관여하는 근육은 어깨올림근(견갑거근)(levator scapulae), 주요 및 보조 마름근(능형근), 작은가슴근(소흉근) 및 넓은등근(광배근)이다.

어깨올림근(견갑거근, levator scapula)은 견갑골을 들어올려 더 가까이 가져오고 아래쪽 방향으로 회전시킨다. 작은가슴근(소흉근, pectoralis minor)은 오훼돌기를 전방으로 당겨 견갑골의 내전과 더 낮은 회전을 유발한다. 넓은등근(광배근)은 특히 과활동성인 경우 상지를 거상하는 동안 견갑골을 과도하게 외전할 수 있다.

견갑골의 비정상적인 정지 위치가 관찰되고 상지에서 상승 및 하강 움직임으로 나타날 때 신경근 조절의 변화가 의심된다.

흉곽출구증후군과 이중 포착 (Thoracic outlet syndrome and double entrapment)

흉곽출구증후군(TOS)의 생리 병리학 및 혼란스러운 임상 증상을 가장 잘 설명하는 가설 중 하나는 1973년 Upton과 McComas에 의해 고안된 *이중 분쇄 증후군* 또는 *2단계 압박 가설*이다. 이 가설은 흉곽출구증후군(TOS)의 존재를 주장한다. 흉곽출구증후군(TOS)에서 발생하는 근위 수준의 신경 압박 상황은 신경 말단 부분의 취약성을 증가시켜 압박에 더 취약하게 만든다. 비록 압박의 크기는 크지 않지만, 같은 신경을 따라 다른 수준에서 가벼운 압박의 누적 효과는 신경 조직의 병리학적 변화와 이에 따른 증상의 출현으로 이어진다(**그림 3-17**). 그들의 검토에서 저자들은 신경근 압박이 있는 피험자에서 손목 및 척골 터널 증후군의 높은 발생을 관찰했다. 그들은 신경 세포의 영양과 기능을 유지하는 역할을 하는 축포질 흐름의 변화가 신경 조직의 이러한 민감성과 관련된 기전이라고 제안했다. Lundborg는 원위 지점의 압축이 역행성 축색질 수송을 변경할 수 있고 더 근위 영역의 신경 압축을 선호하는 이중 역 분쇄를 설명했다. 그 후 Mackinnon과 Dellon은[146] 다중 호감의 가능성을 설명했다. Sunderland,[147] Mackinnon,[148,149] Dellon, Mackinnon[150] 및 Butler가[151] 지적한 바와 같이 상지의 신경 조직에 손상이나 자극이 발생하면 다른 여러 위치에서 신경병증이 발생할 가능성이 매우 높다.[152]

- 흉곽출구증후군(TOS)의 생리병리를 설명할 수 있는 현상 중 하나는 이중압박증후군 또는 2단계 압박이다.
- 흉곽출구증후군(TOS)에서와 같이 근위부 수준에서 발생하는 신경 압박은 신경 말단부의 취약성을 증가시켜 압박에 더 취약하게 만든다.

흉곽출구증후군(TOS)과 이중 분쇄 사이의 이러한 관계는 수근관의 압박 또는 척골 신경병증이 흉곽출구증후군(TOS)과 동시에 관찰되는 여러 연구에 의해 뒷받침된다.[13,46,87,146,153-158] 흉곽출구증후군(TOS), 경추 신경근병증 또는 원위부 압박으로 인한 신경병증과 같은 다른 요소에서 파생되는 증상의 중첩은 진단 오류의 일반적인 원인 중 하나이다. 이러한 이중 또는 다중압박의 경우, 이중압박과 관련된 다른 부위의 치료도 환자의 개선에 기여할 수 있다는 점을 고려하여 더 높은 정도의 압박을 담당하는 구조를 식별하고 치료하는 것이 중요하다.

그러나 이중 분쇄 가설의 발전은 의심할 여지없이 관련 통증 및 신경병증 통증에 대한 불충분한 해석과 관련이 있다. 확실히 이중충돌 증후군으로 진단된 많은 환자들에게 있어서, 근원에서 멀어진 증상은 두 번째 압박 부위와 관련이 있는 것이 아니라 관련 통증 자체와 관련이 있다.

흉곽출구 증후군의 증상
SYMPTOMS OF THE THORACIC OUTLET SYNDROME

흉곽출구증후군(TOS)의 임상 증상은 영향을 받는 신경 혈관 구조에 따라 다르다.[39,41,159] 흉곽출구증후군(TOS)은 일반적으로 신경성 및 혈관의 두 가지 임상 패턴으로 나뉜다. 이 구분은 치료 방법을 결정할 때 유용하다. 그러나 이러한 서로 다른 구조 사이의 근접성은 확장과 중증도의 정도는 다르지만 종종 신경 압박과 혈관 압박 증상 사이에 연결이 만들어진다.

임상 스펙트럼은 매우 광범위하며 혈관 또는 신경 영구 손상을 동반한 심각한 압박에서 장기 손상 없이 특정 자세 또는 활동과 관련된 간헐적 증상에 이르기까지 다양하다.[160]

대부분의 흉곽출구증후군(TOS) 사례는 신경인성이다. 이 범주는 모든 사례의 70%에서 95% 사이에 해당한다.[2,24,49,100,161-163] 쇄골하 동맥 또는 정맥 압박의 객관적인 소견이 있는 혈관 흉곽출구증후군(TOS)은 모든 환자의 5~30%를 차지한다.[41,164]

혈관성 흉곽출구증후군(TOS)에서 영향을 받은 정맥은 동맥보다 더 흔하다.[24,27,161,163-165] 혈관성 흉곽출구증후군(TOS)은 진정한 신경성 흉곽출구증후군(TOS)보다 양측 형태에서 더 자주 발생할 수 있다.[101,154,166,167]

신경성 증후군(Neurogenic syndrome)

신경성 증후군은 진정한 신경성 흉곽출구증후군(TOS)과 아마도 신경성 또는 비특이적 흉곽출구증후군(TOS)의 두 가지 범주로 나뉜다.

Roos은[6] 상완 신경총의 압박 정도에 따라 흉곽출구증후군(TOS)을 분류하고 세 가지 범주를 만든다. 열등한 경우 경추 8번 및 흉추 1번에 의존하는 뿌리에 영향을 미친다. 그리고 그것이 그들 모두에 영향을 미칠 때 결합된다.[168]

신경인성 증후군의 가장 흔한 형태는 열등한 형태이며 경추 8번–흉추 1번 신경근의 증상으로 나타난다. 가장 흔한 증상은 팔뚝의 척골 쪽과 2개의 척골 손가락에서 발견되는 상지의 감각이상이다.[1,8,41] 상급 흉곽출구증후군(TOS)에서 통증과 감각이상은 어깨, 팔, 그리고 중추적으로 정중신경에 해당하는 부위를 가리킨다. 증상은 경추와 머리로 적용되기도 한다.[1,2,]

[169,170]

감각 이상은 일상 활동에 의해 유발될 수 있지만 어깨 띠의 위치 변화와 관련하여 밤에 자주 나타난다. 통증은 일반적으로 둔하고 간헐적이며 밤에 누워 있는 것과 같은 특정 자세나 상완 신경총의 압박을 증가시키는 활동에 의해 악화된다.

하부 흉곽출구증후군(TOS)에서 운동 능력에 대한 효과는 상완 신경총의 하부 몸통에 의해 신경지배를 받는 근육의 점진적인 약화 및 위축으로 나타난다. 위축은 척골 신경에 의존하는 내재 근육보다 정중 신경에 의존하는 저융기 근육에서 더 심각하다. 정중 신경의 운동 섬유를 포함하는 흉추11번 신경근에서 오는 섬유는 일반적으로 척골 신경의 섬유를 포함하는 경추8번 신경근보다 더 높은 압축을 받기 때문이다.[1,2,10,41,152,171,172] 팔뚝의 내측 피부 신경 분포의 감각 과민과 자주 연관되는 이 근위축성 특징은 아래팔, 하부 및 골간근이며, *Gilliatt-Sumner* 손으로도 알려져 있다.[86,173]

민감한 결손은 손과 팔뚝의 척골 부분에 나타난다.[8,10] 진정한 신경성 흉곽출구증후군(TOS)의 드문 특성의 결과로, 이러한 증상은 팔꿈치나 손목 수준에서 경추 신경근병증 또는 척골 신경병증에 의해 유발되는 것으로 해석되는 경향이 있다.

아마도 신경성 또는 비특이적 흉곽출구증후군(TOS)이 가장 흔한 유형이다.[8-11,30-33,36,42,168,174-176] 이 경우 환자는 통증, 감각이상 등 신경성 흉곽출구증후군(TOS)의 특징적인 불만을 말하며,[177] 전기생리학적 연구와 같은 객관적인 검사로는 신경총이 영향을 받았는지 확인할 수 없다. 이것은 흉곽출구증후군(TOS)의 가장 논란의 여지가 있는 형태이며 일부 저자는 흉곽출구증후군(TOS)의 존재에 의문을 제기하기도 한다.[10] 따라서 이러한 형태의 흉곽출구증후군(TOS)의 진단은 전적으로 환자의 주관적인 증상에 기초한다.[11]

흉곽출구증후군(TOS)은 지배적인 쪽에서 더 자주 나타나며 약 70%의 경우 오른쪽 팔과 일치한다.[46]

다른 일반적인 증상은 추위와 흉통에 대한 편협함이다. 이 흉통이 왼쪽에 나타나면 심장에서 비롯된 것으로 해석할 수 있으며 이러한 환자 중 상당수가 응급실을 이용하는 경우가 많다.[38,178-180]

증상은 보통 하루 동안 팔다리를 들어올리는 활동, 차량을 운전하거나 팔로 무거운 물건을 들 때 악화된다.[172]

상완 신경총의 교감 신경 섬유의 압축은 상지의 혈관 운동 변화와 레이노 현상을 유발할 수 있다.[4,38] 교감신경 손상은 피부가 얇아지고 손 부종과 같은 영양 장애에서 나타날 수 있다. 또한 일부 환자에서는 심장 교감신경도 영향을 받을 수 있으며 빈맥으로 나타날 수 있다.[181,182] 이 현상은 성상 신경절의 압축으로 설명될 수 있다. 이 구조는 경추 7번의 횡돌기 기저부와 첫 번째 갈비뼈 사이의 경추의 외측가장자리에 위치하며, 이 돌기의 앞쪽에 추체앞근막이 위치한다. 가장 흔한 원인은 경추 7번과 첫 번째 늑골의 횡단 과정에서 확장되는 섬유 띠이기는 하지만 성상 신경절 또는 그 후신경절 섬유는 경추 늑골에 의해 압축될 수 있다.[182] 빈맥은 루스(Roos) 검사로 촉발될 수 있다.[182]

정맥 증후군(Venous syndrome)

정맥 증후군은 동맥 증후군보다 훨씬 더 흔하며 흉곽출구증후군(TOS) 모든 환자의 1.5–10%에서 나타나는 것으로 추정된다.[27,183] 정맥압박의 원인은 주로 쇄골하 근육과 쇄골 인대이다. 덜하지만 빗장밑근 후근(쇄골하후근)와 같은 과잉 근육의 존재도 원인이 된다.[59,183,184] 가장 전형적인 증상은 상지의 부종, 청색증, 측부 순환, 표재성 정맥 확장 및 무거운 감각이다.[35,183,185,186] 이러한 모든 증상 중에서 가장 먼저 가장 흔한 증상은 활동에 의해 악화되는 상지의 부종이다.[59,186]

정맥 증후군이 나타날 수 있는 두 가지 가능한 방법이 있다.[187] 기계적 부하와 관련된 쇄골하 정맥의 급성 심부 정맥 혈전증과 더 자주 간헐적인 만성 정맥 폐쇄가 있다.

쇄골하 정맥의 급성 혈전증은 상지가 격렬한 활동을 받은 후에 나타날 수 있다.[188,189] 노력형 혈전증(effort thrombosis) 또는 Paget–von Schroetter 증후군으로 알려져 있다. 일반적으로 팔로 격렬한 활동을 하는 젊은 남성에게 영향을 미친다.[10,27,35,122,125,127,130,183,190–196]

동맥 증후군(Arterial syndrome)

동맥 증후군은 다른 모든 유형의 흉곽출구증후군(TOS)보다 빈도가 낮으며 전체 사례의 5%에 해당하지 않는다.[165] 동맥 합병증은 일반적으로 경추 늑골 또는 초보적인 첫 번째 늑골과 관련이 있다. Durham 등에[197] 따르면 동맥 증상이 있는 환자 중 56–67%가 경추와 관련이 있다. 그러나 12%의 경우 뼈의 이상 없이 발생할 수 있다.[165] 또 다른 빈번한 원인은 비대성 전방목갈비근(전사각근) 또는 이와 관련된 섬유띠로 인한 쇄골하 동맥의 압박이다.[33]

생리 병리학적 기전은 쇄골하 동맥의 압축으로 시작하여 협착, 협착 후 팽창, 동맥류 형성, 혈전증 및 색전증을 유발한다.[10,129,158,198,199] Reid 등에[44] 따르면 동맥 흉곽출구증후군(TOS)가 있는 환자의 64% 이상이 동맥류 또는 쇄골하 동맥의 협착 후 확장이 있다. 손가락 동맥과 손바닥 궁의 허혈 증상은 레이노 현상에서 손의 괴사로 이어질 수 있는 극도로 심각한 허혈로 진행될 수 있다.[8] 상태의 심각도에 따라 일부 저자는 주요 흉곽출구증후군(TOS)와 부가적 흉곽출구증후군(TOS)를 구분한다.[171]

동맥 부전으로 인한 증상은 쇠약으로 상지의 간헐적 파행, 오한 및 허혈성 통증을 유발할 수 있다.[100] 검사는 반대쪽 팔다리와 관련하여 팔다리의 온도와 맥박의 차이를 보여줄 수 있다.

동맥 손상은 두 가지 다른 그룹의 피험자에서 발생할 수 있다. 경추와 같은 해부학적 기형을 자주 나타내는 젊은 성인과 외인성 압박으로 인한 난류의 결과로 퇴행성 동맥 변화로 고통받는 40세 이상의 환자.[27]

진단 DIAGNOSIS

흉곽출구증후군(TOS)의 진단은 복잡하며 주로 상세한 병력과 완전한 신체 검사를 기반으로 하는 임상 진단으로 구성된다.[5,8,13,25,120,172,200–203]

신경성 흉곽출구증후군(TOS)의 진단은 피험자가 손과 팔뚝의 척골 분포에 민감한 변화가 우세하고 활동에 따라 악화되고 손의 내재 근육의 약화 및 위축과 관련이 있는 경우 비교적 쉽다. 경추 늑골은 방사선 사진에서 볼 수 있고 신경생리학적 연구에 의해 확인될 수 있다.[204] 그러나 신경성 흉곽출구증후군(TOS)이 추정되는 환자의 대부분은 이러한 명확한 임상적 설정을 나타내지 않는다. 손의 급성 근위축증의 존재는 뼈나 연부 부분에 이상이 있는 오랜 발달 병력이 있는 환자에서만 볼 수 있다. 다른 보완 검사가 어떤 경우에는 큰 도움이 될 수 있지만 대부분의 환자에서 이러한 검사는 일반적으로 음성 또는 불분명한 결과를 생성한다.

- 보완 검사는 대부분의 환자에서 음성 또는 불분명한 결과를 생성하는 경향이 있기 때문에 흉곽출구증후군(TOS)의 진단은 주로 임상적이다.
- 진단을 위해서는 자세한 병력청취와 완전한 신체검사가 필요하다.

첫 번째 진단 문제는 흉곽출구증후군(TOS)의 임상 표현이 다른 병리와 매우 유사하다는 사실이다. 예를 들어, 경추 신경근병증; 수근관 및 척골 신경병증과 같은 다양한 말초 신경 포착 증후군; 견봉하 증후군; 및 특정 축 근육 및 상지의 관련 통증 패턴.[7,205] 따라서 외상의 병력, 기간 및 증상의 심각성을 포함해야 하는 상세한 병력을 수행하는 것이 중요하다.[8,98] 다른 개체가 흉곽출구증후군(TOS)의 임상적 표현을 시뮬레이션할 수 있기 때문에 진단은 종종 배제 과정

에 의해 이루어진다.[10,160]

감별 진단을 사용해야 하는 일부 개체는 레이노 증후군,[8,27] 다발성 경화증 및 종양이다.[206-209] 흡연력이 있는 50세 이상의 피험자에서는 팬코스트 종양의 존재를 배제하는 것이 필수적이다.[210-213]

신체 검사(Physical examination)

흉곽출구증후군(TOS)과 관련될 수 있는 근육과 함께 관절 병리를 배제하기 위해 경추와 견갑대를 검사해야 한다. 신경성 흉곽출구증후군(TOS)이 의심되면 흉곽출구증후군(TOS)을 다른 말초 신경 압박과 구별하기 위해 상지의 신경학적 검사가 필요하다. 흉곽출구증후군(TOS)은 임상 증상의 가장 중요한 측면이 통증이고 신경학적 증상이 주로 경추 8번–흉추 1번 위치에 해당하며 팔을 올릴 때 악화될 때 의심해야 한다.[48] 또한 상지의 온도 변화, 손 부종, 손의 색소 침착 변화, 정맥 확장, 두 상지의 맥박 차이 등 혈관 징후의 존재를 관찰해야 한다.

흉곽출구증후군(TOS)은 임상 증상의 가장 중요한 측면이 통증이고 신경학적 증상이 주로 경추 8번 — 흉추 1번 위치에 해당하며 팔을 올릴 때 악화될 때 의심해야 한다.

유발 검사

유발 동작과 관련하여 위양성이 빈번하기 때문에 그들 중 누구도 스스로 진단을 제공하지 않는다는 점을 강조하는 것이 중요하다. 검사가 양성이라고 판단하기 위해서는 팔을 들어올리거나 어깨를 내릴 때 손목에서 맥박이 사라지는 것을 감지하는 것만으로는 충분하지 않다. 단, 환자의 증상도 재현해야 하며 임상 양상이 흉곽출구증후군(TOS)과 호환되어야 한다.[8,51,160,214] 광혈류측정기(photoplethysmography)를 통해 정상 피험자의 60%에서 에드슨(Adson), 늑쇄골 또는 과외전 기법과 같은 유발 운동 중에 동맥 폐색이 감지된다는 것이 입증되었다.[215] 따라서 위양성 빈도를 감안할 때 이러한 검사는 진단적 가치가 제한적이다.[200]

유발 검사는 빈번한 위음성으로 인해 자체 진단이 아니다.

애드슨(Adson)의 가동법. 사각 근육의 수축과 스트레칭을 동시에 수행하는 동안 목갈비근(사각근)간 공간의 협착을 감지하는데 사용된다. 이를 위해 환자가 경추를 반대쪽으로 굽힌 자세와 동측 회전을 유지하면서 심호흡을 하는 동안 요골 맥박을 측정한다. 요골 맥박의 분명한 감소가 있거나 환자의 증상을 재현할 때 검사가 양성이다. 동측 회전은 전방 목갈비근(사각근)을 후방 방향으로 변위시킨다.

이것은 목갈비근간 공간의 앞쪽 가장자리를 신경혈관 다발에 더 가깝게 이동시킨다. 척추간 공간은 또한 후방 목갈비근을 전방으로 가져오고 경추를 반대측 회전에 위치시킴으로써 감소될 수 있다 (**그림 3–18**). 흉곽 출구의 병리가 없는 피험자에서 양성 검사를 받는 것은 매우 일반적이다.[51] 이 검사와 라이트 검사(과외전 기동)는 1~2분 동안 지속되어야 한다.

늑쇄골 공간 검사. 이 출구를 평가하기 위해 견갑대를 아래쪽과 뒤쪽으로 밀어 쇄골과 첫 번째 갈비뼈 사이의 공간을 줄이고 쇄골하 동맥과 정맥과 상완 신경총을 압박한다(**그림 3–19**). 검사는 요골 맥박이 사라지고 압박 중이나 직후에 증상이 유발될 때 양성으로 간주된다.[94] 유사한 검사는 홀스테드(Halsted) 가동법이며, 환자에게 방사형 맥박이 촉지되는 동안 팔을 앞뒤로 밀고 유사한 자세를 취하도록 요청한다.

에덴(Eden)의 가동법. 에덴 가동법도 비슷하다. 이것은 아래쪽과 뒤쪽 방향으로 쇄골을 압박하는 동안 요골 맥박을 촉진하는 것을 포함한다(**그림 3–20**). 라이트(Wright) 과외전 가동법. 이 검사는 최대 수평

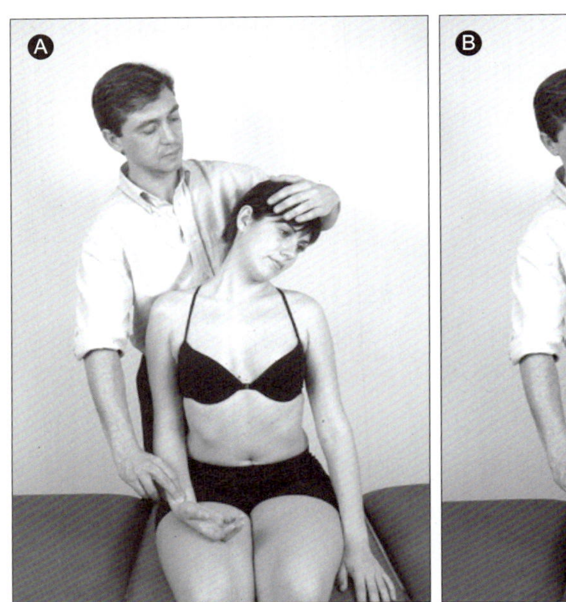

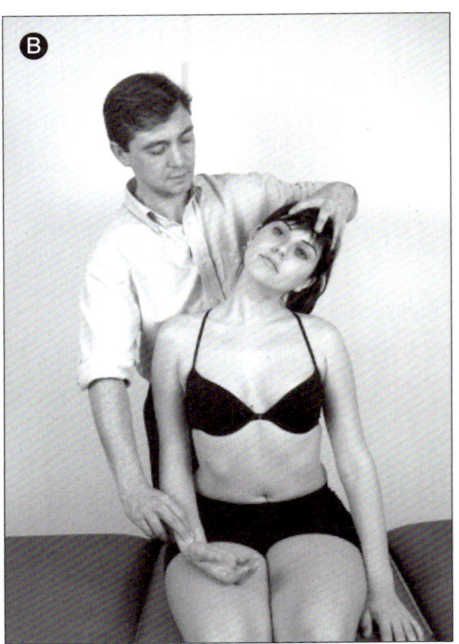

그림 3-18 ■ 대측(A) 및 동측(B) 회전을 사용한 에드슨의 가동법.

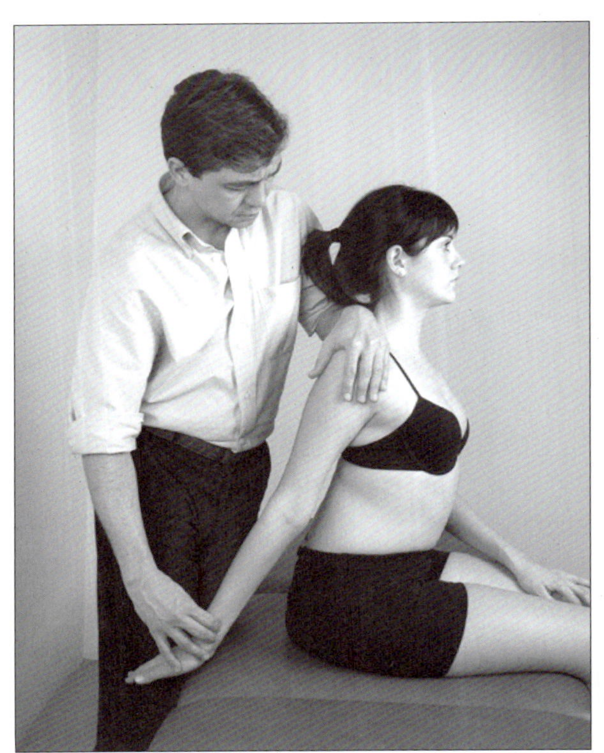

그림 3-19 ■ 늑쇄골 공간 검사.

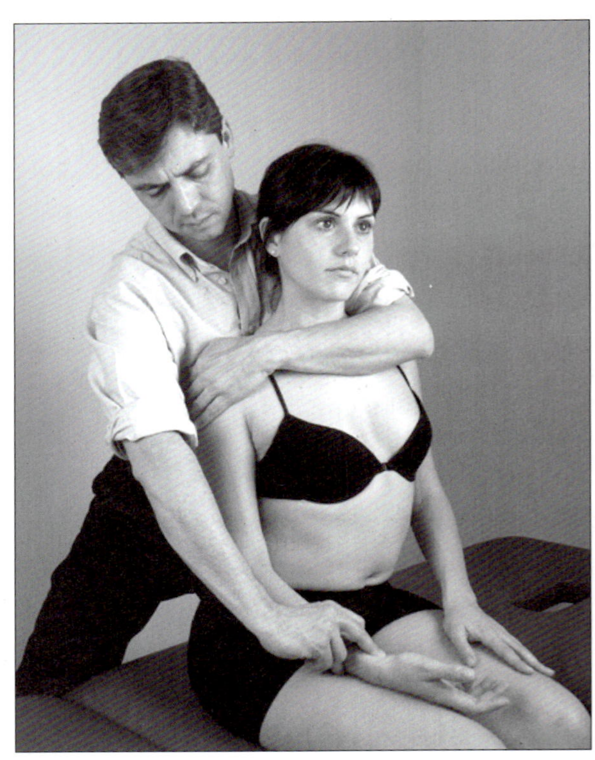

그림 3-20 ■ 에덴의 가동법.

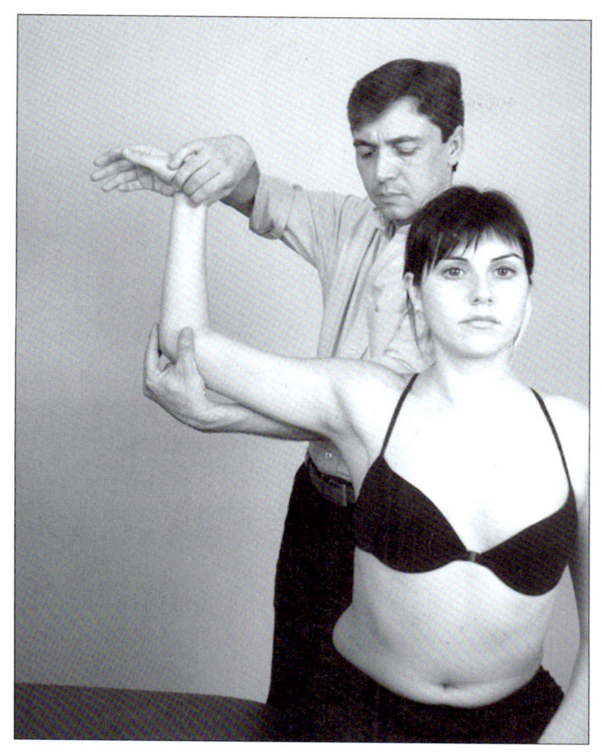

그림 3-21 ■ 라이트의 과외전 가동법.

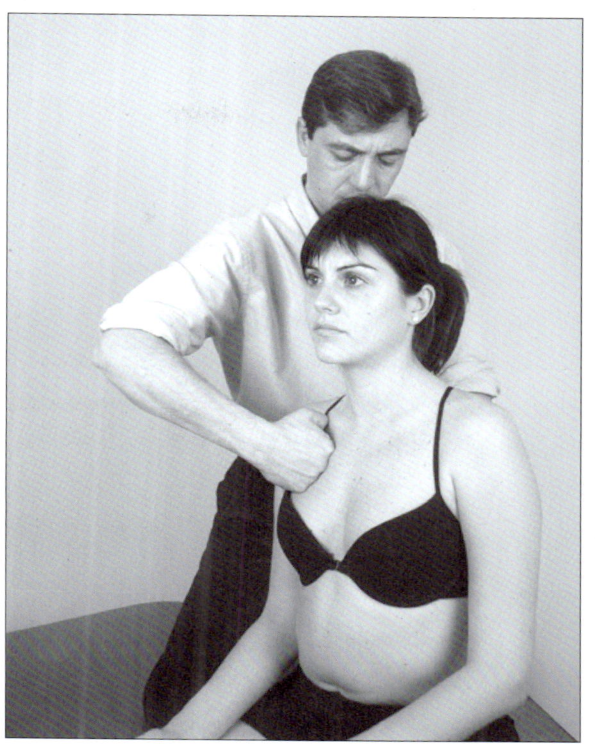

그림 3-22 ■ 작은가슴근(소흉근)의 압박 검사.

외전에서 상지의 수동적이고 점진적인 거상을 포함한다.[61] 견갑대를 후방으로 향하게 하여 작은가슴근(소흉근)을 긴장시키고 오훼돌기 아래로 신경혈관 구조를 기울인다. 요골맥박의 소멸이 감지되고 환자의 증상이 유발될 때 이 가동법은 양성이다(**그림 3-21**).

작은가슴근(소흉근) 압박 검사. 이 공간을 위한 또 다른 방법은 오훼 바로 아래에 있는 작은가슴근(소흉근)을 몇 분 동안 직접 압박하고 빠르게 풀어주는 것이다(**그림 3-22**). 검사는 '감각 이상홍수' 형태의 반응이 나타날 때 양성으로 간주된다.

로스(Ross) 검사. 이 검사는 팔의 외전, 외회전 및 최대 수평 외전의 각도를 90°로 유지하면서 환자에게 3분 동안 손을 벌리고 닫도록 하여 수행된다[6,51](**그림 3-23**). 검사를 민감하게 하기 위해 치료사는 쇄골에 꼬리 및 후방 압박을 추가할 수 있다(**그림 3-24**).

이 검사는 목갈비근(사각근)간 삼각공간, 늑쇄골 및 후흉 공간에 영향을 미친다. 검사는 환자가 그 시간 동안 검사를 수행할 수 없고 증상이 악화될 때 양성이다. Roos에 따르면[6,50,51] 이 검사는 매우 신뢰할 수 있지만, 디스크성 또는 척추성 경추 신경근병증과 같이 유사한 증상을 보이는 개체에서는 결코 양성이 아니기 때문에 다른 저자들은 그 민감도와 특이성에 의문을 제기한다.[216] Leffert에 따르면 Roos의 검사는 팔뚝 근육의 절뚝거림 및 경련 증상이 30초 이내에 나타날 때 양성으로 간주되어야 한다.

쇄골상와와 티넬(Tinel) 징후의 촉진. 촉진에 대한 쇄골상와의 민감도와 티넬 징후를 조사해야 한다.[50,157,163] 종종 쇄골상와(supraclavicular fossa)에 4~5회의 타진으로 환자의 감각이상을 재현하는 것이 가능

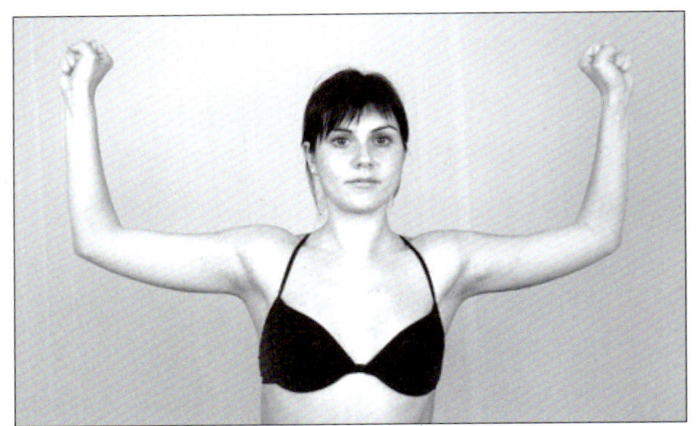

그림 3-23 ■ 루스 검사.

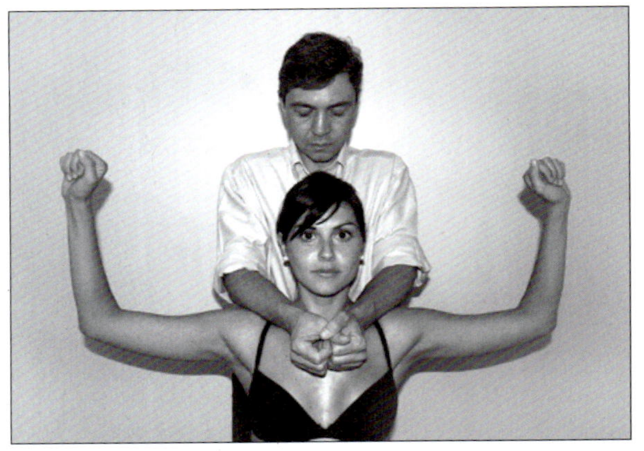

그림 3-24 ■ 루스 검사와 쇄골 압박.

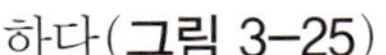

하다(**그림 3-25**).

유발 검사의 임상적 가치를 분석하기 위해 여러 연구가 수행되었다.[215-220] 일부 저자는 Roos와 Tinel의 검사를 높게 평가하는 반면,[15,50] 다른 저자는 임상 실습에서 거의 사용하지 않는다고 생각한다.[200] 우리가 논의한 바와 같이 유발 검사의 특이성은 낮지만 여러 유발 검사와 연관될 때 증가한다.[215,217]

> 일반적으로 흉곽출구증후군(TOS)에 대한 유발 검사는 허용 가능한 민감도 수준을 갖지만 특이도는 낮다. 여러 유발 검사를 연결하면 특이도가 향상된다.

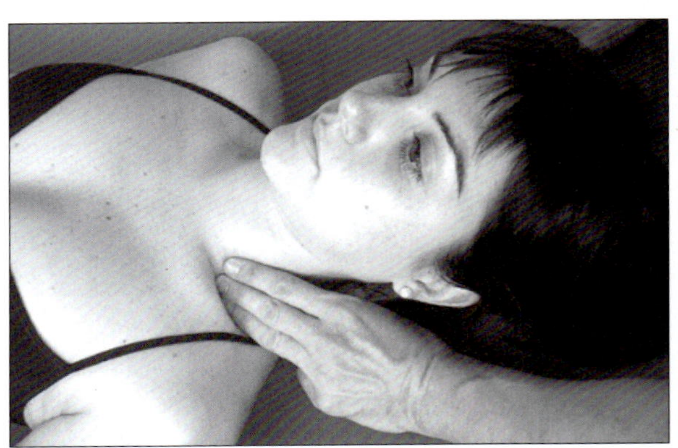

그림 3-25 ■ 쇄골상와의 촉진.

Gillard 등은[160] 이러한 유발 검사의 민감도와 특이성을 이해하기 위해 특정 연구를 수행했다. 그들은 5가지 방법을 분석했다: 애드슨, 맥박을 없애는 과외전, 증상을 재현하는 과외전, 증상을 재현하는 라이트검사, 루스와 티넬 검사. 일반적으로 이러한 모든 조작은 허용 가능한 민감도(72%)를 갖지만 특이도는 낮다(53%).

티넬 검사는 민감도(46%)가 낮고 특이도(56%)가 낮다. 애드슨 검사는 민감도(79%)와 특이도(76%)가 더 좋다. Roos와 Wright의 검사는 민감도가 매우 높지만(Wright의 증상 재현 검사, 90%, Wright의 맥박 제거 검사, 70%, Roos 검사, 84%) 특이도는 매우 낮다. 더 높은 양성 예측값을 갖는 검사는 Adson's 검사(85%)와 맥박을 없앤 과외전(92%)이다. 이 5가지 검사가 양성일 때 민감도와 특이도는 84%이다.

신경 역학 검사

신경 역학 검사는 신경 조직의 기계적 민감도를 평가하여 반응이 비정상적일 때 쉽게 식별할 수 있다. 이러한 검사는 임상적으로 신뢰성을 입증했다. 최근에 Shacklock은 생태학적 연구를 통해 주로 경추 측면 굽힘 및 상지 신경역학 검사 1(ULNT1)과 함께 흉곽 출구에서 상완 신경총의 상당한 움직임과 견갑골의 함몰 또는 첫 번째 늑골의 높이에 의해 이 가동성이 제한될 수 있음을 입증했다. 호흡 운동 중 신경총의

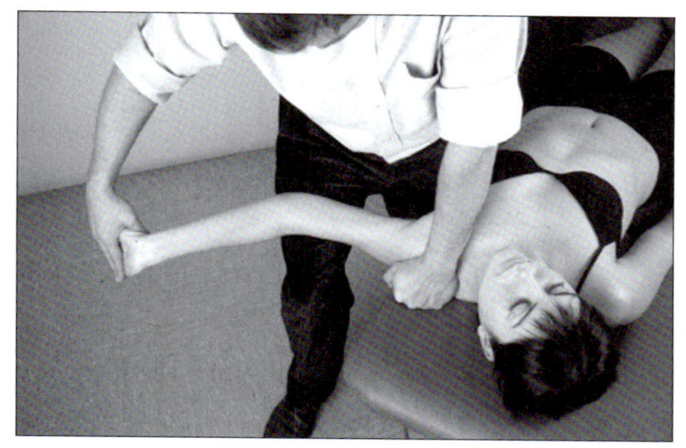

그림 3-26 ▪ 상지 신경역학 검사 1(ULNT1).

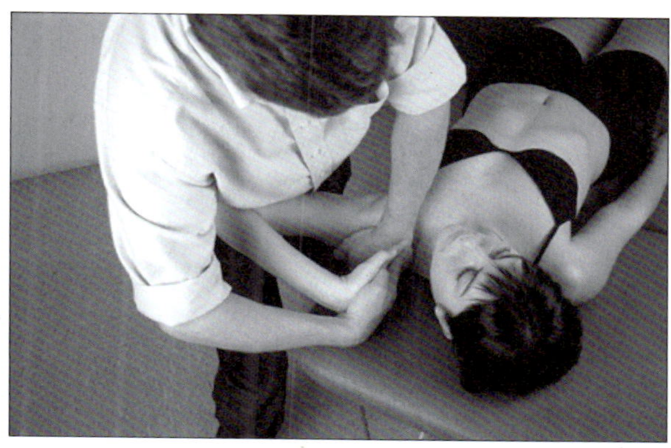

그림 3-27 ▪ ULNT3.

두개골-미부 변위와 호흡할 때 신경총이 첫 번째 갈비뼈에 대해 어떻게 확연하게 지지되는지도 보여준다.

흉곽출구증후군(TOS) 진단에 가장 유용한 검사는 ULNT1(**그림 3-26**), ULNT1a 및 ULNT3(**그림 3-27**)인데, 그 이유는 신경총의 하부가 더 자주 영향을 받기 때문이다. 신경 역학적 검사 동안 방사형 맥박이 상쇄되었는지 확인하기 위해 촉지할 수 있다.

역학적 간기 평가

흉곽출구증후군(TOS)에서 역학적 간기의 평가는 경추 및 경흉추, 견갑대, 늑골 및 연결된 근육 구조의 가동성 및 자세에 대한 검사를 포함한다.

경추와 상부 갈비뼈의 평가는 1권 8장과 12장에서 설명하였고 견갑대의 관절에 대한 탐색의 몇 가지 예를 보여준다.

흉쇄관절의 가동성과 늑쇄골 공간을 열 가능성을 평가하는 것이 중요하다. 예가 **그림 3-28~그림 3-30**에 나와 있다. 견봉 쇄골 관절의 가동성에 대한 몇 가지 예가 **그림 3-31**에 나와 있다.

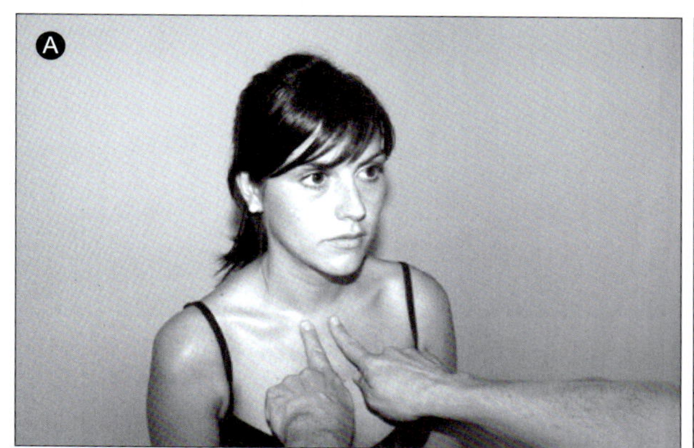

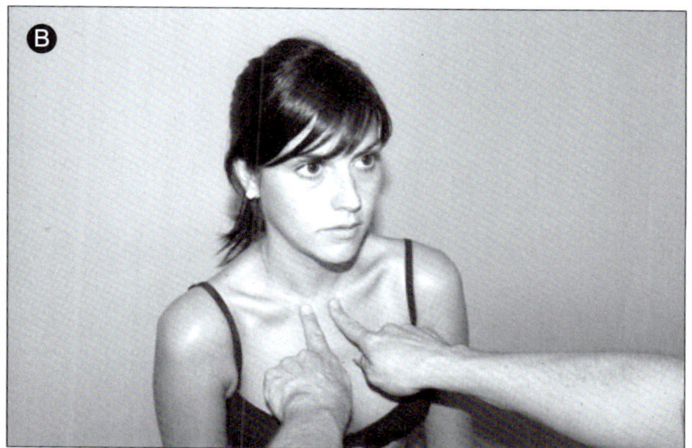

그림 3-28 ▪ 수평 외전(A) 및 내전(B)에서 흉쇄관절의 능동적 가동성 평가.

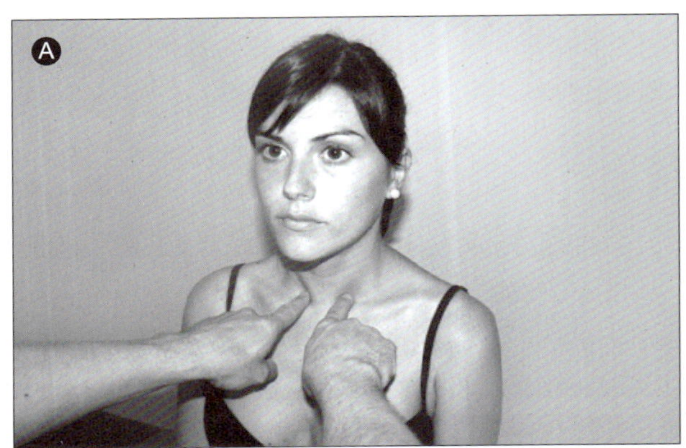

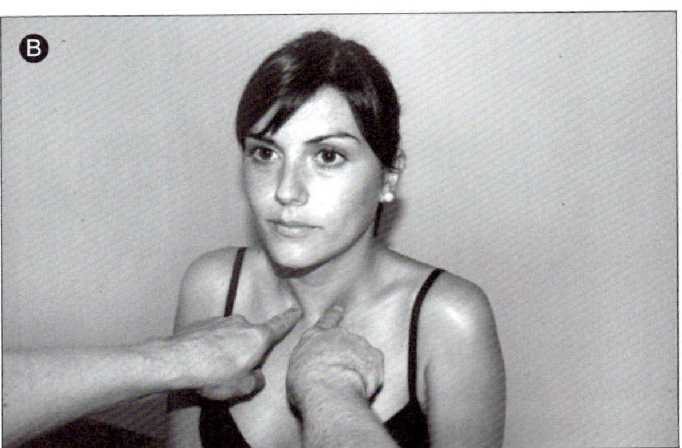

그림 3-29 ■ 흉쇄관절의 상승(A) 및 하강(B)에서의 능동적 가동성 평가.

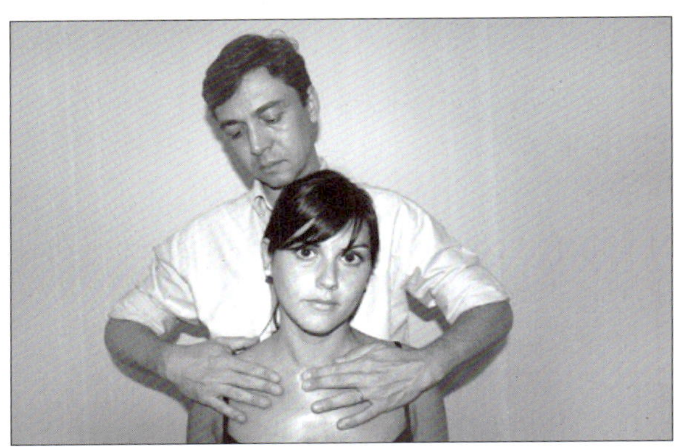

그림 3-30 ■ 흉쇄관절의 신연 능력 평가.

첫 번째 갈비뼈의 가동성은 호흡 가동성 검사와 수동적 가동법으로 평가되어야 하며, 하방, 전후방 및 전후방 방향의 움직임을 분석해야 한다(**그림 3-32**). 이러한 조작은 환자의 증상 발달과 관련될 수 있는 늑골 관절의 저가동성 또는 과가동성을 감지하는 것을 목표로 한다.

견갑대의 운동조절 평가. 완전한 자세 평가를 수행하는 것 외에도 경추와 견갑대의 운동조절을 평가하는 것이 중요하다.[230] 경추의 운동조절 평가 검사는 1권 5장과 6장에 설명되어 있다.

운동조절의 변화에 대한 평가는 견갑골의 안정자세

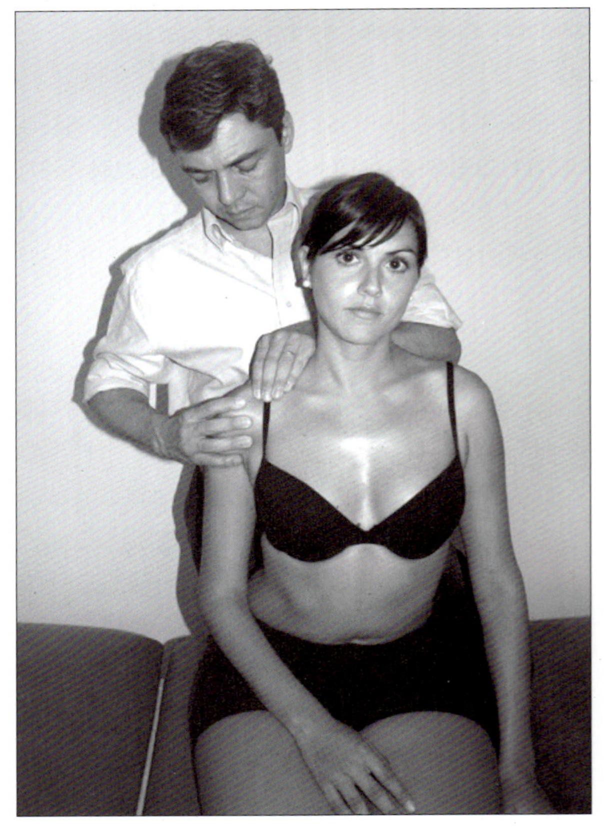

그림 3-31 ■ 견봉 쇄골 관절의 전후 이동성 평가.

에서 시작하여 상지의 올림과 내림의 움직임으로 수행된다.

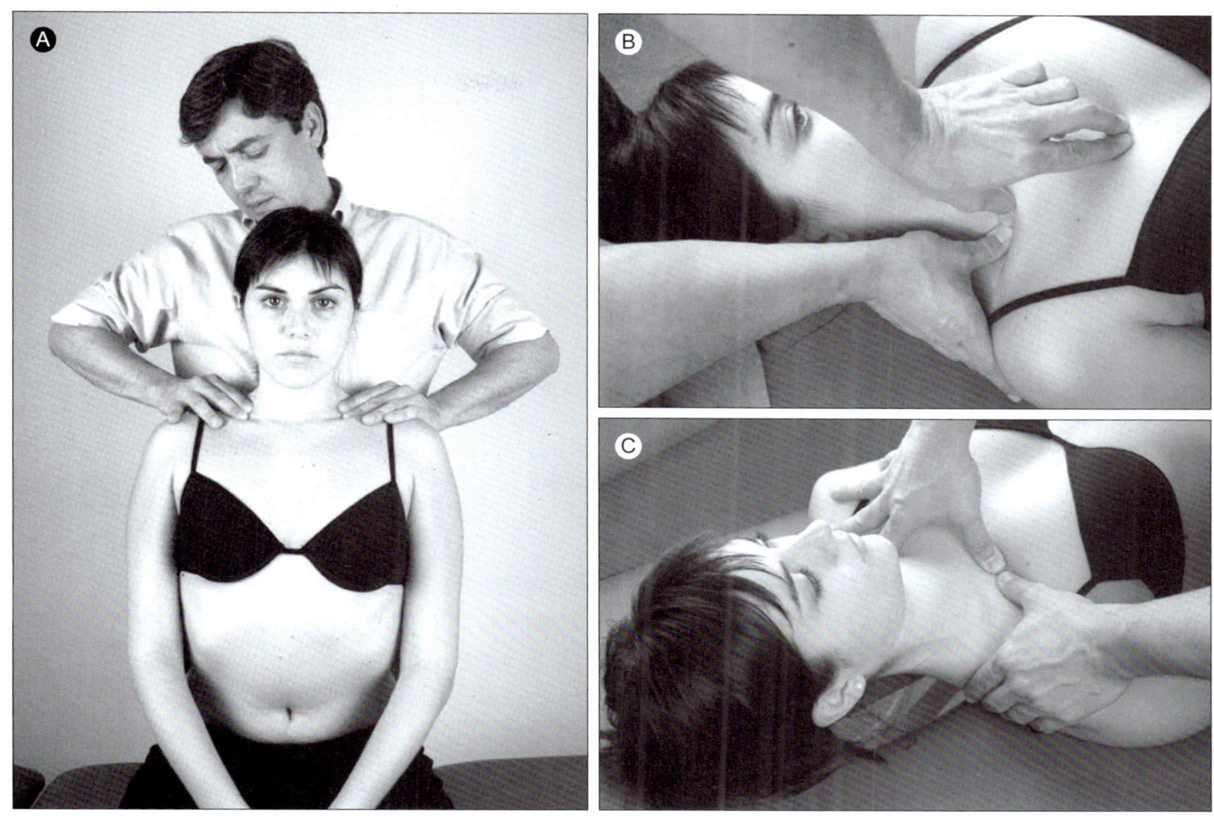

그림 3-32 ■ 호흡 가동성 검사(A) 또는 하방(B) 및 전후방(C) 방향의 수동 가동성으로 첫 번째 늑골의 가동성 평가.

개인차가 크지만 이상적인 견갑골 안정 자세는 다음과 같다. 중앙선에서 7.6cm 떨어진 흉부에 부착해야 하며 관상면에 대해 약 30° 전방 회전이 있어야 한다. 위쪽 각은 흉추 3번 또는 흉추 4번의 극돌기 수준에 위치해야 하고 아래쪽 각도는 흉추 7번, 흉추 8번 또는 흉추 9번의 극돌기 수준에 위치해야 한다.[231]
휴식자세에서는 견갑상완관절의 수동적 안정성을 허용하는 약간의 위쪽 회전에 있어야 한다. 특징적인 기능장애 양상 중 하나는 견갑골 자체의 하강과 연결되거나 연결되지 않은 견갑골의 내전 및 하방 회전이다.[143,232] 이 위치는 쇄골을 비정상적으로 낮추고 척수신경을 긴장시키고 흉곽출구증후군(TOS) 또는 견봉하 증후군을 유발할 수 있다.

견갑대 중립 위치 평가. 견갑골 중립 위치는 등세모근(승모근)과 앞톱니근(전거근)의 활성화로 얻어진다. 이 근육은 견갑골을 약간 위쪽으로 회전시키고 흉벽에 부착되도록 유지해야 한다. 견갑골이 상부회전을 수행할 때 오훼돌기는 위쪽으로 변위되고 견봉은 뒤쪽으로 변위된다.

어깨의 굴곡과 움직임의 외전 평가. 운동 제어의 변경은 상지의 상승 및 하강 움직임으로 표시된다. 피험자는 양팔의 양측 굴곡 및 외전을 수행하도록 요청받는다(**그림 3-33**). 이 첫 번째 일반 가동성 검사는 견갑골의 운동 제어와 관련하여 매우 귀중한 정보를 얻는 데 사용할 수 있다. 종종, 운동조절의 결핍은 휴식 자세로 돌아갈 때 더 분명하다.

그림 3-33 ■ 굴곡(A) 및 어깨 외전(B) 움직임으로 견갑골의 운동 제어 평가.

견갑골 보조 검사. 이 검사는 어깨 통증에서 어깨 운동이상증의 영향을 인식하기 위해 고안되었다. 어깨를 들어올리는 동안 견갑골의 위쪽 회전을 수동으로 보조하고 통증에 대한 영향을 결정하는 것을 포함한다. Watson 등은 이 검사가 견갑골 안정근에 대한 재활 전략이 흉곽출구증후군(TOS) 관리에 성공할 수 있는지 여부를 결정하는 유용한 도구가 될 수 있음을 보여주었다. 보조 어깨 거상 시 환자의 증상이 개선되면 검사가 양성이다(**그림 3-34**).

앞톱니근(전거근)의 평가. 앞톱니근(전거근)의 올바른 활성화는 앞서 언급한 견갑 중립자세 유지 검사와 상지의 굴곡 및 외전 움직임으로 평가할 수 있다. 그러나 4점 무릎을 꿇거나 스핑크스 자세에서 15-20초 동안 흉부에 부착된 견갑골의 상부 회전과 환자는 어깨의 신전을 동시에 수행할 수 있어야 하는 특정 검사를 사용하여 이 근육의 올바른 활성화를 평가하는 것도 유용할 수 있다(**그림 3-35**).

신경학적 검사

신경 조직의 압박이 간헐적이라는 점을 감안할 때 신경학적 요소가 일반적으로 분명하지 않기 때문에 상지의 완전한 운동 및 민감한 검사를 수행하는 것이 필수적이다. 압박 정도가 진행됨에 따라 관능 평가 검사의 변화를 감지할 수 있다. 처음에는 진동 감도와 미세 터치 압력 임계값이 변경되고 두점식별력 검사가 이어진다.

미세 터치 압력 임계값은 Semmes-Weinstein 모노필라멘트로 평가할 수 있다(**그림 3-36**). 모노필라멘트는 손가락의 부드러운 살에 적용되어 긍정적인 답변을 얻는 가장 가는 필라멘트를 기록한다.

두 지점을 구별하는 것은 민감한 신경분포의 밀도를 평가하는 수단이다. 정적 및 동적 검사가 일반적으로 수행된다. 이 검사에 유용한 도구 중 하나는 2에서 15mm 사이의 거리를 평가할 수 있게 해주는 Disk-Criminator 촉각계 이다. 정적 판별을 평가하기 위해 Disk-Criminator를 유지하고 환자에게 하나

그림 3-34 ■ 환자에게 팔 외전을 수행하도록 요청하고, 증상이 나타나기 시작하는 순간 또는 라이트 검사가 양성인 외전 수준을 기록한다. 치료사는 견갑골의 위쪽 경계를 따라 왼손을 놓고 아래쪽 1/3 근처 견갑골의 내측 경계를 따라 오른손 엄지를 놓는다. 환자는 다시 팔을 들어 올려 견갑골 상향 회전의 작은 구성 요소를 추가하도록 요청받는다. 이 보정은 60초 동안 유지된다. 긍정적인 반응은 증상의 상당한 개선이다.

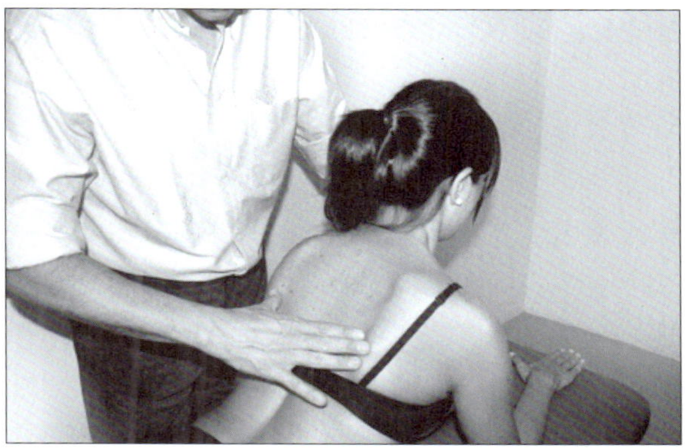

그림 3-35 ■ 스핑크스 위치에서 앞톱니근(전거근)의 평가.

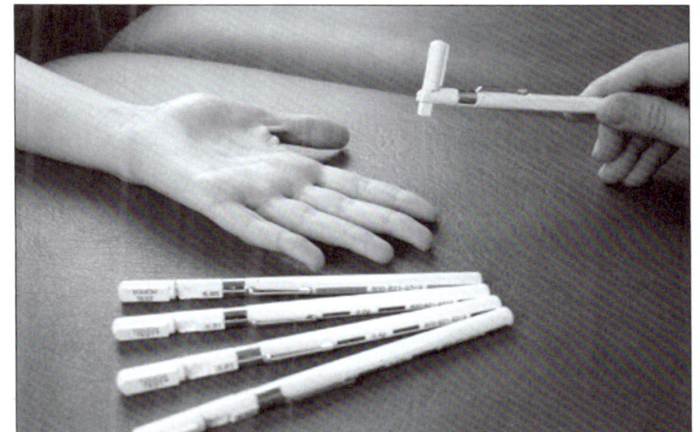

그림 3-36 ■ Semmes-Weinstein 모노필라멘트.

또는 두 개의 자극을 인지하는지 묻는다(**그림 3-37**). 동적 판별은 손가락의 살 부분에서 Disk-Crimator를 움직여서 수행된다. 압박이 만성화되면 두 지점의 구별이 더 비정상적으로 된다.

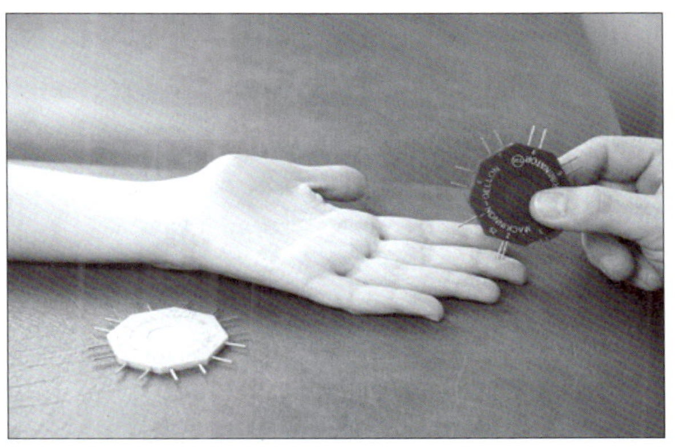

그림 3-37 ■ 디스크 크리미네이터 촉각계.

보완 검사(Complementary tests)

이미징 검사(imaging tests)

경추의 기존 방사선 사진은 첫 번째 갈비뼈와 쇄골이 제대로 보일 수 있다면 흉곽출구증후군(TOS) 진단에 더 흥미롭다. 팬코스트 종양을 배제하기 위해 때때로 폐의 정점을 명확하게 표시하는 흉부 검진을 받는 것이 좋다. 뼈 해부학의 정확한 이미지를 얻기 위해 선호되는 기술은 컴퓨터단층촬영(CT)이다.[236,237]

다양한 보완 검사를 사용하여 혈관 흉곽출구증후군(TOS)을 진단할 수 있다. 도플러 초음파를 통해 쇄골하 동맥과 정맥의 혈역학적 변화를 감지할 수 있다. 혈량측정법은 정맥 흉곽출구증후군(TOS)을 평가하는 데 사용할 수 있다.[48,160,238] 높은 감도와 특이도를 제공하고[239] 비침습적이고 저렴하며 폐색을 정량화할 수 있다는 장점이 있기 때문이다.[164]

자기 공명 영상(MRI)은 상완 신경총의 해부학적 구조와 병리를 평가하는 데 사용할 수 있으며 종양이나 기타 광범위한 손상의 존재를 배제하고 신경혈관 압박을 감지할 수 있다.[49,240-242] 자기 공명 영상(MRI)으로 검사하는 동안 혈관 순환의 변화와 수정을 관찰하기 위해 유발 검사를 수행할 수 있다.

자기 공명 영상(MRI), 혈관조영술 및 정맥조영술을 사용하면 단일 검사 내에서 중립 위치와 외전 상태 모두에서 혈관 구조를 비교적 빠르게 평가할 수 있다.[199,243,244]

전기생리학 연구

진단을 위한 전기생리학적 연구의 사용은 흉곽출구증후군(TOS)의 유형과 증상의 기간 및 중증도에 따라 다르다.[5,13,36,38,97,174,175,245-255] 포착은 간헐적이고 극히 짧은 신경 조직의 한 부분에 영향을 미치기 때문에 전기 생리학적 연구는 종종 정상이다. 정상 소견의 높은 비율에 기여하는 또 다른 요인은 흉곽 출구 영역에 대한 접근이 복잡하다는 사실이다. 따라서 흉곽출구증후군(TOS) 진단에서 이러한 검사의 민감도는 낮고 임상 진단을 확인하는 역할만 한다.[6,11,48,97,175,252,256]

보존적 치료
CONSERVATIVE TREATMENT

보존적 치료는 물리치료가 필수적인 대부분의 환자에게 선호되는 치료 방법이다.[2,8,26,38,131,163,205,257-275] 조기에 보존적 치료를 시행하면 수술의 필요성을 예방할 수 있다.[265,276,277] Roos에 따르면 급성 증상이 있는 환자의 10%만이 외과적 감압이 필요하다. 어떤 경우에는 보존적 치료가 완전한 치료로 이어지지 않을 수 있지만, 증상을 크게 개선할 수 있고 수술적 치료보다 위험이 훨씬 적다.[30,262,276,278,279]

외과적 치료는 부종이나 허혈의 징후가 있는 심각한 혈관 손상, 보존적 치료의 결과로 진행되는 신경학적 악화 및 불응성 통증의 경우에 권장된다.[1,27,257,280]

외과적 치료가 선호되는 치료임을 나타내는 징후:

- 부종 또는 허혈 징후가 있는 중요한 혈관 손상.
- 진행성 신경학적 악화.
- 보존적 치료에 저항하는 통증.

보존적 치료는 흉곽 출구의 기능적 공간을 늘리고 신경혈관 구조의 압박과 주변 조직에 대한 유착 가능성을 줄이기 위한 것이다. 신경혈관 구조가 교차하는 공간을 넓히기 위해서는 목과 상지의 관절 관계를 정상화하고 흉곽출구증후군(TOS)과 관련된 근육의 확장성을 높이는 것이 필수적이다.[131] 기계적 간기의 이러한 치료는 신경혈관 조직의 가동을 동반해야 하며, 이와 관련하여 신경 활주 기술이 중요하다.[149,152,281-284]

치료는 특히 이러한 손상 상황에 대한 책임이 있는 해부학적 또는 기능적 결함을 대상으로 해야 한다. 따라서 문제가 저절로 해결될 것이라고 믿고 이러한 환자를 단독으로 처리하는 단일 프로토콜이 없다.[8]

치료는 세 단계로 요약할 수 있다. 첫 번째 단계에

서 목표는 증상을 조절하고 줄이는 것이다. 두 번째 단계에서는 압박을 당하는 조직이 정상화되고 신경 조직의 완전한 이동성을 얻는다. 그리고 세 번째 단계에서 목표는 자세 재교육과 업무 관련 및 일상 활동에 대한 훈련이다.[27,257,285]

보존적 치료의 단계:

1. 증상의 조절 및 감소.
2. 압박을 당하는 조직의 정상화 및 완전한 조직 이동성 획득.
3. 업무 관련 및 일상 활동에서 자세 재교육 및 훈련.

첫 번째 단계에서, 특히 상태가 과민한 경우 환자는 기계적 간기의 최대 개방과 상완 신경총의 최소 변형을 허용하는 위치를 배운다. 견갑대의 상승 및 내전과 관련된 경추 굴곡은 쇄골과 첫 번째 늑골 사이의 거리를 증가시키고 상완 신경총의 장력을 제거한다. 환자는 증상을 유발하는 활동, 특히 무거운 물건을 들거나 상지를 들어 올리는 활동과 같이 흉곽출구의 여유 공간을 줄이는 반복적인 활동을 피해야 한다.

이 팽팽한 자세에서 깊고 강제적이지 않은 호흡 운동은 흥미로운 효과가 있다. 목갈비근(사각근)의 활동을 감소시키고 첫 번째 갈비뼈를 낮추어 신경혈관 다발이 갈비뼈 위로 구부러지는 것을 방지한다(**그림 3-38**). 환자는 구부린 팔꿈치를 베개에 올려 늑쇄골 물림이 열리도록 하여 이러한 운동을 수행할 수 있다.

두 번째 단계에서는 관절 정상화 기동의 강도가 증가하고 진동 또는 고속 기동을 사용하여 첫 번째 늑골을 낮출 수 있다. 이 단계에서는 증상을 악화시키지 않고 신경 활주 운동을 사용할 수 있다. 증상의 과민 반응이 감소되면 상지의 신경 혈관 다발과의 관계로 인해 목갈비근(사각근)과 작은 가슴 근육을 스트레칭하는 것이 흥미로울 수 있다.

세 번째 단계는 환자가 일상 및 업무 활동으로 돌

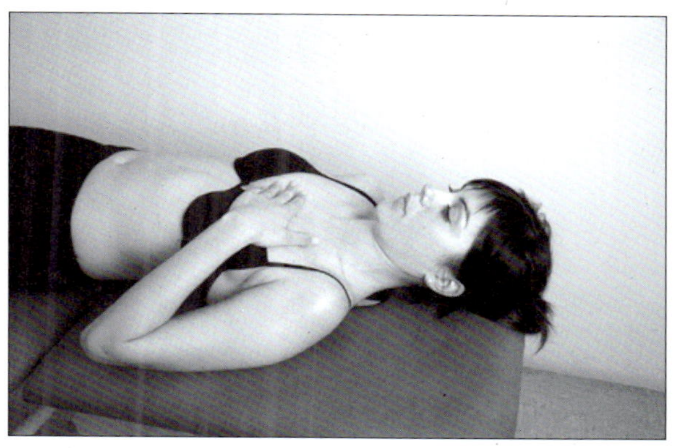

그림 3-38 ■ 심호흡 운동.

아갈 수 있도록 돕는 것을 목표로 한다. 이 단계에서 자세 재교육 운동이 더욱 중요해진다.

관절 치료(Articular treatment)

경추와 견갑대는 기능적 단위를 형성한다. 치료는 목 부위와 견갑대의 관절 관계를 정상화할 목적으로 흉곽출구증후군(TOS)에 잠재적으로 관련될 수 있는 이 장치의 모든 관절 요소를 목표로 해야 한다.[34] 치료의 첫 번째 단계에서는 환자의 증상을 악화시키지 않도록 부드럽고 점진적으로 가동화를 시행한다.

견갑골, 쇄골 또는 첫 번째 갈비뼈와 같은 흉곽 출구를 구성하는 뼈 구조를 겨냥한 조작을 사용할 수 있다. 이 기술의 목적은 흉곽출구증후군(TOS)과 관련된 다양한 뼈 요소의 완전한 관절 가동성을 확보하여 흉곽 출구 공간을 효과적으로 개방하는 동시에 이들을 연결하는 근육과 연조직에 작용하는 것이다.

흉곽출구증후군(TOS)에서 신경혈관 구조가 손상된 공간의 개방을 개선하기 위해 흉쇄 및 견봉 쇄골 관절을 가동할 수 있을 뿐만 아니라 쇄골 및 늑쇄골 및 후흉근을 가동시키는 것을 목표로 하는 움직임을 사용할 수 있다 (**그림 3-39 ~ 그림 3-49**).

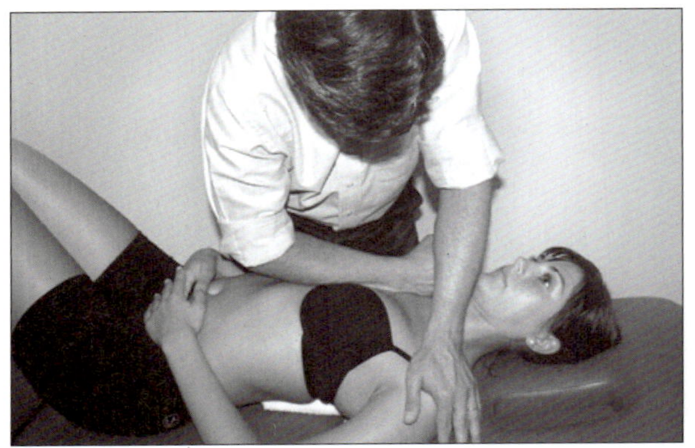

그림 3-39 ■ 흉쇄골 관절 신연 기동. 치료사는 환자의 어깨를 잡고 옆과 뒤 방향으로 리드미컬하게 밀면서 흉쇄관절의 주의를 분산시킨다.

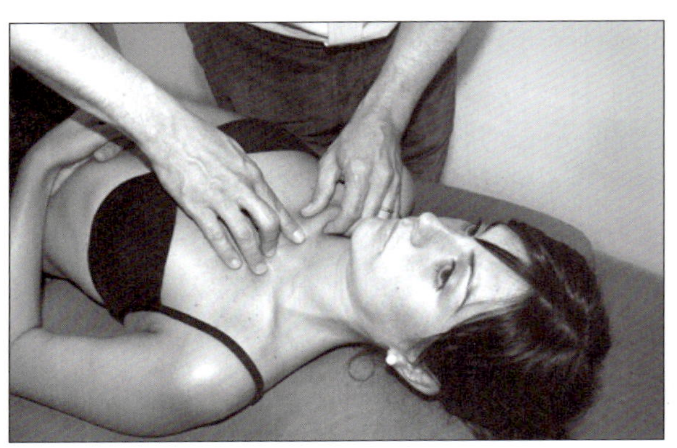

그림 3-40 ■ 흉쇄관절의 두개꼬리 가동. 치료사는 쇄골의 근위 끝을 잡고 다른 손의 손가락으로 관절의 움직임을 관찰하면서 두개경추 리듬 가동을 적용한다.

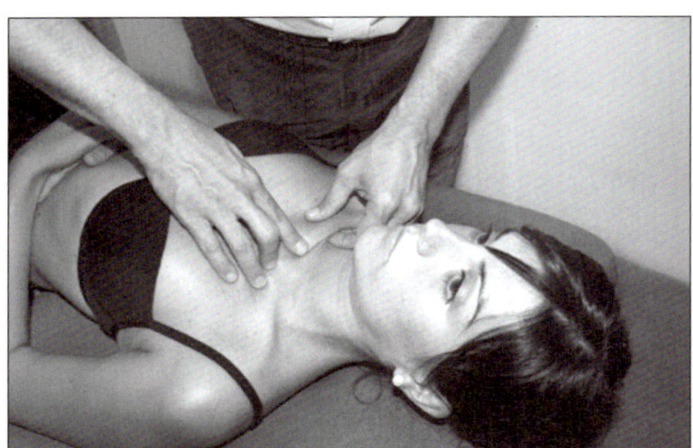

그림 3-41 ■ 흉쇄관절의 전후 가동. 치료사는 다른 손의 손가락으로 움직임을 관찰하면서 쇄골의 근위 말단에 전후방 리듬 가동을 적용한다.

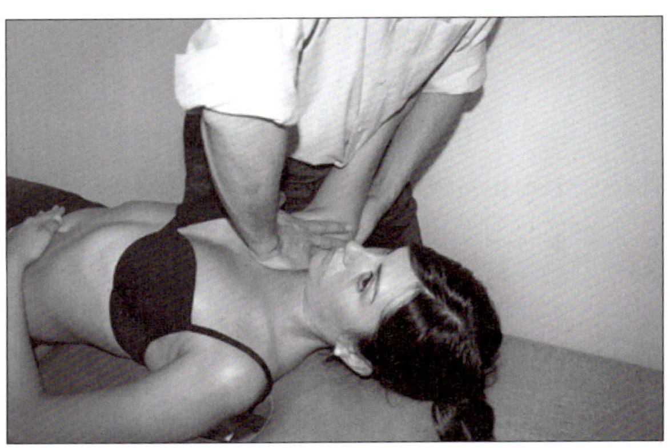

그림 3-42 ■ 늑쇄골공간에 리드미컬한 가동을 적용하여 견갑대의 원회전 가동.

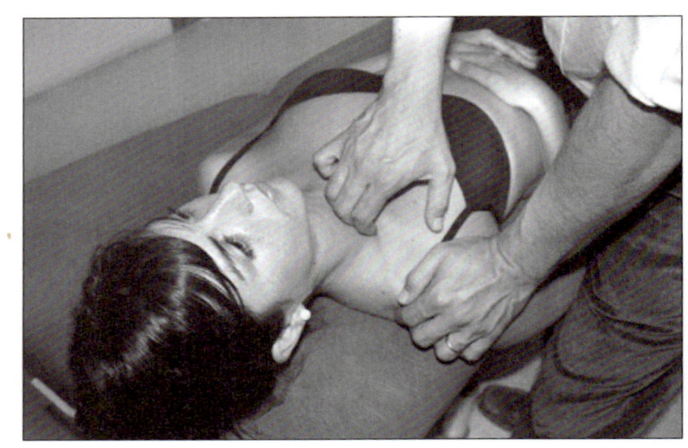

그림 3-43 ■ 쇄골의 전방 가동. 치료사는 흉쇄관절을 열기 위해 외측 손으로 환자의 어깨를 좌우로 유지하고, 다른 한 손으로는 쇄골 근위단을 앞쪽으로 당긴다.

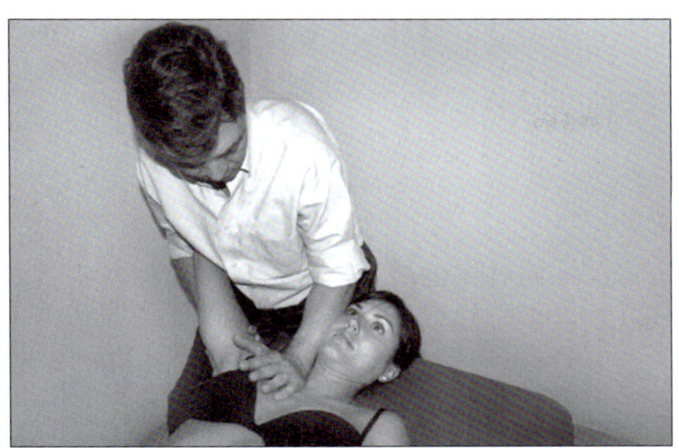

그림 3-44 ■ 늑쇄골 쇄골에 리드미컬한 압력을 가하는 견갑대 견인.

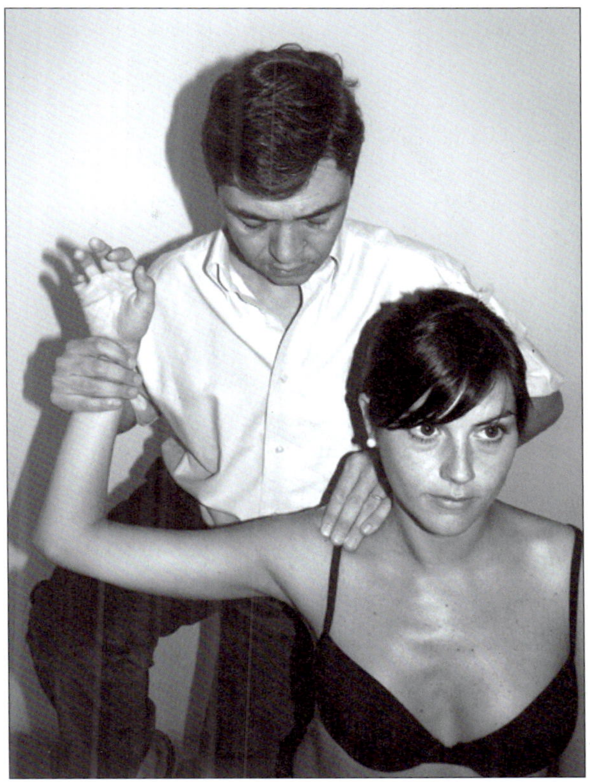

그림 3-45 ■ 늑쇄골 및 후흉근 공간을 가동시키기 위한 어깨 바깥쪽 움직임.

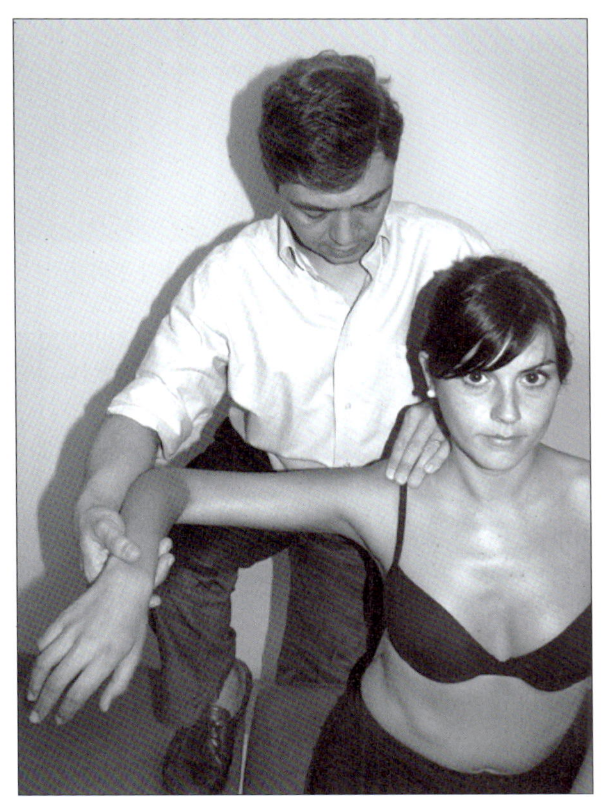

그림 3-46 ■ 늑쇄골 및 후흉근 공간을 가동시키기 위한 어깨 안쪽 움직임.

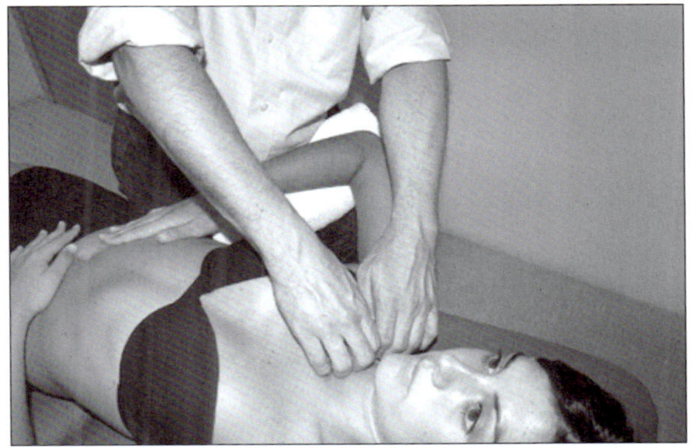

그림 3-47 ■ 늑쇄골 죔쇠의 개방 조작. 치료사는 환자의 쇄골을 양손으로 잡고 전방 및 꼬리 방향으로 리드미컬한 움직임을 적용하여 늑쇄골 죔쇠의 개방을 얻는다.

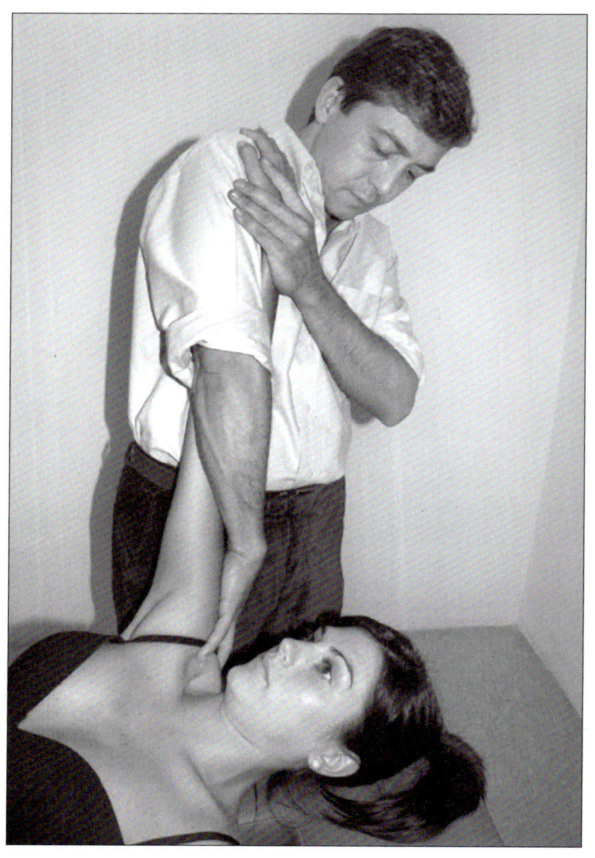

그림 3-48 ■ 팔의 리드미컬한 견인력. 치료사는 환자의 상지를 껴안고 어깨에 넓게 닿게 하고, 다른 한 손으로는 환자의 팔을 여러 각도에서 리드미컬하게 잡아당긴다.

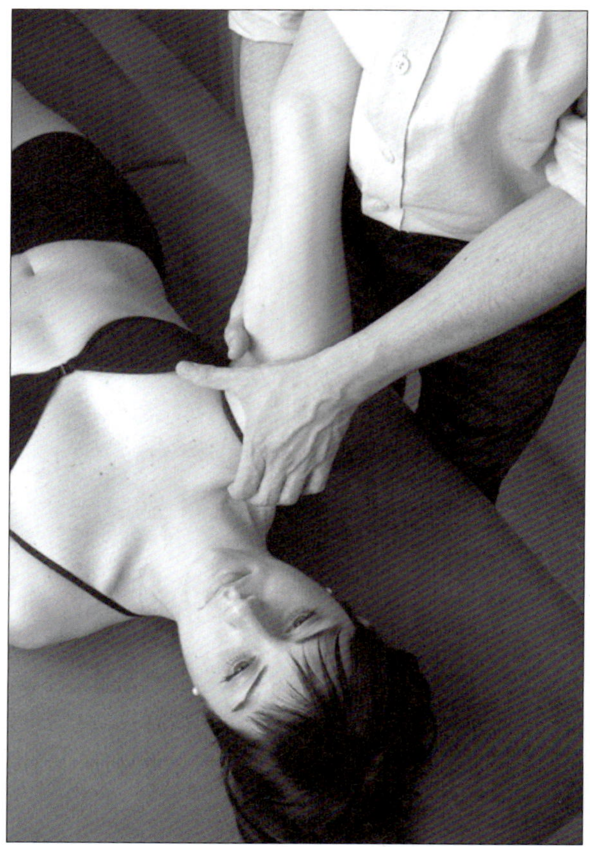

그림 3-49 ■ 늑쇄골 좸쇠의 개방과 견갑대의 원회전. 치료사는 환자의 어깨를 잡고 다른 손의 손가락으로 갈고리 잡이로 쇄골을 잡는다. 이 조작은 쇄골의 전방 견인과 관련된 환자의 상지의 리드미컬한 원형 운동을 포함한다.

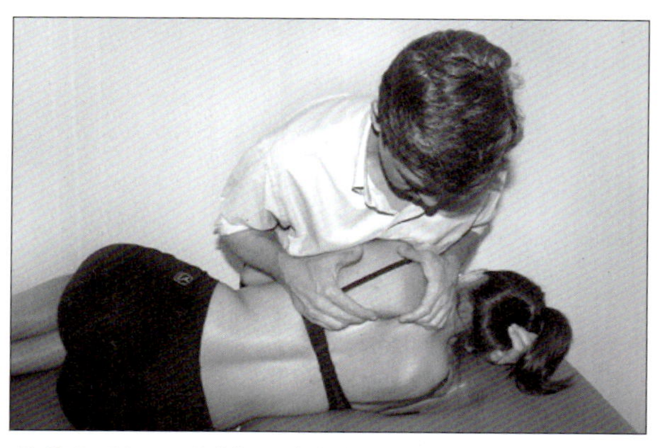

그림 3-50 ■ 견갑흉추 관절의 가동화. 견갑골은 서로 다른 방향으로 가동될 수 있다: 상부, 하부, 외전 및 수평 외전, 상부 및 하부 회전 및 원회전.

견갑대는 연조직과 견갑근육의 이완을 얻기 위해 전체적으로 움직일 수 있다. 견갑골은 외전(abduction)과 수평 외전(horizontal abduction), 저회전 상완(upper on lower rotation) 및 원회전(circumduction)과 같은 다양한 방향으로 움직일 수 있다.

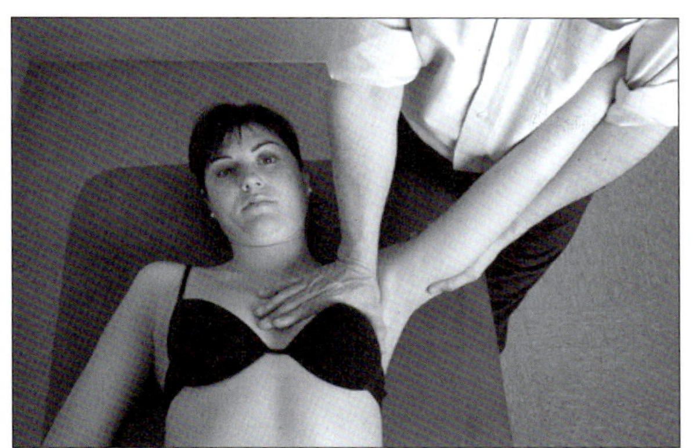

그림 3-51 ■ 상부 늑골 펌핑 가동법.

늑골 가동 기술
(Costal mobilization techniques)

늑골의 받침 부위의 가동화 기술과 첫 번째 늑골에 직접 초점을 맞춘 기술은 관련된 신경 구조와 연관된 간기에 작용하기 때문에 흉곽출구증후의 치료에 도움이 될 수 있다.

상부 늑골 펌핑 가동술

환자는 앙와위를 하고 치료사는 환자의 발을 향하도록 테이블 머리 옆에 위치한다. 외부 팔의 도움으로 치료사는 어깨에 손을 대고 환자의 상지를 잡는다. 내측 손으로 치료사는 리드미컬한 추력을 상부 늑골틀에 가한다. 상부 늑골 펌핑 조작은 늑쇄골 및 후흉강 공간에 흥미로운 기계적 효과를 생성한다 (**그림 3-51**).

첫 번째 늑골 기법

진동 기술은 첫 번째 늑골을 낮추기 위해 하방, 전후방 및 후방 전방 방향으로 적용될 수 있다(**그림 3-52**). Lindgren 등은[138-140,286,287] 흉곽출구증후군과 첫 번째 늑골의 경직을 연결하는 여러 연구를 발표했다. 치료는 수축-이완 등척성 기법을 통해 첫 번째 늑골의 정상적인 가동성을 회복하는 것이다. 첫 번째 늑골을 낮추기 위해 환자의 임상 상태가 허용하는 경우 도수기법을 사용할 수 있다(**그림 3-53**). 이러한 신경 가동 및 조작 기술로 신경 조직을 자극하지 않는 것이 매우 중요하다.

또한, 늑골의 가동성을 향상시키기 위해서는 늑골과 흉추를 연결하는 관절에 대해 일반 및 흉추 유연성 운동, 진동기법 및 도수기법을 사용하여 작용하는 것이 중요하다.

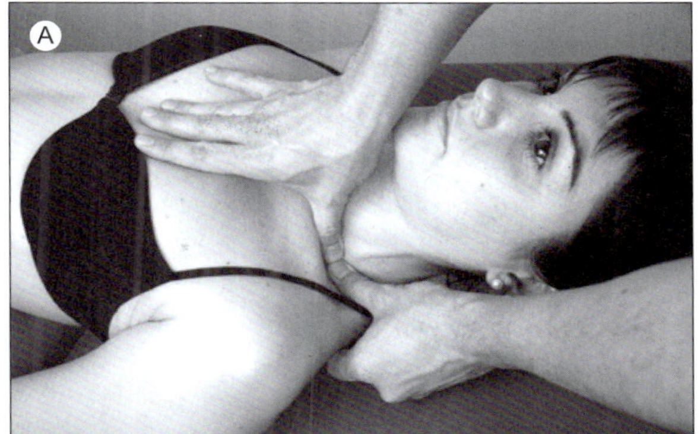

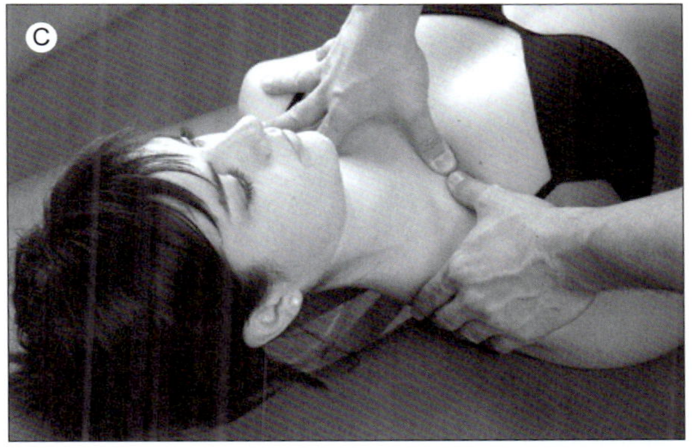

그림 3-52 ■ (A-C) 첫 번째 늑골의 하강을 위한 진동 가동법.

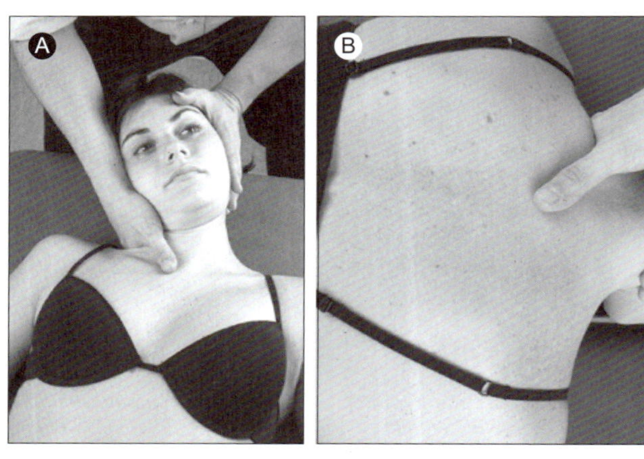

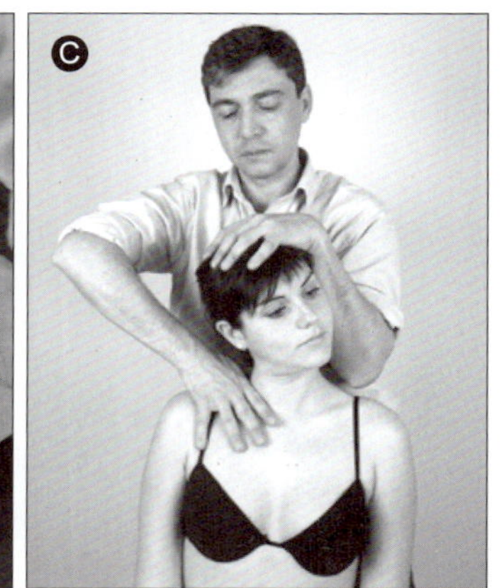

그림 3-53 ■ (A-C) 첫 번째 늑골의 하강을 위한 고속 동작.

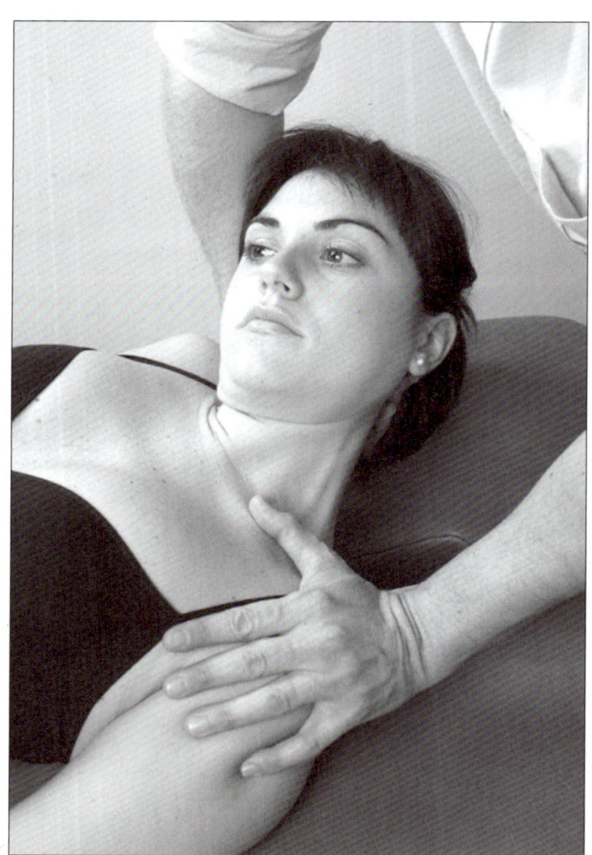

그림 3-54 ■ 목갈비근(사각근)의 스트레칭. 수축-이완 기법을 사용하여 치료사는 한 손으로 견갑대를 안정화시키고 경추를 점진적으로 측면 경사로 가져간다.

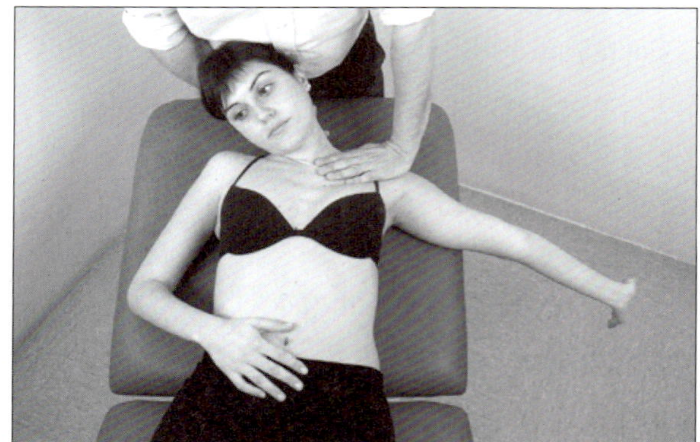

그림 3-55 ■ 신경 긴장 위치와 관련된 목갈비근(사각근) 근육의 스트레칭.

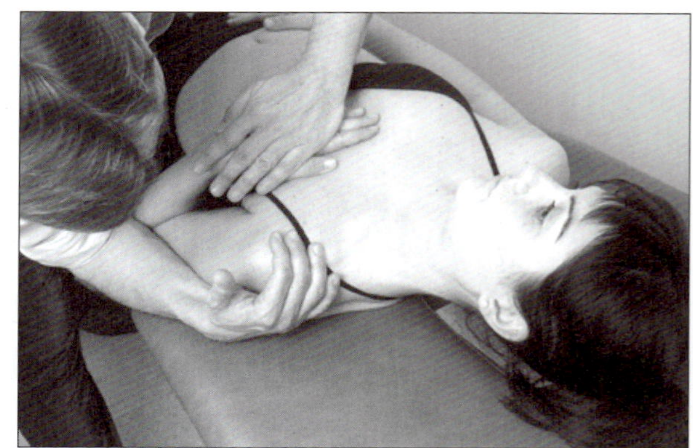

그림 3-56 ■ 작은가슴근(소흉근)의 스트레칭. 환자가 숨을 내쉬는 동안 견갑골을 안정화시키면서 치료사는 상부 갈비뼈의 하강을 유도한다.

근육 치료

사각극간 공간을 확보하기 위해, 기술은 전방 및 중간 목갈비근(사각근) (**그림 3-54**)을 스트레칭하여 목갈비근간 근육 그룹의 신전성을 향상시키는 것을 목표로 한다.[288] 이 스트레칭은 상지의 신경 긴장 위치와 관련될 수 있다(**그림 3-55**). 또한, 목갈비근 근육의 스트레칭은 첫 번째 갈비뼈의 가동성을 되돌릴 수 있다.[288] 후흉근 공간의 근육 치료는 작은가슴근(소흉근)을 스트레칭하기 위한 것이다(**그림 3-56**).

신경 역학 치료(Neurodynamic treatment)

흉곽출구증후군(TOS)에서 유용할 수 있는 신경 역학적 기법은 경추 신경근병증 치료에 사용되는 기법과 유사하며 이 장에서 설명하지 않는다(이 책의 1장과 2장 참조). 이러한 기술의 목적은 내재적 혈관화 및 축삭 수송의 기전에 작용하고 신경 기계 민감도를 감소시키는 신경 조직의 이동성을 복원하는 것이다. 신경 역학 기술은 첫 번째 갈비뼈를 가동시키는 기동과 관련될 수 있으며 아래에 예가 설명되어 있다.

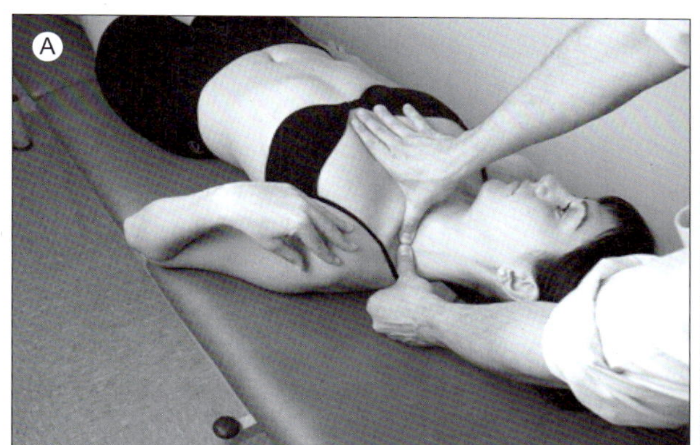

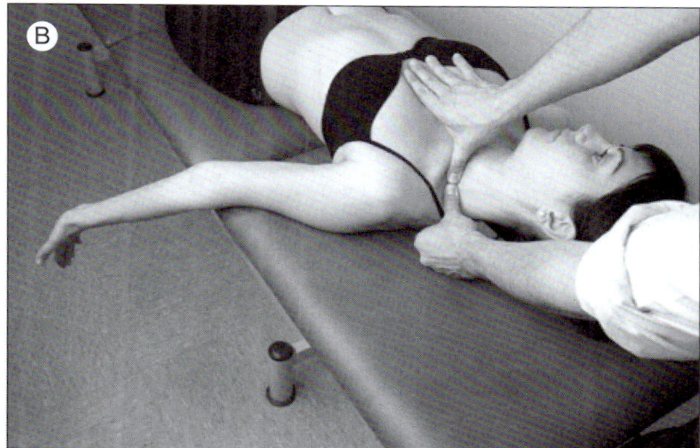

그림 3-57 ■ 첫 번째 늑골의 하강과 함께 신경 활주 동작. 첫 번째 갈비뼈의 하강 단계에서 환자는 팔꿈치를 구부리고(A) 치료사가 첫 번째 갈비뼈에 대한 압력을 해제하면 환자는 팔꿈치를 펼친다(B).

그림 3-58 ■ 목갈비근(사각근) 근육과 신경 가동을 위한 스트레칭 운동. 팔꿈치 굴곡(A)과 목뼈가 중립 위치에 있는(B) 손목과 팔꿈치의 신전으로 시작하는 신경 장력기법와 관련된 목갈비근(사각근) 근육의 자가 스트레칭.

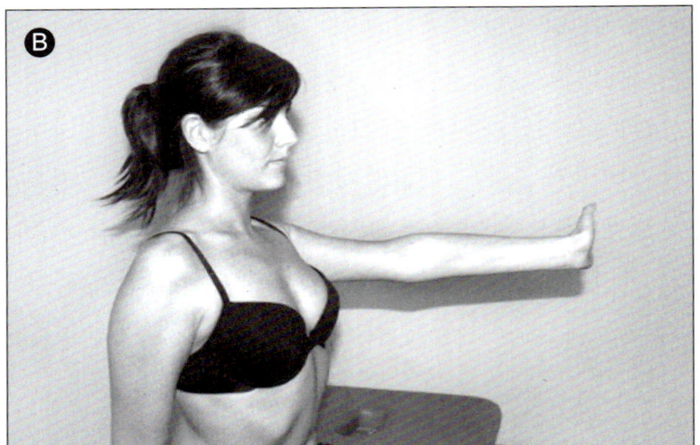

그림 3-59 ■ 늑쇄골 좁쇠의 수평 개방 운동 및 신경 가동. 환자는 늑쇄골 좁쇠의 개방을 유발하는 어깨의 내전을 수행하고 동시에 손목을 굴곡시킨다(A). 어깨를 중립 위치로 되돌리는 동안 환자는 손목을 뻗는다(B).

그림 3-60 ■ 늑쇄골 좁쇠의 수직 개방 운동 및 신경 가동. 환자는 팔꿈치와 손목(B)의 확장과 관련된 견갑대의 거상을 수행한다. 복귀 동작 동안 견갑대 하강과 동시에 환자는 팔꿈치와 손목을 구부린다(A).

첫 번째 늑골의 도움으로 신경 활주 가동법

예시로 첫 번째 왼쪽 갈비뼈에 적용된 기술을 설명한다.

환자는 앙와위 자세에서 치료사는 쇄골 상부 공간 높이에서 두 엄지손가락으로 첫 번째 갈비뼈의 위쪽 부분을 만지면서 테이블 머리 옆에 있다(**그림 3-57**). 환자의 머리를 약간 반대쪽으로 기울인 상태로 치료사는 엄지손가락으로 첫 번째 갈비뼈 위로 힘을 가한다. 환자는 첫 번째 갈비뼈가 낮아질 때 오른쪽 팔꿈치를 구부리도록 요청받는다. 그런 다음 치료사가 첫 번째 갈비뼈에 대한 압력을 해제할 때 환자에게 팔꿈치를 펴도록 요청한다. 치료의 더 진행된 단계에서는 신경 조직에 더 많은 긴장을 가하기 위해 최대 오른쪽 경추 경사 위치에서 시작하여 동일한 조작을 수행

그림 3-61 ■ (A, B) 작은가슴근(소흉근) 및 신경 가동을 위한 스트레칭 운동.

할 수 있다. 이 기술은 첫 번째 늑골의 하강 및 팔꿈치 확장의 구성 요소가 있는 오른쪽 경추 경사와 결합될 때 신경 긴장 기술로 전환될 수 있다.

마지막으로 치료사는 신경 조직에 어느 정도의 긴장을 가하는 운동을 적용할 수 있다. 신경 포착의 가능한 영역을 해제하기 위한 치료는 흉곽 출구에서 신경총의 긴장을 감소시킬 수 있다.

간기 및 신경 조직을 하루에 여러번 가동시키기 위해 환자가 하루에 여러번 운동을 수행하는 것이 중요하다. 1장에 설명된 연습 중 일부를 사용할 수 있다. 몇 가지 예가 **그림 3-58 - 그림 3-61**에 설명되어 있다.

견갑대의 운동조절 재교육

(Re - education of the motor control of the shoulder girdle)

중립견갑자세 조절 재교육

환자는 견갑골을 최적의 중립 위치에 놓고 이 위치를 능동적이고 의식적으로 유지하도록 훈련할 수 있으며, 대치없이 10-15초 동안 저강도 수축으로 이 위치를 유지할 수 있다.

Mottram은[143] 오른쪽 견갑골 운동을 수행할 때 환자가 반대측 손의 손가락(집게 또는 가운데)을 오훼돌기(coracoid process)에 놓고 손이 작은가슴근(소흉근) 방향을 따라야 한다고 권장한다. 이 위치에서 시작하여 환자는 오훼를 손가락에서 멀리 움직여야

그림 3-62 ■ 중립 견갑골 위치 제어의 재훈련.

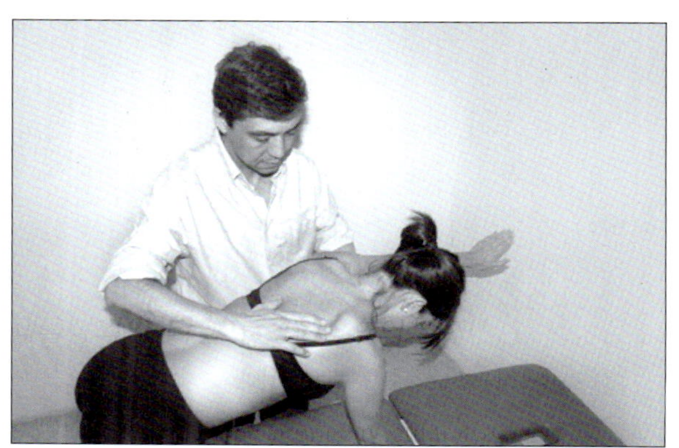

그림 3-63 ■ 닫힌 운동 사슬에서 앞톱니근의 가동 운동.

그림 3-64 ■ (A, B) 앞톱니근(전거근)의 가동 운동.

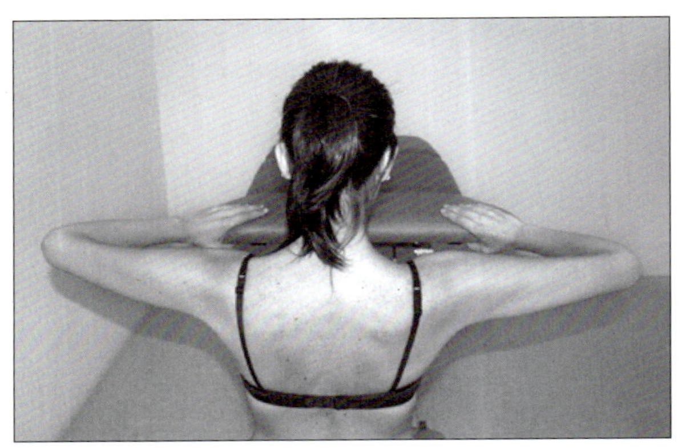

그림 3-65 ■ 앉아 있는 동안 견갑대의 운동조절.

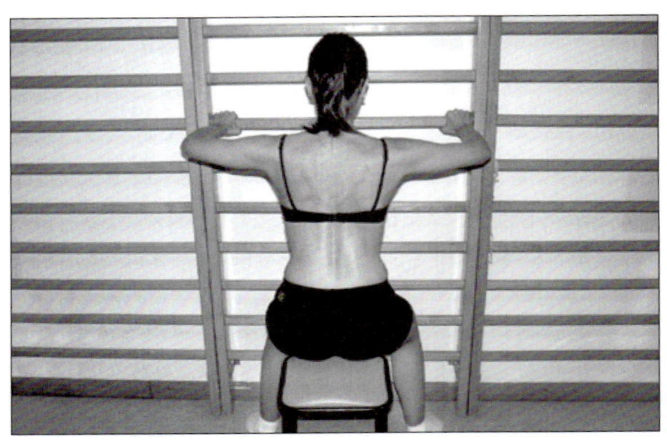

그림 3-66 ■ 벽 막대세트 뒤에 앉았을 때 견갑대의 운동조절.

한다(**그림 3-62**).

환자가 팔을 몸에 따라 놓고 이 운동을 수행할 수 없으면 견갑골을 30° 수평 외전으로 유지하면서 60~70° 어깨 외전으로 테이블 위에서 상지를 지지함으로써 상지를 내릴 수 있다. 이 위치에서 환자가 견갑골의 적절한 중립 위치를 얻는 것이 일반적으로 더 쉽다. 중립자세를 취한 후 환자는 견갑골의 위치를 조절하면서 팔꿈치를 테이블에서 1cm 들어 올려야 한다. 어깨 외전을 줄이고 낮은 진폭의 외전-내전 동작을 수행하여 운동의 난이도를 높일 수 있다.

환자가 이상적인 견갑골 자세를 유지할 수 있게 되면 견갑골 중립 자세를 유지하면서 90° 견갑상완 굴곡 또는 60° 외전을 요구함으로써 더 높은 난이도를 추가할 수 있다. 견갑골 위치의 제어는 동심 수축 단계와 시작 위치로 복귀하는 편심 단계 모두에서 유지되어야 한다.

닫힌 운동 사슬에서 앞톱니근 가동 운동

스핑크스의 앞톱니근(전거근, serratus anterior)을 평가하기 위해 설명한 것과 동일한 검사 또는 4개 지점에서 무릎을 꿇고 운동으로 사용할 수 있다. 이 운동의 진행은 환자가 팔로만 지지되는 4개 지점에서 무릎을 꿇고 있는 동안 적절한 견갑골 중립 위치를 포함할 것이다(**그림 3-63**).

앞톱니근(전거근)에 대한 일부 가동 운동은 앙와위에서 하중을 사용하거나 다양한 높이에서 팔에 체

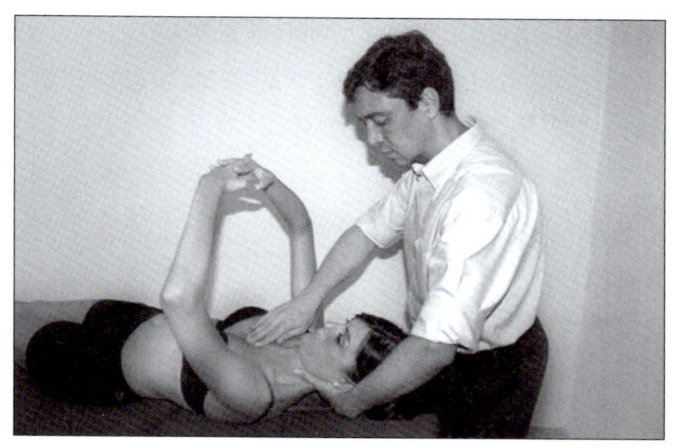

그림 3-67 ■ 앙와위 자세에서 견갑대의 내밈 운동.

중을 실은 상태에서 대상을 벽에서 점차적으로 더 멀리 이동시키면서 수행할 수 있다(**그림 3-64**).

앉아 있는 동안 견갑대 운동조절

환자는 테이블을 향해 의자에 앉아 있다. 팔은 외전 90°, 수평 외전 30°이다. 환자는 테이블 가장자리를 양손으로 잡고 견갑골을 약간 위쪽으로 회전시킨 상태로 흉부에 붙인 상태를 유지하면서 외전-내전-수평 내전 및 굴곡-신전에서 저강도의 리드미컬한 안정화를 수행한다(**그림 3-65**).

벽 막대세트 뒤에 앉았을 때 견갑대 운동조절

시작 위치는 이전 운동과 동일하지만 이 경우 환자는 양손으로 벽 막대 세트를 잡는다. 견갑골의 위치가 올바르게 제어되면 환자는 의자에서 1cm 이동한다(**그림 3-66**). 상지의 다양한 높이에서 견갑골 조절을 향상시키기 위해 손을 다른 높이에 배치할 수 있다.

누운 상태에서 견갑대 내밈 운동

환자는 머리와 척추 전체의 올바른 정렬을 유지하면서 앙와위 자세를 취한다. 그 다음 환자는 숨을 내쉬면서 윗갈비뼈를 내리고 어깨와 팔꿈치, 손목을 굴곡시킨 자세에서 양 어깨를 내밈시킨다(**그림 3-67**). 이 운동은 늑쇄골 죔쇠를 열고 신경혈관 조직의 이동성을 증가시킨다. 운동은 앉아서도 할 수 있다.

견갑대의 운동조절 훈련은 척추 전체의 정렬에 대한 적절한 재훈련이 필요하다.

외과적 치료
SURGICAL TREATMENT

외과적 치료는 보존적 치료에 실패한 환자 또는 심각한 혈관 또는 신경학적 결함을 보이는 환자에게만 사용해야 한다. 흉곽출구증후군(TOS)수술은 매우 복잡하고 높은 수준의 이환율을 가지고 있다. 신경총, 횡격막 신경 및 장흉신경, 쇄골하 정맥 및 동맥의 손상, 흉막 천공과 같은 다양한 의인성 손상이 보고되었다. 따라서 말초신경외과 전문의, 경우에 따라서는 혈관, 흉부외과 전문의가 필요하다. 높은 수준의 수술 실패가 있다. 첫 번째 수술 중재의 28%가 실패한다.

혈관성 흉곽출구증후군(TOS)은 항응고제 및 섬유소 용해제를 사용한 의학적 치료와 관련된 감압 외과적 치료가 필요하며 일부 경우에는 혈관 수술이 필요하다. 이 수술은 환자가 증상이 없더라도 뼈나 부드러운 부분의 변형으로 인해 쇄골하 혈관의 기형이 발생할 때 권장된다. 허혈의 경우 수술이 시급하며, 허혈의 위험이 있는 경우 조기에 시행해야 한다.

전형적인 Gilliatt-Sumner 손을 포함하는 진정한 신경성 흉곽출구증후군(TOS)의 경우 완전한 회복 가능성은 제한적이지만 수술이 분명히 권장된다. 고통스러운 증상을 줄이기 위해 외과적 치료도 권장된다.

액와, 전방 및 후방 세 가지 유형의 접근 방식이 사용된다: 현재 가장 일반적으로 사용되는 기술은 액와 접근 방식과 전방 목갈비근(사각근)절개를 이용한 첫 번째 늑골 절제술이다.

이 감압 수술을 받은 환자는 임상 프로파일의 중증도와 진화에 따라 초기 증상이 개선될 확률이 60-90%이며 이전 활동으로 돌아갈 가능성은 다양하다.

수술 후 흉곽출구증후군(TOS)의 재발은 흉터 조직이 형성되고 신경 혈관 조직이 주변 조직에 유착되기 때문이다. 따라서 24시간 이내에 물리치료를 시작하는 것이 필수적이다. 이러한 목표를 달성하기 위해서는 견갑대와 경추의 점진적인 가동화 기술과 신경 조직의 가동화 기술이 필요하다. 최소 6개월, 바람직하게는 1년 동안 상완 신경총과 쇄골하 혈관의 활주 운동을 계속하는 것이 좋다. 종종 피험자는 8–10주 이내에 정상적인 활동으로 돌아갈 수 있다.

결론 CONCLUSION

흉곽출구증후군(TOS)은 현재 가장 논란이 많은 임상 중 하나이다. 일부 저자는 흉곽출구증후군(TOS)이 너무 자주 진단된다고 생각하지만, 다른 저자는 불충분하게 진단된 병리학으로 간주한다.

흉곽출구증후군(TOS)은 진단이 복잡하기 때문에 다루기 어려운 신경혈관 압박 상태 중 하나이다. 임상 증상은 매우 다양할 수 있으므로 식별하기 쉬운 단일 임상 상태가 없다. 흉곽출구증후군(TOS)의 발달에서, 항상 그런 것은 아니지만, 이러한 해부학적 협소 공간의 뼈 구조 또는 연조직의 선천적 해부학적 기형이 종종 관련된다. 흉곽출구증후군(TOS)은 견갑대와 경추 및 흉추의 정적 및 동적 균형의 변경이 설정에 자주 포함되는 방식으로 동적 개체이다. 흉곽출구증후군(TOS)의 진단은 대부분의 환자에서 일반적으로 음성 또는 불분명한 결과를 생성하기 때문에 주로 임상적이다.

대부분의 환자에서 보존적 치료를 사용하는 것이 바람직하며 흉곽 출구의 기능적 공간을 늘리고 신경혈관 구조의 압박과 주변 조직에 대한 유착 가능성을 줄이는 것이 목표이다. 외과적 치료는 보존적 치료에 성공하지 못한 환자 또는 심각한 혈관 또는 신경학적 결손 및 치료할 수 없는 통증을 나타낼 수 있는 환자를 위해 유보되어야 한다. 만성적 성격을 띠는 경향이 있는 다른 고통스러운 상태에서와 같이, 심리사회적 측면은 병인과 예후 모두에서 중요한 역할을 한다. 따라서 어떤 경우에는 이러한 환자에 대해 다차원적 접근을 채택해야 한다.

참고문헌

1. Nichols AW. The thoracic outlet syndrome in athletes. J Am Board Fam Pract 1996;9(5):346–55.
2. Athanassiadi K, Kalavrouziotis G, Karydakis K, et al. Treatment of thoracic outlet syndrome: long-term results. World J Surg 2001;25(5):553–7.
3. Atasoy E. History of thoracic outlet syndrome. Hand Clin 2004;20(1):15–16, v.
4. Atasoy E. Thoracic outlet compression syndrome. Orthop Clin North Am 1996;27(2):265–303.
5. Novak CB, Mackinnon SE. Thoracic outlet syndrome. Orthop Clin North Am 1996;27(4):747–62.
6. Roos DB. Thoracic outlet syndrome is underdiagnosed. Muscle Nerve 1999;22(1):126–9, discussion 137–8.
7. Oates SD, Daley RA. Thoracic outlet syndrome. Hand Clin 1996;12(4):705–18.
8. Leffert R. The conundrum of thoracic outlet surgery. Tech Should Elb Surg 2002;3(4):262–70.
9. Naidu S, Kothari M. Thoracic outlet syndrome: does fiction outweigh facts? Curr Opin Orthop 2003;14:209–14.
10. Huang JH, Zager EL. Thoracic outlet syndrome. Neurosurgery 2004;55(4):897–902, discussion 902–3.
11. Wilbourn AJ. Thoracic outlet syndrome is overdiagnosed. Muscle Nerve 1999;22(1):130–6, discussion 136–7.
12. Cherington M, Happer I, Machanic B, et al. Surgery for thoracic outlet syndrome may be hazardous to your health. Muscle Nerve 1986;9(7):632–4.
13. Novak CB, Mackinnon SE, Patterson GA. Evaluation of patients with thoracic outlet syndrome. J Hand Surg Am 1993;18(2):292–9.
14. Hendler NH, Kozikowski JG. Overlooked physical diagnoses in chronic pain patients involved in litigation. Psychosomatics 1993;34(6):494–501.
15. Roos DB. Historical perspectives and anatomic considerations. Thoracic outlet syndrome. Semin Thorac Cardiovasc Surg 1996;8(2):183–9.
16. Parziale JR, Akelman E, Weiss AP, et al. Thoracic outlet syndrome. Am J Orthop 2000;29(5):353–60.
17. Edwards DP, Mulkern E, Raja AN, et al. Trans-axillary first rib excision for thoracic outlet syndrome. J R Coll Surg Edinb 1999;44(6):362–5.
18. Shukla PC, Carlton FB Jr. Diagnosis of thoracic outlet syndrome in the emergency department. South Med J 1996;89(2): 212–17.
19. Schenardi C. Whiplash injury. TOS and double crush syndrome. Forensic medical aspects. Acta Neurochir Suppl 2005;92:25–7.
20. Birch R, Bonney G, Parry CW. Surgical disorders of the peripheral nerves. London: Churchill Livingstone; 1998.
21. Wilbourn AJ. Thoracic outlet syndromes: a plea for conservatism. Neurosurg Clin N Am 1991;2(1):235–45.
22. Yanaka K, Asakawa H, Matsumaru Y, et al. Diagnosis of vascular compression at the thoracic outlet using magnetic resonance angiography. Eur Neurol 2004;51(2):122–3.
23. Clarys JP, Barbaix E, Van Rompaey H, et al. The muscular

arch of the axilla revisited: its possible role in the thoracic outlet and shoulder instability syndromes. Man Ther 1996;1(3): 133–9.
24. Whitenack S, Hunter J, Jaeger S, et al. Thoracic outlet syndrome: a brachial plexopathy. In: Hunter J, Mackin E, Callahan A, editors. Rehabilitation of the hand: surgery and therapy. St Louis: Mosby; 1995. p. 857–84.
25. Leffert RD. Thoracic outlet syndromes. Hand Clin 1992; 8(2):285–97.
26. Mackinnon SE, Patterson GA, Novak CB. Thoracic outlet syndrome: a current overview. Semin Thorac Cardiovasc Surg 1996;8(2):176–82.
27. Anthony M. Thoracic outlet syndrome. In: Clark G, editor. Hand rehabilitation. A practical guide. 2nd ed. New York: Churchill Livingstone; 1997. p. 195–212.
28. Lord JW Jr. Critical reappraisal of diagnostic and therapeutic modalities for thoracic outlet syndromes. Surg Gynecol Obstet 1989;168(4):337–40.
29. Swift TR, Nichols FT. The droopy shoulder syndrome. Neurology 1984;34(2):212–15.
30. Wilbourn AJ. The thoracic outlet syndrome is overdiagnosed. Arch Neurol 1990;47(3):328–30.
31. Le Forestier N, Moulonguet A, Maisonobe T, et al. True neurogenic thoracic outlet syndrome: electrophysiological diagnosis in six cases. Muscle Nerve 1998;21(9):1129–34.
32. Kai Y, Oyama M, Kurose S, et al. Neurogenic thoracic outlet syndrome in whiplash injury. J Spinal Disord 2001;14(6): 487–93.
33. Konuskan B, Bozkurt MC, Tagil SM, et al. Cadaveric observation of an aberrant left subclavian artery: a possible cause of thoracic outlet syndrome. Clin Anat 2005;18(3):215–16.
34. Becker F. Thoracic outlet syndrome. Rev Med Suisse 2005;1(4):306, 308–11.
35. Green RM. Vascular manifestations of the thoracic outlet syndrome. Semin Vasc Surg 1998;11(2):67–76.
36. Felice KJ, Butler KB, Druckemiller WH. Cervical root stimulation in a case of classic neurogenic thoracic outlet syndrome. Muscle Nerve 1999;22(9):1287–92.
37. Redenbach DM, Nelems B. A comparative study of structures comprising the thoracic outlet in 250 human cadavers and 72 surgical cases of thoracic outlet syndrome. Eur J Cardiothorac Surg 1998;13(4):353–60.
38. Urschel HC Jr, Razzuk MA. Neurovascular compression in the thoracic outlet: changing management over 50 years. Ann Surg 1998;228(4):609–17.
39. Leffert RD. Thoracic outlet syndrome. J Am Acad Orthop Surg 1994;2(6):317–25.
40. Le Forestier N, Mouton P, Maisonobe T, et al. True neurological thoracic outlet syndrome. Rev Neurol (Paris) 2000;156(1): 34–40.
41. Urschel HC, Patel A. Thoracic outlet syndromes. Curr Treat Options Cardiovasc Med 2003;5(2):163–8.
42. Naidu S, Khotari M. Thoracic outlet syndrome: does fiction outweigh facts? Curr Opin Orthop 2003;14:209–14.
43. Makhoul RG, Machleder HI. Developmental anomalies at the thoracic outlet: an analysis of 200 consecutive cases. J Vasc Surg 1992;16(4):534–42, discussion 542–5.
44. Reid JR, Morrison SC, DiFiore JW. Thoracic outlet syndrome with subclavian aneurysm in a very young child: the complementary value of MRA and 3D-CT in diagnosis. Pediatr Radiol 2002;32(1):22–4.
45. Yang J, Letts M. Thoracic outlet syndrome in children. J Pediatr Orthop 1996;16(4):514–17.
46. Nannapaneni R, Marks SM. Neurogenic thoracic outlet syndrome. Br J Neurosurg 2003;17(2):144–8.
47. Sällström J, Thulesius O. Non-invasive investigation of vascular compression in patients with thoracic outlet syndrome. Clin Physiol 1982;2(2):117–25.
48. Cooke RA. Thoracic outlet syndrome – aspects of diagnosis in the differential diagnosis of hand-arm vibration syndrome. Occup Med (Lond) 2003;53(5):331–6.
49. Demondion X, Bacqueville E, Paul C, et al. Thoracic outlet: assessment with MR imaging in asymptomatic and symptomatic populations. Radiology 2003;227(2):461–8.
50. Roos DB. Congenital anomalies associated with thoracic outlet syndrome. Anatomy, symptoms, diagnosis, and treatment. Am J Surg 1976;132(6):771–8.
51. Roos DB. Pathophysiology of congenital anomalies in thoracic outlet syndrome. Acta Chir Belg 1980;79(5):353–61.
52. Atasoy E. Thoracic outlet syndrome: anatomy. Hand Clin 2004;20(1):7–14, v.
53. Collins JD, Disher AC, Miller TQ. The anatomy of the brachial plexus as displayed by magnetic resonance imaging: technique and application. J Natl Med Assoc 1995;87(7):489–98.
54. Pang D, Wessel HB. Thoracic outlet syndrome. Neurosurgery 1988;22(1 Pt 1):105–21.
55. Lusskin R, Weiss CA, Winer J. The role of the subclavius muscle in the subclavian vein syndrome (costoclavicular syndrome) following fracture of the clavicle. A case report with a review of the pathophysiology of the costoclavicular space. Clin Orthop Relat Res 1967;54:75–83.
56. Hama H, Matsusue Y, Ito H, et al. Thoracic outlet syndrome associated with an anomalous coracoclavicular joint. A case report. J Bone Joint Surg Am 1993;75(9):1368–9.
57. Molina JE. Need for emergency treatment in subclavian vein effort thrombosis. J Am Coll Surg 1995;181(5):414–20.
58. Hasan SS, Romeo AA. Thoracic outlet syndrome secondary to an anomalous subclavius muscle. Orthopedics 2001;24(8): 793–4.
59. Sanders RJ, Hammond SL. Subclavian vein obstruction without thrombosis. J Vasc Surg 2005;41(2):285–90.
60. Wayman J, Miller S, Shanahan D. Anatomical variation of the insertion of scalenus anterior in adult human subjects: implications for clinical practice. J Anat 1993;183(Pt 1): 165–7.
61. Wright I. The neurovascular syndrome produced by hyperabduction of the arm. Am Heart J 1945;29:1–19.
62. Miguel M, Llusa M, Ortiz JC, et al. The axillopectoral muscle (of Langer): report of three cases. Surg Radiol Anat 2001;23(5):341–3.
63. Yuksel M, Yuksel E, Surucu S. An axillary arch. Clin Anat 1996;9(4):252–4.
64. Vischi S, Roesel R, Capriata G, et al. The axillo-pectoral muscle and Karl Langer: an anatomical variation and a rather unknown great anatomist. Minerva Chir 2003;58(6):833–7.
65. Suzuma T, Sakurai T, Yoshimura G, et al. Magnetic resonance axillography for preoperative diagnosis of the axillopectoral muscle (Langer's axillary arch): a case report. Breast Cancer 2003;10(3):281–3.
66. Daniels IR, della Rovere GQ. The axillary arch of Langer – the most common muscular variation in the axilla. Breast Cancer Res Treat 2000;59(1):77–80.
67. Turgut HB, Peker T, Gulekon N, et al. Axillopectoral muscle

(Langer's muscle). Clin Anat 2005;18(3):220–3.
68. Bergman RA. Doubled pectoralis quartus, axillary arch, chondroepitrochlearis, and the twist of the tendon of pectoralis major. Anat Anz 1991;173(1):23–6.
69. Ucerler H, Ikiz ZA, Pinan Y. Clinical importance of the muscular arch of the axilla (axillopectoral muscle, Langer's axillary arch). Acta Chir Belg 2005;105(3):326–8.
70. Keshtgar MR, Saunders C, Ell PJ, et al. Langer's axillary arch in association with sentinel lymph node. Breast 1999;8(3): 152–3.
71. Bonastre V, Rodriguez-Niedenfuhr M, Choi D, et al. Coexistence of a pectoralis quartus muscle and an unusual axillary arch: case report and review. Clin Anat 2002;15(5): 366–70.
72. Babu ED, Khashaba A. Axillary arch and its implications in axillary dissection – review. Int J Clin Pract 2000;54(8): 524–5.
73. Petrasek AJ, Semple JL, McCready DR. The surgical and oncologic significance of the axillary arch during axillary lymphadenectomy. Can J Surg 1997;40(1):44–7.
74. Dharap A. An unusually medial axillary arch muscle. J Anat 1994;184(Pt 3):639–41.
75. Serpell JW, Baum M. Significance of 'Langer's axillary arch' in axillary dissection. Aust N Z J Surg 1991;61(4):310–12.
76. Brantigan CO, Roos DB. Etiology of neurogenic thoracic outlet syndrome. Hand Clin 2004;20(1):17–22.
77. Naffziger H, Grant W. Neuritis of the brachial plexus mechanical in origin. The escalenus syndrome. Surg Gynecol Obstet 1938;67:722–30.
78. Ochsner A, Gage M, DeBakey M. Scalenus anticus (Naffziger) syndrome. Am J Surg 1935;28:669–95.
79. Keller T. Howard Christian Naffziger: the surgeon and his syndrome. Am Surg 1998;64(4):376–7.
80. Thomas GI, Jones TW, Stavney LS, et al. The middle scalene muscle and its contribution to the thoracic outlet syndrome. Am J Surg 1983;145(5):589–92.
81. Sanders RJ, Jackson CG, Banchero N, et al. Scalene muscle abnormalities in traumatic thoracic outlet syndrome. Am J Surg 1990;159(2):231–6.
82. Sanders RJ. Results of the surgical treatment for thoracic outlet syndrome. Semin Thorac Cardiovasc Surg 1996;8(2): 221–8.
83. Machleder HI, Moll F, Verity MA. The anterior scalene muscle in thoracic outlet compression syndrome. Histochemical and morphometric studies. Arch Surg 1986;121(10):1141–4.
84. Juvonen T, Satta J, Laitala P, et al. Anomalies at the thoracic outlet are frequent in the general population. Am J Surg 1995;170(1):33–7.
85. Leffert R. Thoracic outlet syndrome. In: Gelberman R, editor. Operative nerve repair and reconstruction. Philadelphia: Lippincott; 1991. p. 1177–95.
86. Tender GC, Thomas AJ, Thomas N, et al. Gilliatt-Sumner hand revisited: a 25-year experience. Neurosurgery 2004;55(4):883– 90, discussion 890.
87. Wood VE, Twito R, Verska JM. Thoracic outlet syndrome. The results of first rib resection in 100 patients. Orthop Clin North Am 1988;19(1):131–46.
88. Sanders RJ, Hammond SL. Management of cervical ribs and anomalous first ribs causing neurogenic thoracic outlet syndrome. J Vasc Surg 2002;36(1):51–6.
89. Roos DB. The place for scalenectomy and first-rib resection in thoracic outlet syndrome. Surgery 1982;92(6):1077–85.
90. Whitenack S, Hunter J, Jaeger S, et al. Thoracic outlet syndrome: a brachial plexopathy. In: Hunter J, Mackin E, Callahan A, editors. Rehabilitation of the hand: surgery and therapy. Philadelphia: Mosby; 1995. p. 857–84.
91. Gruber W. Ueber die Halsrippen des Menschen mit vergleichend-anatomischen Remerkungen. Mem Acad Imper Sci St Petersburg 1869;7 Ser:No 2.
92. Sargent P. Lesions of the brachial plexus associated with rudimentary ribs. Brain 1921;44:95–124.
93. Erken E, Ozer HT, Gulek B, et al. The association between cervical rib and sacralization. Spine 2002;27(15):1659–64.
94. Falconer M, Weddell G. Costo-clavicular compression of the subclavian artery and vein. Relation to scalenus syndrome. Lancet 1943;ii:539–43.
95. Forcada P, Rodríguez-Niedenführ M, Llus M, et al. Subclavius posticus muscle: supernumerary muscle as a potencial cause for thoracic outlet syndrome. Clin Anat 2001;14: 55–7.
96. Akita K, Tsuboi Y, Sakamoto H, et al. A case of muscle subclavius posticus with special reference to its innervation. Surg Radiol Anat 1996;18(4):335–7.
97. Gillard J. Diagnosing thoracic outlet syndrome: contribution of provocative test, ultrasonography, electrophysiology, and helical computed tomography in 48 patients. Joint Bone Spine 2001;68:416–24.
98. Chen DJ, Chuang DC, Wei FC. Unusual thoracic outlet syndrome secondary to fractured clavicle. J Trauma 2002;52(2):393– 8, discussion 398–9.
99. Hill JM, McGuire MH, Crosby LA. Closed treatment of displaced middle-third fractures of the clavicle gives poor results.
J Bone Joint Surg Br 1997;79(4):537–9.
100. Davidovic LB, Kostic DM, Jakovljevic NS, et al. Vascular thoracic outlet syndrome. World J Surg 2003;27(5):545–50.
101. Hughes AW, Sherlock DA. Bilateral thoracic outlet syndrome following non-union of clavicles, associated with radioosteodystrophy. Injury 1988;19(1):40–1.
102. Kitsis CK, Marino AJ, Krikler SJ, et al. Late complications following clavicular fractures and their operative management.
Injury 2003;34(1):69–74.
103. Subramonia S, Holdsworth D. Neurogenic thoracic outlet syndrome secondary to non-union os unrecognised first rib fracture. EJVES 2004;7:40–2.
104. Merida-Velasco JR, Rodriguez Vazquez JF, Merida Velasco JA, et al. Axillary arch: potential cause of neurovascular compression syndrome. Clin Anat 2003;16(6):514–19.
105. Sachatello CR. The axillopectoral muscle (Langer's axillary arch): a cause of axillary vein obstruction. Surgery 1977;81(5):610–12.
106. Capistrant TD. Thoracic outlet syndrome in cervical strain injury. Minn Med 1986;69(1):13–17.
107. Ellison DW, Wood VE. Trauma-related thoracic outlet syndrome. J Hand Surg [Br] 1994;19(4):424–6.
108. Magnusson T. Extracervical symptoms after whiplash trauma.
Cephalalgia 1994;14(3):223–7, discussion 181–2.
109. Mailis A, Papagapiou M, Vanderlinden RG, et al. Thoracic outlet syndrome after motor vehicle accidents in a Canadian pain clinic population. Clin J Pain 1995;11(4): 316–24.
110. Casbas L, Chauffour X, Cau J, et al. Post-traumatic thoracic outlet syndromes. Ann Vasc Surg 2005;19(1):25–8.
111. Mulder DS, Greenwood FA, Brooks CE. Posttraumatic

thoracic outlet syndrome. J Trauma 1973;13(8):706–15.
112. Evans RW. Some observations on whiplash injuries. Neurol Clin 1992;10(4):975–97.
113. Ferrari R, Bohr T, Wilbourn AJ. Thoracic outlet syndrome (TOS) is one of the traumatic complications of whiplash injury. J Spinal Disord Tech 2002;15(4):334–5.
114. Kai Y, Oyama M, Kurose S, et al. Neurogenic thoracic outlet syndrome in whiplash injury [see comment]. J Spinal Disord 2001;14(6):487–93.
115. Alexandre A, Coro L, Azuelos A, et al. Thoracic outlet syndrome due to hyperextension-hyperflexion cervical injury. Acta Neurochir Suppl 2005;92:21–4.
116. Carty NJ, Carpenter R, Webster JH. Continuing experience with transaxillary excision of the first rib for thoracic outlet syndrome. Br J Surg 1992;79(8):761–2.
117. Hempel GK, Rusher AH Jr, Wheeler CG, et al. Supraclavicular resection of the first rib for thoracic outlet syndrome. Am J Surg 1981;141(2):213–15.
118. Sällström J, Schmidt H. Cervicobrachial disorders in certain occupations, with special reference to compression in the thoracic outlet. Am J Ind Med 1984;6(1):45–52.
119. Sheon RP. Repetitive strain injury. 2. Diagnostic and treatment tips on six common problems. The Goff Group. Postgrad Med 1997;102(4):72–8, 81, 85 passim.
120. Sheth RN, Belzberg AJ. Diagnosis and treatment of thoracic outlet syndrome. Neurosurg Clin N Am 2001;12(2):295–309.
121. Tilki HE, Stalberg E, Incesu L, et al. Bilateral neurogenic thoracic outlet syndrome. Muscle Nerve 2004;29(1):147–50.
122. Fiorentini C, Mattioli S, Graziosi F, et al. Occupational relevance of subclavian vein thrombosis in association with thoracic outlet syndrome. Scand J Work Environ Health 2005;31(2):160–3.
123. Pratikto TH, Zwetschke V, Goyen M, et al. Recurrent exercise induced subclavian vein thrombosis in a conductor. Vasa 2002;31(3):209–11.
124. Strukel RJ, Garrick JG. Thoracic outlet compression in athletes a report of four cases. Am J Sports Med 1978;6(2):35–9.
125. Esposito MD, Arrington JA, Blackshear MN, et al. Thoracic outlet syndrome in a throwing athlete diagnosed with MRI and MRA. J Magn Reson Imaging 1997;7(3):598–9.
126. Feugier P, Aleksic I, Salari R, et al. Long-term results of venous revascularization for Paget-Schroetter syndrome in athletes. Ann Vasc Surg 2001;15(2):212–18.
127. Koffler KM, Kelly JD 4th. Neurovascular trauma in athletes. Orthop Clin North Am 2002;33(3):523–34, vi.
128. Richardson AB. Thoracic outlet syndrome in aquatic athletes. Clin Sports Med 1999;18(2):361–78.
129. Casey RG, Richards S, O'Donohoe M. Exercise induced critical ischaemia of the upper limb secondary to a cervical rib. Br J Sports Med 2003;37(5):455–6.
130. Chaudhry MA, Hajarnavis J. Paget-von Schrötter syndrome: primary subclavian-axillary vein thrombosis in sport activities. Clin J Sport Med 2003;13(4):269–71.
131. Lederman RJ. Neuromuscular and musculoskeletal problems in instrumental musicians. Muscle Nerve 2003;27(5):549–61.
132. Clein LJ. The droopy shoulder syndrome. Can Med Assoc J 1976;114(4):343–4.
133. Leffert RD. Thoracic outlet syndrome and the shoulder. Clin Sports Med 1983;2(2):439–52.
134. Kaye BL. Neurologic changes with excessively large breasts. South Med J 1972;65(2):177–80.
135. Al-Shekhlee A, Katirji B. Spinal accessory neuropathy, droopy shoulder, and thoracic outlet syndrome. Muscle Nerve 2003;28(3):383–5.
136. Lindgren KA. TOS (thoracic outlet syndrome) – a functional disease? Duodecim 1994;110(12):1131–9.
137. Lindgren KA, Manninen H, Rytkonen H. Thoracic outlet syndrome – a functional disturbance of the thoracic upper aperture? Muscle Nerve 1995;18(5):526–30.
138. Lindgren KA. Thoracic outlet syndrome with special reference to the first rib. Ann Chir Gynaecol 1993;82(4):218–30.
139. Lindgren KA. Reasons for failures in the surgical treatment of thoracic outlet syndrome. Muscle Nerve 1995;18(12):1484–6.
140. Lindgren KA, Leino E. Subluxation of the first rib: a possible thoracic outlet syndrome mechanism. Arch Phys Med Rehabil 1988;69(9):692–5.
141. Janda V. Muscle strength in relation to muscle length, pain and muscle imbalance. In: Harms-Ringdahl K, editor. Muscle strength. Edinburgh: Churchill Livingstone; 1993. p. 83–91.
142. Mackinnon SE, Novak CB. Clinical commentary: pathogenesis of cumulative trauma disorder. J Hand Surg Am 1994;19(5): 873–83.
143. Mottram SL. Dynamic stability of the scapula. Man Ther 1997;2(3):123–31.
144. Upton AR, McComas AJ. The double crush in nerve entrapment syndromes. Lancet 1973;2(7825):359–62.
145. Lundborg G. Nerve injury and repair. New York: Churchill Livingstone; 1988.
146. Mackinnon SE, Dellon AL. Surgery of the peripheral nerve. New York: Thieme; 1988.
147. Sunderland S. Nerve and nerve injuries. New York: Churchill Livingstone; 1978.
148. Mackinnon SE. Double and multiple 'crush' syndromes. Double and multiple entrapment neuropathies. Hand Clin 1992;8(2):369–90.
149. Mackinnon SE. Pathophysiology of nerve compression. Hand Clin 2002;18(2):231–41.
150. Dellon AL, Mackinnon SE. Chronic nerve compression model for the double crush hypothesis. Ann Plast Surg 1991;26(3): 259–64.
151. Butler D. Mobilisation of the nervous system. New York: Churchill Livingstone; 1991.
152. Mackinnon SE, Novak CB. Thoracic outlet syndrome. Curr Probl Surg 2002;39(11):1070–145.
153. Lord JW Jr, Rosati LM. Thoracic-outlet syndromes. Clin Symp 1971;23(2):1–32.
154. Putters JL, Kaulesar Sukul DM, Johannes EJ. Bilateral thoracic outlet syndrome with bilateral radial tunnel syndrome: a double-crush phenomenon. Case report. Arch Orthop Trauma Surg 1992;111(4):242–3.
155. Narakas AO. The role of thoracic outlet syndrome in the double crush syndrome. Ann Chir Main Memb Super 1990;9(5):331–40.
156. Wood VE, Biondi J. Double-crush nerve compression in thoracic-outlet syndrome. J Bone Joint Surg Am 1990;72(1): 85–7.
157. Sucher BM. Palpatory diagnosis and manipulative management of carpal tunnel syndrome: Part 2. 'Double crush' and thoracic outlet syndrome. J Am Osteopath Assoc 1995;95(8): 471–9.

158. Abe M, Ichinohe K, Nishida J. Diagnosis, treatment, and complications of thoracic outlet syndrome. J Orthop Sci 1999;4(1): 66–9.
159. Blanchard B, Blanchard G, Forcier P, et al. The thoracic outlet: true syndromes, disputed syndrome (TOS, thoracic outlet syndrome). Current status 1991. Rev Med Suisse Romande 1992;112(3):253–66.
160. Gillard J, Perez-Cousin M, Hachulla E, et al. Diagnosing thoracic outlet syndrome: contribution of provocative tests, ultrasonography, electrophysiology, and helical computed tomography in 48 patients. Joint Bone Spine 2001;68(5): 416–24.
161. Aburahma AF, White JF 3rd. Thoracic outlet syndrome with arm ischemia as a complication of cervical rib. W V Med J 1995;91(3):92–4.
162. Roos DB. Transaxillary approach for first rib resection to relieve thoracic outlet syndrome. Ann Surg 1966;163(3):354–8.
163. Jamieson WG, Chinnick B. Thoracic outlet syndrome: fact or fancy? A review of 409 consecutive patients who underwent operation. Can J Surg 1996;39(4):321–6.
164. Coletta JM, Murray JD, Reeves TR, et al. Vascular thoracic outlet syndrome: successful outcomes with multimodal therapy. Cardiovasc Surg 2001;9(1):11–15.
165. Sanders RJ, Haug C. Review of arterial thoracic outlet syndrome with a report of five new instances. Surg Gynecol Obstet 1991;173(5):415–25.
166. Basile C, Giordano R, Montanaro A, et al. Bilateral venous thoracic outlet syndrome in a haemodialysis patient with longstanding body building activities. Nephrol Dial Transplant 2001;16(3):639–40.
167. Thomas de Montpreville V, Dulmet E, Ponlot R, et al. Giant bilateral fibrous dysplasia of first ribs: compression of mediastinum and thoracic outlet. Eur Respir J 1995;8(6):1028–9.
168. Wilbourn AJ. 10 most commonly asked questions about thoracic outlet syndrome. Neurologist 2001;7(5):309–12.
169. Raskin NH, Howard MW, Ehrenfeld WK. Headache as the leading symptom of the thoracic outlet syndrome. Headache 1985;25(4):208–10.
170. Matsuyama T, Okuchi K, Goda K. Upper plexus thoracic outlet syndrome – case report. Neurol Med Chir (Tokyo) 2002;42(5):237–41.
171. Brower R. Differential diagnosis of cervical radiculopathy and myelopathy. In: Clark C, editor. The cervical spine. Philadelphia: Lippincott Williams & Wilkins; 2005. p. 995–1008.
172. Mackinnon SE, Novak CB. Evaluation of the patient with thoracic outlet syndrome. Semin Thorac Cardiovasc Surg 1996;8(2):190–200.
173. Gilliatt RW, Le Quesne PM, Logue V, et al. Wasting of the hand associated with a cervical rib or band. J Neurol Neurosurg Psychiatry 1970;33(5):615–24.
174. Cakmur R, Idiman F, Akalin E, et al. Dermatomal and mixed nerve somatosensory evoked potentials in the diagnosis of neurogenic thoracic outlet syndrome. Electroencephalogr Clin Neurophysiol 1998;108(5):423–34.
175. Kothari MJ, Macintosh K, Heistand M, et al. Medial antebrachial cutaneous sensory studies in the evaluation of neurogenic thoracic outlet syndrome. Muscle Nerve 1998;21(5): 647–9.
176. Sobey AV, Grewal RP, Hutchison KJ, et al. Investigation of nonspecific neurogenic thoracic outlet syndrome. J Cardiovasc Surg (Torino) 1993;34(4):343–5.
177. Komanetsky RM, Novak CB, Mackinnon SE, et al. Somatosensory evoked potentials fail to diagnose thoracic outlet syndrome. J Hand Surg Am 1996;21(4):662–6.
178. Urschel HC Jr, Razzuk MA, Hyland JW, et al. Thoraic outlet syndrome masquerading as coronary artery disease (pseudoangina). Ann Thorac Surg 1973;16(3):239–48.
179. Campbell PT, Simel DL. Left arm pain isn't always angina. N C Med J 1988;49(11):564–7.
180. Yoshikawa H, Ueno Y, Nakamura N, et al. Hands up for angina. Lancet 1998;352(9129):702.
181. Gockel M, Lindholm H, Vastamaki M, et al. Cardiovascular functional disorder and distress among patients with thoracic outlet syndrome. J Hand Surg [Br] 1995;20(1):29–33.
182. Kaymak B. A novel finding in thoracic outlet syndrome: tachycardia. Joint Bone Spine 2004;71:430–2.
183. Sanders RJ, Haug C. Subclavian vein obstruction and thoracic outlet syndrome: a review of etiology and management. Ann Vasc Surg 1990;4(4):397–410.
184. Akita K, Ibukuro K, Yamaguchi K, et al. The subclavius posticus muscle: a factor in arterial, venous or brachial plexus compression? Surg Radiol Anat 2000;22(2):111–15.
185. Heis HA, Bani-Hani KE. Effort thrombosis of the subclavianaxillary vein. Saudi Med J 2002;23(10):1199–202.
186. Sanders RJ, Hammond SL. Venous thoracic outlet syndrome. Hand Clin 2004;20(1):113–18, viii.
187. Parry E, Eastcott H. Cervical rib and thoracic outlet syndrome. In: Eastcott H, editor. Arterial surgery. Edinburgh: Churchill Livingstone; 1992. p. 333–53.
188. Paget J. Practice among the out-patients of St Bartholomew's Hospital: III, on some affections on voluntary muscles. Med Times Gazette 1858;16:260–1.
189. Schröetter LV. Erkrankungen der Gafabe. In: Nothnagel H, editor. Specielle Pathologie und Therapie, XV, II, Theil II. Halfe: Erkrankungen der Venen. Vienna: Holder; 1899. p. 533–5.
190. Judy KL, Heymann RL. Vascular complications of thoracic outlet syndrome. Am J Surg 1972;123(5):521–31.
191. Shuttleworth RD, van der Merwe DM, Mitchell WL. Subclavian vein stenosis and axillary vein 'effort thrombosis'. Age and the first rib bypass collateral, thrombolytic therapy and first rib resection. S Afr Med J 1987;71(9):564–6.
192. Fantini GA. Reserving supraclavicular first rib resection for vascular complications of thoracic outlet syndrome. Am J Surg 1996;172(2):200–4.
193. Hood DB, Kuehne J, Yellin AE, et al. Vascular complications of thoracic outlet syndrome. Am Surg 1997;63(10):913–17.
194. Azakie A, McElhinney DB, Thompson RW, et al. Surgical management of subclavian-vein effort thrombosis as a result of thoracic outlet compression. J Vasc Surg 1998;28(5): 777–86.
195. Maxey TS, Reece TB, Ellman PI, et al. Safety and efficacy of the supraclavicular approach to thoracic outlet decompression. Ann Thorac Surg 2003;76(2):396–9, discussion 399–400.
196. Urschel HC Jr, Patel AN. Paget-Schroetter syndrome therapy: failure of intravenous stents. Ann Thorac Surg 2003;75(6):1693– 6, discussion 1696.
197. Durham JR, Yao JS, Pearce WH, et al. Arterial injuries in the thoracic outlet syndrome. J Vasc Surg 1995;21(1):57–69, discussion 70.

198. Maisonneuve H, Planchon B, de Faucal P, et al. Vascular manifestation of thoracic outlet syndrome. Prospective study of 104 patients. J Mal Vasc 1991;16(3):220–5.
199. Hagspiel KD, Spinosa DJ, Angle JF, et al. Diagnosis of vascular compression at the thoracic outlet using gadolinium-enhanced high-resolution ultrafast MR angiography in abduction and adduction. Cardiovasc Intervent Radiol 2000;23(2):152–4.
200. Warrens AN, Heaton JM. Thoracic outlet compression syndrome: the lack of reliability of its clinical assessment. Ann R Coll Surg Engl 1987;69(5):203–4.
201. Kelly TR. Thoracic outlet syndrome: current concepts of treatment. Ann Surg 1979;190(5):657–62.
202. Jamieson WG, Merskey H. Representation of the thoracic outlet syndrome as a problem in chronic pain and psychiatric management. Pain 1985;22(2):195–200.
203. Brantigan CO, Roos DB. Diagnosing thoracic outlet syndrome.
Hand Clin 2004;20(1):27–36.
204. Donaghy M, Matkovic Z, Morris P. Surgery for suspected neurogenic thoracic outlet syndromes: a follow up study. J Neurol Neurosurg Psychiatry 1999;67(5):602–6.
205. Lindgren KA. Conservative treatment of thoracic outlet syndrome: a 2-year follow-up. Arch Phys Med Rehabil 1997;78(4):373–8.
206. Chon S, Lee C, Oh Y. Calcifying fibrous pseudotumor causing thoracic outlet syndrome. Eur J Cardiothorac Surg 2005;27: 353–5.
207. Sergeant G, Gheysens O, Seynaeve P, et al. Neurovascular compression by a subpectoral lipoma. A case report of a rare cause of thoracic outlet syndrome. Acta Chir Belg 2003;103(5): 528–31.
208. Nakazawa H, Terada S, Nozaki M, et al. Unusual case of thoracic outlet syndrome caused by a neurilemmoma in the pectoralis minor space. Acta Orthop Belg 2005;71(3):357–60.
209. Melliere D, Ben Yahia NE, Etienne G, et al. Thoracic outlet syndrome caused by tumor of the first rib. J Vasc Surg 1991;14(2):235–40.
210. Jones DR, Detterbeck FC. Pancoast tumors of the lung. Curr Opin Pulm Med 1998;4(4):191–7.
211. Villas C, Collia A, Aquerreta JD, et al. Cervicobrachialgia and Pancoast tumor: value of standard anteroposterior cervical radiographs in early diagnosis. Orthopedics 2004;27(10):1092–5.
212. Pitz CC, de la Riviere AB, van Swieten HA, et al. Surgical treatment of Pancoast tumours. Eur J Cardiothorac Surg 2004;26(1):202–8.
213. Kichari JR, Hussain SM, Den Hollander JC, et al. MR imaging of the brachial plexus: current imaging sequences, normal findings, and findings in a spectrum of focal lesions with MR-pathologic correlation. Curr Probl Diagn Radiol 2003;32(2):88–101.
214. Rayan GM. Thoracic outlet syndrome. J Shoulder Elbow Surg 1998;7(4):440–51.
215. Gergoudis R, Barnes RW. Thoracic outlet arterial compression: prevalence in normal persons. Angiology 1980;31(8):538–41.
216. Rayan GM, Jensen C. Thoracic outlet syndrome: provocative examination maneuvers in a typical population. J Shoulder Elbow Surg 1995;4(2):113–17.
217. Plewa MC, Delinger M. The false-positive rate of thoracic outlet syndrome shoulder maneuvers in healthy subjects. Acad Emerg Med 1998;5(4):337–42.
218. Roos DB. Thoracic outlet syndromes: update 1987. Am J Surg 1987;154(6):568–73.
219. Barsotti J, Chiaroni DP, Chiaroni P. Thoracic outlet syndrome. Diagnosis by Roos' test. Presse Med 1984;13(21):1335.
220. Vin F, Koskas F, Levy D, et al. Thoracic outlet syndrome. Value of non-invasive arterial studies. Presse Med 1986;15(34): 1709–11.
221. Selvaratnam PJ, Matyas TA, Glasgow EF. Noninvasive discrimination of brachial plexus involvement in upper limb pain. Spine 1994;19(1):26–33.
222. Coppieters M, Stappaerts K, Janssens K, et al. Reliability of detecting 'onset of pain' and 'submaximal pain' during neural provocation testing of the upper quadrant. Physiother Res Int 2002;7(3):146–56.
223. Kleinrensink GJ, Stoeckart R, Mulder PG, et al. Upper limb tension tests as tools in the diagnosis of nerve and plexus lesions. Anatomical and biomechanical aspects. Clin Biomech (Bristol, Avon) 2000;15(1):9–14.
224. Quintner JL. A study of upper limb pain and paraesthesiae following neck injury in motor vehicle accidents: assessment of the brachial plexus tension test of Elvey. Br J Rheumatol 1989;28(6):528–33.
225. Shacklock MO. Positive upper limb tension test in a case of surgically proven neuropathy: analysis and validity. Man Ther 1996;1(3):154–61.
226. Wainner RS, Fritz JM, Irrgang JJ, et al. Reliability and diagnostic accuracy of the clinical examination and patient self-report measures for cervical radiculopathy. Spine 2003;28(1):52–62.
227. Coppieters MW, Stappaerts KH, Wouters LL, et al. Aberrant protective force generation during neural provocation testing and the effect of treatment in patients with neurogenic cervicobrachial pain. J Manipulative Physiol Ther 2003;26(2): 99–106.
228. Coppieters MW, Kurz K, Mortensen TE, et al. The impact of neurodynamic testing on the perception of experimentally induced muscle pain. Man Ther 2005;10(1):52–60.
229. Shacklock M. Clinical neurodynamics. Philadelphia: Elsevier Butterworth Heinemann; 2005.
230. Sucher BM, Heath DM. Thoracic outlet syndrome – a myofascial variant: Part 3. Structural and postural considerations. J Am Osteopath Assoc 1993;93(3):334, 340–5.
231. Sobush DC, Simoneau GG, Dietz KE, et al. The Lennie Test for measuring scapular position in healthy young adult females: a reliability and validity study. J Orthop Sports Phys Ther 1996;23(1):39–50.
232. Sahrmann S. Diagnóstico y tratameinto de las alteraciones del movimiento. Badalona: Paidotribo; 2006.
233. Kibler WB. The role of the scapula in athletic shoulder function. Am J Sports Med 1998;26(2):325–37.
234. Kibler WB, McMullen J. Scapular dyskinesis and its relation to shoulder pain. J Am Acad Orthop Surg 2003;11(2):142–51.
235. Watson LA, Pizzari T, Balster S. Thoracic outlet syndrome part 1: clinical manifestations, differentiation and treatment pathways. Man Ther 2009;14(6):586–95.
236. Matsumura JS, Rilling WS, Pearce WH, et al. Helical computed tomography of the normal thoracic outlet. J Vasc Surg 1997;26(5):776–83.
237. Remy-Jardin M, Doyen J, Remy J, et al. Functional anatomy

of the thoracic outlet: evaluation with spiral CT. Radiology 1997;205(3):843–51.
238. Wadhwani R, Chaubal N, Sukthankar R, et al. Color Doppler and duplex sonography in 5 patients with thoracic outlet syndrome. J Ultrasound Med 2001;20(7):795–801.
239. Gardner GP, Cordts PR, Gillespie DL, et al. Can air plethysmography accurately identify upper extremity deep venous thrombosis? J Vasc Surg 1993;18(5):808–13.
240. van Es HW. MRI of the brachial plexus. Eur Radiol 2001;11(2):325–36.
241. Smedby O, Rostad H, Klaastad O, et al. Functional imaging of the thoracic outlet syndrome in an open MR scanner. Eur Radiol 2000;10(4):597–600.
242. Demondion X, Boutry N, Drizenko A, et al. Thoracic outlet: anatomic correlation with MR imaging. AJR Am J Roentgenol 2000;175(2):417–22.
243. Charon JP, Milne W, Sheppard DG, et al. Evaluation of MR angiographic technique in the assessment of thoracic outlet syndrome. Clin Radiol 2004;59(7):588–95.
244. Pedrosa I, Aschkenasi C, Hamdan A, et al. Effort-induced thrombosis: diagnosis with three-dimensional MR venography. Emerg Radiol 2002;9(6):326–8.
245. Urschel HC Jr, Razzuk MA, Wood RE, et al. Objective diagnosis (ulnar nerve conduction velocity) and current therapy of the thoracic outlet syndrome. Ann Thorac Surg 1971;12(6): 608–20.
246. Yiannikas C, Walsh JC. Somatosensory evoked responses in the diagnosis of thoracic outlet syndrome. J Neurol Neurosurg Psychiatry 1983;46(3):234–40.
247. Wilbourn AJ, Lederman RJ. Evidence for conduction delay in thoracic-outlet syndrome is challenged. N Engl J Med 1984;310(16):1052–3.
248. Veilleux M, Stevens JC, Campbell JK. Somatosensory evoked potentials: lack of value for diagnosis of thoracic outlet syndrome. Muscle Nerve 1988;11(6):571–5.
249. Baran E. Somatosensory evoked potentials: utility is assessing brachial plexopathies and thoracic outlet syndrome. In: Hunter J, Mackin E, Callahan A, editors. Rehabilitation of the hand: Surgery and therapy. 4th ed. St Louis: Mosby; 1995. p. 843–55.
250. Urschel JD, Hameed SM, Grewal RP. Neurogenic thoracic outlet syndromes. Postgrad Med J 1994;70(829):785–9.
251. Hurtevent JF. Neurophysiological explorations of thoracic outlet syndrome. Rev Med Interne 1999;20(Suppl. 5):494S–6S.
252. Passero S, Paradiso C, Giannini F, et al. Diagnosis of thoracic outlet syndrome. Relative value of electrophysiological studies. Acta Neurol Scand 1994;90(3):179–85.
253. Cuevas-Trisan RL, Cruz-Jimenez M. Provocative F waves may help in the diagnosis of thoracic outlet syndrome: a report of three cases. Am J Phys Med Rehabil 2003;82(9): 712–15.
254. Seror P. Medial antebrachial cutaneous nerve conduction study, a new tool to demonstrate mild lower brachial plexus lesions. A report of 16 cases. Clin Neurophysiol 2004;115(10): 2316–22.
255. Haghighi SS, Baradarian S, Bagheri R. Sensory and motor evoked potentials findings in patients with thoracic outlet syndrome. Electromyogr Clin Neurophysiol 2005;45(3):149–54.
256. Rousseff R, Tzvetanov P, Valkov I. Utility (or futility?) of electrodiagnosis in thoracic outlet syndrome. Electromyogr Clin Neurophysiol 2005;45(3):131–3.
257. Walsh MT. Therapist management of thoracic outlet syndrome. J Hand Ther 1994;7(2):131–44.
258. Novak CB. Conservative management of thoracic outlet syndrome. Semin Thorac Cardiovasc Surg 1996;8(2):201–7.
259. Molina JE. Combined posterior and transaxillary approach for neurogenic thoracic outlet syndrome. J Am Coll Surg 1998;187(1):39–45.
260. Sellke FW, Kelly TR. Thoracic outlet syndrome. Am J Surg 1988;156(1):54–7.
261. Fernandez E, Pallini R, Marchese E, et al. Neurosurgery of the peripheral nervous system: entrapment syndromes of the brachial plexus. Surg Neurol 2000;53(1):82–5.
262. Novak CB, Collins ED, Mackinnon SE. Outcome following conservative management of thoracic outlet syndrome. J Hand Surg Am 1995;20(4):542–8.
263. Dobrusin R. An osteopathic approach to conservative management of thoracic outlet syndromes. J Am Osteopath Assoc 1989;89(8):1046–50, 1053–7.
264. Huffman JD. Electrodiagnostic techniques for and conservative treatment of thoracic outlet syndrome. Clin Orthop Relat Res 1986;207:21–3.
265. Lindgren KA. TOS (thoracic outlet syndrome) – a challenge to conservative treatment. Nord Med 1997;112(8):283–7.
266. Köknel Talu G. Thoracic outlet syndrome. Agri 2005;17(2):5–9.
267. Coccia MR, Satiani B. Thoracic outlet syndrome. Am Fam Physician 1984;29(2):121–6.
268. Daskalakis MK. Thoracic outlet compression syndrome: current concepts and surgical experience. Int Surg 1983;68(4):337–44.
269. Lindgren KA, Oksala I. Long-term outcome of surgery for thoracic outlet syndrome. Am J Surg 1995;169(3):358–60.
270. Crotti FM, Carai A, Carai M, et al. TOS pathophysiology and clinical features. Acta Neurochir Suppl 2005;92:7–12.
271. Crawford FA Jr. Thoracic outlet syndrome. Surg Clin North Am 1980;60(4):947–56.
272. Young HA, Hardy DG. Thoracic outlet syndrome. Br J Hosp Med 1983;29(5):457, 459, 461.
273. Buonocore M, Manstretta C, Mazzucchi G, et al. The clinical evaluation of conservative treatment in patients with the thoracic outlet syndrome. G Ital Med Lav Ergon 1998;20(4): 249–54.
274. Beer S, Schlegel C, Hasegawa A. Conservative therapy in thoracic outlet syndrome. Literature review and pathogenetic considerations. Schweiz Med Wochenschr 1997;127(15):617–22.
275. Nathan PA. Outcome following conservative management of thoracic outlet syndrome. J Hand Surg Am 1996;21(3): 528–9.
276. Aligne C, Barral X. Rehabilitation of patients with thoracic outlet syndrome. Ann Vasc Surg 1992;6(4):381–9.
277. Pratt NE. Neurovascular entrapment in the regions of the shoulder and posterior triangle of the neck. Phys Ther 1986;66(12):1894–900.
278. Kenny RA, Traynor GB, Withington D, et al. Thoracic outlet syndrome: a useful exercise treatment option. Am J Surg 1993;165(2):282–4.
279. Wehbe MA, Leinberry CF. Current trends in treatment of thoracic outlet syndrome. Hand Clin 2004;20(1):119–21.
280. Narakas A, Bonnard C, Egloff DV. The cervico-thoracic outlet compression syndrome. Analysis of surgical treatment. Ann Chir Main 1986;5(3):195–207.
281. Wehbe MA, Schlegel JM. Nerve gliding exercises for

thoracic outlet syndrome. Hand Clin 2004;20(1):51–5, vi.
282. Orset G. Evaluation of the cervicothoracobrachial outlet and results of conservative treatment. Chir Main 2000;19(4): 212–17.
283. Totten PA, Hunter JM. Therapeutic techniques to enhance nerve gliding in thoracic outlet syndrome and carpal tunnel syndrome. Hand Clin 1991;7(3):505–20.
284. Crosby CA, Wehbe MA. Conservative treatment for thoracic outlet syndrome. Hand Clin 2004;20(1):43–9, vi.
285. Berthe A. Considerations on rehabilitation of cervicothoracobrachial outlet syndrome. Chir Main 2000;19(4):218–22.
286. Lindgren KA, Leino E, Hakola M, et al. Cervical spine rotation and lateral flexion combined motion in the examination of the thoracic outlet. Arch Phys Med Rehabil 1990;71(5): 343–4.
287. Lindgren KA, Leino E, Manninen H. Cervical rotation lateral flexion test in brachialgia. Arch Phys Med Rehabil 1992;73(8):735–7.
288. Lindgren KA, Leino E, Manninen H. Cineradiography of the hypomobile first rib. Arch Phys Med Rehabil 1989;70(5): 408–9.
289. Wilbourn AJ. Thoracic outlet syndrome surgery causing severe brachial plexopathy. Muscle Nerve 1988;11(1):66–74.
290. Han S, Yildirim E, Dural K, et al. Transaxillary approach in thoracic outlet syndrome: the importance of resection of the first-rib. Eur J Cardiothorac Surg 2003;24(3):428–33.
291. Sharp WJ, Nowak LR, Zamani T, et al. Long-term follow-up and patient satisfaction after surgery for thoracic outlet syndrome. Ann Vasc Surg 2001;15(1):32–6.
292. Jakubietz MG, Jakubietz RG, Gruenert JG, et al. Bilateral nontraumatic second rib fracture after bilateral first rib resection for TOS. Thorax 2005;60(3):259–60.
293. Leffert RD. Complications of surgery for thoracic outlet syndrome. Hand Clin 2004;20(1):91–8.
294. Pupka A, Rucinski A, Skora J, et al. The treatment of subclavian artery compression with the use of ringed polytetrafluoroethylene vascular prostheses. Polim Med 2004;34(4):53–61.
295. Melliere D, Becquemin JP, Etienne G, et al. Severe injuries resulting from operations for thoracic outlet syndrome: can they be avoided? J Cardiovasc Surg (Torino) 1991;32(5):599–603.
296. Schneider DB, Dimuzio PJ, Martin ND, et al. Combination treatment of venous thoracic outlet syndrome: open surgical decompression and intraoperative angioplasty. J Vasc Surg 2004;40(4):599–603.
297. Machleder HI. Evaluation of a new treatment strategy for Paget-Schroetter syndrome: spontaneous thrombosis of the axillary-subclavian vein. J Vasc Surg 1993;17(2):305–15, discussion 316–17.
298. Schneider DB, Curry TK, Eichler CM, et al. Percutaneous mechanical thrombectomy for the management of venous thoracic outlet syndrome. J Endovasc Ther 2003;10(2):336–40.
299. Angle N, Gelabert HA, Farooq MM, et al. Safety and efficacy of early surgical decompression of the thoracic outlet for Paget-Schroetter syndrome. Ann Vasc Surg 2001;15(1):37–42.
300. Wood VE, Ellison DW. Results of upper plexus thoracic outlet syndrome operation. Ann Thorac Surg 1994;58(2):458–61.
301. Degeorges R, Reynaud C, Becquemin JP. Thoracic outlet syndrome surgery: long-term functional results. Ann Vasc Surg 2004;18(5):558–65.
302. Samarasam I, Sadhu D, Agarwal S, et al. Surgical management of thoracic outlet syndrome: a 10-year experience. ANZ J Surg 2004;74(6):450–4.
303. Yavuzer S, Atinkaya C, Tokat O. Clinical predictors of surgical outcome in patients with thoracic outlet syndrome operated on via transaxillary approach. Eur J Cardiothorac Surg 2004;25(2):173–8.
304. Leffert RD, Perlmutter GS. Thoracic outlet syndrome. Results of 282 transaxillary first rib resections. Clin Orthop 1999;368:66–79.
305. Adson A. Surgical treatment of symptoms produced by cervical ribs and the scalenus anticus muscle. Surg Gynecol Obstet 1947;85:687.
306. Sanders RJ, Pearce WH. The treatment of thoracic outlet syndrome: a comparison of different operations. J Vasc Surg 1989;10(6):626–34.
307. Sanders RJ, Hammond SL. Supraclavicular first rib resection and total scalenectomy: technique and results. Hand Clin 2004;20(1):61–70.
308. Toso C, Robert J, Berney T, et al. Thoracic outlet syndrome: influence of personal history and surgical technique on longterm results. Eur J Cardiothorac Surg 1999;16(1):44–7.
309. Mattson RJ. Surgical approach to anterior scalenectomy. Hand Clin 2004;20(1):57–60.
310. Atasoy E. Recurrent thoracic outlet syndrome. Hand Clin 2004;20(1):99–105.
311. Ambrad-Chalela E, Thomas GI, Johansen KH. Recurrent neurogenic thoracic outlet syndrome. Am J Surg 2004;187(4): 505–10.
312. Wishchuk JR, Dougherty CR. Therapy after thoracic outlet release. Hand Clin 2004;20(1):87–90, vii.
313. Snider HC, King GD. Minnesota Multiphasic Personality Inventory as a predictor of operative results in thoracic outlet syndrome. South Med J 1986;79(12):1527–30.

4 경추 후관절 증후군에 대한 임상적 접근

CLINICAL APPROACH TO CERVICAL FACET JOINT SYNDROME

경추 후관절 증후군은 후관절의 병리 또는 기능장애로 인한 징후 및 증상으로 정의할 수 있다. 이러한 관절은 자체 신경지배가 있고 잠재적인 증상 원인임에도 불구하고 최근까지 거의 다루어지지 않았다. 임상적 관점에서 볼 때, 후관절이 가장 널리 퍼진 원인이고 목 통증 및 편타손상 후 경추 통증과 관련될 수 있기 때문에 최근 몇 년 동안 관절돌기간관절에 대한 연구에 대한 관심이 증가하고 있다.[1-13]

추간판 병리학은 경추의 퇴행성 변화 부분에 후관절 연구를 배치하여 임상의와 외과의의 관심을 사로잡았다. 종종 이러한 관절의 징후와 증상은 전만의 편평화가 관찰되는 경우, 경추 수축 또는 퇴행성 방사선 징후의 경우에서 경추 척추증과 같은 매우 비특이적인 용어를 사용하여 여러 다양한 요소에 잘못 기인한 경우가 많다.

이러한 진단은 매우 구체적이지 못하고 부적절하다. 경추구축의 진단은 통증 발생에서 후관절의 역할이 무시되기 때문에 종종 경추 근육의 압통이 감지될 때 사용된다. 경추증은 경추의 퇴행성 변화를 말한다. 퇴행성 변화와 경추 통증 사이에 직접적인 관계가 있기 때문에 진단적으로 부정확하다. 척추의 변화는 통증이 있는 피험자와 완전히 무증상인 피험자 모두에서 관찰할 수 있다.[14] 이러한 퇴행성 변화가 증상의 원인이 되는 경우 '척추증'이라는 용어는 이러한 증상을 일으키는 구조를 식별하지 못한다.

최근 수십 년 동안 후관절의 병리와 외상 후 및 만성적인 목 통증 형태의 발달에 있어서 관절의 역할을 이해하는데 상당한 진전이 있었다. 경추 후관절 증후군은 현재 경추 증상의 가장 흔한 원인으로 간주된다.

경추 후관절 증후군은 경추 증상의 가장 흔한 원인이다. 그러나 임상에서 이러한 증상은 일반적으로 목 구축, 디스크 병리 또는 경추 척추증에 기인한다.

20세기 초 후관절의 병리학에서 처음으로 관심을 보여 요통과 좌골신경통의 원인을 규명하려고 시도했으며 최근 수십 년이 되어서야 이 증후군이 경추에서 연구되었다. 후관절이 통증의 원인이 될 수 있다고 제안한 첫 번째 저자는 1911년 Goldthwait였다.[15] 1933년 Ghormley는[16] 유명한 기사: *관절면에 특정하게 관여하는 요통*을 발표했다. 그러나 논문의 제목과 달리 후관절의 관절염성 비대로 인한 좌골신경통이 있는 환자의 경우를 다루고 있다. 1938년 Steindler와 Luck은[17] 국소 마취제를 후관절 부위에 경피적으로 주사하여 이 관절이 요통(LBP)의 원인이 될 수 있음을 보여주었다. 1941년 Badgley와[18] Pedersen 등은[19] 1956년에 요통과 좌골 신경통의 패턴에서 후관절의 주요 역할을 확인했다. 1956년에 Lazorthes는[20,21] 척추 신경의 후방 일차 가지의 관절 분할과 관절 기둥과의 긴밀한 접촉을 기술했는데, 이 저자에 따르면 후관절의 퇴행성 병리학에서 통증을 정당화할 수 있다(**그림 4-1**). 그러나 Mixter와 Barr가[22] 1934년에

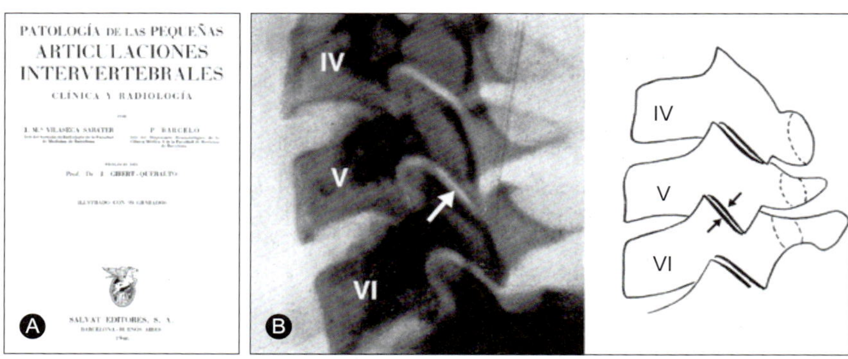

그림 4-1 ■ 1946년 척추 통증 표에서 이 관절의 중요성을 설명하는 후관절 연구에 전념한 단행본. 표지(A) 및 그림(B).

추간판 탈출과 좌골 신경통의 관계를 발표했을 때 후관절 병리학은 그 후 수년간 무시되었다. 얼마 후 디스크 수술의 성공이 거의 없었기 때문에 후관절에 대한 연구가 재개되었다.

1976년에 Mooney와 Roberson은[23] 당시에는 더 이상 사용되지 않았던 '후관절 증후군'이라는 용어를 다시 도입했다. 그들은 역학적 과부하의 결과로 후방관절이 다른 활액 관절과 유사한 퇴행성 변화를 겪는다는 것을 발견했다. 따라서 이 용어를 좌골후관절뿐 아니라 비신경근성 요통과 요추좌골신경통까지 확장하는 것이 제안되었는데, 이는 이 관절에서 기원한 것이다. 그 이후로 후관절의 병리와 요통에 대한 관련성에 대한 많은 문헌이 등장했다.

경추의 후관절 병리학 연구는 Bogduk과 Marsland의 연구로 시작되었다.[24] 1988년에 이 저자들은 후관절이 목 통증의 원인일 수 있다고 제안했다. 이러한 관절의 통증 부위와 특징을 알기 위해 1990년 Dwyer 등은[25] 5명의 피험자의 후관절에 조영제를 주입했으며 그 중 4명은 무증상이었다. 조영제와 함께 관절낭을 팽창시키면 자극된 관절의 특징적인 통증이 유발되었다. 이러한 관찰을 바탕으로 Aprill 등(Dwyer와 Bogduk)은[26] 후관절 통증 지도를 설명했다.

오늘날, 관절돌기간관절의 병리가 목 통증의 가장 흔한 원인임을 보여주는 많은 연구가 있다.[1,6,24,27-29] 이 통증이 만성화되면 유병률이 매우 높아 전체 경추 통증의 54~67%에 이른다.[1,8,28,30,31]

초기에 관절 병리학 연구는 요추를 지향했지만 지금은 후관절 기원의 통증이 경추에서 더 흔하다는 것을 알고 있다. Manchikanti 등은 최근 척추의 여러 영역에서 후관절 증후군의 유병률에 대한 척추의 다른 부분과 비교 연구를 수행했다.[30] 이 유병률은 흉추와 요추에서 각각 42%와 31%인 반면, 경추에서는 55%에 이른다.[30] 후관절 질환의 높은 유병률은 이러한 임상 상황이 일상적인 진료에서 충분히 자주 인식되지 않는다는 것을 보여준다.

> 후관절 기원의 통증은 흉추와 요추보다 경추에서 더 흔하다.

더욱이, 후관절 증후군은 수년에 걸쳐 진화하여 단순한 일시적인 경추통에서 만성 통증 패턴에 이르기까지 매우 다른 임상 패턴으로 나타난다. 진행된 단계에서는 후관절 비대는 외측 및 중심척추관의 협착에 기여할 수 있고, 따라서 신경근병증 또는 경추 척수병증의 발병에 기여할 수 있다.

후관절의 신경지배
INNERVATION OF THE FACET JOINTS

후관절은 풍부한 신경지배를 받는다.[32-35] 경추 2번–

경추 3번 후관절은 *제 3 후두신경*이라고 불리는 경추 3번의 내측 가지의 표면 부분에 의해 신경지배된다.[35] 이 신경은 이 관절에 신경지배하는 것 외에도 머리반가시근(두부반극근)에 근육가지를 제공하고 후두부에서 피부가 된다. 관절낭 경추 3번–4번에서 경추 7번–흉추 1번은 척수신경의 후방일차가지(posterior primary ramus)에서 오는 내측가지(medial ramus)로부터 관절분열에 의해 신경지배를 받는다(**그림 4–2**). 각 관절 분할은 해당 위치의 관절 기둥을 둘러싸고 위쪽 및 아래쪽 후관절로 가지를 보낸다. 따라서 경추 6번의 후방 가지의 분할은 후관절 경추 5번–경추 6번과 경추 6번–경추 7번을 자극한다. 따라서 관절낭은 이중 신경 분포, 즉 해당 위치와 다음 상위 수준의 신경 분포를 갖는다[35,36](**그림 4–3**). 내측 가지는 관절을 떠난 후 반척추근과 다열근에 신경지배를 제공한다.[32]

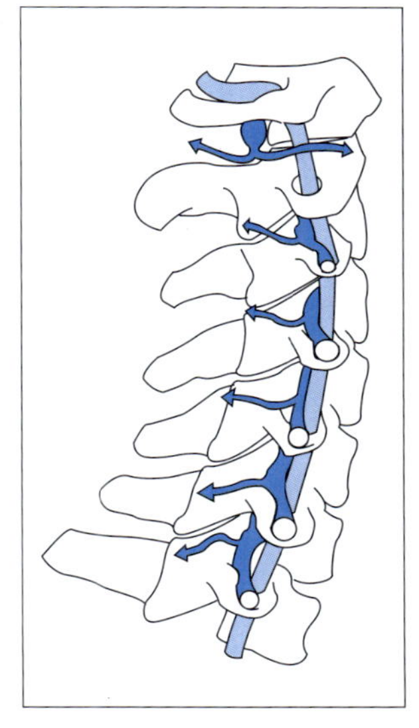

그림 4–2 ■ 경추 3번– 4번에서 경추 7번–흉추 1번의 후관절은 척수 신경의 후방 일차 가지(posterior primary ramus)에서 내측 가지의 관절 분할에 의해 신경지배를 받는다.

분절 신경 분포 외에도 후관절에는 측면 교감신경 사슬을 따라 달리고 후근 신경절에 도달하는 비분절 보조 신경 분포가 있다.[32]

관절낭에는 물질 P 및 칼시토닌 유전자 관련 펩티드(CGRP)와 같은 신경 펩티드를 분비하는 수많은 통각 수용체가 있다.[33,34,37] 이러한 신경 펩티드는 통각 수용기 활성을 증폭시키는 신경성 염증에 관여하고

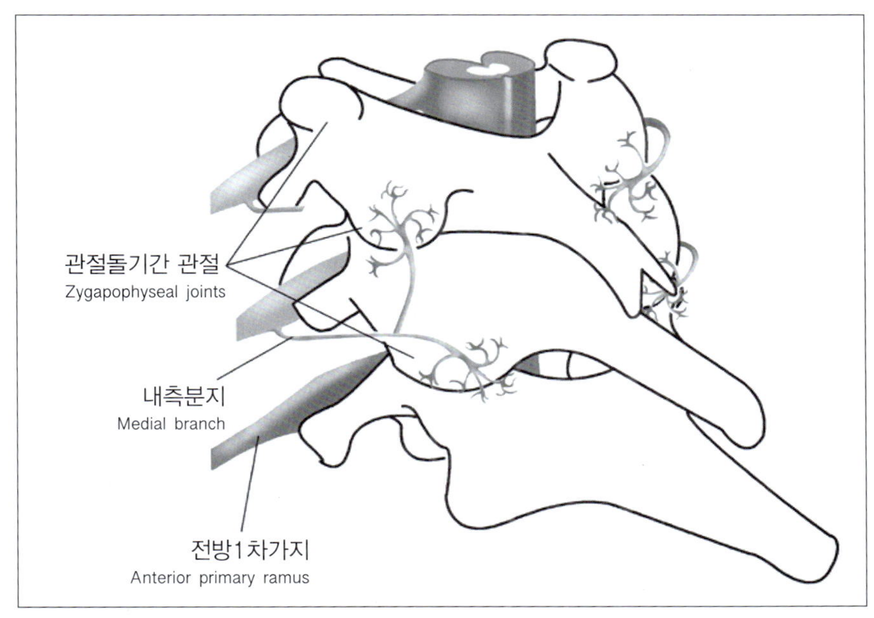

그림 4–3 ■ 각 관절 분할은 해당 수준의 관절 기둥을 둘러싸고 위쪽 및 아래쪽 후관절로 가지를 보낸다.

특정 상황에서는 만성 통증의 발병을 촉진할 수 있다.

경추에서 특정 척추를 움직이는 다열근 다발은 아래쪽 척추에 대해 척추의 후관절을 신경지배하는 척추 신경의 뒤쪽 가지의 동일한 내측 분할에 의해 신경지배를 받는다.[35] 이 신경지배 형태는 자극적이고 염증이 있는 관절 상황은 직접적인 효과를 일으키는 것을 의미하고, 종종 관절을 조절하는 다열근의 억제를 초래한다. 장기적으로 이러한 근육 억제는 섬유지방 위축과 근육 조직 변성을 촉진할 것이다.[39-41] 이것은 경추 후관절 증후군의 경우 능동적 근육 재교육 기술의 사용을 정당화한다.

관절낭에는 통각수용기가 있을 뿐만 아니라 느슨한 활막하 조직과 조밀한 피막 조직에 위치하는 관절 기계수용기가 있다.[42,43] 이 기계수용체는 조직의 움직임과 이완을 감지할 수 있다. 이 풍부한 관절 감각 정보는 척추 근육에 의한 적절한 제어를 가능하게 하고 체성 감각 피질에 운동 감각적 지각을 제공한다.[44] 이러한 기계적 수용체에 의해 조절되는 관절 보호 반사는 관절 불안정성과 관절 요소의 퇴화를 예방하는 데 중요하다.[43] 이 주목할 만한 후관절 신경 분포는 자세 신경 조절에서 중요한 역할을 하는데 이런 이유로 후관절의 질병이나 기능장애의 가장 흔한 증상 중 하나는 경추성 가성 현기증이다.

> 후관절의 구심성 정보는 자세 신경조절에 중요한 역할을 한다.

병인학 ETIOLOGY

외상성 및 퇴행성 원인은 후관절 증후군의 가장 흔한 두 가지 원인이다. 이러한 관절의 외상성 손상에 가장 자주 관련된 기전은 편타손상이다. 이 외에도 외상성 병인, 미세 외상성 또는 퇴행성 원인도 추간판의 변화가 있든 없든 일반적이다.[45]

후관절증후군과 편타손상 (Facet syndrome and whiplash)

후관절 질환과 편타손상을 연결하는 첫 번째 연구는 Bogduk과 Marsland에 의한 것이다.[24] 그들의 연구는 편타손상후 만성 목 통증으로 고통받는 24명의 환자 중 17명이 마취 후관절 차단으로 증상을 완전히 완화한 것으로 나타났다.

1992년에 Aprill과 Bogduk은[27] 교통사고를 당한 300명의 피험자 중 25%에서 65% 사이에서 증상의 근원이 후관절에 있다는 것을 보여주었다. 그 이후로 이 관절이 외상성 목 통증의 가장 흔한 원인임을 보여주는 여러 임상 및 역학 연구가 있어 전체의 54-60%의 사례에서 나타난다.[1,5,28,46-51] 편타손상 후 가장 흔히 영향을 받는 후관절은 경추 4번-경추 5번, 경추 5번-경추 6번 및 경추 2번-경추 3번 이다.[52,53]

교통사고 피해자에 대한 사후 조사도 있다.[3-5,7,51,54] 후관절과 관절낭의 다양한 부분에서 병변이 발견되었으며,[54-56] 관절연골과 연골하골,[4,7,50,53] 반월상관절,[53] 심지어 관절 골절까지 관찰되었다[58](**그림 4-4**). 이러한 구조적 병변은 관절 역학을 변경할 수 있으며, 고통스러운 증상을 일으키기에 충분하다.[59] 사후 연구에 따르면 후관절과 추간판에서 발생하는 대부분의 부상은 진단 영상 방법으로 감지할 수 없다.[61]

현재 우리는 후관절의 병리학이 편타손상 이후 지속적인 통증의 가장 흔한 원인이라는 증거를 가지고 있다.

> 편타손상 이후 지속적인 통증의 가장 흔한 원인은 후관절 손상 때문이다.

이 장에서는 후관절 통증의 가능한 유발 기전 중 하나로 편타손상을 수정한다. 그러나 편타손상은 후관절과 추간판, 뼈와 연조직 구조 모두에서 매우 다른 부상을 일으킬 수 있다. 편타손상으로 인한 조직 손상은 척추 동맥, 신경 뿌리 및 척수에 영향을 줄 수 있는 심각한 부상의 원인이 될 수 있다. 편타손상은

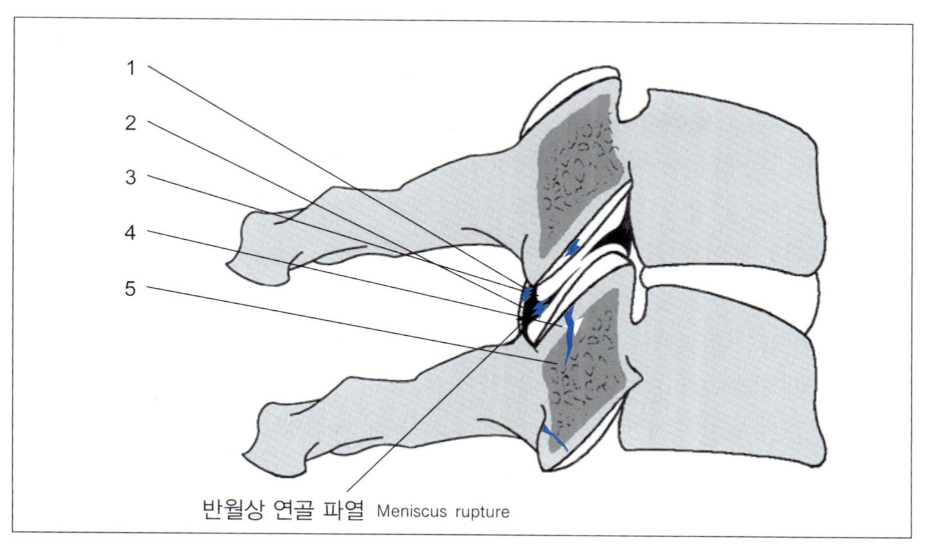

그림 4-4 ■ 편타손상후 후관절의 가능한 부상: 관절낭 파열(1), 관절 반월상 연골 손상(2), 관절 연골 손상(3), 연골하 골절(4) 및 관절 기둥 골절(5).

또한 급성 또는 지연성 경추 불안정성의 원인이 될 수 있다. 후자의 측면은 5장에서 검토된다.

이 장에서는 방금 언급한 것처럼 편타손상만 후관절 통증의 가능한 원인으로 접근한다. 관련된 모든 측면은 이 개체를 둘러싼 편타손상과 생물학적 요인뿐만 아니라 법의학을 포함한 심리적, 사회적 요인도 편타손상의 예후를 가리는 경우가 많은 복잡성에서 분석되지 않는다. 신경생물학적 및 심리사회적 성격을 지닌 이러한 요인 중 일부는 11장에서 검토된다.

편타손상 기전(Mechanics of whiplash)

처음에 편타손상은 경추의 강제 과신전으로 인한 것으로 여겨졌다.[62] 1960년대 후반에 이러한 과신전을 제한하기 위해 머리 받침대가 도입되었다.[63,64] 그러나 부상의 현저한 감소는 없었다. 처음에는 편타성 기전에 의해 유발된 부상 유형이 신장성 근육 수축으로 인한 것으로 여겨졌다. 그러나 근육이 손상될 수 있지만 이것이 장기적인 증상의 지속을 정당화하지는 않았다. 현재 가설은 편타손상 이후 통증 패턴에서 배타적으로 책임이 있는 것으로 간주되지 않는 후관절과 관련이 있다.[28,50,55,56,6,65-67]

편타손상과 후관절 병리 사이의 관계는 최근 생체역학 연구 덕분에 설명되었다.[50,53-56,59,65,66,68-74] 이 연구는 사진과[68,69,75-79] 고속 영화방사선촬영을 사용했다.[66,73,80] 이러한 기술을 통해 우리는 전체 경추의 운동학 및 각 개별 부분에서 일어나는 일을 결정할 수 있었다.

고속 촬영을 통해 정상적인 피사체의 머리와 목의 움직임 패턴을 기록할 수 있었다.[75,76] 이 동일한 기술은 편타손상의 경우 패턴과 분절 이동성의 범위와[68,79] 편타손상 후 목 통증 및 두통과 관련된 가능한 기전을 분석하기 위해 카데바에서 사용되었다.[69,77,78]

편타손상중 분절 가동성에 관한 첫 번째 발견은 Matsushita 등이[80] 고속 방사선 촬영을 사용하여 얻어냈다. 이러한 연구는 다양한 경추 분절에서 일어나는 일에 대해 보다 자세한 설명을 제공한 Kaneoka 등[66] 에의해 확인되었다. 이 모든 연구는 동일한 결론에 도달했으며, 이는 경추의 다양한 구조에서 경험하는 편타손상과 부하의 기전에 대한 이전 개념과 상당히 다르다.[6]

편타손상 기전은 정상적인 생리학적 범위를 넘어 경추의 굴곡 및 신전 운동을 결정하지 않지만[77] 경추는 비정상적인 분절 운동성을 결정하는 복잡한 일련의 운동을 겪는다.

경추가 겪는 일련의 사건은 다음과 같다. 충돌 순간부터 50밀리초(50ms) 동안 좌석이 앞으로 돌출되기 시작하는 반면 차량 탑승자는 관성으로 인해 정지 상태를 유지한다. 60ms에서 차량 시트는 몸통과 골반의 아래쪽 부분을 앞뒤로 밀고 머리는 고정되어 있다. 약 75~100ms에서 상부 몸통은 이러한 전방 및 상향 추력을 받는다. 이 급격한 가속은 몸통의 수직 밀기로 인한 높은 축방향 압축력과 관련된 흉추 만곡과 경추 전만의 평탄화를 유도한다. 120ms에서 머리가 뒤쪽으로 회전하기 시작한다. 120~150ms 사이에 몸통은 차량 시트에 의해 완전히 가속되어 전체 경추의 확장을 유발하고 C 곡선을 형성한다. 충돌의 정도에 따라 앞쪽 부분의 인대와 디스크가 파손되거나 박리될 수 있다. 200ms에서 몸통의 상승이 완료되어 9cm 상승되고 최대 후방 머리 회전이 발생한다. 250ms에서 몸통과 머리가 떨어지기 시작하여 300ms에서 하강을 완료한다. 이 기간 동안 헤드는 계속 전방 이동하여 400ms에 최고 이동된다. 마지막으로 400ms에서 600ms 사이에서 머리가 뒤로 튀기 시작한다(**그림 4-5**).

카데바와 자원 봉사자 모두에 대한 연구에서 편타 손상 운동학의 두 단계가 확인되었다.[66,72,73] 1단계는 몸통이 위아래로 움직일 때 발생한다. 이 단계에서 경추는 처음에 S자형 변형을 겪는다. 아래쪽 분절은 신전되고 위쪽 분절은 구부러진다. 그 후, 경추가 신전된다(**그림 4-6**). 1단계에서 발생하는 경추의 신전은 생리적인 것이 아니다. 2단계는 경추가 최대 신전에 도달하면 시작된다. 몸통이 내려가면서 머리는 정상 위치로 돌아간다. 실제로 명확한 구부러지는

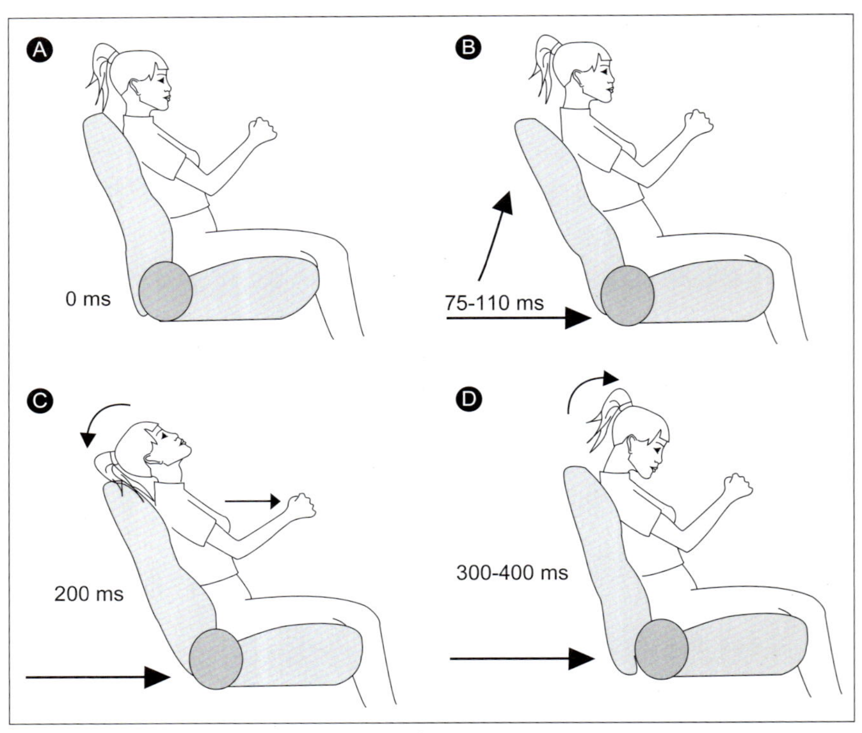

그림 4-5 ■ 후방 충돌 시 몸통과 머리의 움직임 도표.
충격 시 위치(A). 75~100ms에서 상부 몸통이 위쪽으로 돌출되어 경추에 상당한 압박력을 가한다(B). 120ms에서 머리가 뒤로 회전하기 시작한다. 200ms에서 몸통의 고도와 머리의 후방 회전(C)이 모두 최대 지점에 도달한다. 250ms에서 몸통이 하강하기 시작한다. 300ms에서 머리가 앞으로 회전하여 400ms(D)에서 최대 지점에 도달한다.

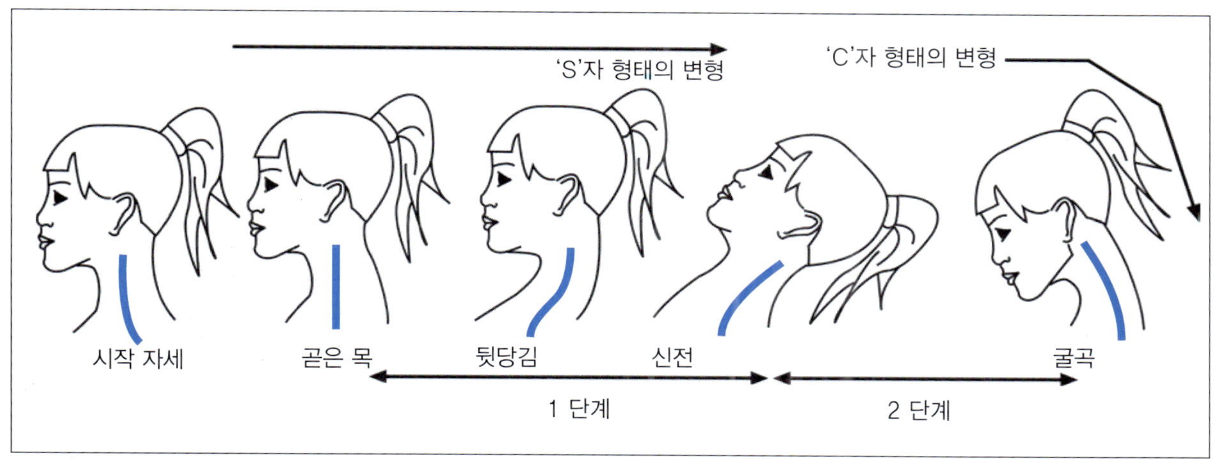

그림 4-6 ■ 1단계에서 경추의 움직임. 이 단계에서 경추는 먼저 하부 분절이 신전되고 상부 분절이 굴곡되어 S자형 변형을 겪으며, 그 다음 경추가 신전됨에 따라 C자형 변형을 겪는다. 2단계는 경추가 최대 신전에 도달하고 정상 위치로 돌아오면 시작된다. 경추의 완전한 굴곡은 관찰되지 않는다.

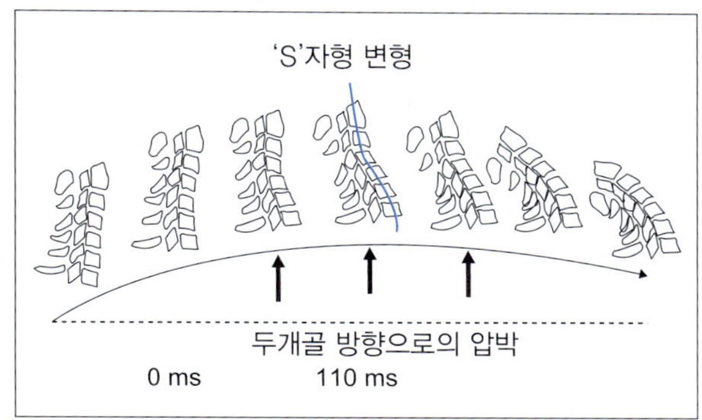

그림 4-7 ■ 단계 I 중 경추의 운동학. 이 단계에서 하부 경추가 위쪽으로 올라온다. 110ms에서 기둥은 S자형 변형을 겪는 상당한 압박력을 지원한다. 경추의 신전은 경추 하부가 내려가면서 완성된다.(Kaneoka 등에 의해 수정됨[66])

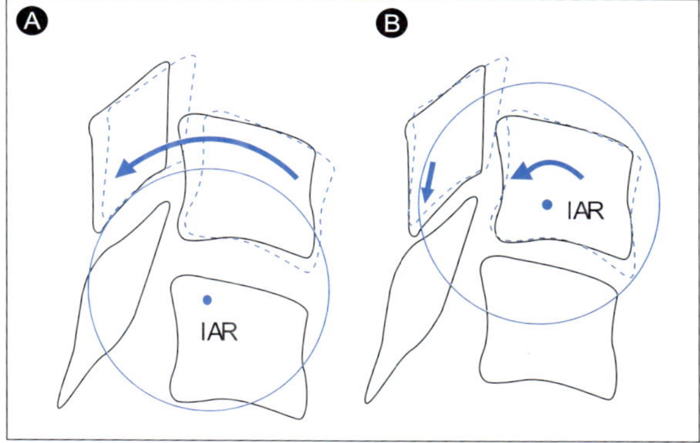

그림 4-8 ■ 생리학적 신전 동안 (A)회전의 순간 축(IAR)은 척추 분절의 디스크 아래에 위치한다. 이 움직임 동안 위에 있는 척추의 아래쪽 후관절이 기본 척추의 위쪽 후관절 위로 미끄러져 완벽한 평행을 유지한다. 편타손상 동안 (B)회전의 순간 축은 상부 척추에 위치하여 후관절을 조이는 후방 시상 회전을 독점적으로 생성한다.(Kaneoka 등에 의해 수정됨[66])

움직임은 없다.

편타손상 동안 후관절의 임계 단계는 75ms에서 110ms 사이인 것 같다. 이 시점에서 경추의 압축과 S자형 변형을 결정하는 두개골 수직 이동이 있다(**그림 4-7**). 경추는 전체적으로 정상 범위를 벗어나지 않지만 중간 부분은 생리학적 한계를 초과하는 신전을 겪는다. 이 범위를 초과했을 뿐만 아니라, 비정상적인 순간 회전축 주변에서도 발생한다.[79] 이 비정상적인 축은 생리학적 회전축보다 훨씬 위에 위치한다.[66] 축의 비정상적인 두개골 위치는 척추가 신전 동안 시상 이동을 겪지 않고 움직임이 전적으로 후방 회전임을 의미한다(**그림 4-8**).

후방 회전은 인접한 척추뼈의 앞쪽 끝 사이에 비정상적인 간격을 유발하여 앞쪽 디스크 판의 파손이

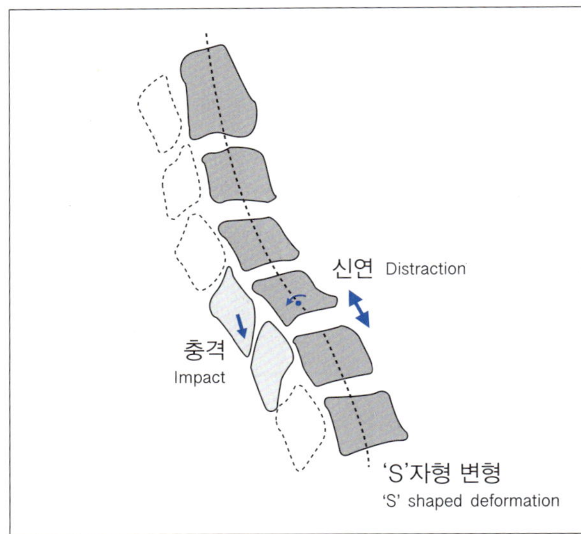

그림 4-9 ■ 중간 분절의 S자형 변형은 상부 척추뼈의 아래 관절면 뒤쪽 끝에서 관절낭과 연골의 조임, 관절낭의 앞쪽 부분과 추간판의 앞쪽 부분의 갑작스러운 견인을 생성한다. (Kaneoka 등에 의해 수정됨[66])

나 탈구를 유발할 수 있다. 동시에 이 후방 회전은 정상적인 신전 운동의 경우와 같이 후관절에 모인 정상적인 미끄러짐을 초래하기보다는 후방 부분에서 관절 표면의 심각한 압박을 유발하여 전방 부분에서의 상당한 전단 및 견인과 연관되어 있다.[53,54,66,69,73,77,78,81] 이 기전은 상부 척추뼈의 하부관절면(inferior articular facet)의 후단에서 관절낭과 관절연골을 집고 관절낭 앞쪽 부분의 갑작스런 견인을 일으킨다(**그림 4-9**). Stemper 등은 후관절의 최대 부하가 경추 4번-경추 5번 분절에서 발생함을 보여주었으며, 이는 편타손상 후 X선 및 자기공명영상장치(MRI)의 변화를 가장 자주 보여주는 분절에 해당한다(**그림 4-10**).

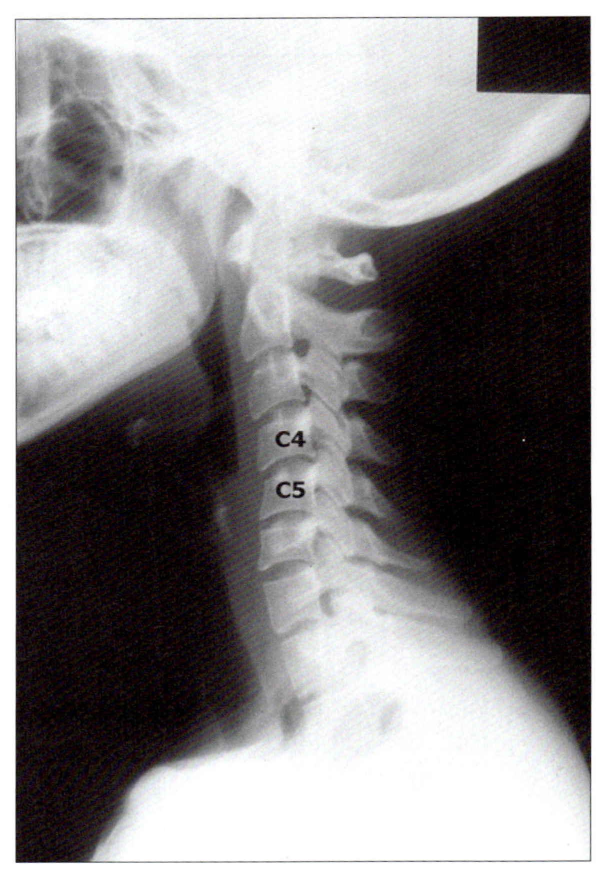

그림 4-10 ■ 편타손상으로 인한 부상은 경추 4번-경추 5번 분절에 우선적으로 영향을 미치는 경향이 있다.

편타손상 부상 중 최대 부하를 받는 후관절은 경추 4번 - 경추 5번의 분절이다.

이러한 비정상적인 움직임은 안정화 근육 조직의 수축으로 인해 느려질 수 있다. 그러나 근육 회복은 경추가 이러한 비정상적인 변형을 겪은 후 오랜 시간이 지난 후에 발생한다. 이러한 새로운 기여는 편타손상 동안 발생하는 부상이 과도한 굴곡 및 신전 운동의 결과라는 이전의 믿음을 버리게 된다. 후관절에 충격을 주는 것은 몸통의 상향 추력으로 인한 S자형

변형과 압축 기전이다. 이 고속 충격은 근육내 반월판의 팽창, 관절낭 파열 및 관절내 출혈에서 관절 연골 또는 관절돌기 골절에 이르기까지 다양한 정도의 부상을 유발할 수 있다(**그림 4-11**).

편타손상 시 발생하는 부상은 과도한 굴곡 및 신전 운동의 결과가 아니라, 체간의 상향 추력으로 인한 경추의 S자형 변형 및 압축력이다.

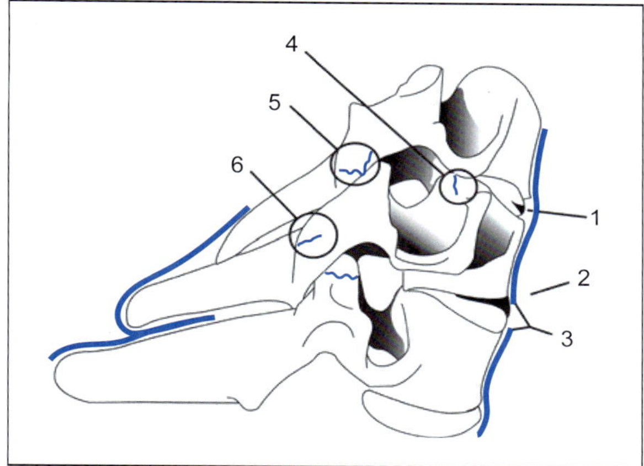

그림 4-11 ■ 가능한 편타손상. 대부분은 X선이나 자기공명영상장치(MRI)와 같은 영상 검사로는 감지할 수 없다. 디스크 전방부 골절(1), 연골판 박리(2), 전방종인대 파열(3), 구상돌기 골절(4), 후관절의 연골하 골절(5), 관절 기둥 골절 (6), 관절 내 출혈, 관절낭 파열 및 관절 반월상 연골의 압박 손상.

병리생리학 PATHOPHYSIOLOGY

후관절의 병리학은 다른 활액 관절과 마찬가지로 발달한다. 관절 외상이나 반복적인 관절 부하는 활막염을 유발할 것이다. 이 과정은 후유증 없이 사라지거나 활액 비대로 발전할 수 있다. 활액 비대는 퇴행성 연골 변화의 발달을 시작하는 활액의 구성과 부피의 변화를 결정한다. 따라서 관절 연골은 세동, 균열 및 파편화 과정을 거쳐 관절 연골의 파괴와 골관절염 비대를 초래한다(**그림 4-12**). 연골 높이 감소는 관절낭 이완으로 이어져 관절이 과도하고 비정상적인 운동성을 보이기 시작하여 관절 불안정성을 유발할 수 있다(**표 4-1**). 따라서 악순환이 형성된다. 관절 변성은 불안정성을 초래하고 이는 차례로 퇴행성 과정을 증폭시킨다. 결국 대부분의 환자에서 이러한 불안정성은 관절의 골관절염성 비대와 관절을 안정화시키는 경향이 있는 고리판 및 황색인대와 같은 다른 후방 요소에 의해 보상될 것이다(**그림 4-13**). 관절 조직의 이러한 반응은 불안정성에 대한 방어 시스템으로 볼 수 있으며, 이는 척추중심관과 외측척추관 모두의 직경을 줄이는 경향이 있기 때문에 때때로 부정적인 결과를 낳는다.

표 4-1

후관절 손상의 진화

활액 비대	활액의 조성과 부피의 변화
연골의 변화	세동 균열 분열
관절낭 이완	관절 불안정성

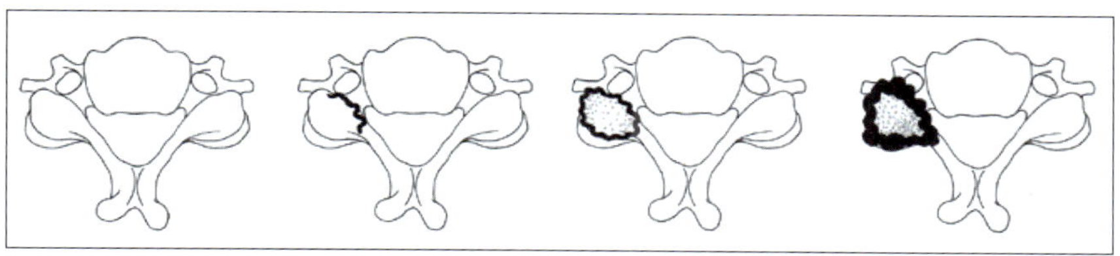

그림 4-12 ■ 관절 연골의 점진적인 변성은 다공성 연골하골 및 관절 비대로 끝나는 것으로 나타난다.

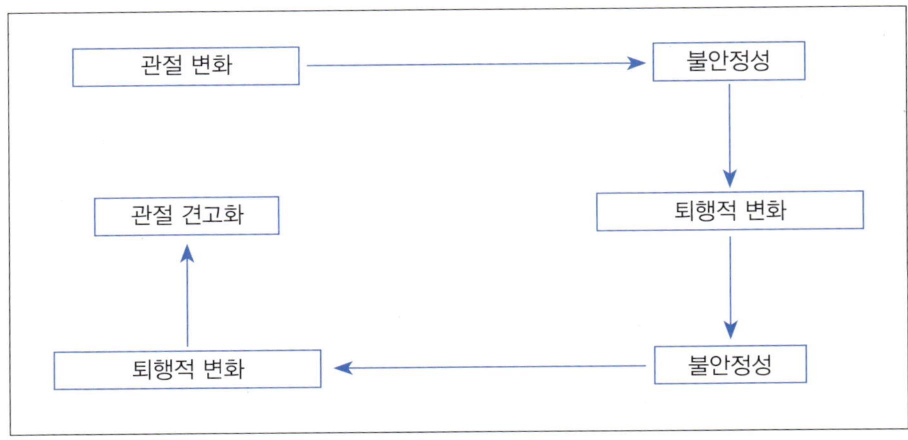

그림 4-13 ■ 관절의 불안정성 단계에서 강성으로의 관절 변화의 진화.

후관절증후군과 삼관절 퇴행
FACET SYNDROME AND TRIARTICULAR DEGENERATION

퇴행성 후관절 병리는 처음에는 단독으로 발생할 수 있지만 종종 경추의 퇴행성 과정의 결과인 추간판성 병리와 관련이 있다. 이 경우, 척추 분절의 불균형, 즉 삼관절 복합체를 형성하는 관절 체계 결합의 불균형이다. 삼관절 복합 변성에 대한 첫 번째 공동 설명은 Kirkaldy–Willis 등이 1978년에 했다.[85] 이 저자들은 추간판의 퇴행이 후관절의 퇴행과 관련이 있으며 경추의 퇴행성 질환은 이 둘의 관계를 이해하지 않고는 이해할 수 없다는 것을 보여주었다. Kirkaldy–Willis 등은 퇴행의 촉진 현상은 추간판 뿐만 아니라 후관절에서도 시작될 수 있다고 지적했다.

양쪽 후관절의 퇴행성 변화는 대칭적으로 발생하지 않고 각각 다르게 발달한다는 점에 유의해야 한다. 후관절의 비대칭 퇴행의 원인 중 하나는 후관절 중 하나에 영향을 미치는 더 큰 외상성 손상 또는 관절 부하다. 또 다른 원인은 추간판의 형태학적 대칭의 퇴행성 상실일 수 있다. 추간판은 측면 경사를 유발하여 후관절에 비대칭 압력을 가하여 그 중 하나에서 조기 퇴행을 주게 된다. 이 병태생리학적 사실은 왜 편측성 후관절 증후군이 그렇게 흔한지를 설명한다. 역학적으로 이 비대칭 변성은 한 관절이 다른 관절보다 더 불안정하다는 관점에서 비대칭 이동성이 퇴행 과정을 선호한다는 견해 때문에 결과를 가져온다(**그림 4–14**).

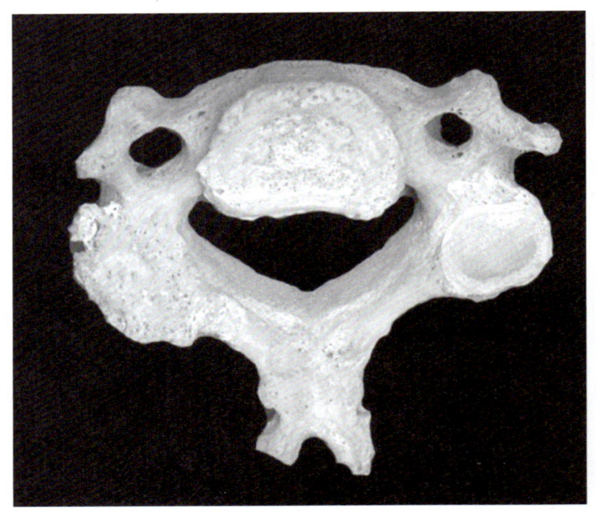

그림 4-14 ■ 이 척추에서 연골하골의 변화와 오른쪽 후관절의 관절염 비대가 관찰된다.

경추의 후관절은 디스크에 대한 상대적인 크기와 수평면에 더 가까운 독특한 방향 때문에 상당한 하중을 받는다. 단위 표면적당 압력은 퇴행성 변화의 결과로 추간판의 높이가 감소하기 시작할 때 크게 증가

Box 4-1
후관절 증후군의 단계

- 기능장애
- 불안정성
- 안정성

From Yong-Hing and Kirkaldy-Willis.[86]

Box 4-2
퇴행적 변화들

- 관절 과가동성
- 관절 불안정성
- 골단내 골관절염
- 외측 척추관 협착증
- 중심 척추관 협착증

한다. 추간판의 진행성 퇴행은 경추 후관절 증후군의 발달에 상당한 영향을 미치며, 후방 요소에 의해 전달되는 증가된 압력을 흡수하기 위한 시도로 후관절 퇴행과 비대 그리고 황색인대, 척추경, 고리판의 비대를 돕는다. 위의 설명은 후관절 증후군의 진화에서 여러 단계의 존재를 보여준다. 1983년 Yong-Hing과 Kirkaldy-Willis는 후관절 퇴행성 과정의 진화를 세 단계로 나누었다. 첫 번째 단계 또는 기능장애 단계; 두 번째 단계 또는 불안정한 단계; 세 번째 단계 또는 안정화의 단계(Box 4-1).

임상적으로 첫 번째 일시적 기능장애 단계에서 환자는 목 통증을 겪는다. 불안정 단계는 후관절과 추간판 모두의 변화의 결과이다. 한 관절이 겪는 변화는 다른 관절의 변화를 악화시킨다. 관절 연골의 퇴화와 높이 감소는 관절낭과 인대의 이완을 유발하여 추간판에 가해지는 부하를 증가시킨다. 차례로, 프로테오글리칸의 감소 및 디스크의 탈수와 같은 추간판에 의해 겪는 변화는 디스크 높이의 감소로 이어지고, 이는 차례로 인접한 척추 사이의 이동성을 증가시키고 후관절이 겪는 부하를 증가시킨다.

경추 분절 불안정성은 각도 불안정성과 이동성 불안정성의 두 가지 유형으로 분류할 수 있다.

이전에는 시상 회전이 11° 이상이고 이동 불안정성이 3.5mm 이상인 경우 각도 불안정성을 고려했다.[87] 그러나 Reitman 등은[88] 최근에 정상적인 경추의 이동성이 특히 시상 회전이 15°를 초과하는 중간 경추 영역에서 훨씬 더 높다는 것을 입증했다. 각도 불안정성은 이 움직임이 20°를 초과할 때만 고려되어야 한다. 마찬가지로, 이전에는 이 움직임이 3.5mm 이상일 때 이동 불안정성이 고려되었다.[87] 그러나 경추 2번–경추 3번, 경추 3번–경추 4번 및 경추 5번–경추 6번 분절에서의 이동은 최대 4.5mm까지, 경추 4번–경추 5번 분절에서 최대 5.5mm까지 정상으로 간주될 수 있다.[88]

경추 분절 불안정성은 두 가지 유형으로 분류된다.

- 시상 회전이 20°보다 큰 경우 각도 불안정.
- 4.5mm보다 큰 경우 이동 불안정.

디스크의 분절 불안정성은 1등급 및 2등급 변성 디스크에서 관찰되지만 0, 3, 4등급 변성은 덜 일반적이다.[89]

불안정한 기간의 지속과 범위는 관절의 관절염 안정화를 향한 점진적인 경향과 함께 완전히 개별화된다. 일부 환자는 약간의 관절 과가동성을 나타내지만 불안정으로 발전하지 않는 반면, 다른 환자는 심각한 불안정 및 퇴행성 척추전방전위증이 발생한다.

불안정성은 척추 분절의 과잉, 비정상 또는 비대칭 운동성의 존재를 의미한다. 이러한 관절 가동성의 변화는 관절 기능장애 상황의 특징이기도 하다. 따라서 이러한 검사 결과는 피험자가 단순한 관절 기능장애가 아니라 후관절 증후군을 가지고 있다는 의혹을 제기해야 한다.

안정화의 마지막 단계는 관절 가동성의 감소와 관련이 있으며 이는 자발적인 관절 고정으로 이어질 수 있다. 삼관절 복합체의 퇴행성 진화는 안정화로 이어질 비대 변화의 발달을 포함한다. 이 단계에서 증상은 일반적으로 인근 분절에 의해 유발되며, 이는 보상적 과이동성을 발생시키거나 외측 또는 중심관의 퇴행성 협착과 관련된다(Box 4–2).

후관절증후군의 임상적 양상
CLINICAL PATTERN OF CERVICAL FACET SYNDROME

퇴행성 디스크 질환과 후관절 병리학은 종종 동일한 환자에서 공존하며, 때로는 어떤 구조가 임상 상태를 유발하는지 구별하기 어렵다. Bogduk과 Aprill은 외상을 입은 56명의 환자에서 어떤 구조가 통증을 유발하는지 확인했으며, 그 중 41%에서 후관절과 디스크가 같은 부분에서 증상을 보였다고 밝혔다.

경추 후관절 증후군은 척추의 다른 부위와 마찬가지로 관절 기능장애와 관절내 기능장애로 설명되는 두 가지 임상 패턴을 나타낼 수 있다. 관절 기능장애는 관절 요소에 전체적으로 영향을 미치는 기능장애 또는 외상 후 퇴행성 변화의 결과이며, 관절내 기능장애는 활액 주름 또는 관절 내와 같은 정상 관절 표면 사이에 삽입된 반월상 조직의 변경하거나 또는 관절 내 느슨한 몸체와 같은 병리학적 관절 표면 변경을 포함한다. 이 두 가지 임상 패턴 외에도 후관절의 퇴행성 병리학은 외측척추관 협착증과 경추 신경근 병증을 유발할 수 있다.[84]

관절 기능장애(Joint dysfunction)

후관절 증후군 환자는 다양한 증상을 나타낼 수 있으며, 가장 흔한 것은 경추의 통증과 경직, 경추의 불안정성에 대한 주관적인 감각, 두통과 흉추와 상완에 관련된 통증이다. 이러한 증상은 비특이적이며 단독으로는 기원이 이 관절에 있는지 추간판에 있는지 여부를 알려주지 않으므로 적절한 검사 없이는 이 두 가지 임상 상황을 구별할 수 없다.

다른 체성 통증과 마찬가지로 후관절 통증은 일반적으로 둔하고 산만하며 국소적으로 감지되며 매우 자주 연관 통증을 동반한다. 이러한 확산 특성은 아마도 경추면의 이중 유형 신경 분포(즉, 분절 및 다분절 신경 분포)와 연관 통증의 특성 때문일 수 있다(1권의 5장 참조).

감별진단에 도움이 되는 후관절통의 전형적인 특징은 편측성이다. 추간판성 통증이 디스크 조직 손상[90]의 위치에 따라 편측 또는 양측이 될 수 있는 것처럼 후관절 통증은 항상 한쪽에서 감지되고 영향을 받은 후관절의 동측이다.[1,24,25,46,91]

일반적으로 급성기의 후관절 통증은 항상 국소적

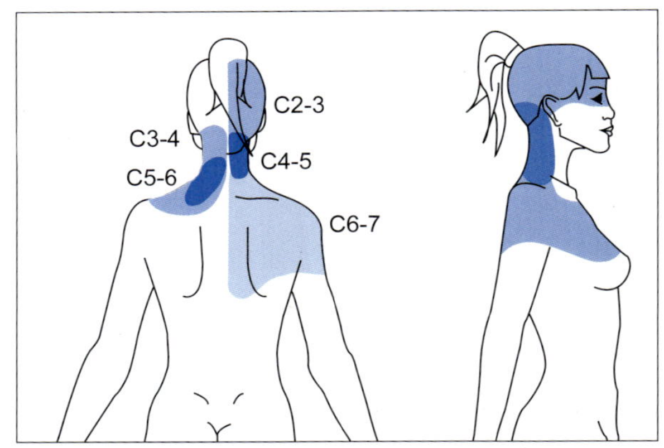

그림 4-15 ■ Bogduk과 Marsland가 설명한 연관 후관절 통증의 패턴.(Bogduk 및 Marsland에서 채택.[24])

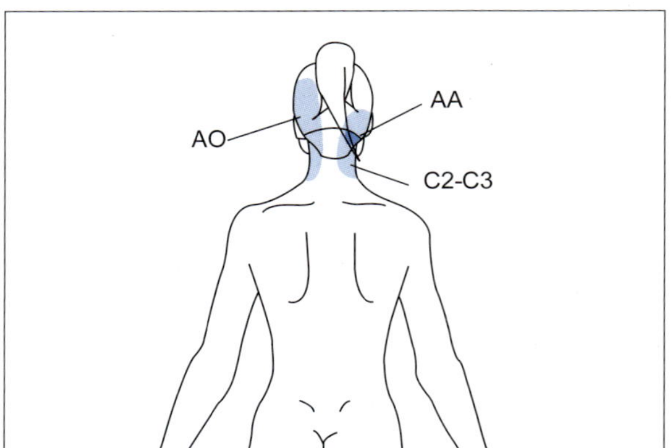

그림 4-16 ■ 고리뒤통수관절(환추후두관절, AO) 및 고리중쇄관절(환추축관절, AA)의 관련 통증 양상. (Dreyfuss 등 에서 채택[96])

이고 강렬하게 경험되는 반면, 만성기에는 국소 통증이 없을 수 있고 환자는 관절에서 떨어진 국소 부위에서만 관련 통증을 경험할 수 있다.[92]

후관절 통증 양상

Bogduk 및 Marsland,[24] Dwyer 등,[25] Aprill 등[26] 및 Fukui 등이[93] 후관절에서 연관통의 패턴을 식별할 수 있게 해 준 연구에 감사한다.[94]

첫 번째 후관절 통증 지도는 Dwyer 등에 의해 기술됐다.[25] 본 연구의 결과는 1988년 Bogduk과 Marsland가[24] 이전에 얻은 결과와 유사하였다(**그림 4–15**). 그 후, Aprill 등은[26] 후관절 통증이 있는 피험자에서 증상이 있는 부분의 위치를 예측하는데 임상적으로 얼마나 유용한지 보여주었다. 이러한 통증 패턴은 나중에 Fukui 등에[93] 의해 확인되었다. 저자들은 61명의 경추통 환자를 대상으로 조영제 침윤과 척수신경 후가지 내측가지의 전기적 자극을 이용하여 후관절 경추 0번–경추 1번에서 경추 7번–흉추 1번까지의 연관통 부위를 결정하였다. 그 후 Fukui 등은[95] 상부 흉추 부위의 연관 통증 패턴을 연구했다. 이 작업의 결과도 언급된 이유는 이 영역의 연관 통증 패턴이 하부 경추 수준의 통증 패턴과 상당히 겹치기 때문이다. 우리는 또한 Dreyfuss 등에[96] 의해 기술된 고리중쇄관절(환추축관절, AA) 및 고리뒤통수관절(환추후두관절, AO)의 관련 통증 패턴을 포함한다(**그림 4–16**). 그러나 후관절 기원의 연관 통증이 주로 하부 분절에서 팔꿈치 와 더 원위부에 도달하는 빈도에 유의해야 한다.

관련 통증 양상은 아래에 개략적으로 표시된다[93](**그림 4–17**).

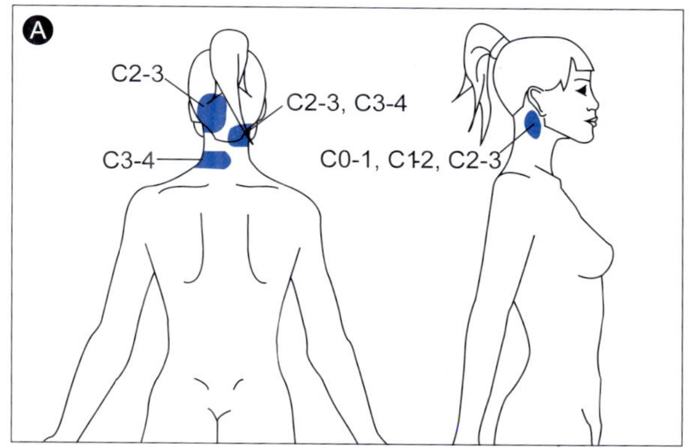

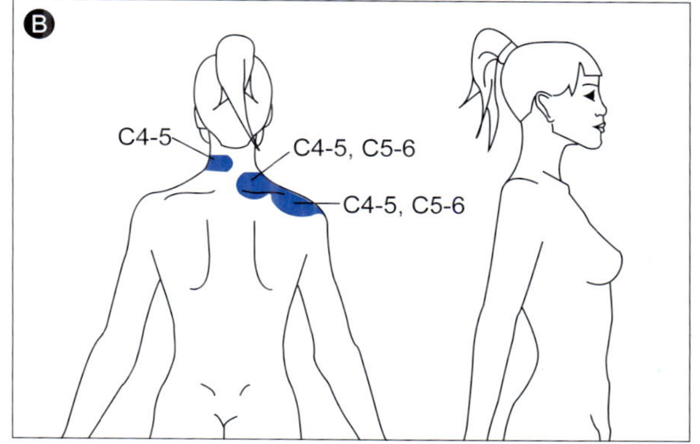

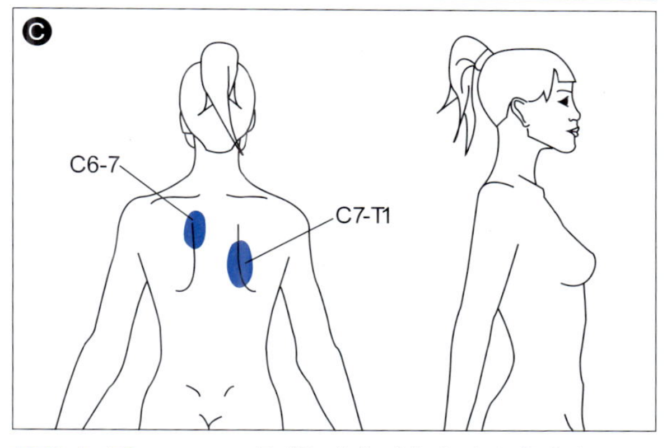

그림 4–17 ■ Fukui 등에[93] 의해 기술된 연관 후관절 통증의 양상. 상부 및 중간 경추(A), 중간 경추(B) 및 하부 경추(C).

- 관절 경추 0번–경추 1번과 외측 관절 경추 1번–경추 2번의 관련 통증 양상은 후두부 및 상부 후방외측 경추 부위의 통증 양상과 유사하다.
- 경추 2번–경추 3번 후관절은 종종 같은 쪽의 전측두엽 부위에 통증을 나타내지만, 그러나 통증은 후두부에 집중되고 더 강렬해지는 경향이 있다.
- 경추 3번–경추 4번 후관절의 통증은 일반적으로 목의 후외측 부위에 집중된다.
- 경추 4번–경추 5번 후관절의 통증은

목 기저부에 집중되고 더 심한 경향이 있다.

- 후관절 경추 5번–경추 6번의 통증은 극상와에 집중된다.
- 후관절 경추 6번–경추 7번의 통증은 견갑골의 상부 내측 경계에 집중되는 경향이 있다.
- 후관절 경추 7번–흉추 1번의 통증은 견갑골 내측 경계에 집중되는 경향이 있다.
- 또한 흉추 1번–흉추 2번 관절은 견갑골 상부 부위, 견갑골의 상각 및 견갑골 중간 부위에 통증을 유발할 수 있다.
- 흉추 2번–흉추 3번 관절은 견갑골 중간 부위에만 통증을 나타낸다.

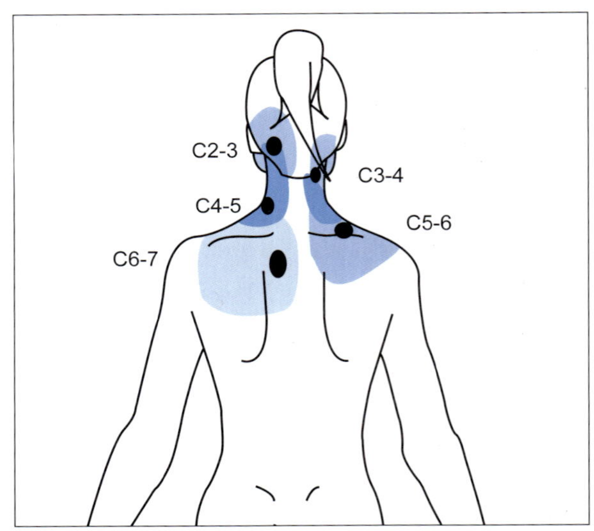

그림 4–18 ■ 연관 후관절 통증의 양상과 통증이 더 일관되고 광범위하게 느껴지는 원형 부위. Bogduk 및 McGuirk에 의해 수정됨.[97]

이러한 통증 양상은 지속적인 목 통증이 있는 피험자가 자주 표시하는 패턴에 해당하며 목 통증이 있는 환자에서 증상이 있는 후관절을 식별하는 데 유용할 수 있다.[24]

일부 저자에 따르면, 연관 통증의 이러한 지도를 해석할 때 환자가 통증을 더 일관되고 더 강렬하게 느끼는 지점이지만, 통증이 퍼지는 영역은 아직 중요하지 않다. 통증이 집중된 것처럼 보이는 이 지점을 통증 지도와 비교하여 관련된 경추 분절을 식별해야 한다[97](**그림 4–18**). 후관절 자극 후 피험자에서 얻은 지도가 증상이 있는 환자에서 관찰된 지도와 완전히 일치하는 것으로 보이지 않는다는 점에 유의하는 것이 중요하다. Cooper 등이[98] 최근에 보여주듯이 환자의 연관 통증 영역은 정상 피험자보다 더 다양하다.

또한 연관 통증 지도와 마찬가지로 연관 통증이 어떤 특정 관절 분절에서 비롯된 것인지 결정할 때 매우 주의해야 한다. 관련 통증은 중추 감작의 징후이므로 대상이 겪는 신경가소성 변화의 정도에 따라 다르다.

또한, 이러한 통증 양상만으로는 통증의 원인이 후관절에 있다는 것을 입증할 수 없으며 증상이 발생하는 경추 부위를 대략적으로 나타내는 지침일 뿐이다. 최근 디스크 조영술을 이용한 연구에 따르면 경추 추간판의 통증 양상은 동일한 분절 수준의 후관절의 통증 패턴과 본질적으로 동일하다.[90,99-100] 따라서 연관통 지도의 장점은 연관통의 원인이 되는 구조를 설정하는 것이 아니라 통증이 시작된 경추 영역의 대략적인 영역을 가리키는 데 있다.[98,102] 마찬가지로, 만성 통증이 있는 환자는 연관 통증이 상당히 다양하고 더 광범위하게 분포된 양상을 나타낼 수 있다.

유발 요인

통증을 유발하거나 악화시키는 요인은 신전 또는 회전 및 측면 굽힘과 관련된 모든 자세와 움직임이다. 다른 기능장애나 병적 상황에서와 같이 계속 앉아 있는 것은 잘 견디지 못하는 경향이 있다. 매우 자주 환자는 밤에 침대에서 편안하게 지내는데 어려움을 겪으며 종종 '베개를 가지고 싸움'. 이런 일이 발생하면 환자는 고통스러운 뻣뻣한 목과 함께 잠에서 깨어난다.

증상을 완화시키는 움직임이나 위치는 일반적으로 후관절 수렴과 감소된 관절압과 관련된 것이다. 피험자는 당시 급성 및 과민한 단계가 아니라면 통증이 없는 쪽으로 굽히거나 옆으로 구부리는 것과 같은 움직임이나 자세에서 안도감을 찾는다. 일부 환자는 목을 문지르는 습관을 갖는데, 이는 일시적으로 안도감을 줄 수 있지만 결국에는 관절 과운동성 및 관절 과민증을 유발할 수 있다. 통증은 처음에는 일시적이지만 지속적인 통증으로 발전할 수 있다.

후관절 기원의 통증 양상은 급성 관절 기능장애, 관절내 관절 기능장애, 수렴 관절 기능장애, 발산 관절 기능장애, 과수렴 관절 기능장애 또는 혼합 기능장애 양상과 같이 다양하다. 이러한 모든 양상은 1권의 6장에 설명되어 있다. 관절 기능장애가 기능적 불안정성과 관련이 있는지 또는 운동 제어 결함과 관련이 있는지 여부는 추가 분석이 필요하다.

관절내 기능장애
(Intra – articular dysfunctions)

경추의 일반적인 임상 상황은 급성 차단 또는 사경이다. 이 상황은 종종 후방 관절의 역학적 오작동의 결과이다.[103] 관절내 기능장애라고 부를 수 있는 이 임상 양상은 반월상 연골 구조 또는 활액 주름과 같은 관절 표면 사이에 삽입된 조직의 기계적 변형에 해당한다. 이러한 구조는 작은 크기에도 불구하고 경추에서 중요한 임상적 의미를 가지며,[104] 이 부위의 기계적 차단은 요추 부위보다 더 자주 발생한다. 신경 분포 때문에 목 통증 양상을 유발할 수 있다.[57,104] 경추 후관절 반월상 연골은 이전에 요추에서 관찰된 통각수용성 신경분포를 가지고 있으며 따라서 경추 통증 양상에 관련될 수 있는 것으로 나타났다. 현재 이러한 구조는 급성 목 뒤틀림의 원인이 되는 것으로 여겨지며[112,113] 관절 강직과 관련될 수 있다.[113]

관절내 기능장애의 임상 증상은 갑작스런 머리 움직임 후 갑작스러운 움직임 제한과 관련된 일방적인 경추 통증의 급성 영향이다. 빠르고 통제되지 않은 움직임에 따라 개인은 관절 기둥 위치에서 후방외측으로 국소화되는 날카로운 통증을 인지하고 즉시 또는 몇 시간 후에 경추의 가동성을 차단한다. 환자는 부상당한 쪽과 반대 방향으로 굴곡, 측면 굽힘 및 회전에서 진통 자세를 보이며, 이 진통 자세를 교정하려는 모든 시도에서 단일 통증이 나타난다.

급성 경추 차단에 대해 제안된 설명은 구체적으로 섬유 지방 반월상 연골의 포착 또는 왜곡이다. 이 반월상 연골은 크기가 비례하여 크고 관절 내로 돌출되어 있기 때문에 관절 표면 사이에서 조이거나 압축될 수 있다. Grieve에[114] 따르면, 이 급성 차단은 경추 2번–경추 3번 분절에서 더 자주 발생하지만 굴곡–신전 및 회전에서 상당한 가동성을 특징으로 하는 중간 경추 영역에서도 흔히 발생한다고 믿는다. 따라서 가동성과 급성 경추 차단 사이에는 관계가 있는 것으로 보이며, 이것은 더 큰 이완성 때문에 어린이와 여성에서 더 높은 빈도를 설명할 것이다.

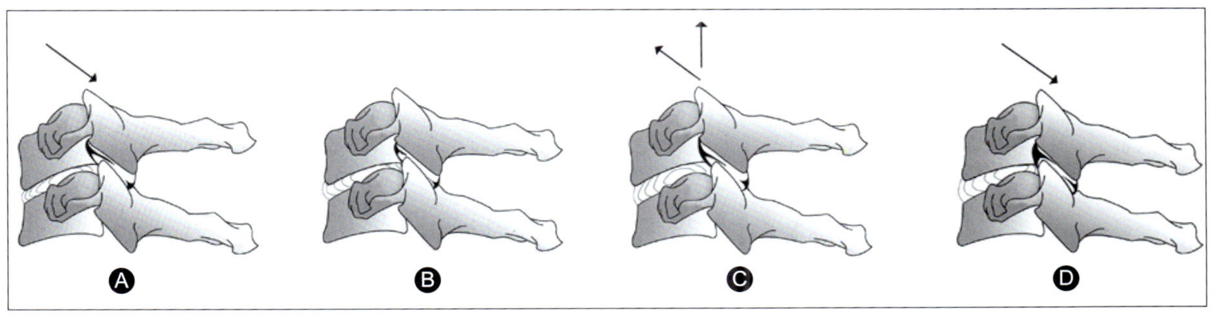

그림 4-19 ■ 급성 경추 차단은 후관절 수렴(A) 운동 동안 관절 내 반월상 연골이 관절에 다시 들어갈 수 없기 때문에(B) 관절낭과 관절 가장자리 사이에서 수축되기 때문에 발생한다. 간격과 확산 조작(C)은 반월상 연골을 해제하고 이를 관절 공간(D)에 다시 삽입할 수 있다.

이전에 Koss 와 Wolf,[115] Scher,[116] Giles[117] 같은 저자는 이러한 갑작스러운 블록의 원인이 두 관절 표면 사이의 반월상 연골의 포착 또는 끼임이라고 제안했다. Kos와 Wolf에[115] 따르면 반월상 연골이 관절 표면 사이에 갇히면 끝 부분의 콜라겐 밀도로 인해 관절 연골이 변형되어 경추의 생리적 운동 중에 방출되는 것을 방지할 수 있다. 반월상 연골은 또한 구조의 변화를 겪기 때문에 끝이 점점 더 섬유질이 되어 방출을 더욱 방해한다.

그러나 Bogduk 및 Jul과 같은 저자는 이 구조가 압축을 견딜 수 있기 때문에 이 해석이 잘못되었다고 생각한다. 그들은 관절면 확산 운동, 특히 결합된 굽힘 및 동측 회전 운동에서와 같이 편측일 때 반월상 연골이 관절에서 미끄러지는 결과를 낳는다고 제안한다. 중립으로의 복귀 운동은 관절 내에서 반월상 연골의 미끄러짐을 동반해야 한다. 이 복귀 운동 동안 반월판은 관절에 다시 들어갈 수 없고 관절낭과 관절 가장자리 사이에 접힌 상태로 유지되기 때문에 차단이 발생한다(**그림 4-19**). 이것은 관절 반월상 연골의 직접적인 압박과 관절낭의 압력 증가에 의해 통증을 유발할 수 있으며 반사 근육 경련을 동반한다.[118-120] 이러한 설명은 관절의 확산을 유도하는 움직임에서 블로킹이 발생하는 것이 아니라 수렴을 필요로 하는 중립 위치로의 복귀 운동에서 발생한다는 사실과 일치한다.

관절 공간의 틈과 개구를 빠르게 유발하는 모든 움직임은 반월판의 재삽입을 가능하게 한다. 이 동작은 고속 조작으로 효과적으로 달성할 수 있다. 항상 약간의 굴곡에서 진통 패턴을 관찰하는 이 기술은 반대측 굽힘 및 동측 회전을 주요 매개변수로 사용한다. 여기서 작은 이동과 관련된 회전 추력이 권장되며 반월판을 해제할 수 있는 넓은 관절 간격을 허용하고 관절에 재삽입을 가능하게 한다. 이 기술은 아래에 설명되어 있다. 관절 반월판 고정을 시각화할 수 있는 정밀한 영상 검사가 아직 충분하지 않지만 이것은 관절 조작의 효과와 일치하기 때문에 매력적인 이론이다.[118,120]

경추 경직에서 반월상 연골의 역할과 관련하여 Mercer는[113] 추가로 다른 관절에서와 같이 지방 조직의 증식으로 인한 부상 후 관절 내 유착의 발달에 유리할 수 있다고 제안한다. 따라서 임상적으로 관찰된 경추 경직과 관련이 있을 수 있으며, 이는 저가동성 관절 기능장애를 유발할 수 있다.[121] 경직은 분명히 관절낭의 팽창이나 연골하 골절로 인한 관절 출혈의 결과일 수도 있다.[122]

피험자가 이러한 급성 차단으로 자주 고통받는 경우, 기능장애 관절 과가동성 상황의 존재를 의심해야 하며, 이는 근육 안정화 프로그램으로 치료되어야 한다.

경추후관절성과 추간판성의 감별 진단(Differential diagnosis between facet cervical and discogenic)

환자가 목이 뒤틀려 아픈 것을 보고할 때마다 후관절내 기능장애로 인한 것과 급성 추간판 증후군으로 인한 것을 구별하기 위해 감별 진단을 수행해야 한다. 치료가 상당히 다르기 때문에 후관절과 디스크 원성 사경을 구별하는 것이 중요하다. 예를 들어, 어떤 경우에는 도수치료가 후관절 통증에 대한 적절한 치료가 될 수 있지만 이 절차는 추간판 기원의 증상을 악화시킬 수 있다.[123] 두 경우 모두 진통의 위치는 유사하나 어떤 측면에서 차이가 있어 구별하기 어렵지 않다(**표 4-2**).

통증의 특성은 감별 진단에 도움이 될 수 있다. 추간판성 통증은 일반적으로 깊고 광범위하며 위치를 찾기 어려운 반면, 후관절 통증은 훨씬 더 국소화되어 환자가 담당 관절을 지적할 수도 있다. 두 경우 모두 통증이 심할 수 있으나 추간판성 통증은 더 불쾌하고 견디기 어려운 불편함을 동반하여 다른 성질을 갖는다.

후관절 사경의 발병은 갑자기 또는 빠른 움직임이나 자세와 직접적으로 관련이 있는 반면, 추간판성

표 4-2

후관절성과 디스크성 사경의 구별

	후관절성	디스크성 사경
통증 양질	국소적	깊고, 펴지고, 위치가 어렵다
강도	가벼움에서 심함 까지 다양함	극심하고 참기 어렵고, 불편한 느낌과 관련되었다
통증 정착	움직임과 자세 관련 신속함	기계적 부하의 점진적인 이전 이력이 필요하지 않음
통증 개시	즉시	잠복기
증상 회복	48시간 후	때때로 몇주간 지속
제한된 움직임의 원인	기계적	통증 정도
반응하는 관절분절의 위치	단순 후관절에 자극검사 반응	복합적 후관절에 촉진이나 자극검사에 무통증 반응
증상의 분포	한쪽	한쪽 또는 양쪽 그리고 항상 방사형

사경의 경우 기계적 부하의 이전 병력이 반드시 있는 것은 아니다.

후관절 증상은 즉시 나타나지만 후관절을 자극하는 자세나 움직임으로 몇 시간 후에 악화되는 반면, 추간판성 통증의 경우 자극적 움직임과 통증 시작 사이에 특징적인 잠복기가 있다. 후관절 사경의 경우 심한 증상이 약 48시간 후에 가라 앉기 시작하지만 일부 경우에는 완전한 관해에 몇 주가 소요될 수 있다. 추간판성 사경에서는 증상이 점진적으로 악화되어 증상이 시작된 지 며칠 후에 최대 중증도에 도달한다.

후관절 사경은 일반적으로 움직임이 일정 범위를 초과할 때 날카로운 제한을 수반하는 반면, 추간성 유형의 경우 가동성의 제한은 증상의 강도에 따른 통증 회피 태도의 결과로 동일한 관절 범위 크기에서 항상 발생하는 것은 아니다.

후관절 증후군의 임상 검사에서 원인이 되는 후관절을 찾는 것은 특별히 어렵지 않은 반면, 추간판성 장애는 일반적으로 후관절의 촉진이나 유발 검사에서 통증이 없다.

증상의 분포는 급성 후관절 증후군에서 다르며, 연관 통증은 드물지 않지만 국소 관절 통증이 더 심하다. 급성 후관절 통증이 있는 환자는 종종 원인이 되는 정확한 관절을 지적할 수 있다. 반대로 추간판성 통증은 광범위하기 때문에 환자는 일반적으로 경추의 통증 없이 상부 등세모근(승모근)과 어깨 부위의 넓은 부위를 지적하는 경향이 있다. 후관절성 통증이 있는 피험자의 진통 양상을 교정하려는 시도가 국소 관절 통증을 즉시 재현하는 반면, 추간판성 통증이 있는 피험자의 통증 반응은 종종 원위부에서 흉부 부위로 지칭된다.

후관절 증후군 및 신경근병증 (Facet syndrome and radiculopathy)

후관절은 이미 1장에서 논의된 관절 비대 및 후속 협착으로 인한 신경근병증의 원인이 될 수 있다. 그러나 이러한 임상 상황은 덜 발생하지만 경추 후관절의 관절낭에서 활막 낭종이 발생하기 때문일 수도 있다.[124,125]

활막 낭종은 일반적으로 신경 조직의 적응을 허용하면서 점차적으로 성장하고,[124,126,127] 이것이 크고 빠르게 성장하는 경우에만 신경근병증, 심지어는 경추 척수병증을 유발할 수 있다.[128,129] 이러한 활액낭종은 상부를 포함하여 경추의 모든 부위에 나타날 수 있지만 하부에서[125,132-140] 훨씬 더 많이 발생하며,[130,131] 특히 경추 7번-흉추 1번 분절에서 그렇다.[125,133,134,139] 이것은 이동성이 매우 높은 영역과 덜 이동하는 영역 사이의 전환 영역에 위치할 때 이러한 관절이 받는 기계적 부하 때문일 수 있다. 활막 낭종 형성의 원인은 과도한 관절 운동에 대한 이차적 원인으로 일부 저자에 의해 해석되는 반면,[141] 다른 저자는 관절에 의해 경험되는 퇴행성 변화의 결과라고 믿는다.[125,135]

후관절 증후군과 두통
(Facet syndrome and headache)

후관절의 병리 또는 기능장애는 임상적으로 두통으로 나타날 수도 있다(**그림 4-20**). 이러한 관절의 장애로 인한 두통의 개념은 Bogduk, Marsland, Dwyer, Bovim, Lord 및 Barnsley 등에[25,29,142-144] 의해 소개되었다. 이 저자들은 제3 경추 신경의 선택적 차단 후 만성 두통 패턴의 관해를 입증했다. 그 이후로 두통과 후관절 병리 사이의 관계가 널리 연구되었다.[1,28,36,52,142,143,145-155] Drottning 등에[156] 따르면 만성 경추성 두통 환자의 85%가 편타손상을 겪었다. 특징적으로 두통은 사고 후 처음 3일 동안 나타난다. 두통을 가장 많이 일으키는 후관절은 경추 2번-경추 3번이고 그 다음이 경추 3번-경추 4번이다.[25,29,36,52,151,153,157] 두통과 후관절 사이의 관계는 7장에서 논의된다. 경추성 두통은 연관 통증에 해당하며, 따라서 중추신경계의 기능적 신경가소성 변화의 존재를 중요하게 의미한다.

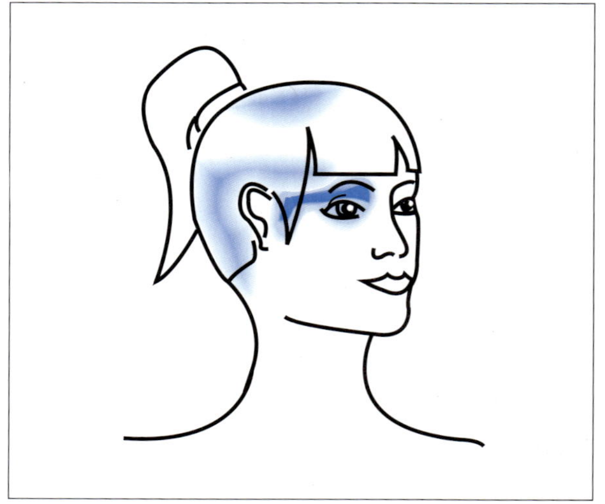

그림 4-20 ■ 두통은 첫 번째 경추 분절의 후관절 증후군의 일반적인 징후이다.

신체 검사 PHYSICAL EXAMINATION

후관절 증후군의 임상 검사는 특별히 어렵지 않다. 부분별 및 분절별 가동성 검사, 관절 기둥의 유발 검사 및 촉진을 하면 임상 양상을 담당하는 관절이 쉽게 드러난다.[158]

진단적이지는 않지만 다음과 같은 임상 소견은 후관절 목 통증을 나타낸다. 압력에 대한 민감도가 최대인 관절 기둥의 위치 결정, 분절 유발 검사로 통증의 시작, 신전 또는 회전 시 능동적 움직임의 범위 감소, 수동 검사 시 관절 가동성의 제한 또는 과잉 가동성, 증가된 근긴장도와 같은 연조직의 변화; 및 관련 후관절 통증의 영역에 해당하는 통증.

후관절 증후군 임상 소견:

1. 압력에 가장 민감한 관절 기둥의 위치.
2. 분절 유발 검사로 인한 통증.
3. 신전 또는 회전 시 감소된 능동 이동 범위.
4. 도수검사 시 관절 가동성의 제한 또는 과잉 가동성.
5. 근긴장도 증가와 같은 연조직의 변화.
6. 관련 후관절 통증 영역에 해당하는 통증.

환자의 증상에 반응하는 후관절을 식별하는 것은 경추의 능동 가동성 평가, 하위영역별 보조 능동 가동성, 복합 움직임 사용, 생리학적 및 보조 수동 가동성 검사 및 관절 기둥의 촉진에 의해 이뤄진다. 이러한 각 검사로 얻은 정보의 축적은 증상을 유발하는 후관절의 상당히 신뢰할 수 있는 진단을 가능하게 한다.

관찰은 경추의 전반적인 능동가동성을 평가하는 것으로 시작된다. 처음에 우리는 세 평면 모두의 움직임을 개별적으로 평가한 다음 수동적으로 최대 크

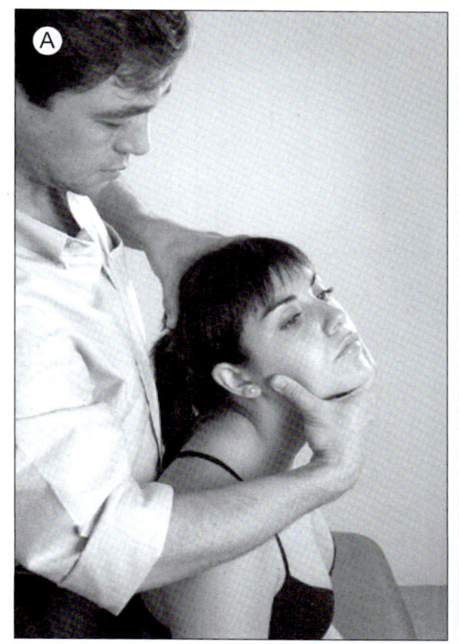

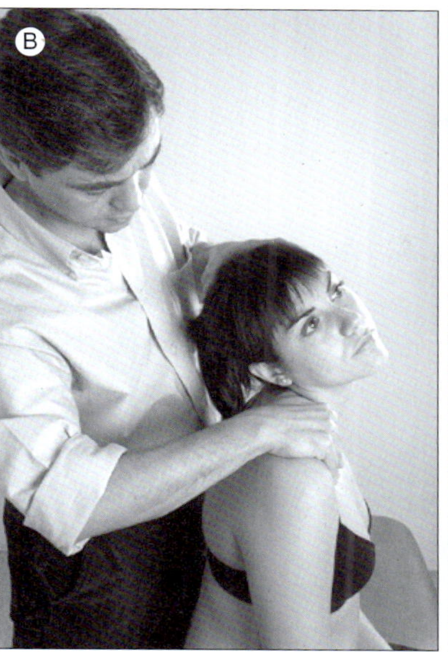

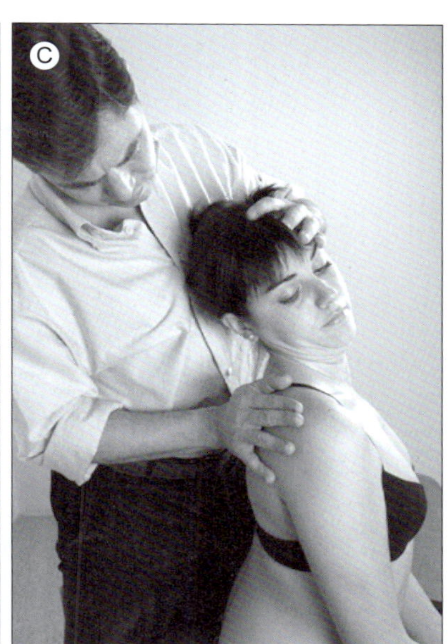

그림 4-21 ■ 후관절 증후군의 유발 검사는 통증이 있는 쪽을 향한 관절 회전 및 신전 운동이 될 수 있으며, 끝에 꼬리쪽으로 과도한 압력을 가한다. 상부(A), 중간(B) 및 하부(C) 경추에 대한 검사.

기까지 움직임을 완료한다. 능동 가동성은 일반적으로 표준 압축 또는 폐쇄 양상에 해당하는 영향을 받는 쪽으로 신전 및 회전 운동의 감소를 나타낸다. 그러나 이 표현이 가장 흔하지만 염증 상황에 따른 관절낭의 수축으로 인해 후관절 통증이 확산 양상으로 표현될 수 있으며, 이는 개구 운동의 통증을 결정하며 대상자가 지속적인 굽힘 하는 중 불편함을 경험하는 경우가 드물지 않다. 관절에 퇴행성 변화가 있는 경우 혼합된 기능장애 양상도 관찰될 수 있다.

통증이 있는 쪽의 관절 회전 및 신전 운동은 유발 검사로 사용될 수 있으며, 마지막으로 꼬리부의 과압을 적용할 수 있다. 이 검사는 후관절 수렴에 대한 고통스러운 반응을 보여준다. 증상이 있는 관절을 찾기 위해 상부, 중부, 하부 경추의 가동성을 별도로 유도한다. 처음에는 고립된 움직임에 이어 회전, 측면 굽힘 및 마지막으로 구성 요소를 함께 신전한다. 우리는 상부, 중부, 하부 경추에 수렴되는 부하를 차등적으로 집중시킨다(**그림 4-21**). 이 검사를 통해 우리는 증상의 원인이 될 가능성이 있는 분절에 대한 관찰에 집중할 수 있다.

촉진에 민감한 관절 기둥에 손가락을 대고 그 특정 지점에 신전, 측굴, 회전 운동을 집중시키면 증상의 원인이 되는 후관절의 식별이 더 정확할 수 있다. 이 검사는 환자의 증상을 재현하는 것 외에도 특히 움직임이 끝날 때와 근육 반응이 나타날 때 손가락의 인지된 힘을 확인하려고 시도한다.

어떤 후관절이 증상의 원인인지 확인하기 위해 환자에게 증상을 악화시키는 자세나 움직임을 재현하도록 요청한다. 이 위치에서 시작하여 궁극적으로 원인이 되는 관절을 감지하기 위해 움직임 구성 요소를 추가 및 제거한다. 예를 들어, 환자가 경추를 신전할 때 통증을 느낀다면, 원인이 되는 후관절이 중간 경추에 위치하는지 하부 경추에 위치하는지 확인하기 위해 중간경추를 중립 상태로 유지하면서 이러한 움직임을 수행할 수 있다. 환자가 여전히 증상을 호소한다면, 원인이 되는 후관절이 하부 경추에 위치한다고 추론된다. 환자가 경추 및 체간을 오른쪽으로 회전시키는 동안 상부 흉추 부위에서 증상이 나타나면

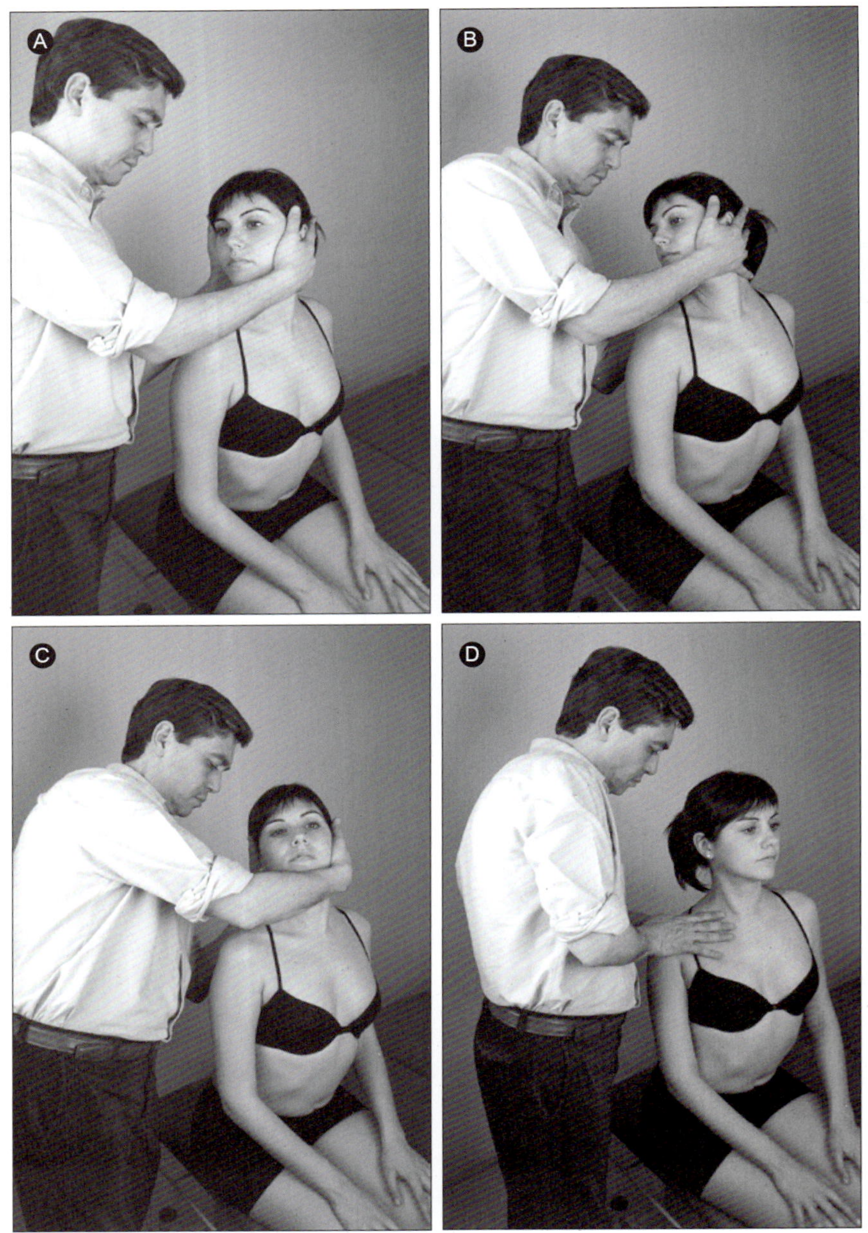

그림 4-22 ■ 경추와 상부 흉추의 구별 증상. 처음에는 환자에게 흉추 움직임이 없는 최대 경추 회전을 수행하도록 요청한 다음(A), 흉추를 사용하여 움직임을 계속하라는 메시지를 표시한다(B). 흉추의 회전은 감소시키면서 흉추의 회전은 증가하고(C), 마지막으로 흉추(D)에서만 회전이 유지된다.

이 자세를 유지한 상태에서 체간 회전이 증가되는데, 만약 이 부위에서 발생하면 증상이 증가하고 경추에서 발생하면 증상이 감소하게 된다. 흉추를 역회전시켜 이 위치에서 확인을 하게 되는데 이 부위에서 오는 경우 증상이 감소하고, 경추에서 오는 경우에는 증상이 남아 있게 된다(**그림 4-22**).

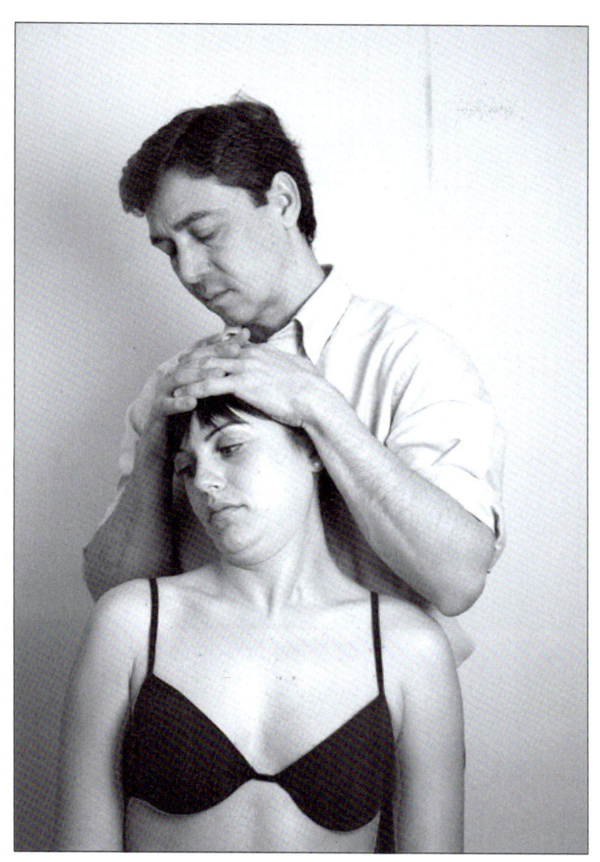

그림 4-23 ■ 압박 검사. 압박을 가하기 전 원인되는 후관절 쪽으로의 회전과 경사에 효과를 맞춘다.

압박에 대한 고통스러운 반응을 분석하는 것은 흥미롭다(**그림 4-23**). 압축은 신전 또는 신전-회전의 다양한 진폭에서 수행할 수 있으므로 후관절 증후군의 임상 상황과 진행 및 치료 후 개선을 평가할 수 있다.

분절 가동성의 도수적 분석은 증상을 일으키는 후관절의 임상적 식별에서 핵심적인 역할을 한다. 도수적 검사의 경우 관절 가동성 검사와 보조 가동성 검사를 모두 사용하는 것이 흥미롭다. 이러한 유형의 관찰은 진단적 관점에서 중요할 뿐만 아니라 얻은 정보를 기반으로 가장 적절한 유형의 치료를 설계할 수 있게 해준다.[159]

수동적 분절 가동성 검사는 움직임의 양과 질, 움직임 전반에 걸친 증상 행동을 평가해야 한다. 수동적 분절 가동성은 굴곡-신전, 측면 굽힘 및 회전으로 평가된다. 검사는 앉은 자세(**그림 4-24**)와 누운 자세(**그림 4-25**) 모두에서 수행할 수 있다. 목적은 증상을 유발하는 관절이 저하되거나 과도하게 움직이는지 여부를 감지하는 것이다.

관절이 과가동성을 보인다면 이것이 과도한 운동범위 때문인지 또는 중립 영역의 증가 때문인지 확인해야 한다. 과가동성 관절의 경우 이러한 과도한 가동성을 유발하거나 영속시키는 국부적 또는 국소적 저가동성이 있는지 여부를 결정하는 것이 필수적이다. 저운동성 관절의 경우 제한된 움직임의 방향을 평가해야 한다.

움직임의 양만큼 중요한 것은 움직임 중 제한의 존재, 거친 관절 움직임, 딱딱거리는 소리 또는 삐걱거리는 소리, 움직임의 끝 느낌, 움직임 중 또는 움직임 끝에 통증의 출현과 같은 그 양질이다.

관절 기능장애의 경우와 관절내 기능장애의 경우 사이에 가동성과 후관절 통증에 상당한 차이가 있다. 관절내 기능장애를 진단하는 것은 전혀 복잡하지 않다. 환자는 폐쇄 양상으로 명확한 진통 태도를 나타내므로 이를 교정하려고 하면 즉시 증상이 악화된다. 영향을 받는 관절의 최소 수렴을 생성하는 모든 움직임은 빠르게 통증을 재현한다. 통증은 일반적으로 끝범위 뿐만 아니라 운동 범위 전반에 걸쳐 나타난다. 관절 표면 사이에 최소한의 압박을 가하면 증상이 심하게 증가한다. 촉진은 극도로 민감한 연질 수정체의 비대를 보여준다.

보조 가동성 검사는 후관절 증후군 진단에 유용한 도구이다. 이 관절의 상대적으로 피상적인 위치와 거의 직접적인 촉진 가능성은 부가적 움직임 검사에서 많은 정보를 얻을 수 있음을 의미한다. 이를 통해 궤적 중 저항, 최종 범위에서의 품질, 근육 경련, 직접 자극 허용과 같은 움직임의 양과 품질의 다양한 측면을 모두 평가할 수 있으므로 유발 검사에 이상적이다. 가장 유용한 보조 운동 검사는 후관절에 대한 편

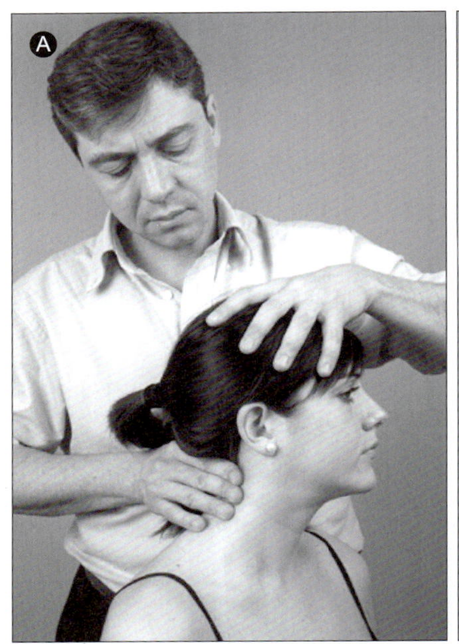

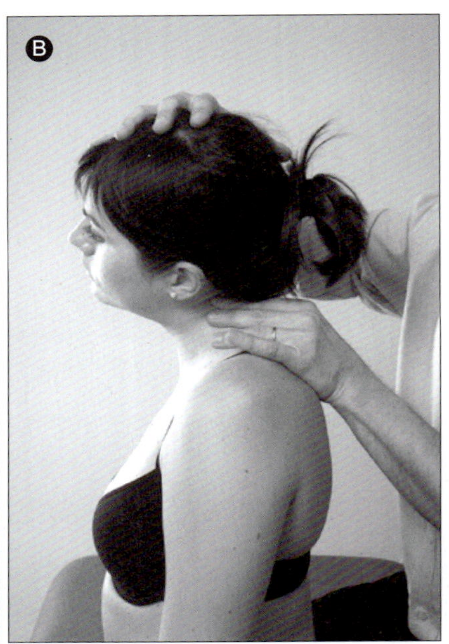

그림 4-24 ■ 앉은 자세에서 수동 분절 가동성 평가: 회전(A) 및 측면 굽힘(B) 평가.

측성 후방 전방 운동이다(**그림 4-26**).

증상의 원인이 되는 후관절을 식별하기 위한 진단 기준은 (1)감소되거나 과도하게 인지된 움직임의 변화량, (2)움직임에 대한 비정상적인 저항, (3)움직임이 끝날 때 비정상적인 품질 및 (4)환자가 보고한 통증의 재현이다. 검사를 수행하는 동안 근육 경련이 시작되면 관절에 증상이 있음을 확인할 수 있다.

촉진(Palpation)

후관절의 촉진은 첫째, 관절낭 조직 질감과 둘째, 촉진에 대한 압통 이 두 가지 유형의 정보를 우리에게 제공한다. 관절 기둥의 촉진은 진화 단계에 따라 부드럽게 비대되고 활막염의 경우 극도로 민감하며 관절 비대의 경우 단단하고 확고한 일관성이 나타날 수 있다(**그림 4-27**). 조직의 질감과 촉진에 대한 저항이 일부 정보를 제공할 수 있지만 더 관련성 있는 요소는 환자의 증상을 유발하는 것이다. 경추 관절돌기간관절의 관절 기둥의 압통에 대한 촉진은 경추 후관절 증후군에 대한 합리적으로 신뢰할 수 있는 진단 도구이다.[160]

경추의 도수적 검사 신뢰성 (Reliability of manual scan of the cervical spine)

전체적인 가동성, 경추 관절 유희, 관절 기둥의 압통 및 수동적 추간 운동과 같은 다양한 경추 도수 탐색 절차의 신뢰성이 연구되었다.[160-168] 경추의 전체 가동범위는 분절 가동 범위보다 더 신뢰할 수 있다.[165,169] 관찰자간 잘 일치된 유일한 징후는 관절 기둥에 대한 압통이다.[160]

유발 검사가 가장 신뢰할 수 있고 연조직의 변화에 대한 촉진이 가장 신뢰할 수 없다. 그러나 경추의 도수 관찰 검사에 대한 관찰자간 동의는 좋지 않거나 가장 좋은 것으로 간주되었다.[167,170] 또한 이 검사 방법은 매우 주관적이어서 증상이 있는 척추 분절을 정확하게 감지하고 무증상 척추 분절과 구별하지 못한다는 주장도 있다.[171,172] 1988년 Jull, Bogduk 및 Marsland[173]는 증상이 있는 경추 후관절 기능장애를 감지

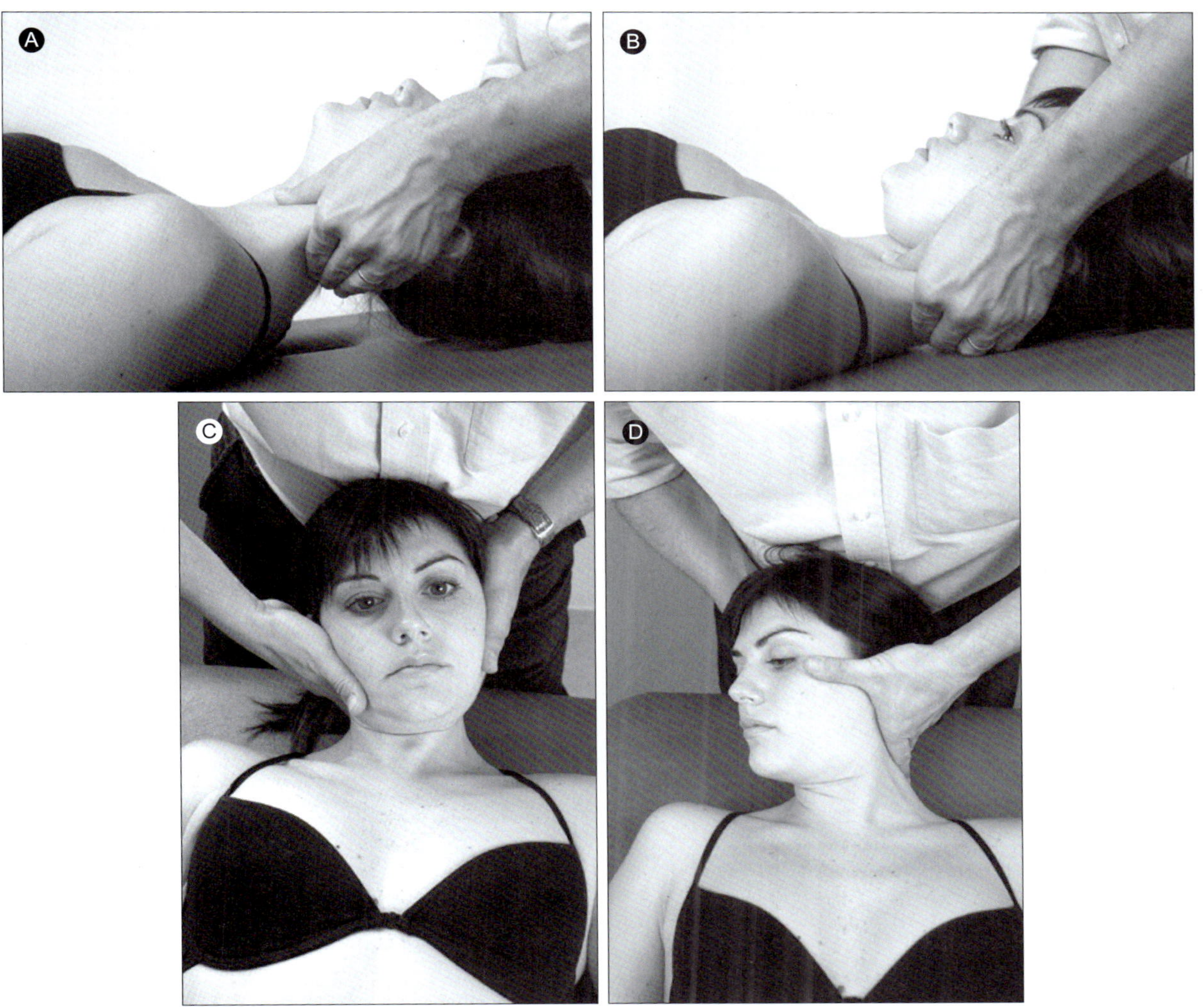

그림 4-25 ■ 앙와위 수동 분절 가동성 평가: 굴곡 및 신전(A) 및 (B) 측면 굽힘(C) 및 회전(D) 평가.

하고 인식하기 위한 도수 검사의 정확성에 대해 널리 논의되고 참조된 연구를 수행했다.

이 연구는 마취 차단으로 얻은 진단과 도수 검사의 정확도를 비교했다. 이 연구는 이러한 유형의 탐색이 척추 도수치료에서 숙련된 물리치료사의 손에 있는 후관절 통증의 원인을 진단하는 데 100% 특이적이고 민감하며 진단 마취 블록만큼 정확할 수 있음을 보여주었다.[173] 그러나 일부 저자들은 Gwen Jull이 도수 검사로 후관절 통증을 진단하는데 매우 정확하다는 것을 보여주었을 뿐이고, 더군다나 당시 수행되었던 진단 블록은 통제된 진단 차단이 아니었기 때문에 본 연구의 결과를 일반화할 수 없다고 언급했다.[97,167,174]

그러나 최근 Schneider 등은[175] 경추 후관절 통증의 도수 진단 절차를 검증하는 경추 후관절 통증 진단에 대한 임상 판단 가이드를 개발했다. 이 연구에서 10-25년의 임상 경험을 가진 4명의 숙련된 물리치료사가 진단 블록 이전에 125명의 대상을 평가했다. 단일 차단 절차와 관련된 높은 위양성률을 줄이기 위해 비교 내측 가지 제어 차단이 두 가지 다른 마

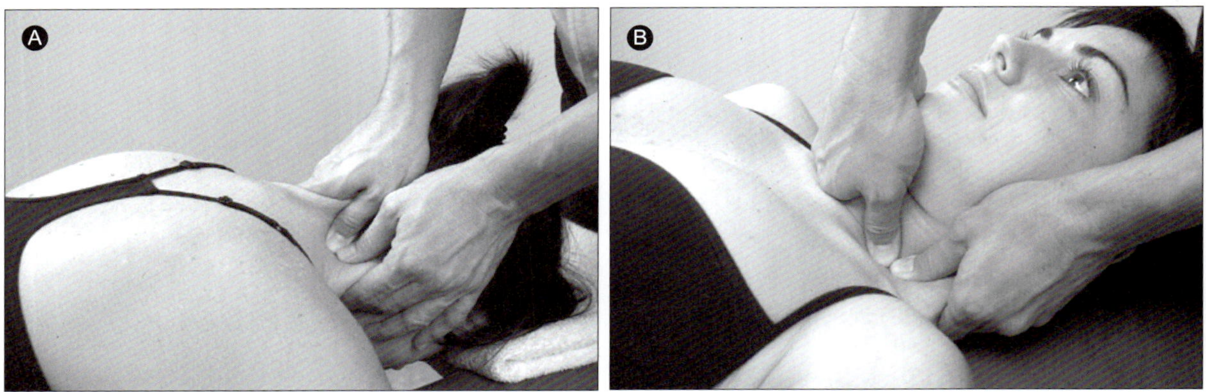

그림 4-26 ■ 부가적 운동 검사: 후전방의 편측 압력(A) 및 후관절의 전후방 편측 압력(B).

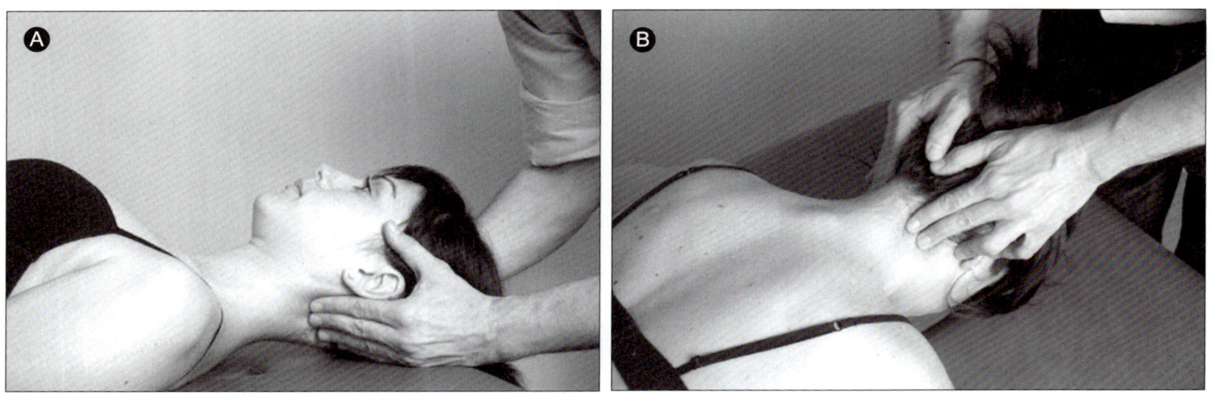

그림 4-27 ■ 바로 누운(A) 및 엎드린(B) 후관절 촉진.

취제와 함께 두 차례 사용되었다. 통증이 있는 환자의 식별을 위해 도수척추검사(MSE), 분절 압통에 대한 촉진(PST) 및 신전 회전(ER) 검사를 사용했다.[175]

도수척추검사(MSE)는 경추 2번-경추 3번에서 경추 6번-경추 7번까지 관절 기둥에 대해 일방적인 후전방 부가적 움직임을 사용하여 수행되었다. 움직임과 통증에 대한 저항이 평가되었다. 관절 기둥의 분절압통에 대한 촉진(PST)는 동일한 엎드린 자세에서 시행되었다. 신전회전(ER) 검사는 머리를 완전히 신전하고 양쪽으로 회전하도록 하였다. 환자들은 움직임이 끝날 때 어떤 통증이든 보고했다. 모든 검사는 진단 후관절 차단을 의뢰한 목 통증이 있는 환자에서 중간에서 우수한 평가자내 및 평가자간 신뢰성을 입증했다.

이 연구는 환자가 도수척추검사(MSE), 분절압통에 대한 촉진(PST) 및 신전회전(ER) 검사 또는 도수척추검사(MSE)/신전회전(ER) 검사 또는 분절압통에 대한 촉진(PST)/ 신전회전(ER) 검사의 조합에서 양성 반응을 보일 때, 양성 가능성 비율의 크기는 임상의에게 환자가 후관절 매개 통증을 가질 확률에서 약간에서 중간 정도의 변화를 제공한다. 특히 도수척추검사(MSE), 분절압통에 대한 촉진(PST) 및 신전회전(ER) 검사의 양성군은 후관절 블록을 적절한 후보로 지목하기 쉽다. 이 세 가지 검사 중 어느 하나에 대한 긍정적인 단독 소견은 후관절 매개 통증을 진단하기 위한 진단 정확도가 부족하다. 흥미롭게도 가장 낮은 음성 가능성 비율은 분절압통에 대한 촉진(PST) 검사와 관련이 있었다. 즉, 환자가 이 검사에서 음성 검사를 받은 경우 환자가 후관절 매개 통증을 갖지 않을 확률이 크고 눈에 띄는 변화가 있음을 의미한다.

후관절 증후군의 발달을 이해하려면 가능한 부분적 및 자세적 소인 요인에 대한 분석이 필요하다. 경추와 흉추의 부분적 균형을 분석하는 것은 필수적이다. 후관절 통증의 특징적인 양상에 대한 지식과 정확한 검사 기술은 치료사가 신뢰할 수 있는 진단을 수행할 수 있도록 하는 적절한 도구이다.

그림 4-28 ■ 사선 투영은 관절면과 외측 척추관 협착증의 관련 가능성을 관찰하는 데 유용하다.

영상 기술 IMAGING TECHNIQUES

후관절의 외상성 또는 퇴행성 질환뿐만 아니라 기계적 기능장애는 X선 또는 다른 진단 영상 기술을 통해 보여지는 객관적인 징후가 없는 경우 지속적인 목 통증의 일반적인 원인일 수 있다. 다수의 임상 및 실험 연구에 따르면, 편타손상과 같은 외상성 사고 후 진단 영상방법에 의해서 발견되지 않는 관절낭 파열, 관절염, 관절 연골 및 연골하골 골절과 같은 후관절의 다양한 손상이 발생한다는 사실이 밝혀졌다.[3,5,7,60,176–178]

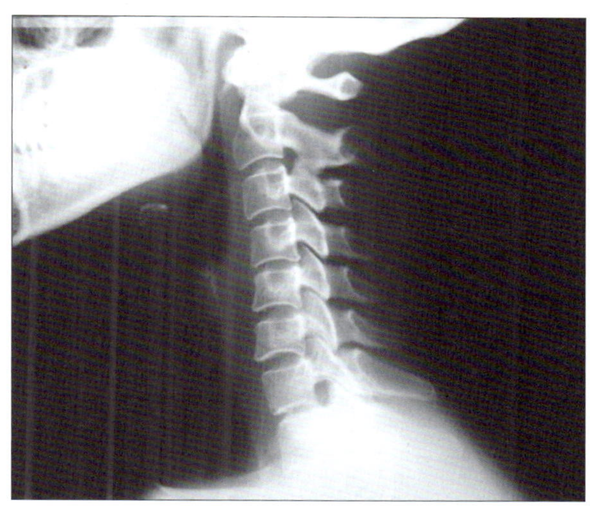

그림 4-29 ■ 후관절의 형태를 보여주는 측면 방사선 사진.

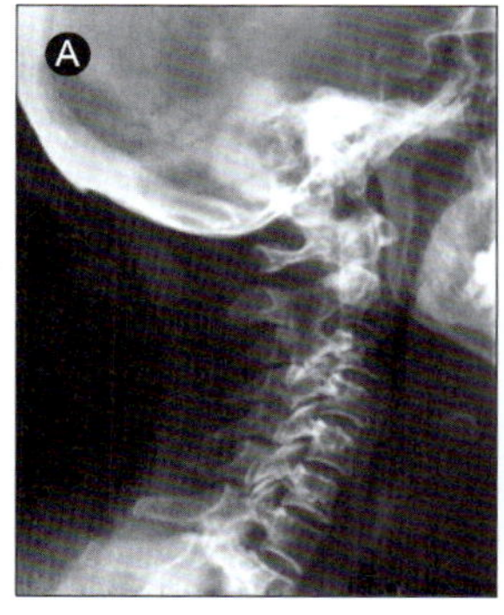

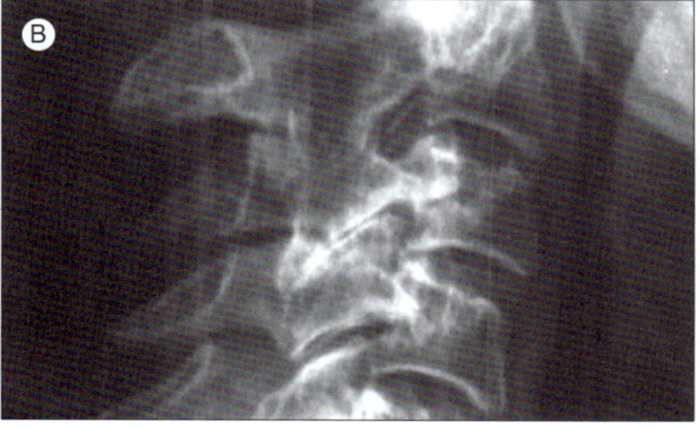

그림 4-30 ■ 이 측면 방사선 사진은 경추 3번-경추 4번 분절(A)의 퇴행성 변화를 보여준다. 큰 이미지(B).

X선, 컴퓨터단층촬영(CT) 및 자기공명영상장치(MRI)에서 얻은 후관절에 대한 정보는 관절의 퇴행성 변화가 현저한 마지막 단계를 제외하고는 후관절 증후군과 관련하여 거의 없다.[27,46,172,178,179] 그러나 우리는 이러한 퇴행성 변화와 증상의 존재 사이에 연관성이 없다고 주장해야 한다.

방사선 촬영 연구에서 사선 투영을 사용하면 후관절을 더 잘 시각화할 수 있다(**그림 4-28**). 관찰할 수 있는 관절 공간의 협착, 연골하 골 경화증 및 관절 골극같은 관절 변화는 퇴행성 과정의 진화에 해당한다: 이러한 변화는 측면 투영에서도 관찰할 수 있다(**그림 4-29 및 4-30**). X선, 컴퓨터단층촬영(CT) 및 자기공명영상장치(MRI)에서 발견되는 관절 질환의 징후는 관절선 부족, 활막 낭종, 황색 인대 비대, 골극, 진공 기포 및 정동석이다. 자기공명영상장치(MRI)는 관절 비대, 관절낭 및 인대의 두꺼워짐을 보여준다. 우리는 이러한 퇴행성 변화가 통증의 원인이 반드시 후관절에 있지 않아도 발생할 수 있다고 주장한다.

침습적 진단 기법 INVASIVE DIAGNOSTIC TECHNIQUES

영상 기술의 제한된 진단 유용성과 도수검사 방법의 진단 가능성에 대한 불신으로 인해 일부 저자는 경추 후관절 통증 진단에서 유일하게 신뢰할 수 있는 방법은 마취 차단 및 관절 침윤이라고 생각하게 되었다.[29,46,102,153,179-182] 그러나 이러한 기술은 진단적 관점에서 특이성이 없고 일반적으로 고려되지 않는다.[183-185]

이 진단은 후관절 내로 마취제를 침투시키거나[157](**그림 4-31**) 후가지 내측 분할의 마취제 차단에 의해 이루어진다.[29,172,184] 완전한 통증 완화는 그 기원이 후관절에 있음을 의미한다. 그러나 이 절차는 실제로 위양성 및 기술 실패에 따른 음성, 위약 성분 및 기술 중 약물 투여와 같은 몇 가지 문제가 있다. 진단 확인을 위해서는 통제된 비교 진단 블록이 필요하다. 이를 위해 두 개의 차단이 무작위로 수행된다. 하나는 단기 마취제(2% 리도카인)를 사용하고 다른 하나는 장기간 마취제(0.5% 부피바카인)를 사용한다.[31,36,52,179,180,184] 리도카인으로 최소 2시간, 부피바카인으로 최소 3시간 동안 완전한 통증 완화가 얻어지면 반응은 양성으로 간주된다. 비교 블록이 사용되지 않으면 위양성 비율이 상당히 높을 수 있다. 구체적으로, 단일 블록을 이용한 위양성 진단의 비율은 27%에 달할 수 있다.[184] 이러한 기술에는 항상 사용할 수 있는 것은 아니며 훈련된 의사가 특정 기술 방법을 필요로 한다.

마취 차단은 특히 관절이 조이는 퇴행성 변화가 나타날 때 바늘로 관절 내부에 접근하는 것보다 간단한 절차이기 때문에 현재 관절 침윤보다 선호된다.[27,46,172,178]

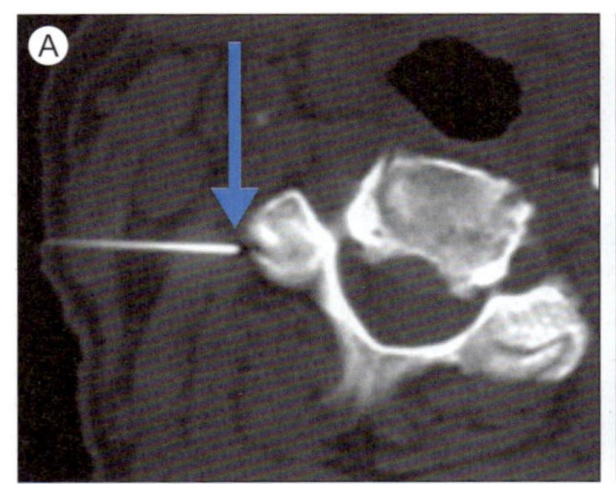

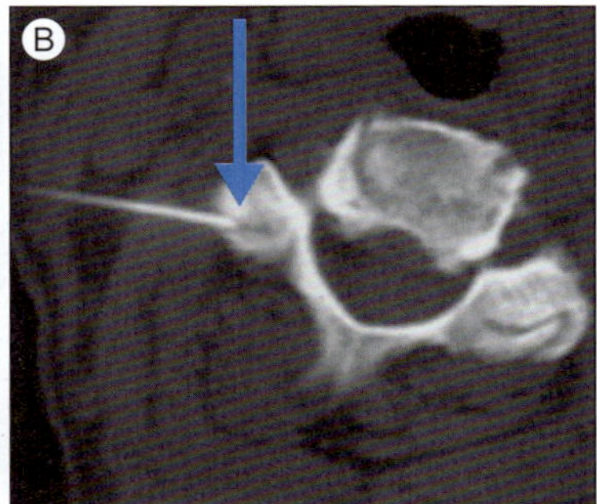

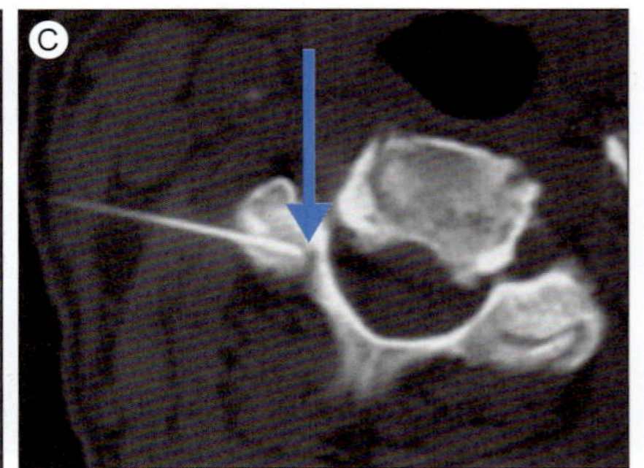

그림 4-31 ■ (A-C) 경추후관절증후군의 진단은 후관절 내로 마취제를 침윤시켜 확진할 수 있다.

보존적 치료
CONSERVATIVE TREATMENT

최근 수십 년 동안 침습적 기술의 발전에도 불구하고 보존적 치료는 후관절 통증이 있는 대부분의 환자에게 여전히 선택으로 남아있다. 침습적 기법은 보존적 치료에 반응하지 않는 경우나 환자의 증상을 줄이고 즉시 치료를 시작하는 경우에 확보되어야 한다. 이 부분에서는 복잡하지 않은 경추 후관절 통증의 경우에 사용할 수 있는 몇 가지 치료 기술에 대해 설명한다. 복잡한 임상 양상 또는 편타손상 관련 장애를 제외하고 후관절 통증을 암시하는 증상이 있는 환자의 관리는 9장과 11장에서 논의된다.

도수치료 기술의 목적은 관찰적 발견에 달려 있다. 첫째, 증상의 원인이 되는 경추 분절을 찾는 것이 필수적이다. 두 번째 목표는 그것이 저운동성 기능장애인지 과운동성 기능장애인지 확인하고 궁극적으로 환자가 제시하는 관절 기능장애의 특정 양상(확산, 수렴, 과수렴 또는 복합)을 결정하는 것이다. 과가동성 기능장애에 직면했을 때, 우리는 그것이 이차적인 것인지 아니면 인접한 분절 강직의 존재로 인해 지속되는지를 확인해야 한다. 경추 후관절 통증과 관련될 수 있는 운동장애의 관리는 5장과 6장에서 논의된다. 또한 이러한 유형의 환자에서 나타날 수 있는 체성감각장애는 8장에서 논의된다.

관절 기능장애의 도수치료
(Manual therapy of articular dysfunctions)

후관절 기능장애 치료는 만성, 급성 또는 아급성 상태에 적응해야 한다. 관절 기둥이 촉진에 접근할 수 있다는 사실을 통해 관절 변화와 관절 압통을 확인할 수 있다. 이러한 촉진 소견을 통해 환자의 임상 상태에 맞게 치료를 조정할 수 있다.

위에서 이미 논의한 바와 같이, 우리는 기능장애가 저운동성인지 과운동성인지 구별해야 한다. 저가동성 관절의 경우 환자의 임상 상태에 따라 기술의 선택이 달라진다. 피험자가 중등도에서 중증의 통증과 높은 과민 반응을 보이는 경우 통증이 없는 적당한 진폭의 생리적 운동 및 보조 운동 기술(등급 I 및 II)이 적합하다.

통증 조절을 위한 관절 기법의 예(그림 4-32)

급성 후관절 통증의 경우에 사용할 수 있는 기능적 기법의 예로, 환자는 회전 운동 및 우측 굽힘 중 우측 후관절 경추 4번-경추 5번에서 통증을 보였다.

치료사의 자세: 환자의 머리쪽에 앉는다.

환자의 자세: 앙와위.

방법: 치료사는 두 번째 손가락의 첫마디 둥근부분을 오른쪽 경추 4번-경추 5번 후관절에 놓는다. 왼손으로 전측두엽 그립을 사용하여 환자의 경추를 천천히 왼쪽으로 회전시키고 적당한 크기로 구부리며 이 움직임을 경추 4번-경추 5번 분절에 집중시키려고 한다. 그런 다음 머리의 위치를 약간 변경하여 오른쪽 후관절의 촉진할 수 있는 장력을 감소시키고 선택적으로 약간의 압박을 추가한다. 이러한 모든 조정은 환자 증상의 개선을 수반해야 한다. 이 자세는 1~3분 동안 유지한다. 마지막으로 오른손의 두 번째 손가락으로 모니터링하면서 증상을 피하면서 치료사는 천천히 점진적으로 환자의 경추를 중립 위치로 가져온다.

그 후, 저강도의 압박을 가하여 후관절 증상의 조절을 유도하면서 점진적이고 고통 없이 후관절을 운동장벽 쪽으로 가져가는 기술을 사용할 수 있다(**그림 4-33**).

뻣뻣함이 지배적인 경우에는 완전하고 통증 없는 이동성을 얻기 위한 기술을 사용해야 한다. 처음에는 항상 환자의 임상 상태에 맞게 제한 또는 운동 장벽 방향으로 적용되는 생리적 및 보조적 움직임으로 시작한다.

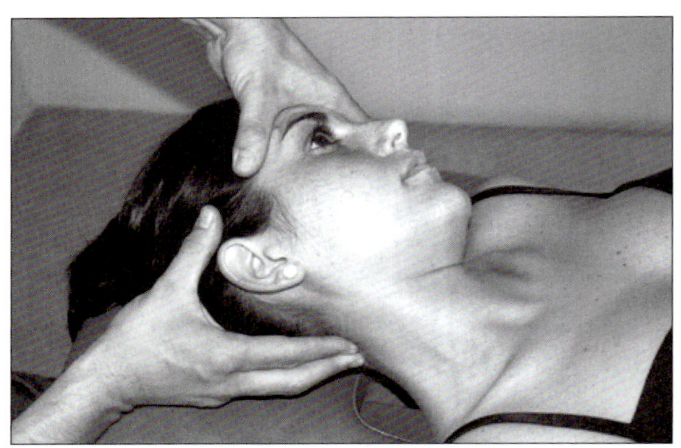

그림 4-32 ■ 통증 조절을 위한 관절 기술.

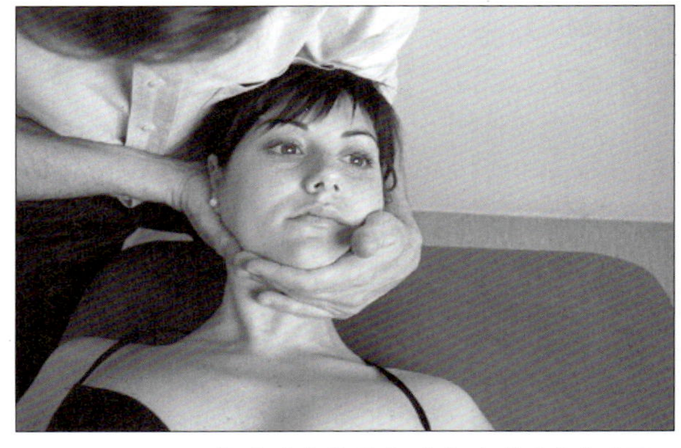

그림 4-34 ■ 동측면 확산에 대한 회전 시 생리학적 운동 기법.

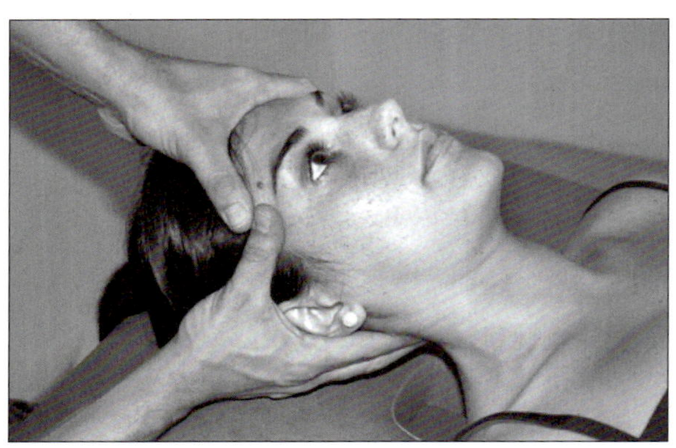

그림 4-33 ■ 통증 조절을 위한 관절 기둥의 관절 및 압박 기술.

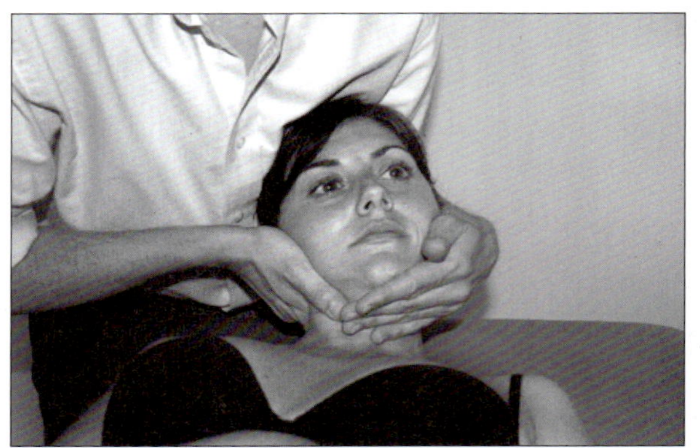

그림 4-35 ■ 반대쪽 측면 확산을 위한 측면 굽힘의 생리학적 운동 기법.

후관절과 관련된 기능장애 양상은 수렴 관절 기능장애, 확산 관절 기능장애 패턴, 과수렴 관절 기능장애 양상 및 혼합 기능장애 양상과 같이 매우 다양하다. 각 임상 상황에 적용되는 조작 절차는 1권, 12장에서 논의되므로 각 기술은 여기에서 자세히 설명하지 않고 단지 예를 들어, 몇 가지 치료 가능성을 언급한다.

후관절 확산을 얻기 위해 환자의 임상 상태에 따라 크기가 결정되는 회전(**그림 4-34**) 또는 반대쪽 굽힘(**그림 4-35**)에서 생리학적 움직임을 사용할 수 있다.

과도한 관절 수렴 또는 확산 부족을 모두 치료하기 위해 일방적인 후관절 미끄러짐 기동이 사용될 수 있다. 확산의 경우 환자는 반대측 경추 회전(**그림 4-36**)으로, 수렴의 경우 동측 경추 회전(**그림 4-37**)으로 배치된다. 첫 번째 경우에는 전방 두개골 방향으로, 두 번째 경우에는 후방 꼬리 방향으로, 두 경우 모두 치료사는 후관절 평면에서 반복적인 미끄러짐 움직임을 적용한다. 이 기술은 일반적으로 운동 범위와 통증 모두에서 상당한 개선을 가져온다.

고통스러운 과수렴 기능장애의 치료에서 움직임을 동반한 가동 조작이 사용될 수 있다. 경추 3번-

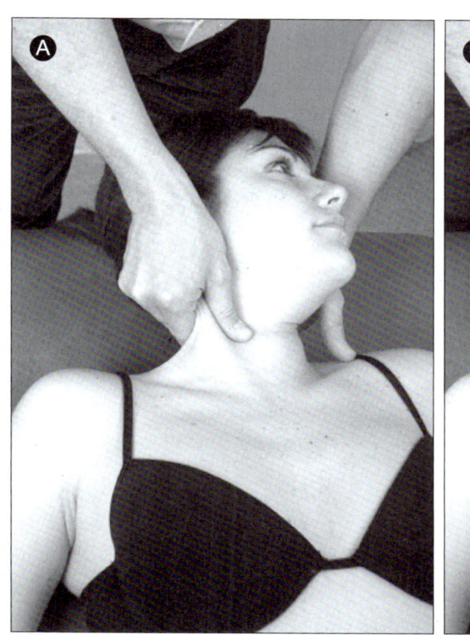

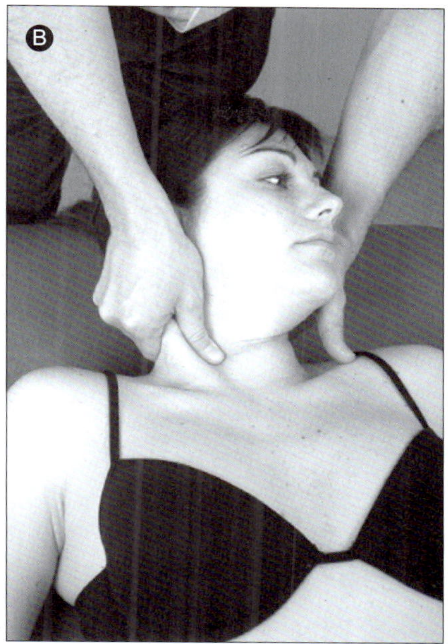

그림 4-36 ■ (A,B) 확산을 치료하기 위한 일방적인 후관절 미끄러짐 움직임.

경추 4번의 왼쪽 후관절에 통증이 있는 수렴을 예를 들어, 절차는 두 부분으로 구성된다.

첫 번째 부분에서 치료사는 환자의 반대편에 있고 약간 오른쪽에 위치하여 오른손의 세 번째 손가락으로 경추 3번의 왼쪽 관절 기둥을 안정시키고 환자에게 오른쪽으로 점진적인 경추 회전운동을 1과 3사이에서 수행하도록 요청하고 마침내 최대 통증 없는 범위에 도달한다. 환자의 능동적인 회전을 동반하여 이 동작 동안 치료사는 관절면을 기준으로 경추 3번의 왼쪽 기둥 위에 두개골과 전방 압력을 가한다.

두 번째 부분에서 환자는 최대 크기에 도달할 때까지 왼쪽으로 다양한 회전 동작을 수행해야 한다. 이러한 움직임 동안 치료사는 경추 3번의 왼쪽 관절 기둥이 뒤쪽으로 미끄러지는 것을 방지한다(**그림 4-38**).

후관절의 직접적인 가동성을 확보하는 부가적 운동 기술은 편측성 후방 전방(**그림 4-39**) 및 전방 후방(**그림 4-40**) 가동화이다. 시작 위치와 동작 방향을 수정하여 원하는 동작의 크기를 높이고 통증에 영향을 줄 수 있다.

확산 장애에 대한 고속 도수치료는 바로 누운 자세(**그림 4-41**) 또는 앉은 자세(**그림 4-42**)에서 수행할 수 있는 회전 기술이다.

후관절 수렴의 경우 측면에서 도수치료 기법을 관절돌기간 관절의 비스듬한 평면을 따라 안쪽과 아래쪽으로 밀어내면서 사용한다 (**그림 4-43**).

후관절 간극을 얻기 위해 앉은 자세와 앙와위 모두에서 기능장애 후관절의 반대쪽에서 작용하는 측면 회전 기법을 수행할 수 있다(**그림 4-44**).

급성 상태에서 고속 기법을 적용한다면 초기에 갭핑(gapping) 기동을 사용하는 것이 바람직하다. 흔히, 일단 움직임을 얻고 나면 수렴 또는 확산의 후속 처리가 더 쉽다.

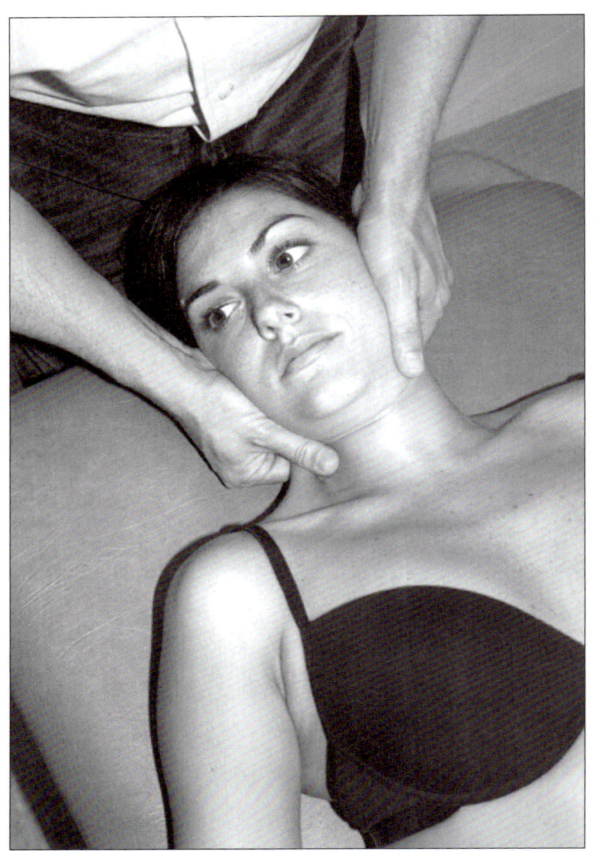

그림 4-37 ■ 수렴을 치료하기 위한 일방적인 후관절 미끄러짐 움직임.

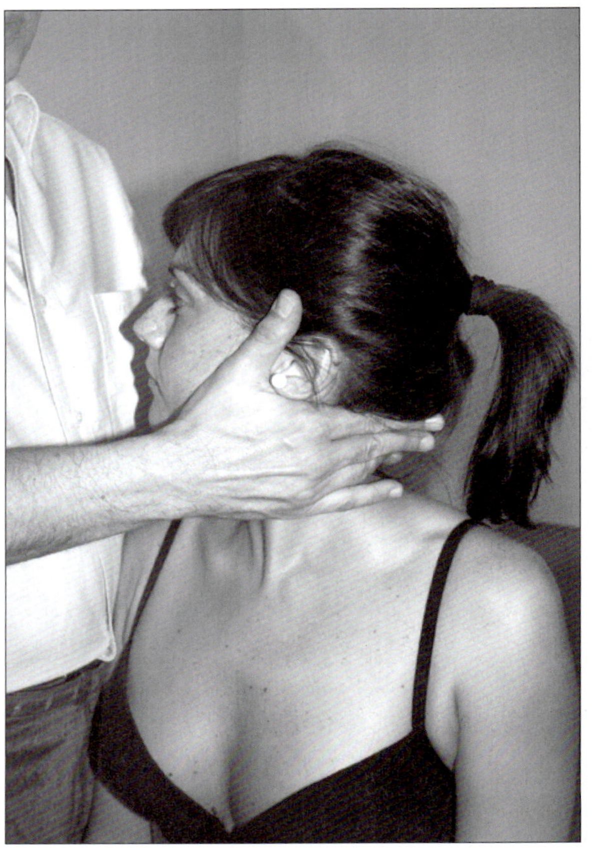

그림 4-38 ■ 관절 과수렴을 치료하기 위한 후관절 평면에서의 움직임.

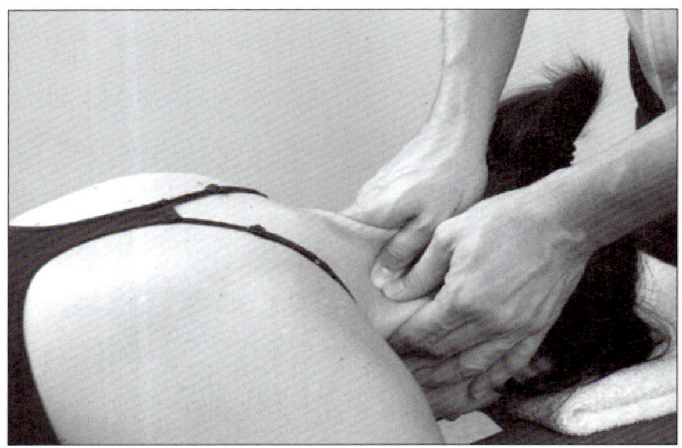

그림 4-39 ■ 한쪽 후전방 가동.

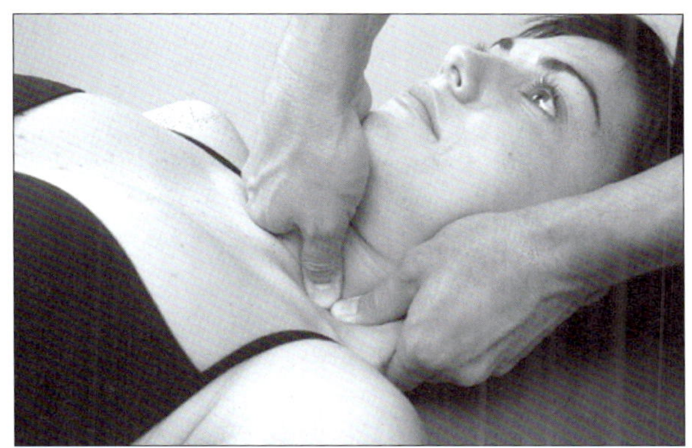

그림 4-40 ■ 한쪽의 전후방 가동.

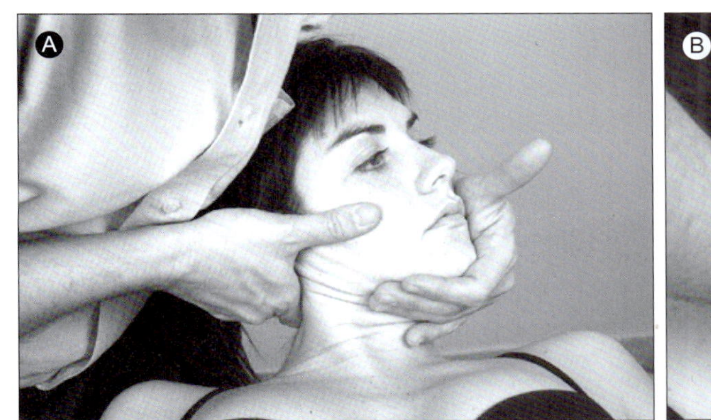

그림 4-41 ■ 누운 상태에서 회전하는 고속 도수기법: (A)환자 뒤에서 (B)환자를 마주한 움직임이 있는 가동술 (MWM).

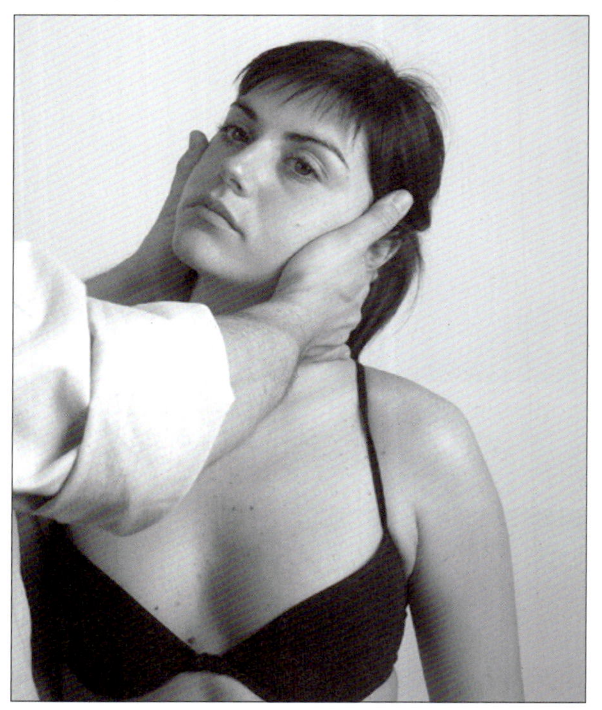

그림 4-42 ■ 앉은 자세에서 회전하는 고속 도수기법.

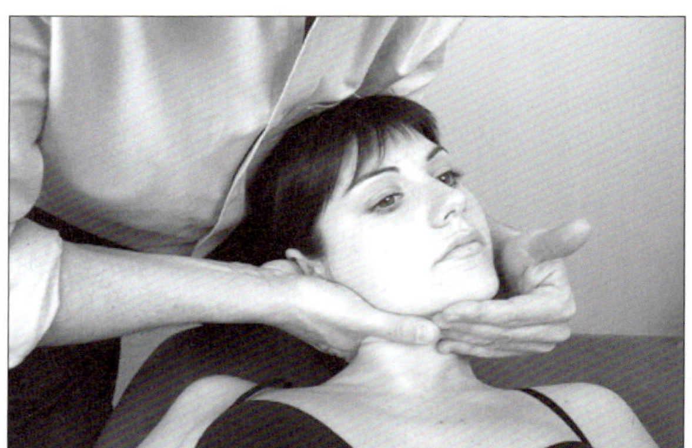

그림 4-43 ■ 수렴에서 고속 도수기법.

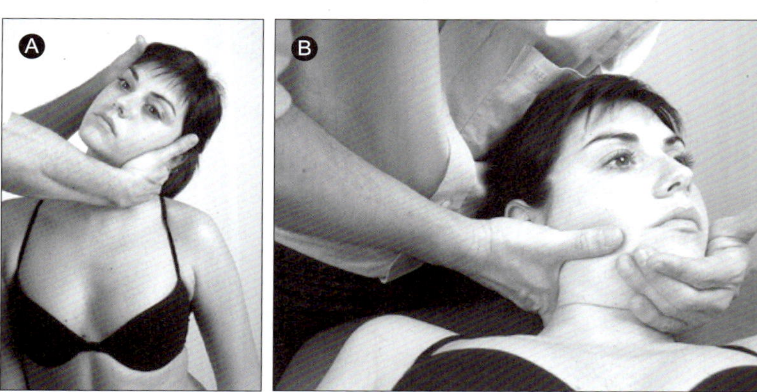

그림 4-44 ■ 앉은 자세(A)와 앙와위(B)에서 간극에 고속 도수기법.

관절내 기능장애의 도수치료
(Manipulative treatment of intra–articular dysfunction)

관절내 기능장애의 경우를 제외하고는 도수기법을 추가하기 전에 연조직에 대한 치료를 시행하는 것이 좋다.

이 움직임은 관절내 반월판 구조를 해제하기 위해 측면과 회전을 밀어서 관절 간격을 달성하는 것을 목표로 한다. 이 기술은 환자가 완벽하게 허용해야 한다. 통증이 심하고 도수기법에 필요한 매개변수를 달성할 수 없는 경우 움직임을 동반한 저속 가동화 또는 생리적 동작 기술을 사용하는 것이 바람직하다.

왼쪽 후관절 경추 4번의 간격을 달성하기 위한 움직임 예(그림 4–45)

치료사의 자세: 환자의 왼쪽에 선다.

환자의 자세: 앉은 자세.

절차: 치료사는 왼손 중지의 중간 또는 근위 지골의 손바닥쪽을 경추 4번의 오른쪽 후관절의 전외측 부분에 놓는다. 중지의 접촉을 개선하고 조작 중 미끄러짐을 방지하기 위해 경추 조직은 뼈와 접촉하기 전에 앞쪽으로 뒤로 접혀 있다. 오른손의 손바닥과 손가락은 환자의 머리를 잡고 왼쪽 측두엽에 놓는다. 치료사는 경추 4번의 오른쪽 면에 오른쪽에서 왼쪽으로 약간의 측면 이동 요소를 배치한 다음 면에 장력이 느껴질 때까지 왼쪽 경추 회전 매개변수를 적용한다. 측면 추력은 경추 4번의 왼쪽 후관절면에 수직인 내측으로 및 두개골으로의 인장 위치에서 적용된다. 이 기술은 앙와위에서도 수행할 수 있다 (**그림 4–46**).

이 치료가 경추의 안정화와 관련이 없는 경우 도수치료의 결과가 유지되지 않는 경우가 많다. 후관절 증후군은 기능적 불안정성과 관련될 수 있으므로 5장과 6장에서 논의되는 이 측면에 대한 작업이 필수적이다.

또한 집에서 수행할 자기 가동성 운동을 환자에게 훈련시키는 것이 좋다. 피험자가 경추 신전 중 후관절 통증을 보고하면 확산에서 자가 가동의 2단계 운동을 가르칠 수 있다. 첫 번째 단계에서 환자는 증상이 있는 척추의 극돌기에 수건의 가장자리를 놓고 후관절 면의 움직임을 할 수 있게 전방 상방으로 당겨주어 수건의 도움을 받아 구부리는 동작을 수행한다. 두 번째 단계에서 환자는 수건으로 기능장애 분절을 안정화하면서 증가하는 크기의 여러 점진적 신전 동작을 수행한다(**그림 4–47**).

피험자가 고통스러운 과수렴을 보고하면 움직임 운동과 유사한 가동술이 수행될 수 있다. 왼쪽으로의 고통스러운 수렴이 그 예이다. 첫 번째 단계에서 환자는 고통스러운 기능장애를 가진 척추의 관절 기둥 위에 수건의 왼쪽 가장자리를 놓고 오른쪽 가장자리는 다음 아래쪽 분절로 비스듬히 향하게 한다. 환자는 오른쪽으로 다양한 회전 운동을 수행하여 마침내 최대 무통 진폭에 도달하는 동시에 관절면 따라 수건의 왼쪽 가장자리를 앞뒤로 누른다. 두 번째 단계에서는 수건으로 그 방향을 계속 밀면서 환자는 최대 진폭을 달성하기 위해 왼쪽으로 다양한 회전 운동을 수행한다(**그림 4–48**).

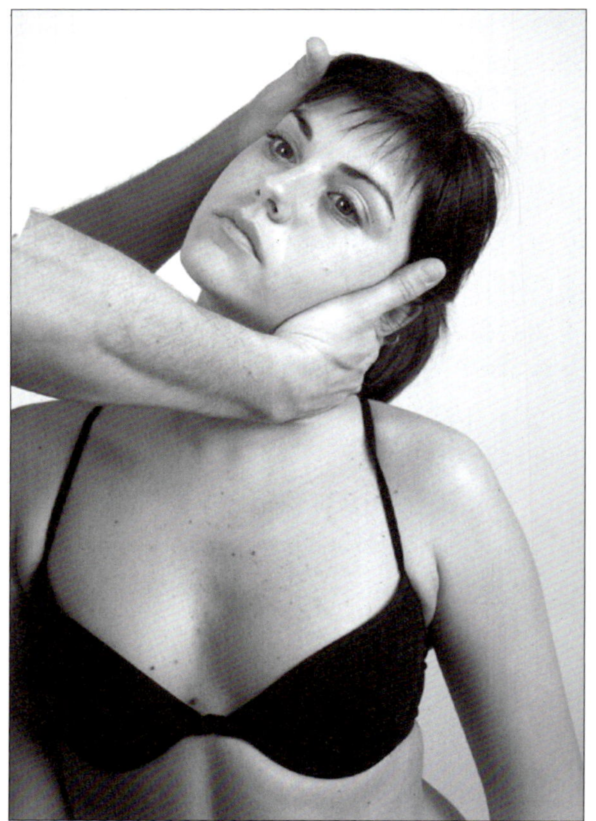

그림 4-45 ■ 앉은 자세에서 관절내 기능장애의 도수치료.

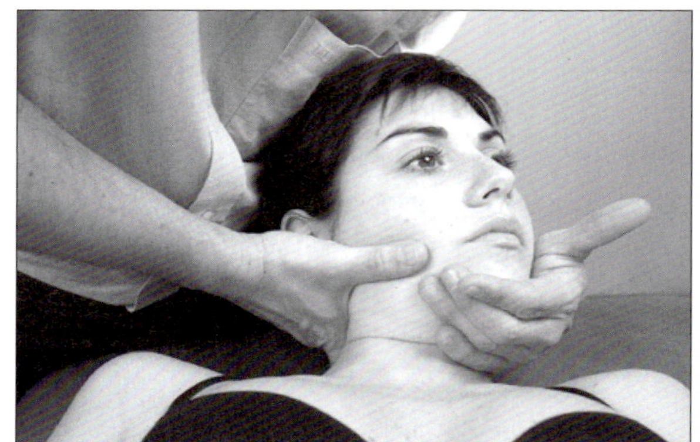

그림 4-46 ■ 앙와위에서 관절내 기능장애의 도수치료.

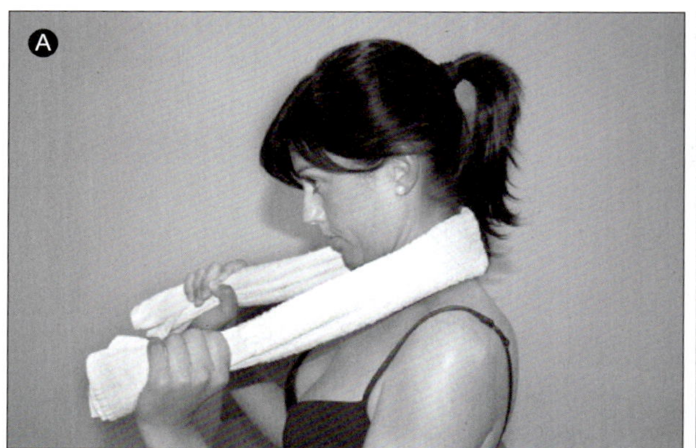

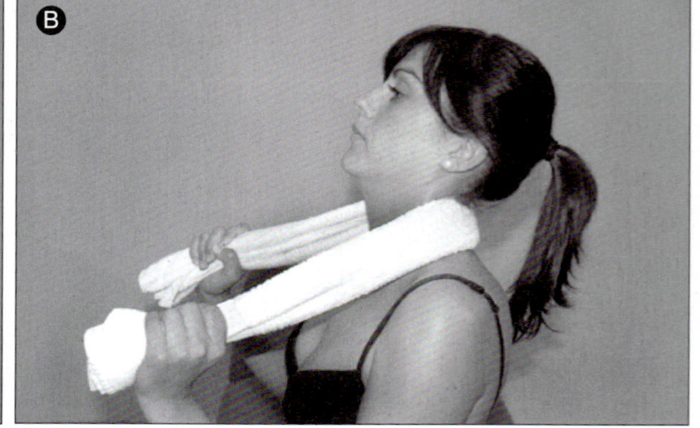

그림 4-47 ■ 신전시 후관절 통증이 있는 경우의 자가 가동성. 첫 번째 단계에서 대상자는 굴곡을 수행하면서 후관절면에서 수건의 가장자리를 당기고(A), 두 번째 단계에서는 수건의 압력을 유지하면서 경추를 신전(B)한다.

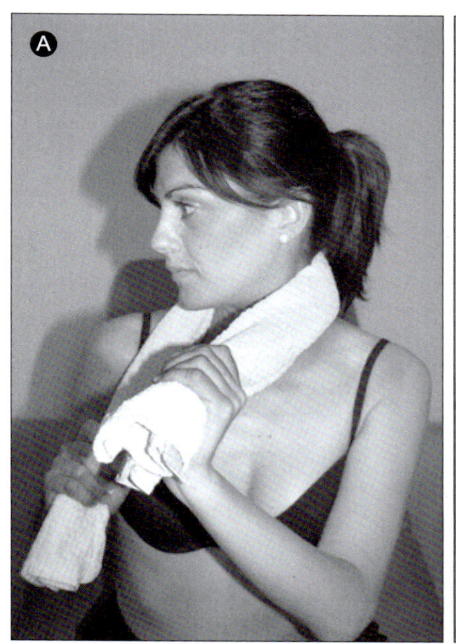

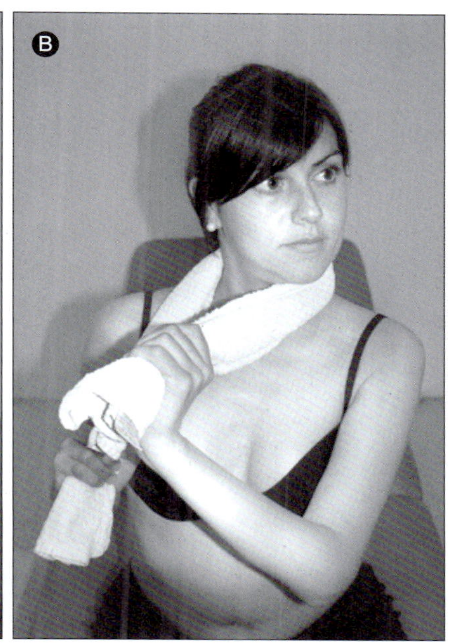

그림 4-48 ■ 왼쪽에 고통스러운 수렴이 있는 피험자의 자가 움직임. 환자는 후관절 평면에서 수건의 왼쪽 가장자리를 동시에 누르면서 오른쪽으로 다양한 회전 동작을 수행한다(A). 두 번째 단계에서 수건으로 계속해서 그 방향으로 밀면서 환자는 최대 진폭(B)을 달성하기 위해 왼쪽으로 여러 가지 움직임을 수행한다.

침습적 치료 INVASIVE TREATMENT

후방 일차 가지의 내측 분할의 후관절 침윤 및 마취 차단은 증상이 심각하고 도수치료가 안될 때 특히 적합할 수 있는 방법이다.[29,31,157,186–191]

최근에는 후관절 통증과 경추성 두통의 치료에 고주파 신경절제술이 인기를 얻고 있다.[91,192–200] 이 기술은 내측 분할의 열응고를 통한 후관절 신경제거로 구성된다. 환자의 두통이 경추 2번–경추 3번의 후관절에서 비롯된 경우 세 번째 후두 신경의 신경절제술이 가능하다.[199] 고주파 신경절제는 보존적 치료에 반응하지 않고 통제된 진단 블록으로 이전에 증상의 완전한 완화를 얻은 것을 적절하게 설계하고 제공되는 환자에게 적합할 수 있다.[200,201]

결론 CONCLUSIONS

후관절 증후군은 목 통증을 보고하는 피험자에서 가장 흔한 임상 상태이다. 후관절 증후군은 종종 편타손상과 같은 외상성 손상의 결과이거나 추간판에 영향을 줄 수 있는 퇴행성 관절 변화의 결과이다. 후관절 병리학은 만성 목 통증과 경추성 두통의 가장 흔한 원인이다.

후관절 증후군의 진단은 특별히 어렵지 않다. 그러나 환자에게 적합한 치료가 필요하다는 것을 확립하기 위해서는 영향받는 관절과 증상의 지속에 기여할 수 있는 기계적 및 자세적 요인의 관절 관계를 자세히 분석해야 한다. 보존적 치료는 환자의 임상 상황에 맞을 때마다 매우 좋은 결과를 제공한다. 이 임상 조건을 바탕으로 많은 방법을 사용할 수 있다.

도수치료 기술은 치료의 선택이다. 결과를 유지하려면 체성 감각 결손이 있는 경우 이를 설명하면서 경추 및 경추견갑 근육의 운동 제어를 훈련해야 한다.

참고문헌

1. Lord SM, Barnsley L, Wallis BJ, et al. Chronic cervical zygapophysial joint pain after whiplash. A placebo-controlled prevalence study. Spine 1996;21(15):1737–44, discussion 1744–5.
2. Barnsley L, Lord SM, Wallis BJ, et al. The prevalence of chronic cervical zygapophysial joint pain after whiplash. Spine 1995;20(1):20–5, discussion 26.
3. Jonsson H Jr, Bring G, Rauschning W, et al. Hidden cervical spine injuries in traffic accident victims with skull fractures. J Spinal Disord 1991;4(3):251–63.
4. Taylor JR, Twomey LT. Acute injuries to cervical joints. An autopsy study of neck sprain. Spine 1993;18(9):1115–22.
5. Stabler A, Eck J, Penning R, et al. Cervical spine: postmortem assessment of accident injuries – comparison of radiographic, MR imaging, anatomic, and pathologic findings. Radiology 2001;221(2):340–6.
6. Bogduk N, Yoganandan N. Biomechanics of the cervical spine. Part 3: minor injuries. Clin Biomech (Bristol, Avon) 2001;16(4): 267–75.
7. Taylor J, Taylor M. Cervical spinal injuries: an autopsy study of 109 blunt injuries. J Musculoskel Pain 1996;4(4):61–79.
8. Manchikanti L, Manchikanti KN, Pampati V. The prevalence of facet-joint-related chronic neck pain in postsurgical and nonpostsurgical patients: a comparative evaluation. Pain Pract 2008;8(1):5–10.
9. Falco FJ, Erhart S, Wargo BW, et al. Systematic review of diagnostic utility and therapeutic effectiveness of cervical facet joint interventions. Pain Physician 2009;12(2):323–44.
10. Klessinger S. Radiofrequency neurotomy for the treatment of therapy-resistant neck pain after ventral cervical operations. Pain Med 2010;11(10):1504–10.
11. Chua NH, van Suijlekom HA, Vissers KC, et al. Differences in sensory processing between chronic cervical zygapophysial joint pain patients with and without cervicogenic headache. Cephalalgia 2011;31(8):953–63.
12. Curatolo M, Bogduk N, Ivancic PC, et al. The role of tissue damage in whiplash-associated disorders: discussion paper 1. Spine 2011;36(Suppl. 25):S309–15.
13. Falco FJ, Datta S, Manchikanti L, et al. An updated review of the diagnostic utility of cervical facet joint injections. Pain Physician 2012;15(6):E807–38.
14. Gore DR, Sepic SB, Gardner GM. Roentgenographic findings of the cervical spine in asymptomatic people. Spine 1986;11(6): 521–4.
15. Goldthwait J. The lumbosacral articulation: an explanation of many cases of 'lumbago, sciatica y paraplegia'. Boston Med Surg J 1911;164:356–72.
16. Ghormley R. Low back pain with special reference to the articular facets, with presentation of an operative procedure. JAMA 1933;101:1773–7.
17. Steindler A, Luck J. Differential diagnosis of pain in the low back: allocation of the source of pain by procaine hydrochloride method. JAMA 1938;110:106–13.
18. Badgley C. The articular facet in relations to low back pain and sciatic radiation. J Bone Joint Surg 1941;23:481.
19. Pedersen HE, Blunck CF, Gardner E. The anatomy of lumbosacral posterior rami and meningeal branches of spinal nerve (sinu-vertebral nerves); with an experimental study of their functions. J Bone Joint Surg Am 1956;38-A(2):377–91.
20. Lazorthes G. La branche postérieure des nerfs rachidiens. L'innervation des articulations interapophysaires, vertébrales. In: 42nd réunion de l'Association des Anatomistes, 1956; Lisboa.
21. Lazorthes G, Gaubert J. Le syndrome de la branche postérieure des nerfs rachidiens. Presse Médicale 1956;64:2022.
22. Mixter W, Barr J. Rupture of the intervertebral disk with involvement of the spinal canal. N Engl J Med 1934;64: 20–2.
23. Mooney V, Robertson J. The facet syndrome. Clin Orthop 1976;115:149–56.
24. Bogduk N, Marsland A. The cervical zygapophysial joints as a source of neck pain. Spine 1988;13(6):610–17.
25. Dwyer A, Aprill C, Bogduk N. Cervical zygapophyseal joint pain patterns. I: A study in normal volunteers. Spine 1990;15(6): 453–7.
26. Aprill C, Dwyer A, Bogduk N. Cervical zygapophyseal joint pain patterns. II: A clinical evaluation. Spine 1990;15(6): 458–61.
27. Aprill C, Bogduk N. The prevalence of cervical zygapophyseal joint pain. A first approximation. Spine 1992;17(7):744–7.
28. Barnsley L, Lord SM, Wallis BJ, et al. The prevalence of chronic cervical zygapophysial joint pain after whiplash. Spine 1995;20(1):20–5, discussion 26.
29. Bovim G, Berg R, Dale LG. Cervicogenic headache: anesthetic blockades of cervical nerves (C2-C5) and facet joint (C2/C3). Pain 1992;49(3):315–20.
30. Manchikanti L, Boswell MV, Singh V, et al. Prevalence of facet joint pain in chronic spinal pain of cervical, thoracic, and lumbar regions. BMC Musculoskelet Disord 2004;5(1):15.
31. Manchikanti L, Manchikanti KN, Damron K, et al. Effectiveness of cervical medial branch blocks in chronic neck pain: a prospective outcome study. Pain Physician 2004;7:195–201.
32. Ohtori S, Takahashi K, Chiba T, et al. Sensory innervation of the cervical facet joints in rats. Spine 2001;26(2):147–50.
33. Ohtori S, Moriya H, Takahashi K. Calcitonin gene-related peptide immunoreactive sensory DRG neurons innervating the cervical facet joints in rats. J Orthop Sci 2002;7(2): 258–61.
34. Ohtori S, Takahashi K, Moriya H. Calcitonin gene-related peptide immunoreactive DRG neurons innervating the cervical facet joints show phenotypic switch in cervical facet injury in rats. Eur Spine J 2003;12(2):211–15.
35. Bogduk N. The clinical anatomy of the cervical dorsal rami. Spine 1982;7(4):319–30.
36. Lord S, Bogduk N. The cervical synovial joints as sources of post-traumatic headaches. J Musculoskel Pain 1996;4: 81–94.
37. Kallakuri S, Singh A, Chen C, et al. Demonstration of substance P, calcitonin gene-related peptide, and protein gene product 9.5 containing nerve fibers in human cervical facet joint capsules. Spine 2004;29(11):1182–6.
38. Crosby ND, Gilliland TM, Winkelstein BA. Early afferent activity from the facet joint after painful trauma to its

capsule potentiates neuronal excitability and glutamate signaling in the spinal cord. Pain 2014;155(9):1878–87.
39. Hallgren RC, Greenman PE, Rechtien JJ. Atrophy of suboccipital muscles in patients with chronic pain: a pilot study. J Am Osteopath Assoc 1994;94(12):1032–8.
40. McPartland JM, Brodeur RR, Hallgren RC. Chronic neck pain, standing balance, and suboccipital muscle atrophy – a pilot study. J Manipulative Physiol Ther 1997;20(1):24–9.
41. Elliott J, Jull G, Noteboom JT, et al. Fatty infiltration in the cervical extensor muscles in persistent whiplash-associated disorders: a magnetic resonance imaging analysis. Spine 2006;31(22):E847–55.
42. McLain RF. Mechanoreceptor endings in human cervical facet joints. Iowa Orthop J 1993;13:149–54.
43. McLain RF. Mechanoreceptor endings in human cervical facet joints. Spine 1994;19(5):495–501.
44. Holm S, Indahl A, Solomonow M. Sensorimotor control of the spine. J Electromyogr Kinesiol 2002;12(3):219–34.
45. Feng FL, Schofferman J. Chronic neck pain and cervicogenic headaches. Curr Treat Options Neurol 2003;5(6):493–8.
46. Bogduk N, Aprill C. On the nature of neck pain, discography and cervical zygapophysial joint blocks. Pain 1993;54(2): 213–17.
47. Bogduk N. The anatomical basis for spinal pain syndromes. J Manipulative Physiol Ther 1995;18(9):603–5.
48. Bogduk N, Lord SM. Cervical spine disorders. Curr Opin Rheumatol 1998;10(2):110–15.
49. Barnsley L, Lord S, Bogduk N. Whiplash injury. Pain 1994;58(3):283–307.
50. Cusick JF, Pintar FA, Yoganandan N. Whiplash syndrome: kinematic factors influencing pain patterns. Spine 2001;26(11): 1252–8.
51. Yoganandan N, Cusick JF, Pintar FA, et al. Whiplash injury determination with conventional spine imaging and cryomicrotomy. Spine 2001;26(22):2443–8.
52. Lord SM, Barnsley L, Wallis BJ, et al. Third occipital nerve headache: a prevalence study. J Neurol Neurosurg Psychiatry 1994;57(10):1187–90.
53. Stemper BD, Yoganandan N, Pintar FA. Gender- and regiondependent local facet joint kinematics in rear impact: implications in whiplash injury. Spine 2004;29(16):1764–71.
54. Siegmund GP, Myers BS, Davis MB, et al. Mechanical evidence of cervical facet capsule injury during whiplash: a cadaveric study using combined shear, compression, and extension loading. Spine 2001;26(19):2095–101.
55. Panjabi MM, Cholewicki J, Nibu K, et al. Capsular ligament stretches during in vitro whiplash simulations. J Spinal Disord 1998;11(3):227–32.
56. Winkelstein BA, Nightingale RW, Richardson WJ, et al. The cervical facet capsule and its role in whiplash injury: a biomechanical investigation. Spine 2000;25(10):1238–46.
57. Inami S, Shiga T, Tsujino A, et al. Immunohistochemical demonstration of nerve fibers in the synovial fold of the human cervical facet joint. J Orthop Res 2001;19(4):593–6.
58. Kotani Y, Abumi K, Ito M, et al. Cervical spine injuries associated with lateral mass and facet joint fractures: new classification and surgical treatment with pedicle screw fixation. Eur Spine J 2005;14(1):69–77.
59. Lee KE, Franklin AN, Davis MB, et al. Tensile cervical facet capsule ligament mechanics: failure and subfailure responses in the rat. J Biomech 2006;39(7):1256–64.
60. Uhrenholt L, Grunnet-Nilsson N, Hartvigsen J. Cervical spine lesions after road traffic accidents: a systematic review. Spine 2002;27(17):1934–41, discussion 1940.
61. Bogduk N, Teasell R. Whiplash: the evidence for an organic etiology. Arch Neurol 2000;57(4):590–1.
62. Macnab I. The 'whiplash syndrome'. Orthop Clin North Am 1971;2(2):389–403.
63. Kahane C. An evaluation of head restraints. Federal Motor Vehicle Safety Standard 202. In: NHTSA Report Number DOT HS 806 108. Springfield: National Technical Information Service; 1982.
64. O'Neill B, Haddon W Jr, Kelley AB, et al. Automobile head restraints – frequency of neck injury claims in relation to the presence of head restraints. Am J Public Health 1972;62(3): 399–406.
65. Luan F, Yang KH, Deng B, et al. Qualitative analysis of neck kinematics during low-speed rear-end impact. Clin Biomech (Bristol, Avon) 2000;15(9):649–57.
66. Kaneoka K, Ono K, Inami S, et al. Motion analysis of cervical vertebrae during whiplash loading. Spine 1999;24(8):763–9, discussion 770.
67. Bogduk N. Point of view. Spine 2002;27(17):1940–1.
68. Grauer JN, Panjabi MM, Cholewicki J, et al. Whiplash produces an S-shaped curvature of the neck with hyperextension at lower levels. Spine 1997;22(21):2489–94.
69. Yoganandan N, Pintar FA, Klienberger M. Cervical spine vertebral and facet joint kinematics under whiplash. J Biomech Eng 1998;120(2):305–7.
70. Winkelstein BA, McLendon RE, Barbir A, et al. An anatomical investigation of the human cervical facet capsule, quantifying muscle insertion area. J Anat 2001;198(Pt 4): 455–61.
71. Yoganandan N, Pintar FA, Cusick JF. Biomechanical analyses of whiplash injuries using an experimental model. Accid Anal Prev 2002;34(5):663–71.
72. Panjabi MM, Pearson AM, Ito S, et al. Cervical spine curvature during simulated whiplash. Clin Biomech (Bristol, Avon) 2004;19(1):1–9.
73. Pearson AM, Ivancic PC, Ito S, et al. Facet joint kinematics and injury mechanisms during simulated whiplash. Spine 2004;29(4):390–7.
74. Ito S, Ivancic PC, Panjabi MM, et al. Soft tissue injury threshold during simulated whiplash: a biomechanical investigation. Spine 2004;29(9):979–87.
75. Muhlbauer M, Eichberger A, Geigl B, et al. Analysis of kinematics and acceleration behaviour of the head and neck in experimental rear-impact collisons. Neuro-Orthopaedics 1999;25:1–17.
76. Ono K, Kanno M. Influences of the physical parameters on the risk to neck injuries in low impact speed rear-end collisions. Accid Anal Prev 1996;28(4):493–9.
77. Yoganandan N, Pintar FA, Sances A, et al. Inertial flexionextension loading of the human neck. Adv Bioeng 1995;31: 45–6.
78. Yoganandan N, Pintar FA. Facet joint local component kinetics in whiplash trauma. ASME Adv Bioeng 1997;36:221–2.
79. Panjabi MM, Cholewicki J, Nibu K, et al. Simulation of whiplash trauma using whole cervical spine specimens. Spine 1998;23(1):17–24.
80. Matsushita T, Sato T, Hirabayashi K, et al. X-ray study of the human neck motion due to head inertia loading. In: 38th Stapp Car Crash Conference 1994; Fort Lauderdale; p. 55-64.
81. Stemper BD, Yoganandan N, Gennarelli TA, et al. Localized

cervical facet joint kinematics under physiological and whiplash loading. J Neurosurg Spine 2005;3(6):471–6.
82. Taylor JR, Kakulas BA. Neck injuries. Lancet 1991;338(8778): 1343.
83. Fernandez Iruegas J. Lumbociática de origen degenerativo. Su tratamiento actual. Madrid: Jarpyo Editores; 1993.
84. Boyd-Clark LC, Briggs CA, Galea MP. Segmental degeneration in the cervical spine and associated changes in dorsal root ganglia. Clin Anat 2004;17(6):468–77.
85. Kirkaldy-Willis WH, Wedge JH, Yong-Hing K, et al. Pathology and pathogenesis of lumbar spondylosis and stenosis. Spine 1978;3(4):319–28.
86. Yong-Hing K, Kirkaldy-Willis WH. The pathophysiology of degenerative disease of the lumbar spine. Orthop Clin North Am 1983;14(3):491–504.
87. White AA 3rd, Johnson RM, Panjabi MM, et al. Biomechanical analysis of clinical stability in the cervical spine. Clin Orthop 1975;109:85–96.
88. Reitman CA, Mauro KM, Nguyen L, et al. Intervertebral motion between flexion and extension in asymptomatic individuals. Spine 2004;29(24):2832–43.
89. Dai L. Disc degeneration and cervical instability. Correlation of magnetic resonance imaging with radiography. Spine 1998; 23(16):1734–8.
90. Schellhas KP, Smith MD, Gundry CR, et al. Cervical discogenic pain. Prospective correlation of magnetic resonance imaging and discography in asymptomatic subjects and pain sufferers. Spine 1996;21(3):300–11, discussion 311-12.
91. Sapir DA, Gorup JM. Radiofrequency medial branch neurotomy in litigant and nonlitigant patients with cervical whiplash: a prospective study. Spine 2001;26(12):E268–73.
92. Maitland G, Hengeveld E, Banks K, et al. Maitland's vertebral manipulation. 6th ed. London: Butterworth-Heinemann; 2001.
93. Fukui S, Ohseto K, Shiotani M, et al. Referred pain distribution of the cervical zygapophyseal joints and cervical dorsal rami. Pain 1996;68(1):79–83.
94. Bogduk N. Cervical zygapophysial joint pain and percutaneous neurotomy. In: Gunzburg R, Szpalski M, editors. Whiplash injuries: current concepts in prevention, diagnosis, and treatment of the cervical whiplash syndrome. Philadelphia: Lippincott-Raven; 1998.
95. Fukui S, Ohseto K, Shiotani M. Patterns of pain induced by distending the thoracic zygapophyseal joints. Reg Anesth 1997;22(4):332–6.
96. Dreyfuss P, Michaelsen M, Fletcher D. Atlanto-occipital and lateral atlanto-axial joint pain patterns. Spine 1994;19(10): 1125–31.
97. Bogduk N, McGuirk B. Management of acute and chronic neck pain. An evidence-based approach. Edinburgh: Elsevier; 2006.
98. Cooper G, Bailey B, Bogduk N. Cervical zygapophysial joint pain maps. Pain Med 2007;8(4):344–53.
99. Grubb SA, Kelly CK. Cervical discography: clinical implications from 12 years of experience. Spine 2000;25(11): 1382–9.
100. Schellhas KP, Pollei SR. The role of discography in the evaluation of patients with spinal deformity. Orthop Clin North Am 1994;25(2):265–73.
101. Schellhas KP. Diskography. Neuroimaging Clin N Am 2000;10(3):579–96.
102. Bogduk N. The neck. Baillières Clin Rheumatol 1999;13(2): 261–85.
103. Maitland GD. Acute locking of the cervical spine. Aust J Physiother 1978;24:103–9.
104. Inami S, Kaneoka K, Hayashi K, et al. Types of synovial fold in the cervical facet joint. J Orthop Sci 2000;5(5):475–80.
105. Giles LG, Taylor JR. Human zygapophyseal joint capsule and synovial fold innervation. Br J Rheumatol 1987;26(2): 93–8.
106. Giles LG. Human lumbar zygapophyseal joint inferior recess synovial folds: a light microscope examination. Anat Rec 1988;220(2):117–24.
107. Giles LG, Harvey AR. Immunohistochemical demonstration of nociceptors in the capsule and synovial folds of human zygapophyseal joints. Br J Rheumatol 1987;26(5):362–4.
108. Gronblad M, Korkala O, Konttinen YT, et al. Silver impregnation and immunohistochemical study of nerves in lumbar facet joint plical tissue. Spine 1991;16(1):34–8.
109. Giles LG. Innervation of zygapophyseal joint synovial folds in low-back pain. Lancet 1987;2(8560):692.
110. Giles LG, Taylor JR, Cockson A. Human zygapophyseal joint synovial folds. Acta Anat (Basel) 1986;126(2):110–14.
111. Giles LG, Taylor JR. Innervation of lumbar zygapophyseal joint synovial folds. Acta Orthop Scand 1987;58(1):43–6.
112. Mercer S, Bogduk N. Intra-articular inclusions of the cervical synovial joints. Br J Rheumatol 1993;32(8):705–10.
113. Mercer S. The menisci of the cervical synovial joints. In: Boyling J, Palastanga N, editors. Grieve's modern manual therapy. The vertebral column. 2nd ed. London: Churchill Livingstone; 2000. p. 69–72.
114. Grieve G. Common vertebral joint problems. 2nd ed. Edinburgh: Churchill Livingstone; 1988.
115. Koss J, Wolf J. Les ménisques intervértebraux et leur rôle possible dans les blockages vertébraux. Ann Med Phys 1972;15:2003.
116. Scher AT. Unilateral locked facet in cervical spine injuries. AJR Am J Roentgenol 1977;129(1):45–8.
117. Giles LG. Pressure related changes in human lumbosacral zygapophyseal joint articular cartilage. J Rheumatol 1986;13(6): 1093–5.
118. Bogduk N, Jull G. The theoretical pathology of acute locked back: a basis for manipulative therapy. Man Med 1985;1: 78–82.
119. Bogduk N, Engel R. The menisci of the lumbar zygapophyseal joints. A review of their anatomy and clinical significance. Spine 1984;9(5):454–60.
120. Bogduk N. Clinical anatomy of the lumbar spine and sacrum. 4 ed. Edinburgh: Elsevier Churchill Livingstone; 2005.
121. Jones TR, James JE, Adams JW, et al. Lumbar zygapophyseal joint meniscoids: evidence of their role in chronic intersegmental hypomobility. J Manipulative Physiol Ther 1989;12(5): 374–85.
122. Schonstrom N, Twomey L, Taylor J. The lateral atlanto-axial joints and their synovial folds: an in vitro study of soft tissue injuries and fractures. J Trauma 1993;35(6):886–92.
123. Trott P. Management of selected cervical syndromes. In: Grant R, editor. Physical therapy of the cervical and thoracic spine. 3rd ed. Edinburgh: Churchill Livingstone; 2002. p. 273–94.
124. Miwa M, Doita M, Takayama H, et al. An expanding cervical synovial cyst causing acute cervical radiculopathy. J Spinal Disord Tech 2004;17(4):331–3.

125. Cartwright MJ, Nehls DG, Carrion CA, et al. Synovial cyst of a cervical facet joint: case report. Neurosurgery 1985;16(6): 850–2.
126. Stoodley MA, Jones NR, Scott G. Cervical and thoracic juxtafacet cysts causing neurologic deficits. Spine 2000;25(8): 970–3.
127. Found E, Bewyer D. Cervical synovial cyst: case report. Iowa Orthop J 2011;31:215–18.
128. Kim DS, Yang JS, Cho YJ, et al. Acute myelopathy caused by a cervical synovial cyst. J Korean Neurosurg Soc 2014;56(1): 55–7.
129. Attwell L, Elwell VA, Meir A. Cervical synovial cyst. Br J Neurosurg 2014;28(6):813–14.
130. Aksoy FG, Gomori JM. Symptomatic cervical synovial cyst associated with an os odontoideum diagnosed by magnetic resonance imaging: case report and review of the literature. Spine 2000;25(10):1300–2.
131. Chang H, Park JB, Kim KW. Synovial cyst of the transverse ligament of the atlas in a patient with os odontoideum and atlantoaxial instability. Spine 2000;25(6):741–4.
132. Chaoui FM, Njee-Bugha T, Figarella-Branger D, et al. [Synovial cyst of cervical spine]. Neurochirurgie 2000;46(4):391–4.
133. Cudlip S, Johnston F, Marsh H. Subaxial cervical synovial cyst presenting with myelopathy. Report of three cases. J Neurosurg Spine 1999;90(1):141–4.
134. Epstein NE, Hollingsworth R. Synovial cyst of the cervical spine. J Spinal Disord 1993;6(2):182–5.
135. Jabre A, Shahbabian S, Keller JT. Synovial cyst of the cervical spine. Neurosurgery 1987;20(2):316–18.
136. Kao CC, Winkler SS, Turner JH. Synovial cyst of spinal facet. Case report. J Neurosurg 1974;41(3):372–6.
137. Kayser F, Divano L, Vermer JF. [Ganglion cyst of the cervical spine causing radiculopathy]. J Radiol 1998;79(7):687–9.
138. Patel SC, Sanders WP. Synovial cyst of the cervical spine: case report and review of the literature. AJNR Am J Neuroradiol 1988;9(3):602–3.
139. Shima Y, Rothman SL, Yasura K, et al. Degenerative intraspinal cyst of the cervical spine: case report and literature review. Spine 2002;27(1):E18–22.
140. Takano Y, Homma T, Okumura H, et al. Ganglion cyst occurring in the ligamentum flavum of the cervical spine. A case report. Spine 1992;17(12):1531–3.
141. Holtzman RN, Dubin R, Yang WC, et al. Bilateral symptomatic intraspinal T12-L1 synovial cysts. Surg Neurol 1987;28(3): 225–30.
142. Bogduk N. Headaches and the cervical spine. Cephalalgia 1984;4(1):7–8.
143. Bogduk N, Marsland A. On the concept of third occipital headache. J Neurol Neurosurg Psychiatry 1986;49(7):775–80.
144. Michler RP, Bovim G, Sjaastad O. Disorders in the lower cervical spine. A cause of unilateral headache? A case report. Headache 1991;31(8):550–1.
145. Bogduk N. Neck pain. Aust Fam Physician 1984;13(1):26–30.
146. Bogduk N. Anatomy and physiology of headache. Biomed Pharmacother 1995;49(10):435–45.
147. Bogduk N. Cervical causes of headache and dizziness. In: Boyling J, Palastanga N, editors. Grieve's modern manual therapy. 2nd ed. London: Churchill Livingstone; 2000. p. 317–31.
148. Bogduk N. The neck and headaches. Neurol Clin 2004; 22(1):151–71, vii.
149. Bogduk N, Corrigan B, Kelly P, et al. Cervical headache. Med J Aust 1985;143(5):202, 206-7.
150. Hinderaker J, Lord SM, Barnsley L, et al. Diagnostic value of C2-3 instantaneous axes of rotation in patients with headache of cervical origin. Cephalalgia 1995;15(5):391–5.
151. Bogduk N. Cervicogenic headache: anatomic basis and pathophysiologic mechanisms. Curr Pain Headache Rep 2001;5(4): 382–6.
152. Bogduk N. The anatomical basis for cervicogenic headache. J Manipulative Physiol Ther 1992;15(1):67–70.
153. Bogduk N. Distinguishing primary headache disorders from cervicogenic headache: clinical and therapeutic implications. Headache Currents 2005;2(2):27–36.
154. Bogduk N. Mechanisms and pain patterns of the upper cervical spine. In: Vernon H, editor. The cranio-cervical syndrome. Mechanisms, assessment and treatment. London: ButterworthHeinemann; 2001. p. 110–16.
155. Uthaikhup S, Sterling M, Jull G. Cervical musculoskeletal impairment is common in elders with headache. Man Ther 2009;14(6):636–41.
156. Drottning M, Staff PH, Sjaastad O. Cervicogenic headache (CEH) after whiplash injury. Cephalalgia 2002;22(3): 165–71.
157. Slipman CW, Lipetz JS, Plastaras CT, et al. Therapeutic zygapophyseal joint injections for headaches emanating from the C2-3 joint. Am J Phys Med Rehabil 2001;80(3):182–8.
158. Cole A, Dreyer S, Dreyfuss P, et al. Zygapophyseal (facet) joint pain: a functional approach. In: Windsor R, Lox D, editors. Soft tissue injuries: diagnosis and treatment. Philadelphia: Hanley & Belfus; 1998. p. 47–64.
159. Grimshaw DN. Cervicogenic headache: manual and manipulative therapies. Curr Pain Headache Rep 2001;5(4):369–75.
160. Hubka MJ, Phelan SP. Interexaminer reliability of palpation for cervical spine tenderness. J Manipulative Physiol Ther 1994;17(9):591–5.
161. Deboer KF, Harmon R Jr, Tuttle CD, et al. Reliability study of detection of somatic dysfunctions in the cervical spine. J Manipulative Physiol Ther 1985;8(1):9–16.
162. Mior S, King R, McGregor M, et al. Intra and interexaminer reliability of motion palpation in the cervical spine. J Can Chiro Assoc 1985;29:195–8.
163. Nansel DD, Peneff AL, Jansen RD, et al. Interexaminer concordance in detecting joint-play asymmetries in the cervical spines of otherwise asymptomatic subjects. J Manipulative Physiol Ther 1989;12(6):428–33.
164. Youdas JW, Carey JR, Garrett TR. Reliability of measurements of cervical spine range of motion – comparison of three methods. Phys Ther 1991;71(2):98–104, discussion 105-6.
165. Fjellner A, Bexander C, Faleij R, et al. Interexaminer reliability in physical examination of the cervical spine. J Manipulative Physiol Ther 1999;22(8):511–16.
166. Smedmark V, Wallin M, Arvidsson I. Inter-examiner reliability in assessing passive intervertebral motion of the cervical spine.
Man Ther 2000;5(2):97–101.
167. King W, Lau P, Lees R, et al. The validity of manual examination in assessing patients with neck pain. Spine J 2007;7(1): 22–6.
168. Siegenthaler A, Eichenberger U, Schmidlin K, et al. What

does local tenderness say about the origin of pain? An investigation of cervical zygapophysial joint pain. Anesth Analg 2010;110(3): 923–7.
169. Seffinger MA, Najm WI, Mishra SI, et al. Reliability of spinal palpation for diagnosis of back and neck pain: a systematic review of the literature. Spine 2004;29(19):E413–25.
170. Gross AR, Aker PD, Quartly C. Manual therapy in the treatment of neck pain. Rheum Dis Clin North Am 1996;22(3): 579–98.
171. Edmeads J. The cervical spine and headache. Neurology 1988;38(12):1874–8.
172. Speldewinde GC, Bashford GM, Davidson IR. Diagnostic cervical zygapophyseal joint blocks for chronic cervical pain. Med J Aust 2001;174(4):174–6.
173. Jull G, Bogduk N, Marsland A. The accuracy of manual diagnosis for cervical zygapophysial joint pain syndromes. Med J Aust 1988;148(5):233–6.
174. Bogduk N, Govind J. Cervicogenic headache: an assessment of the evidence on clinical diagnosis, invasive tests, and treatment. Lancet Neurol 2009;8(10):959–68.
175. Schneider GM, Jull G, Thomas K, et al. Derivation of a clinical decision guide in the diagnosis of cervical facet joint pain. Arch Phys Med Rehabil 2014;95(9):1695–701.
176. Smith GR, Beckly DE, Abel MS. Articular mass fracture: a neglected cause of post-traumatic neck pain? Clin Radiol 1976;27(3):335–40.
177. Woodring JH, Goldstein SJ. Fractures of the articular processes of the cervical spine. AJR Am J Roentgenol 1982;139(2):341–4.
178. Barnsley L, Bogduk N. Medial branch blocks are specific for the diagnosis of cervical zygapophyseal joint pain. Reg Anesth 1993;18(6):343–50.
179. Barnsley L, Lord S, Bogduk N. Comparative local anaesthetic blocks in the diagnosis of cervical zygapophysial joint pain. Pain 1993;55(1):99–106.
180. Lord SM, Barnsley L, Bogduk N. The utility of comparative local anesthetic blocks versus placebo-controlled blocks for the diagnosis of cervical zygapophysial joint pain. Clin J Pain 1995;11(3):208–13.
181. Martelletti P, van Suijlekom H. Cervicogenic headache: practical approaches to therapy. CNS Drugs 2004;18(12):793–805.
182. Bogduk N. Diagnostic nerve blocks in chronic pain. Best Pract Res Clin Anaesthesiol 2002;16(4):565–78.
183. Schwarzer AC, Aprill CN, Derby R, et al. The false-positive rate of uncontrolled diagnostic blocks of the lumbar zygapophysial joints. Pain 1994;58(2):195–200.
184. Barnsley L, Lord S, Wallis B, et al. False-positive rates of cervical zygapophysial joint blocks. Clin J Pain 1993;9(2): 124–30.
185. Solomon S. Chronic post-traumatic neck and head pain. Headache 2005;45(1):53–67.
186. Dussault RG, Nicolet VM. Cervical facet joint arthrography. J Can Assoc Radiol 1985;36(1):79–80.
187. Dory MA. Arthrography of the cervical facet joints. Radiology 1983;148(2):379–82.
188. Roy DF, Fleury J, Fontaine SB, et al. Clinical evaluation of cervical facet joint infiltration. Can Assoc Radiol J 1988; 39(2):118–20.
189. Hove B, Gyldensted C. Cervical analgesic facet joint arthrography. Neuroradiology 1990;32(6):456–9.
190. Barnsley L, Lord SM, Wallis BJ, et al. Lack of effect of intraarticular corticosteroids for chronic pain in the cervical zygapophyseal joints. N Engl J Med 1994;330(15): 1047–50.
191. Kwan O, Fiel J. Critical appraisal of facet joints injections for chronic whiplash. Med Sci Monit 2002;8(8):RA191–5.
192. Lord SM, Barnsley L, Bogduk N. Percutaneous radiofrequency neurotomy in the treatment of cervical zygapophysial joint pain: a caution. Neurosurgery 1995;36(4): 732–9.
193. Lord SM, Barnsley L, Wallis BJ, et al. Percutaneous radiofrequency neurotomy for chronic cervical zygapophyseal-joint pain. N Engl J Med 1996;335(23):1721–6.
194. Wallis BJ, Lord SM, Bogduk N. Resolution of psychological distress of whiplash patients following treatment by radiofrequency neurotomy: a randomised, double-blind, placebocontrolled trial. Pain 1997;73(1):15–22.
195. van Suijlekom HA, van Kleef M, Barendse GA, et al. Radiofrequency cervical zygapophyseal joint neurotomy for cervicogenic headache: a prospective study of 15 patients. Funct Neurol 1998;13(4):297–303.
196. McDonald GJ, Lord SM, Bogduk N. Long-term follow-up of patients treated with cervical radiofrequency neurotomy for chronic neck pain. Neurosurgery 1999;45(1):61–7, discussion 67-8.
197. van Suijlekom HA, Weber WE, van Kleef M, et al. Radiofrequency cervical zygapophyseal joint neurotomy for cervicogenic headache: a short term follow-up study. Funct Neurol 1998;13(1):82–3.
198. van Suijlekom JA, Weber WE, van Kleef M. Cervicogenic headache: techniques of diagnostic nerve blocks. Clin Exp Rheumatol 2000;18(2 Suppl. 19):S39–44.
199. Govind J, King W, Bailey B, et al. Radiofrequency neurotomy for the treatment of third occipital headache. J Neurol Neurosurg Psychiatry 2003;74(1):88–93.
200. Bogduk N. Cervicogenic headache. Cephalalgia 2004;24(10): 819–20.
201. Smith AD, Jull G, Schneider G, et al. Cervical radiofrequency neurotomy reduces central hyperexcitability and improves neck movement in individuals with chronic whiplash. Pain Med 2014;15(1):128–41.

5 두개척추접합부 불안정성의 임상적 접근

CLINICAL APPROACH TO CRANIOVERTEBRAL INSTABILITY

경추 불안정성은 목 통증의 원인 중 하나이며 경추 관절간 증후군, 관절 퇴행성 질환, 경추성 두통,[1,2] 편타성 장애 및 추간판 증후군과 같은 다양한 임상 상태와 관련될 수 있다.[4] 불안정성은 선천적, 염증성, 외상성 및 퇴행성 기원일 수 있으며 다양한 정도로 발생할 수 있다. 따라서 개념적 관점에서 보면 크고 작은 불안정성에 대해 이야기하는 것이 가능하다. 주요 불안정성은 도수치료 기술 및 기타 보존적 치료 절차의 사용을 금하는 상황 중 하나이다.

불안정성의 원인은 선천적, 염증성, 외상성 및 퇴행성일 수 있다.

주요 불안정성은 종종 두개경추 인대의 파열을 수반한다. 이것은 일반적으로 방사선 사진으로 감지되며 신경 및 혈관 구조의 압박을 유발할 수 있다. 이러한 유형의 불안정성을 식별할 수 있는 것은 필수적인데 특히, 경추 도수치료를 하는 사람들에게는 부분적으로 자동차 사고로 인한 유병률이 증가할 뿐만 아니라 잘못된 진단이 신경학적 결핍의 시작 또는 악화될 수 있으며 치명적인 결과를 초래할 수도 있다.

경미한 불안정성은 인대의 심각한 파괴나 신경혈관 손상을 초래하지 않고 경추의 동적 제어 변경을 포함하여 통증과 기능장애를 유발한다. 이 두 번째 범주의 불안정성은 주요 불안정성의 위험과 관련이 없다. 그러나 이는 만성 목 통증 만성에 기여할 수 있는 중요한 요소인 것으로 보이며 일반적으로 진단에서 간과된다. 결과적으로, 운동조절의 평가와 이를 개선하기 위한 치료는 경추에 영향을 미치는 근골격계 질환의 진단 및 관리의 필수적인 부분을 형성한다.

주요 불안정성:

- 두개경추인대의 잦은 파열.
- 일반적으로 방사선학적으로 발견된다.
- 신경 및 혈관 구조의 압박을 유발할 수 있다.
- 조작적 치료 적용의 심각한 결과를 감안할 때 진단이 매우 중요하다.

불안정성의 정의
DEFINITION OF INSTABILITY

두개척추의 불안정성의 병인을 설명하기 전에 '불안정성'이라는 용어는 다양한 방식으로 해석될 수 있으므로 몇 가지 정의가 필요하다. 불안정성의 개념은 병리학적 상황을 의미하지만 과가동성의 경우는 그렇지 않기 때문에 불안정성과 과가동성을 구별하는 것도 필요하다. 그러나 이 차이는 문헌에서 명확하지 않은 것으로 보이며 두 용어는 같은 의미로 사용되었다.[7]

역학적 관점에서 불안정성은 척추에 가해지는 힘에 대한 비정상적인 반응으로 정의될 수 있으며, 그 결과 생리학적 한계를 넘어 분절 이동성이 증가한다.

그러나 임상에서 이 정의는 정상 한계를 넘는 관절 가동성을 가진 많은 피험자가 완전히 무증상이기 때문에 불충분하다.

이러한 이유로 임상적 불안정성에 대한 다양한 정의를 만들려는 시도가 있었다. Frymoyer는 그것을 '척추 운동 분절 강직의 상실로, 그 운동 분절에 힘을 가하면 정상적인 구조에서 볼 수 있는 것보다 더 큰 변위를 생성하여 고통스러운 상태, 신경 구조 위험을 초래할 수 있는 진행성 기형을 초래하는 방식으로 정의한다.'

White 등은[9] 임상적 안정성은 생리학적 부하하에서 변위 양상을 유지하는 척추 능력의 상실로 정의한다. 결과적으로 결과적인 구조적 변화로 인한 무능력 또는 통증이 있다.

Kirkaldy-Willis와 Farfan은[10] 관절의 생체역학적 거동과 관련이 없지만 환자의 증상에만 관련이 있는 불안정성의 정의를 개발했다. 이 저자에 따르면, 임상 상태가 불안정하고 경미한 자극에도 반응하는 증상이 경증과 중증 사이에서 변동하는 요통 환자에서 분절적 불안정성이 발생한다. 이 정의는 불안정한 균형의 개념을 제공한다. 환자는 기능적 상황을 유지할 수 있지만, 최소한의 역학적 미세변화가 심각한 무능력을 유발할 수 있는 불안정한 임상 상태를 가지고 있다. 이 정의가 반드시 생체역학적 불안정성과 관련이 있는 것은 아니다. 그러나 실용적인 관점에서 불안정한 기능적 상황으로 정의되는 불안정성은 증상이 있는 역학적 불안정성을 가진 환자의 일반적인 특징 중 하나이다.

Panjabi는 관절 불안정성이 과도한 가동범위보다 중립영역 범위의 변화에 더 기인한다고 지적함으로써 불안정성의 개념에 중요한 발전을 이루었다. 범위의 이 구분은 수동 및 능동 요소에 의해 결정되는 관절 시스템의 생체 역학적 거동을 기반으로 한다. 중립 구역은 최소 내부 저항에 대해 척추 운동이 생성되는 분절 운동 범위의 초기 부분이다. 가동범위의 탄성 부분은 실질적인 내부 저항에 대해 생성되는 움직임의 끝 범위에 더 가까운 부분이다(**그림 5-1**).

Panjabi는 임상적 불안정성을 생리학적 한계 내에서 척추 중립영역을 유지하는 척추 안정화 시스템의 능력이 현저히 감소하여 신경학적 결함, 주요 기형

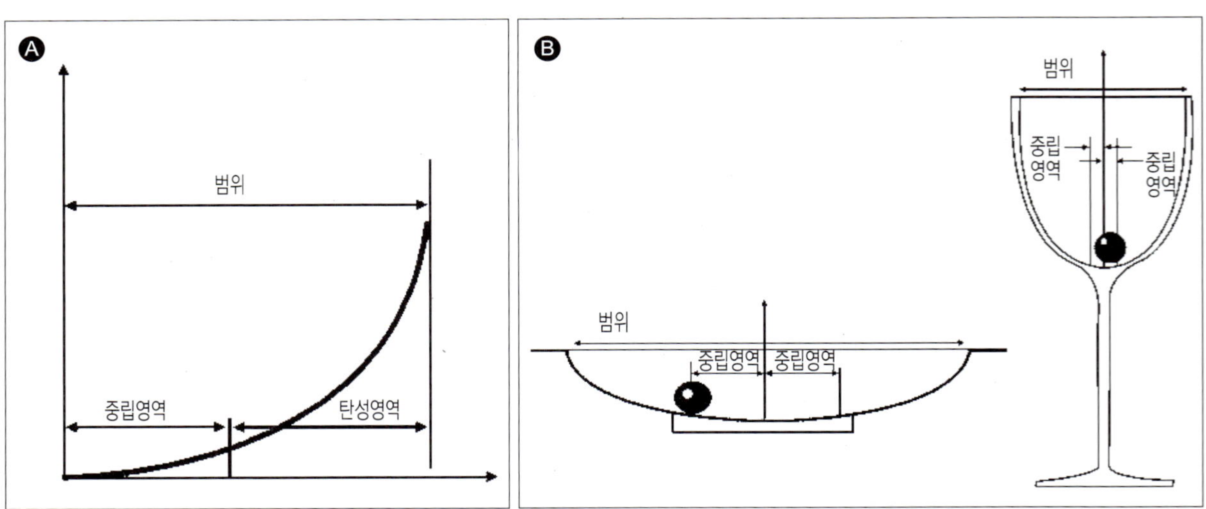

그림 5-1 ■ 중립영역(NZ)은 휴식 위치 근처에서 관절이 움직일 수 있는 범위의 일부로, 관절이 내부 저항을 최소화하면서 최대 운동 능력을 표현한다. 탄성영역(EZ)은 중립영역의 끝에서 생리적 움직임의 끝까지(A) 척추간 이동성의 범위이다. 공과 그릇 사이의 비유에서, 컵은 중립영역이 감소된 추간 부분을 나타내므로 매우 안정적이나(B) 넓은 판형태 그릇은 매우 넓은 중립영역을 가진 추간 분절을 나타내므로 상대적으로 불안정하다.

및 무력화 통증이 없는 것으로 정의한다. 이 가설은 중립영역의 상당한 증가가 임상적 불안정성을 나타낼 수 있다고 가정하고 불안정성을 운동 범위의 증가로 정의하는 고전적 가설에 위배된다.[11] Panjabi는[12,13] 중립영역의 크기가 증가하면 전체 가동범위의 증가보다 분절 불안정성의 더 좋은 지표가 될 수 있다고 제안한다. 이 정의는 움직임의 양보다 움직임의 질을 더 강조한다. 더욱이 경추의 불안정성으로 의심되는 환자들은 척추 운동의 말단 범위보다 중간 범위에서 통증을 호소하는 경우가 많다.[14] 사실, 퇴행성 변화가 있는 척추에서는 전체 운동 범위의 증가 없이 중립영역의 증가가 있을 수 있다. 깊은 안정화 근육은 중립영역을 제어하는 데 중요한 역할을 한다.

이 정의는 움직임의 양에 반대되는 질을 강조하며, 분절 불안정성이 의심되는 많은 환자가 더 큰 움직임 어려움을 갖는다는 임상 관찰에 일치하는 것으로 보인다.

불안정성과 중립영역:

- 중립 구역은 최소 내부 저항에 대해 척추 움직임이 생성되는 분절 운동 범위의 초기 부분이다.
- 관절 불안정성은 과도한 가동범위보다 중립영역 범위의 변화에 더 기인한다.
- 임상적 불안정성은 생리학적 한계내에서 중립 추간 영역을 유지하는 척추의 능력의 현저한 감소를 수반한다.

불안정성은 움직임의 질이나 양상과 연결될 수 있다는 제안도 있었다.[15] 따라서 불안정성은 척추의 회전과 이동운동 구성요소 사이의 비율 손실의 결과일 수 있다. 분절을 예를 들어, 시상 회전의 구성 요소와 관련하여 불균형 시상 변환을 나타낸다.[15]

불안정성을 치료할 때 경직의 감소, 중립영역의 증가 또는 비정상적인 분절 이동 양상의 시작을 담당하는 요소를 알아야 한다.

불안정성의 완전한 정의는 관절 역학의 변경을 참조해야 한다. 역학적 측면을 포함하는 다른 정의에는 과도한 이동성의 존재, 중립영역의 증가 또는 이동 패턴의 변경이 포함된다.

임상적 불안정성의 개념을 이해하기 위해 Panjabi는[13] 척추 불안정성이 수동적, 능동적, 통제라는 세 가지 상호작용 하위 시스템에 의존한다고 지적했다. 수동 하위시스템은 관절 표면의 형태와 피막인대 시스템으로 구성되고, 활성 하위 시스템은 고유 안정화 근육으로 구성되고, 제어 하위 시스템은 관절 고유 감각과 제어 관절 운동의 중심 기전으로 구성된다.

척추 안정성은 세 가지 상호작용 하위시스템에 따라 달라진다:

- 수동 하위시스템: 관절 형태 및 관절낭인대 시스템.
- 활성 하위시스템: 국소적 및 전체적 안정화 근육.
- 제어 하위시스템: 관절 고유 감각 및 위치 및 관절 운동 제어의 중심 기전.

이 세 가지 하위 시스템은 외부 힘이 가해지는 동안 척추 분절에 동적 안정성을 제공하기 위해 함께 작동한다. 불안정성은 수동 하위시스템이 불충분할 때뿐만 아니라 능동 및 제어 하위 시스템이 중립영역의 제어를 유지할 수 없을 때 나타날 수 있다.

불안정성의 특성

불안정성을 정의하는 세 가지 특징은 다음과 같다.

1. 불안정성으로 인해 임상 상황이 발생한다.
2. 환자는 상대적으로 낮은 역학적 부하가 심각한 장애를 초래하는 불안정한 균형을 가지고 있다.
3. 운동범위의 초과나 중립영역의 증가 또는 운동패턴의 변화로 인해 생리적 힘에 반응하여 비정상적인 운동성이 있다.

경미한 경추 불안정성
(Minor cervical instability)

경미한 경추 불안정성의 개념은 경추 신경근 조절의 변화로 인한 통증 및 기능장애와 관련된 경추 불안정성의 존재를 포함한다.[16] 이것은 중립영역의 통제 상실을 결정할 수 있다.[17]

이것은 또한 경추 운동조절 기능장애로 분류될 수 있으며 목 또는 상지의 규정된 능동적 운동 중에 관찰되는 경추의 이상하거나 제어되지 않는 운동의 존재로 정의될 수 있다.

이런 임상 상황은 진단이 더 어렵운 매우 미묘한 징후와 증상으로 나타날 수 있다. 경미한 경추 불안정성과 관련될 수 있는 임상 증상은 경추 통증, 잡기/잠금 감각, 쇠약, 근육 조절 장애, 이동성 범위의 변화, 더 큰 외상 또는 반복적 미세 외상의 병력이다. 이 상태는 심각한 무력화 통증, 척수 압박 증상 및 척추 동맥 파열을 제외하고 일련의 징후 및 증상과 관련될 수 있다.[16]

경미한 불안정성:

- 인대 파열이나 신경혈관 손상 없이 중립 관절 영역의 통제력 상실.
- 경추 통증, 쥐어짜는/잠기는 감각, 쇠약감, 근육 조절 장애 또는 가동범위의 변화와 같은 매우 미묘한 징후와 증상으로 나타난다.
- 지속적인 경추 통증의 흔한 원인이며 종종 진단에서 간과된다.

두개척추접합부의 불안정성을 담당하는 요소
ELEMENTS RESPONSIBLE FOR CRANIOVERTEBRAL INSTABILITY

두개척추접합부의 척추는 모든 방향으로 머리 움직임을 지시하는 역할을 한다. 이 관절 복합체의 특별한 이동성과 안정성 유지의 필요성은 뼈, 인대 및 관절 구조가 중요한 기능적 요구를 받는다는 것을 의미한다. 특히 경추 1번-경추 2번 분절에서 뼈 안정성의 부족으로 인해, 이 부위의 인대, 특히 횡인대(transverse ligament), 날개 인대(alar ligament) 및 외막(tectorial membrane)이 중요한 생체역학적 역할을 한다.[18]

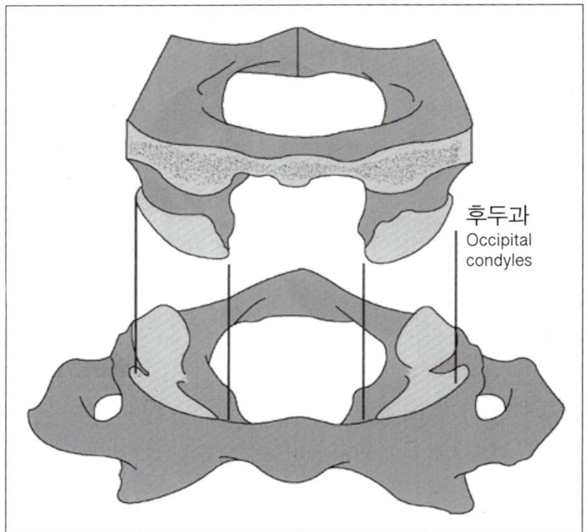

그림 5-2 ■ 경추 0번-경추 1번의 불안정성은 부분적으로 후두관절융기가 환추의 측면 덩어리로 깊숙이 도입되도록 돕는 관절의 뼈 구성에 달려 있다.

고리뒤통수(환추후두)관절 (경추 0번 - 경추 1번)
(Atlanto – occipital joint (C0-C1))

고리뒤통수(환추후두)관절의 안정성은 뒤통수뼈관절융기(후두관절융기)의 적응을 가능하게 하는 환추의 상부 관절의 뚜렷하게 오목한 구성을 기반으로 한다(**그림 5-2**). 환추의 관절면의 측벽은 후두부의 측면 활주를 방지하고, 전방 벽과 후방 벽은 전후방 움직임을 방지한다. 이 관절은 관상면보다 시상면에서 더 불안정하다.

영역의 안정성은 또한 외막(tectorial membrane)과 날개 인대(alar ligament) 덕분에 후두부와 축추 사이의 인대 연결에 따라 달라진다. 관절낭과 전방

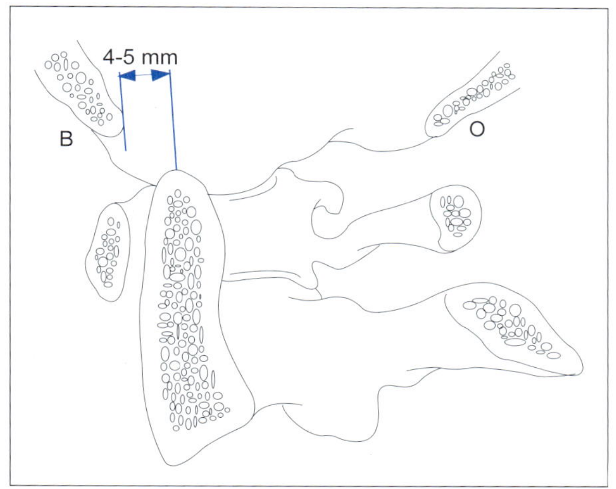

그림 5-3 ■ 후두부의 시상 불안정성은 큰구멍앞점(basion)의 가장자리(B)와 치아돌기의 꼭지점(O)을 측정하여 객관적으로 볼 수 있다. 이 거리가 4mm 또는 5mm보다 크면 불안정성을 의심할 수 있다.

및 후방 고리뒤통수(환추후두)막은 덜 중요하지만 추가적인 안정화를 제공한다.

유년기에는 이 관절의 안정성이 불안정하며, 인대의 탄력이 감소 덕분에 성인이 되면서 증가한다. 이 관절의 탈구는 일반적으로 치명적인 결과를 초래한다.

측방 방사선 사진에서 후두부의 시상 불안정성을 객관화하기 위해 큰구멍(대공,큰구멍앞점)의 앞쪽 가장자리와 치아돌기의 꼭지점 사이의 거리를 측정할 수 있다. 이 거리가 4mm 또는 5mm보다 크면 불안정성을 의심해야 한다(**그림 5-3**).

측면 방사선 촬영에서 고리뒤통수(환추후두)의 불안정성을 보여주는 또 다른 방법은 전력 지수[20,21] (**그림 5-4**)를 사용하는 것이다.

후두부의 축추방향 회전은 일반적으로 4°를 초과하지 않는 경향이 있으며 날개 인대(alar ligament)에 의해 제한된다. 후두골의 회전 불안정성은 회전 컴퓨터단층촬영(CT)에서 이 움직임이 8° 이상일 때 확인된다.[22]

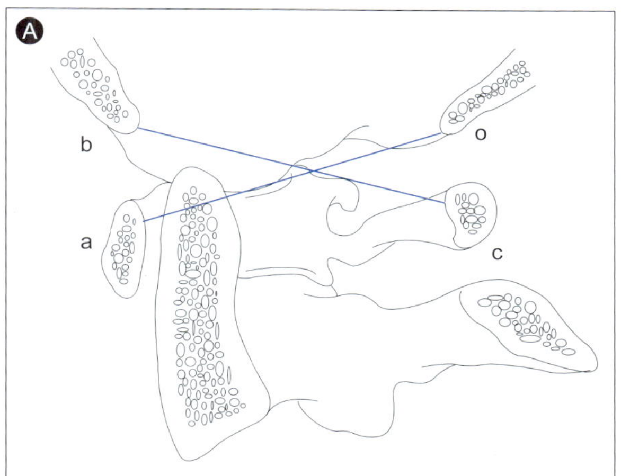

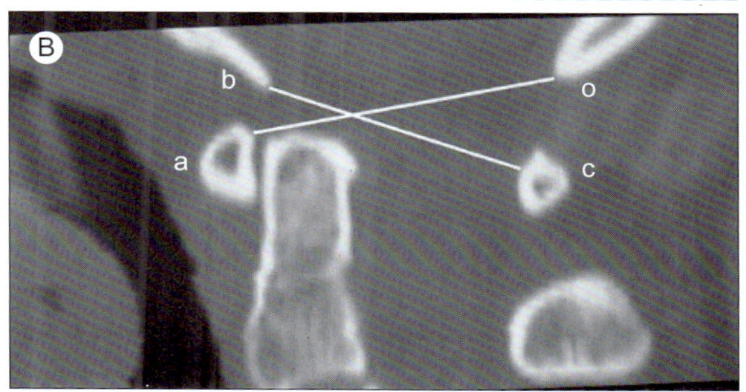

그림 5-4 ■ 전력 지수: 그래프(A) 및 컴퓨터단층촬영, CT(B). (a)환추의 앞고리, (b)큰구멍, (c)환추의 뒷고리 (o)큰구멍뒤점(opisthion). bc/oa 지수는 일반적으로 1이다. 지수가 클수록 후두부의 시상 불안정성을 나타낸다.

고리중쇠(환추축) 관절 (Atlantoaxial joint)

측면 고리중쇠(환추축) 관절은 양면이 볼록한 구성과 넓은 이동성을 허용하는 데 필요한 관절낭의 상당한 느슨함으로 인해 이 부분의 안정성에 거의 기여하지 않는다. 이 관절의 안정성은 주로 가로인대 및 날개인대와 같은 치상돌기와 관련된 인대에서 비롯된다. 이러한 요소가 손상되면 심각한 신경학적 문제가 발생할 수 있다.

경추 1번-경추 2번의 불안정성은 경추 0번-경추 1번 보다 훨씬 더 흔하며 외상, 류마티스 관절염 또는 종양의 결과로 나타날 수 있다.

가로인대(횡인대)는 내측 고리중쇠(환추축) 관절

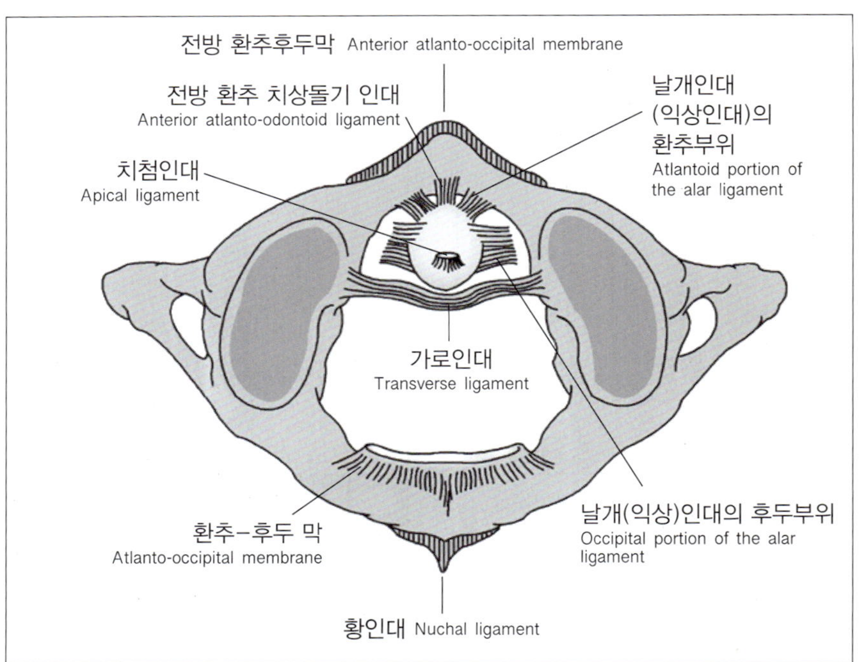

그림 5-5 ■ 가로 인대는 내측 환추축추 관절의 주요 안정화 요소이다. 파열의 감소는 치아돌기와 관련하여 환추를 전방으로 변위시킨다.

의 주요 안정화 요소다. 이 인대의 약화 또는 파열은 특히 경추 굴곡 동안 환추가 치아돌기와 관련하여 전방으로 변위 되도록 한다[23](**그림 5-5**). 따라서 종종 문제는 중립 위치에서 측면 방사선 촬영에서 객관화 되지 않는다. Fielding의 연구에 따르면, 가로인대(횡인대)가 손상되지 않은 경우 치아돌기와 관련하여 경추 1번의 전방 변위는 3mm 미만이다. 외막(tectorial membrane)은 횡인대의 안정화 작용을 강화한다. 환추의 전방 변위는 중심관의 전후 직경을 상당히 감소시킬 수 있다. 가로인대에서 나오는 두 개의 인대인 가로-후두인대(transverso-occipital ligament)와 가로축인대(transversoaxial ligament)는 두개경추의 안정성을 조절하는데 큰 의미가 없는 것 같다.

치아돌기, 환추 및 척추 중심관 사이의 관계는 Steel의 3분의 1법칙을 따른다. 치아돌기는 돌기 1/3, 척수 1/3, 마지막 1/3은 척수 앞뒤에 위치한 안전 영역에 의해 차지된다(**그림 5-6**).

가로인대(횡인대)의 능력을 방사선학적으로 평가

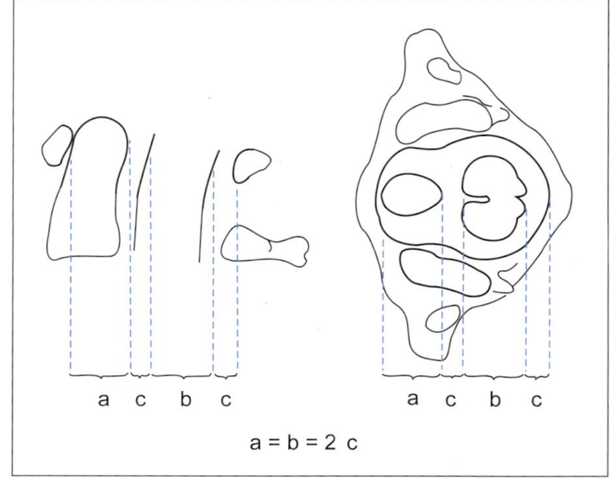

그림 5-6 ■ Steel의 3분의 1 법칙: (a) 치아돌기, (b) 척수 및 (c) 안전지대: a = b = 2c. 치아돌기는 1/3, 코드가 1/3, 마지막 1/3은 코드 앞과 뒤의 자유 안전구역이다.

하기 위해 환추의 앞쪽고리의 뒤쪽 가장자리와 치아의 앞쪽면 사이의 거리에 해당하는 전방 환추치아돌기 간격이 측정된다. 거리가 3mm보다 크면 가로 인

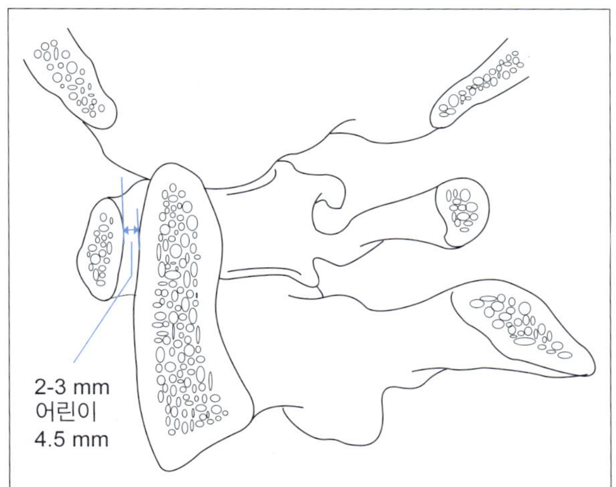

그림 5-7 ■ 전방 환추치아돌기 간격은 환주의 전방고리의 후방 가장자리와 치아돌기의 앞쪽 면 사이의 거리에 해당한다. 이 간격은 성인의 경우 3mm, 어린이의 경우 4mm를 넘지 않아야 한다. 거리가 3mm보다 높으면 횡인대의 감소를 나타내고 이동이 5mm보다 높으면 파열을 나타낸다.

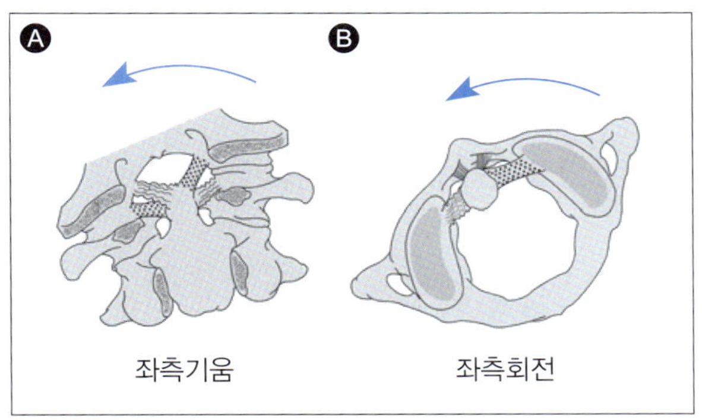

그림 5-8 ■ 날개 인대는 굴곡과 측면 경사를 제한하며 주로 두개경추의 회전 조절을 담당한다. (A) 측면 경사는 동측 환추의 부분과 반대쪽 후두 부분의 장력에 의해 제한된다. (B) 회전은 양쪽 인대의 장력에 의해 제한되지만 반대쪽 인대에 의해 더 강해진다.

대의 약화를 나타내며 이동이 5mm보다 크면 파열을 의미한다[26,27](**그림 5-7**). 이 간격의 신뢰도가 높지 않은 경우의 측정.[28]

날개인대는 두개척추접합부의 안정성에 중요한 역할을 한다. 이 인대는 굴곡과 측면 굽힘을 제한하고 주로 두개경추의 회전 제어를 담당한다.

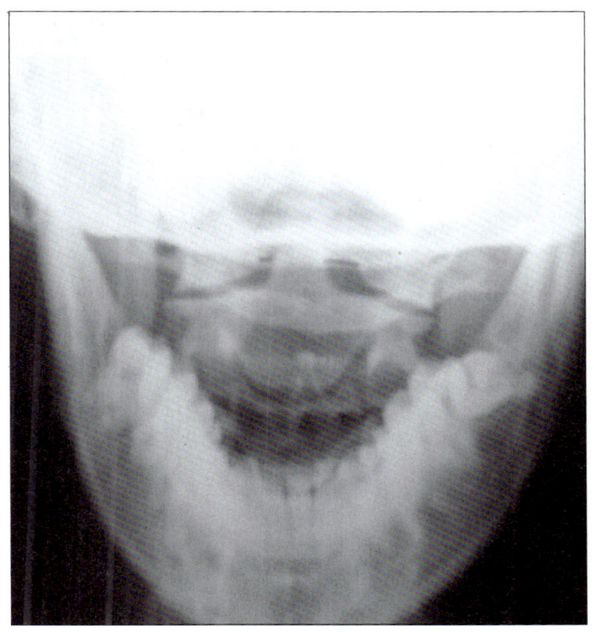

그림 5-9 ■ 이 주제에서 이 경구 투영으로 환추의 회전성 아탈구가 의심될 수 있다. 그러나 확인은 회전하는 컴퓨터단층촬영(CT) 스캔으로만 수행할 수 있다. 동일한 환자의 컴퓨터단층촬영(CT) 이미지는 **그림 5-35**에 해당한다.

굴곡은 두 인대의 장력에 의해 제한된다. 측면 굽힘은 동측 환추치아돌기 부분과 반대쪽 후두 부분의 장력에 의해 제한된다. 회전은 양쪽 인대의 장력에 의해 발생하지만 반대측 인대에 의해 더 강하게 발생한다.[23,29-33](**그림 5-8**) 따라서 날개 인대는 환추의 회전을 제어하는데 기본적이며[22,23,30] 외상성 파열은 환추의 회전 아탈구를 결정한다(**그림 5-9**).

날개 인대 파열의 확인은 컴퓨터단층촬영(CT)을 중립 위치 및 회전으로 해야만 확인할 수 있다. 정상 대상에서 환추의 회전은 43° (표준 편차 5.5°)를 초과하지 않는다. 56°보다 큰 한쪽으로의 축 회전은 반대쪽 날개 인대의 파열로 인한 병리적 과가동성을 나타낸다.[22]

Krakenes 등은[34] 고해상도 양성자가중 자기공명영상(MRI)으로 날개인대의 병변을 발견할 수 있다는 것이 밝혀졌다.

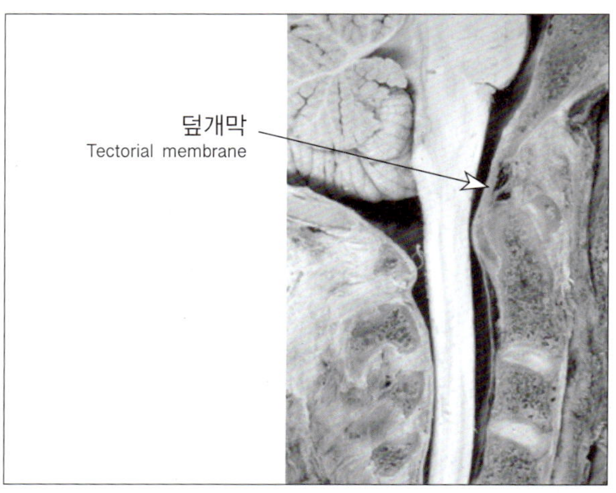

그림 5-10 ■ 외막(tectorial membrane)은 머리의 굴곡을 제한하고 머리의 중요한 수직 안정 장치로서 경추 1번 및 경추 2번에 대한 두개골 이동을 제한한다.

날개 인대의 부상은 회전의 중립영역의 증가를 통해 나타날 수 있다. 날개 인대는 굴곡과 연결되거나 연결되지 않을 수 있는 경추 편타손상, 회전 기전 또는 반대쪽 측면 굽힘과 같은 외상 중에 손상될 수 있다. 날개 인대 부상은 자동차 사고에서 피험자가 차량에 머리의 측면 충격을 겪을 때 의심된다.

관절낭은 날개인대 및 횡인대 만큼은 아니지만 환추축추 안정성에서 역할을 한다. 그들은 회전과 측면 굴곡을 제한한다.[23,35] 관절낭의 파열은 반대측 회전을 증가시키는 반면, 외측굴곡은 양쪽 관절낭이 분할된 경우에만 증가한다.[35] 관절주머니 인대는 해당 분절의 이동 중에 상당한 부하를 받고 종종 부상을 입는다.

외막(tectorial membrane)은 경추 1번과 경추 2번 관련하여 두개골의 이동운동을 제한하면서, 머리의 굴곡을 제한하고 머리에 중요한 수직 안정화 역할을 한다[18,19,36](**그림 5-10**).

후두의 후방고리에 경추 1번 및 경추 2번의 후방고리를 연결하는 후방 환추-후두 및 환추축추는 두개경추 척추에 안정성을 제공하지 않는다. 외막(tectorial membrane)과 후방 환추후두막(posterior atlanto-occipital membranes)의 병변은 자기공명영상 장치(MRI)로 확인할 수 있다.[34]

목덜미 인대(황인대) 또는 등줄은 일부 환자에서 경추 굴곡을 제한할 수 있지만 경추의 안정성에 관여하지 않는다.

불안정성의 원인
AETIOLOGY OF THE INSTABILITY

두개척추접합부 불안정성의 원인은 선천성, 염증성, 외상성 및 퇴행성으로 나눌 수 있다. 마지막 원인은 이미 2장에서 논의되었으므로 이 장에서는 처음 세 가지 원인만 설명한다.

선천적 불안정성(Congenital instability)

두개골 기저부, 환추 및 치아돌기의 선천적 기형은 매우 다양하며 임상적으로 여러 방식으로 나타날 수 있다. 그들 중 일부는 급성 또는 진행성 신경학적 악화를 유발할 수 있지만 나머지는 완전히 무증상으로 남아 있다.[37] 대부분의 경우 특정 기형과 특정 징후 및 증상 사이에 직접적인 관계를 설정할 수 없다.

두개저함입(Basilar impression)

두개저함입은 가장 흔한 경부후두 기형이며 뒤머리뼈우묵(후두개와)의 안쪽 부분을 향한 대후두공의 뼈 윤곽의 함입과 관련된 사대의 단축과 함께 후두부의 저형성을 포함한다. 대후두공(foramen magnum)은 두개강 내에서 위쪽으로 변위 됨에 따라 크기가 감소한다. 치아돌기는 대후두공(foramen magnum) 내부로 돌출되는 경향이 있으며, 이는 대후두공(foramen magnum)이 더 좁아지고 후방와(posterior fossa)의 부피가 감소한다. 종종 두개저함입은 환추의 동화, 후두 척추, 환추의 전방 및 후방 척추갈림증, 치아돌기의 후방 이동, Klippel-Feil 증후군, Arnold-Chiari의 기형과 척수공동증 같은 다른 기형을 동반한다.[38,39]

두개저함입은 파제트병, 불완전 골형성, 연골무형성증 또는 류마티스 관절염과 같은 뼈 질환에 의할 수도 있다.

이런 기형적 현상의 중요성은 신경계에 대한 압축효과와 관련이 있다. 이 기형과 관련된 일반적인 징후와 증상은 근육 약화, 경직, 보행 변화, 경추 통증 및 장 또는 장 기능의 변화이다. 일부 환자는 낮은 머리카락 선, 짧은 목 또는 뻣뻣한 목 또는 제한된 경추 운동성과 같은 이 기형의 존재를 시사하는 징후를 보인다.[39]

두개저함입은 대후두공(foramen magnum)에서 치아돌기 꼭지점의 돌출종도로 방사선학적으로 정의할 수 있다. 이를 객관화하기 위해 기존의 방사선과, 컴퓨터 단층촬영(CT) 또는 자기공명영상장치(MRI)

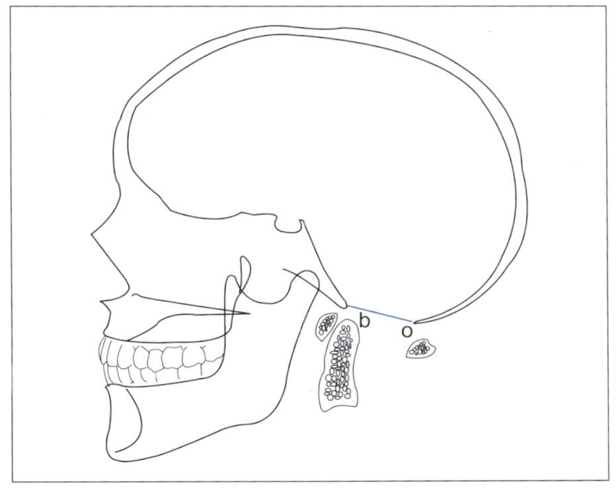

그림 5-11 ■ McRae의 선. 큰후두구멍(큰구멍앞점 basion)(b)의 앞쪽 가장자리에서 뒤쪽 가장자리(큰구멍뒤점 opisthion)(o)까지 그려진다. 치아돌기는 이 선 아래에 위치해야 한다. 그렇지 않은 경우 두개저함입이다.

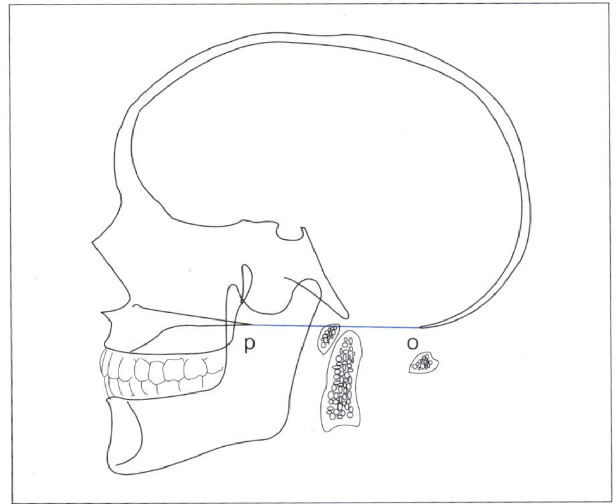

그림 5-12 ■ 체임벌린 선. 입천장의 뒤쪽 가장자리(p)에서 큰구멍뒤점 (opisthion) (o)까지 이어진다. 치아돌기의 정점은 이 선 위로 2.5mm 이상 돌출되어서는 안 된다.

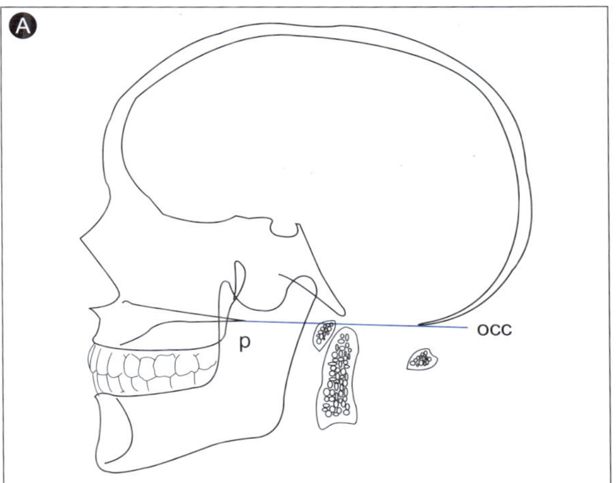

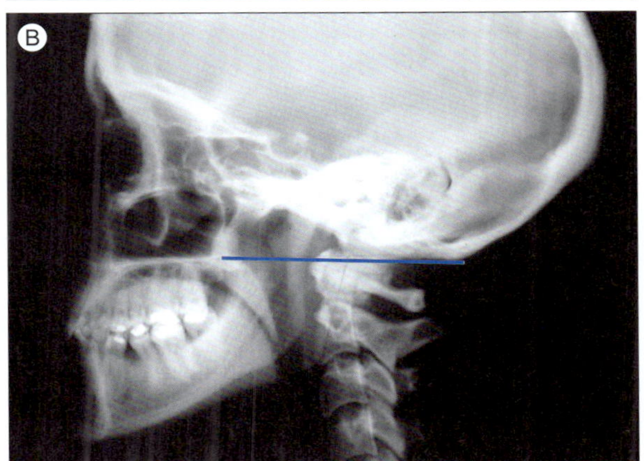

그림 5-13 ■ McGregor의 선. 이것은 기존의 방사선 사진에서 상악골과 두개골 기저부 사이의 관계를 측정하는데 사용되는 가장 쉬운 방법이다. 그것은 후두부(occ)의 가장 꼬리 부분과 함께 연구개(p)의 뒤쪽 가장자리에 닿는다. 차아돌기의 정점은 이 선 위로 4.5mm 이상 연장되어서는 안 된다. 그래픽(A) 및 방사선 투사(B).

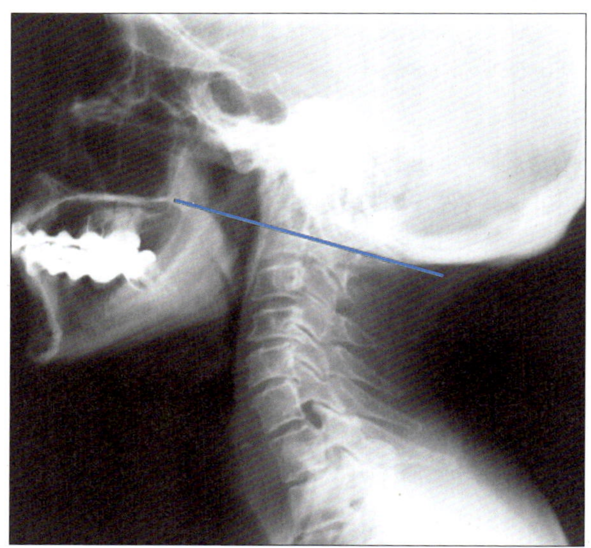

그림 5-14 ■ 환추의 동화(assimilation)에 따른 두개저함입.

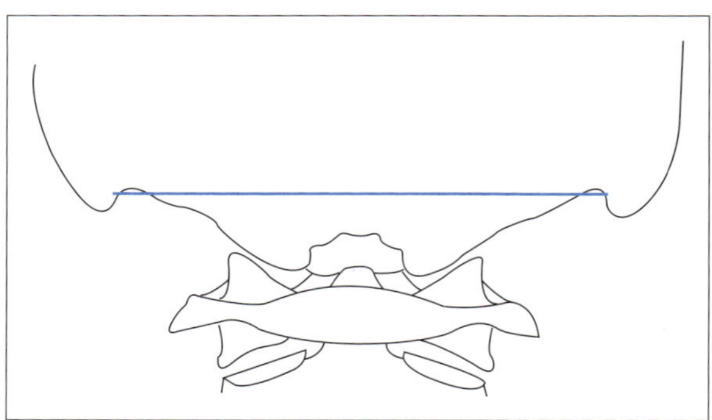

그림 5-16 ■ 양이복선(Metzger 및 Fischgold). 이 선은 유양돌기 기저부의 내측면에 두힘살(이복근)이 삽입되는 두 개의 구멍을 연결한다. 이 선은 치아돌기의 꼭짓점 위로 교차한다. 많은 경우에 이복근 개구를 시각화하는 것이 어렵기 때문에 전후방 투영에서 기저부 인상을 감지하는 또 다른 방법은 Wackenheim 선을 그리는 것이다.

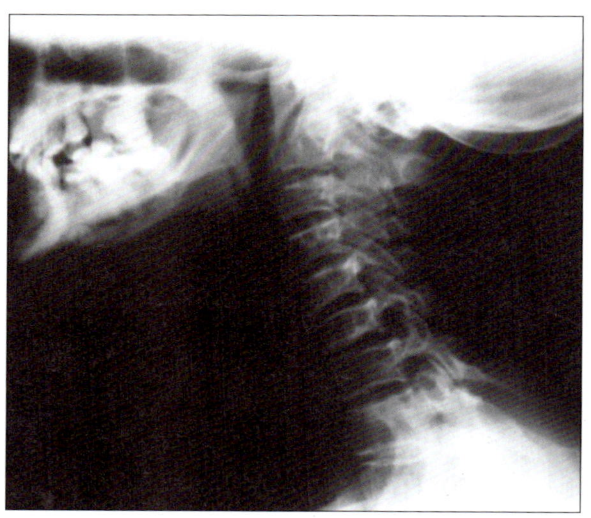

그림 5-15 ■ 부갑상선기능항진증에 따른 두개저함입.

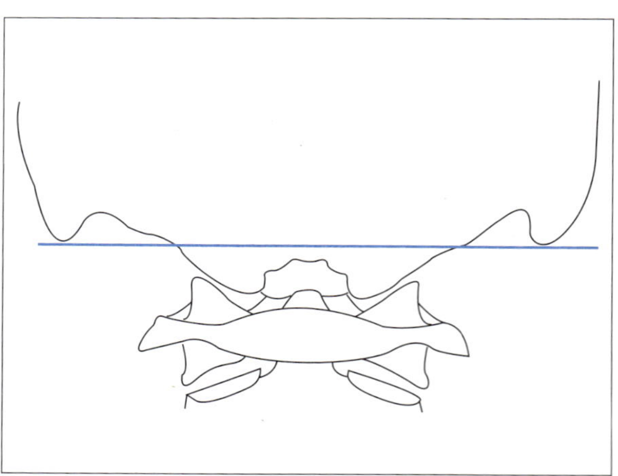

그림 5-17 ■ Wackenheim의 기저선. 이 선은 양쪽 유양돌기의 아래쪽 가장자리를 연결한다. 이것은 일반적으로 양위선아래 1cm에 위치한다.

를 사용하여 경추의 측면 투영에 McRae의 선(**그림 5-11**), Chamberlain의 선(**그림 5-12**) 또는 McGregor의 선(**그림 5-13**); 이들 모두는 치아돌기의 거리를 연결한다(**그림 5-14** 및 **5-15**).

이러한 기형을 감지하기 위해 전후방 투영으로 양이복선(**그림 5-16**)과 바켄하임(Wackenheim) 기저선(**그림 5-17**)을 그릴 수 있다.

상부 경추 세분화 이상

두개경추의 분절에는 다양한 기형이 있을 수 있으며 환추의 후두화, 후두의 척추화, 클리펠-페일 증후군(Klippel-Feil syndrome)이 있다. 가장 흔한 이상은 전체 또는 부분적으로 환추의 후두화이다. 뼈 구성의 이상은 두개경추 불안정성의 원인이 되는 인대의 형태적 이상을 동반한다.

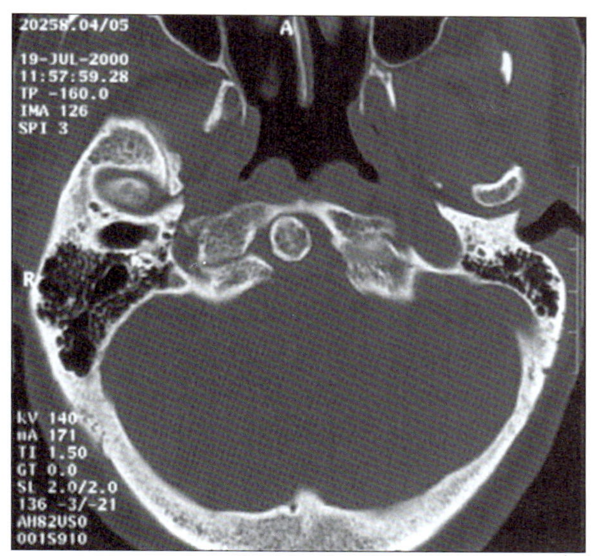

그림 5-18 ■ 환추의 동화를 보여주는 컴퓨터단층촬영(CT). 환추의 앞고리를 볼 수 있다. 뒷고리는 후두부에 동화된다.

환추의 동화. 환추의 동화 또는 후두화는 두개골 척추의 가장 흔한 선천적 기형 중 하나이며 마지막 후두부와 첫 번째 경추 경화종 사이의 분할 오류의 결과이다. 대부분의 경우, 환추 고리의 앞쪽 부분과 대후두공의 앞쪽 가장자리 사이에서 발생하며 다른 기형과 관련될 수 있다[41,42](**그림 5-18**).

척추 분절의 다른 결함과 마찬가지로 후두골의 동화는 인접한 분절에 더 큰 부하를 유발한다.[43] 게다가, 이 해부학적 기형이 두 번째와 세 번째 경추의 선천적 차단을 동반하면 결과적으로 환추축추의 불안정성이 발생한다. 불안정성은 육아 조직의 증식으로 이어질 수 있으며, 이는 차례로 척추중심관의 협착을 악화시킨다.

환추에 동화된 일부 피험자는 낮은 헤어 라인, 짧은 목, 제한된 경추 운동성 및 이따금 목의 뻣뻣함과 같은 Klippel-Feil 증후군과 유사한 임상 징후를 보인다.

이 기형은 때때로 경추의 측면 방사선 촬영과 동적 투영과 함께 경추 1번-경추 2번의 불안정 가능성을 사용하여 식별할 수 있다. 컴퓨터단층촬영(CT)는 골 기형과 가능한 환축추의 불안정성을 시각화하는 것을 가능하게 하고 자기공명영상장치(MRI)는 육아 조직의 형성과 신경축의 침범 정도를 평가하는 데 도움이 된다.

결론적으로, 환추의 동화는 일반적으로 증상이 없지만 관련 기형은 경추 1번-경추 2번의 불안정, 두개저함입, 육아 조직의 형성 또는 경추 2번-경추 3번의 융합과 같은 증상이 있을 수 있다.

클리펠-페일 증후군. 경추의 가장 심각한 분할 결함은 Klippel-Feil 증후군이다. 이것은 2개 이상의 경추의 선천적 융합을 특징으로 하며, 이는 가동성 분절과 융합된 분절 사이의 불안정성을 증가시킬 수 있다. 임신 3주에서 8주 사이에 배아 발달의 변화로 인해 발생한다. Klippel과 Feil은 이 증후군의 특징적인 3가지 요소를 설명했다. 짧은 목, 낮은 목 뒤쪽 모발 하단선 및 목 경직; 이 3가지 징후와 증상은 절반의 경우에만 나타난다.[44]

경추 2번과 경추 3번의 융합은 Klippel-Feil 증후군에서 가장 흔하고, 경추 1번-경추 2번 및 경추 0번-경추 2번 분절에서는 빈번하지 않는다.[42,45,46]

클리펠-페일 증후군과 가장 흔히 관련된 기형은 골격 변형(기저부 함입, 두개골 비대칭, 척추 측만증 등), 청력 악화, 선천성 심장 상태, 눈 기형, 안면 비대칭, 구개열,[47,48] 비뇨생식기 기형[49] 및 거울 움직임이다.[44,50,51] 이 증후군이 있는 피험자는 중심관이 겪는 불안정성과 해부학적 변화로 인해 척추 압박 상태가 발생할 수 있다.[52]

환추의 전방과 후방 이분척추. 환추의 열개는 전후방 고리에서 나타나며, 후방 고리에서 더 흔하다.[37] 후방고리의 결함은 완전한 무형성, 반형성 또는 더 자주 불유합의 형태로 표현될 수 있다.[35,53] 후방고리의 선천적 저형성증은 경추의 분절 결함과 관련될 수 있으며,[54] 경우에 따라 이 기형은 경구강 투영으로 감지될 수 있지만, 선호되는 진단 방법은 골화면을 이

용한 컴퓨터단층촬영(CT) 촬영이다.

전방과 후방의 환추의 융합에서 기형은 다른 기형이나 환추축추 아탈구와 관련이 없는한 임상적으로 나타나지 않는다. 따라서 그들은 클리펠-페일 증후군, 두개저함입, 환추축추 아탈구 또는 환주의 동화와 같은 다른 기형을 동반하는 경우를 제외하고는 일반적으로 외과적 안정화가 필요하지 않다. 그러나 이러한 유형의 이상이 있으면 도수치료치료를 금한다.

치상돌기 분리증. 치상돌기 분리증은 축의 몸체의 치상돌기의 분리로 정의될 수 있다. 이 기형이 있는 환자는 무증상이거나 국소 기계적 자극(목 통증 및 목 경직), 진행성 골수병증 또는 척추 동맥 압박에 따른 일시적인 증상이 있을 수 있다.

그 병인은 논란의 여지가 있다. 일부 저자는 적어도 어떤 경우에는 그 기원이 선천적이라고 주장하지만[55,56] 특정 가족 경향을 관찰하여[57,58] 대다수는 이것이 자궁내 단계 또는 5세 또는 6세에서 폐쇄 이전에 발생한 치아의 연골결합 골절의 결과라고 생각한다.[59-61] 치돌기 조각에 가해지는 날개인대의 장력은 혈관 관개 기능의 상실과 이에 따른 뼈 재흡수를 유발하여 특징적인 둥근 이소골을 남긴다(**그림 5-19**). 그 기원에 관계없이, 이 기형은 이동성 또는 불충분한 치아돌기가 환추의 횡인대의 기능부전을 유발하고 경추의 압박을 유발할 수 있다는 점에서 임상적으로 중요하다.

이전에는 치상돌기 분리증은 치상돌기의 이차 골화 중심의 융합 실패의 결과로 믿어졌다. 이 2차 골화 중추는 청소년기에 치아돌기와 합쳐지며,[62] 이러한 골화 결여가 발생하면 영구치아골 기형으로 알려져 있으며, 치아돌기 분리증과 관련이 없다. 이 치상골말단기형이 치상돌기 분리증과 더 작고 횡인대 위의 환추의 높이에 위치하며 치상돌기 분리증와 달리 환추축추 불안정성을 일으키지 않는다는 점에서 다르다.

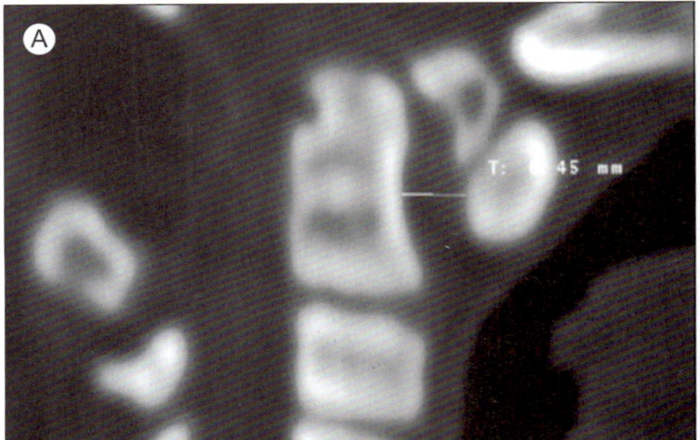

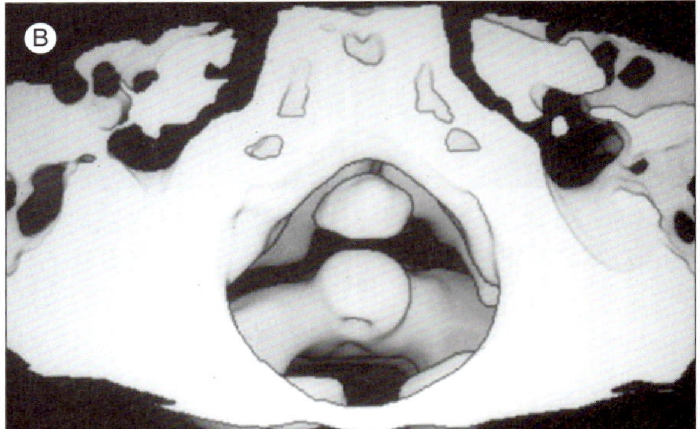

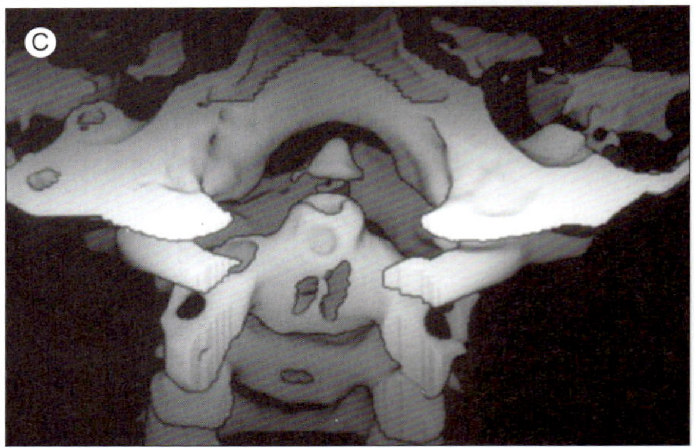

그림 5-19 ■ 컴퓨터단층촬영(CT)에서 보이는 전방으로 변위된 치상돌기 분리증(A) 및 3차원 재건(B 및 C).

치상돌기 분리증은 또한 치상돌기의 골절과 다르다. 첫 번째 경우에는 부드럽고 균일한 피질을 가진 원형, 원추형 또는 타원형 이소골이 나타나며, 축추의 기저부에서 넓은 공간으로 분리된다.[63] 이는 환추 후방고리의 저형성 및 전방고리의 비대는 환추축추의 불안정성에 대한 뼈의 반응으로 인해 2차적으로 나타날 수 있다.[64-66] 반대로, 치아 골절의 특징적인

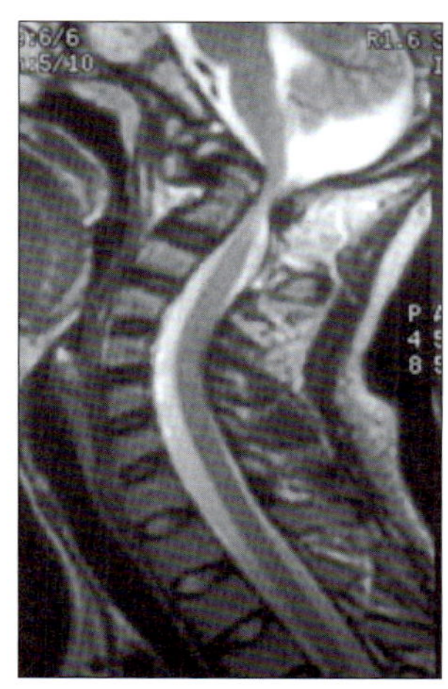

그림 5-20 ■ 이 자기공명영상장치(MRI)에서 치상골의 결과로 척추중심관의 심각한 협착을 볼 수 있다.

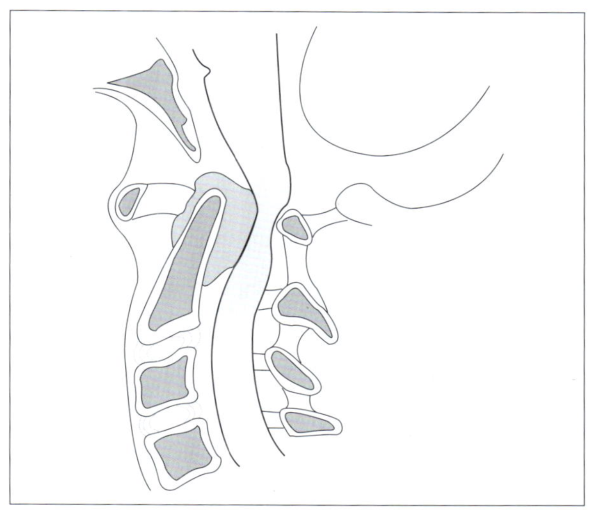

그림 5-21 ■ 이 그림에서, C2의 전방 아탈구는 활액 판누스의 형성과 치상돌기의 침식을 볼 수 있다. 활액 판누스의 부조화 및 성장은 환추(C1)의 후궁에 대해 경추 척수 압박을 결정한다.

이미지는 피질에 의해 구분되지 않고 불규칙한 아래쪽 가장자리와 연관된다.

치상돌기 분리증의 유병률은 알려져 있지 않지만 매우 흔하지는 않다. 이 기형이 있는 환자는 무증상일 수 있으며 우발적으로 그 존재를 감지할 수 있거나 외상 후 급성 또는 진행성 증상을 가질 수 있다. 더 흔한 증상은 경추통이나 목의 경직이지만 어떤 경우에는 척추동맥의 압박으로 인한 압박성 척수병증이나 신경혈관 증상으로 나타날 수 있다.[67-70]

치상돌기 분리증은 치상돌기와 관련하여 정상적인 위치에 있을 수 있고(정위치), 머리쪽 변위(이소, 비정상위치) 또는 기울어진 사대와 유합 수 있다.[40]

외측 또는 경구강 투영으로 진단하거나 골화면과 3차원 재구성이 있는 컴퓨터단층촬영(CT) 스캔을 사용하여 진단할 수 있다. 자기공명영상장치(MRI)는 경추척수와 경추의 불안정성으로 인한 골수연화증을 시각화하는데 도움이 된다(**그림 5-20**). 대부분의 증상이 있는 환자는 동적 방사선 사진에서 불안정성을 보이며, 일반적으로 전방후방 방향으로 평균 1cm 변위가 있지만 다방향일 수 있다.[68]

치상돌기 분리증의 변위가 척추중심관의 감소(13 mm이하)를 초래하고 환자가 골수병증 또는 진행성 신경학적 변화의 임상 병력이 있는 경우 외과적 안정화가 권장된다.[71] 이러한 유형의 환자에 대한 관리는 경추 1번-경추 2번의 아탈구를 가진 류마티스 환자의 관리와 유사하다.

다운 증후군. 환추축추 불안정성은 선천성 불안정성의 가장 흔한 원인이기 때문에 다운 증후군 환자에서 많이 발생한다. 이 증후군이 있는 피험자의 발병률은 20%에서 40% 사이이다.[72-76] 이러한 불안정성은 다운 증후군의 특징인 인대가 느슨해짐과 치아의 저형성과 같은 선천적 결함의 유병률이 높기 때문이다.[76,77] 대부분의 경우 이러한 불안정성은 무증상이며[76] 신경학적 위험은 나이가 들면서 감소하지만 궁극적으로 성인에서 골수병증을 유발할 수 있다.[78]

다운 증후군 환자의 1-2%에서 불안정성은 치아돌기의 후방 변위에 의한 척추 압박으로 이어진다.[79] 따라서 관절 가동화 기술은 이러한 환자에게 권장되지 않는다.

염증성 불안정성

염증성 질환, 특히 류마티스 관절염은 두개경추 접합부 척추의 심각한 불안정성을 유발할 수 있다.

류마티스 관절염의 임상 증상은 활액 관절에 영향을 미치는 자가면역 과정의 결과이다. 사이토카인의 방출은 염증 반응을 자극하여 관절이 파괴되고 뼈 구조가 침식되는 활액 판누스(synovial pannus)를 발생한다.[80-82]

두개경추접합합부 척추는 높은 가동성과 여러 활액 구조에 의해 매우 자주 영향을 받는다. 두개경추 분절의 아탈구와 활액막과 과운동성에 반응하여 형성된 섬유 조직의 직접적인 압박은 최종적으로 척수 또는 뇌간의 압박을 유발할 수 있다[82,83](**그림 5-21**). 이러한 관절의 침범은 류마티스 관절염으로 인한 사망률을 증가시킨다.[84]

류마티스 관절염 환자의 43~86%에서 경추 불안정성을 방사선학적으로 관찰할 수 있으며,[85,86] 경추의 모든 아탈구의 50~70%에서 환추축추 관절이 가장 흔하게 영향을 받는다.[86-90] 이 불안정성은 치아돌기의 후벽과 환추의 횡인대 사이에 위치한 활액낭의 침범에 의해 매우 자주 발생한다.[91] 환추축추 아탈구의 진행은 여러 말초 관절의 침범, 코르티코스테로이드의 장기간 사용 또는 장애의 조기 발병과 같은 다른 요인과도 관련이 있다.[87,92,93]

아탈구의 대부분은 환추의 전방 전위에 의해 발생하지만 측면, 후방 및 회전 아탈구로 인한 것일 수도 있다[86,94-96](**그림 5-22**). 약 20%의 류마티스 아탈구는 환추축추 및 환추후두 관절, 그리고 환추의 외측괴의 점진적인 파괴로 인해 두개기저부 함입과 관련이 있다. 개기저부 함입은 모든 아탈구 중 가장 심각하다.[88,97,98] 그러나 여러 연구에 따르면, 류마티스 관절염 환자가 방사선학적으로 경추 질환이 진행되는 경향이 있지만 대부분은 신경학적 결핍으로 발전하지 않는다.[85,89,97,98]

경추의 류마티스 관절염과 함께 나타나는 변화는 매우 미묘할 수 있다. 일반적으로 환자는 특히 상부 경추 부위에 통증을 호소하며 후두부 두통을 동반한다. 또한 삼차신경의 압박으로 인한 안면 통증이 있을 수 있다. 신경학적 증상은 여러 가지이며 손 감각 이상에서 레르미트 징후까지 다양하다. 어떤 경우에는 두개기저부 함입과 이 척추기저 부전으로 이어질 수 있다.

두개경추 척추의 촉진은 경련을 감지할 수 있게 하며, 경우에 따라 둔탁한 소음은 환추축추 불안정성의 존재를 나타낼 수 있다. 약간의 신경학적 변화가 가려져 다른 근골격계 증상으로 오인될 수 있기 때문에 신체 검사를 해석하기가 어렵다. 이러한 환자의 경우 환추의 전방 아탈구를 악화시키므로 경추의

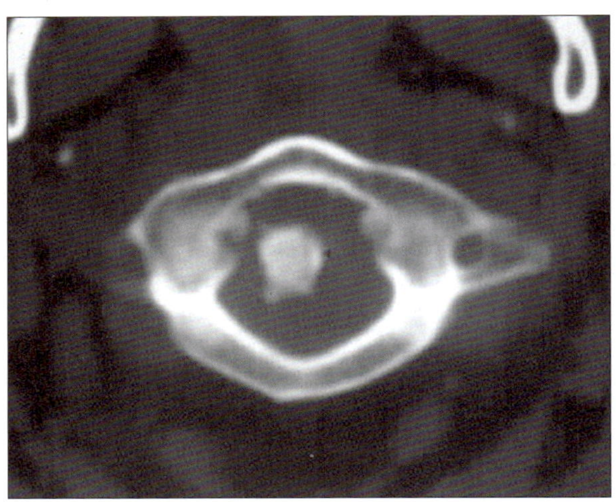

그림 5-22 ■ 류마티스 관절염으로 인한 환추후두부 불안정.

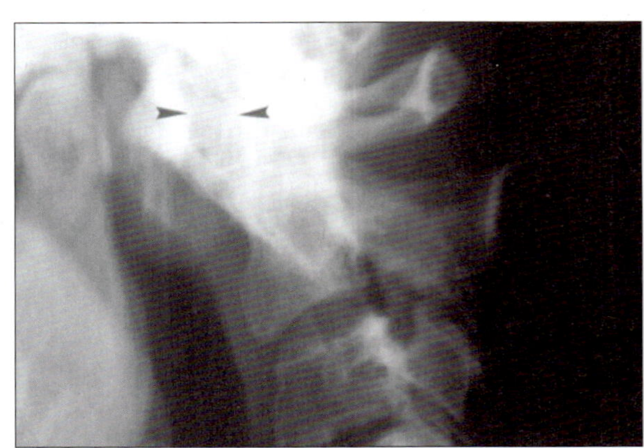

그림 5-23 ■ 전방 환치간격의 증가.

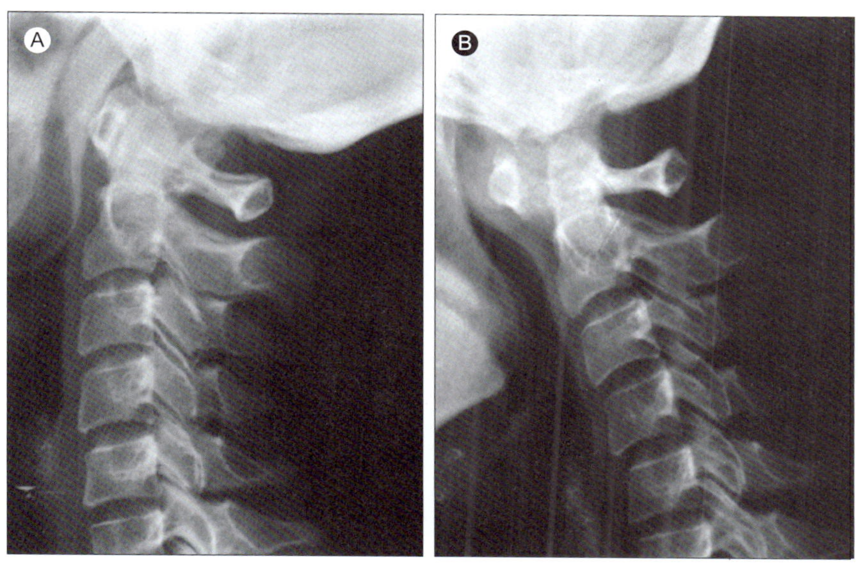

그림 5-24 ■ 류마티스 관절염 환자의 측면 방사선 사진(A)에서 전방 환추치아 간격의 증가를 볼 수 없었다. 그러나 굴곡의 돌출은 환추-치상의 불안정성을 보여준다(B).

굴곡이나 머리의 수축을 유발하지 않는 것이 중요하다.[99]

방사선 검사

간단한 방사선 사진은 류마티스 관절염의 관절 장애와 불안정성의 첫 번째 평가를 용이하게 한다.

전방 환추축추 아탈구는 전방 환추척추 간격의 측정으로 객관화할 수 있다. 이 간격이 성인의 경우 3mm, 어린이의 경우 4mm보다 크면 위험할 수 있다(**그림 5-23**). 간격은 굴곡과 함께 증가하므로 동적 투영에서 과도한 이동성이 있는지 확인할 수 있다[100](**그림 5-24**). 굴곡과 신전의 위치 사이의 환추-치상 간격의 차이를 측정하는 것이 최대 굴곡 간격을 측정하는 것보다 임상적으로 더 적절하다.

환추축추성 아탈구의 평가에서 특이도와 민감도가 더 높은 것으로 보이는 방법은 후방 환추-치아간격의 측정이다. 이 간격은 경추 1번 고리판의 앞쪽 가장자리에서 치아돌기의 뒤쪽 벽을 분리하는 거리로 정의된다. 그 값은 13mm보다 작아서는 안 된다(**그림 5-25** 및 **5-26**). 이 공간은 류마티스 관절염 환자의 경우 척추관의 직경에 해당하지만 왜냐하면 후치아 활액판이 1mm에서 3mm 사이를 차지할 수 있기 때문에 척수에 사용 가능한 공간을 나타내지 않는다.[88,97,101]

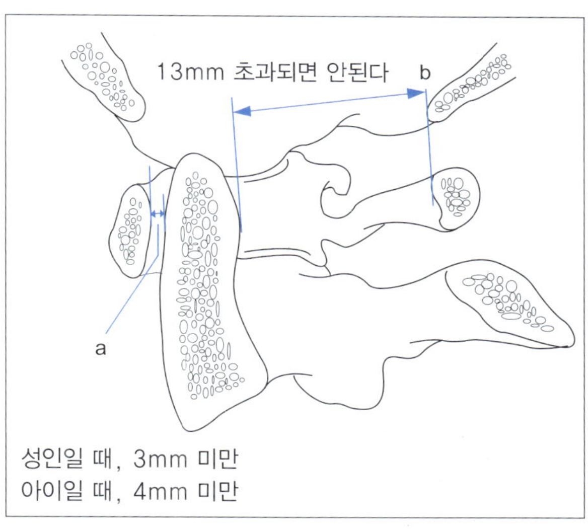

그림 5-25 ■ 전방 및 후방 환추-치상돌기 간격. 전방 환추치상 간격은 성인의 경우 3mm, 어린이의 경우 4mm보다 높아서는 안된다(a). 후방 환추-치상 간격은 13mm보다 높아서는 안된다(b).

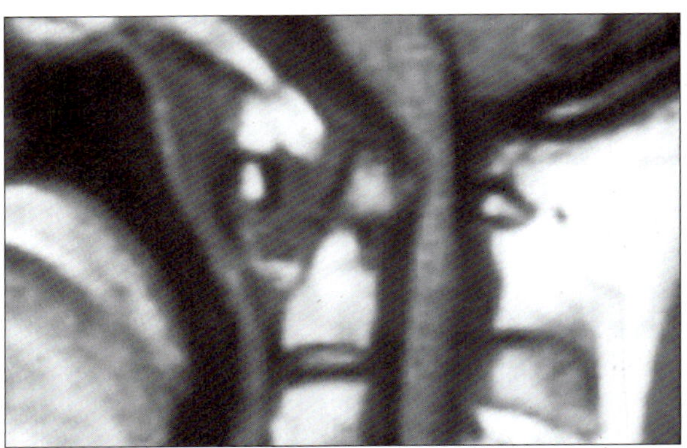

그림 5-26 ■ 이 자기공명영상장치(MRI)에서 류마티스 관절염이 있는 피험자의 치상돌기 후벽과 환추 후방고리 사이의 공간이 크게 감소한 것을 볼 수 있다.

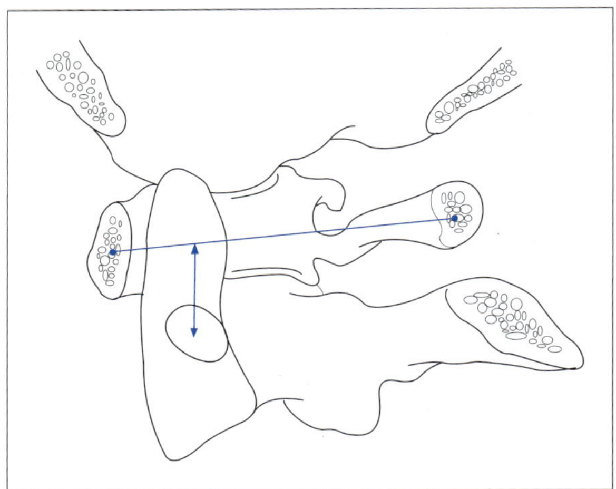

그림 5-27 ■ Ranawat의 방법. 측면 방사선 사진은 경추 2번의 척추경 중심으로부터의 거리와 경추 1번의 앞고리과 뒤고리의 중심 사이에 그린 선을 측정한다. 정상 값은 남성의 경우 15mm 이상, 여성의 경우 13mm 이상이어야 한다.

치아돌기의 수직 이동은 다양한 방식으로 방사선학적으로 평가할 수 있다. McRae, Chamberlain 또는 McGregor 라인과 관련하여 치아돌기 정점의 위치를 측정하는 것이 가능하다. 류마티스 관절염과 관련된 골감소증 및 골 파괴로 인해 치상돌기의 정점을 식별하기 어려울 수 있으므로 대후두공(foramen magnum)에서 치상돌기의 침입을 정량화하기 위해 다른 방법이 개발되었다.[102] 여기에는 Ranawat 방법(**그림 5-27**), RedlundJohnell 및 Pettersson 방법[103]

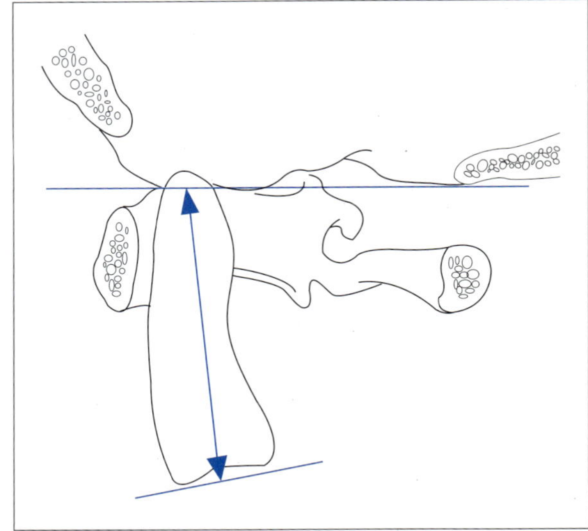

그림 5-28 ■ Redlund-Johnell 및 Pettersson 방법. 측면 방사선 촬영에서 McGregor 라인과 경추 2번 추체의 하부 바닥 사이의 거리가 측정된다. 정상 값은 남성에서 34mm이상, 여성에서 29mm이상 이다. 이 방법은 치아돌기의 가시화가 좋지 않을 때 유용하다.

(**그림 5-28**) 또는 Kauppi 방법이 포함된다.[104]

Redlund-Johnell 및 Pettersson 방법은 신뢰성이 높다. 그러나 자기공명영상장치(MRI)는 압박에 따른 연조직의 비대, 중심관의 2차 협착 및 척추 신호의 세기 변화를 직접 관찰할 수 있어 척추 압박 가능성을 보여주기 위해 선호되는 기법이다.[105] 현재 일부 저자들은 이 병리를 진단하기 위해 동적 자기공명영상장치(MRI)를 사용하는 데 관심을 보이고 있다.[106,107]

척추 압박의 위험인자는 Box 5-1과 같다.

Box 5-1

척추 압박의 위험 요소

- 9mm 초과되는 ADI
- 14mm 초과되는 PADI
- 두개기저부 함입, 특히 환추축추 아탈구와 결합된 경우
- 축추아래 경추의 중심관 직경 14 mm ADI(환추축추 간견) 미만.

전방 환추-치상 간격(AADI); PADI(후방 환추 치상 간격).

그리셀 증후군(Grisel syndrome)

그리셀 증후군은 소아 인구에 주로 영향을 미치는 흔하지 않은 상태로, 사례의 70%가 12세 미만의 어린이에서 나타난다.[108] 이것은 경추 2번과 관련하여 후두부와 경추 2번 사이에서 정상 해부학적 관계를 유지하면서 환추의 회전 탈구로 정의된다.[11,109-113] 그 기원은 일반적으로 외상이 아니며 상부 호흡기 감염 후에 나타난다. 인두는 환추축추 영역과 림프 연결이 있어 치아, 비강, 편도 또는 중이 감염이 두개경추관절부 영역으로 배출될 수 있다. 2차 염증이나 충혈은 횡인대와 관절낭의 약화로 이어져 환추의 탈구를 촉진할 수 있다.[109,114]

Grisel 증후군의 특징적인 표현은 목이 뻣뻣하고 통증이 있는 운동 제한이 있는 소아로, 감염이나 상부 호흡기 수술 후 자발적으로 나타난다.[111,115,116] 감염이 간과되었거나 부모가 감염과 임상 상태 사이의 연관성을 보지 못했을 수 있다. 따라서 이전 호흡기 감염의 존재가 진단의 중요한 측면이 된다.[109]

이 손상의 확인은 컴퓨터단층촬용(CT)나 자기공명영상장치(MRI)로[117,118] 이루어지며 탈구의 회복불능을 피하기 위해서는 조기 진단이 중요하다(**그림 5-29**).[119,120] 초기 치료는 1~2주간의 고정과 항염증

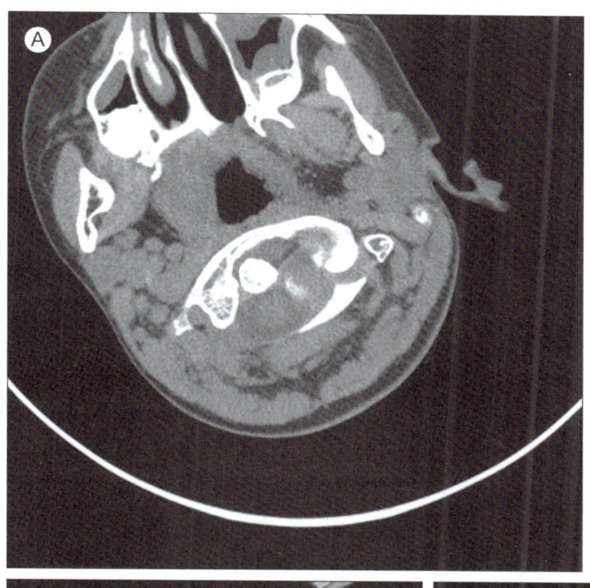

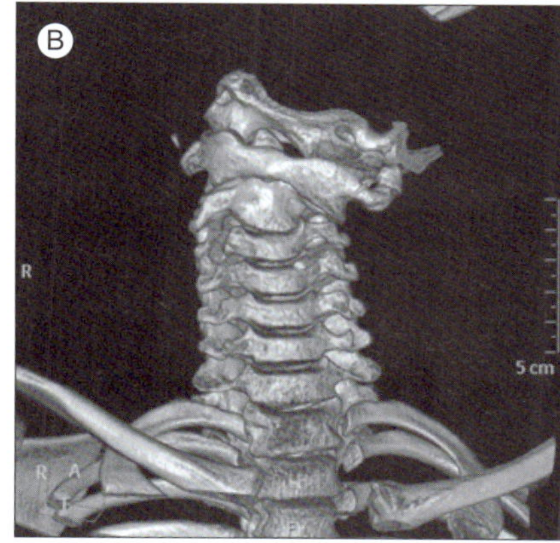

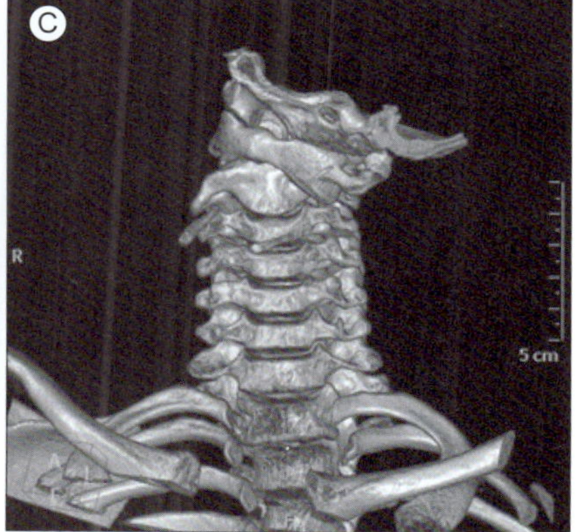

그림 5-29 ■ 12세 소녀의 그리셀 증후군에 따른 환추의 회전 아탈구. 축추 컴퓨터단층촬영. CT(A), 왼쪽(B) 및 오른쪽 회전(C)의 3차원 컴퓨터단층촬영(CT 3D).

제 사용을 포함할 수 있다. 약물 또는 근육 이완제. 증상이 개선되지 않으면 부드러운 경추 견인 및 물리치료를 적용해야 한다.[109,121] 증상의 호전이 없거나 새로운 신경학적 증상이 나타나면 수술적 축소 및 안정화가 필요하다.[122]

불안정성이 심하면 신경학적 위험도가 높고 자발적인 감소가 일어나지 않으면 관리가 더 복잡해지기 때문에 이러한 상태를 고려하는 것이 중요하다.

외상성 불안정성(Traumatic instability)

골절 및 인대 파열과 같은 외상으로 인한 두개경추접합부 불안정성은 종종 자동차 사고와 같은 고에너지 기전과 관련이 있다.[123-125] 고속 외상으로 인한 부상은 후두관절융기와 환추의 외측괴의 골절, 치상돌기 및 축추의 후방고리와 같은 뼈 손상이 될 수 있다. 두개경추접합부의 많은 골절은 대부분 인대의 손상을 동반한다. 경추 골절이 있는 피험자의 상당한 비율이 정확한 진단을 받지 못한다는 점을 지적하는 것이 중요하다. 실제로, 최대 23%의 환자가 이러한 골절 진단의 지연으로 인해 영향을 받는다.[21] 문제는 이러한 환자들이 경추 통증, 두통 등의 증상에 대해 도수치료를 요청할 수 있다는 점이다.

머리 목 부위(두개경추접합부) 척추 골절

후두관절융기의 골절은 두개골에 대한 직접적인 충격으로 인해 발생한다. 충격의 심각성은 의식 상실로 이어질 수 있으며, 어떤 경우에는 골절이 확인되지 않는다. 종종 환자가 보고하는 유일한 증상은 후두하 통증과 두통이다.[126] 진단되지 않은 후두관절융기의 골절이 있는 만성 후두하 통증이 있는 피험자에 대한 일부 보고가 있었다.[127] 후두관절융기의 골절은 근접성으로 인해 날개인대 파열을 유발할 수 있다.

환추의 골절은 주로 축추 압축 기전이나 과신전으로 인해 발생한다[128](**그림 5-30**). 이는 전방 또는 후방고리의 단독 골절일 수도 있고 양쪽 고리에도 영향을 미칠 수 있으며 이 경우를 제퍼슨 골절이라고 한다(**그림 5-31**). 이 골절에는 환추 조각의 측면 밀림이 있다. 환추의 측면 외측괴의 가장자리가 축추의 측면 덩어리의 가장자리를 초과하기 때문에 구강 투영에서 볼 수 있다.

치상돌기의 골절은 경추의 급성 골절의 20% 이상에서 발생하고,[129-131] 치상돌기 골절의 90–95%가

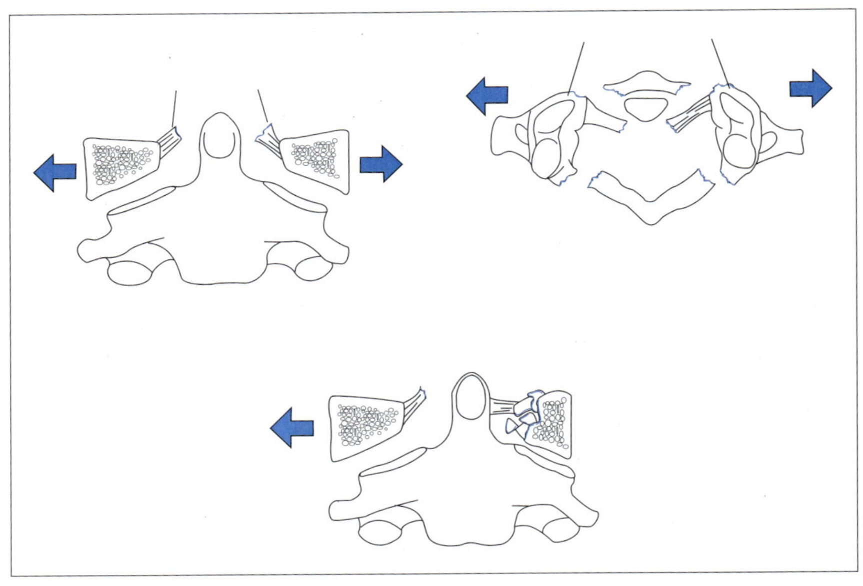

그림 5-30 ■ 환추골절에서 파편의 측면 활주가 발생한다.

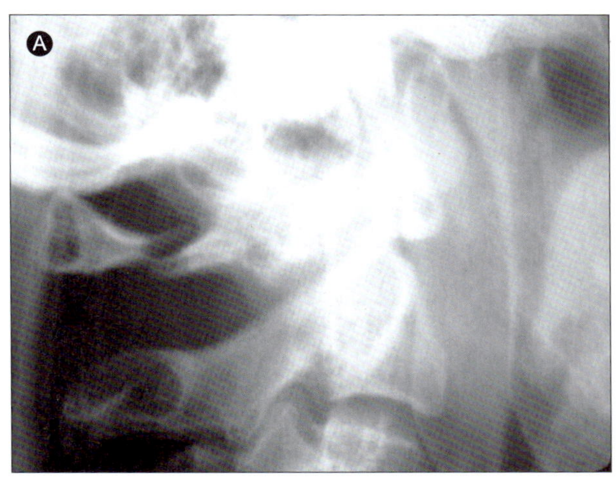
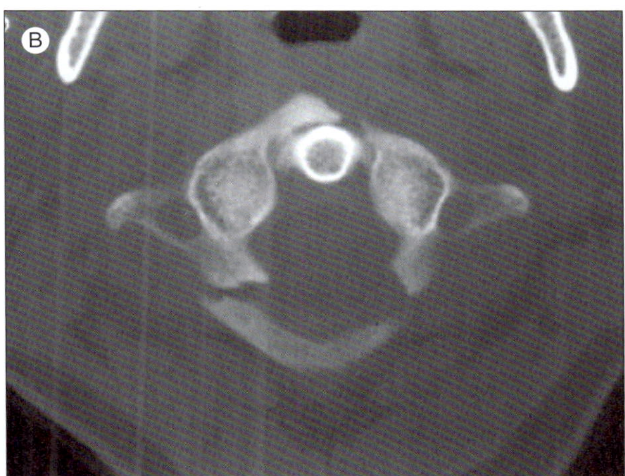

그림 5-31 ■ 제퍼슨 골절. 측면 방사선 사진(A) 및 컴퓨터단층촬영(CT) 스캔(B).

교통사고로 인한 심각한 외상에 의해 발생하는 매우 흔한 골절이다.[132] 치상골의 일부 골절은 높은 환추축추 불안정성을 유발하고 심각한 척추 손상의 상당한 위험 을 구성한다.[133]

치아돌기의 골절은 세 가지 유형으로 분류된다[134] (**그림 5-32**).

- 유형 I: 치상돌기 가장 윗부분 정점의 골절. 이 골절은 매우 드물고 일반적으로 안정한 것으로 간주되지만, 어떤 경우에는 날개 인대의 박리와 이에 따른 두개경추접합부 불안정성이 동반된다.[131]
- 유형 II: 치상추 목의 골절. 이 골절은 가장 흔한 유형이며 환추축추 불안정성을 유발한다.
- 유형 III: 경추 2번의 추체까지 연장된 치상돌기의 골절(**그림 5-33**).

축추의 외상성 척추전방전위증

치상의 골절을 제외하고 이것은 축추의 가장 흔한 외상성 손상이다.[131,135] 외상성 척추전방전위증에서 골절은 경추 2번의 관절 협부에서 발생한다(**그림 5-34**). 고전적으로 교수형 골절로 알려진 이 부상은 일반적으로 자동차 사고에서 발생하며 신경학적 결함과 거의 관련이 없다.[131]

인대 부상(*Ligament injuries*)

날개인대, 횡단 인대 또는 외막의 파열 또는 약화와 같은 인대 손상은 관련 골절 없이 저절로 나타날 수 있다. 이것은 때때로 전통적인 방사선 검사로 발견되지 않는다는 것을 의미한다.

두통이나 후두아래 부위의 통증 등 환자가 보고하는 증상은 다른 경미한 부상에 공통적이기 때문에 눈에 띄지 않고 지나칠 수 있는 심각한 부상이다.[126,127] 따라서 고에너지 기전으로 인한 손상을 입은 환자는 두개골경추접합부 손상의 위험이 높은 것으로 간주하고 완전한 신경학적 평가를 수행해야 한다.[136]

> 고에너지 기전으로 인한 부상이 나열된 의료 기록이 있는 환자는 두개골경추접합부 부상의 위험이 높은 것으로 간주되어야 하며 완전한 신경학적 평가를 수행해야 한다.

날개인대의 손상. 날개인대는 회전 제어에서 가장 중요한 요소이다. 실제로 경추 1번이 한쪽으로 56° 이상 회전하는 것은 반대쪽 날개인대의 파열로 인한 병적 과가동성을 나타낸다.[22]

날개인대의 고립된 손상은 강제적인 측면 굴곡

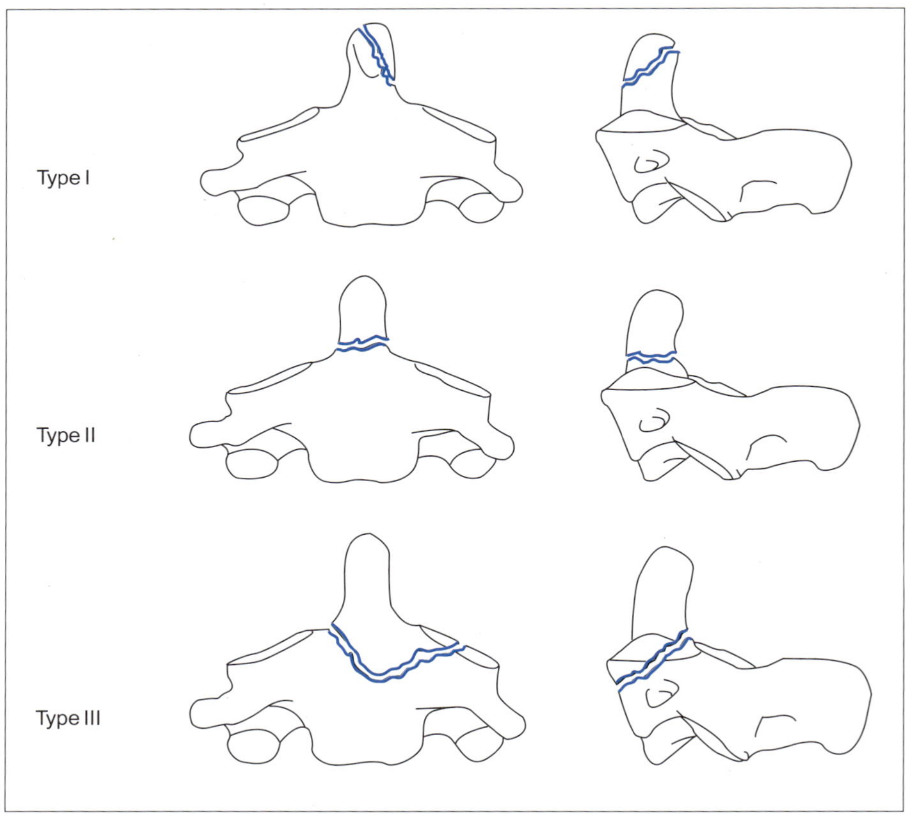

그림 5-32 ■ 치아돌기의 골절은 세 가지 유형으로 분류된다: 유형 I, 치상골의 가장 윗부분 정점의 골절; 유형 II, 치아의 목 골절; 및 유형 III, 경추 2번의 추체로 확장되는 치아돌기의 골절.

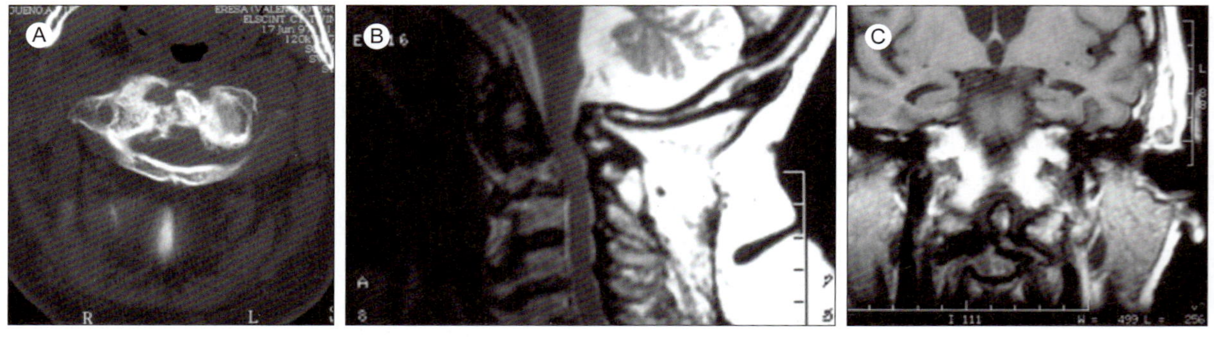

그림 5-33 ■ 유형 III 치상추 골절. 척추 중심관의 전후 직경의 감소를 볼 수 있다. 컴퓨터단층촬영(CT)(A), 시상 자기공명영상장비(MRI)(B) 및 관상 자기공명영상장비(MRI)(C).

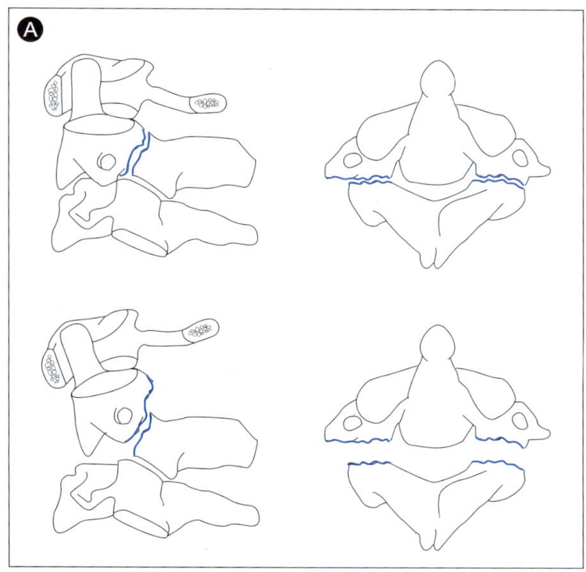

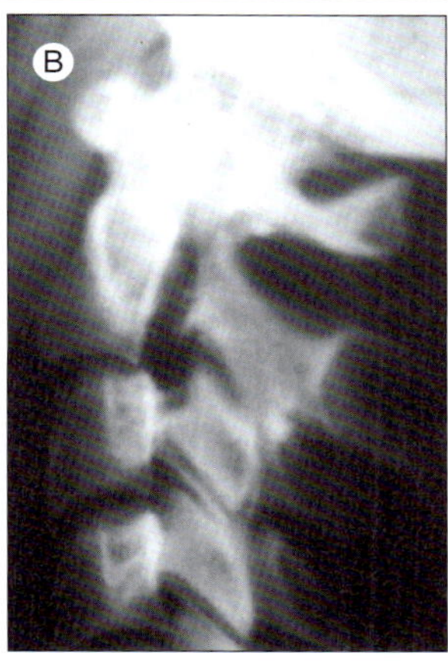

그림 5-34 ▪ 경추 2번의 후방고리 골절. 표(A) 및 방사선 이미지(B).

또는 회전 후에 발생할 수 있다.[30] 외상은 에너지가 높아야 하며, 예를 들어, 자동차 사고로 대상이 차량에 머리를 부딪힐 때 발생하기 쉽다.

날개인대의 파열은 좌회전 및 우회전의 기능적 컴퓨터단층촬영(CT)로 확인되며, 여기서 환추의 비정상적인 변위가 나타난다(**그림 5-35**). 고해상 양성자 밀도 가중 자기공명영상장치(MRI)로 인대의 손상을 확인할 수 있다.[137] 이 인대의 부상은 눈에 띄지 않을 수 있다. 왜냐하면 종종 환자는 최소한의 증상을 가지고 불안정하여 만성 통증을 유발하기 때문이다.

가로 인대의 상해. 가로인대의 손상은 전방 이동 또는 회전 기전에 의해 발생한다.[24,138] 가장 빈번한 부상은 머리의 뒤쪽 부분에 대한 충격과 관련되며, 이는 일반적으로 강제 굴곡으로 이어진다. 가로인대의 급성 외상성 파열은 경추 1번의 산산조각나는 골절(제퍼슨 골절)과 관련될 수 있다.[129,139,140]

이 심각한 손상은 일반적으로 뇌 외상을 동반하지만 신경학적 징후와 증상은 정상적인 기능에서 일시적인 사지마비까지 다양하다(**그림 5-36**).[141] 목 근육의 경련은 경추의 가동성을 제한하며, 척추동맥의 손상이 동반된 경우 척추기저부전의 증상을 관찰할 수 있다.

환추의 가로인대의 파열은 외측방사선촬영에서 전방환추축추 간격을 측정하여 진단할 수 있으며, 이 간격은 성인의 경우 3mm, 어린이의 경우 4mm를 넘지 않아야 한다.[88,100,141]

마찬가지로 17mm 미만의 후방 환추-치상돌기 간격은 환추축추 불안정성을 나타내며 14mm 미만이면 척추 압박 가능성을 나타낸다.

환추축추 불안정성을 감지하기 위해 티에바우트-브로소스-와켄헤인 선(Thiebaut-Vrousos-Wackenheim line)을 그리거나(**그림 5-37**) 치아돌기의 정점-사대 거리를 측정할 수 있다(**그림 5-38**). Krakenes 등은[142] 가로인대의 손상이 고해상도 양성자 강조 MRI 시퀀스로 식별될 수 있음을 보여준다.

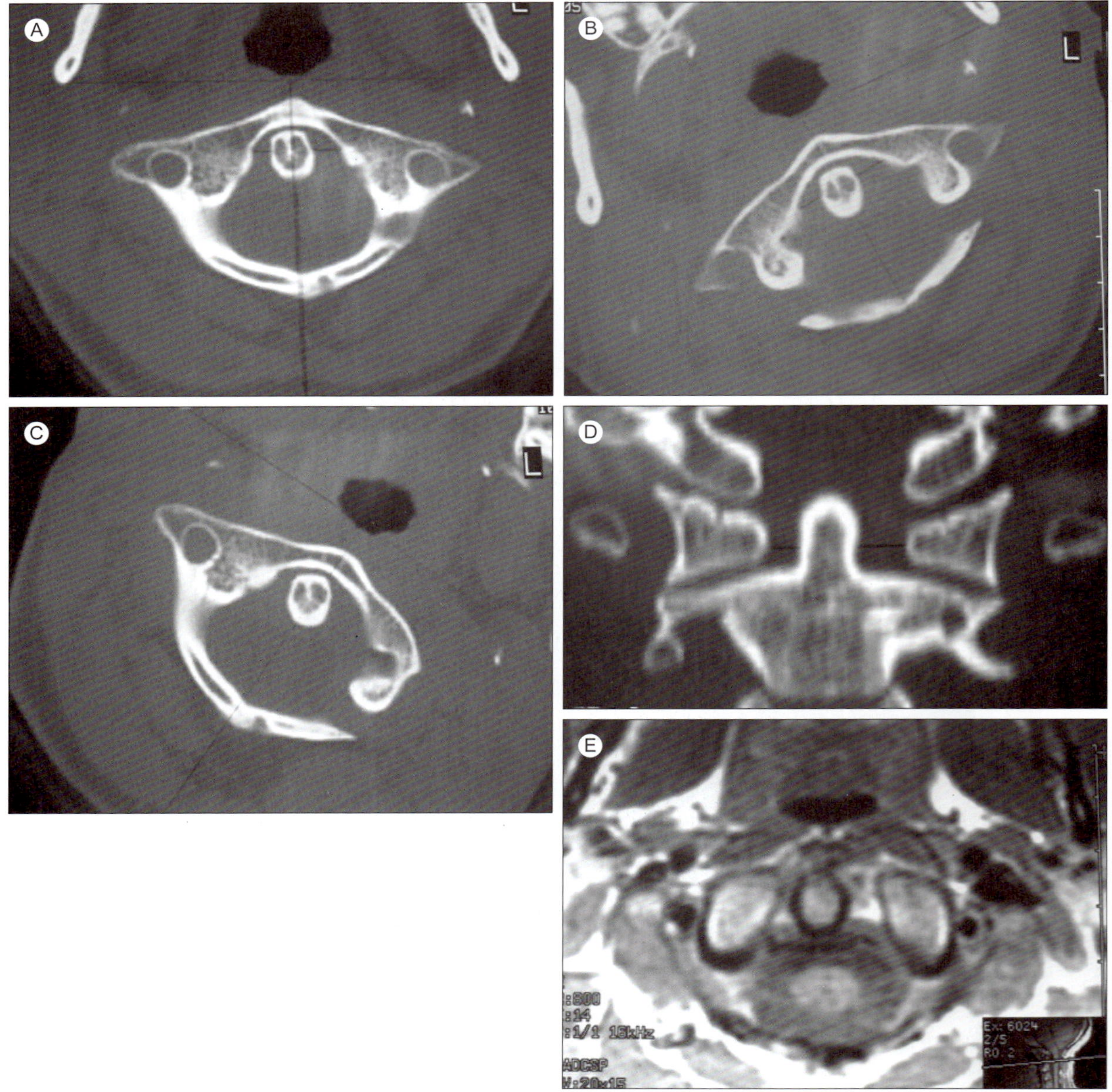

그림 5-35 ■ 날개인대의 파열에 대한 왼쪽 및 오른쪽 회전의 기능적 컴퓨터단층촬영(CT). 이 환자에서 환추의 왼쪽회전 아탈구를 볼 수 있다. CT는 치아의 변위를 볼 수 있는 중립 회전(A), 오른쪽 회전(B) 및 왼쪽 회전(C)에서 관상 컴퓨터단층촬영(CT)(D)와 자기공명영상장치(MRI)(E)는 환추의 왼쪽 측면 질량과 관련하여 치아돌기의 거리가 증가하는 것을 보여준다.

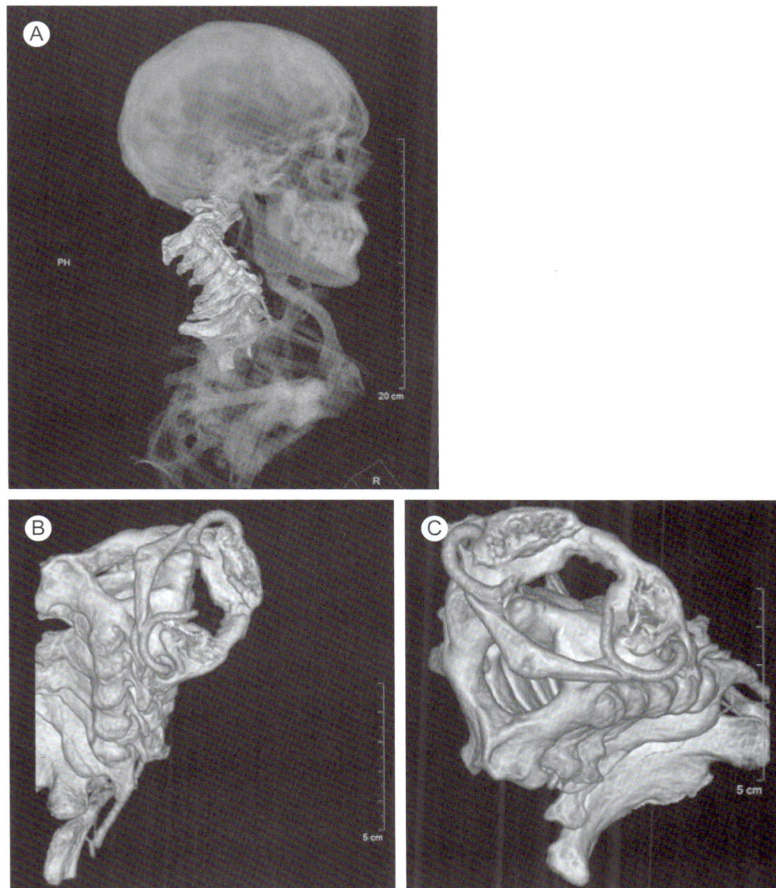

그림 5-36 ■ (A–C) 기저후두인대 복합체의 완전한 파열. 34세 남자가 교통사고 3개월 후 병원에 왔다. 그는 지난 한 달 동안 컴퓨터 화면을 보는데 어려움을 겪었다고 말했다. 환자가 보고한 유일한 증상은 오른손에 약간의 산발적인 따끔거리는 통증이었다. 컴퓨터단층촬영(CT) 스캔을 통한 3차원 재구성에서는 경추 1번과 경추 2번이 완전히 전방 이동하는 것을 관찰할 수 있었다. 이것은 경추 1번의 후방 고리가 치아돌기에서 지지되는 방식으로 발생했다.

검지되거나 환자가 다음 증상 중 하나 이상을 경험할 때 양성으로 간주된다[36]:

1. 머리 움직임과 관련된 균형 상실, 쓰러짐발작 병력.

의 손바닥을 사용하여 두개골을 안정시키기 위해 약간의 압박을 가한다. 그런 다음 후두부에 대해 경추 1번과 경추 2번의 전방 이동을 일으킬 목적으로 검지로 경추 2번의 후방고리에 전방 힘을 가한다 (**그림 5-40**).

표 5-1

경추의 경미한 불안정성의 징후

요인 1	요인 2	요인 3	요인 4
수동적 기능장애	능동적 기능장애	두개경추 척추의 관련	운동성 변화

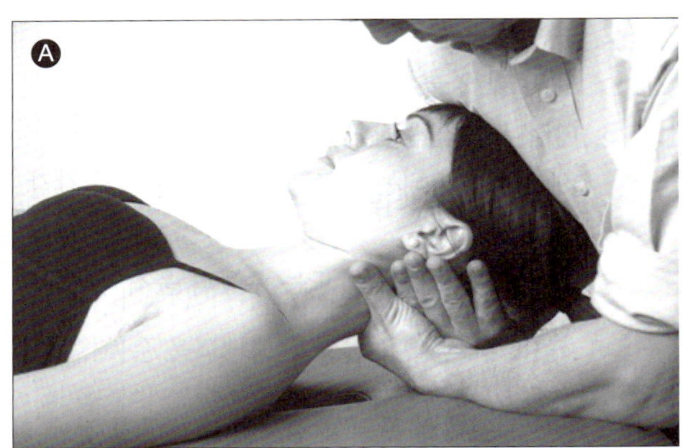

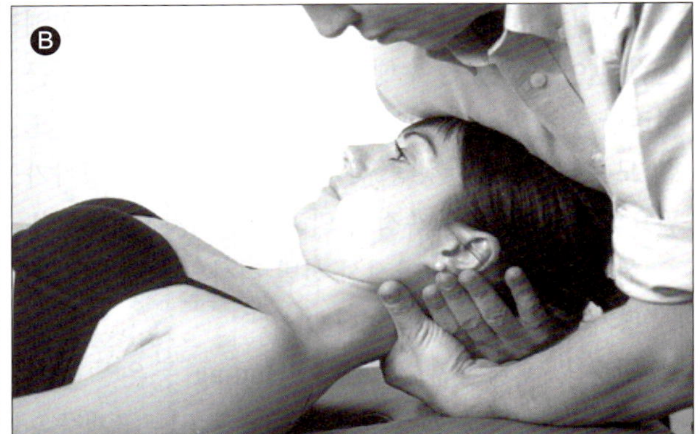

그림 5-39 ■ 견인검사(A) 및 굴곡 시 견인 검사(B).

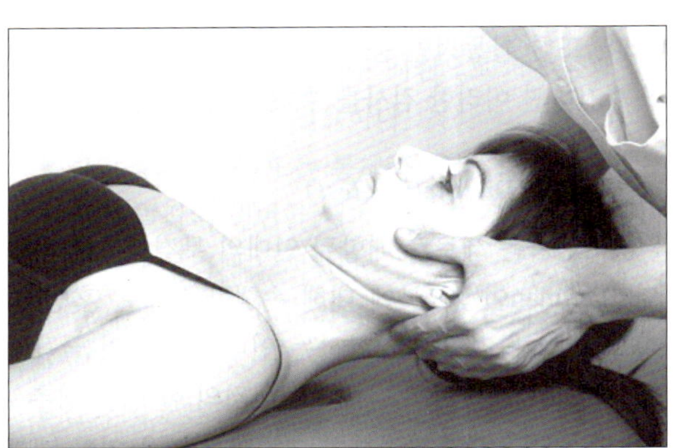

그림 5-40 ■ 환추후두관절의 후방 안정성 검사.

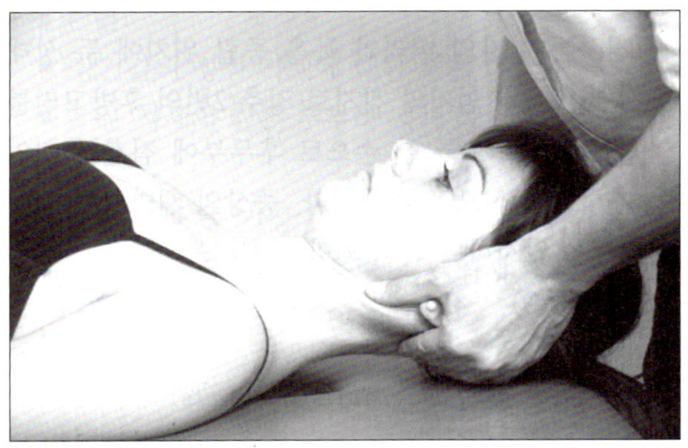

그림 5-41 ■ 환추후두관절의 전방 안정성 검사.

환추후두관정의 전방 안정성 검사. 치료사는 환자의 두개골을 양손으로 안정시키고 양 엄지손가락을 이용하여 경추 1번과 경추 2번의 횡돌기를 후방으로, 손가락 2~5번을 전방으로 밀어 전방 환추후두부 불안정성을 확인한다(**그림 5-41**).

환추축추 관절의 전방 안정성 검사. 이 검사는 전방 환추축추 불안정성을 확인하기 위한 목적을 가지고 있다. 환자를 앉힌 상태에서 치료사는 엄지와 검지로 경추 2번의 후궁을 고정한다. 다른 팔로 치료사는 환자의 머리를 잡고 후방 방향으로 점진적인 이동힘을 가한다(**그림 5-42**). 정상적인 조건에서는 움직임이 감지되지 않아야 한다. 환추축추 불안정성이 있는 경우 움직임이 감지되며, 때때로 경추 1번의 전방고리가 치상돌기와 충돌하여 발생하는 소음이 동반된다. 이 검사는 환자의 증상을 재현하려고 시도하지 않는다.

Sharp–purser ***검사.***[149] 이 검사는 또한 환추축추 불안정성을 식별하는 것을 목표로 한다. 따라서 후두부와 경추 1번의 후방 전위운동을 적용했을 때 경추의 굴곡에 따른 징후와 증상의 출현과 소실을 분석한다.

피험자가 앉고 머리와 목을 부드럽게 구부리면서 환자가 증상을 나타내는지 확인한다. 증상이 나타나면 한 손의 검지와 엄지손가락으로 경추 2번의 가시돌기를 안정시키고 다른 한 손으로 환자의 이마를 후방으로 밀어낸다. 검사는 머리와 목의 굴곡과 함께

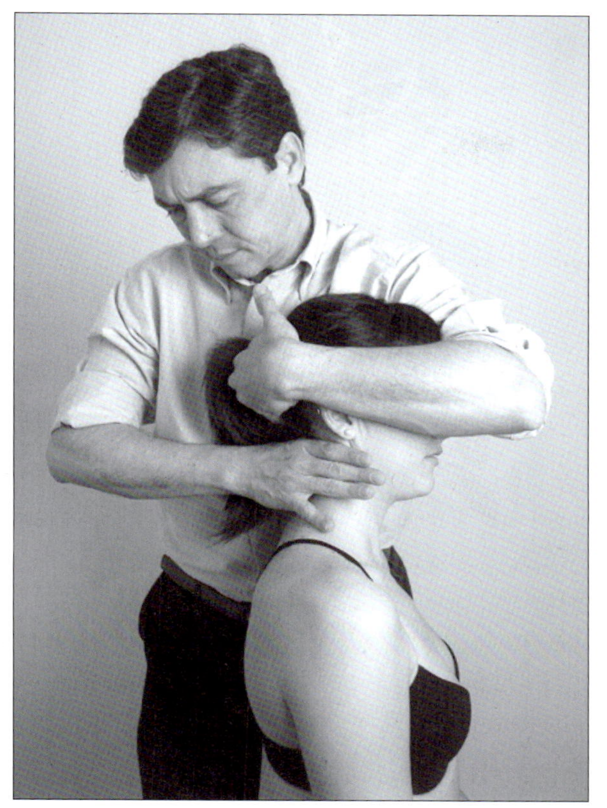

그림 5-42 ■ 환추축추 관절의 전방 안정성 검사.

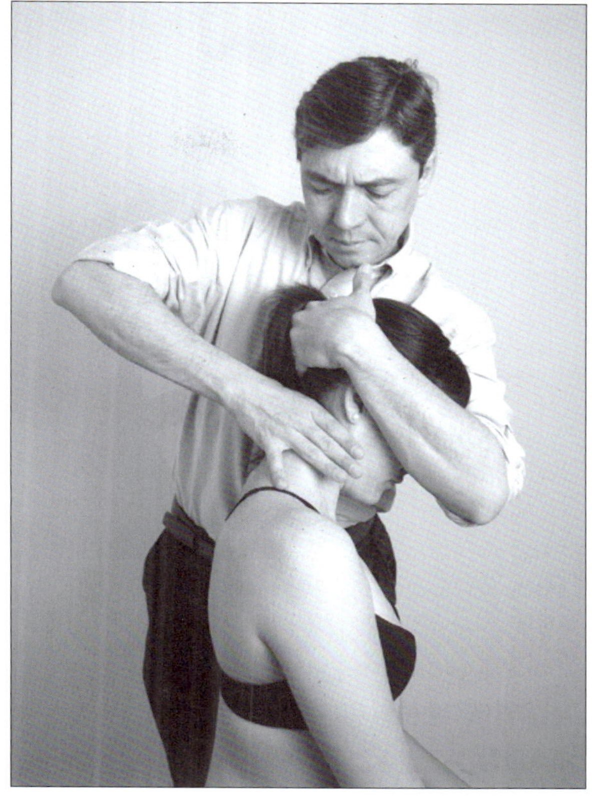

그림 5-43 ■ Sharp-Purser 검사.

증상이 나타나고 머리의 후방 이동운동과 함께 사라지면 양성이 된다(**그림 5-43**).

Uitvlugt와 Indenbaum은[148] 환추축추의 불안정성의 진단에서 이 검사의 임상적 타당성을 보여주었다. 이 저자에 따르면 아탈구가 4mm보다 클 때 민감도는 88%이다. 예측값은 85%이고 특이도는 95%이다.

관상면 부하 검사(*Coronal stress tests*)

환추축추 관절에 대한 측면 부하 검사. 이 검사는 관상면에서 환추의 불안정성을 객관화하여 한쪽에서 다른 쪽으로 이동시킨다. 환자가 앙와위 자세를 취한 상태에서 치료사는 한 손으로 후두골을 잡고 경추 1번 후방고리의 측면에 집게 손가락을 놓는다. 다른 손의 검지손가락은 경추 2번의 후방 고리의 측면에 위치한다. 그런 다음, 환추의 측면 이동 운동을 먼저 한쪽으로, 그 다음에는 다른 쪽으로 이동하여 검사를 수행한다(**그림 5-44**). 과도한 움직임이나 환자의 증상의 재현은 관절의 측면 불안정성을 나타낸다.

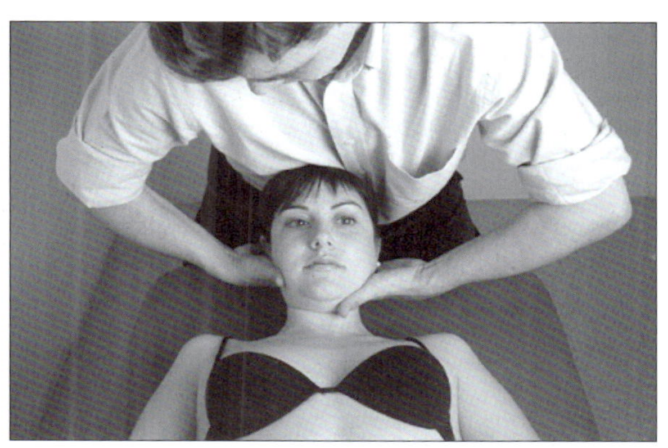

그림 5-44 ■ 환추축추관절의 측면 부하 검사.

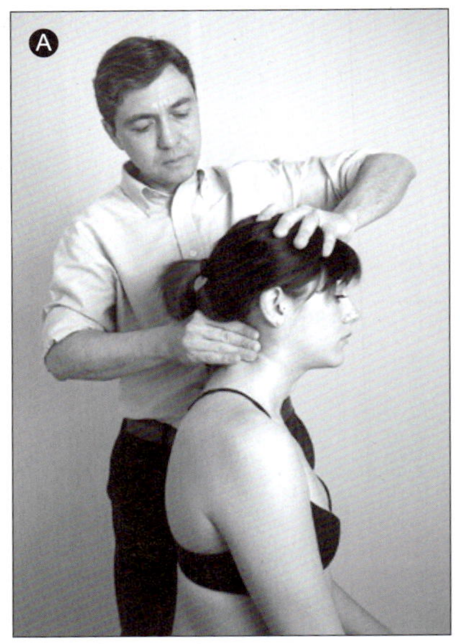

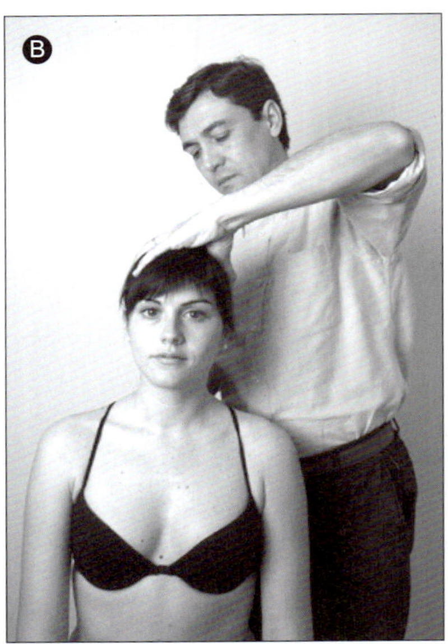

그림 5-45 ■ 외측굴곡 시 날개인대의 검사. 치료사는 한 손의 검지와 엄지손가락으로 경추 2번의 후방고리를 안정화시키고(A), 다른 손으로 머리에 측면 경사를 적용한다(B).

날개인대(익상인대)의 부하 검사

외측굴곡 시 날개인대 검사. 이 검사는 경추 2번의 회전이 반드시 측면 굽힘의 동일한 측면을 향하여 발생하는 머리의 측면 굴곡 동안 경추 2번의 결합 양상을 기반으로 한다.

환자를 앉힌 상태에서 치료사는 한 손의 엄지와 검지로 경추 2번의 후방고리를 안정화 시키고 다른 손으로 머리에 측면 경사를 적용한다. 엄지와 검지가 경추 2번의 회전을 방해하면 머리의 측면 굴곡이 불가능하며 이러한 움직임이 발생하면 반대쪽 날개인대의 파열을 의심할 수 있다(**그림 5-45**).

회전하는 날개 인대의 검사. 이 검사는 회전 운동에 대한 쇄골 인대가 제공하는 저항을 분석한다. 환자가 앉은 상태에서 치료사는 한 손의 엄지와 검지로 경추 2번 후방고리를 안정시키고 다른 손으로 머리를 회전시킨다. 정상적인 상황에서는 20~30° 이상 회전할 수 없다. 가동성이 이 범위를 넘으면 회전반대쪽 인대의 파열을 의심할 필요가 있다(**그림 5-46**).

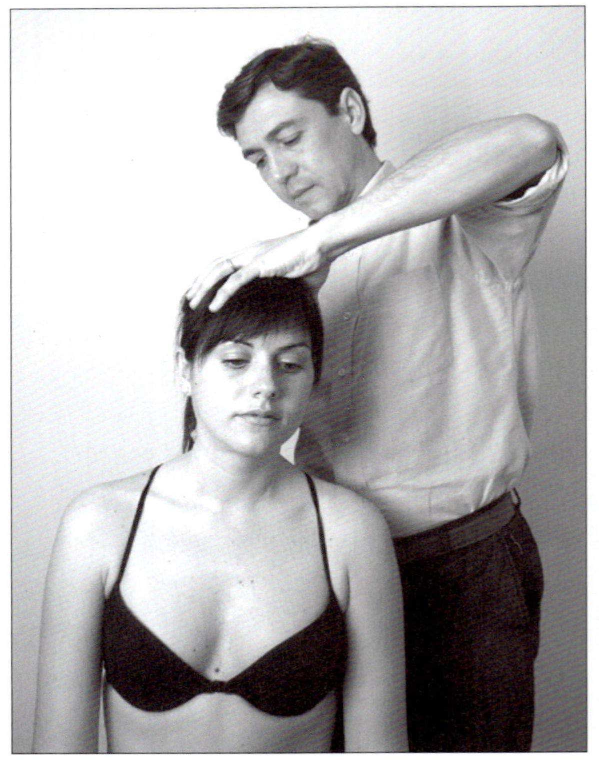

그림 5-46 ■ 회전 시 날개인대 검사.

일부 연구에 따르면 이러한 검사는 신뢰도가 낮지

만 현재 가능한 두개경추의 불안정성을 감지하는 데 도움이 되는 유일한 임상 도구이다.

운동성 제어 검사

운동성 제어 검사에 대한 설명은 환자에게 가장 편안한 순서로 표시된다. 아래에 설명된 많은 검사는 척주에 대한 기본적인 능동 검사의 일부인 능동 운동에 해당한다.[6,159,160] 검사를 수행할 때 목의 운동조절이 잘 되지 않음을 나타낼 수 있는 측면을 강조하기 위해 이 장에 포함되었다. 운동조절 장애의 평가와 이에 대한 직접적인 치료는 경추 근골격 장애의 진단 및 관리의 필수적인 부분으로 간주된다. 머리경추의 굴절 검사와 심부목굴곡근 지구력 검사의 타당성과 신뢰성이 입증되었다. 최근에는 경추 운동조절 기능장애 검사 배터리의 검사자간 신뢰도를 분석하여 전문가 및 초보 검사자를 만성 목 통증이 있는 피험자(15명) 및 대조군(17명)과 비교하여 설명하였다.[165] 구체적으로 서 있을 때 능동 양측 양팔 굴곡,[17] 서 있을 때 능동 일측 팔 굴곡,[166] 앉아 있을 때 능동 경추 신전,[6] 앉아 있을 때 능동 경추 신전에서 중립으로의 능동적 복귀,[6] 앉아 있을 때 능동 경추 회전,[166] 네발기기 자세에서 능동 경추 굴곡, 네발기기 자세에서 능동 경추 신전,[6] 네발기기 자세에서 뒤로 밀기,[166] 네발기기 자세에서 능동 상부 경추 회전[6]으로 검사하였다.

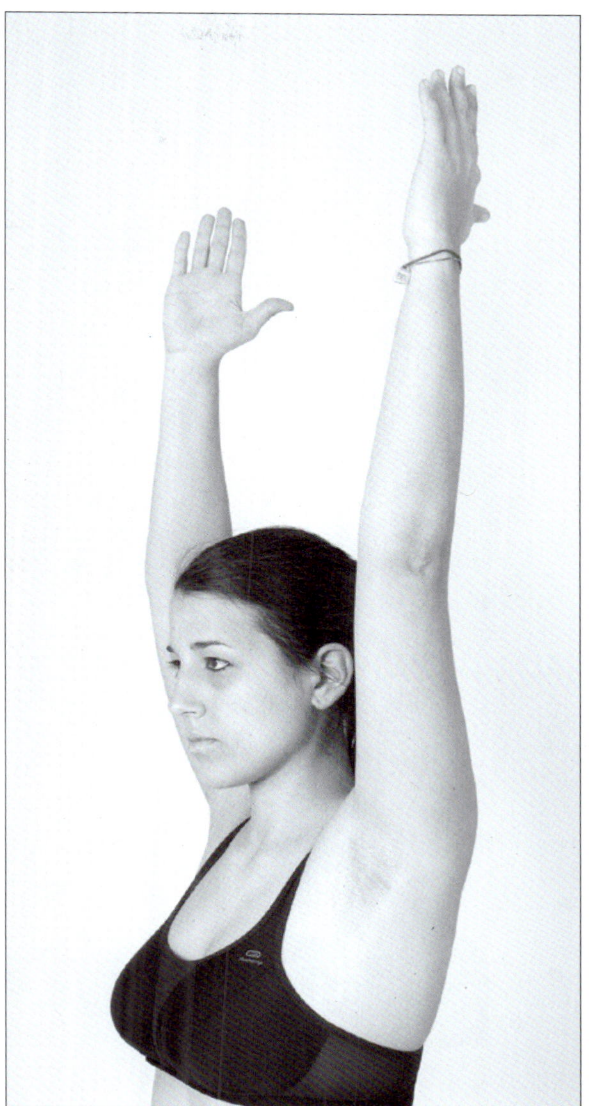

그림 5-47 ■ 선 상태에서 능동적인 양측 팔 굴곡.

이러한 검사의 전체 그룹에 대한 검사 내부 및 검사자간 신뢰성은 상당하거나 우수한 것으로 나타났다. 전문가와 초보자에 대한 평가자내 신뢰도값은 전반적으로 비슷했다. 이것은 초보자가 훈련된 경우 검사 그룹으로 좋은 정확도를 얻을 수 있음을 시사한다.

전체 검사 및 대부분의 개별 검사에 대한 성능 저하 빈도는 그룹(목 통증 및 건강) 간에 비슷했다. 두 가지 개별적인 경추 운동조절 기능장애 검사(즉, 네발기기 자세에서 능동 경추 신전 및 앉아 있을 때 능동 경추 회전)에 대해 목 통증 그룹에서만 더 많은 수의 손상 등급이 확인되었다. 이는 경추 운동조절 기능장애 검사가 신뢰할 수 있지만 단독으로 사용하면 목과 목이 아닌 통증 그룹을 구별하는 데 도움이 되지 않을 수 있음을 시사한다.

운동성 제어 검사를 수행할 때 양성 검사가 반드시 운동성 제어가 부족하다는 것을 의미하지는 않는다는 점에 유의하는 것이 중요하다. 많은 이들은 다른 학습된 움직임 전략을 포함할 수 있는 다른 방식

그림 5-48 ■ 선 상태에서 능동적인 한쪽 팔 굴곡.

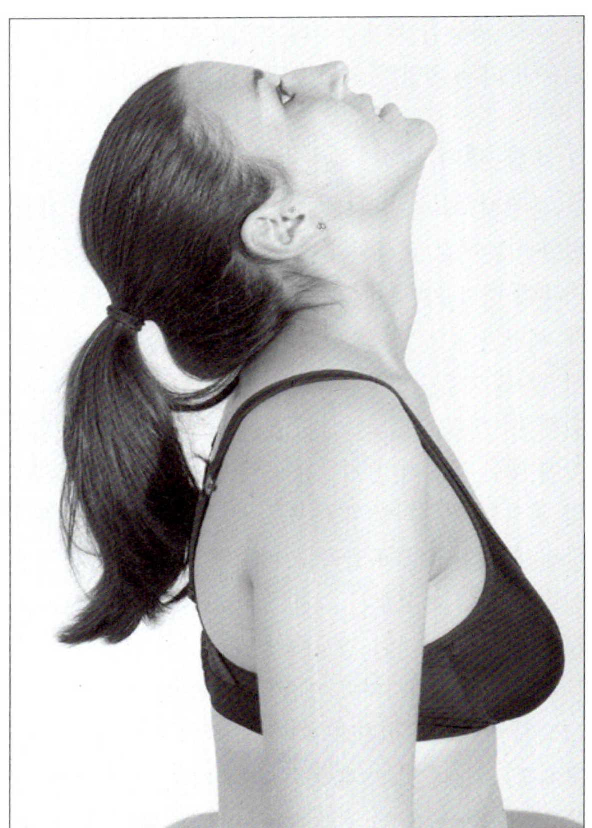
그림 5-49 ■ 앉아 있을 때 능동적인 경추 신전.

으로 기능적 움직임을 수행할 수 있다. 더욱이 양성 운동조절 검사는 치료 수단을 지시하지 않는다. 많은 경우에 자발적인 움직임에 대한 이러한 변경은 피험자가 급성 통증에 반응하여 개발한 적응 전략이다. 따라서 우선 우리는 운동조절의 변경이 환자의 임상 상태와 관련이 있는지 확인해야 한다. 둘째, 운동조절에 대한 변경이 적응성인지 아닌지를 고려하는 것이 필수적이다. 마치 적응성인 것처럼 초기에는 치료가 권장되지 않는다.

서 있는 상태에서 능동적인 양측 팔 굴곡. Comerford와 Mottram에 의해[17] 기술된 이 검사는 굴곡근 활성화와 신전근의 동시 수축을 평가한다. 임상의는 환자에게 동시에 두 팔을 올리도록 요청한다. 경추는 양측 팔을 180° 굴곡하는 동안 가만히 있어야 한다. 환자가 양측 팔 굴곡 동안 보상적/과도한 머리 앞으로 움직임 또는 경추의 신전을 보이면 검사는 양성이다(그림 5-47).[17]

선 상태에서 능동적인 한쪽 팔 굴곡. Sahrmann이 설명한 이 검사는[166] 굴곡근 활성화와 신전근의 동시 수축을 평가한다. 임상의는 환자에게 한쪽 팔을 올리

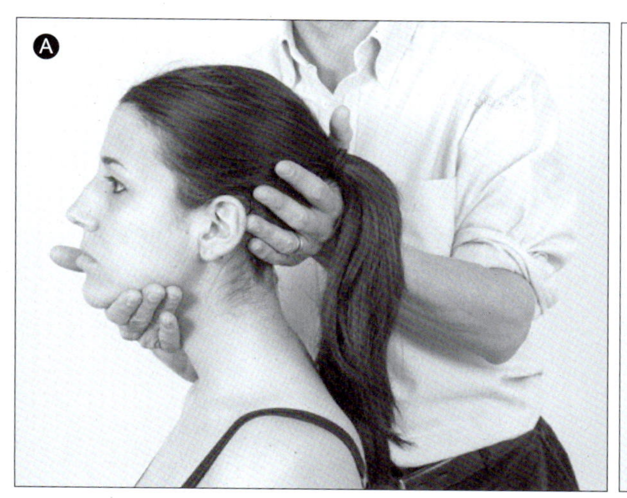

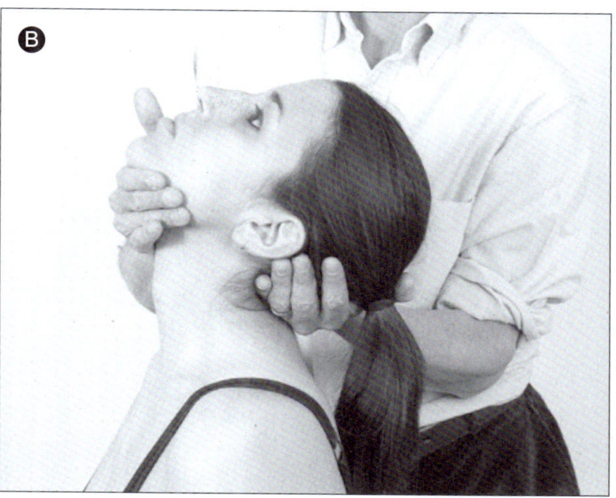

그림 5-50 ■ (A, B) 앉은 자세에서 보조된 경추 신전.

도록 요청한다. 경추는 한쪽 팔을 180° 굴곡하는 동안 가만히 있어야 한다. 환자가 팔을 굽힐 때 경추 회전/옆으로 굽힘의 보상적 움직임을 보이면 검사는 양성이다(**그림 5-48**).

앉은 자세에서 능동적인 경추 신전. Jull 등이[6] 기술한 이 검사는 굴곡근의 편심 조절을 평가한다. 임상의는 환자에게 목 신전 운동을 하도록 요청한다. 이상적으로는 머리가 수평에서 15-20° 이내로 어깨의 정면면 뒤에서 확장되어 뒤로 움직인다. 부드럽고 균일한 목 확장 양상이 관찰되어야 한다. 상부경추와 하부경추 운동이 동시에 이루어져야 한다. 임상의가 하나 또는 두 개의 가능한 기능장애 운동을 관찰하면 검사가 양성이다. 그들 중 하나에서 환자는 후방 머리 움직임이 있는 경우 최소한의 움직임으로 우세한 상부경추 확장을 보여준다. 다른 경우에는 환자의 머리가 뒤로 움직이다가 뒤로 떨어지거나 기울어지는 것처럼 보이는 확장 지점에 도달한다. 이것은 때때로 손을 사용하여 즉시 직립 자세로 돌아가고자 하는 환자에게 종종 매우 불편하다. 환자는 이 시점에서 머리를 제어할 수 없는 통증이나 느낌을 얘기할 수 있다(**그림 5-49**).

앉은 자세에서 보조된 경추신전. 우리는 또한 환자가 하부 경추 확장이 최소화되거나 전혀 없는 우세한 상부 경추 확장을 보일 때 보조 검사를 수행한다(**그림 5-50**). 이 검사는 하부 목 신전의 부족이 관절 경직 때문인지 또는 경추 굴근의 편심 조절 부족 때문인지를 아는 데 도움이 될 수 있다. 또한 이 움직임에 대한 불안이나 두려움 회피 행동을 식별하는 데 도움이 된다.

앉은 자세에서 경추 신전에서 중립으로의 능동적 복귀. 임상의는 환자에게 경추하부 굴곡에 의한 두개경추 굴곡으로 시작하여 중립자세로 돌아오도록 요청한다. Jull 등이[6] 기술한 이 검사는 굴곡근의 동심 제어를 평가한다. 환자가 상부 두개경추굴곡이 아닌 하부경추 굴곡으로 중립 위치로의 복귀를 시작하면 검사가 양성이다. 두개경추굴곡은 움직임 양상의 마지막 구성 요소이며 원래 있어야 할 첫 번째 구성 요소가 아니다. 이것은 일반적으로 목빗근(흉쇄유돌근)과 전방목갈비근(전사각근)의 과도한 활성화로 인해 발생한다(**그림 5-51**).

앉을 때 능동적인 경추 회전. 임상의는 환자에게 오른쪽 및 왼쪽 회전을 수행하도록 요청한다. Sahr-

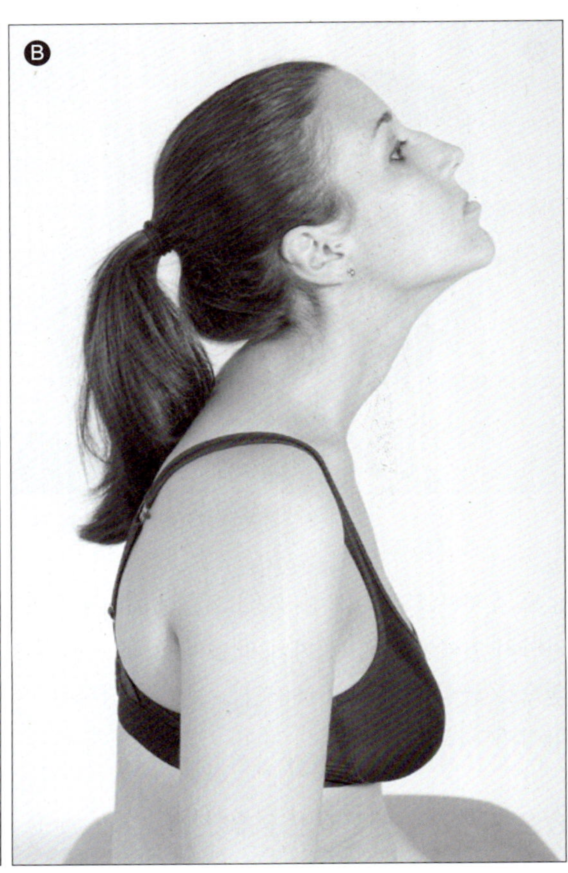

그림 5-51 ■ 앉은 상태에서 신전에서 중립으로의 능동적 복귀. (A) 정확한 성능. (B) 환자는 상부 두개경추 굴곡이 아닌 하부경추 굴곡으로 중립 위치로의 복귀를 시작한다.

mann이[166] 설명한 이 검사는 회전 운동 제어를 평가한다. 수직 이동 축을 중심으로 부드럽고 균일한 머리 회전 패턴이 각 측면에서 관찰되어야 한다(각 측면으로 70 - 80° 회전). 얼굴의 평면은 수직을 유지해야 하며 눈은 수평을 유지하고 목의 위쪽과 아래쪽이 동시에 움직여야 한다. 측면 굽힘, 신전 또는 굴곡과 같은 다른 움직임 요소는 관찰되어서는 안된다 (*그림 5-52*).

두개경추 굴곡 검사. 이것은 차타누가 안정화 압박 바이오피드백(Chattanooga Stabilizer Pressure Biofeedback) (Chattanooga Group, NJ, USA)을 사용하여 깊은 경추 굴곡근 근육인 경장근(longus colli), 두장근(longus capitis), 앞머리곧은근(전두직근, rectus capitis anterior)의 역할을 평가하는 Jull 등에[6,167] 의해 개발된 특정 검사이다. 이 검사의 타당성과[161,162] 신뢰성을[163,164] 보여 주는 많은 증거가 있다. 환자는 똑바로 누운 자세로 이마와 턱을 수평면에 유지하면서 경추를 중립 위치에 둔다. 경추를 올바르게 정렬하기 위해 수건을 후두부 아래에 둘 수 있다. 흉추 후만증이 있는 환자의 경우 바이오피드백 장치가 과도하게 팽창하는 것을 방지하기 위해 목 뒤쪽과 검사가 수행되는 표면 사이의 공간에 수건의 일부 층이 확장된다. 이 자세에서 전만증을 교정하는 피험자는 중립적인 경추 자세를 취하도록 훈련을 받아야 한다.

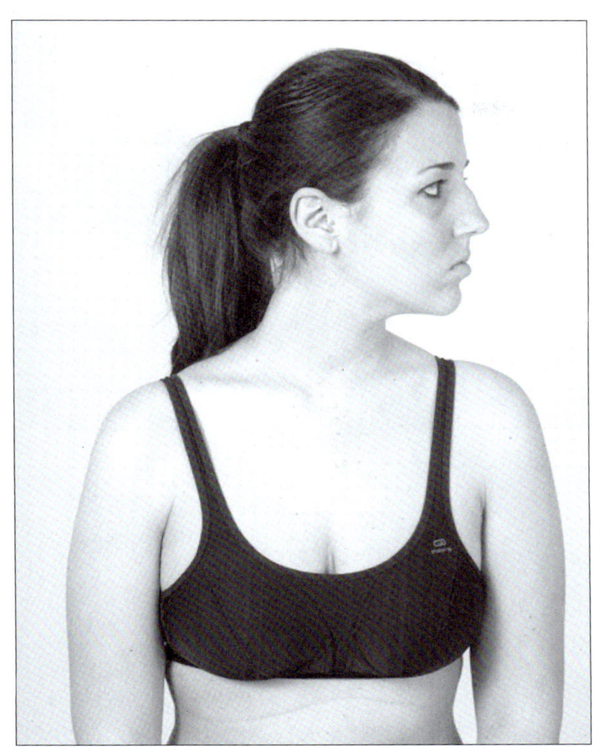

그림 5-52 ■ 앉아 있을 때 능동적인 경추 회전.

- 압력 바이오피드백 장치는 후두하부에 위치하며 시스템은 20mmHg의 초기 기본 압력으로 팽창된다.
- 환자는 고개를 끄덕이는 것처럼 두개경추 굴곡을 시행해야 한다. 깊은 경추 굴곡근의 활성화는 경추 전만(cervical lordosis)이 약간 곧게 펴지는 것과 관련이 있으며, 이는 바이오피드백 장치에 의해 기록된 압력의 증가로 해석된다(**그림 5-53**).
- 두개경추 굴곡 검사에서 압력은 처음에 2mmHg만 증가해야 한다. 환자가 표재성 근육의 교체를 피하거나 다른 운동 전략을 사용하여 검사를 수행할 수 있을 때 압력은 2mmHg 더 증가한다. 따라서 5가지 진행 수준(22, 24, 26, 28 및 30mmHg)이 고려된다.
- 일반적으로 목표는 최소 26mmHg의 압력 증가를 달성하고 10초 동안 유지하고 10회 반복하는 것이다. 이상적인 검사 수행은 표면 경부 근육의 지배적인 활동 없이 28~30mmHg를 달성하고 유지해야 한다.
- 따라서 환자가 표재성 근육의 지배적인 활동 없이 10초 동안 28/30mmHg의 압력을 10회 유지할 수 있을 때까지 압력을 2mmHg 간격으로 점진적으로 증가시킨다.
- 첫째, 검사는 환자의 깊은 심부경추 굴곡근을 활성화하는 능력과 두 번째로 수축을 제시간에 유지하는 능력을 평가하려고 시도한다.
- 검사 중 보상 전략의 출현을 감지하기 위해 환자의 이동 양상에 대한 임상 분석이 수행된다.
- 환자가 두개경추 굴곡을 정확하게 수행할 수

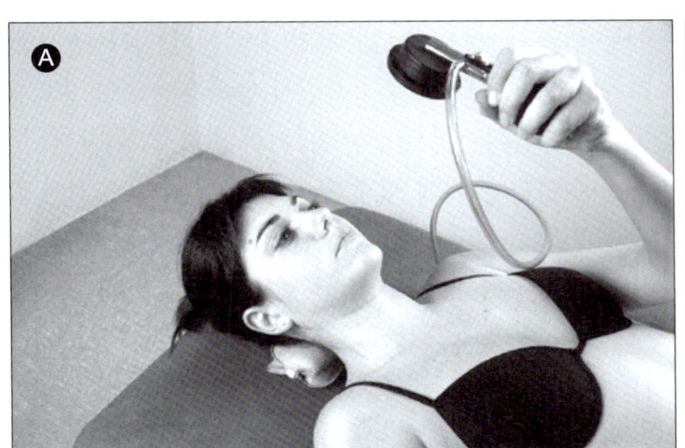

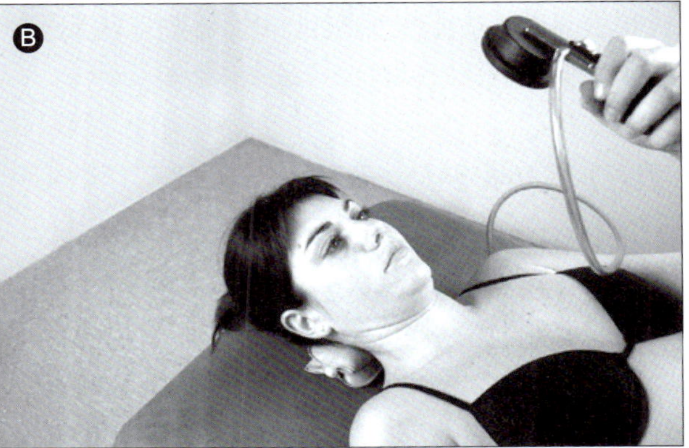

그림 5-53 ■ 안정 장치를 사용한 두개경추 굴곡 검사. 시작 위치(A) 및 심부경추 굴곡근의 활성화(B).

있을 때 환자가 심부 경추굴곡의 수축을 유지할 수 있는 시간을 평가해야 한다.

- 검사의 목적은 10초 동안 유지하면서 정확한 두개경추 굴곡 양상으로 환자가 도달할 수 있는 압력 수준을 확인하는 것이다.

환자가 심부 경추 굴곡근을 적절히 활성화할 수 없을 때 나타나는 보상 전략은 머리를 움츠리고 표재성 굴곡근과 설상 및 설하근의 과활동성이다. 환자가 심부 경추 굴곡 근육을 올바르게 활성화할 수 없을 때 일반적인 보상은 경추 수축 근육이다. 두개경추 굴곡은 두개골의 전방 회전 운동이며 테이블에 대한 머리의 압력 증가를 포함해서는 안된다. 이러한 보상 양상은 후두부 아래에 손을 놓으면 감지할 수 있으며 이를 피하기 위해 환자는 눈으로 움직임을 수행하도록 훈련해야 한다. 환자는 자신의 발을 보고 고개를 끄덕이는 것처럼 천천히 머리를 움직이면서 이 안구 운동을 동반해야 한다.

표재 굴곡근의 과잉행동은 근전도 바이오피드백 장치로 감지할 수 있는 목빗근(흉쇄유돌근)과 목갈비근(사각근)의 우세한 활동을 통해 나타난다. 환자는 운동 중 이러한 비정상적인 활동을 감지하기 위해 심부 경추 굴곡 근육을 촉진하는 방법을 가르쳐야 한다.

설상근과 설하근의 과다활동을 피하기 위해 환자는 입천장으로 혀끝을 만지라고 하고 입술은 만지고 치아는 교합상태에 있게 한다. 이 전략은 관경근과 설상근 및 설하근 근육의 보상을 방지한다.

네발기기 자세에서 능동적인 경추 굴곡. 환자는 네발기기 자세에서 경추 완전 굴곡을 수행하도록 요청받는다. Sahrmann이 설명한 이 검사는 목 신근 근육을 평가한다.[166] 움직임은 굴곡 움직임동안 머리와 경추의 주된 전방 시상면 회전이어야 한다. 가장 일반적인 대체는 머리와 경추의 전방 이동 운동이며 굴곡 운동 동안 전방 시상면 회전이 감소한다(**그림 5–54**).

그림 5-54 ■ 네발기기 자세에서 능동 경추 굴곡.

네발기기 자세에서 능동적인 경추 신전. Jull 등에 의해[6] 설명된 이 검사는 네발기기 자세나 스핑크스 자세에서 환자와 함께 수행할 수 있다. 처음에는 환자에게 10초 동안 경추를 중립 위치에 유지하도록 요청할 수 있다. 환자는 전체 목 굴곡에서 약 20°의 능동적 신전으로 이동하도록 요청받는다. 환자는 상부경추 확장에서 중 하부를 분리할 수 있어야 한다. 머리는 중립 위치를 유지해야 하며 중하부 경추 신전을 약 20° 수행해야 한다. 심부 경추 신전근의 활동을 분석하는 것 외에도 이 검사는 환자가 올바른 경추두부 운동 감각을 가지고 있는지 여부를 평가한다. 특정 견갑골 안정 장치도 이 위치에서 활성화되어야 한다(**그림 5–55**). 환자가 상부 경추 신전에서 중하부를 분리할 수 없는 경우 검사는 양성이다. 다양한 장애를 관찰할 수 있다. 한 가지 장애는 환자가 두개경추 부위를 중립으로 유지하면서 중하부 신전의 20°에 도달할 수 없는 경우이다. 또 다른 손상은 환자가 검사를 수행하기 위해 좋지 않은 조정 전략을 채택하고 신전 위치로 복귀하는 단계에서 표면 경부 근육을 사용하는 경우이다. 표재성 근육이 과도하게 사용되어 턱을 찌르는 운동으로 볼 수 있고, 머리반가시근(두부반극근)의 가동이나 과긴장성 증가로 볼 수 있어 목 뒤쪽의 세로 융기부로 볼 수 있다.

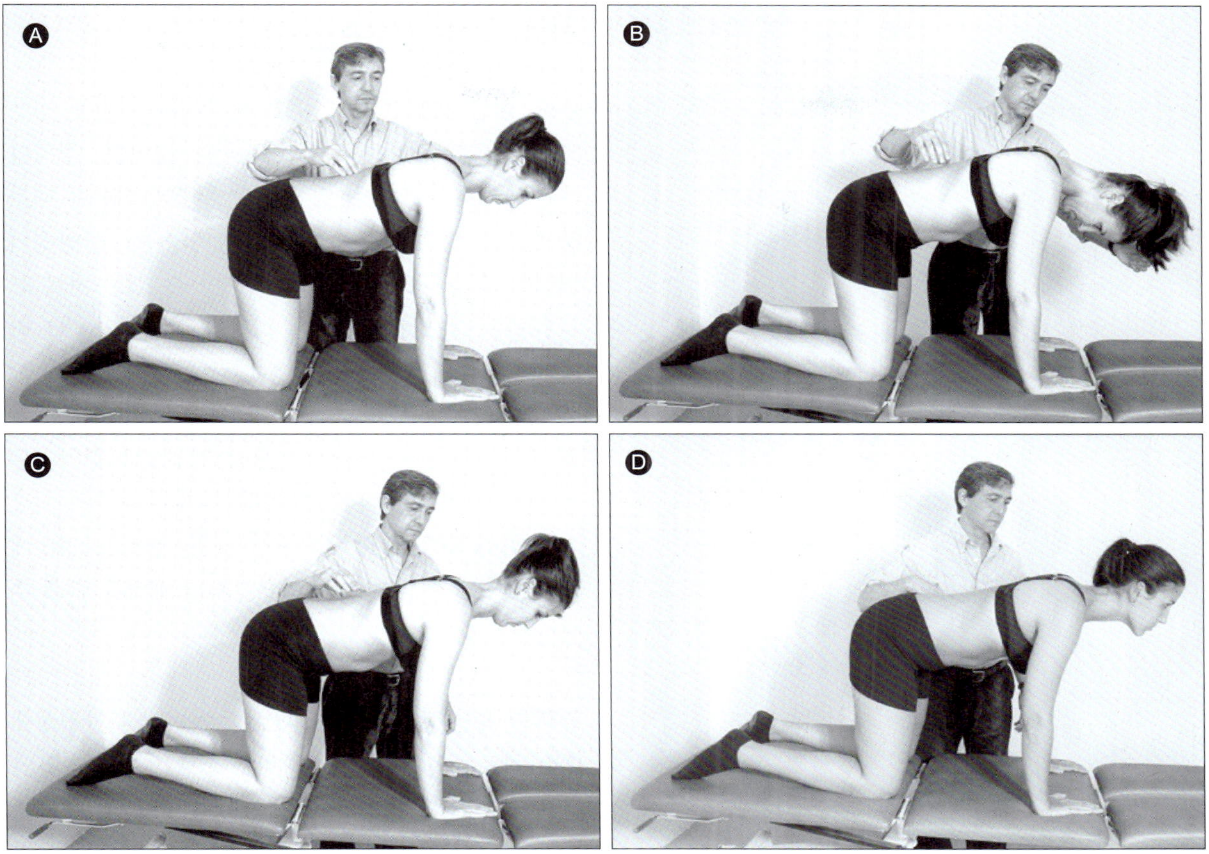

그림 5-55 ■ 네발기기 자세에서 능동 경추 신전. (A) 경추를 10초 동안 중립 위치에 유지 (B) 경추의 제어된 굴곡. (C) 중립 위치로 복귀 (D) 표재성 신근의 과도한 활성화.

그림 5-56 ■ (A, B) 네발기기 자세에서 뒤로 밀기.

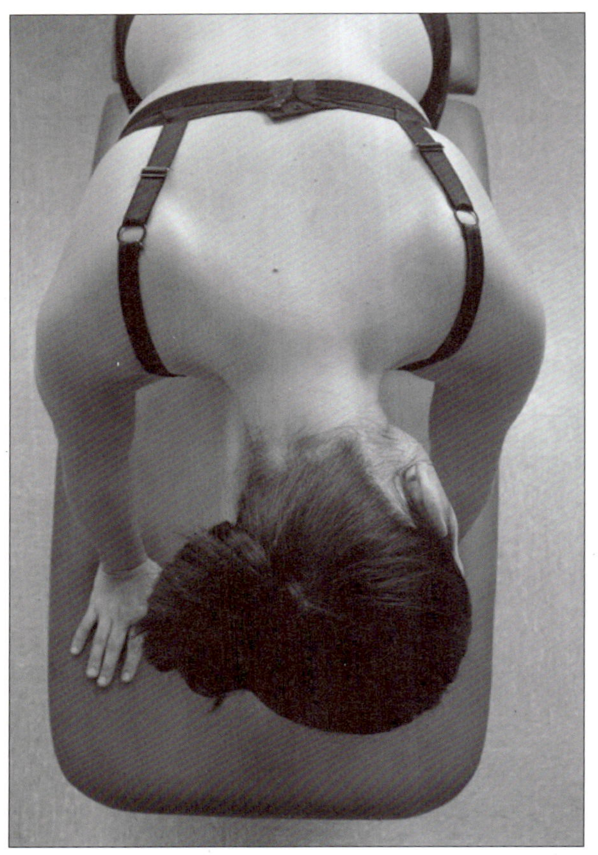

그림 5-57 ■ 네발기기 자세에서 활성 상부 경추 회전(심부 후두하 편향).

네발기기 자세에서 뒤로 흔들기. 네발기기 자세의 환자는 뒤로 흔들도록 요청받는다. 경추는 움직임 동안 중립 위치를 유지해야 한다. 보상 운동은 일반적으로 과도한 경추 신전이지만 일부 환자는 머리 뒤당김과 같은 다른 대체물로 보상한다(**그림 5-56**).

능동 상부경추 회전.[6] 환자는 엎드린 스핑크스 자세 또는 네발기기 자세를 하고 있다. 머리가 중립 위치에 있는 상태에서 그는 약간의 두개경추 굴곡을 도입한다. 그런 다음 이 약간의 두개경추 굴곡을 유지하면서 진폭 40°의 좌우로 천천히 회전 운동을 수행한다(**그림 5-57**).

치료 TREATMENT

주요 불안정성 치료. 주요 불안정과 관련된 경우 가장 중요한 단계는 이를 감지하는 것이다. 정확한 주관적 검사와 적절한 영상 진단 기술의 사용은 대부분의 경우 주요 불안정성을 나타낸다. 주요 불안정의 원인이 되는 구조적 이상에 적용할 수 있는 치료 프로토콜은 없으며 대부분은 외과적 안정화가 필요하다. 이 부분의 주요 목적은 때때로 환자의 증상이 모든 형태의 수동 요법 치료를 금하는 잠재적으로 심각한 불안정성과 관련될 수 있음을 임상의에게 알리는 것이다. 고위험이 아닐 수 있고 따라서 보존적 치료를 받아야 하는 주요 불안정성은 경미한 불안정성에 대해 설명된 치료 제안의 일부로부터 혜택을 받을 수 있다.

경미한 불안정성에 대한 치료. 경미한 불안정성에 대한 치료는 신경근 조절 하위 시스템을 자극하고 안정근의 강도와 저항을 증가시키는 것이다. 단일 프로토콜이 없기 때문에 치료는 불안정성의 정도와 유형에 맞게 조정되어야 한다.

두개경추 척추의 능동적인 안정성은 관절 시스템과 국소 심부 근육에서 유래한 정확한 고유수용성 정보에 달려 있다. 고유수용성 정보는 비정상적인 관절 구심성 정보와 침해수용성 정보에 의해 교란된다. 주요 치료 목표는 이 정보를 수정하여 기능장애 상황과 관련된 근육과 관절에 작용하여 후속적으로 심부 근육을 활성화시키는 것이다.

과운동성 관절의 수동 치료는 통각수용성 구심성을 감소시키고 관절 고유수용성을 자극할 수 있다. 관절 중립영역내 진동 가동과 생리적 및 보조적 기술같이 통각 자극을 감소시킬 수 있는 다양한 절차가 있다.

또한 불안정성을 연장할 수 있는 인접 및 원거리의 저운동성 기능장애를 감지하고 치료하는 것이 중요하다. 과가동성 관절에서 가깝거나 멀리 있는 관절의 저가동성 치료는 가용성 원칙을 따른다. 이러한 관절의 기능적 움직임의 개입이 증가하면 과운동성 또는 불안정한 관절에 의해 지지되는 역학적 부하가 감소한다.

운동조절 운동(Motor control tests)

이 운동의 목적은 두개경추와 경추의 안정근, 특히 심부 경추굴곡근과 신전근과 후두하근을 활성화하여 고유수용감각과 경추두부 운동감각, 그리고 심부 경추 근육의 긴장 저항을 향상시키는 데 도움이 된다. 이 운동에서는 Jull 등이[167] 설명한 대부분의 저강도가 사용되며 주요 목표는 정확한 양상이나 동작을 수행할 때 정확성을 갖는 것이다.

처음에는 재교육이 분석적으로 수행되고 이후에는 기능적 활동이 통합된다. 심각한 임상적 불안정을 겪고 있는 환자, 치료 첫 날에 활동적인 움직임을 수행하는 것에 대한 심각한 통증 또는 두려움이 있는 환자의 경우 심부 안정화 근육의 수축을 자극하기 위한 안구 운동 운동을 수행할 수 있다.

심부 경추 굴곡근육

경추의 기능적 불안정성은 표면 경추 굴곡근의 과도한 활성화와 함께 깊은 경추 굴곡근의 활동과 저항의 감소를 특징으로 한다.

두개경추 굴곡의 분석적 훈련. 두개경추 굴곡 검사에 사용된 것과 동일한 위치는 깊은 경추 굴곡근을 훈련하는 데에도 사용된다. 환자는 안정기의 도움으로 초기 압력 20mmHg를 사용하여 압력을 22mmHg로 높인다. 두개경추 압력이 제대로 수행되면 압력이 2mmHg 더 증가한다. 이것은 환자가 두개경추 굴곡(예: 머리를 뒤로 젖힘)을 수행하기 위해 표재성 근육이나 다른 보상 전략을 사용하는 압력 수준을 찾기 위해 시도되는 방법이다. 훈련 시작의 압박 수준은 보상에 나타난 수준보다 즉시 낮아진다. 그런 다음 이 수준의 압력에서 환자에게 두개경추 굴곡을 다시 수행하고 10초 동안 유지하도록 요청한다. 목표는 올바른 움직임 양상을 사용하여 10초 동안 10회 반복하는 것이다. 환자가 이 목표를 달성할 때만 치료는 더 높은 수준의 압박으로 진행된다. 압력은 한 번에 2mmHg씩 증가하며 5단계(22, 24, 26, 28, 30mmHg)의 진행이 있다. 심부 경부 근육 훈련의 궁극적인 목표는 환자가 표재성 근육의 우세한 활동 없이 10초 동안 28/30mmHg의 압력을 10회 유지할 수 있도록 하는 것이다.

기능적 자세에서 두개경추굴곡 훈련. 환자가 앙와위 자세에서 두개경추 굴곡의 올바른 양상을 수행할 수 있을 때, 일상 활동 중에 앉거나 서서 수행하도록 요청받는다. 운동을 올바르게 수행하기 위해서는 환자가 올바른 자세를 유지하도록 훈련해야 한다.

환자가 올바른 활성화 양상을 얻으면 두개골경추 굴곡이 처음에는 등척성 방식으로, 그 다음에는 등장

그림 5-58 ■ 약간의 저항에도 불구하고 앉아 있는 동안 심부 경추 굴근의 훈련.

그림 5-59 ■ 중립 위치(A)에서 신전(B) 운동.

성 방식으로 점진적으로 추가된다(**그림 5-58**).

환자는 한 손으로 턱을 잡고 저항에 대항하여 두개경추 굴곡을 수행하고 다른 한 손으로 표재성 목빗근(흉쇄유돌근)과 전방목갈비근(전전사각근)을 촉지한다. 목뿔위근육(설골상근)과 목뿔아래근육(설골하근)이 활성화되지 않았는지 확인하기 위해 목뿔을 가동하는 방법을 환자에게 보여주는 것이 흥미로울 수 있다. 따라서 환자는 표면 굴곡근의 최소 활성화로 심부 굴곡근의 저강도 수축을 수행해야 한다. 다양한 경추 신전 정도에서 두개경추 굴곡의 편심 및 동심 제어 운동으로 진행을 할 수 있다.

신전운동의 중립자세. 환자는 중립 위치에서 두개경추의 고립된 신전 양상을 피하면서 조화로운 경추 신전을 수행해야 한다. 이 운동은 심부 두개경추 굴곡근(**그림 5-59**)에 의한 움직임의 적절한 편심 제어가 필요하다.

신전에서 중립자세 운동. 환자는 신전 위치에서 시작하여 표면 경추 굴곡근의 과도한 활성화를 피하면서 중립 위치에 도달해야 한다.

그림 5-60 ■ 턱에 가해지는 약간의 저항에 대한 두개경추 신전 훈련.

심부경추신전근육

네발기기 자세에 대한 두개경추 신전 훈련. 이 운동에는 두개경추 신전근의 평가에 대해 설명한 것과 동일한 검사가 포함된다. 환자는 10초 동안 경추를 중립 위치에 유지하여 특정 견갑골 안정기를 활성화하도록 요청받는다. 그런 다음 환자는 경추를 천천히 구부리고 중립 위치로 돌아와야 한다.

기능적 위치에서 두개경추 신전 훈련. 환자가 올바른 두개경추 신전 양상을 수행할 수 있을 때, 그녀는 일상 활동 중에 앉았다 일어서기를 연습해야 한다. 이를 위해서는 바른 자세를 유지하는 것이 중요하다.

환자는 한 손으로 턱을 잡고 저항에 대항하여 두개경추 신전을 하고, 다른 한손으로 표재성 신전근의 과도한 수축이 없는지 확인하기 위해 후방 경추 근육을 확인한다(**그림 5-60**).

굴곡-신전 리듬 안정화. 머리를 중립 위치에 놓고 경추를 정렬한 상태에서 환자는 한 손으로 턱을 잡고 두개경추 굴곡근과 신전근의 저강도 정적 수축을 수행한다. 다른 한편으로 수축 중에 활성화되지 않았는지 확인하기 위해 표면 굴곡근을 확인한다. 심부근육의 가동은 안구 운동으로 촉진될 수 있다.

후두하부 회전근육

환자는 엎드린 스핑크스 위치에 있다. 머리를 중립 위치에 두고, 약간의 두개경추 굴곡을 도입한다. 그런 다음 이 약간의 두개경추 굴곡을 유지하면서 진폭 40° 의 좌우로 천천히 회전운동을 한다(**그림 5-61**).

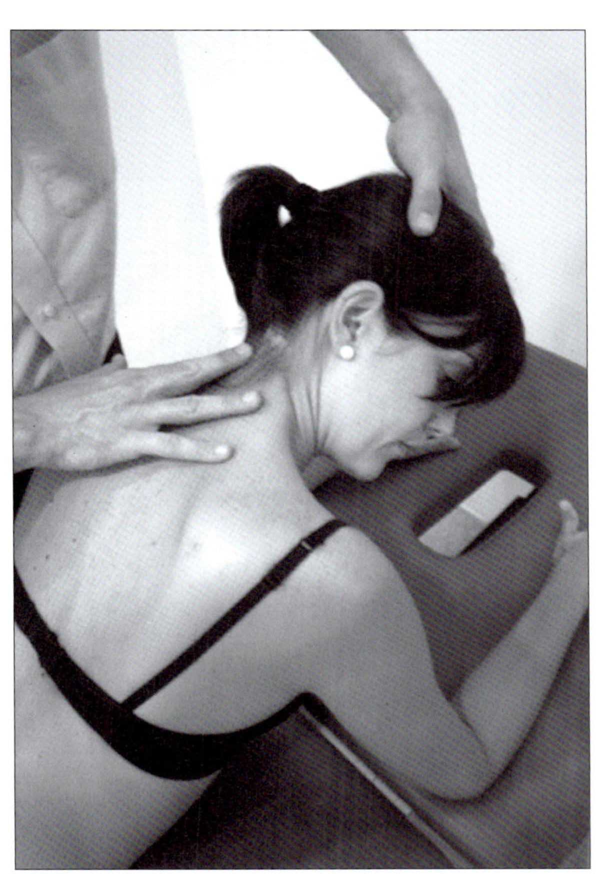

그림 5-61 ■ 후두하 회전근의 훈련.

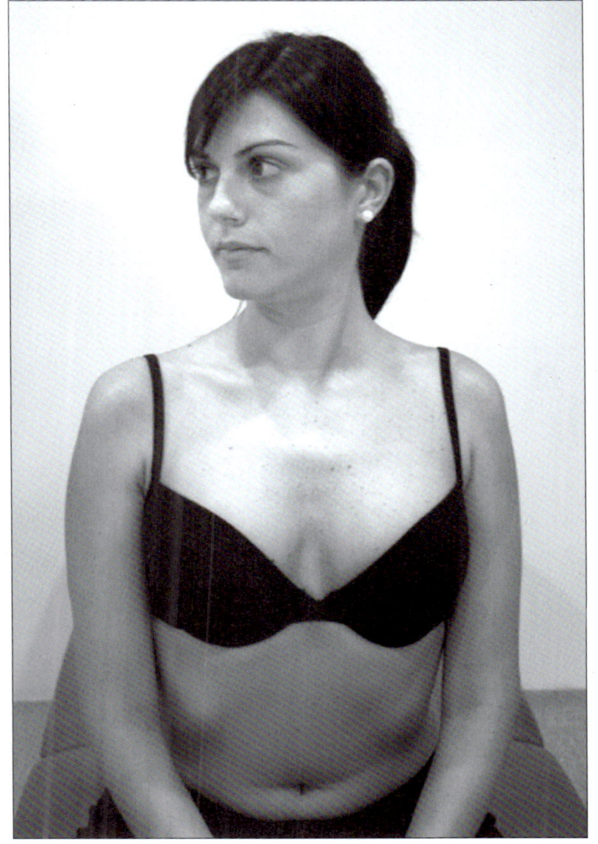

그림 5-62 ■ 운동 없음.

그림 5-63 ■ 후두하 회전근의 저항에 대응하는 운동.

그림 5-64 ■ 다양한 회전 각도에서의 리듬의 안정화.

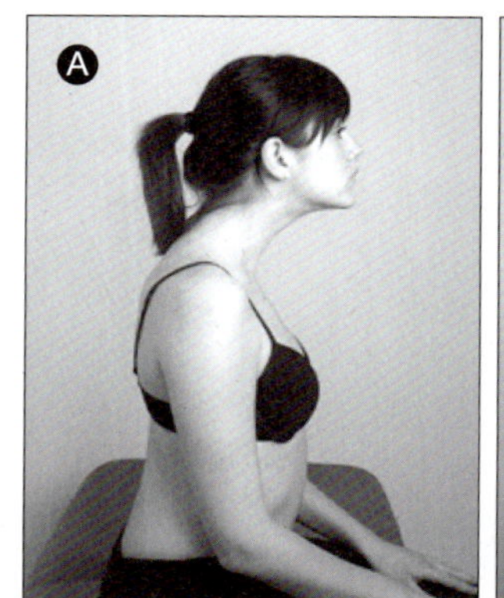

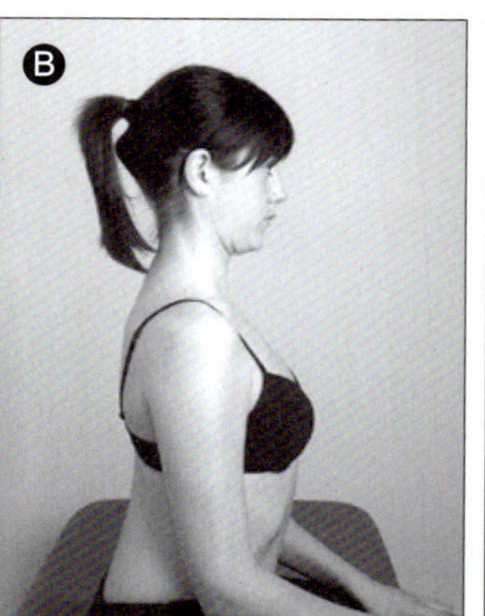

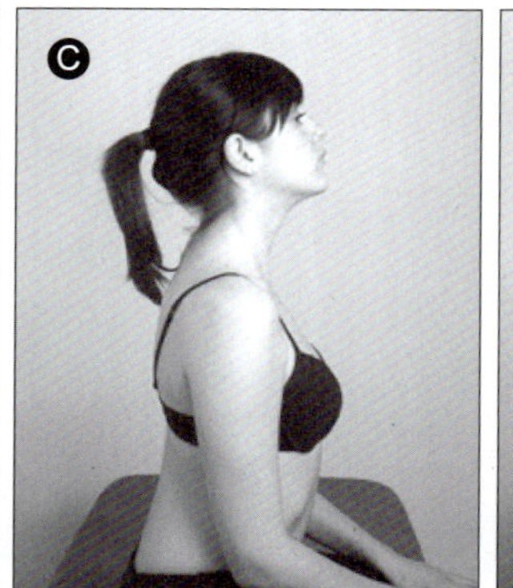

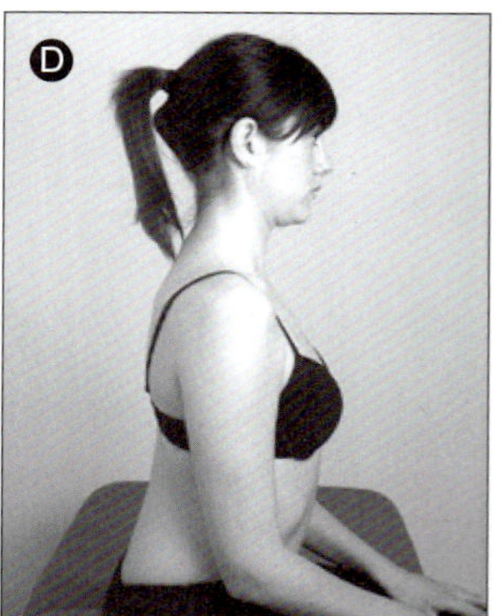

그림 5-65 ■ 내전(A), 뒤당김(B), 신전(C) 및 머리목 굴곡(D).

앉아서도 같은 운동을 할 수 있다. 환자는 항상 올바른 자세 정렬을 유지해야 한다. 먼저 약간의 두개경추 굴곡이 도입된 다음, 진폭이 40°를 초과하지 않는 범위에서 경추의 한쪽에서 다른 쪽으로 회전한다(**그림 5-62**). 치료가 더 진행된 단계에서는 동일한 운동을 더 빠른 속도로 수행할 수 있다.

그 후, 환자는 다양한 정도의 두개경추 신전 및 굴곡으로 이 운동을 수행할 수 있다.

저항에 대항하여 후두하 회전근을 사용하기 위해 환자는 한 손으로 경추 회전에 저항하고 다른 한 손으로 반대쪽 목빗근(흉쇄유돌근)을 촉지하여 수축 여부를 확인한다. 후두하 회전근의 수축은 지시된 안구 운동으로 촉진될 수 있다. 이러한 방식으로 리드미컬한 안정화 운동은 관절 진폭의 40°를 초과하지 않고 중립 위치(**그림 5-63**)에서 회전하거나 다른 회전 각도로 수행될 수 있다(**그림 5-64**).

두개경추 가동성 패턴 재훈련. 처음에는 이 세 가지 운동을 제한된 운동 진폭으로 수행하고 점차적으로 증가시킨다.

후두경추 굴곡-신전 (그림 5-65). 운동의 목적은 환자에게 특정한 두개경추 굴곡-신전 운동을 수행하고 이를 내밈 및 뒤당김 운동과 구별하는 방법을 가르치는 것이다. 따라서 시상면의 운동면에서 두개경추 고유수용감각이 향상된다.

경추 2번의 동측면 양상 (그림 5-66A). 환자는 경사-회전의 같은 손의 손가락을 하악의 측면에 대고 다른 한 손으로 동측 표면 근육을 촉진하여 경사-회전의 동측 운동을 수행한다. 환자는 눈을 옆과 아래 방향으로 향하게 하여 경사-회전을 수행하여 움직임 저항 수준을 점진적으로 증가시킨다.

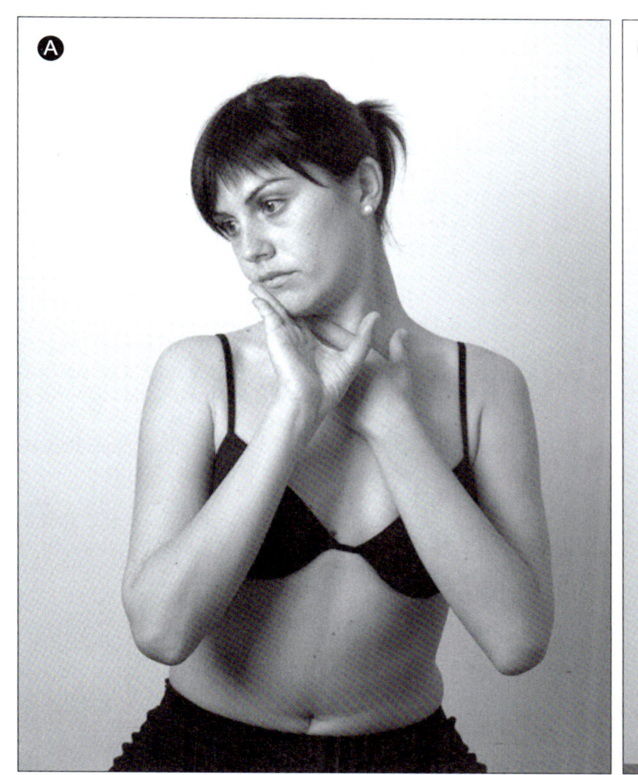

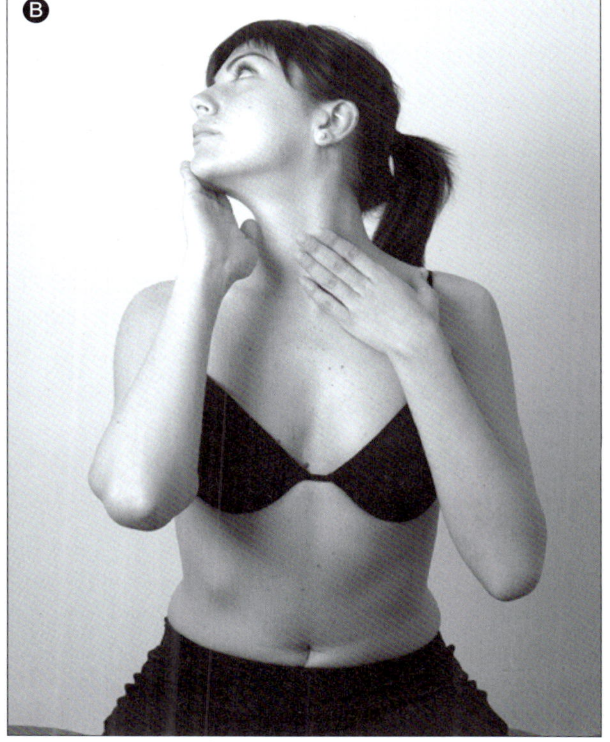

그림 5-66 ▪ 경추 2번의 동측 양상(A) 및 반대쪽 양상(B).

반대쪽 양상(그림 5-66B). 환자는 하악의 측면에 회전과 같은쪽 손을 놓고 다른 한 쪽의 목빗근(흉쇄유돌근)을 촉진하여 반대측 경사-회전 운동을 수행한다. 반대측 경사-회전 운동을 수행하기 위해 환자는 눈을 위쪽과 바깥쪽으로 향하게 한다.

자세 재교육 운동. 이러한 모든 운동은 다양한 자세 재교육 자세를 채택하여 수행할 수 있다.

안정화 운동은 8장에 설명된 경두부 운동감각 운동과 병행할 수도 있다.

결론 CONCLUSION

머리목(두개경추접합부) 불안정성은 종종 제대로 진단되지 않는 임상 문제이다. 그 병인은 선천적, 염증성, 퇴행성 및 외상성 일 수 있으며 이러한 병리 각각은 두개경추 척추의 해부학적 요소에 다른 변형을 일으킨다. 임상적으로 말해서, 주요 불안정성과 경미한 불안정성의 차이를 확립하는 것이 가능하다. 주요 불안정성은 관절 요소 또는 머리목 인대 요소의 파괴를 포함하고 임상 양상이 매우 다양하며 많은 경우에 환자가 보고하는 유일한 증상은 국소 통증과 두통이다. 손상의 대부분은 잠재적으로 심각하며 심각한 신경학적 결손을 유발할 수 있다. 따라서 경추의 도수치료 전문가들은 이를 식별할 수 있는 것이 중요하다. 진단을 내릴 때 영상 검사에 대한 적절한 해석이 중요하다. 임상적 검사도 도움이 될 수 있지만 신뢰성이 입증되지는 않았다.

경미한 불안정성은 관절 가동성 조절의 상실을 수반하며, 인대의 심각한 파괴 또는 신경혈관 손상 없이 통증과 기능장애를 유발한다. 만성 경추 통증의 원인이 되는 경우가 많으며 대개 주관적인 검사를 통해 진단을 내리기 때문에 진단되지 않는 경우가 많다. 두개경추 굴곡 검사와 같은 일부 임상 검사는 심부 안정화 근육의 활동을 결정하는 데 신뢰할 수 있는 것으로 나타났다. 경미한 불안정성의 치료는 신경근 조절의 하위 시스템을 자극하고 안정화 근육의 강도와 저항을 증가시키는 것을 목표로 한다. 제안된 기술은 고유수용감각을 개선하고 관절 및 근육통의 구심성을 감소시키며 심부 안정화 근육의 활동을 장려하는 것을 목표로 한다. 불안정성의 치료 가능성은 다음 장에서 더 자세히 설명된다.

참고문헌

1. Jull G, Trott P, Potter H, et al. A randomized controlled trial of exercise and manipulative therapy for cervicogenic headache. Spine 2002;27(17):1835–43, discussion 1843.
2. Petersen SM. Articular and muscular impairments in cervicogenic headache: a case report. J Orthop Sports Phys Ther 2003;33(1):21–30, discussion 30-2.
3. Kristjansson E, Leivseth G, Brinckmann P, et al. Increased sagittal plane segmental motion in the lower cervical spine in women with chronic whiplash-associated disorders, grades I-II: a case-control study using a new measurement protocol. Spine 2003;28(19):2215–21.
4. Dai L. Disc degeneration and cervical instability. Correlation of magnetic resonance imaging with radiography. Spine 1998;23(16):1734–8.
5. O'Leary S, Falla D, Elliott JM, et al. Muscle dysfunction in cervical spine pain: implications for assessment and management. J Orthop Sports Phys Ther 2009;39(5):324–33.
6. Jull G, Sterling M, Falla D, et al. Whiplash, headache, and neck pain: research-based directions for physical therapies. Edinburgh: Churchill Livingstone Elsevier; 2008.
7. Swinkels R, Beeton K, Alltree J. Pathogenesis of upper cervical instability. Man Ther 1996;1(3):127–32.
8. Frymoyer JW. The adult spine, principles and practice. New York: Raven Press; 1991.
9. White AA 3rd, Panjabi MM, Posner I, et al. Spinal stability: evaluation and treatment. Instr Course Lect 1981;30:457–83.
10. Kirkaldy-Willis WH, Farfan HF. Instability of the lumbar spine. Clin Orthop Relat Res 1982;165:110–23.
11. Panjabi M, Yue J, Dvorák J, et al. Cervical spine kinematics and clinical instability. In: Clark C, editor. The cervical spine. 4th ed. Philadelphia: Lippincott Williams & Wilkins; 2005. p. 55–78.
12. Panjabi MM. The stabilizing system of the spine. Part II. Neutral zone and instability hypothesis. J Spinal Disord 1992;5(4):390–6, discussion 397.
13. Panjabi MM. The stabilizing system of the spine. Part I. Function, dysfunction, adaptation, and enhancement. J Spinal Disord 1992;5(4):383–9, discussion 397.
14. Panjabi MM, Lydon C, Vasavada A, et al. On the understanding of clinical instability. Spine 1994;19(23):2642–50.
15. Bogduk N. Clinical anatomy of the lumbar spine and sacrum. 4th ed. Edinburgh: Elsevier Churchill Livinstone; 2005.
16. Niere KR, Torney SK. Clinicians' perceptions of minor cervical instability. Man Ther 2004;9(3):144–50.
17. Comerford M, Mottram S. The management of uncontrolled

movement. Australia: Churchill Livingstone; 2012.
18. Harris MB, Duval MJ, Davis JA Jr, et al. Anatomical and roentgenographic features of atlantooccipital instability. J Spinal Disord 1993;6(1):5–10.
19. White AA, Panjabi MM. Clinical biomechanics of the spine. 2nd ed. Philadelphia: Lippincott Williams & Wilkins; 1990.
20. Powers B, Miller MD, Kramer RS, et al. Traumatic anterior atlanto-occipital dislocation. Neurosurgery 1979;4(1):12–17.
21. Richards PJ. Cervical spine clearance: a review. Injury 2005;36(2):248–69, discussion 270.
22. Dvorak J, Hayek J, Zehnder R. CT-functional diagnostics of the rotatory instability of the upper cervical spine. Part 2. An evaluation on healthy adults and patients with suspected instability. Spine 1987;12(8):726–31.
23. Dvorak J, Schneider E, Saldinger P, et al. Biomechanics of the craniocervical region: the alar and transverse ligaments. J Orthop Res 1988;6(3):452–61.
24. Fielding J. Tears of the transverse ligament of the atlas: a clinical and biomechanical study. J Bone Joint Surg 1974;56A: 1683–91.
25. Steel H. Anatomical and mechanical considerations of the atlanto-axial articulation. J Bone Joint Surg 1968;50(A):1481.
26. Fielding JW, Cochran GB, Lawsing JF 3rd, et al. Tears of the transverse ligament of the atlas. A clinical and biomechanical study. J Bone Joint Surg Am 1974;56(8):1683–91.
27. Dvorak J, Panjabi MM, Grob D, et al. Clinical validation of functional flexion/extension radiographs of the cervical spine. Spine 1993;18(1):120–7.
28. Westaway MD, Hu WY, Stratford PW, et al. Intra- and interrater reliability of the anterior atlantodental interval measurement from conventional lateral view flexion/extension radiographs. Man Ther 2005;10(3):219–23.
29. Panjabi M, Dvorak J, Crisco JJ 3rd, et al. Effects of alar ligament transection on upper cervical spine rotation. J Orthop Res 1991;9(4):584–93.
30. Dvorak J, Panjabi MM. Functional anatomy of the alar ligaments. Spine 1987;12(2):183–9.
31. Dvorak J, Panjabi M, Gerber M, et al. CT-functional diagnostics of the rotatory instability of upper cervical spine. 1. An experimental study on cadavers. Spine 1987;12(3):197–205.
32. Panjabi M, Dvorak J, Crisco J 3rd, et al. Flexion, extension, and lateral bending of the upper cervical spine in response to alar ligament transections. J Spinal Disord 1991;4(2):157–67.
33. Crisco JJ 3rd, Panjabi MM, Dvorak J. A model of the alar ligaments of the upper cervical spine in axial rotation. J Biomech 1991;24(7):607–14.
34. Krakenes J, Kaale BR, Moen G, et al. MRI of the tectorial and posterior atlanto-occipital membranes in the late stage of whiplash injury. Neuroradiology 2003;45(9):585–91.
35. Crisco JJ 3rd, Oda T, Panjabi MM, et al. Transections of the C1-C2 joint capsular ligaments in the cadaveric spine. Spine 1991;16(Suppl. 10):S474–9.
36. Pettman E. Stress tests of the craniovertebral joints. In: Boyling J, Palastanga N, editors. Grieve's modern manual therapy. The vertebral column. 2nd ed. Edinburgh: Churchill Livingstone; 1994. p. 529–37.
37. Dávid K, Crockard A. Congenital malformations of the base of the skull, atlas and dens. In: Clark C, editor. The cervical spine. 4th ed. Philadelphia: Lippincott Williams & Wilkins; 2005. p. 415–26.
38. Royo-Salvador MB. [Platybasia, basilar groove, odontoid process and kinking of the brainstem: a common etiology with idiopathic syringomyelia, scoliosis and Chiari malformations]. Rev Neurol 1996;24(134):1241–50.
39. Goel A, Bhatjiwale M, Desai K. Basilar invagination: a study based on 190 surgically treated patients. J Neurosurg 1998; 88(6):962–8.
40. Hensinger RN. Osseous anomalies of the craniovertebral junction. Spine 1986;11(4):323–33.
41. McRae DL, Barnum AS. Occipitalization of the atlas. Am J Roentgenol Radium Ther Nucl Med 1953;70(1):23–46.
42. David DJ, Edwards RM. Klippel-Feil syndrome. Anaesth Intensive Care 1995;23(6):752.
43. Wiesel SW, Rothman RH. Occipitoatlantal hypermobility. Spine 1979;4(3):187–91.
44. Hensinger RN, Lang JE, MacEwen GD. Klippel-Feil syndrome; a constellation of associated anomalies. J Bone Joint Surg Am 1974;56(6):1246–53.
45. David KM, Copp AJ, Stevens JM, et al. Split cervical spinal cord with Klippel-Feil syndrome: seven cases. Brain 1996;119(Pt 6):1859–72.
46. Jeanneret B, Magerl F. Congenital fusion C0-C2 associated with spondylolysis of C2. J Spinal Disord 1990;3(4):413–17.
47. Gunderson CH, Solitare GB. Mirror movements in patients with the Klippel-Feil syndrome. Neuropathologic observations. Arch Neurol 1968;18(6):675–9.
48. Nagib MG, Maxwell RE, Chou SN. Identification and management of high-risk patients with Klippel-Feil syndrome. J Neurosurg 1984;61(3):523–30.
49. Ramsey J, Bliznak J. Klippel-Feil syndrome with renal agenesis and other anomalies. Am J Roentgenol Radium Ther Nucl Med 1971;113(3):460–3.
50. Schott GD, Wyke MA. Congenital mirror movements. J Neurol Neurosurg Psychiatry 1981;44(7):586–99.
51. Whittle IR, Besser M. Congenital neural abnormalities presenting with mirror movements in a patient with Klippel-Feil syndrome. Case report. J Neurosurg 1983;59(5):891–4.
52. Vaidyanathan S, Hughes PL, Soni BM, et al. Klippel-Feil syndrome – the risk of cervical spinal cord injury: a case report. BMC Fam Pract 2002;3:6.
53. Westermeyer RR. Odontoid hypoplasia presenting as torticollis: a discussion of its significance. J Emerg Med 2003;24(1): 15–18.
54. Chigira M, Kaneko K, Mashio K, et al. Congenital hypoplasia of the arch of the atlas with abnormal segmentation of the cervical spine. Arch Orthop Trauma Surg 1994;113(2): 110–12.
55. Hensinger RN, Fielding JW, Hawkins RJ. Congenital anomalies of the odontoid process. Orthop Clin North Am 1978;9(4): 901–12.
56. Truex RC Jr, Johnson CH. Congenital anomalies of the upper cervical spine. Orthop Clin North Am 1978;9(4):891–900.
57. Morgan MK, Onofrio BM, Bender CE. Familial os odontoideum. Case report. J Neurosurg 1989;70(4):636–9.
58. Kirlew KA, Hathout GM, Reiter SD, et al. Os odontoideum in identical twins: perspectives on etiology. Skeletal Radiol 1993;22(7):525–7.
59. Ricciardi JE, Kaufer H, Louis DS. Acquired os odontoideum following acute ligament injury. Report of a case. J Bone Joint Surg Am 1976;58(3):410–12.
60. Fielding JW, Hensinger RN, Hawkins RJ. Os odontoideum. J Bone Joint Surg Am 1980;62(3):376–83.

61. Hawkins RJ, Fielding JW, Thompson WJ. Os odontoideum: congenital or acquired. A case report. J Bone Joint Surg Am 1976;58(3):413–14.
62. Ogden JA, Murphy MJ, Southwick WO, et al. Radiology of postnatal skeletal development. XIII. C1-C2 interrelationships. Skeletal Radiol 1986;15(6):433–8.
63. Matsui H, Imada K, Tsuji H. Radiographic classification of os odontoideum and its clinical significance. Spine 1997;22(15): 1706–9.
64. Aksoy FG, Gomori JM. Symptomatic cervical synovial cyst associated with an os odontoideum diagnosed by magnetic resonance imaging: case report and review of the literature. Spine 2000;25(10):1300–2.
65. Holt RG, Helms CA, Munk PL, et al. Hypertrophy of C-1 anterior arch: useful sign to distinguish os odontoideum from acute dens fracture. Radiology 1989;173(1):207–9.
66. Vargas TM, Rybicki FJ, Ledbetter SM, et al. Atlantoaxial instability associated with an orthotopic os odontoideum: a multimodality imaging assessment. Emerg Radiol 2005;11(4): 223–5.
67. Sasaki H, Itoh T, Takei H, et al. Os odontoideum with cerebellar infarction: a case report. Spine 2000;25(9):1178–81.
68. Watanabe M, Toyama Y, Fujimura Y. Atlantoaxial instability in os odontoideum with myelopathy. Spine 1996;21(12):1435–9.
69. Choit RL, Jamieson DH, Reilly CW. Os odontoideum: a significant radiographic finding. Pediatr Radiol 2005;35(8):803–7.
70. Fukuda M, Aiba T, Akiyama K, et al. Cerebellar infarction secondary to os odontoideum. J Clin Neurosci 2003;10(5): 625–6.
71. Dai L, Yuan W, Ni B, et al. Os odontoideum: etiology, diagnosis, and management. Surg Neurol 2000;53(2):106–8, discussion 108-9.
72. Tredwell SJ, Newman DE, Lockitch G. Instability of the upper cervical spine in Down syndrome. J Pediatr Orthop 1990;10(5):602–6.
73. Cremers MJ, Ramos L, Bol E, et al. Radiological assessment of the atlantoaxial distance in Down's syndrome. Arch Dis Child 1993;69(3):347–50.
74. Murphy J, Hoey HM, Philip M, et al. Guidelines for the medical management of Irish children and adolescents with Down syndrome. Ir Med J 2005;98(2):48–52.
75. Winell J, Burke SW. Sports participation of children with Down syndrome. Orthop Clin North Am 2003;34(3):439–43.
76. Ali FE, Al-Bustan MA, Al-Busairi WA, et al. Cervical spine abnormalities associated with Down syndrome. Int Orthop 2006;30(4):284–9.
77. Menezes AH, Ryken TC. Craniovertebral abnormalities in Down's syndrome. Pediatr Neurosurg 1992;18(1):24–33.
78. Masuda K, Iwasaki M, Seichi A, et al. Cervical myelopathy in an adult due to atlantoaxial subluxation associated with Down syndrome: a case study. J Orthop Sci 2003;8(2):227–31.
79. Pueschel SM, Herndon JH, Gelch MM, et al. Symptomatic atlantoaxial subluxation in persons with Down syndrome. J Pediatr Orthop 1984;4(6):682–8.
80. Goldring SR. Pathogenesis of bone erosions in rheumatoid arthritis. Curr Opin Rheumatol 2002;14(4):406–10.
81. Haugeberg G, Orstavik RE, Kvien TK. Effects of rheumatoid arthritis on bone. Curr Opin Rheumatol 2003;15(4):469–75.
82. O'Brien MF, Casey AT, Crockard A, et al. Histology of the craniocervical junction in chronic rheumatoid arthritis: a clinicopathologic analysis of 33 operative cases. Spine 2002;27(20): 2245–54.
83. Shirado O, Azuma H, Takeda N, et al. Quadriparesis complicating atlantoaxial subluxation and ossification of the posterior longitudinal ligament in a patient with rheumatoid arthritis. A case report. J Bone Joint Surg Am 2005;87(6): 1354–7.
84. Riise T, Jacobsen BK, Gran JT. High mortality in patients with rheumatoid arthritis and atlantoaxial subluxation. J Rheumatol 2001;28(11):2425–9.
85. Pellicci PM, Ranawat CS, Tsairis P, et al. A prospective study of the progression of rheumatoid arthritis of the cervical spine. J Bone Joint Surg Am 1981;63(3):342–50.
86. Kauppi M, Hakala M. Prevalence of cervical spine subluxations and dislocations in a community-based rheumatoid arthritis population. Scand J Rheumatol 1994;23(3):133–6.
87. Weissman BN, Aliabadi P, Weinfeld MS, et al. Prognostic features of atlantoaxial subluxation in rheumatoid arthritis patients. Radiology 1982;144(4):745–51.
88. Roche CJ, Eyes BE, Whitehouse GH. The rheumatoid cervical spine: signs of instability on plain cervical radiographs. Clin Radiol 2002;57(4):241–9.
89. Bouchaud-Chabot A, Liote F. Cervical spine involvement in rheumatoid arthritis. A review. Joint Bone Spine 2002;69(2): 141–54.
90. Tanaka N, Sakahashi H, Hirose K, et al. Results after 24 years of prophylactic surgery for rheumatoid atlantoaxial subluxation. J Bone Joint Surg Br 2005;87(7):955–8.
91. Shen FH, Samartzis D, Jenis LG, et al. Rheumatoid arthritis: evaluation and surgical management of the cervical spine. Spine J 2004;4(6):689–700.
92. Lipson SJ. Rheumatoid arthritis in the cervical spine. Clin Orthop Relat Res 1989;239:121–7.
93. Rasker JJ, Cosh JA. Radiological study of cervical spine and hand in patients with rheumatoid arthritis of 15 years' duration: an assessment of the effects of corticosteroid treatment. Ann Rheum Dis 1978;37(6):529–35.
94. Halla JT, Hardin JG, Vitek J, et al. Involvement of the cervical spine in rheumatoid arthritis. Arthritis Rheum 1989;32(5): 652–9.
95. Crockard A, Grob D. Rheumatoid arthritis. Upper cervical involvement. In: Clark C, editor. The cervical spine. 4th ed. Philadelphia: Lippincott Williams & Wilkins; 2005. p. 914–22.
96. Kauppi MJ, Barcelos A, da Silva JA. Cervical complications of rheumatoid arthritis. Ann Rheum Dis 2005;64(3):355–8.
97. Boden SD, Dodge LD, Bohlman HH, et al. Rheumatoid arthritis of the cervical spine. A long-term analysis with predictors of paralysis and recovery. J Bone Joint Surg Am 1993;75(9): 1282–97.
98. Cha C, Boden S, Clark C. Rheumatoid arthritis in the cervical spine. In: Clark C, editor. The cervical spine. 4th ed. Philadelphia: Lippincott Williams & Wilkins; 2005. p. 901–13.
99. Maeda T, Saito T, Harimaya K, et al. Atlantoaxial instability in neck retraction and protrusion positions in patients with rheumatoid arthritis. Spine 2004;29(7):757–62.
100. Dickman CA, Mamourian A, Sonntag VK, et al. Magnetic resonance imaging of the transverse atlantal ligament for the evaluation of atlantoaxial instability. J Neurosurg 1991;75(2): 221–7.

101. Dvorak J, Grob D, Baumgartner H, et al. Functional evaluation of the spinal cord by magnetic resonance imaging in patients with rheumatoid arthritis and instability of upper cervical spine. Spine 1989;14(10):1057–64.
102. Riew KD, Hilibrand AS, Palumbo MA, et al. Diagnosing basilar invagination in the rheumatoid patient. The reliability of radiographic criteria. J Bone Joint Surg Am 2001;83-A(2): 194–200.
103. Redlund-Johnell I, Pettersson H. Radiographic measurements of the cranio-vertebral region. Designed for evaluation of abnormalities in rheumatoid arthritis. Acta Radiol Diagn (Stockh) 1984;25(1):23–8.
104. Kauppi M, Sakaguchi M, Konttinen YT, et al. A new method of screening for vertical atlantoaxial dislocation. J Rheumatol 1990;17(2):167–72.
105. Einig M, Higer HP, Meairs S, et al. Magnetic resonance imaging of the craniocervical junction in rheumatoid arthritis: value, limitations, indications. Skeletal Radiol 1990;19(5):341–6.
106. Karhu JO, Parkkola RK, Koskinen SK. Evaluation of flexion/ extension of the upper cervical spine in patients with rheumatoid arthritis: an MRI study with a dedicated positioning device compared to conventional radiographs. Acta Radiol 2005;46(1):55–66.
107. Laiho K, Soini I, Kautiainen H, et al. Can we rely on magnetic resonance imaging when evaluating unstable atlantoaxial subluxation? Ann Rheum Dis 2003;62(3):254–6.
108. Herzka A, Sponseller PD, Pyeritz RE. Atlantoaxial rotatory subluxation in patients with Marfan syndrome. A report of three cases. Spine 2000;25(4):524–6.
109. Fernandez Cornejo VJ, Martinez-Lage JF, et al. Inflammatory atlanto-axial subluxation (Grisel's syndrome) in children: clinical diagnosis and management. Childs Nerv Syst 2003; 19(5–6):342–7.
110. Villas C, Arriagada C, Zubieta JL. Preliminary CT study of C1-C2 rotational mobility in normal subjects. Eur Spine J 1999;8(3):223–8.
111. Meek MF, Hermens RA, Robinson PH. La maladie de Grisel: spontaneous atlantoaxial subluxation. Cleft Palate Craniofac J 2001;38(3):268–70.
112. Gourin CG, Kaper B, Abdu WA, et al. Nontraumatic atlantoaxial subluxation after retropharyngeal cellulitis: Grisel's syndrome. Am J Otolaryngol 2002;23(1):60–5.
113. Ugur HC, Caglar S, Unlu A, et al. Infection-related atlantoaxial subluxation in two adults: Grisel syndrome or not? Acta Neurochir (Wien) 2003;145(1):69–72.
114. Boole JR, Ramsey M, Petermann G, et al. Radiology quiz case. Grisel syndrome with vertebral osteomyelitis and spinal epidural abscess. Arch Otolaryngol Head Neck Surg 2003; 129(11):1247.
115. Tschopp K. Monopolar electrocautery in adenoidectomy as a possible risk factor for Grisel's syndrome. Laryngoscope 2002;112(8 Pt 1):1445–9.
116. Isern AE, Ohlin A, Stromblad LG, et al. Grisel syndrome after velopharyngoplasty. Scand J Plast Reconstr Surg Hand Surg 2004;38(1):53–7.
117. Ono K, Yonenobu K, Fuji T, et al. Atlantoaxial rotatory fixation. Radiographic study of its mechanism. Spine 1985;10(7): 602–8.
118. Harth M, Mayer M, Marzi I, et al. Lateral torticollis on plain radiographs and MRI: Grisel syndrome. Eur Radiol 2004;14(9): 1713–15.
119. Martinez-Lage JF, Martinez Perez M, Fernandez Cornejo V, et al. Atlanto-axial rotatory subluxation in children: early management. Acta Neurochir (Wien) 2001;143(12):1223–8.
120. Yu KK, White DR, Weissler MC, et al. Nontraumatic atlantoaxial subluxation (Grisel syndrome): a rare complication of otolaryngological procedures. Laryngoscope 2003;113(6): 1047–9.
121. Subach BR, McLaughlin MR, Albright AL, et al. Current management of pediatric atlantoaxial rotatory subluxation. Spine 1998;23(20):2174–9.
122. Domínguez-Carrillo L, Trujillo-Dervín M, Segovia A. Síndrome de Grisel, luxación rotatoria atlanto-axoidea. Acta Médica Grupo Ángeles 2005;3(2).
123. Bucholz RW, Burkhead WZ. The pathological anatomy of fatal atlanto-occipital dislocations. J Bone Joint Surg Am 1979;61(2): 248–50.
124. Alker GJ, Oh YS, Leslie EV, et al. Postmortem radiology of head neck injuries in fatal traffic accidents. Radiology 1975;114(3): 611–17.
125. James R, Nasmyth-Jones R. The occurrence of cervical fractures in victims of judicial hanging. Forensic Sci Int 1992;54(1):81–91.
126. Clayman DA, Sykes CH, Vines FS. Occipital condyle fractures: clinical presentation and radiologic detection. AJNR Am J Neuroradiol 1994;15(7):1309–15.
127. Stroobants J, Fidlers L, Storms JL, et al. High cervical pain and impairment of skull mobility as the only symptoms of an occipital condyle fracture. Case report. J Neurosurg 1994;81(1): 137–8.
128. Bernhardt M, Wong W, Panjabi M, et al. Mechanisms of injury in the cervical spine: basic concepts, biomechanical evidence and clinical experience. In: Clark C, editor. The cervical spine. 4th ed. Philadelphia: Lippincott Williams & Wilkins; 2005.
129. Greene KA, Dickman CA, Marciano FF, et al. Acute axis fractures. Analysis of management and outcome in 340 consecutive cases. Spine 1997;22(16):1843–52.
130. Ochoa G. Surgical management of odontoid fractures. Injury 2005;36(Suppl. 2):B54–64.
131. Cusick JF, Yoganandan N. Biomechanics of the cervical spine 4: major injuries. Clin Biomech (Bristol, Avon) 2002;17(1): 1–20.
132. Apfelbaum RI, Lonser RR, Veres R, et al. Direct anterior screw fixation for recent and remote odontoid fractures. J Neurosurg 2000;93(Suppl. 2):227–36.
133. Crockard HA, Heilman AE, Stevens JM. Progressive myelopathy secondary to odontoid fractures: clinical, radiological, and surgical features. J Neurosurg 1993;78(4):579–86.
134. Anderson LD, D'Alonzo RT. Fractures of the odontoid process of the axis. J Bone Joint Surg Am 1974;56(8):1663–74.
135. Arand M, Neller S, Kinzl L, et al. The traumatic spondylolisthesis of the axis. A biomechanical in vitro evaluation of an instability model and clinical relevant constructs for stabilization. Clin Biomech (Bristol, Avon) 2002;17(6):432–8.
136. Dickman CA, Papadopoulos SM, Sonntag VK, et al. Traumatic occipitoatlantal dislocations. J Spinal Disord 1993;6(4): 300–13.
137. Krakenes J, Kaale BR, Moen G, et al. MRI assessment of the alar ligaments in the late stage of whiplash injury – a study of structural abnormalities and observer agreement. Neuroradiology 2002;44(7):617–24.

138. Levine AM, Edwards CC. Traumatic lesions of the occipitoatlantoaxial complex. Clin Orthop Relat Res 1989;(239): 53–68.
139. Lipson SJ. Fractures of the atlas associated with fractures of the odontoid process and transverse ligament ruptures. J Bone Joint Surg Am 1977;59(7):940–3.
140. Spence KF Jr, Decker S, Sell KW. Bursting atlantal fracture associated with rupture of the transverse ligament. J Bone Joint Surg Am 1970;52(3):543–9.
141. Hasharoni A, Errico T. Transverse ligament injury. In: Clark C, editor. The cervical spine. 4th ed. Philadelphia: Lippincott Williams & Wilkins; 2005.
142. Krakenes J, Kaale BR, Nordli H, et al. MR analysis of the transverse ligament in the late stage of whiplash injury. Acta Radiol 2003;44(6):637–44.
143. Meadows J. Diagnóstico diferencial en fisioterapia. Madrid: McGraw-Hill Interamericana; 2000.
144. Cook C, Brismee JM, Fleming R, et al. Identifiers suggestive of clinical cervical spine instability: a Delphi study of physical therapists. Phys Ther 2005;85(9):895–906.
145. Refshauge KM, Parry S, Shirley D, et al. Professional responsibility in relation to cervical spine manipulation. Aust J Physiother 2002;48(3):171–9, discussion 180-5.
146. Hing WA, Reid DA, Monaghan M. Manipulation of the cervical spine. Man Ther 2003;8(1):2–9.
147. Mintken PE, Metrick L, Flynn TW. Upper cervical ligament testing in a patient with os odontoideum presenting with headaches. J Orthop Sports Phys Ther 2008;38(8):465–75.
148. Uitvlugt G, Indenbaum S. Clinical assessment of atlantoaxial instability using the Sharp-Purser test. Arthritis Rheum 1988;31(7):918–22.
149. Sharp J, Purser D. Spontaneous atlanto-axial dislocation in ankylosing spondylitis and rheumatoid arthritis. Ann Rheum Dis 1961;20:47–74.
150. Forrester G, Barlas P. Reliability and validity of the SharpPurser test in the assessment of atlato-axial instability in patients with rheumatoid arthritis. Physiotherapy 1999;85:376.
151. Mathews JA. Atlanto-axial subluxation in rheumatoid arthritis.
Ann Rheum Dis 1969;28(3):260–6.
152. Stevens JC, Cartlidge NE, Saunders M, et al. Atlanto-axial subluxation and cervical myelopathy in rheumatoid arthritis. Q J Med 1971;40(159):391–408.
153. Kaale BR, Krakenes J, Albrektsen G, et al. Clinical assessment techniques for detecting ligament and membrane injuries in the upper cervical spine region – a comparison with MRI results. Man Ther 2008;13(5):397–403.
154. Aspinall W. Clinical testing for the craniovertebral hypermobility syndrome. J Orthop Sports Phys Ther 1990;12(2): 47–54.
155. Swinkels RA, Oostendorp RA. Upper cervical instability: fact or fiction? J Manipulative Physiol Ther 1996;19(3): 185–94.
156. Cattrysse E, Swinkels RA, Oostendorp RA, et al. Upper cervical instability: are clinical tests reliable? Man Ther 1997;2(2): 91–7.
157. Hutting N, Scholten-Peeters GG, Vijverman V, et al. Diagnostic accuracy of upper cervical spine instability tests: a systematic review. Phys Ther 2013;93(12):1686–95.
158. Derrick L, Chesworth B. Post-motor vehicle accident alar ligament laxity. J Orthop Sports Phys Ther 1992;16(1): 6–11.
159. McDonnell MK, Sahrmann SA, Van Dillen L. A specific exercise program and modification of postural alignment for treatment of cervicogenic headache: a case report. J Orthop Sports Phys Ther 2005;35(1):3–15.
160. Childs JD, Cleland JA, Elliott JM, et al. Neck pain: Clinical practice guidelines linked to the International Classification of Functioning, Disability, and Health from the Orthopedic Section of the American Physical Therapy Association. J Orthop Sports Phys Ther 2008;38(9):A1–34.
161. Falla D, Jull G, Dall'Alba P, et al. An electromyographic analysis of the deep cervical flexor muscles in performance of craniocervical flexion. Phys Ther 2003;83(10):899–906.
162. Falla DL, Jull GA, Hodges PW. Patients with neck pain demonstrate reduced electromyographic activity of the deep cervical flexor muscles during performance of the craniocervical flexion test. Spine 2004;29(19):2108–14.
163. James G, Doe T. The craniocervical flexion test: intra-tester reliability in asymptomatic subjects. Physiother Res Int 2010;15(3):144–9.
164. Arumugam A, Mani R, Raja K. Interrater reliability of the craniocervical flexion test in asymptomatic individuals – a cross-sectional study. J Manipulative Physiol Ther 2011;34(4): 247–53.
165. Segarra V, Duenas L, Torres R, et al. Inter-and intra-tester reliability of a battery of cervical movement control dysfunction tests. Man Ther 2015;20(4):570–9.
166. Sahrmann S. Movement System Impairment Syndromes of the Extremities, Cervical and Thoracic Spines. St.Louis: Elsevier; 2011.
167. Jull G, Falla D, Treleaven J, et al. A therapeutic exercise approach for cervical disorders. In: Boyling J, Jull G, editors. Grieve's Modern Manual Therapy: The Vertebral Column. 3rd ed. Edinburgh: Elsevier Churchill Livingstone; 2004.

하부경추 불안정성 환자의 특정 평가 및 관리

SPECIFIC ASSESSMENT AND MANAGEMENT OF PATIENTS WITH LOW CERVICAL INSTABILITY

소개 및 정의

INTRODUCTION AND DEFINITIONS

불안정성 개념의 한 가지 문제는 저자마다 다른 정의를 사용한다는 것이다.[1,2] 연구자들은 개인의 초점에 따라 불안정성을 다양한 방식으로 정의했다.[3]

Panjabi는[4] 척추 안정화 시스템을 세 가지 하위 시스템으로 나눴다(**그림 6-1**).

1. 수동 하위 시스템(예: 관절, 캡슐, 인대 등의 폐쇄 형태).
2. 활성 하위 시스템(예: 근육, 근력, 지구력).
3. 조절/통제 하위 시스템(예: 고유수용감각, 조정).

수동 하위 시스템

(The passive subsystem)

수동 하위 시스템의 안정성은 관절의 형태 폐쇄(예를 들어, 경추 1번-경추 2번의 양면 볼록함과 후두골-경추 1번의 오목-볼록함 비교), 관절낭과 인대의 완전성, 디스크의 무결성의 여러 요소에 영향을 받는다. 이러한 구조가 손상되면 소위 구조적 불안정성이 발생할 수 있다.[5-8] 구조적 불안정성에서 강조점은 생체역학적 측면이다. 예를 들어, 전방 십자 인대 부전이 있는 무릎에 대해 전방 전위 검사(anterior drawer test)를 수행하는 것이 있다.

검사관은 다음과 같은 측면을 평가한다.

1. 첫 번째 저항이 발생하기 전에 사용 가능한 동작 범위(= 중립 영역 = NZ).[4]
2. 일단 저항의 움직임이 저항으로 계속될 때 저항동작. 탄성 영역 내에서 소위 '강직'이 평가된다.[9]
3. 전체 가동 범위(= ROM).
4. 인지 통증 및 기타 증상.
5. 보호성 근육 경련.

Maitland는 검사자가 수동적 동작 검사를 통해 자신의 발견을 그래픽으로 묘사할 수 있는 이른바 '움직임 도표'를 설명했다.

그림 6-2A의 이 운동 다이어그램은 오른쪽으로의 정상적인 경추 회전을 보여준다. A – B선은 약 80°가 되는 정상적인 평균 가동범위이다. 검사자는 약 30°에서 저항의 첫 번째 시작을 느낀다. 처음에는 저항이 약간만 증가하지만 약 60°에서는 저항이 기하급수적으로 증가한다. 환자는 증상을 느끼지 않으며 보호 근육 경련이 없다.

그림 6-2B의 이 운동 도표는 과운동성 경추의 오른쪽 회전을 나타낸다. 경추는 B(정상 평균 가동범위로 정의됨) 밑으로 약 100°까지 회전될 수 있다. 첫 번째 저항은 약 50°에서만 시작되며 이는 중립영역이 확대됨을 의미한다. 그러나 저항이 기하급수적으로 증가하는 것은 정상이다.

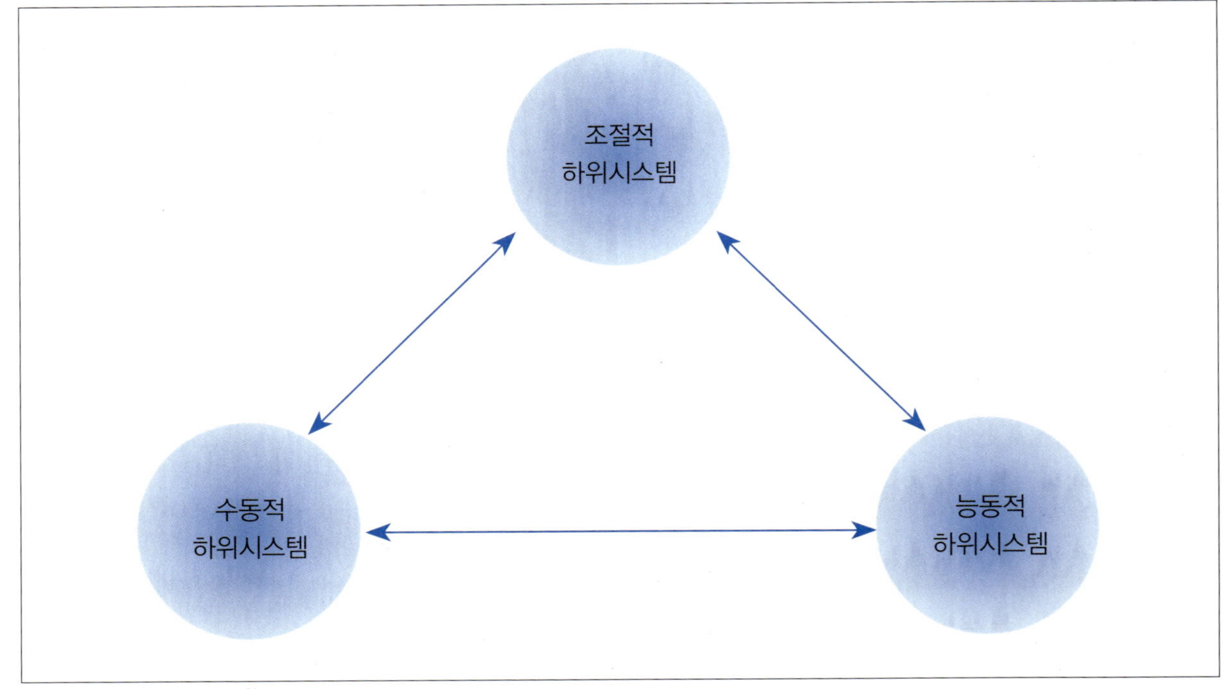

그림 6-1 ■ 척추의 안정화 시스템.[4]

그림 6-2C의 이 움직임 도표는 불안정한 관절을 나타낸다. 일반적으로 A–B 선은 약 10mm이고 첫 번째 저항은 2 또는 3mm 후에 시작되어야 한다. 그러나 이 경우 첫 번째 저항이 너무 늦게 시작된다(약 6mm 후). 따라서 중립 영역이 확대된다. 총 가동범위가 과도하다(약 12mm = B 초과).

게다가, 저항의 기하급수적인 증가는 부족하다(= '강직'의 손실). 일반적으로 이 운동 도표에는 보호 근육 경련(= S) 및 증상(이 경우 통증 = P)도 있다.

생체역학적 관점에서 다음과 같이 정의할 수 있다.

> 구조적 불안정성은 범위를 통한 저항의 비정상적인 동작(강성 손실) 및 증가된 중립 영역과 함께 추가적 이동 방향의 과도한 동작 범위이다.
> ***Panjabi 등[10] 및 Maitland 등을[11] 인용했다.***

Panjabi에 따르면[12] 중립 영역의 변경은 가동범위의 변경보다 불안정성의 발생과 더 관련이 있다. 이것은 예를 들어, Lee 외,[13] Zhu 외,[5] 및 Kettler 외[14]에서 확인된다. 또한, 임상 검사에서 증상 또는 근육 경련으로 인해 전체 가동범위의 평가가 어려운 경우가 있다. 따라서 구조적 불안정성 검사를 수행할 때 저항이 처음 발생하는 순간을 평가하는 것이 필수적이다.

가장 일반적으로 사용되는 불안정성 검사는 주로 기능적 불안정성보다는 구조적 불안정성을 평가한다.[15,16]

Sanchez Martin에 따르면, 구조적 불안정성의 가장 일반적인 원인은 다음과 같다.

1. 충격, 예를 들어,
   - 편타손상 관련 질병 같은 거대한 충격(WAD)
   - 반복적인 미세충격
2. 선천적, 예를 들어, 다운증후군

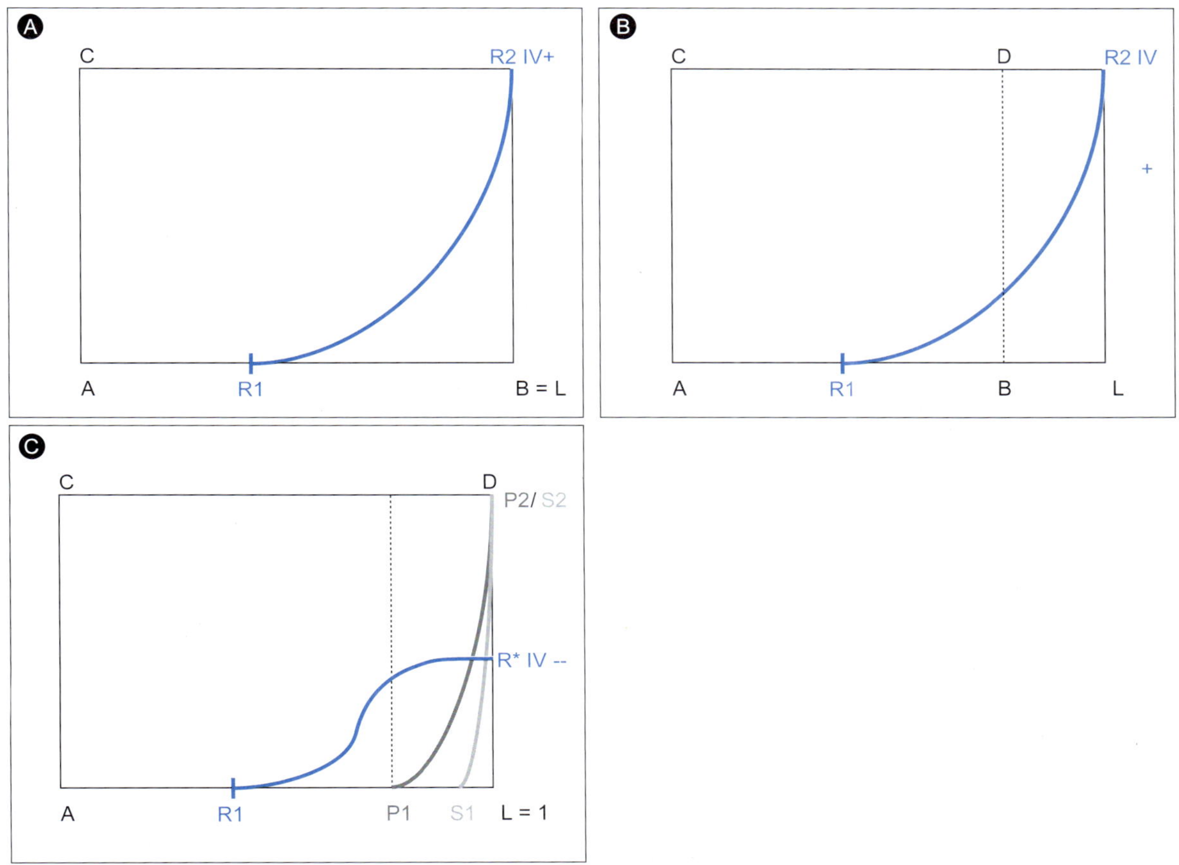

그림 6-2 ▪ 움직임 도표. (A) 정상적인 오른쪽 경추 회전. (B) 과운동성 우측 경추 회전. (C) 불안정성. A–B 선은 움직임의 범위를 나타낸다. B = 평균 정상 운동 범위. L은 개별 동작 제한을 나타낸다. 정상적인 움직임 도표에서 L은 B와 같아야 한다. A–C 라인은 다양한 요인의 강도를 보여준다. R은 저항(R1 = 첫 번째 저항, R2 = 움직임이 끝날 때의 저항, R* = 저항이 느껴지지 않음), P는 통증(P1 = 첫 번째 통증, P2 = 움직임이 끝날 때의 통증), S는 보호성 근육 경련(S1 = 첫 번째 근육 경련, S2 = 운동 종료 시 근육 경련)을 나타낸다.

3. 전이
4. 질병 같은
   - 엘러스–단로스 증후군
   - 류마티스 관절염

그러나 가장 큰 어려움 중 하나는 구조적 불안정성의 정도와 환자의 증상 사이에 직접적인 상관관계가 없다는 것이다.[1,18,19] 이것은 Panjabi에[4] 의해 한 하위 시스템의 부족이 다른 하위 시스템에 의해 보상될 수 있다는 가설로 설명된다.

활성 및 조절 하위 시스템

(The active and regulating subsystem)

활성 하위 시스템의 안정성은 적절한 양의 힘을 생성하고 장기간에 걸쳐 유지할 수 있는 근육의 능력에 따라 달라진다. 따라서 적절한 강도와 지구력이 특정 역할을 한다. 그러나 개별 근육 수축의 타이밍과 강도를 조정하는 것은 조절 하위 시스템이다.

관절,[20] 디스크[21] 및 근육[22]과 같은 다른 하위 시스템의 구심성 입력이 중요한 역할을 한다. 조절 하위 시스템은 적절한 근육 반응을 조정하기 위해 모든 입력을 처리한다.

조절 하위 시스템의 기능장애는 입력 시스템 내의 기능장애[23] 또는 출력 시스템 내의 기능장애로 인해 발생할 수 있다.

Panjabi에 따르면, 세 가지 하위 시스템 중 하나의 사소한 기능장애는 다른 하위 시스템으로 보상될 수 있다. 따라서 검사자는 구조적 불안정성과 기능적 불안정성을 모두 평가해야 한다.

기능적/임상적 불안정성 (Functional/clinical instability)

척추의 임상적 불안정성은 생리학적 부하 하에서 척추가 변위 패턴을 유지하는 능력의 상실로 정의되어 초기 또는 추가 신경학적 결손, 주요 기형 및 무력화 통증이 없다.[24]

이 정의의 강조점은 생리학적 부하 하에서 서로 관련하여 척추의 올바른 방향을 유지하는 척추의 능력에 있다. 이는 특정 관절이 구조적으로 불안정할 수 있지만, 다른 하위 시스템이 최적의 관절 방향을 유지할 수 있는 한 기능적으로 반드시 불안정하지는 않음을 의미한다. 그러나 관절은 구조적으로 안정적일 수 있지만, 분절이 정상적인 하중에서 굴곡되면 기능적으로 불안정하다.

예를 들어, 환자가 천장을 향해 팔을 들어 올려야 하거나 환자가 무게를 들어야 할 때 경추 위치의 제어를 관찰함으로써 검사자는 기능적 안정성을 관찰할 수 있다. 활성 하위 시스템에 대한 보다 공식적인 평가는 등급별 두개경추굴곡 검사(CCFT)를 사용하는 것이다.

하부경추 불안정성의 임상적 표현 CLINICAL PRESENTATION OF LOW CERVICAL INSTABILITY

신체 기록지(Body chart)

주관적인 검사 시 신체 기록지에 증상의 위치와 유형을 기록한다. Pettman은[15] 이른바 '기초 증상'의 중요성을 강조했다. 이것은 현저한 구조적 불안정으로 인해 발생할 수 있는 척수 징후 또는 척추기저부전과 같은 심각한 병리를 나타내는 증상이다. 환자가 주요 증상을 보이는 경우 신체 검사 시 특별한 주의를 기울여야 하며 격렬한 검사는 금기이다.

척수징후(Spinal cord signs)

현저한 구조적 불안정성은 척수의 완전성을 손상시킬 수 있다. 다음과 같은 증상이 나타날 수 있다.[25,26]

- 보행시 불안정/걸림.
- 운동실조.
- 하지와 상지의 분절외 감각 장애.
- 장 또는 방광 기능장애.
- 근육 경련.

일반적으로 개인 병원에서 일하는 치료사는 이러한 증상을 가진 환자를 거의 만나지 않는다. 일반적으로 수술을 의뢰하기 때문이다. 그러나 일부 환자는 미묘한 척수 징후만 보일 수도 있다.

척추뇌저동맥부전 (Vertebrobasilar insufficiency)

중간 경추 분절의 비정상적인 전위 또는 상부 경추의 과도한 회전은 척추기저계의 혈류 장애를 유발할 수 있다.[27] 주요 증상 중 하나는 현기증이다. 그러나 Coman은[28] 현기증이 다양한 요인에 의해 발생할 수 있다고 말한다. 현기증이 척추기저계의 혈류 장애로 인해 발생하는 경우, 뇌간의 다른 부분에도 혈류 장애가 있어야 한다. 이것은 연하 곤란, 복시, 현기증, 구음 장애 및 넘어짐 발작(= 의식을 잃지 않고 근육 긴장이 갑자기 소실되어 넘어짐)으로 나타날 수 있다.

Coman에 따르면,[28] 이러한 소위 5D는 척추뇌저동맥부전의 특징이다.[29]

통증(Pain)

불안정성은 비정상적인 분절 운동 패턴을 유발하여 비정상적인 생체 역학적 부하를 유발한다. 이것은 다른 구조에 과부하를 일으켜 증상을 유발할 수 있다.[30] 따라서 환자는 예를 들어, 관절돌기간 관절이나 추간판으로 인한 통증을 나타낼 수 있다. 그러나 또한 신경은 비정상적인 스트레칭 또는 압박에 반응하여 신경 자극을 유발할 수 있다. 환자는 또한 증상의 방사상 분포를 나타낼 수 있다.

불충분한 근육 조절 (Insufficient muscular control)

환자들은 '목에 비해 머리가 너무 무겁다', '머리를 제어할 수 없다', '목을 잡아야 한다', '목이 금방 부러질 것 같다', '목이 너무 피곤하다' 등의 불평을 할 수 있다.

그외 증상들(Further symptoms)

- 움직임 제한.
- 관절 내 반월상 연골 구조의 포착으로 인한 급성 경추 잠금.
- 목을 움직일 때 딸깍 소리 또는 갈라지는 소리.
- 연하 곤란/'목에 덩어리가 있는 것 같은 느낌'.
- 메스꺼움/구토, 이명 또는 안진/복시와 같은 관련 증상.

증상의 행동(Behaviour of symptoms)

증상의 행동에서 가장 지배적인 측면은 일관성이 없다는 것이다. 환자는 불편함 없이 경추에 많은 부하를 주는 활동을 수행할 수 있으며 부하가 덜해 보이는 다른 활동은 증상을 유발할 수 있다. 예를 들어, 환자는 문제 없이 테니스를 칠 수 있지만 자동차를 후진하는 것과 같은 일상 활동 중 작은 갑작스러운 움직임은 심각한 증상을 유발할 수 있다. 이러한 불일치에 대한 설명 중 하나는 근육이 준비되고 적절한 근긴장도를 갖는 한 적절한 안정성이 제공된다는 것이다.

일반적으로 환자는 근육이 피로하기 때문에 하루가 계속될수록 기분이 더 나빠진다.

또 다른 특징은 환자가 지속적인 끝범위 위치를 좋아하지 않는다는 것이다. 지속적인 자세에서의 근육 피로는 인대 변화와 함께 비정상적인 증상을 유발할 수 있다. 또한 이러한 환자들은 갑자기 통제되지 않는 움직임에 '통증이 온다'고 호소하는 경우가 많다.

병력(History)

다시 말하지만, 지배적인 특징은 불일치일 수 있다. 꽤 일반적으로 환자는 반복되는 에피소드와 함께 오랜 기간 동안 증상을 겪었다. 심각한 에피소드는 겉보기에 사소해 보이는 사건에 의해 유발될 수 있다. 에피소드는 명확한 패턴 없이 크게 다를 수 있다. '좋은' 날과 '나쁜' 날은 뚜렷한 이유 없이 왔다가 갈 수 있다.

외상의 과거력을 묻는 것이 중요하다. 연구에 따르면 편타손상은 불안정성을 유발할 수 있다.[6,31,32] 정상적인 X선 보고는 종종 '위음성'[33,34] 결과가 있기 때문에 불안정성을 배제하지 않는다. 또한 Foreman, Croft[35] 및 Delfini 등은[26] 특정 기간이 지난후에 분명해지는 소위 '지연된 불안정성'을 설명했다. 지연된 불안정성은 초기 X-레이에서 불안정성을 나타내지 않지만 외상 후 20일 이상 증상이 나타나는 환자로 정의된다(참고 36). 이에 대한 한 가지 설명은 소위

'테두리 병변'일 수 있다. 이것은 Taylor와 Twomey에[34] 의해 설명되었으며 디스크의 앞쪽에서 수평으로 흐르는 미세한 찢어진 부분으로 파형강판(deck plate)에서 찢어진다. 가장자리 병변은 정상적인 엑스레이에서는 발견할 수 없지만 디스크의 퇴행을 유발할 수 있다. 디스크는 높이를 잃어 인대 이완을 유발한다.[37]

불안정성은 경미한 외상으로도 발생할 수 있다. 특히 일반화된 과운동성 환자의 경우, 예를 들어, 치과에서 치아에 크라운을 씌우는 것과 같은 비교적 경미한 외상이 심각한 에피소드를 촉발할 수 있다.

때때로 환자들은 수년 전에 발생한 외상에 대해 설명하며 단지 짧은 기간 동안만 불편함을 일으켰다. 그러나 15년이 지난 지금은 뚜렷한 원인 없이 증상이 재발하고 있다. 이 환자들의 경우, 원래의 외상이 운동 분절의 느린 퇴행을 촉발했고 이제 이 퇴행이 '기능장애 단계'에서 '불안정 단계'로 진행되었다는 설명이 있을 수 있다.[39,39] 다른 설명은 분절이 원래의 외상으로 인해 구조적으로 약간 불안정했을 수 있지만 여전히 기능적으로 안정적이라는 것이다. 그러나 환자가 나이가 들어감에 따라 인접한 분절이 서서히 뻣뻣해지기 시작하여 불안정한 분절에 증상이 나타난다.

마지막으로, 임상의는 그리셀 증후군을 배제하기 위해 목 증상이 시작되기 직전에 인후 감염을 요청해야 한다. 그리셀은 박테리아가 림프계를 사용하여 경추 1번–경추 2번 분절에 도달하고 인대 안정성을 파괴하여 불안정성을 유발하는 방법을 설명했다.

신체 검사 PHYSICAL EXAMINATION

소개(Introduction)

이 장의 이 부분에서는 경추의 전체 평가 절차를 설명하지 않고 특히 불안정성 문제와 관련된 측면으로 제한한다. 또한 하나의 검사/관측만으로는 불안정성의 존재를 증명하거나 반증할 수 없다는 점을 강조해야 한다. 주관적인 검사의 기본 가설과 관련하여 여러 검사/관찰이 서로 확인하는 것이 중요하다.

임상 패턴은 신체 검사를 통해 발전한다. 경추 불안정성의 존재를 확인하거나 반박하기 위해 신체 검사의 다음 측면에 특히 관련이 있다.

- 육안검사
- 능동 움직임
- 수동적 생리적 추체간 움직임
- 선형 움직임
- 수동적 부가 추체간 움직임
- 근육 조절

경추의 불안정성이 기능장애에 중요한 역할을 한다는 최종 '임상 증거'는 불안정성을 적절히 치료한 후 후속 재평가에서 증상이 개선되는 경우이다.

임상의가 증상 발생과 관련된 불안정성이 있을 수 있다는 가설을 생성한 경우, 신체 검사에 다음과 같은 결과가 발생한다.

- 활동적인 움직임이 증상을 유발하지 않더라도, 불안정한 부분이 의도하지 않게 정상적인 생리적 한계를 넘어설 수 있으므로 과도한 압력을 가하는 것은 삼가야 한다.
- 불안정한 분절은 범위의 끝까지 너무 자주 움직일 때 종종 부정적인 반응을 나타내므로 임상의는 검사 움직임의 양을 최소한으로 제한해야 한다.
- 관절이 수동적으로 정상적인 평균 운동 범위로 이동되었고 임상의가 크게 증가된 중립 영역이 있고 범위의 정상적인 저항감이 없는(= 강성 손실) 느낌이 들면, 다음을 수행하는 것이 바람직하지 않을 수 있다. 사용 가능한 전체 가동 범위를 평가하기 위해 수동 동작을

계속한다.

검사(Inspection)

관찰/검사는 이미 주관적 검사 중에 시작된다. 환자가 자신의 증상을 설명하면서 목을 움직이는가? 일부 환자는 인터뷰 중 목을 끊임없이 움직이는 것처럼 보인다('환자가 목으로 이야기한다'). 또 다른 기여 요인은 목이 매우 길고 가느다란('백조 같은') 환자(특히 여성)이다. 반대로, (저운동성?) 경흉추 후만증이 강조된 것처럼 보이는 환자가 있다. 이것은 일반적으로 경추 5번-경추 6번 영역에서 2차 전만 굽힘을 동반하며, 이는 깊은 피부 주름으로 표시될 수 있다. 이 환자들은 종종 이 부위의 신전에서 과도한 움직임을 보인다.

능동적 움직임(Active movements)

능동적인 움직임의 양과 질에 대한 철저한 분석은 신체 검사의 핵심 중 하나이다.

양적 움직임

과학적 목적에서 예를 들어, 경추가동범위(CROM) 장치를 사용하여 동작 범위를 측정해야 한다. 그러나 일상적인 진료에서는 시간이 너무 오래 걸리므로 실용적이지 않다. 대략적인 지침으로 임상의는 얼굴의 정중면을 사용할 수 있다. 정상적인 착석에서는 수직이어야 한다. 활동적인 움직임으로 임상의는 대략적인 각도로 움직임의 양을 추정할 수 있다(**그림 6-3**). 정상 값은 다음과 같다.

- 신전 80° ± 10°
- 굴곡 80° ± 10°
- 회전 80° ± 10°
- 측면굴곡 35° ± 10°

가동범위에 이상이 있으면 이 6가지 이동 방향 내에서 패턴을 평가하는 것이 필수적이다. 환자가 40°만

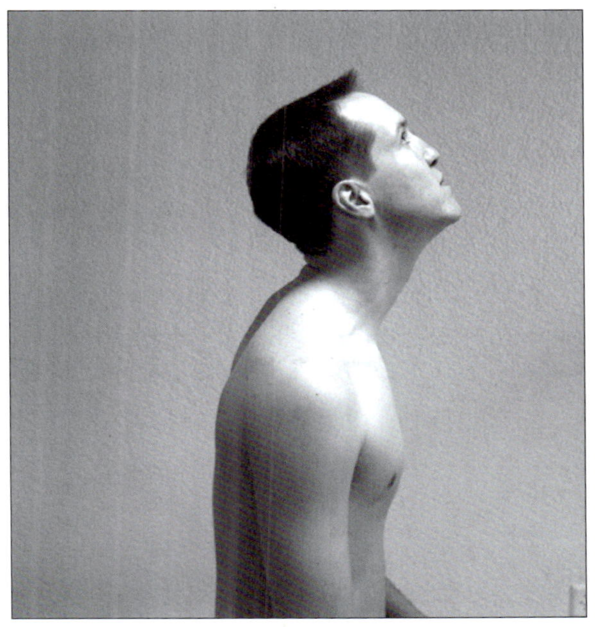

그림 6-3 ■ 능동 이동 신전. 이 환자는 약 40°의 경추 신전을 보인다. 경흉추 부위에는 움직임이 거의 없고 경추 중앙부에 약간의 '경첩'이 있는 것으로 보인다.

신전되고 그 이유가 뻣뻣한 분절인 경우 일반적으로 회전 및 측면 굴곡에서 동등한 움직임(이 경우 50%) 제한이 있다. 그러나 불안정한 분절이 신전 제한의 원인이라면 일반적으로 회전과 측면 굴곡에 최소한의 제한만 있다. 이 현상에 대한 가능한 설명은 머리가 신전으로 이동함에 따라 무게 중심이 회전축보다 훨씬 뒤로 이동하여 큰 돌림힘이 발생하기 때문일 수 있다. 따라서 근육은 시상면에서의 움직임으로 훨씬 더 열심히 일해야 한다. 전방 근육량이 후방 근육량보다 4~6배 적기 때문에 특히 신전 시 볼 수 있다.

불안정성의 또 다른 전형적인 특징은 환자가 경추 기능장애로 인해 일상 생활에 매우 제한적이긴 하지만, 신체검사 시 움직임 제한이 비교적 적다는 것이다. 이러한 불일치는 검사 중에 움직임이 준비되어 있고 일상 생활에서 사용되는 갑작스럽고 제어되지 않는 움직임이 아니라는 사실로 설명할 수 있다.

질적 움직임

또 다른 중요한 측면은 움직임의 질을 평가하는 것이다.

- 움직임이 너무 많은 영역과 너무 적게 나타나는 영역이 있습니까?
- 척추가 매끄럽고 균등한 곡선을 보입니까? 아니면 특정 부위에서 '경첩'처럼 보입니까?
- 특정 구간에서 이동이 과한 것처럼 보일 때가 있다.
- 아픈 곡선이 있을 수 있다. 이것은 이동량과 회전량 사이의 불일치로 인해 발생할 수 있다.
- 근육 경련이나 움직임의 '흔들림'과 같은 과도한 근육 활동이 있을 수 있다.
- 때때로 환자는 특정 움직임에 대한 불안을 표현하고 더 이상 머리를 제어할 수 없다는 두려움 때문에 특정 지점을 넘어서는 것을 꺼린다.

끝범위 위치에서 복귀하는 동안 이러한 측면을 평가하는 것도 중요하다. 머리가 신전에서 돌아올 때 일반적으로 움직임이 두개골에서 꼬리로 시작되어야 한다. 이것은 깊은 경추 굴곡근의 올바른 활성화에 달려 있다. 경추 병리학에서는 심부 안정화 근육의 억제가 있을 수 있다(Falla 참조[40]). 이것은 예를 들어, 목빗근(흉쇄유돌근)과 같은 보다 표면적인 근육의 과활동과 함께 불균형으로 이어질 수 있다.[41,42] 환자는 이제 턱의 돌출된 움직임으로 신전에서 복귀를 시작하여 과도한 중간 경추 전단을 유발한다. 유사한 비정상적인 움직임 패턴은 환자가 상부 경추 신전(상부 경추 굴곡의 제어 상실을 나타냄)으로 시작한 다음 공간에서 머리를 뒤로 당기는 경우 굴곡에서 돌아올 때 볼 수 있다.

불안정성에 대한 마지막 지표는 환자가 목 주위의 근육을 활성화할 때 증상 또는 가동범위가 현저하게 개선된다는 것이다. 이를 달성하기 위해 환자는 혀끝을 두 개의 위쪽 앞니의 기저부에 약간의 힘으로 누르도록 요청 받는다.

이렇게 하면 목뿔 근육이 활성화되어(목을 위한 올바른 안정화 근육은 아니지만) 목의 안정성에 추가된다. 증상의 원인이 충분히 활주할 수 없는 후관절이나 충분히 닫히지 않는 추간공 또는 척수 신경이 눌려 있는 경우라면 이 방법으로 개선되는 것은 없어야 한다.

수동적 생리학적 추체간 움직임 (Passive physiological intervertebral movements)

수동 생리학적 추간 움직임(PPIVM)은 생리학적 운동 방향에서 분절 간 가동범위의 양과 질을 평가한다. 다음 매개 변수를 평가해야 한다(**그림 6-2C** 참조).

- 중립영역(A – R1)
- 경직도(범위에 걸친 R의 행동)
- 총 가동범위(A – L = 가동범위)
- 통증, 감각이상, 불편함, 어지러움 등과 같은 증상
- 방어적 근육경련(S)

수동 생리학적 추간 움직임(PPIVM)에 대한 자세한 설명은 Maitland 등.[63]

인대 무결성에 대한 선형 움직임 및 특별 검사 (Linear movements and specific tests for ligamentous integrity)

선형 운동 또는 선형 부하 검사는 하나의 척추가 고정되고 다른 척추가 움직이는 운동이다. 이 움직임은 동시적인 생리학적 움직임 없이 순수한 이동 운동이다. 일반적으로 움직임이 거의 없어야 하며 끝 느낌은 단단하다. 임상의는 또한 증상을 평가해야 한다.

Pettman은[15] 선형 운동이 경추 불안정성 환자의

척추 동맥 또는 신경계에 이동 부하를 유발하는 반면 수동 생리학적 추간 움직임(PPIVM)의 경우 이러한 구조에 대한 부하는 과도한 길이 변화로 인한 것이라고 가정한다. 선형 부하 검사는 무릎 및 어깨에 대한 전위 검사(drawer tests)와 유사하며 구조적 무결성에 대한 특정 검사이다.

긍정적인 결과는 가능한 분절 불안정을 의미하지만 특정 구조적 결함을 가리키는 것은 아니다. 이 검사는 Pettman에[15] 의해 자세히 설명되었지만 불행히도 현재까지 외상 후 증상이 있는 환자의 중간 경추에서 이러한 검사의 신뢰성과 유효성에 대한 과학적 연구는 수행되지 않았다.

중부/하부 경추영역에 대한 가장 중요한 선형 부하 검사는 다음과 같다.

- 전방을 향한 두개척추골 대 꼬리척추뼈.
- 전방을 향한 꼬리척추뼈 대 두개척추뼈.
- 횡방향 부하.

다음 부분에서는 경추 2번-경추 3번 분절에 대한 이러한 검사에 대해 설명한다.

전방을 향한 경추 3번에서 경추 2번 선형 부하 검사 (그림 6-4)

시작 자세: 앙와위, 침대 테이블에 머리.

치료사 자세: 환자 뒤에 서거나 앉는다.

고정: 두 엄지손가락이 복부에서 경추 3번 가로돌기를 조심스럽게 고정한다.

방법: 두 가운데 손가락을 고리판에 대고 경추 2번을 배쪽으로 움직인다.

해석: 일반적으로 움직임이 없어야 한다. 경추 3번-경추 7번의 불안정성 검사에도 동일한 원칙이 적용된다.

전방을 향한 경추 2번에서 경추 3번 선형 부하 검사 (그림 6-5)

시작 자세: 앙와위, 침대 테이블에 머리.

검사자 자세: 환자 뒤에 서거나 앉는다.

고정: 두 엄지손가락은 배면에서 경추 2번 가로돌기를 조심스럽게 잡는다.

방법: 가운데 손가락으로 경추 3번 고리판을 대고 경추 3번을 배쪽으로 움직인다.

해석: 일반적으로 움직임이 없어야 한다. 임상적으로 이 검사를 통해 등쪽 신전 불안정성이 있는 환자에서 증상을 자주 재현할 수 있다.

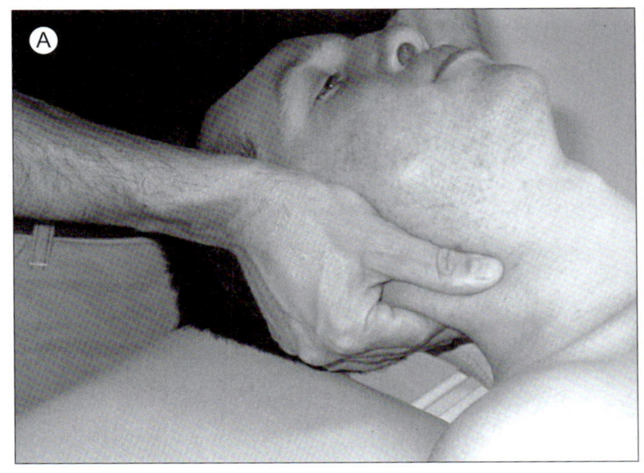

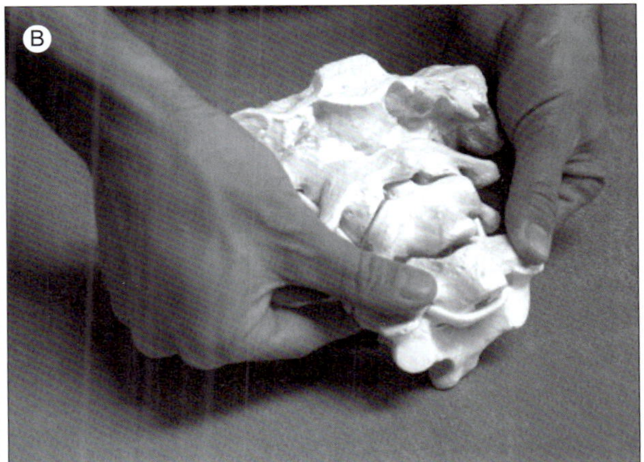

그림 6-4 ■ (A, B) 전방을 향한 경추 3번의 선형 부하 검사 경추 2번.

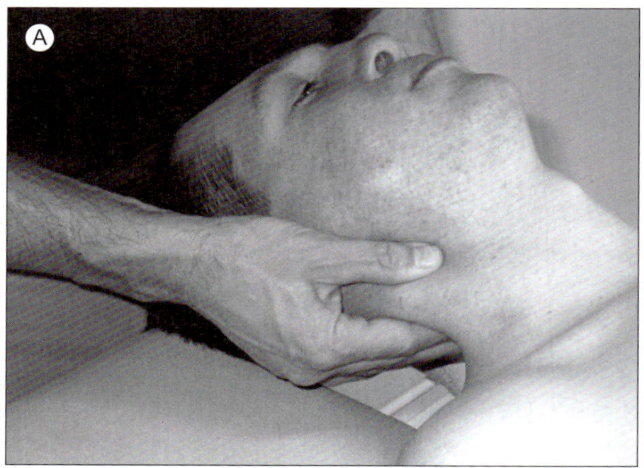

그림 6-5 ■ (A, B) 전방을 향한 경추 2번의 선형 부하 검사 경추 3번.

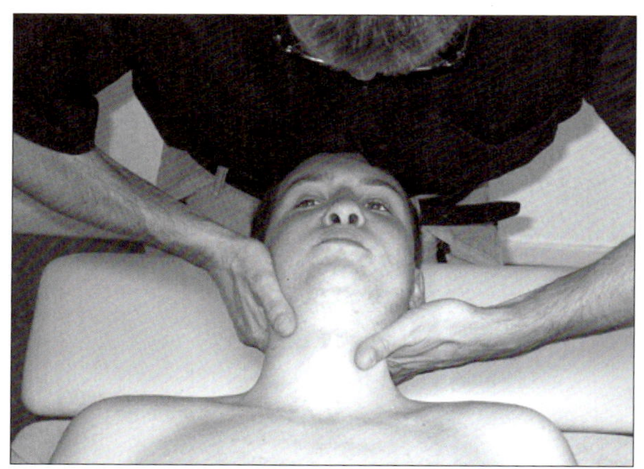

그림 6-6 ■ 경추 3번의 경추 2번에 대한 왼쪽의 횡방향 부하.

경추 3번의 경추 2번에 대한 왼쪽의 횡방향 부하 검사 (그림 6-6)

시작 자세: 환자는 바로 누운 상태이다.

검사자 자세: 치료사는 환자 뒤에 앉거나 서 있다. 환자의 머리는 오른손과 치료사의 배에 대고 위치한다. 치료사의 오른쪽 검지 중수지절관절의 요골측은 경추 2번 가로돌기에 대해 옆으로 위치한다.

고정: 치료사의 왼쪽 검지 중수지절관절의 요골 쪽이 경추 3번 가로돌기에 대해 옆으로 위치한다.

방법: 치료사는 오른손으로 후두부와 경추 2번을 경추 3번에 대해 왼쪽으로 이동하려고 시도한다. 위양성 결과를 피하기 위해 먼저 연조직이 느슨해지도록 하는 것이 중요하다.

해석: 일반적으로 움직임이 없어야 한다.

수동 부가적 추체간 움직임 (Passive accessory intervertebral movements)

수동적 부가적 추간 운동(PAIVMs)은 부가적 운동 중 분절 간 이동성을 검사한다. 자세한 설명은 Maitland 등을 참조.[43]

많은 연구에서 분절 간 이동성에 대한 도수 평가의 유효성을 확인했다. 수동 부가적 추간 운동(PAIVM) 및 PAIVM 기술은 디스크 조영술, 후관절 주사 및 초음파와 비교되었다.[44-49] 그러나 이들 연구의 대부분은 저가동성 관절에 대한 도수 검사의 타당성을 조사하였기 때문에 과가동성/불안정한 관절 검사에도 동일하게 적용된다고 가정할 수는 없다.

근육조절(Muscle control)

경추의 근육 조절을 평가하기 위해 두개경추 굴곡 검사를 수행하거나 기능 부하하에서 경추의 위치에

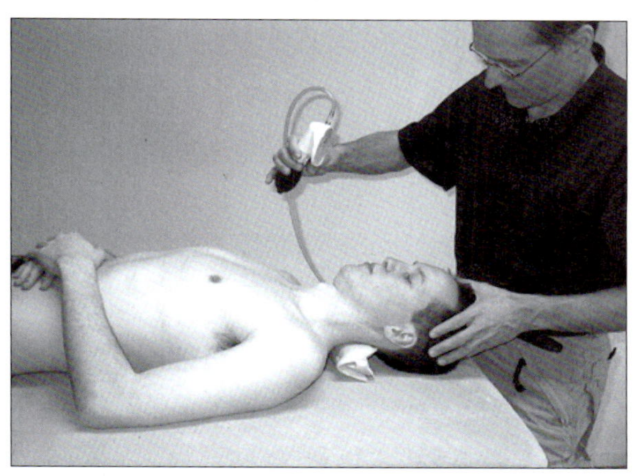

그림 6-7 ■ 압력 바이오피드백 장치(PBU)를 사용한 등급별 두개경추 굴곡 검사.

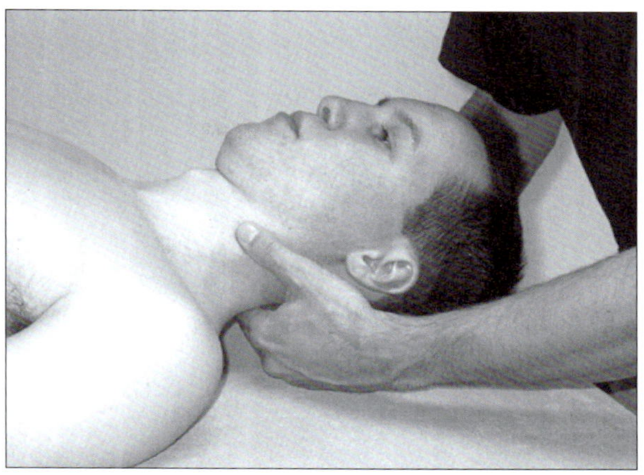

그림 6-8 ■ 두개경추굴곡검사(CCFT)의 변형.

대한 조절을 검사할 수 있다.

등급조절된 두개경추 굴곡 검사 (그림 6-7)

두개경추 굴곡 검사(CCFT)는 Jull 등이[50] 인상적인 일련의 연구에서 그들은 이 검사의 결과가 심부 경부 굴곡근을 선택적으로 활성화하는 피험자의 능력을 반영한다는 것을 보여줄 수 있는 특별검사이다.[40] 편타손상 후 만성 경추 증상과 경추성 두통이 있는 사람들은 이 검사에서 더 나쁜 결과를 보여주고 목빗근(흉쇄유돌근)과 같은 다른 근육의 과활동성을 보상한다. 이 검사는 압력 바이오피드백을 사용하여 수행되며 5장에 설명되어 있다.

압력 바이오피드백 장치(PBU)는 경추 전만 아래에 놓인다. 압력 바이오피드백 장치(PBU)는 20mmHg로 조정된다. 환자는 '예'라고 말할 때 머리를 끄덕이는 것과 유사한 움직임인 상부 경추 굴곡을 수행하도록 지시한다(당기는 동작).

등급별 두개경추굴곡검사의 경우, 먼저 압력을 2mmHg에서 22mmHg로 증가시켜야 한다. 환자가 표재성 근육 대체 없이 이를 수행할 수 있는 경우 추가로 2mmHg를 시도한다. 환자가 10초 동안 교체 없이 30mmHg를 유지할 수 있을 때까지 압력을 점차적으로 높인다.

변형: 압력 바이오피드백 장치(PBU) 대신 검사자가 환자의 머리 아래에 손을 놓을 수 있다. 검사자의 오른손은 후두 아래에 놓고 왼손의 손가락은 경추 전만을 지지한다. 왼쪽 엄지손가락이 목빗근(흉쇄유돌근, SCM) 활동을 촉진한다 (그림 6-8).

환자가 작업을 올바르게 수행하면 왼손의 압력은 증가하지만 오른손의 압력은 변하지 않는다.

기능적 안정성 검사

이러한 검사는 원래 Sahrmann에 의해 설명되었다.[42] 이 검사의 목표는 기능 부하 하에서 경추의 위치를 제어할 수 있는 환자의 능력을 평가하는 것이다. 다음과 같은 기능장애가 나타날 수 있다.

- 턱의 개방은 경추의 신전 운동으로 이어진다.
- 팔을 들어올리면 머리가 돌출되어 나온다 (그림 6-9).
- 서 있는 동안 앞으로 구부리면 경추 하부의 신전으로 경첩이 생긴다.

그림 6-9 ■ 팔을 높이면 머리가 현저하게 돌출된다.

결론(Conclusion)

이전에 언급했듯이, 구분된 하나의 검사는 불안정성 가설을 증명하지 못한다. 주관적 검사의 초기 가설이 후속 검사 결과에 의해 확인되거나 반증되는 패턴이 나타나는 것이 필수적이다. 다양한 검사의 특징은 임상 패턴에 맞아야 한다. 최종 임상 증거는 적절한 치료 후 기능장애의 상태가 개선되는지 여부이다.

치료 TREATMENT

치료를 계획할 때 치료사는 개별 결과를 분석하고 우선 순위를 지정해야 한다. 이 과정에서 치료사는 특정 가설 범주를 고려해야 한다.[51,52]

이 부분에서는 주로 말초 통각수용성 통증 기전에 초점을 맞출 것이다. 말초 침해수용성 증상은 활동, 위치 및 부하에 지속적으로 의존한다.[52] 증상의 주요 원인은 경추부위에서 발견되며 치유는 통합 및 재구성 단계에 도달했다(21일부터).[53] 치료 예는 신체 기능 수준과 목 구조에 중점을 둔다.

주로 중추 통증 기전이 있거나 주로 참여 수준에서 문제가 있는 환자의 치료 측면에 대한 추가 정보는 Gifford를 참조 한다.[54,55]

신경근골격계 기능장애 치료 (Treating neuromusculoskeletal dysfunctions)

신경근골격계의 기능장애는 비정상적인 움직임과 증상을 유발할 수 있다. 증상은 다시 비정상적인 근육 활동을 유발할 수 있다.[56] Svensson과 Graven-Nielsen은[57] 문헌 검토에서 다음과 같은 근골격계 통증을 설명했다.

- 표재성 근육의 활동 증가, 예: 목빗근(흉쇄유돌근).
- 심부 안정화 근육의 활동 감소, 예: 긴목근(경장근).
- 근육의 신경 조절 변화.
- 고유수용성 결핍.

이러한 변화는 급성 증상이 가라앉은 후에도 지속될 수 있다.[58] 이것은 증상의 지속이나 재발에 기여하는 요인일 수 있다.[59] 그 결과 기능장애 - 증상 - 비정상적인 근육 활동 - 기능장애의 악순환이 발생한다.[59]

따라서 치료는 증후군의 다양한 신경근골격계 측면을 다루어야 한다. 운동 분절의 통증은 생리적 근육 기능을 억제하므로 근육 조절 운동을 시도하기 전에 관절에 접근해야 한다.[60]

Sterling 등[61] 편측성 경추 통증이 있는 환자에서 하부 경추의 가동화가 점진적인 두개경추굴곡 검사에서 목빗근(흉쇄유돌근) 활성을 감소시키는 방법을 보여주었다. 따라서 불안정성 문제의 관리에는 다음 구성 요소가 포함되어야 한다.

a. 관절치료.
b. 근육치료.
c. 신경가동치료.
d. 기여요인들.

관절기능장애 치료

관절 가동화 기술에 대한 자세한 설명은 Maitland 등을 추천한다.[11] 기능적 경추 불안정성은 일반적으로 다음과 같은 관절 기능장애와 함께 발견된다.

- 저가동 통증성 관절.
- 저가동 인접 관절.
- 불안정한 통증성 관절.

저가동성 통증성 관절. **그림 6-10**은 중간 경추를 오른쪽으로 옆굴곡하는 움직임 도표를 보여준다.

적용 가능한 치료 기술은 가동 범위의 한계에서 작은 진폭의 진동인 등급 IV 가동이다. 극한에서 통증의 강도가 상당히 높기 때문에 초기 기술은 어떠한 증상도 유발하지 않아야 한다. 재평가에서 개선이 보이지 않으면 약간의 불편함이 생길 때까지 가동화를 진행할 수도 있다. 통증이 진동과 함께 리듬에 왔다 갔다 하고 강도가 증가하지 않는 것이 중요하다. 한 가지 가능한 기술은 수동 부가적 추간 운동(PAIVM)이다. 예를 들어, 적절한 중간 경추 분절의 왼쪽 편측 후전방 가동. Sterling 등이[61] 하부 경추 분절의 일방적인 후전방 가동화는 국소 통증 인식을 감소시키고 끝범위 회전 시 증상을 감소시킨다는 것을 입증했다. 국소 과민증이 직접적인 기술을 허용하지 않는 경우 고통스러운 부분과의 도수적 접촉을 피하기 위해 오른쪽 굴곡과 같은 간접 기술을 선호할 수 있다.

환자가 금기 사항에 대해 평가된 경우 왼쪽으로의 횡방향 밀기와 같은 조작도 적절할 수 있다.

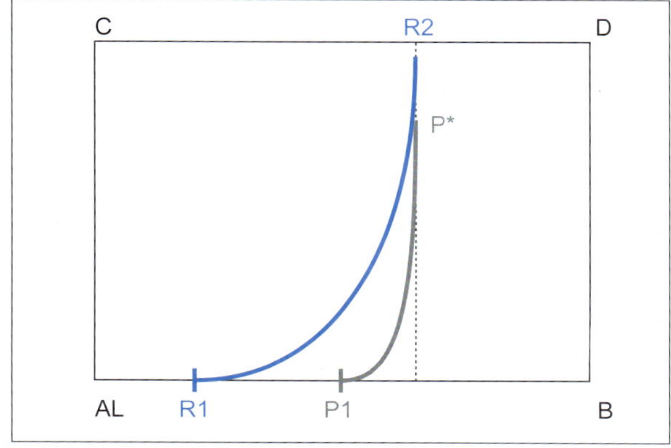

그림 6-10 ▪ 오른쪽으로 측면 굴곡의 움직임 도표.

저가동 인접 관절. 인접 관절의 저가동성은 인접 분절의 부하와 과가동성을 증가시킨다. 부하를 줄이려면 운동저하를 도수치료로 치료해야 한다. 인접한 과가동성 관절에 실수로 하중을 가하지 않도록 주의해야 한다.

예: 환자 A는 오른쪽으로 신전 및 회전할 때 경흉추 접합부의 운동성 저하 및 중간 경추 부분에 불안정성/과운동성이 있다.

다음 기술이 유용할 수 있다.

- 흉골을 통한 전후방 가동(**그림 6-11**).

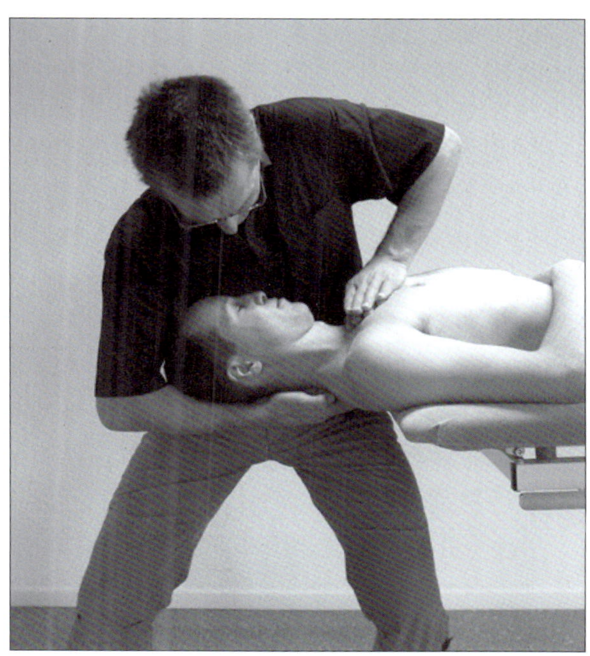

그림 6-11 ▪ 흉골을 통한 상부 흉부 전후 가동.

- 오른쪽으로 국소 회전. 오른손은 일곱 번째 경추 분절을 잡고 주로 회전/가동을 담당한다.
- 두개흉추 접합부의 자동 가동화:

환자는 의자 등받이에 4~6번째 흉추 마디가 있는 의자에 앉아 있다. 그는 목과 두개골 경추 부위 뒤에 손을 접는다. 그런 다음 요추의 보상적 움직임을 피하기 위해 배를 당기고 상부 흉추를 신전으로 가동시킨다.

또 다른 예: 환자 B는 왼쪽으로 회전할 때 위쪽 두 개의 경추 분절의 운동성이 저하된다. 그는 또한 왼쪽으로의 신전과 회전에서 하부 경추 분절의 보상적 과가동성을 보여준다. 왼쪽으로의 회전은 오른쪽으로의 외측굴곡과 결합되기 때문에 치료사는 오른쪽으로의 외측굴곡에 의해 상부 분절을 가동시키기로 결정할 수 있다. 이것은 하부 분절에 과도한 부하를 주지 않으면서 상부 경추의 좌측 회전을 증가시킬 것이다.

자기 가동 기술의 경우 환자는 큰 수건이 필요하다. 환자는 등 뒤에 수건을 두고 의자에 앉아 있다. 오른손이 수건의 왼쪽 끝을 잡고 수건의 오른쪽 끝을 잡고 있는 왼손 아래에 위치하도록 교차된다. 수건의 가장자리는 경추 3번의 등쪽 관절돌기의 왼쪽과 경추 1번 또는 경추 2번의 관절돌기에 오른쪽에 놓는다. 오른손은 수건을 잡아당겨 경추 3번을 고정하고 환자는 왼손으로 머리를 왼쪽으로 돌리려고 시도하며 수건 끝을 잡아당긴다.

불안정한 통증 관절. 구조적 불안정성을 가진 환자의 경우, 불안정한 관절의 수동적 가동화는 첫 번째 선택이 아니다. 우선순위는 오히려 인접한 저가동성 관절의 가동화와 근육 조절이다.

임상적 관점에서, 등급 II 가동화는 여전히 과운동성 분절의 민감도를 감소시키는 선택일 수 있다. Maitland 개념은 등급 II 가동을 저항으로 움직이지 않고 큰 진폭으로 진동하는 움직임으로 정의한다. 이러한 가동화는 수동적 가동 범위를 증가시키는 것이 아니라 비통각적 관절 입력을 제공함으로써 통증 인식에 긍정적인 영향을 미치는 것을 목표로 한다.[62]

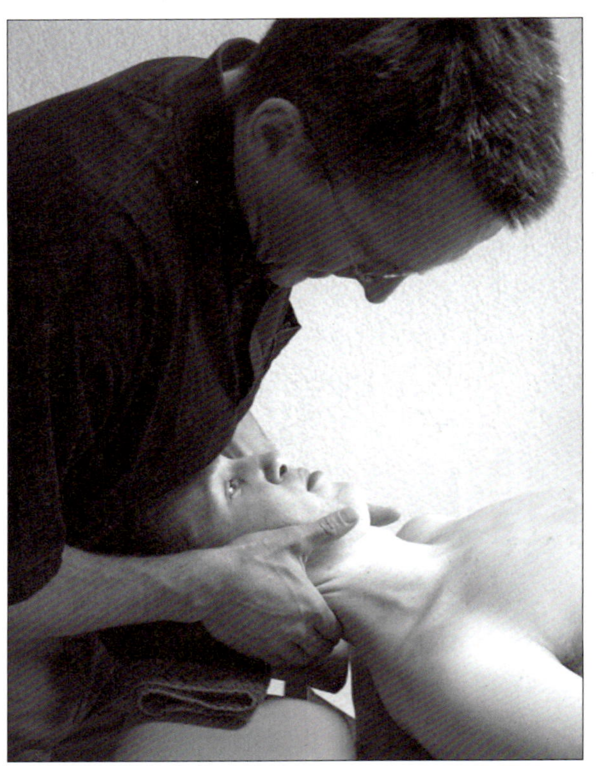

그림 6-12 ■ 앙와위에서 등급 II 편측 후전방 가동.

따라서, 예를 들어, 중간경추 불안정성이 있는 환자는 일방적인 후전방 가동에 의해 앙와위 자세에서 치료될 수 있다(**그림 6-12**).

신경구조물 치료

가동성 분절의 불안정성은 신경근 자극을 유발할 수 있다.[63] 이 경우 신경 역학의 기능장애는 이차적인 문제이다. 임상적으로, 불안정한 분절의 안정성이 증가함에 따라 신경역학적 징후가 자동으로 개선된다는 것을 종종 발견할 것이다. 따라서 상지 신경역학 검사 1(ULNT1)이 깊은 경추 굴곡근 근육의 활성화 후 팔꿈치 확장이 증가하는 것을 보여주는 것은 놀라운 일이 아니다.

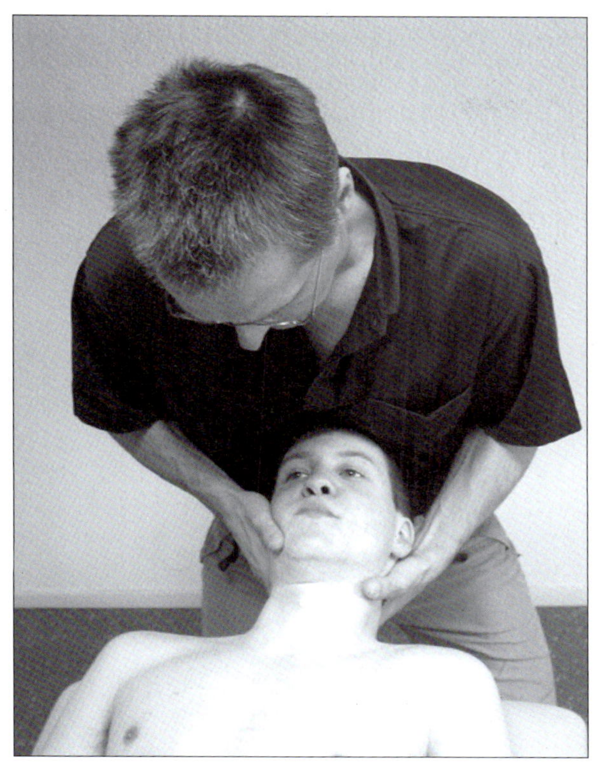

그림 6-13 ■ 좌측으로 경추 측면활주.

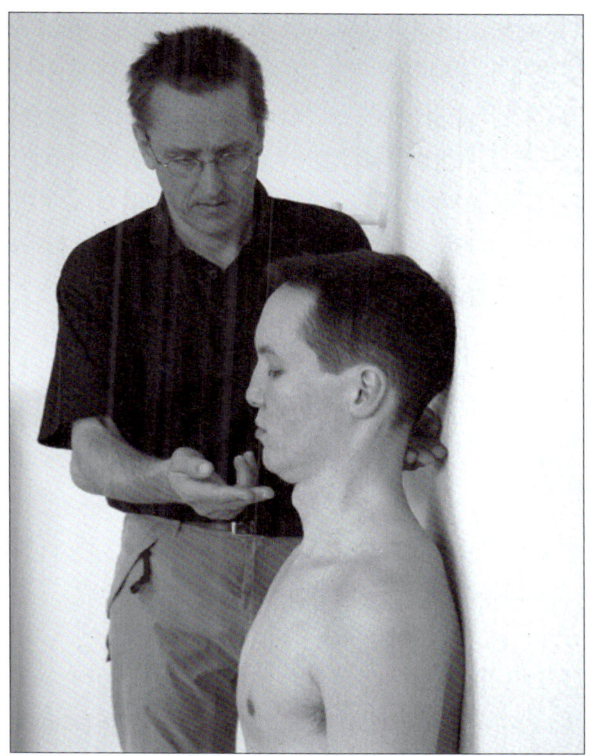

그림 6-14 ■ 앉아 있을 때 심부 경추 굴곡근.

신경 가동에 대한 자세한 지침, 기술 및 관리는 Butler와 Hall and Elvey에 설명되어 있다.[65]

신경계의 감도와 이동성을 향상시키기 위해 일반적으로 적용되는 기술은 측면활주 기술이다. Vicenzino 등이[66] 기술이 외측 상과염 환자의 외측 상과에서 국소 민감도를 감소시키고 악력을 증가시키는 방법을 보여주었다.

온도 민감도의 변화는 관찰되지 않았다. 이 기술은 또한 교감신경 활동을 변화시켰기 때문에 저자들은 측면활주 기술이 등쪽 중뇌수도 회색질을 활성화시켜 통각 상실을 유발한다고 가정했다.

또한 Cowell, Philipps,[67] Hall 등은[68] 경완 통증 증후군에 대한 신경 가동의 효과를 관찰했다.
그들은 또한 경추 측면 활주 기술을 사용했다 (**그림 6-13**).

근육안정성의 개선

기본 운동. 근육 안정성을 위한 운동은 등급별 경추 굴곡 검사를 기반으로 한다. 모든 운동은 심부 경추 굴곡근 활동에 초점을 맞추도록 설계되었으며 낮은 강도의 근육 힘으로 수행해야 한다. 근육의 협부하를 조절하려면 하루에 2~3회, 10초 유지 시간을 10회 반복해야 한다.

운동은 깊은 심부 경추 굴곡근에 대한 검사와 정확히 같은 방식으로 수행된다. 또한 앉은 자세에서 운동을 해야 한다(**그림 6-14**). 처음에는 환자가 벽이나 문에 등을 기대고 가능한 한 벽에 등을 기대고 운동을 수행하는 것이 더 쉬울 것이다. 그의 손은 그의 무릎 위에 놓이고 그의 뒤통수는 벽에 부드럽게 기댄다. 이 자세를 취할 수 없는 흉추 후만증 환자는 엉덩이를 벽에서 약간 멀리 움직일 수 있다.

배를 끌어당기고 견갑골은 환자의 습관적인 위치

에 따라 약간 뒤당김하고 완만하게 올리거나 내린다. 신경계가 기계적 민감도가 높은 경우 신경계에 추가적인 자극을 유발할 수 있으므로 어깨 내림을 수행해서는 안된다. 추가되는 마지막 동작은 부드럽게 고개를 끄덕이는 동작이다. 머리가 벽과의 접촉을 유지하고 벽에 대해 위쪽으로 미끄러지는 것이 중요하다. 이 위치에서 운동을 수행하면 다음과 같은 이점이 있다.

- 환자는 언제 어디서나 운동을 할 수 있다.
- 기능적 위치이다.
- 벽에 미끄러지는 것은 감각 피드백을 제공한다.
- 벽은 후인을 방지한다.

환자가 벽 운동에 익숙해지면 벽의 피드백 없이 활동을 계속하는 방법을 배워야 한다. 그는 운동을 하면서 '키가 자라는 것'을 상상해야 한다.

그런 다음 환자는 하루 종일 자세가 생각날 때마다 자세를 교정하도록 요청받는다. 알림은 빨간 신호등이나 전화벨 소리일 수 있다. 특정 신호를 보거나 들을 때마다 그는 운동을 10초 동안 한 번만 수행해야 한다. 이 운동의 진행은 환자의 정상적인 일상생활 활동과 치료 목표에 달려 있다. 예를 들어, 공을 헤딩할 때 문제가 있는 젊은 축구 선수는 머리에 가해지는 공의 하중을 견디도록 설계된 심부 경추 굴곡근을 위한 운동 과정이 필요하다.

내리막길에 문제가 있는 산악 자전거 타는 사람은 목신근의 힘과 지구력이 필요할 수 있다. 일상 생활에서 목에 특별한 부하를 가하지 않는 환자는 기능적 근육 안정성에 중점을 두어야 한다.

다음 운동 예는 환자가 생각하는 장소와 시간에 운동할 수 있도록 특정 장비가 필요하지 않다. 당연히 치료사는 자신의 목적에 맞게 운동을 자유롭게 조정할 수 있으며 탄력 있는 운동 밴드, 도르래 등과 같이 필요하다고 느끼는 모든 장비를 보충할 수 있다.

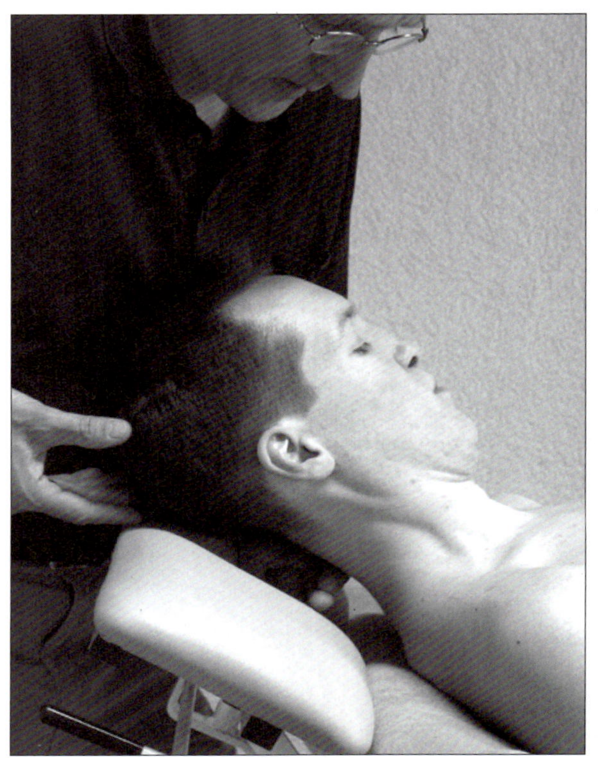

그림 6-15 ■ 반쯤 누운 자세에서 들어올리기.

깊은 경추굴곡근에 집중해라. 처음에 환자는 앙와위에서 기본 운동을 수행한다. 그런 다음, 경추 전만(cervical lordosis)의 압력이 유지되는 동안 침대에 가해지는 후두부의 압력을 줄이려고 시도한다. 그런 다음 머리 뒤쪽을 약 0.5cm 정도 서서히 올려야 한다. 이 운동은 앙와위에서 매우 어렵기 때문에 먼저 반쯤 앉은 상태에서 또는 머리 받침대를 기울인 상태에서 운동을 시도할 수 있다(**그림 6-15**). 집에서 환자는 침대 옆에 놓인 다리미판에 몸통을 대고 바닥에 반쯤 기대어 앉는 자세로 앉기를 원할 수 있다.

머리를 침대에서 들어올리려면 목빗근(흉쇄유돌근)과 같은 표재성 굴곡근의 활동이 필요하다. 치료사는 환자가 경추 전만을 계속 통제하는지 여부를 지속적으로 확인하는 것이 중요하다. (그는 턱을 앞으로 밀 수 없다.) 운동을 진행하려면 평평한 표면에서 수행하거나 턱을 흉골 쪽으로 움직여야 한다.

시작 자세를 신전 쪽으로 더 많이 변경하는 것도 중요하다. 이것은 흉추 아래에 작은 베개를 놓고 두개골 경추 부위를 약간 신전함으로써 달성된다. 이제 환자는 침대에서 머리를 들어 올리기 전에 상부 경추 굴곡('목 위에 있는 머리')을 수행해야 한다.

운동 프로그램의 마지막 단계는 침대 끝에 머리를 매달고 앙와위 자세로 동작을 수행하는 것일 수 있다. 일상 생활에서 고부하 활동을 수행해야 하는 환자만이 수준에서 훈련해야 한다.

위에서 언급한 축구 선수는 특정 공 운동을 하도록 요청 받았다. 그는 벽에서 1미터 떨어진 위치에 서서 벽을 바라보고 있다. 그는 이마로 축구공을 벽에 대고 있다. 이 운동의 진행에는 베이스 감소(한쪽 다리로 서기) 또는 손에 무게를 들고 빠르게 움직이는 것이 포함된다.

신전 근육에 집중하기. 환자가 기본 운동을 배운 후에는 이제 엎드린 자세를 취한다. 그는 배를 끌어당기고 견갑골을 약간 움츠린 상태로 위치시키고 턱을 집어넣고 이마를 침대에서 들어올린다. 목 뒤쪽의 근육은 복부 근육보다 훨씬 강하기 때문에 이 운동은 일반적으로 다음과 같이 할 수 있다. 곧바로 평평한 위치에서 수행된다.

이 운동의 강도를 높이려면 가벼운 무게, 예를 들어, 1kg은 머리 뒤쪽에 놓을 수 있다. 그렇지 않으면 환자는 이마를 들어올릴 뿐만 아니라 목도 펴면서 서 있어야 한다. 심부 경추 신전과 경추 전만의 유지를 주의 깊게 관찰하는 것이 매우 중요하다. 예를 들어, 굴곡이 발생하지 않아야 한다. 추가 진행은 환자에게 턱이 흉골을 향하게 하여 팔꿈치로 자신을 지지하도록 요청하는 것이다. 이 구부러진 자세에서 시작하여 그는 이제 제어된 신전을 수행한다.

팔의 움직임을 포함하는 서 있는 운동도 좋은 결과를 보여주었다. 환자는 고관절 굴곡에 의해 몸통을 60°로 구부린 상태로 선다. 양손에는 1kg의 무게를 들고 있다. 첫째, 환자는 머리를 올바르게 위치시켜야 한다. 그런 다음 그는 목의 위치를 잃지 않도록 조심스럽게 노력하면서 팔을 빠르게 굽힘 또는 벌림으로 움직이기 시작한다. 다시 말하지만, 공을 벽에 대고 연습하는 것이 제시될 수 있다.

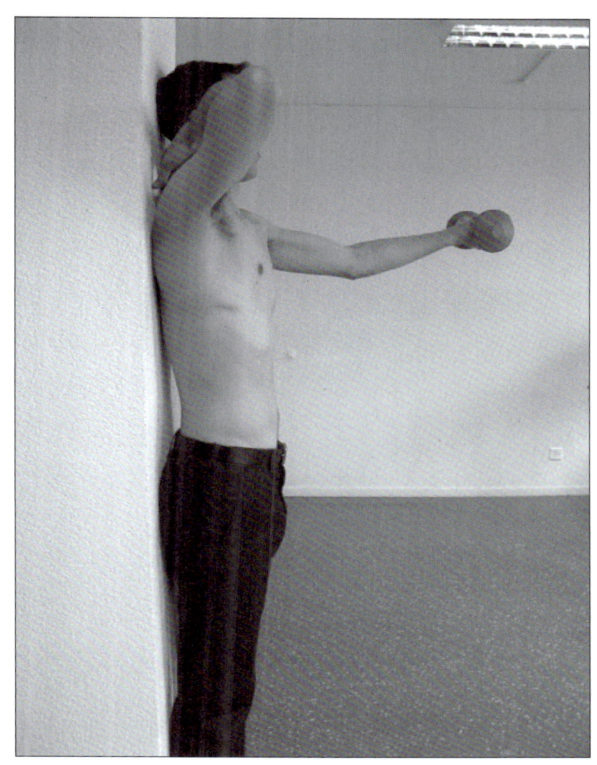

그림 6-16 ■ 기능적 위치에 초점.

기능적 안정성에 중점을 둔다. 운동 반복은 환자가 머리와 목의 위치를 유지하지 못한 검사 위치에 따라 다르다. 실패한 검사는 연습으로 전환된다. 두 가지 경우가 이 절차를 설명한다.

예 1: 환자는 양측 팔을 들어올릴 때 경추 분절의 경첩이 신전되는 것을 보여준다. 이 환자는 벽에 대한 운동을 수행하여 훈련을 시작해야 한다. 그는 운동을 올바르게 수행할 때 쌓이는 압력을 느끼고 제어하기 위해 그의 손가락을 경추

전만에 위치시킨다(**그림 6-16**). 다른 팔은 올림으로 이동된다. 팔 움직임의 속도를 높이거나 손의 무게를 늘리면 이 운동이 진행된다. 이 운동을 배우면 독립 자세로 훈련을 계속할 수 있다.

예 2: 환자 2는 3년 전에 목에 통증이 지속되는 경추 증상('목이 너무 피곤하고 딱때리는 느낌')으로 편타손상을 입은 물리치료사이다. 증상은 낮 동안 증가하므로 일반적으로 오후 3시경에 보조기가 필요하다. 그의 증상은 작업 자세에 따라 다르다. (약간 앞으로 구부린 자세에서) 도수치료를 많이 할수록 그의 증상은 더욱 악화된다. 신체 검사에서 요추 전방 굽힘 시 경추에 경첩이 있음을 보여준다.

도수치료 움직임을 하는 척하면, 그의 머리는 그의 움직임의 리듬에 따라 내전으로 움직인다. 이 환자는 신전 근육에 초점을 맞춘 운동을 제공받았다. 또한, 두개경추의 안정성을 조절하면서 앉고 서 있는 상태에서 요추 굴곡을 시행하였다. 환자는 또한 침대에 팔꿈치를 대고 앉아 있는 동안 통제된 경추 굴곡과 신전을 하도록 요청받았다. 결국 그는 두개경추의 안정성을 유지하면서 공에 대해 전후방 가동화 기술을 연습했다.

기여 요소들

신경근골격계 기능장애의 치료에 더하여 잠재적 기여 요인에 접근해야 한다. 여기에는 생물심리사회적 측면과 인체공학적 요인뿐만 아니라[54,55] 일상생활 활동에 대한 분석이 포함된다.

비생리적 자세 또는 보상적 움직임 패턴에서 반복적인 활동은 증상을 유지하거나 증상의 추가 에피소드로 이어질 수 있다.

몇 가지 예는 이러한 생각을 강조할 것이다.

예 1: 첫 번째 환자는 신전 시 경추 4번-경추 5번 분절의 약간의 불안정성을 보여준다. 또한, 그의 경흉추 접합부는 저운동성이다. 그는 세심하게 안정화 및 가동 운동을 수행했지만 증상이 없던 적이 없었고 자주 재발했다.

일상생활을 분석한 결과 산악자전거를 탈 때마다 증상이 나타났다. 그는 일반적으로 평평한 표면을 선호했지만 손잡이의 낮은 위치와 경흉추 접합부의 저운동성으로 인해 그의 과운동성 경추 분절이 신전되었다. 좀 더 직립 자세를 취하기 위해 손잡이의 높이를 변경하는 것이 좋다.

예 2: 두 번째 환자는 오른쪽 날개 인대에 약간의 기능 부전이 있는 여성으로 오른쪽 머리가 왼쪽 눈을 덮을 정도로 머리가 갈라졌다. 따라서 그녀는 머리를 오른쪽으로 약간 옆으로 굽히는 경향이 있었고 습관적으로 머리를 빠르게 왼쪽으로 회전시켜 머리를 재배치했다. 이로 인해 새로운 증상이 자주 발생했다. 1년에 세 번째 고통스러운 에피소드를 겪은 후 그녀는 헤어스타일을 바꿔야 한다는 사실을 받아들였다.

예 3: 세 번째 환자는 왼쪽으로 회전하고 확장할 때 경추 2번-경추 3번 분절의 과가동성을 앓고 있다. 또한, 그의 목은 오른쪽으로의 회전과 측면굴곡시 뻣뻣하다. 그는 하루에 몇 시간씩 전화를 하는 건축가로, 손을 자유롭게 쓰기 위해 습관적으로 왼쪽 어깨와 왼쪽 귀 사이에 전화기를 쥐고 있다.

이것은 왼쪽으로의 빈번한 측굴곡과 왼쪽 견갑거근의 증가된 활동을 유발한다. 근육 단축은 오른쪽으로의 회전 및 측면 굴곡에 대한 움직임 제한을 유발한다. 환자는 자신의 증상에 대한 생체역학적 배경에 대해 설명하고 휴대폰용 헤드셋을 구입했다. 그는 그 이후로 한 번도 재발하지 않았다.

마지막으로, 직장에서의 자세와 활동을 평가하는 것이 중요하다. 일부 컴퓨터 사용자의 경우 좋은 인체공학적 조언이 가동 및 안정화 치료보다 훨씬 더 유익할 수 있다.

결론(Conclusions)

경추 불안정성 문제의 성공적인 관리에는 모든 생물심리사회적 측면의 고려가 포함된다.[54,55]

신경근골격계 치료 중 모든 징후와 증상은 우선 순위와 관련성을 평가해야 한다.

재발을 피하기 위해서는 직장과 일상생활활동 개입을 포함하는 것이 매우 중요하다.

사례연구 CASE STUDY

45세 남자 환자가 우측 견갑골 부위로 약간 퍼지는 중/하부 경추 부위의 깊은 통증이 계속되는(때로는 찌르는 듯한) 간헐적 일측성 통증을 주소로 내원하였다(**그림 6-17**). 증상 영역 2는 엄지손가락으로 퍼지는 팔 옆쪽의 무거움의 표면적 간헐적 무거움이었다.

목 증상은 다음과 같이 증가한다.

- 후진하면서 오른쪽 어깨 너머로 바라보기
- 암벽 등반을 할 때 더 오래 올려다보기
- 작업이나 여가 시간에 빠른 비조절성 움직임

목 증상은 다음에 의해 감소한다.

- 머리를 중립 위치로 되돌리기
- 손으로 목을 잡기

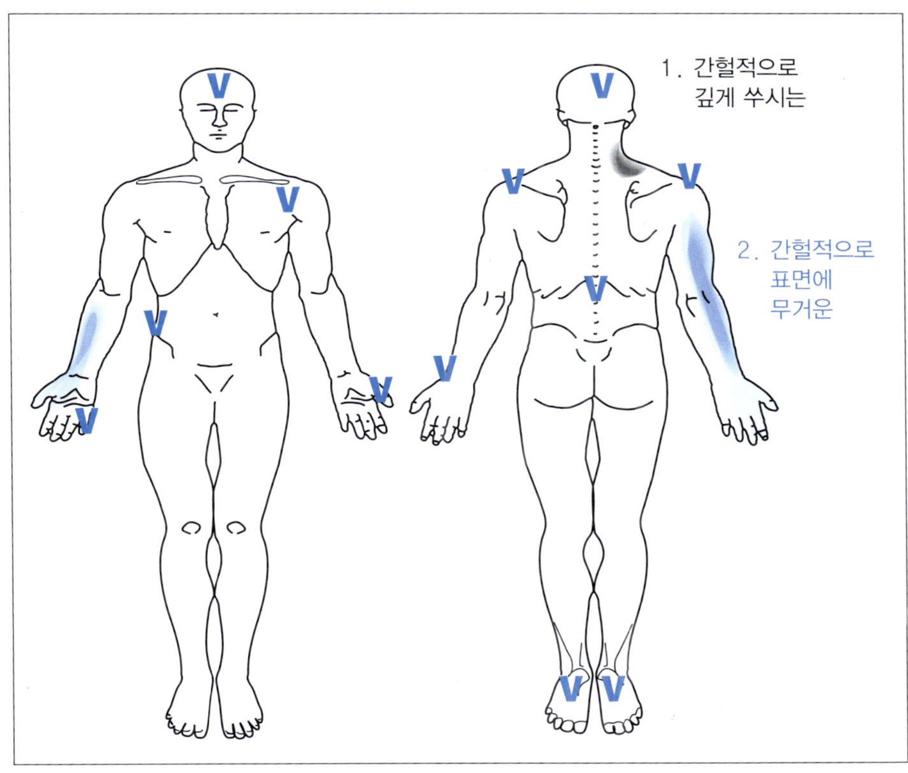

그림 6-17 ■ 신체 기록지 사례 연구.

- 목을 편안하게 하기위해 목고정대를 가끔 한다.

팔의 증상은 목의 증상과 독립적인 것 같다. 목 증상이 증가할 때 반드시 나타나는 것은 아니다. 그러나 낮에 여러 번 목을 자극하면 대개 팔에 증상이 나타난다. 그는 특정 자세나 움직임으로 팔의 증상을 완화할 수 없다.

일반적으로 그의 수면은 방해받지 않고 깨어났을 때 휴식을 취하며 하루 중 가장 좋은 시간이다.
하루가 끝나면 일반적으로 증상이 더 악화된다.

추론

목 증상의 국소화는 경추 4번–경추 5번 및 경추 5번–경추 6번 후관절의 통증과 일치한다. 통증은 전형적인 간헐적 말초 통각수용성 특성을 가지며 경추에 대한 부하에 따라 달라진다. 24시간 동안의 전반적인 행동은 아침에 기분이 좋기 때문에 일차적인
추간판성 문제에 대해 비정형이다.

팔 증상의 국소화와 양상은 경추 6번 척수 신경의 피부 분포와 일치한다. 목 증상과 별개인 것처럼 보이기 때문에 동일한 출처의 관련 증상이 아니다. 증상이 주로 신경계의 연장된 기능장애였다면 환자가 증상을 증가시키기 위해 팔 움직임이나 반대쪽 목 움직임을 설명할 것으로 예상되었을 것이다. 문제가 척수 신경의 압박이었다면 환자는 밤에 증상이 증가했을 것으로 예상했을 것이다(Sunderland[70] 의 혈액 '압력구배'와 신경을 압박하는 경추 운동으로 인한 증상 증가로 인해).

특별질문사항(Special questions)

- 일반 건강 양호.
- 최근 체중 감소가 없다.
- 환자는 공장에서 100% 정비공으로 일할 수 있다(그리고 자신의 일에 상당히 만족한다는 인상을 준다).
- 그는 결혼하여 12세와 14세의 두 자녀를 두고 있다.
- 취미는 하이킹이고 일주일에 한 두번 암벽 등반을 간다.
- 그는 약물을 사용하지 않으며 코르티손을 사용한 적이 없다.
- 경추의 표준 엑스레이에서는 어떠한 병적 소견도 보이지 않았다.
- 어지러움 등의 동반증상이 없고 기력저하도 없다.

추론

의학적 관점에서 위험 신호/금기 사항이 없는 것으로 보이며 따라서 특별한 예방 조치가 필요하지 않다. 더욱이, 심리사회적 위험 요인에 대한 공식적인 심사는 없었지만 주관적인 인터뷰 동안 재앙화, 공포회피 행동 또는 사회 경제적 이득과 같은 명백한
'주의신호'에 대한 징후는 없었다.

병력(History)

6개월 전 이 환자는 교통사고를 당해 뒤에서 치명상을 입었다. 다음날 그의 경추 증상이 나타났다. 통증은 이어지는 주에 증가했다. 3일차에 팔 증상이 서서히 나타났다. 그는 편타성 장애(WAD) 2형 진단을 받았고 처음에는 목고정대와 비스테로이드성 항염증제(NSAID)로 4주 동안 관리했다. 2주 후 그는 물리치료실로 보내져 5주 동안 처음 9번의 치료는 주로 핫팩과 마사지로 이루어졌다. 이것은 증상을 약간만 완화시켰다. 8주에 걸친 후속 9회 치료는 근육의 '신장'과 경피적 전기 신경 자극(TENS)을 통한 전기 요법에 중점을 두었다. 환자는 점진적인 스트레칭만 했을 때 증상이 감소한 반면, 범위 내 스트레칭을 했을 때는 보통 더 나빠졌다고 설명했다. 이 4개월의 치료 후에도 그는 증상이 없었지만 시간이 조금 더 필요할 뿐이라는 말을 들었다. 환자는 사고 후 1개월 만에

직장에 복귀했다. 동시에 환자는 자신의 상태에 만족하지 못하고 이유 없이 증상이 증가하는 느낌까지 들었다.

환자는 경추 문제 또는 외상의 과거력이 없었다.

추론

환자의 증상을 설명하기에 적절한 외상이 있다. 전반적인 패턴은 말초 침해수용성/신경성 문제를 나타낸다. 그러나 한 가지 주요 질문은 환자가 증상의 만성화에 대한 고전적인 위험 요소를 나타내지 않기 때문에 증상이 만성화되는 이유이다.

문제가 입력지배적일 때 또 다른 질문은 다음과 같다. 주요 원인은 무엇입니까? 만약 이것이 뻣뻣한/저운동성 후관절이었다면, 왜 그는 범위의 끝 스트레칭에 반응하지 않았습니까?

다음 지표는 한 구성 요소가 경추의 불안정성이 될 수 있다는 초기 가설로 이어진다.

- 지속적으로 위를 올려다보고 빠른 비조절성 움직임으로 증상이 증가함
- 목/목지지대를 잡으면 증상 감소
- 아침에 좋고, 목이 피곤한 하루 끝에는 통증증가
- 후방 교통사고
- 지연된 치유('지연된 불안정성'?)
- 범위의 끝 스트레칭에 대한 반응

경추 5번-경추 6번 후관절은 영역 1의 주요 원인일 수 있다. 그리고 척수 신경 6번이 경추 5번-경추 6번의 추간공을 통해 나갈 때 경추 5번-경추 6번의 불안정 가능성은 이 신경의 2차 자극을 유발한다.

상태가 자극적이지 않고 안정적이었고 다른 특별한 예방 조치가 없었기 때문에 경추의 표준 검사를 수행하기로 결정했지만, 끝 위치에 과도한 압력을 가하지 않았다(Box 6-1).

Box 6-1

신체 검사

환자자세	없음
검사	정상

능동 움직임

굴곡:	80° 증상 없음
신전:	70° 1번 영역(중간 목에서 접힘)
우측 회전:	85° 1번 영역
왼쪽 회전:	95° 증상 없음
우측측면굴곡:	35° 1번 영역
좌측측면굴곡:	10° 증상 없음
국소적 후두 -경추 2번:	우측 회전 5° 증상 없음 좌측 회전 35°증상 없음

신경학적 검사

감각	정상
반사	정상
힘	정상

신경 역학 평가: 상지 신경 검사 1

왼쪽: 최종 팔꿈치 확장이 10° 부족하여 팔꿈치 주름이 당겨짐

오른쪽: 팔의 증상을 재현하는 팔꿈치 신전이 40° 부족하다. 반대쪽 측면 굴곡으로 이러한 증상이 증가한다.

PPIVMs	경추 0번-경추 2번	우측회전 5° 신전 약간 제한
	경추 2번-경추 5번	정상
	경추 5번-경추 6번	신전 과운동성 우측 굴곡 과운동성

PAIVMs

우측 편측 PA 경추 4번-경추 6번 우측 약간 과이동.

우측 편측 PA 경추 2번은 약간 저이동, 목을 우측으로 10° 회전시켰을 때 움직임이 전혀 없었다.

시간 제약으로 인해 추가 검사, 예: 선형 부하 검사, 연기되었다.

추론

능동움직임의 추론분석. 경추 증상은 오른쪽으로의 회전과 동측 측면 굴곡에 의해 재현되고 있다. 경추 2번 아래 경추의 회전이 동측 측면 굴곡과 결합되기 때문에 이는 하부 경추가 주요 원인임을 의미한다. 증상은 또한 굴곡이 아닌 신전으로 재현된다.

이러한 기능은 오른쪽의 추간공을 '닫히는' 이동 운동에 적합하다(= 오른쪽의 규칙적인 폐쇄 패턴).[72]

오른쪽으로의 회전은 왼쪽보다 적지만 측면 굴곡에서는 반대이다. 따라서 경추 2번 이상의 분절 제한에 의해 이동 제한이 발생할 수 있다. 이것은 앉은 자세에서 분절 회전 검사에 의해 확인된다.

왼쪽으로의 전체 회전은 95°이고 후두부는 35°이다. 이것은 정상적인 경추의 나머지 부분에 대해 약 60°를 남긴다. 그러나 오른쪽으로 전체 회전은 85°인 반면 상부 경추 기여도는 5°에 불과하다. 이것은 경추의 나머지 부분이 80° 회전해야 한다는 것을 의미하며, 이는 과도하다. 이것은 신전 시 볼 수 있는 하부 경추의 경첩으로 확인된다.

따라서 일차적 가설은 하부 경추의 과가동성/신전/오른쪽 회전의 불안정성으로 인해 증상이 유발되는 반면, 상부 경추의 운동성 저하가 문제에 기여할 수 있다는 것이다.

이것은 수동적 부가적 추간 운동(PAIVM)에 대한 연구 결과에 의해 더욱 확인되었다. 머리가 오른쪽으로 약간 회전할 때 경추 2번의 일방적인 후전방 운동이 더 제한된다는 사실은 경추 1번 = 경추 2번 관절을 의미한다.

ULNT1을 이용한 팔 증상의 재현은 기계적 부하에 대한 신경계의 기계적 감도 증가를 보여주지만, 이는 과도/비정상적인 분절 운동에 의해서도 발생할 수 있기 때문에 처음에는 2차 현상으로 생각되었다.

치료 1: 초기 관리 계획

초기 치료의 목표는 하부 경추 부위에 무리한 부하를 주지 않으면서 상부 경추의 회전을 우측으로 증가시키는 것이었다. 저이동성은 저항이 지배적이므로 IV 등급 가동이 적절하다. 한 가지 옵션은 머리를 오른쪽으로 약간 회전시킨 상태에서 오른쪽 경추 2번에서 일방적인 후전방 가동으로 가동하는 것이었다. 그러나 이 경우에는 국부적 부드러움이 너무 많았다. 따라서 상경부 측면굴곡을 좌측으로 하여 가동화하기로 결정하였다.

4일차 치료 2

재평가. 환자는 어깨 너머로 바라보면서 약간의 개선을 보고했지만 그 외의 변화는 없었다. 신체 검사에서 오른쪽 회전 및 측면 굴곡은 증상을 덜 유발했지만 그 외의 상태는 변하지 않았다.

평가의 지속/완료. 선형 부하 검사는 경추 5번–경추 6번 분절의 불안정성을 보여주었다(특히 경추 6번 대 경추 5번이 목의 전방 유발 불편함을 향함).

경흉부 부위의 수동 생리학적 추간 움직임(PPIVM)에 대한 평가는 이 부위에서 현저한 저운동성을 보여주었다.

더욱이, 이러한 수동적 부가적 추간 운동(PAIVM) 동안 환자는 이것이 척추가 필요로 하는 것이라고 느꼈다고 자원했다.

치료. 따라서 4일차의 치료는 상부 경추와 경흉추 부위의 가동화로 구성되었다. 여기에는 경흉부 부위의 자가 가동화가 포함되었다.

8일차 치료 3

환자는 목과 팔의 증상이 모두 확실히 개선되었다고 설명했다. 이학적 검사에서 측굴과 회전은 대칭적이었다. 그러나 그의 확장은 거의 변경되지 않았다. ULNT는 팔꿈치 신전이 20° 향상되었다.

평가의 지속/완료. 이제 두개경추 굴곡 검사가 추가되었다. 환자는 목빗근(흉쇄유돌근)으로 현저한 대체를 보였고 2mmHg의 압력 증가로만 올바르게 수행할 수 있었다.

치료. 가동기술을 더욱 발전시켰다. 환자는 누운 상태와 벽에 기대어 앉은 자세에서 2시간 간격으로 두개경추굴곡 운동을 수행하도록 지시하였다.

추가 치료 세션

치료 4와 5는 일주일에 한 번, 치료 6–9는 2주에 한 번이었다. 치료 5부터 수동적 가동화는 더 이상 필요하지 않았고 치료는 주로 근육 운동의 진행으로 이루어졌다.

참고문헌

1. Eisenstein S. Instability and low back pain a way out of the semantic maze. In: Szpalski M, Gunzburg R, Pope M, editors. Lumbar segmental instability. Philadelphia: Lippincott Williams and Wilkins; 1999. p. 39–51.
2. Mulholland R. Clinical definition of instability. In: Szpalski M, Gunzburg R, Pope M, editors. Lumbar segmental instability. Philadelphia: Lippincott Williams and Wilkins; 1999. p. 55–61.
3. Adams M. Biomehanics of the intervertebral disc, vertebra, and ligaments. In: Szpalski M, Gunzburg R, Pope M, editors. Lumbar segmental instability. Philadelphia: Lippincott Williams and Wilkins; 1999. p. 3–13.
4. Panjabi MM. The stabilizing system of the spine. Part I. Function, dysfunction, adaptation, and enhancement. J Spinal Disord 1992;5(4):383–9, discussion 397.
5. Zhu Q, Ouyang J, Lu W, et al. Traumatic instabilities of the cervical spine caused by high-speed axial compression in a human model. An in vitro biomechanical study. Spine 1999;24(5):440–4.
6. Siegmund GP, Myers BS, Davis MB, et al. Mechanical evidence of cervical facet capsule injury during whiplash: a cadaveric study using combined shear, compression, and extension loading. Spine 2001;26(19):2095–101.
7. Wilmink JT, Patijn J. MR imaging of alar ligament in whiplashassociated disorders: an observer study. Neuroradiology 2001; 43(10):859–63.
8. Lomoschitz F, Blackmore C, Mirza S, et al. Cervical spine injuries in patients 65 years old and older: epidemiologic analysis regarding the effects of age and injury mechanism on distribution, type, and stability of injuries. AJR Am J Roentgenol 2002;178:573–7.
9. Pope MH, Panjabi M. Biomechanical definitions of spinal instability. Spine 1985;10(3):255–6.
10. Panjabi MM, Lydon C, Vasavada A, et al. On the understanding of clinical instability. Spine 1994;19(23):2642–50.
11. Maitland G, Hengeveld E, Banks K, et al. Maitland's vertebral manipulation. 6th ed. Oxford: Butterworth-Heinemann; 2001.
12. Panjabi MM. The stabilizing system of the spine. Part II. Neutral zone and instability hypothesis. J Spinal Disord 1992;5(4):390– 6, discussion 397.
13. Lee SW, Draper ER, Hughes SP. Instantaneous center of rotation and instability of the cervical spine. A clinical study. Spine 1997;22(6):641–7, discussion 647–8.
14. Kettler A, Hartwig E, Schultheiss M, et al. Mechanically simulated muscle forces strongly stabilize intact and injured upper cervical spine specimens. J Biomech 2002;35(3):339–46.
15. Pettman E. Stress tests of the craniovertebral joints. In: Boyling J, Palastanga N, editors. Grieve's modern manual therapy. 2nd ed. Edinburgh: Churchill Livingstone; 1994. p. 529–37.
16. Aspinall W. Clinical testing for craniovertebral hypermobility syndrome. J Orthop Sports Phys Ther 1990;12:47–54.
17. Sanchez Martin M. Occipital–cervical instability. Clin Orthop Relat Res 1992;283:63–73.
18. Pitkanen M, Manninen HI, Lindgrer KA, et al. Limited usefulness of traction-compression films in the radiographic diagnosis of lumbar spinal instability. Comparison with flexion- extension films. Spine 1997;22(2):193–7.
19. Cattrysse E, Swinkels RA, Oostendorp RA, et al. Upper cervical instability: are clinical tests reliable? Man Ther 1997;2(2):91–7.
20. McLain RF. Mechanoreceptor endings in human cervical facet joints. Spine 1994;19(5):495–501.
21. Mendel T, Wink CS, Zimny ML. Neural elements in human cervical intervertebral discs. Spine 1992;17(2):132–5.
22. Heikkila H, Astrom PG. Cervicocephalic kinesthetic sensibility in patients with whiplash injury. Scand J Rehabil Med 1996; 28(3):133–8.
23. Heikkila HV, Wenngren BI. Cervicocephalic kinesthetic sensibility, active range of cervical motion, and oculomotor function in patients with whiplash injury. Arch Phys Med Rehabil 1998;79(9):1089–94.
24. White A, Bernhardt M, Panjabi M. Clinical biomechanics and lumbar spinal instability. In: Szpalski M, Gunzburg R, Pope M, editors. Lumbar segmental instability. Philadelphia: Lippincott Williams and Wilkins; 1999. p. 15–25.
25. Wiesel SW, Rothman RH. Occipitoatlantal hypermobility. Spine 1979;4(3):187–91.
26. Delfini R, Dorizzi A, Facchinetti G, et al. Delayed post-traumatic cervical instability. Surg Neurol 1999;51(6):588–94, discussion 594-5.
27. McDermaid C. Vertebrobasilar incidents and spinal manipulative therapy of the cervical spine. In: Vernon H, editor. Craniocervical syndrome. London: Butterworth-Heinemann; 2001. p. 244–53.
28. Coman W. Dizziness related to ENT conditions. In: Grieve G, editor. Modern manual therapy of the vertebral column. Edinburgh: Churchill Livingstone; 1986. p. 28.
29. Endo K, Ichimaru K, Shimura H, et al. Cervical vertigo after hair shampoo treatment at a hairdressing salon: a case report. Spine 2000;25(5):632–4.
30. Bogduk N. Mechanisms and pain patterns of the upper cervical spine. In: Vernon H, editor. The cranio-cervical syndrome. Oxford: Butterworth-Heinemann; 2001. p. 110–16.
31. Spitzer WO, Skovron ML, Salmi LR, et al. Scientific monograph of the Quebec Task Force on Whiplash-Associated Disorders: redefining 'whiplash' and its management. Spine 1995;20(Suppl. 8):1S–73S.
32. Barnsley L, Lord S, Bogduk N. Whiplash injury. Pain 1994;58(3):283–307.
33. Jonsson H Jr, Bring G, Rauschning W, et al. Hidden cervical spine injuries in traffic accident victims with skull fractures. J Spinal Disord 1991;4(3):251–63.
34. Taylor JR, Twomey LT. Acute injuries to cervical joints. An autopsy study of neck sprain. Spine 1993;18(9):1115–22.
35. Foreman S, Croft A. Whiplash injuries. The cervical acceleration/ deceleration syndrome. 2nd ed. Baltimore: Williams and Wilkins; 1995.

36. Herkowitz HN, Rothman RH. Subacute instability of the cervical spine. Spine 1984;9(4):348–57.
37. Twomey LT, Taylor JR. Age-related changes of the lumbar spine and spinal rehabilitation. Phys Rehabil Med 1991;2(3):153–69.
38. Dai L. Disc degeneration and cervical instability. Correlation of magnetic resonance imaging with radiography. Spine 1998; 23(16):1734–8.
39. Kirkaldy Willis W, Farfan H. Instability of the lumbar spine. Clin Orthop 1982;165:110–23.
40. Falla D. Unravelling the complexity of muscle impairement in chronic neck pain. Man Ther 2004;9:125–33.
41. Winters J, Peles J. Neck muscle activity and 3D kinematics during quasistatic and dynamic tracking movements. In: Winters J, Woolsley H, editors. Multiple muscle systems: biomechanics and movement organisation. New York: Springer; 1990. p. 461–80.
42. Sahrmann S. Diagnosis and treatment of movement impairment syndromes. St Louis: Mosby; 2002.
43. Maitland G, Hengeveld E, Banks K, et al. Maitland's vertebral manipulation. 7th ed. London: Elsevier ButterworthHeinemann; 2005.
44. Jull G, Bogduk N, Marsland A. The accuracy of manual diagnosis for cervical zygapophysial joint pain syndromes. Med J Aust 1988;148(5):233–6.
45. Jull G, Treleaven J, Versace G. Manual examination: is pain provocation a major cue for spinal dysfunction? Aust J Physiother 1994;40(3):159–65.
46. Lord SM, Barnsley L, Wallis BJ, et al. Third occipital nerve headache: a prevalence study. J Neurol Neurosurg Psychiatry 1994;57(10):1187–90.
47. Hides JA, Stokes MJ, Saide M, et al. Evidence of lumbar multifidus muscle wasting ipsilateral to symptoms in patients with acute/subacute low back pain. Spine 1994;19(2):165–72.
48. Phillips DR, Twomey LT. A comparison of manual diagnosis with a diagnosis established by a uni-level lumbar spinal block procedure. Man Ther 1996;1(2):82–7.
49. Jull G, Zito G, Trott P, et al. Inter-examiner reliability to detect painful upper cervical joint dysfunction. Aust J Physiother 1997;43(2):125–9.
50. Jull G, Falla D, Treleaven J, et al. A therapeutic exercise approach for cervical disorders. In: Boyling J, Jull G, editors. Grieve's modern manual therapy. The vertebral column. Edinburgh: Elsevier Churchill Livingstone; 2004.
51. Butler D. Integrating pain awareness into physiotherapy – wise action for the future. In: Gifford L, editor. Topical issues in pain 1. Whiplash – Science and management. Falmouth: CNS Press; 1998. p. 1–23.
52. Gifford L. Schmerzphysiologie. In: Van der Berg F, editor. Angewandte Physiologie Teil 2: Organsysteme verstehen und beeinflussen. Stuttgart: Thieme; 2000. p. 467–518.
53. van den Berg F. Angewandte Physiologie Teil 1: Das Bindegewebe des Bewegungsapparates verstehen und beeinflussen. Stuttgart: Thieme; 1999.
54. Gifford L. Perspektiven zum biopsychosozialen Modell. Teil 1: Müssen einige Aspekte vielleicht doch akzeptiert werden? Manuelle Therapie 2002;6(3):139–45.
55. Gifford L. Perspektiven zum biopsychosozialen Modell. Teil 2: Einkaufskorb-Ansatz. Manuelle Therapie 2002;6(4): 197–206.
56. Svensson P, Graven-Nielsen T. Craniofacial muscle pain: review of mechanisms and clinical manifestations. J Orofac Pain 2001;15(2):117–45.
57. Sterling M, Jull G, Wright A. The effect of musculoskeletal pain on motor activity and control. J Pain 2001;2(3):135–45.
58. Hides JA, Richardson CA, Jull GA. Multifidus muscle recovery is not automatic after resolution of acute, first-episode low back pain. Spine 1996;21(23):2763–9.
59. Hides JA, Jull GA, Richardson CA. Long-term effects of specific stabilizing exercises for first-episode low back pain. Spine 2001;26(11):E243–8.
60. Stokes M, Young A. The contribution of reflex inhibition to arthrogenous muscle weakness. Clin Sci (Lond) 1984;67(1): 7–14.
61. Sterling M, Jull G, Wright A. Cervical mobilisation: concurrent effects on pain, sympathetic nervous system activity and motor activity. Man Ther 2001;6(2):72–81.
62. Melzack R. Gate control theory. On the evolution of pain concepts. Pain Forum 1996;5(2):128–38.
63. Rydevik B, Ollmarker K. Instability and sciatica. In: Szpalski M, Gunzburg R, Pope M, editors. Lumbar segmental instability. Philadelphia: Lippincott Williams and Wilkins; 1999. p. 75–84.
64. Butler D. The sensitive nervous system. Adelaide: Noigroup Publications; 2000.
65. Hall TM, Elvey RL. Nerve trunk pain: physical diagnosis and treatment. Man Ther 1999;4(2):63–73.
66. Vicenzino B, Collins D, Wright A. The initial effects of a cervical spine manipulative physiotherapy treatment on the pain and dysfunction of lateral epicondylalgia. Pain 1996;68(1):69–74.
67. Cowell IM, Phillips DR. Effectiveness of manipulative physiotherapy for the treatment of a neurogenic cervicobrachial pain syndrome: a single case study – experimental design. Man Ther 2002;7(1):31–8.
68. Hall T, Elvey R, Davies N, et al. Efficacy of manipulative physiotherapy for the treatment of cervicobrachial pain. In: Australia MPAA, ed. Tenth Biennial Conference of the MPAA, 1997; Melbourne.
69. Dwyer A, Aprill C, Bogduk N. Cervical zygapophyseal joint pain patterns. I: A study in normal volunteers. Spine 1990;15(6): 453–7.
70. Sunderland S. Nerves and nerve injuries. London: Churchill Livingstone; 1978.
71. Scholten-Peeters GG, Bekkering GE, Verhagen AP, et al. Clinical practice guideline for the physiotherapy of patients with whiplash-associated disorders. Spine 2002;27(4):412–22.
72. Edwards B. Manual of combined movements. Melbourne: Churchill Livingstone; 1992.

7 두통과 경추

HEADACHE AND THE CERVICAL SPINE

두통은 상당한 사회적, 경제적 영향을 미치는 매우 흔한 장애이다. 유럽 인구에 대한 역학 연구에 따르면 1년 동안 평균 두통 유병률은 51%이며, 약 4%는 만성 두통이다.[1]

두통은 일차성 두통과 이차성 두통으로 분류된다. 원발성 두통은 편두통, 긴장성 두통, 삼차 자율신경 두부통 및 기타 원발성 두통의 4가지 하위 그룹으로 분류된다. 이차성 두통은 인식할 수 있는 장애 또는 병리로 인해 발생한다. 가능한 원인 중 하나는 경추의 병리 또는 기능장애이다. 이것은 경추성 두통의 경우이다.

두통과 경추의 관계는 논란의 여지가 있다. 1970년대에 신경과 의사들은 경추가 뚜렷한 두통 유형에 대한 책임이 없다고 생각했다.[2] 이러한 경추 질환으로 인한 두통의 존재를 인정하는 것을 꺼리는 태도는 최근까지도 유지되어 왔다.[3-5] 그 당시에는 진단에 유효한 기준이 없었기 때문에 꺼리는 것이 부분적으로 정당화될 수 있었다.

'경추성 두통(cervicogenic headache, CEH)'이라는 용어는 1983년 신경과 전문의 Sjaastad와 동료들에 의해 도입되었다.[6] 경추성 두통의 개념은 체성 연관통의 현상을 다루는 물리치료사, 근골격계 전문가 및 통증 클리닉의 마취의에게 쉽게 받아들여졌다. 요추 접합골 관절이 둔부 부위와 하지에 관련된 통증의 원인이 될 수 있는 것과 같은 방식으로, 경추의 기능장애 또는 병리가 머리에 통증을 유발할 수 있다.[7]

현재 경추의 다양한 해부학적 요소, 특히 3개의 첫 번째 경추 신경이 지배하는 요소가 머리에 통증을 나타낼 수 있으므로 임상적으로 두통으로 나타날 수 있음을 보여주는 충분한 임상 및 실험 연구가 있다.[8-13]

경추성 두통(CEH) 병태생리학에 대한 다양한 해석은 중요한 용어 혼란과 더불어 경추성 두통의 인정을 방해했다.[14] 경추 편두통, 경두증 증후군, 후두 신경통 또는 척추인성 두통과 같은 부정확한 용어가 사용되었다. 이러한 용어의 혼란과 경추성 두통이 각자의 견해를 적용하는 여러 의료 전문가가 공유하는 실체라는 사실은 두통이 부적절하게 진단될 수 있고 치료가 종종 부적절하다는 것을 의미한다.

Bogduk에 따르면, 경추성 두통의 임상적 진단이 여전히 논란의 여지가 있음에도 불구하고 그 병태생리학적 기전은 현재 가장 잘 알려져 있고 이해되고 있으며 객관적으로 진단할 수 있는 몇 안 되는 두통 형태 중 하나이다.[7,11,15] 저자의 말에 따르면, 이 실체를 둘러싼 논쟁은 과학적이기보다는 이념적, 사회학적, 정치적인 것이다.[15] 그 이유 중 하나는 두통 환자가 가장 자주 진료를 받는 전문의가 신경과 전문의이고 이러한 전문의는 일반적으로 목 평가의 전문가가 아니기 때문일 수 있다.[16]

경추성 두통 이라는 용어와 임상적으로 구별할 수 있는 실체로서의 인정은 Sjaastad 등[6] 저자들은 1990년에 몇 가지 예비 연구를 거친 후[12,17] 경추성 두통에 대한 진단 기준을 확립했으며,[3] 이는 경추성 두통 연구단체(Cervicogenic Headache International Study Group, CHISG)가 설립된 1998년에 개정되었다.[18] 경추성 두통 이라는 용어는 1994년 국제 통증 연구 협회(IASP)에서 승인되었다.[19]

1988년에 국제 두통 학회(IHS)는 경추를 두통의 원인으로 인정했지만[20] 경추성 두통라는 용어는 받아들이지 않았다. 이것은 2004년 IHS 두통 분류(ICHD-2)에 따라 변경되었다. 이 용어는 마침내 받아들여졌고 위원회는 새로운 진단 기준을 수립했다.[22]
이 기준은 2013 IHS 분류(ICHD-3)에서 추가로 수정되었다.[22]

경추성 두통의 중요한 측면은 유병률이므로 다양한 의료 전문가의 협력이 바람직하다. 긴장성 두통과 편두통에 이어 경추성 두통이 가장 흔한 유형의 두통이다. 최근의 인구 연구에 따르면, 일반 인구에서 경추성 두통의 유병률은 2.2%에서 4.1% 사이이다.[23,24] 성인에서 경추성 두통의 1개월 유병률은 2.5%로 추정된다.[25] Sjaastad에 따르면, 많은 경우에 가능한 경추 원인이 간과될 수 있기 때문에 우리는 조짐이 없는 편두통 및 긴장성 두통의 지나치게 빈번한 진단의 정확성에 의문을 제기해야 한다. Sjaastad와 Bakketeig는[26] 더 정확한 진단으로 경추성 두통의 발병률이 전조가 없는 편두통의 발병률과 비슷할 것이라고 제안한다.

경추통이 있는 환자에서 경추성 두통의 발생률은 높은 것으로 보인다.[27] 일부 연구에서는 경추 통증이 있는 환자의 1/3에서 나타날 수 있다고 제안한다. 이러한 이유로 경추성 두통은 현재 상당히 흔한 형태의 만성 및 재발성 두통으로 간주되기 시작했다.[16,28-32] 경추성 두통의 유병률은 편두통만큼 높지는 않지만 편타손상을 입은 환자 및 증상이 있는 퇴행성 변화가 있는 환자와 같은 특정 유형의 환자에서 발병률이 증가한다.

도수치료와 치료 운동이 경추성 두통에서 장기적으로 효과적이라는 증거가 있지만 편두통 및 긴장성 두통에서 좋은 결과에 대한 현재 증거가 없기 때문에[31,33-36] 다른 유형의 두통과 경추성 두통의 감별 진단이 중요한다.[38-40] 그러나 두통과 경추 사이의 관계는 더 복잡하다는 점에 주목하는 것이 중요하다. 두통이 있는 환자의 목 통증은 경추성 기원을 의미하지 않는다. 대부분의 원발성 두통은 경추의 통증을 나타낼 수 있다.[41-44] 실제로 편두통 환자의 경우 메스꺼움보다 목 통증이 더 흔하다.[44]

배경 BACKGROUND

경추성 두통의 발전 이력은 **표 7-1**과 같다. 경추와 관련된 두통에 대한 최초의 연구는 1926년 Barré와[45] Lieou Barré의[46] 연구에서 유래했다. Barré는 두통이 척추 동맥을 따라 흐르는 경추 교감신경의 자극에 의한 것이라고 생각하여 '후두경부 교감신경 증후군'이라는 용어를 사용했다. 불행히도, 이 저자들은 두통의 다른 병인학적 측면에서 주의를 기울이지 않았다. 척추 동맥은 두통을 유발할 수 있지만 이를 위해서는 동맥 박리가 필요하다. 척추 동맥을 감싸는 교감 신경총의 자극은 동맥의 작은 수축만 유발한다.[47] Bärtschi-Rochaix는[10] 또한 척추 동맥과 두통 사이의 관계를 제안했으며 1949년에 '경추 편두통'이라는 용어를 만들었다. 이 분야에 대한 그의 공헌은 1968년에 완료된 외상 후 두통 연구에서 시작되어 두통이 척추의 퇴행성 변화의 결과라는 것을 확립했다.

1949년에 Hunter와 Mayfield는[48] 경추성 두통을

표 7-1
경추성 두통의 가설들

자세성 경추 교감신경 증후군	Barré 1926
경추성 편두통	Bärtschi-Rochaix 1949
후두성 신경통	Hunter and Mayfield 1949
연관 경추통	Kerr and Olafson 1961
근경막 연결체	Hack 1995
경추성 두통	Sjaastad 1983 Bogduk 1984

상부 경추 뿌리의 장애와 연관시켜 경추성 두통에 대한 관점을 바꾸었다. 통증의 일방적인 현상이 이 두통의 전형적인 특징으로 확립되었다. 많은 환자들이 후두신경의 박리, 경추 2번의 감각근 절단 또는 경추 2번과 경추 3번의 감각근의 척수내 절단으로 치료를 받았다. 결과는 외상적 요소가 두통과 관련된 경우에 탁월했다.

1961년 Kerr와 Olafson은[49] 두개골과 경추 감각 구조 사이의 상호 연결에 대한 실험적 증거를 보고했다. 그들은 상부 경추에서 경추와 삼차 감각 단위 사이의 수렴을 보여주었다(**그림 7–1**). Kerr은[50] 경추 1번의 등쪽 신경근의 자극이 어떻게 항상 머리, 특히 안와상, 전두엽 및 정점 영역에 관련된 통증을 유발하는지 보여주었다. 그 후 수년 동안 경추성 두통은 주로 경추 2번 또는 그보다 큰 후두 신경의 후방 원발성 가지의 내측 분지인 상부 경추 수준의 신경근와 큰뒤통수신경(대후두신경)의 압박의 결과로 여겨졌다(**그림 7–2**). 이후 이른바 '후두신경통'이 잦아지기 시작했다. 큰뒤통수신경(대후두신경)압박은 경추와 두통 사이의 관계를 정당화한다.[51]

임상 치료에서 후두 신경통은 드문 경우이다.[52] 이는 큰뒤통수신경(대후두신경) (또는 아놀드 신경), 작은뒤통수신경(소후두신경) 또는 제 3 후두 신경의 침범으로 인해 발생한다. 이러한 신경통은 종양, 관절 주위 섬유증, 혈관 기형으로 인해 발생하는 신경 줄기 또는 척수 신경의 자극으로 인한 것일 수 있으며, 보다 일반적으로 직접적인 외상 원인으로 인해 발생할 수 있다.[8,15,53]

목–혀 증후군은[54-59] 경추성 두통으로 오인될 수 있는 신경병증이다. 이 증후군은 대서축 관절의 직접적인 자극에 의해 경추 2번 척수 신경의 복부 가지가 압박되어 발생한다. 이것은 일반적으로 머리의 매우 충분한 회전 운동에 의해 발생하며 때로는 과도하게 움직이는 피험자에서 발생한다. 증상은 머리의 빠른 회전에 의해 유발되며 귀로 방사되는 일방적인 후두 통증의 갑작스러운 시작이 특징이며 동측 혀 감각저하와 관련된다. 후자의 증상은 설하신경(**그림 7–3**)을 통해 경추신경을 통해 제2 경추신경에 도달하는

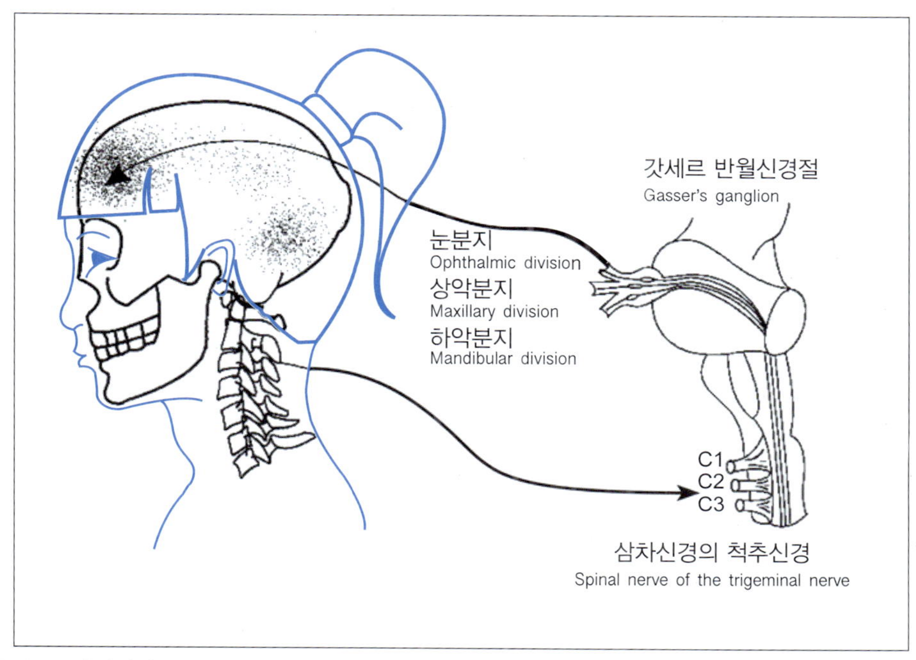

그림 7–1 ■ 삼차성경추 핵에서 삼차신경의 구심성과 함께 수렴되는 처음 세 개의 경추 분절의 구심성 신경.

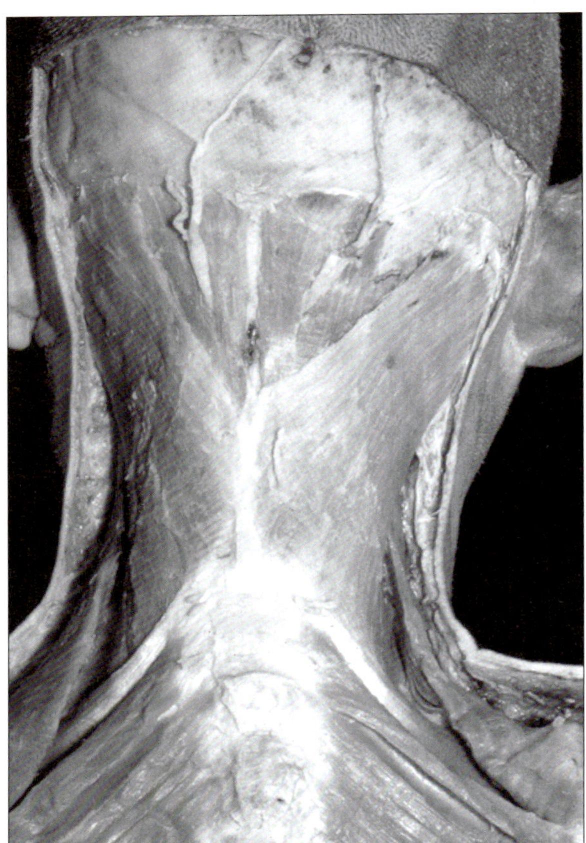

그림 7-2 ■ 경추성 두통은 대후두신경의 포착으로 인한 신경병증으로 수년간 여겨졌다.

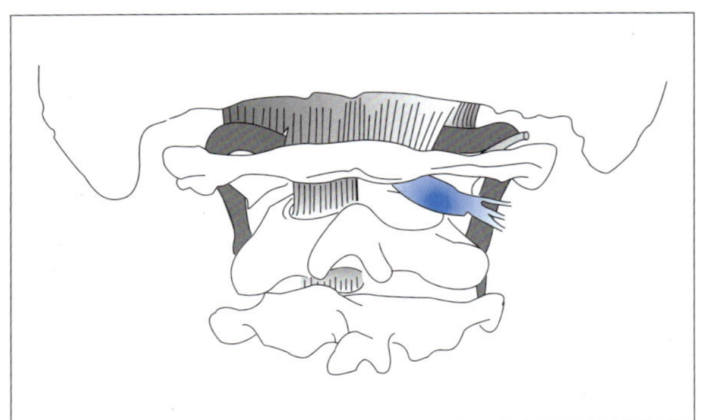

그림 7-3 ■ 목-혀 증후군은 환추축추 관절의 과도한 진폭 운동으로 인해 척수 신경 경추 2번의 복부 가지가 압박되어 발생한다.

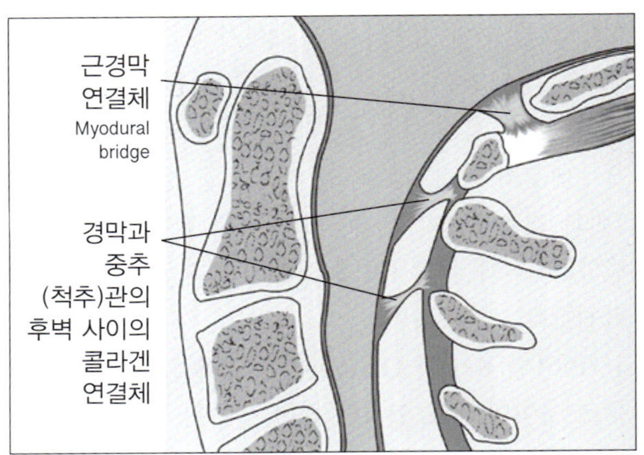

그림 7-4 ■ 근육경뇌막 다리(myodural bridge)는 머리의 후방 소직근과 척추 경막을 연결하는 결합 조직 구조이다.

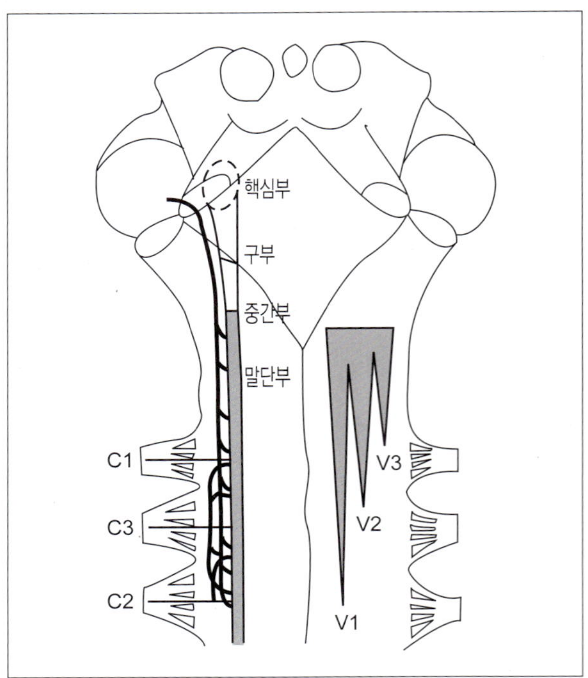

그림 7-5 ■ 경추성 두통의 신경해부학적 기초는 삼차경추핵의 미추부, 처음 세 개의 경추신경(경추 1번, 경추 2번, 경추 3번) 및 삼차신경 구심성의 감각 구심성에서 공통적으로 수렴된다는 것이다. 이 도표는 삼차 신경의 핵 배열을 보여준다(핵심부(pr, core); 구부(po, pars oralis); 중간부(pi, pars interpolaris); 말단부(pc, pars caudalis)). 오른쪽에는 삼차신경의 3분할 구심성 삼차경추핵의 분포가 나타나 있다.

설신경 구심성으로 설명된다.[60]

1995년 Hack 등은[61] 작은머리곧은근(소후두직근)과 경막 사이의 결합 조직 다리를 발견했다(**그림 7-4**). 이 발견은 나중에 확인되었다.[62-66] 이 근육경뇌막 연결은 후두하부 근육에 의해 생성된 긴장을 경뇌막과 같은 민감한 구조로 전달하기 때문에 두통을 유발하는 기전일 수 있다고 제안되었다.[62,63,64,,67-70] 그러나 이 구조가 기계적 기능장애를 겪거나 두통을 유발할 수 있다는 결정적인 증거는 없다. 그럼에도 불구하고 임상적으로 상부 경추 굴곡 운동에 대한 신경조직의 민감도가 경추성 두통을 가진 코호트의 최대 10%에서 발견되었다.[72]

오늘날 Kerr [49,73,74] 특히 Bogduk 등의[7,9,11,13,75-78] 연구 덕분에 경추성 두통은 경추의 기능장애나 질병으로 인한 연관 통증 패턴과 관련이 있는 것으로 믿어진다.

해부학적 기초 ANATOMICAL BASIS

위에서 언급한 바와 같이, 경추성 두통은 경추의 체성 관련 통증의 임상적 표현이다. 경추성 두통의 신경해부학적 기초는 삼차경추핵의 미추부, 처음 세 개의 경추신경(경추 1번, 경추 2번, 경추 3번)의 감각 구심성 및 삼차신경 구심성에서 공통적으로 수렴된다는 것이다.[9-11,79-82] 삼차경추핵(trigeminocervical nucleus)은 삼차신경의 척추핵의 꼬리 부분과 경추의 처음 세 분절의 후각의 회백질에 의해 형성된 회백질의 연속적인 기둥이다. 따라서 경추 1번-경추 3번 척수 신경이 지배하는 모든 구조는 두통의 원인이 될 수 있다(**그림 7-5, 표 7-2**). 동일한 기전이 모든 유형의 두통이 있는 피험자가 관련된 경추 통증을 경험할 수 있는 방법을 설명한다.

표 7-2

상부 경추 구조의 신경 분포

	신경분포		
	C1	*C2*	*C3*
관절	환추-축추 내측 환추-후두	환추축추 측면	경추 2번-경추 3번 후관절 경추 2번-경추 3번 디스크
인대	가로 환추축추 날개 외막		
근육	척추앞 목빗근(흉쇄유돌근) 등세모근(승모근) 후두하(뒷통수밑)	반가시(반극형) 머리널판(두상판)	뭇갈래근(다열근) 머리반가시근(두박극근)
경막	상부척수의 두개후방의 오목(와)		
동맥	척추동맥 내부 경동맥		

경추성 두통의 신경해부학적 기초는 처음 세 개의 경추신경(경추 1번, 경추 2번, 경추 3번)과 삼차신경 구심성 신경의 삼차경추핵의 공통 수렴이다.

Bogduk은[11] 머리의 신경 분포가 삼차 신경에만 의존하지 않기 때문에 수렴은 경추와 삼차 구심성 사이에서만 일어나는 것이 아니라, 머리를 지배하는 신경과 경추 사이에서 발생한다고 설명한다. 경추 신경도 관련된다. 예를 들어, 머리의 관상 봉합사에 대한 후두 영역의 신경 분포는 큰뒤통수 신경(대후두신경), 작은뒤통수신경(소후두신경) 및 대이개신경에 따라 달라진다. 전두, 측두 및 안와 영역에서 인지되는 경추성 두통은 삼차신경과 경추 구심성 신경의 수렴 현상에 기인하는 반면, 후두 영역에서 인지되는 두통은 특정 경추 수준과 다른 경추 구심성 사이의 수렴이 필요하다. 따라서 경추에서 전두부 또는 안와상 부위로의 관련 통증은 삼차 관련 의뢰이고, 후두부 부위의 통증은 경추성 경추 관련 통증이다.[7]

병리생리학 PATHOPHYSIOLOGY

첫째, 경추성 두통이라는 용어가 특정 질병과 관련이 있는 것이 아니라 경추의 전형적인 장애 및 병리의 스펙트럼을 포괄한다는 점에 유의하는 것이 중요하다. 경추성 두통은 침해수용성 신경지배(nociceptive innervation)가 있는 모든 경추 해부학적 구조에서 유래할 수 있지만 주로 상부 경추에 속하는 구조이다.[83] Fredriksen과 Sjaastad는[10] 두통이 경추 1번에서 경추 7번까지의 등쪽신경근, 경추 7번 수준까지의 추간판, 경추 2번–경추 3번에서 경추 6번–경추 7번의 후관절, 등세모근(승모근)과 목빗근(흉쇄유돌근), 교감신경얼기가 있는 척추동맥에서 발생할 수 있다고 생각한다. 마지막으로, 크고 작은 후두 말초 신경, 세 번째 후두 신경 및 큰이개 신경. 그러나 이러한 가능성은 임상 및 실험 연구에서 두통을 유발하는 능력이 이러한 구조 중 일부에 대해서만 보여졌기 때문에 아직 이론적인 것이다.[11]

통증 패턴 PAIN PATTERNS

관련된 두개골 경추 통증에 대한 최초의 실험 연구 중 하나는 1938년 Cyriax가[84] '류마티스성 두통'이라는 제목으로 발표한 논문에서 수행되었다. 이 저자는 처음으로 후두부 근육에 고장성 식염수를 주입하면 머리에 관련 통증이 발생한다는 것을 보여주었다. 그는 자극된 부위가 두부일수록 머리에 통증이 더 지속적으로 전달된다는 것을 발견했다. 나중에 연구에 따르면 목빗근(흉쇄유돌근), 상부 등세모근(상부승모근), 머리널판근(두부상근), 머리널판근(경판상근), 후두하근, 머리반가시근(두반극근) 및 목반가시근(경반극근)과 같은 다른 목 근육도 머리에 통증을 유발할 수 있음이 밝혀졌다.[85-87]

보다 최근의 연구는 연관 관절 통증에 대한 연구에 초점을 맞췄다. 여러 연구에 따르면, 경추 1번–경추 2번 측면 관절과 경추 2번–경추 3번 후관절 및 경추 3번–경추 4번은 덜하지만 경추성 두통을 유발할 수 있다. 후관절 통증 패턴은 Dwyer 등에[88] 의해 처음 기술되었다. 경추 2번–경추 3번에서 경추 6번–경추 7번까지의 경추 분절을 형광투시제어 하에 자극하여 조영제를 사용하여 관절낭을 팽창시켰다. 두개골 척추 관절의 관련 통증에 대한 다른 실험 연구에서도 비슷한 결과가 나타났다.[89-93]

어떤 관절 분절이 경추성 두통의 발병과 관련이 있는지 확인하기 위해 일부 연구에서는 국소 마취 관절 차단을 사용했다. Bovim 등[94] 척수신경 경추 2번–경추 5번의 마취 차단을 실시했다. 그들의 연구에 따르면 경추 2번 신경의 마취 차단으로 두통이 더 자주 감소했다. 경추 3번, 경추 4번 또는 경추 5번 신경 블록에 완전히 반응한 환자는 없었다.

디스크 경추 2번–경추 3번 및 경추 3번–경추 4번은 두통의 가능한 원인으로 제안되었다.[10,11,96,97]

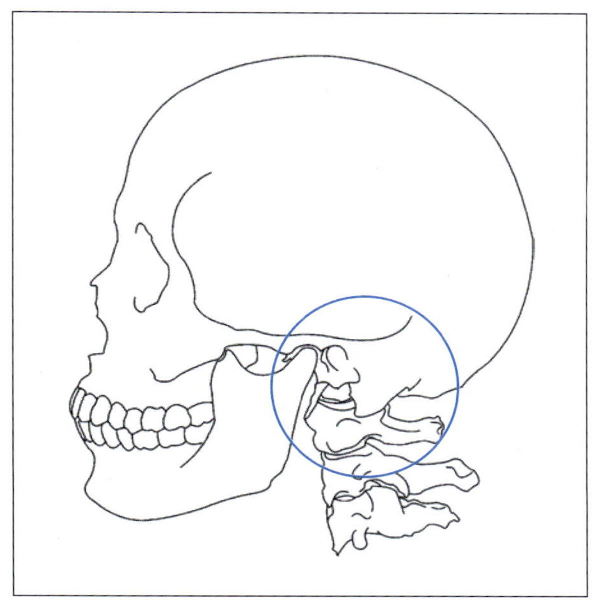

그림 7-6 ■ 가장 자주 전두 부분과 머리에 통증을 나타내는 분절은 경추 1번-경추 2번 및 경추 2번-경추 3번 이다.

이 주장은 일부 환자에서 두통이 경추 2번-경추 3번 추간판의 자극에 의해 재현될 수 있지만 하부 디스크의 자극에 의해 재현되지 않는다는 연구에서 입증되었다.[97,98] 따라서 디스크가 경추성 두통에 대한 책임이 있을 수 있지만, Bogduk은 결과가 단순히 위양성일 수 있기 때문에 이러한 연구가 결정적이지 않다고 경고한다. 이 연구에서 고려되는 환자는 이차 통각과민을 나타낼 수 있으므로 동일한 신경 세그먼트 내의 모든 구조에서 고통스러운 자극이 통증을 재현하거나 악화시킬 수 있다. 통증의 현상은 그 자체로 자극된 구조가 통증의 유일한 또는 일차적 원인임을 반드시 의미하지는 않는다.

가장 신뢰할 수 있는 결과는 환추후두 및 외측 환추축추 관절과 후관절 경추 2번-경추 3번을 선택적으로 마취한 후 두통이 완전히 완화되었다는 임상 시험에서 나온 것이다. Ehni와 Benner는[99] 외측 환추축추 관절의 관절증이 있는 환자에서 마취주위 차단으로 두통의 완전한 회복을 달성했다. Aprill 등은 두통과 후두부 통증으로 고통받는 환자 31명 중 21명에서 경추 1번-경추 2번의 외측 관절의 마취 침윤 후 증상의 완전한 완화를 얻었다.

Lord는[100] 편타손상과 관련된 경추성 두통 환자에서 가장 흔한 통증의 원인이 경추 2번-경추 3번 관절이고 경추 3번-경추 4번이 그 다음임을 발견했다. 그러나 경추 4번-경추 5번 아래에 위치한 관절에서 머리의 통증이 거의 언급되지 않았다. 따라서 전두부와 두부에 통증을 가장 많이 호소하는 분절은 경추 1번-경추 2번, 경추 2번-경추 3번, 경추 0번-경추 1번 이라고 결론지을 수 있다(**그림 7-6**).

경추성 두통을 담당하는 구조:

- 관절 경추 0번 — 경추 1번
- 측면관절 경추 1번 — 경추 2번
- 후관절 경추 2번 — 경추 3번
- 추간판 경추 2번 — 경추 3번

경추성 두통의 진단 DIAGNOSIS OF CERVICOGENIC HEADACHE

경추성 두통(CEH)의 감별 진단을 다루기 전에 심각한 상태의 존재를 나타내는 위험 신호를 반드시 배제해야 한다(**Box 7-1**). 이 진단적 측면은 10장에서도 논의된다.

경추성 두통에 대한 현재 지식에도 불구하고 감별 진단에는 몇 가지 어려움이 있을 수 있다. 문제는 두통의 종류에 따라 나타나는 증상이 겹치는 경우가 많다는 점이다.[101] 사실 이 진단적 문제는 다른 양성 형태의 두통에 공통적이다.[102] 더욱이 사람이 두 가지 이상의 형태의 두통을 앓는 것은 드문 일이 아니다.[12,17,103,104] 오늘날 다른 형태의 양성 두통과 경추성 두통(CEH)의 감별 진단을 용이하게 하는 객관적인 측정, 영상 또는 기타 실험실적 수단이 없다.

경추성 두통의 특징과 임상 양상은 편두통, 군발성 두통 및 편두통과 일부 면에서 유사하지만 무엇보다도 가장 흔한 형태의 두통인 전조가 없는 편두통

Box 7-1

두통 적신호

- 갑자기 발병하는 심한 두통
- 이전에 경험한 것과 다른 두통 특성
- 최근 원인 불명의 만성 두통 악화
- 빈도 또는 강도가 증가하는 두통
- 신규 및 지속성 편측성 두통(경추성 두통, 군발성 두통, 발작성 편두통, 후두 신경통, 삼차 신경통, 연속 편두통 및 기타 편측성 원발성 두통 제외)
- 힘주는 운동, 기침 또는 자세 변화로 인한 두통
- 비정형 두통
- 이론적으로 정확한 치료에 반응하지 않는 두통
- 극한 연령의 두통(50-60세 이상에서 최근 발병한 두통)
- 주로 야간에만 두통(수면성 두통 제외)
- 뇌간 징후 및 증상이 있는 두통: 5개의 D와 3개의 N:
  - 어지럼증
  - 쓰러짐발작
  - 복시증
  - 구음장애
  - 연하곤란
  - 보행실조
  - 메스꺼움
  - 저림, 무감각(동측 얼굴, 대측 신체부위)
  - 눈떨림, 안구진탕
- 징후를 동반한 두통:
  - 일차두통(편두통)이나 전신질환에 의한 것이 아닌 원인 모를 메스꺼움과 구토
  - 초첨 신경변화
  - 간질성 발작
  - 뇌막징후 존재
  - 고열
  - 처리 또는 행동 장애
- 암 또는 면역손상환자의 두통

및 긴장성 두통과 유사하다. 정확한 감별 진단을 위한 첫 번째 요구 사항은 가장 흔한 유형의 두통에 대한 임상적 특성과 진단 기준을 결정하는 것이다. 감별 진단은 주로 경추 증상과 관련된 편두통을 포함해야 한다.

감별 진단은 주로 본성, 시간적 패턴(발작의 빈도 및 기간), 강도, 위치, 유발 요인 및 통증과 관련된 징후 및 증상을 기반으로 한다. 모든 두통은 삼차경추핵과 공통된 연결을 공유하기 때문에 몇 가지 유사한 특징이 있다. 경추는 일부 편두통에서 통증 강도와 발작 빈도에 기여할 수 있다고 제안되었다.[106-108]

두통의 역사에서 감별 진단의 관련 측면은 다음과 같다.

- 경향(Characteristics)
- 강도(Intensity)
- 위치(Location)
- 빈도(Frequency of attacks)
- 지속(Duration of attacks)
- 관련 현상(Associated phenomena)

경추성 두통, 무조짐 편두통, 긴장형 등의 두통은 진단이 환자의 증상에 크게 좌우되기 때문에 진단의 신뢰도가 떨어질 수 있다. 객관적인 징후가 거의 없는 다른 개체의 경우와 마찬가지로 진단은 통증과 같이 본질적으로 주관적인 것에 대해 환자가 제공한 정보에 거의 전적으로 기반한다.[71]

긴장성 두통은 전형적으로 양측성 두통으로 압박하거나 조이는 정도와 경도에서 중등도의 강도로 수분에서 수일 지속된다. 통증은 일상적인 신체활동으로 악화되지 않고 메스꺼움과 관련이 없으나 광공포증이나 음성공포증이 나타날 수 있다(**표 7-3**).[22] 수동 촉진에 대한 두개주위 압통의 증가는 긴장성 두통 환자에서 매우 흔한 소견이다. ICHD-3(International Classification of Headache Disorders, 3rd edition)은 두개주위 근육 압통이 있는 환자와 없는 환자를 구분한다.

경추성 두통은 긴장성 두통으로 오진될 수 있다. 긴장성 두통은 일차성 두통의 가장 흔한 형태이며 그 유병률은 일반 인구에서 30%에서 80% 사이이다.[1,109] 긴장성 두통 환자는 종종 두개주위 근육의 압통이 증가한다. 이것의 유행에도 불구하고, 이것의 병태생리는 가장 덜 알려져 있다. 일시적인 변형에서는 중추

표 7-3

긴장성 두통, 진단기준 ICHD-3

A. 월별 통증횟수*
B. 30분에서 7일간 지속
C. 다음 4개 중 적어도 2개
  1. 양측성 위치
  2. 압박 또는 조이는(비동맥성) 정도
  3. 약간 또는 중간 강도
  4. 걷기 또는 계단오르기 같은 일상신체활동에 자극되지 않음
D. 다음 경향 모두
  1. 메스꺼움 또는 구토 없음
  2. 광선공포증 또는 소리공포증 중 한 개 이하
E. 다른 ICHD-3진단보다 적절한게 없음

*발병수에 기초하여 구분되는 긴장성 두통:
간헐적 발생 긴장성 두통(평균 월 1일 미만[연간 12일 미만]에 두통이 10회 이상 발생)
빈번한 발생 긴장성 두통(3개월 이상 [연간 12일 이상 및 180일 미만] 동안 월 평균 1–14일에 적어도 10회의 두통이 발생함)
만성 긴장성 두통(3개월이상 동안 월 평균 15일 이상 발생하는 두통[연간 180일 이상]).
각각의 긴장성 두통은 차례로 수동 촉진에서 ***증가된 두개주위 압통***과의 연관성 여부에 따라 하위 그룹으로 나눈다.
두통 장애의 국제 분류, 3판(*ICHD-3*)에서.[22]

표 7-4

조짐 진단 기준이 없는 편두통 ICHD-3

A. 기준 B–D에 맞는 최소 5번 발생
B. 두통이 4–72시간 진속된다(미치료 또는 성공적이지 못한 치료)
C. 두통이 다음 4개중 적어도 2개를 갖는다:
  1. 한쪽에 위치
  2. 맥박의 질
  3. 중증 또는 심각의 통증 강도
  4. 일상 신체활동으로 악화되거나 일상신체활동을 회피를 야기(예, 걷기 또는 계단오르기)
D. 두통증상 중 다음의 성향중 적어도 한 개:
  1. 메스꺼움 과/또는 구토
  2. 광선공포증과 소리공포증
E. 다른 ICHD-3진단외에 적절함 없음.

두통질환의 국제분류(*ICHD-3*)에서.[22]

기전 외에도 말초 통각 수용체의 활성화 또는 감작과 같은 말초 통증 기전이 역할을 할 수 있지만 확실히 만성 형태에서 두통은 중추감작과정에 기인한다.[110-114] 이러한 유형의 두통에 대한 진단 기준은 구체적이지 않고 종종 신체 검사가 상당히 피상적이어서 긴장성 두통은 편두통과 같은 다른 진단이 배제될 때 종종 포괄적인 유형이 된다.[102,115]

경추성 두통 증상은 또한 편두통의 증상과 겹칠 수 있다.[12,32,102] 편두통은 여성의 약 15–20%와 남성의 5%에 영향을 미친다.[116] 편두통은 조짐이 없는 편두통(**표 7–4**)과 전조가 있는 편두통(**표 7–5**)의 두 가지 주요 하위 유형으로 나뉜다. 편두통은 4–72시간 동안 지속되는 발작으로 나타나는 재발성 두통 장애이다. 공격은 강도, 빈도 및 지속 시간이 매우 다양하다. 편두통은 일반적으로 편측성 전측두부 두통을 특징으로 하지만 어떤 경우에는 양측성이다. 메스꺼움 또는 구토, 관련된 광선 공포증 및 소리 공포증, 머리 움직임 또는 일상적인 신체 활동으로 인한 심각한 악화와 함께 맥동하는 특성이 있다.[22]

조짐이 있는 편두통(**표 7–5** 참조)은 동일한 특성을 갖지만 조짐이 선행된다. 전조는 일반적으로 점차적으로 발생하고 일반적으로 두통 및 관련 편두통 증상이 뒤따르는 일방적인 완전히 가역적인 시각, 감각 또는 기타 중추신경계 증상의 반복 발작, 몇 분 동안 지속되는 것이 특징이다(**표 7–5** 참조).[22] 시각 전조는 환자의 90% 이상에서 발생하는 가장 흔한 유형의 전조이며, 종종 강화 스펙트럼으로 점차적으로 오른쪽 또는 왼쪽으로 퍼져 상대 암점의 절대 또는 가변 정도를 남길 수 있다. 다음 빈도는 감각 장애가 손에서 시작하여 팔로 퍼져 결국 얼굴 또는 혀에 도달하는 감각 이상 또는 무감각의 형태이다.

편두통은 일반적으로 심각한 성격을 나타내며 주요 특징 중 하나는 일상 활동의 수행을 방해한다는 것이다. 단순히 머리를 움직이는 것은 잘 견디지 못한다. 중요한 것은 편두통이 있는 일부 환자에서 두통이 양측성이라는 것이다.

표 7-5

전조 진단 기준 ICHD-3 의 편두통

A. 기준 B와 C 를 충족하는 최소2번의 발생
B. 다음의 완전회귀성 전조증상중 한 개 이상
  1. 시각
  2. 감각
  3. 말하기 와/또는 언어
  4. 운동
  5. 뇌간
  6. 망막
C. 다음 4개 성향중 적어도 2개
  1. 적어도 한 개전조증상이 5분이상 점차적으로 퍼지고 또는/과 2개이상 증상이 연속적으로 나타난다.
  2. 개별적 전조증상은 5−60분간 지속된다.
  3. 적어도 한개 전조증상은 편측이다.
  4. 조짐이 나타나거나 60분안에 두통으로 이어진다.
D. 다른 ICHD−3진단보다 나은게 없고, 일과성허혈발작은 제외된다.

두통질환의 국제분류(*ICHD−3*)에서.[22]

편두통은 만성이 될 수 있으며 이전에는 변형 두통으로 정의되었으며 오늘날에는 만성 편두통으로 알려져 있다. 이러한 유형의 편두통 환자는 약물 남용 두통을 동반할 수 있다. 만성 편두통은 편두통을 특징으로 하며 많은 대상에서 3개월 이상 동안 월 15일 이상 긴장성 두통과 그 특징이 매우 유사한 두통이며, 그 중 월 8회 이상 발작이 편두통 특성을 분명히 나타낸다. 편두통 상태, 경색 없이 지속되는 전조, 편두통 경색, 편두통 조짐 유발 발작과 같은 편두통 합병증을 아는 것이 중요하다.

편두통의 병태생리는 복잡하고 전조, 염증, 말초 및 중추 감작 및 뇌간 활성화와 같은 다양한 과정을 특징으로 한다. 편두통 발작 중 사건의 병태생리가 점점 더 잘 이해되고 있지만 편두통의 유발 기전을 아는 것은 논란의 여지가 있는 문제로 남아 있다.[117] 전조는 피질 확산 우울증(CSD)으로 알려진 피질 신경 및 신경교 변화에서 파생된다. 이것은 피질 흥분의 확산 파동으로 정의되며 장기간 지속되는 우울증이다. 후두엽에서 시작하여 전방으로 균일한 속도(3.5mm/s)로 확장되는 피질 확산 우울증(CSD)은 두정엽, 측두엽 및 때로는 전두엽에 도달하여 전형적인 전조 증상을 생성할 수 있다.

피질 확산 우울증(CSD)의 시작은 국소적 상승에 기인할 수 있다.[118] 신피질의 세포외 공간에 있는 H+, K+, 아라키돈산 및 산화질소가 임계 임계값까지 증가한다.[119]

이러한 피질의 변화는 프로스타글란딘, 산화질소, 양성자 등과 같은 다양한 물질이 경막과 그 혈관을 둘러싸고 있는 삼차신경 말단을 활성화하도록 한다. 삼차신경 시스템의 활성화는 C 및 Aδ 삼차신경 뉴런이 물질 P, 칼시토닌 유전자 관련 펩티드(CGRP) 및 뉴로키닌 A(NK−A)와 같은 신경펩티드를 항드로성으로 방출하여 수막 신경성 염증을 유발하는 것으로 결정한다. 이 신경 섬유는 통각 정보를 꼬리 삼차 신경핵, 시상 및 피질로 정형적으로 전달하여 통증을 인지한다. 삼차신경 계통의 활성화는 통증, 통각과민, 병증 및 이질통의 증폭 현상에 대한 책임이 있는 말초 및 중추 감작으로 이어진다. 뇌간은 편두통을 유발하거나 조절하는 역할을 한다.[120,121] 현재, 피질 확산 우울증(CSD)은 조짐이 없는 편두통을 포함하는 편두통에서 통증 병태생리학의 생리학적 기질의 기초를 형성한다고 제안된다.[117,119]

군발두통은 삼차 자율신경성 두통 중에서 가장 흔한 형태로, 발작성 편두통, SUNCT(결막 주입 및 찢어짐을 동반한 단기 편측 신경통형 두통 발작), SUNA(두개 자율 증상을 동반한 단기 편측 신경통형 두통 발작) 및 연속 편두통을 포함한다.

군발두통은 증상이 있는 기간(군집 기간)이 주기적으로 발생하는 특징이 있으며, 이 기간 동안 환자는 편측의 짧고 강렬한 두통과 동측 안면 식물 징후를 동반한다. 군발두통은 15분에서 180분 사이에 지속되고 격일에 한 번에서 하루에 8번 발생하는 안와, 안와상 또는 측두부에서 심각하고 엄격하게 일방적인 통증 발작이 특징이다. 통증은 동측 결막 주사, 눈

표 7-6

군발성 두통, 진단기준 ICHD-3

A. 기준B–D 충족하는 최소 5번의 발생
B. 심각 또는 매우 심각의 15–180분간 지속되는 편측 안와, 안와위 와/또는 측두 통증
C. 다음 성향 중 하나 또는 모두
  1. 두통과 같은 쪽의 다음 증상 또는 징후 중 적어도 하나:
    (a) 결막 주사 또는 눈물 흘림
    (b) 코 막힘 또는 콧물
    (c) 눈꺼풀 부종
    (d) 이마와 얼굴 땀
    (e) 이마와 안면 홍조
    (f) 귀에 충만감
    (g) 근시 또는 안검하수
  2. 불안이나 동요감
D. 통증은 활성 상태인 시간의 절반 이상 동안 발작의 빈도가 격일 1회에서 하루 8회 사이이다.
E. 다른 ICHD–3 진단으로 더 잘 설명되지 않음.

두통질환의 국제분류(*ICHD–3*)에서.[22]

표 7-7

후두 신경통 진단기준 ICHD-3

A. 기준 B–E를 충족하는 편측 또는 양측 통증
B. 통증은 대, 소 또는 제3 후두신경의 분포에 있다.
C. 통증은 다음 세 가지 특성 중 두 가지가 있다.
  1. 몇 초에서 몇 분 동안 지속되는 발작성 발작의 반복
  2. 심한 강도
  3. 쏘거나 찌르거나 날카로운 증상
D. 통증은 다음 두 가지 특성과 관련이 있다.
  1. 두피 또는 모발의 무해한 자극 동안 나타나는 감각이상 또는 이질통
  2. 다음 특성 중 하나 또는 둘 다:
    (a) 영향을 받은 신경 가지에 대한 압통
    (b) 큰 후두 신경의 출현 또는 경추 2번 분포 영역에서의 압통점
E. 영향을 받는 신경의 국소 마취 차단으로 통증이 일시적으로 완화된다.
F. 다른 ICHD–3 진단으로 더 잘 설명되지 않음.

두통질환의 국제분류(*ICHD–3*)에서.[22]

물 흘림, 코 막힘, 콧물, 이마 및 안면 발한, 근시, 안검 하수 또는 눈꺼풀 부종 또는 안절부절현상 또는 동요와 관련이 있다(**표 7–6**).[22] 군발두통은 남성에게 더 흔하며 밤에 시작될 수 있다.[122]

군발성 두통의 통증 시작은 매우 빠르다. 10–15분 안에 정점에 도달하고 2–3시간 동안 지속될 수 있다. 발생 후 환자는 일반적으로 고통스러운 경험으로 지치게 된다. 이 두통의 통증은 항상 일방적이며 일반적으로 안와 뒤 또는 주변 또는 측두 영역에 집중된다. 전형적인 자율신경 장애에 더하여, 환자는 발작 동안 상당한 운동성 안절부절현상과 현저한 불편함을 보인다. 공격은 일반적으로 하루 중 같은 시간에 몇 주 또는 몇 달 동안 군발성으로 나타난다.

군발 기간 동안 발병 빈도는 며칠에 한 번에서 하루에 최대 8번까지 다양하다. 군발성 발병 사이의 완화 기간은 수개월에서 수년까지 지속될 수 있다. 따라서 군발성 두통은 국소 동측 자율신경 징후(안검하수, 눈물흘림 등); 그리고 전형적인 24시간 주기와 계절적 리듬에 의해 이 세 가지 주요 측면으로 특징지어진다. 군발성 두통은 여성에게는 드물고 남성에게 6:1 비율로 발생한다.[122]

군발성 두통은 다른 삼차 자율신경성 두통과 유사하며 시상하부에 의해 조절되는 삼차신경 자율 반사의 활성화가 특징이다.[123] 삼차신경 자율반사는 뇌간에서 삼차신경계와 안면 부교감신경(제7 뇌신경) 사이의 연결 여부를 결정한다. 이 반사의 활성화는 통증을 수반하는 부교감신경 안면 증상을 설명한다. 그러나 삼차 자율신경 반사 활성화는 군발성 두통의 계절적 및 일주기 리듬을 설명하지 못하므로 이러한 유형의 두통은 일주기 리듬과 멜라토닌 및 뇌하수체 호르몬 분비의 조절을 담당하는 시상하부의 변화와 관련이 있다고 제안된다.[124-126]

후두 신경통은 대, 소 또는 제 3 후두 신경의 분포에서 두피의 뒤쪽 부분에서 발작성 신경병증성 통증, 쏘는 또는 찌르는 통증이 특징이다. 진단은 통증의 특징적인 신경병증적 성질, 때때로 신경분포 영역에

서 감각저하를 동반하는 감각이상, 때로는 침범된 신경에 압통을 동반하는 존재에 의해 확립되며 척수 신경 경추 2번 추체의 마취 차단으로 확인할 수 있다(**표 7-7**).[127]

표 7-8

경추성 두통 진단 기준(CHISG)

주요 기준

I 목 관련 증상 및 징후:

(a) 일반적으로 발생하는 것과 유사한 머리 통증의 촉발:
1. 목의 움직임 또는 지속적으로 어색한 머리 위치 지정, 또는:
2. 증상이 있는 쪽의 상부 경추 또는 후두 부위에 대한 외부 압력에 의해
(b) 목의 가동 범위(ROM) 제한
(c) 동측의 목, 어깨, 팔 통증이 다소 모호한 비방사성(non-radicular) 성질 또는 때때로, 방사성(radicular) 성질의 팔 통증.

(포인트 I(a–c)는 추정된 중요 순서대로 설명된다. 포인트 I의 현상 중 하나 이상이 반드시 존재해야 한다. 포인트 (a)는 그룹 I 내의 양성에 대한 유일한 기준으로 충분하다. (b) 또는 (c)는 그렇지 않다. 잠정적으로 I(b 및 c)의 조합은 I 내에서 만족스러운 조합으로 제시되었다. 세 가지 점(a, b, c)이 모두 존재하면 진단 (그러나 여전히 포인트 (II)는 과학 작업에 대한 추가 필수 포인트이다).

II 진단용 마취블록에 의한 확증적 증거

(II 는 과학적인 작업에서 필수사항임)

III 측면이동 없는 편측성 두통(과학적 작업의 경우, III항을 준수하는 것이 바람직하다.

전형적인 경우에 통증은 편측성이고 심한 통증이 발생하는 동안 정중선을 가로질러 퍼질 수 있지만 여전히 평소 쪽이 우세하다. 과학 작업의 경우 이러한 유형의 일방적인 지침으로 사용해야 한다.)

IV 두통 특성

(a) 보통 목에서 시작되는 중등도-심각, 욱신거리지 않고, 열이 나지 않는 통증
(b) 다양한 기간의 사건
(c) 목에서 시작하여 결국 동측 안구-전두측두엽 영역까지 확장되는 중등도-심각, 욱신거리지 않고, 열이 나지 않는 통증.
(d) 변동성, 지속적인 통증

V 일부 중요한 기타 특성

(a) 인도메타신의 효과가 미미하거나 효과 부족
(b) 에르고타민과 수마트립탄의 효과가 부족하거나 미미한 경우
(c) 여성의 성별
(d) 병력에 의해 드물게 발생하지 않는 두부 또는 간접적인 경부 외상, 일반적으로 중등도.

(IV 및 V 아래의 단일 항목은 의무 사항이 아니다)

VI 덜 중요한 기타 기능

다양한 공격 관련 현상, 가끔만 나타나거나 존재할 때 적당히 표현됨:

(a) 메스꺼움
(b) 광선공포증과 소리공포증
(c) 어지럼증
(d) 편측 시력저하
(e) 연하장애
(f) 대부분 눈주변의 편측 부종

경추성 두통 국제 연구 그룹(CHISG)에서.[18]

경추 증상이 다양한 형태의 두통에 공통적이라는 점도 고려하는 것이 중요하다. 따라서 환자가 경추성 두통을 가지고 있는지 확인하기 위해 특정 신체 검사를 수행할 필요가 있다. 경추 통각수용원은 모든 유형의 두통에서 삼차경추계 감작을 촉진할 수 있다. 같은 방식으로 삼차경추계를 활성화시키는 모든 유형의 두통은 경추 증상을 유발할 수 있다. 또한 통증 인식은 중앙 처리 기전에 따라 다르다.

중추 감작은 경추의 최소 기능장애가 어떻게 두통을 유발하고 유지할 수 있는지 설명할 수 있다. 이 변경된 중앙 처리는 말초 통각 구심성의 존재에 의해 유지될 수 있다. 그러나 두통이 만성화되면 중추 처리 기전의 변경이 말초 기전보다 더 중요해질 수 있음을 명심해야 한다. 중추 및 말초 요인의 상대적 중요성은 시간이 지남에 따라 환자마다 다를 수 있다. 통증의 중추 처리와 관련된 측면은 11장에서 더 자세히 논의된다.

경추성 두통의 진단 기준(Diagnostic criteria for cervicogenic headache)

현재 사용 중인 진단 기준은 Sjaastad 등이 1990년에 이 저자와 1998년 경추인성 두통 국제 연구단체(Cervicogenic Headache International Study Group, CHISG) (**표 7-8**)과[18] IHS 2013(ICHD-3)의 기준(**표 7-9**)에[22] 의해 수정되었다. 경추인성 두통 국제 연구단체(Cervicogenic Headache International Study Group, CHISG)는 진단 기준에 대한 보다 자세한 설명을 제공하므로 임상 실습에서 더 유용하다.[5,95,12-130] 이러한 진단 기준은 지속적으로 수정되었다. HIS 기준은 경추인성 두통 국제 연구단체(Cervicogenic Headache International Study Group, CHISG)만큼 상세하지 않다. 그들은 두통의 유효한 원인으로 받아들여질 경추에 대한 장애를 가리키는 진단 영상 또는 임상 검사가 필요하다. 그러나 척추증을 포함한 경추의 구조적 변화가 있다고 해서 반드시 척추증의 원인이 되는 것은 아니기 때문에 방사선 사진은 유효한 진단 기준이 아니다.

최근 개정된 IHS 진단기준은 1988년 기준에 포함되었던 목근육의 촉진을 제거하였다. 검토에 따르면 촉진 시 근육 압통이 있을 때 두통은 긴장성 두통으로 분류된다. 근육 압통은 경추성 두통을 포함한 다양한 유형의 두통에서 발생할 수 있는 부수 현상이기 때문에 이는 오진으로 이어질 수 있다.[131] 또한, 이는 척수신경 경추 1번-경추 3번에 의해 지배되는 모든 근육이 척수삼차핵과 관련되어 있다는 사실과도 일치한다.[77] 따라서 두통이 있는 사람에게 이러한 압통이 있다고 해서 긴장성 두통을 확인하는 것도 아니고 경추성 두통의 진단을 배제하지도 않는다. Bogduk에 따르면 경추성 두통의 정의적인 특징은 통증이 머리에서 감지되지만 경추에서 시작된다는 것이다.[11] 따라서 경추성 두통의 진단은 통증을 유발하는 경추 구조의 식별에 달려 있다.

표 7-9

경추성 두통 진단 기준 ICHD-3

A. 기준 C를 충족하는 모든 두통.
B. 두통을 유발할 수 있는 것으로 알려진 경추 또는 목의 연조직 내의 장애 또는 병변의 임상, 실험실 또는 영상 증거.
C. 다음 특성 중 적어도 두 가지에 의해 입증된 인과 관계의 증거:
  1. 두통이 경추 장애의 발병 또는 병변의 출현과 시간적 관련성으로 발생한다.
  2. 두통이 경추 장애 또는 병변의 개선 또는 소실과 병행하여 유의하게 개선되거나 해소된다.
  3. 유발적인 기동으로 경추의 가동범위가 감소하고 두통이 현저하게 악화된다.
  4. 경추 구조 또는 신경 공급의 진단적 차단으로 두통이 사라진다.
D. 다른 ICHD-3 진단으로 더 잘 설명되지 않는다.

두통 장애의 국제 분류, 3판(ICHD-3)에서.[22]

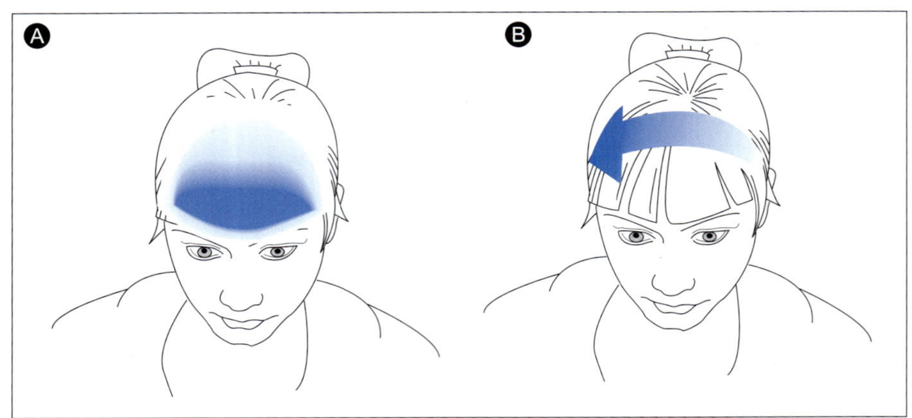

그림 7-7 ■ 긴장성 두통은 대개 양측성(A)이다. 편두통은 편측이지만, 공격 사이에 그리고 같은 공격 중에도 반대측면으로 바꾼다(B).

진단 기준 분석
(Analysis of the diagnostic criteria)

Antonaciet 등은[129] 경추성 두통의 기본은 일방적인 통증, 경추의 운동 범위 감소 및 기계적 촉진 요인의 존재의 조합이라고 믿는다.

편측성 통증

통증의 편측성은 경추성 두통 진단의 중요한 기준이다. 사실, Sjaastad 등에[6] 의해 제안된 첫 번째 진단 기준은 1983년의 엄격한 일방적인 성격은 항상 같은 편이었다. 다른 연구에서는 경추성 두통의 양측성 발현이 드물지 않다는 것을 나타내지만,[13,32] 동일한 쪽에 영향을 미치는 일측성은 여전히 감별 진단의 관점에서 중요한 것으로 간주된다.[128,129,132] 1990년에 개정된 진단 기준은 통증의 일방적인 특성을 완화하여[18] 몇 가지 자격을 확립했다.[128,131] 이 편측성은 반대쪽 통증이 없다는 것을 의미하는 것이 아니라 두통이 항상 같은 쪽에서 우세하다는 것을 의미한다. 두통의 강도가 증가하면, 반대쪽에 통증이 나타날 수 있지만 강도는 낮다. 양측성 증상의 또 다른 가능한 원인은 경추의 양측에 경추 기능장애의 존재일 수 있다. 일부 연구에서는 양자주의를 '양측의 편측성'으로 간주한다.[18] 통증의 일방적인 특성은 경추성 두통과 항상

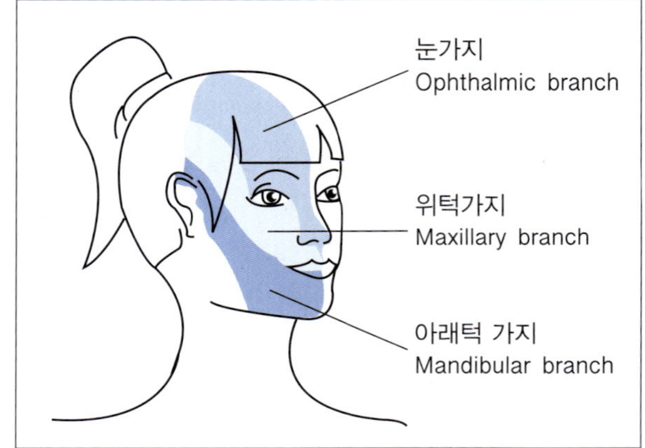

그림 7-8 ■ 경추성 두통 통증은 종종 후두부 및 전측두엽 영역에서 감지된다. 후자의 통증 영역은 삼차 신경의 안과 부문의 민감한 영역에 해당한다.

양측성인 긴장성 두통을 구별하는 데 도움이 될 수 있다.[22] 그러나 연관 통증에 대한 현재의 이해는 중추 감작의 정도에 따라 그 분포가 다소 광범위하거나 일방적이거나 양측일 수 있음을 분명히 설명한다.

편두통은 대개 편측성이나 양측성일 수 있다.[5,22] 편두통의 편두통은 통증이 발작 사이에, 심지어 같은 발작 중에도 양쪽을 바꿀 수 있기 때문에 다르다.[133] 이 통증 행동은 구체적이지는 않지만 일반적으로 '편두통'으로 간주된다(**그림 7-7**). 군발 두통은 때때로 다양한 공격에서 측면을 전환하는 반면, 발작성 편두

통은 항상 같은 측면에 유지된다.[22] 이 측면 일관성은 두개하악 장애와 관련된 두통에서도 관찰된다.

편측성 통증은 두통의 원인이 되는 구조를 찾는 데 있어 관절 기능장애가 있는 쪽을 가리키므로 진단적 의의가 있다.[102]

통증영역

경추성 두통통증은 종종 후두하 또는 전측두엽 영역에서 감지된다.[6,12,13,32,134] 통증 부위는 이마, 관자놀이 및 안와 부위를 지배하는 삼차 신경의 안과 부위의 민감한 부위를 포함할 수 있다(**그림 7-8**). 측두하악 장애와 관련된 두통은 편측성이며 일반적으로 측두부 및 삼차 신경의 상악 및 하악 분할 영역에 해당하는 영역을 나타낸다. 환자가 후자의 두 영역에서 통증을 호소할 때, 두통은 경추보다는 측두하악 장애와 관련이 있을 가능성이 있다.[135]

통증의 분포는 편두통, 긴장성 두통, 발작성 편두통, 군발성 두통 또는 측두하악 관절의 연관통과 같은 다른 유형의 두통과 경추성 두통을 명확하게 구별하지 않는다.[135,136] 원칙적으로 통증 부위는 진단 기준으로 단독으로 사용되지는 않지만, 아래에서 논의되는 바와 같이 인지된 통증은 두통 형태마다 다른 특성을 갖는다.

경추성 두통 통증의 감별 진단의 중요한 측면은 경추와의 임상적 관계이다. 경추성 두통은 목 통증과 관련이 있으며, 이는 환자가 두통과 목 통증이 있을 때마다 경추성 두통이 있다는 것을 의미하지는 않는다. 목 통증은 모든 유형의 두통을 동반할 수 있다. 실제로 목과[42] 안면 통증이[137] 있는 편두통 환자를 찾는 것은 흔한 일이다. 목 통증은 삼차경추핵의 양방향 경로로 인한 '뇌로부터의 연관통일 수 있으며 따라서 경추 병리로 인한 것이 아니다. 그럼에도 불구하고, 특히 두통이 만성화될 때 모든 유형의 두통과 경추의 근골격계 증상 사이에 연관성이 있음을 여전히 고려해야 한다.[138]

우리는 두통과 관련된 목 통증이 경추성 두통의 병인이 아니라는 것을 설명했다. 진단적으로 중요한 것은 목 통증과 두통이 임상적으로 연관되는 방식이다. 두통의 원인이 경추 구조라는 강력한 지표는 통증이 후두부, 경부 또는 후두부에서 시작되어[129] 머리로 퍼진다는 것이다. 이와 관련하여 Sjaastad 등의[139] 연구는 편두통 환자와 경추성 두통환자의 통증 위치 측면에서 매우 흥미롭다. 이 저자들은 22명의 조짐 편두통 환자와 11명의 경추성 두통환자에서 두통 발작이 시작되고 끝날 때 증상의 위치를 문서화했다. 편두통 환자의 91%에서 초기 두통 증상이 측두부 또는 전두부에서 감지되고 통증이 경추를 포함한 다른 부위로 퍼진다.

이 그룹의 한 명의 환자만이 목에 두통이 시작된 후 다른 부위로 퍼지는 것을 경험했다. 경추성 두통 환자의 73%에서 두통의 초기 증상은 목에 있었고 이후에는 측두부 또는 전두엽 영역을 언급했다. 11명의 환자 중 3명에서만 증상이 전두엽과 측두부에서 시작되어 경추부로 퍼졌다. 두통이 수일 동안의 목 통증 또는 목 경직, 통증 및 경추 운동 범위 감소와 같은 다른 증상 후에 발생하는 경우 진단은 경추성 두통을 가리킬 수도 있다.

목과 관련된 징후 및 증상

경추성 두통 진단을 위한 가장 중요한 측면은 경추와 관련된 징후와 증상이다. 국제 경추성 두통 협회(CHISG, CERVICOGENIC HEADACHE INTERNATIONAL SOCIETY GROUP)는 다음을 필수 진단 기준으로 중요도 순으로(가장 작은 것부터) 고려했다.

- 목의 움직임 또는 지속적인 어색한 자세(Ia1), 또는 상부 경추 또는 후두부(Ia2)의 동측 후방 부위에 외부 압력을 가함으로써 유발되는 두통.
- 경추 가동성의 감소된 범위(Ib).
- 경추, 어깨, 팔의 확산성 동측 통증(Ic).

첫 번째 기준과 관련하여 경추성 두통을 특징짓고 진단에서 중요한 것으로 간주되는 것은 발병과 악화가 모두 목의 지속되거나 어색한 위치와 목 운동 수행과 관련이 있다는 것이다.[6,12,13,17,32,130,134,140,141] Jull 등은[31] 경추성 두통 환자 200명을 대상으로 한 연구에서 그 중 60%가 어떻게 두통이 경추의 움직임이나 자세에 의해 유발된다고 보고했는지 보여주었다. 이것은 환자 자신이 자주 인식하는 사실이다. 경추를 구부리거나 끝까지 펴는 것과 같은 지속적인 자세는 일반적으로 두통을 유발하고 경추의 광범위하고 반복적인 회전이 필요한 활동을 유발한다. 많은 환자들이 수면에 어려움을 겪고 편안한 목 자세를 찾지 못한다. '베개를 가지고 고군분투'하는 환자들은 종종 두통과 목의 뻣뻣함으로 잠에서 깨어난다. 그들은 수면 중 불편하거나 불편한 목 자세가 두통의 원인이라고 생각한다.[6,12,32,130,140-143]

특정 지점에 대한 압력에 의한 두통의 발병은 경추성 두통의 또 다른 진단 기준이다. 유양돌기 부위, 경추 2번 및 다양한 경추 근육 주변의 압력에 대한 민감도는 잘 문서화되어 있다. 관련 통증의 후속 유발과 함께 두개경추 관절의 촉진은 두통의 경추 원인을 확인하는 유용한 도구이다.

두 번째 진단 기준인 목의 운동 범위 감소는 경추성 두통 환자의 신체 평가 부분에서 논의될 것이다.

이 그룹의 세 번째 기준은 경추, 어깨 및 팔에 광범위하고 비방사성 동측 통증이 있다는 것이다. 때로는 방사성 통증일 수 있다(Ic). 이러한 증상은 경추에 근골격계 기능장애가 있음을 나타내는 것일 뿐이다. 그들의 존재가 자동으로 환자가 경추성 두통이 있음을 의미하지는 않는다.

통증 특성

통증의 질은 또한 감별 진단에 도움이 될 수 있다. 예를 들어, 편두통 발작 동안 통증은 맥동이 나고 짧은 기간의 날카로운 발작성 통증과 관련될 수 있으며, 이는 두통 내에 산재되어 있고 위치가 다양하다.[147] 긴장성 두통에서 환자는 통증을 '조임 머리띠'나 머리 주위에 무게를 두는 것과 같은 억압적인 것으로 설명한다. 안검하수 및 눈물과 같은 안구 증상과 관련된 눈 뒤의 강한 압력은 만성 발작성 편두통 또는 군발성 두통으로 진단된다[122,148](**그림 7-9**). 그러나 경추성 두통 통증은 다른 신체 통증과 유사한 둔한 통증이다.

통증 강도도 진단적 의미가 있다. 경추성 두통 및 긴장성 두통 통증은 일반적으로 경증에서 중등도이다. 때로는 심할 수 있지만, 만성 발작성 편두통이나

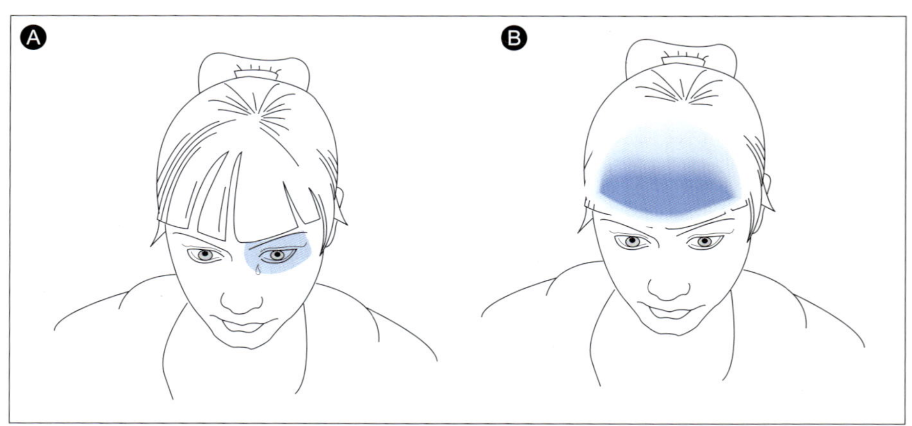

그림 7-9 ■ 군발두통과 만성발작성 편두통은 안검하수 및 눈물흘림과 같은 안구 증상과 관련된 눈 뒤의 심한 통증이 특징이다(A). 긴장성 두통에서 환자는 통증을 '조이는 머리띠' 또는 머리에 가해지는 무게로 설명했다(B).

표 7-10

두통의 측두 양상

	공격 기간	공격 빈도
경추성 두통	변화 시간-일	
군발성 두통	15-60분	1-3일간
만성 발작성 편두통	10-20분	15-20일간
편두통	4-72시간	

군발성 두통의 특징인 참을 수 없는 통증 수준에는 도달하지 않는다.[12,130] 치료하지 않으면 심각하고 무력해질 수 있는 편두통의 통증과 달리 경추성 두통 통증은 경증에서 중등도로 변동한다. 20%의 경우에만 심각하다.[32]

두통의 시간적 양상은 진단의 또 다른 중요한 측면이다(**표 7-10**). 군발성 두통의 지속시간은 15분에서 60분 사이로 짧고 하루에 1번에서 3번의 발작 빈도가 있다. 공격은 종종 밤에 시작하여 대상을 깨운다. 이것은 활동 기간 또는 단계를 가지고 있다. 따라서 군발성 두통 또는 군발이라는 이름이 2주에서 8주 사이에 지속된다. 이러한 활성 단계는 대개 봄과 가을에 1~2년마다 발생한다. 만성 발작성 편두통의 임상 양상은 군발성 두통의 임상 양상과 상당히 유사하다. 그러나 공격은 훨씬 짧고 10-20분 지속되지만 훨씬 더 자주 발생하여 하루에 최대 15-20회의 공격에 이른다. 발작성 편두통은 만성으로 진행되는 경향이 있지만 어떤 경우에는 일시적이기도 하다.

편두통은 일시적인 특성과 제한된 발작 지속 시간(4-72시간)이 특징이지만, 일반적으로 24시간 미만 지속된다. 경추성 두통의 시간적 패턴도 일시적이지만 편두통과 달리 매우 다양할 수 있으며(몇 시간에서 며칠까지) 항상 유발 활동이나 자세와 관련이 있다. 긴장성 두통의 통증 패턴과 거의 차이가 없다. 경추성 두통의 역사는 일반적으로 길고 때로는 만성 두통으로 수년에 걸쳐 진행된다.[130]

감별 진단에 도움이 되는 다른 비필수적 요소는 발작성 편두통에서 일반적으로 나타나는 항편두통 약물(에르고타민 및 트립탄)에 대한 경추성 두통의 불량한 반응과 인도메타신에 대한 반응 없음이다. 경추성 두통 환자의 높은 비율이 일종의 진통제 또는 항염증제를 복용하지만, 두통이 특정 강도에 도달하면 이러한 약물의 사용이 거의 완화되지 않는다.

경추성 두통의 진단 기준에는 메스꺼움, 구토, 빛 공포증 및 소리 공포증과 같은 여러 관련 증상이 포함되지만, 이러한 증상(존재하는 경우)은 본질적으로 경미하다. 이러한 증상은 더 심한 경우 편두통, 발작성 편두통, 군발성 두통과 관련이 있다. 그럼에도 불구하고 이러한 유형의 두통에만 국한되지 않으며 경추성 두통도 동반될 수 있다. 또한 시각 장애, 현기증, 안구주위 부종, 전반적인 과민성 및 집중력 저하와 같은 다른 특징이 있다.[149] 이러한 증상은 다양한 유형의 두통에 공통적이지만, 그 중증도는 근골격형 두통보다는 편두통 또는 삼차 자율신경 두부통을 시사할 수 있다.

개시 병력

두통은 우리가 살면서 가장 흔하게 겪는 고통이다. 그러나 두통이 있는 인구의 10% 미만이 치료를 받는다.[150] 따라서 경추성 두통 및 기타 형태의 두통으로 고통받는 환자가 마침내 의사에게 갈 때 수개월 또는 수년의 긴 병력을 보고한다.[17,32,102,130] 다양한 형태의 두통을 구별하는 데 도움이 될 수 있는 주요 측면은 유발 요인이다. 경추성 두통의 경우 가장 흔한 원인은 퇴행성 관절 질환, 자동차 충돌(편타손상) 또는 스포츠 또는 레크리에이션 부상과 같은 단일 사건으로 인한 목 부상, 또는 다음과 같이 계속되는 어색한 작업 자세와 같은 반복적인 경미한 외상의 축적이다.

외상후 경추성 두통

경추성 두통은 원칙적으로 외상 후 두통으로 간주되지 않지만, 편타손상의 병력은 병인의 관점에서 중요할 수 있다.[83,129] 편타손상과 같은 이전의 외상은 경추성 두통[3,12,17,32,102,151,152] 환자에서 흔하며 가장 지속적인 증상이다.[153] 두통, 목 통증 및 경추 가동성 제한이 이 임상 패턴의 증상이다.[152,154,155] Drottning 등의[156] 전향적 연구에서, 편타손상 후 경추성 두통의 발병률에서 두통은 특히 초기 단계에서 매우 흔한 증상이다. 이 저자들은 편타손상 후 의료 처치를 받은 환자의 3%가 부상 후 1년에 경추성 두통을 겪었고, 이 중 25%는 한 달에 15일 이상 두통을 가졌다는 것을 발견했다.[156] 부상 후 6년 후에 1년에 경추성 두통이 있는 경우에도 35% 환자가 경추성 두통이 있었다.[157]

국제 통증 연구 협회(IASP)는 편타손상과 경추 퇴행성 질환이 모두 경추성 두통의 직접적인 원인이 될 수 있음을 인정한다.[158] Lord 등은[100] 편타성 통증을 경험한 100명의 환자 중 71명이 만성 두통을 앓고 있는 환자를 대상으로 한 연구를 수행했다. 이 저자들은 세 번째 후두 신경의 마취 차단을 통해 100명의 환자 중 27%에서 두통의 원인이 경추 2번-경추 3번 후관절에 있음을 입증했다. 그들은 경추 2번-경추 3번 관절의 장애로 인한 두통이 편타손상 후 만성 두통 환자에서 흔한 상황이라고 결론지었다. 그러나 이러한 연구는 안전상의 이유로 경추 1번-경추 2번 측면 관절에서 마취 차단을 수행하지 않았으므로 이러한 관절에서 발생하는 경추성 두통의 실제 발생률을 알지 못한다. 만성 외상 후 목 통증이 있는 환자에 대한 또 다른 연구에 따르면 54%의 경우 통증이 경추 2번-경추 3번 후관절에서 비롯된 것으로 나타났다.[159] 따라서 편타손상은 경추성 두통을 유발할 수 있다.

그러나 편타손상과 관련된 두통이 자동으로 경추성 두통라는 믿음은 잘못된 것이다. Cote 등은[160] 심각한 목 통증과 두통이 자동차 충돌로 인한 목 부상의 병력이 있는 개인에서 더 많이 발생하지만, 편타손상과 만성 목 통증과 두통 사이의 인과 관계를 유추해서는 안 된다는 것을 보여주었다. Radanov 등은 편타손상 후 평균 2년 이상의 기간에 만성 외상 후 두통이 있는 112명의 환자를 연구했다. IHS-1 1998의 기준을 사용하면, 편두통에 따른 두통은 37%의 경우 긴장형, 27%의 편두통, 18%의 경추인성, 18%의 경우 분류할 수 없는 경우였다. 사용된 진단 기준이 매우 민감하거나 구체적이지는 않았지만, 편타성은 분명히 모든 유형의 두통에 대한 유발 요인이 될 수 있으며 경추성 두통에만 국한되는 것은 아니다.

경추성 두통은 일반적으로 서서히 발병한다. 환자들은 종종 경추 통증 및 경직과 관련된 오랜 두통 병력을 보고한다. 두통의 빈도와 강도는 수년에 걸쳐 점진적으로 증가하며 종종 두개경추의 퇴행성 관절 질환과 관련이 있다.[162] Delfini 등에 따르면,[29] 퇴행성 관절 질환 환자의 25%에서 40% 사이에서 경추성 두통이 발생한다. 그러나 보다 최근의 연구에 따르면 고령자의 경우 만성 근골격 질환이 경추성 두통의 기원이거나 다른 두통의 동반 질환일 수 있다.[163]

경추성 두통 및 중추 과민성

Hagen 등에[138] 의해 51,050명의 피험자에서 수행된 역학 연구에서 편두통이 있는 피험자와 편두통이 아닌 두통이 있는 피험자 모두 관련 근골격계 증상을 겪을 가능성이 더 높은 것으로 나타났다. 근골격계 증상이 있는 사람들은 만성 두통을 겪을 확률이 4배 더 높고, 경추 증상이 있는 사람들은 신체의 다른 곳에서 근골격계 증상이 있는 사람들보다 두통을 겪을 확률이 더 높다. 따라서 두 성별, 연령대 및 모든 두통 범주에 대해 두통과 근골격계 증상 사이에는 긍정적인 연관성이 있다. 또한 경추 증상과 모든 종류의 두통 사이에는 강한 연관성이 있다. 이러한 결과는 다양한 방식으로 설명될 수 있다. 두통과 목 통증 사이의 관계는 경추성 특성 때문일 뿐만 아니라 단순히 삼차경추핵의 민감도 증가 때문일 수 있다. 위의 내용을 배제하지 않는 다른 설명은 두통이 근골격계 통증이 있는 환자, 특히 만성인 경우 흔한 동반 질환이라는 것이다. 마지막으로, 많은 만성 두통과 많은 만성 근골격계 통증이 중추 감작과 관련이 있다.[164,165]

쉽게 제기되는 문제 중 하나는 기저에 만성 침해

수용성 원인이 있는 일부 개인이 경추성 두통이 발병하고 동일한 관절 손상을 가진 다른 개인이 발병하지 않는 이유이다. Chua 등은[166] 만성 경추 골단 관절 통증이 있지만, 경추성 두통이 없는 10명의 환자와 비교하여 기저 만성 경추 골단 관절 통증이 있는 17명의 경추성 두통 환자에서 감각 통증 처리의 차이를 체계적으로 조사하기 위해 정량적 감각 검사 연구를 수행했다. 프로토콜은 압력 통증 역치, 열 감지 역치, 전기 통증 역치 및 확산 유해 억제 제어의 측정으로 구성되었다. 경추성 두통이 있는 환자와 없는 환자의 주요 차이점은 압력 통각과민이 경추성 두통환자에서 머리의 통증이 있는 쪽으로 명확하게 편측화 되었고 머리와 목의 같은 쪽에도 차갑고 따뜻한 감각과민이 있었다는 것이다. 이러한 결과는 중추 감작이 경추성 두통이 있는 만성 경추 관절간 관절 통증 환자의 병태생리학적 기전임을 시사한다.

진단 기준의 신뢰성

Antonaciet 등이[128] 국제 경추성 두통 협회(CHISG)의 진단 기준의 신뢰도를 분석했다. 이를 위해 기준을 7가지로 분류하였다(**표 7-11**). 이들 저자에 따르면, 환자가 7개의 그룹화된 기준 중 5개를 충족하는 경우 경추성 두통 진단을 매우 안정적으로 수행할 수 있다. 경추성 두통 진단은 편측성 두통과 경추 부위의 발병이라는 두 가지 기준이 충족될 때 가능하다. 경추성 두통은 다음과 같은 추가 기준 중 세 가지가 충족될 때 발생한다. 경추 이동성이 감소한 경우; 경추, 어깨 또는 팔의 동측 통증; 그리고 최근 편타손상의 병력.

Possible CEH: 가능 경추성 두통

1. 한쪽의 두통.
2. 경추부분에서 시작.

예상 경추성 두통(적어도 3개 조건)

1. 목의 움직임이나 자세를 유지하거나 후두하부 또는 경추후부 부위의 외부 압력에 의해 유발되는 두통.
2. 경추 이동성 감소.
3. 경추, 어깨 또는 팔의 동측 통증.
4. 최근 편타손상 병력.

표 7-11

집단화 지표

1. 측면이동 없는 편측성 두통
2. 목과 관련된 징후 및 증상(가장 중요한 것부터 덜 중요한 것까지):
   a. 목의 움직임 또는 유지된 어색한 자세 또는 상부 경추의 후방 부위 또는 후두 부위에 대한 동측 외부 압력으로 인한 두통
   b. 경추, 어깨 및 팔의 동측 통증은 확산되고 비방사형다.
   c. 감소된 경추 가동성 범위
3. 기간이 다양하거나 지속적인 통증으로 변동하는 통증 사건
4. 날카롭거나 찌르지 않은 중간 정도의 통증
5. 경추에서 시작하여 결국 가장 심한 통증이 있는 안구-전두-측두부 영역으로 확장되는 통증
6. a. 대후두신경 또는 경추 2번의 신경근의 마취 차단 또는 완전한 마취가 이루어진 경우 일시적으로 통증을 제거하기 위해 증상이 있는 쪽의 다른 적절한 차단
   b. 발병과 관련하여 비교적 최근 편타손상
7. 공격과 관련된 다양한 증상: 증상 및 자율신경 징후, 메스꺼움, 구토, 동측 부종 및 안구주위로 진행됨; 선회; 광공포증 및 음성공포증; 통증과 같은 쪽 눈의 흐릿한 시야.

Antonaci 등으로부터.[128]

진단적 관점에서 볼 때 가장 중요해 보이는 두 가지 기준은 경추 부위의 통증이 시작되어 머리로 전파되는 것과 통증의 일방적인 현상이다. 통증의 시간적 패턴과 특성 역시 높은 특이성과 민감도를 보인다.

Vincent와 Luna는[167] 유사한 작업을 수행하여 경추성 두통을 편두통 및 긴장성 두통과 구별하는

측면이 통증의 위치와 방사, 시간적 패턴 및 경추의 자세, 움직임 또는 수동 자극으로 인한 통증의 시작임을 확인했다. Van Suijlekom 등은[168] 경추성 두통의 진단을 위한 국제 경추성 두통 협회(CHISG)의 진단 기준의 관찰자 간 신뢰도를 분석했다. 그들은 이것이 국제두통학회(IHS) 기준을 사용하여 편두통 및 긴장성 두통의 진단에서 얻은 것과 유사하다고 결론지었다.

경추성 두통에 대한 신체 검사
PHYSICAL EXAMINATION FOR CERVICOGENIC HEADACHE

오늘날 사용 가능한 경추성 두통 에 대한 진단 기준은 여러 연구에서 검증되었다.[128,167-169] 그러나 여러 저자가 지적한 바와 같이 이러한 기준은 경추성 두통 환자와 편두통 환자를 구별하기에 충분한 특이성을 갖지 않는다.[170] 국제 경추성 두통 협회(CHISG) 및 국제두통학회(IHS)에 의해 정의되는 신체 장애는 소수이며 비특이적이다. 이러한 환자의 신체 검사는 매우 피상적이어서 두통에서 경추의 침범을 인식하는 것이 어렵다는 것을 설명한다.[171]

경추성 두통에 대한 신체 검사의 역사적 열악한 발전은 두통을 유발하는 해부학적 구조를 결정하는 데 마취 블록의 역할을 촉진했다.[172] 그러나 마취 차단은 진단 문제의 해결책이 아니다. 이들은 숙련된 의사의 형광투시 안내 하에 수행해야 하는 침습적 기술이다. 또한, 두통 발작 시 블록을 수행해야 하기 때문에 추가된 어려움이 있다.[173] 다른 한계로는 낮은 특이성과 결과 해석의 어려움이 있다.[172,174,175] 따라서 경추 신경근-관절 시스템의 신체적 손상뿐만 아니라 두통의 분절 원인을 식별하기 위한 철저한 평가를 포함하는 경추의 이학적 검사 모델이 바람직하다.

Sjaastad 등의[2] 5가지 측면의 분석을 기반으로 한 경추성 두통에 대한 신체 검사 프로토콜을 설명했다. 신경, 힘줄 및 후두부의 감도; 후관절 압통; 경추 가동성 범위; 집어돌리기검사(pinch and roll test). 그러나 Jull과 동료들은 항상 경추 근골격 장애에 사용되는 검사와 일치하는 보다 광범위한 두통 신체 검사 프로토콜을 옹호해 왔다.[31,43,72,102,162,176,177] 한 연구에서 그들은 한 그룹의 신체적 손상이 경추성 두통을 다른 두통 유형과 구별하는지 확인하기 위해 빈번한 간헐적 두통(예: 편두통, 긴장형, 경추성 두통)이 있는 사람들의 근골격계 경추 기능의 다양한 측면을 조사했다.[43,177] 253명의 대상자(두통군 196명, 두통이 없는 대조군 57명)를 대상으로 다음과 같은 검사를 시행하였다: 경추의 가동범위, 경추의 증상이 있는 관절 기능장애 유무를 확인하기 위한 경추 2번에서 신전근 강도, 머리반가시근(두반극근), 머리가장긴근(두최장근) 및 상부 등세모근(상부승모근)의 단면적을 사용하여 촉지, 두개경추굴곡검사(Craniocervical flexion test, CCFT), 경추굴곡근 및 초음파 영상 및 경추 관절 위치 오차 검사를 사용하였다. 이 연구의 결과는 근골격계 기능장애의 패턴의 존재가 경추성 두통을 구별한다는 것을 보여준다. 공동으로 촉지 가능한 상부 경추 관절 기능장애 및 경부 경부 굴곡 동반 효과의 손상(두개경추굴곡검사: CCFT에 의해 검사됨)과 관련된 제한된 움직임은 경추성 두통을 식별하기 위해 100% 민감도와 94% 특이도를 보였다. 이러한 근골격계 손상 양상은 편두통 및 긴장성 두통 환자군에서 발견되지 않았으며, 이는 경추성 두통이 경추 근골격계 기능장애에 이차적인 두통임을 확인시켜주었다. 이것은 경추성 두통이 있는 환자에서 다른 경추의 신체적 손상이 나타날 수 없다는 것을 의미하지는 않는다. 오히려 이 연구는 이 세 가지 기능장애가 경추성 두통의 가장 강력한 연관임을 보여주었다. 다른 장애가 발견될 수 있지만 모든 경추성 두통 환자에게 나타나지 않거나(예: 경추성 두통(CEH) 환자가 모두 신경조직 기계 과민성을 갖는 것은 아님) 경추성 두통(CEH)에 특이적이지 않았다(예: 근육 압통은 편두통 및 긴장성 두통에서도 발견된다).

경추성 두통을 특징짓는 신체적 소견을 확인하는

것은 진단에 중요할 뿐만 아니라 적절하고 구체적인 치료 프로그램을 알리는 데에도 필요하다. 다음 부분에서는 경추성 두통과 관련될 수 있는 신체적 손상을 검토한다. 신체 검사는 특징적으로 경추성 두통과 관련된 유사한 징후를 식별해야 한다. 신체 검사를 시작하기 전에 임상의는 환자의 임상 상태의 심각성과 과민성을 고려해야 한다. 중추 과민증이 있으므로 경추성 두통 환자의 검사에 주의를 기울여야 한다. 검사는 가능한 한 통증이 없어야 하며 두통을 유발하는 것을 목표로 해서는 안된다.

머리와 목의 자세 (Head and neck posture)

머리를 앞으로 내미는 자세는 경추성 두통와 밀접하게 연관되어 있다.[140,17] 일부 연구에서는 연관성이 발견되었고 다른 연구에서는 두통과 자세 사이에 유의미한 연관성이 발견되지 않았다.[72,173,179] Farmer 등은[180] 최근 자세의 방사선 사진을 분석하고 더 큰 전체 경추 전만과 경추성 두통(CEH) 가능성 증가 사이의 연관성을 관찰했다. 그러나 이것이 자세가 경추성 두통의 원인이 되는 것은 아니며, 이 척도를 변경하여 두통을 줄일 수 있다고 지적한다.

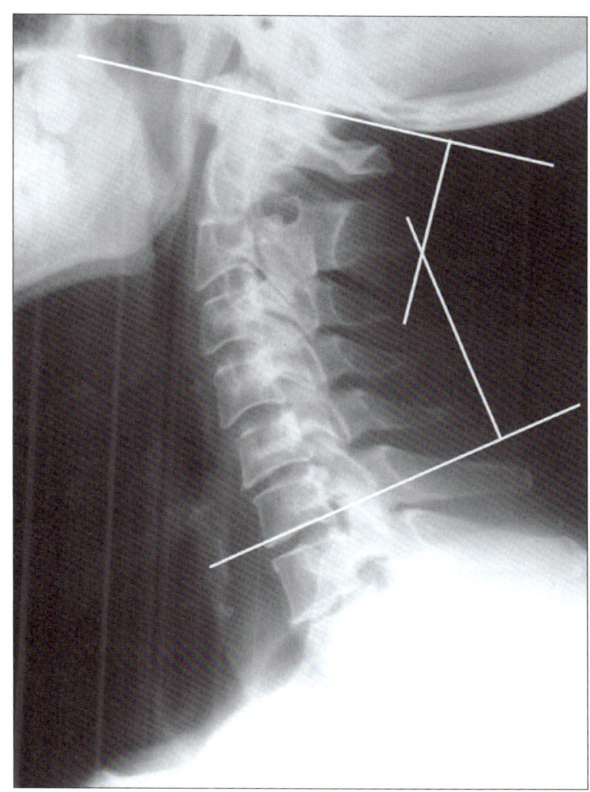

그림 7-11 ■ 경추전만을 측정하기 위해 McGregor's line에서 경추 7번까지 Cobb's angle을 측정할 수 있다.

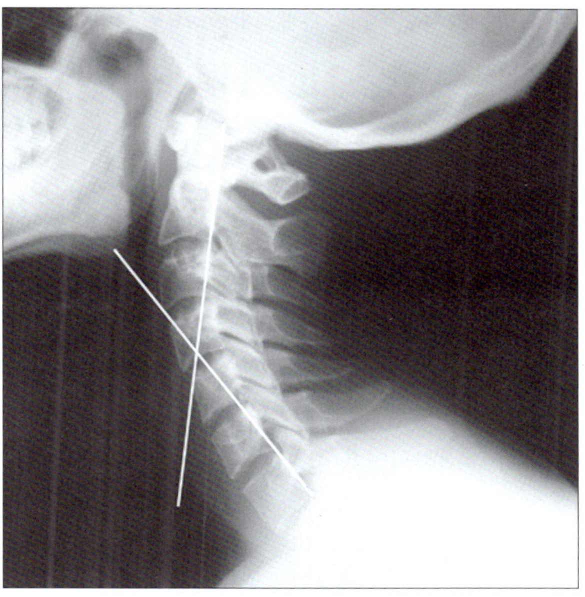

그림 7-12 ■ 전만곡선은 두 개의 선을 그려 측정할 수 있다. 하나는 경추 2번의 후벽에서, 다른 하나는 경추 7번의 후벽에서 선이 서로 교차할 때 형성되는 각도를 측정한다.

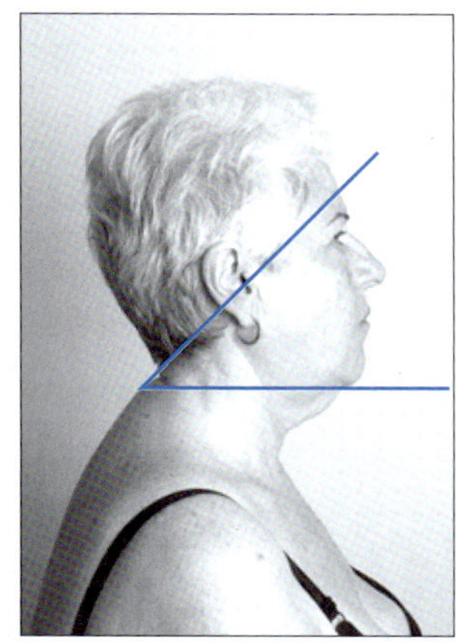

그림 7-10 ■ 두개척추각. 얻은 각도는 귀구슬(이주)와 경사 7번의 가시돌기를 연결하는 사선과 경추 7번 위치의 다른 수평선의 두 선을 기반으로 한다.

클리닉에서는 특히 환자가 자세 위치와 관련하여 두통이 나타나거나 악화된다고 보고할 때 서 있거나 앉아 있을 때 머리의 위치를 분석한다. 머리의 위치를 측정하는 것은 환자의 사진에서 두개골각도를 측정하여 수행할 수 있다[180](**그림 7-10**). 측면 방사선 사진에서 일부 측정값을 얻을 수 있다. 전만은 콥(Cobb) 방법을 사용하여 측정할 수 있지만, 상황에 따라 선택한 상단 척추에서 매우 다른 크기를 가질 수 있다(**그림 7-11** 및 **7-12**).

관절기능장애(Joint dysfunction)

경추의 모든 구조는 이론적으로 두통을 유발할 수 있지만 임상 경험뿐만 아니라 실험[11] 및 임상 연구에 따르면[72,162] 가장 일반적으로 책임이 있는 관절은 3개의 상부 경추 분절(경추 0번-경추 3번)이다. 임상 검사는 전체 경추 영역을 다루면서 특히 두개골 경추를 대상으로 해야 한다. 이것은 하부 경추 또는 상부 흉추의 기능장애가 두통과 관련이 없다는 것을 의미하지는 않는다.[94,181-183] 사실, 그들은 때때로 증상에 관여한다. 보다 일반적으로 하부 경추 및 상부 흉추 부위의 경직은 두개경추에 비정상적인 부하를 가하고 간접적으로 두통 증후군에 기여할 수 있다.

활동적 이동성

제한된 범위의 활동적 이동성은 경추성 두통의 진단 기준 중 하나이다. 이와 관련하여 능동 경추의 가동성과 두통의 관계를 확인하기 위한 다양한 연구가 진행되어 왔다. Zwart는[184] 경추성 두통, 편두통, 긴장성 두통으로 분류된 피험자와 대조군 사이의 경추 가동성을 비교했다. 그 결과 경추성 두통 그룹에서 이동성이 제한되었고 이 기능이 이 주제 그룹을 차별화함을 확인했다. 대조군, 긴장성 두통 및 편두통군 사이의 이동성은 차이가 없었다. 감소된 움직임이 경추성 두통의 특징이라는 이 중요한 발견은 Jull 등의[43] 유사한 연구에서 확인되었다. 다른 연구에서도 감소된 경추 운동성이 경추성 두통의 특징임을 확인했다.[72,173] 특히 경추 1번-경추 2번 기원의 경추성 두통의 경우 회전의 비대칭이 발생할 수 있다.[185-187]

도수 분절 검사 및 기타 두개경추 임상 검사

관절 운동 장애의 수동 검사 및 검사와 관련된 통증 유발은 경추성 두통의 임상 진단에서 기본적인 역할을 한다.[43,162,177] 도수 검사는 진단 도구로서 중요할 뿐만 아니라 물리치료사가 가장 적절한 유형의 치료를 설계할 수 있도록 한다.[188] 이 검사 방법에 대한 역사적 의구심에도 불구하고,[189] 목 통증과 두통의 원인이 되는 증상적 기능장애를 감지하기 위한 수동 검사의 신뢰성을 보여주는 많은 연구가 있다[72,190-194] (4장 참조).

생리적 및 보조적 분절 관절 가동성 검사는 특정 척추 분절의 운동량과 질에 대한 정성적 평가이며 통증 유발 검사 역할도 한다.[162] 따라서, 저가동성 또는 과가동성 관절을 구별할 수 있고 관절 부하에 대한 조직 반응과 같은 관절 운동의 질적 측면을 결정할 수 있다. 따라서 이러한 관절 가동성 검사는 경추성 두통을 담당하는 관절을 평가하기 위한 임상 검사로 사용된다. 이와 같이 이 수동 분절 검사는 관절 경추 0번-경추 1번, 경추 1번-경추 2번 및 경추 2번-경추 3번을 평가하여 기능장애 및 두통의 직접적인 원인을 식별하고, 경추장애를 야기할 수 있는 경추 및 상부 흉추 부위를 가능한 영역으로 평가하는 데 사용된다.

능동 가동성 평가와 함께 사용되는 두개경추 부위 가동성 및 관련 통증 유발에 대한 다른 수동/보조 능동 검사에는 두개경추 시상 이동성 검사(**그림 7-13**) 및 앉은 자세에서의 두개경추 회전(**그림 7-14**)이 포함된다. 검사는 신전-회전-동측 굽힘(**그림 7-15A**), 신전-회전-반대측 굽힘(**그림 7-15B**) 및 굴곡-회전-동측 굽힘과 같은 두개경추의 결합된 움직임의 평가를 포함하도록 확장될 수 있다(**그림 7-15C**).
모든 검사는 필요할 때 동작 범위의 끝에서 추가된 과압으로 민감해질 수 있다.

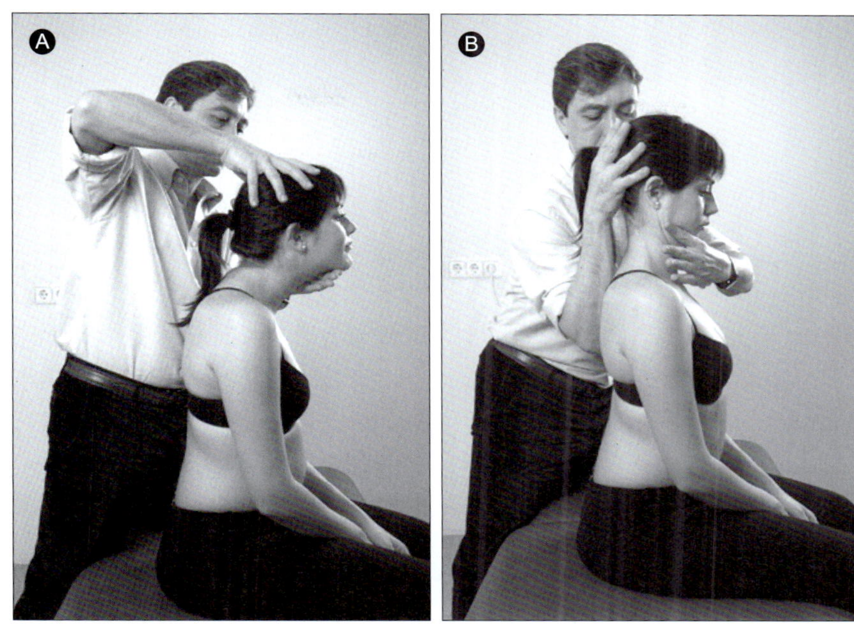

그림 7-13 ■ 시상 두개경추 가동성을 평가하기 위한 내밈(A) 및 당김(B) 움직임.

경추 0번–경추 1번, 경추 1번–경추 2번, 경추 2번–경추 3번 관절에 대한 다양한 검사 프로토콜은 1권, 12장에서 논의된다. 우리는 일부 분석 검사(**그림 7–16**) 및 전내측 및 후외측 과두 활주에 대한 관절 검사(**그림 7–17**) 대한 예를 통해 경추 0번–경추 1번 관절의 분절 평가 예의 일부 사진을 보여준다. Hall 등에[195] 의해 기술된 굴곡–회전 검사(FRT)는 경추 1번–경추 2번 기능장애를 평가하는 데 필수적인 검사이다. 굴곡–회전 검사(FRT)(**그림 7–18**)는 경추 1번–경추 2번 기능장애의 두통이 있는 피험자를 감별하는데 진단적 타당성이 있다.[196,197] 무증상 피험자의 경우 좌우 경추 회전이 43~44°에 도달하는 반면, 두통 피험자는 회전이 적었다. 30° 이상 또는 오른쪽과 왼쪽 경추 회전 사이에 10° 이상의 비대칭이 있었다. 이 검사는 경추 1번–경추 2번 관절 기능장애로 인한 경추성 두통을 가진 피험자를 대조군과 구별하기 위해 90%의 민감도와 88%의 특이도를 가지고 있다.[195] Hall과 동료들도 이 검사의 양성과 존재와 경추성 두통의 여부와 중증도 사이의 관계를 보여 주었다.[185]

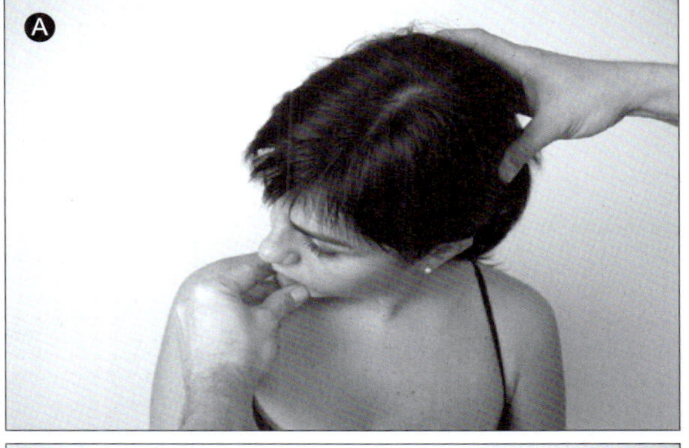

그림 7-14 ■ (A, B) 앉은 자세에서 경추의 굴곡에서 시작하는 두개경추 회전 평가.

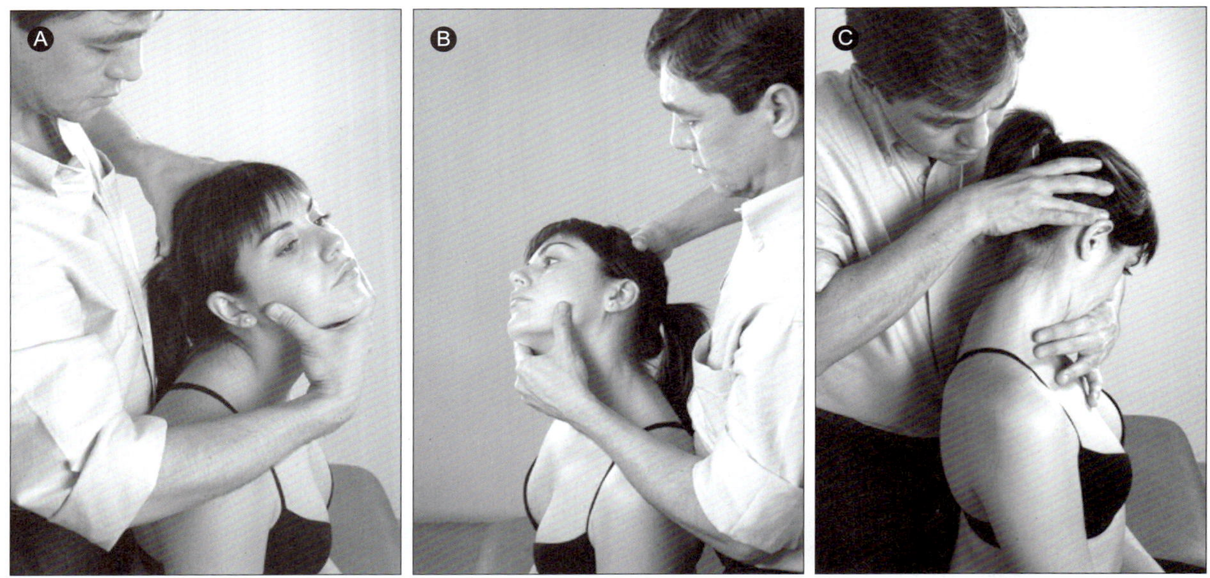

그림 7-15 ■ 두개경추의 결합된 움직임: 신전-회전-동측 굽힘(A), 신전-회전-반대측 굽힘(B) 및 굴곡-회전-동측 굽힘(C).

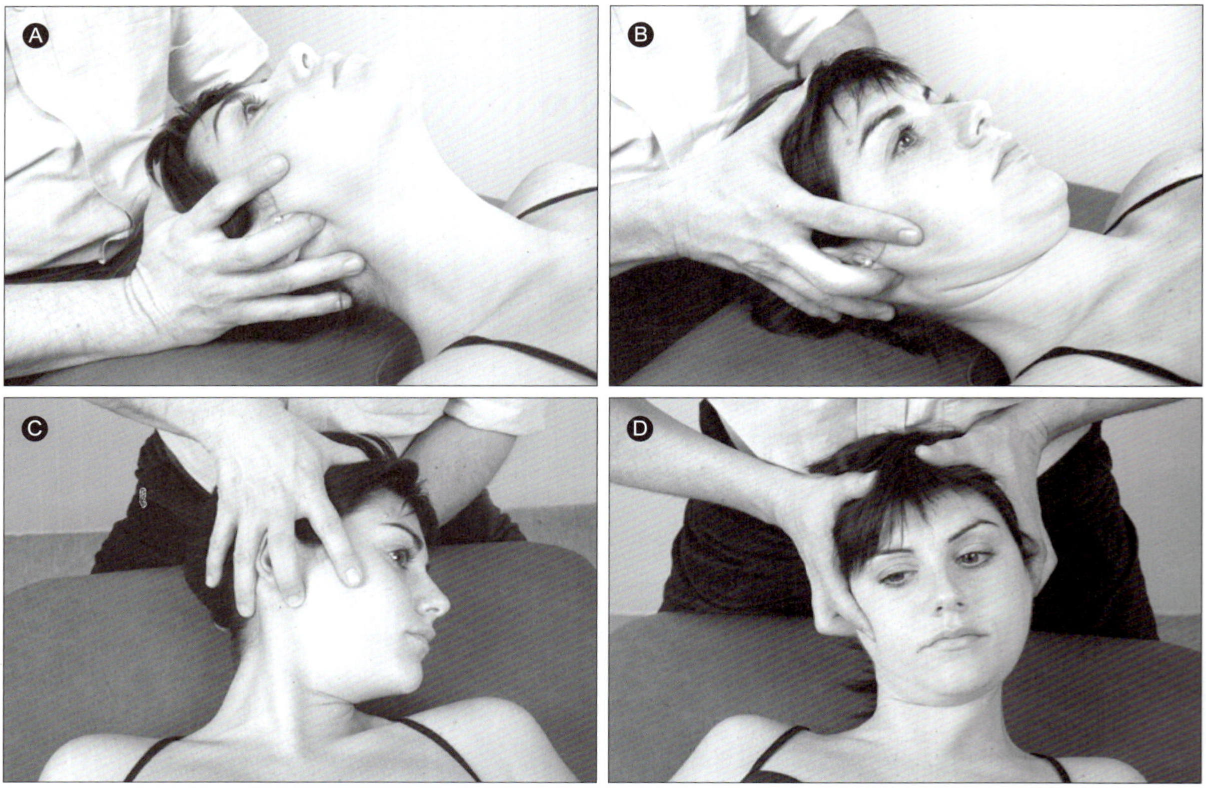

그림 7-16 ■ (A-D) 경추 0번-경추 1번 관절의 분석적 평가.

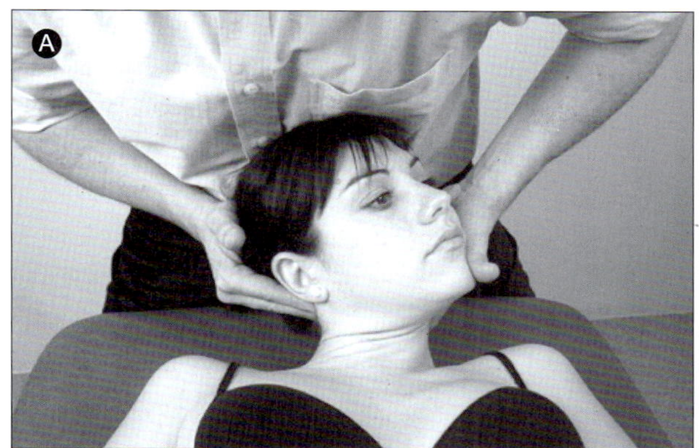

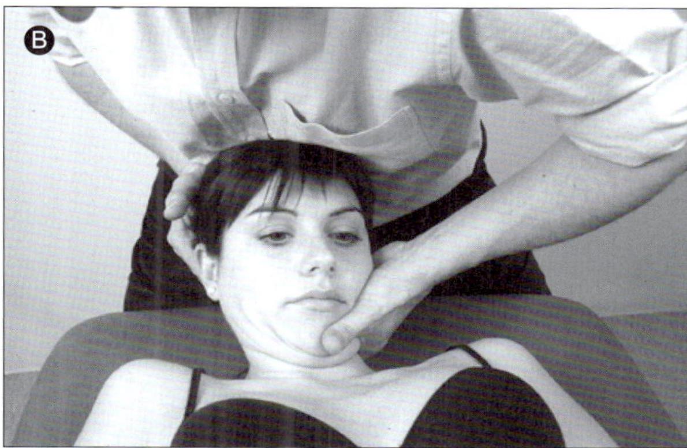

그림 7-17 ■ (A, B) 전내측 및 후외측 과상돌기 활주에 대한 관절 검사.

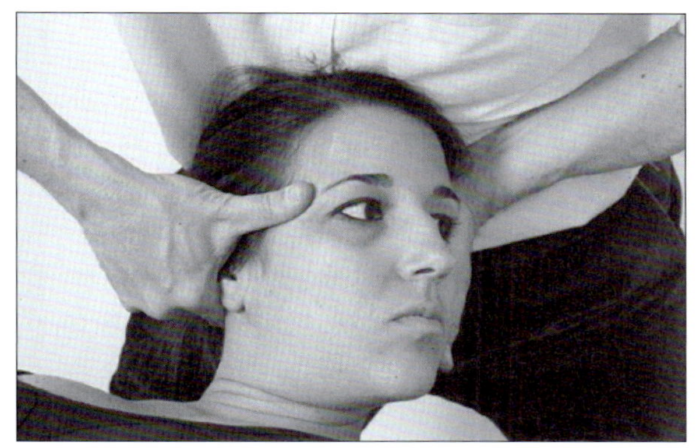

그림 7-18 ■ 저자의 굴곡 회전 검사(FRT) 적응.

그림 7-19 ■ 신전-회전(ER) 검사.

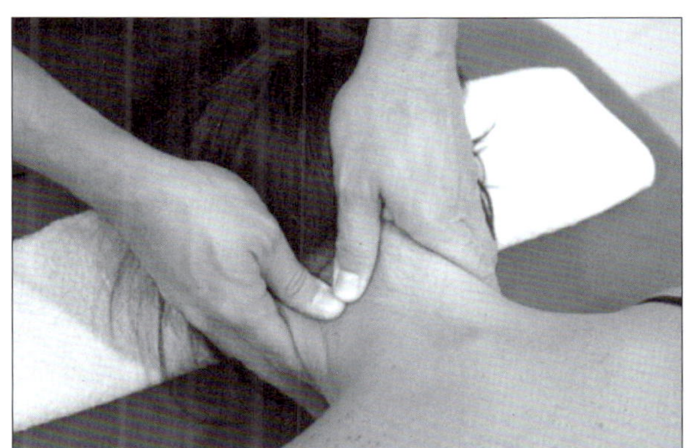

그림 7-20 ■ 편측 후전방 부가 가동성 검사.

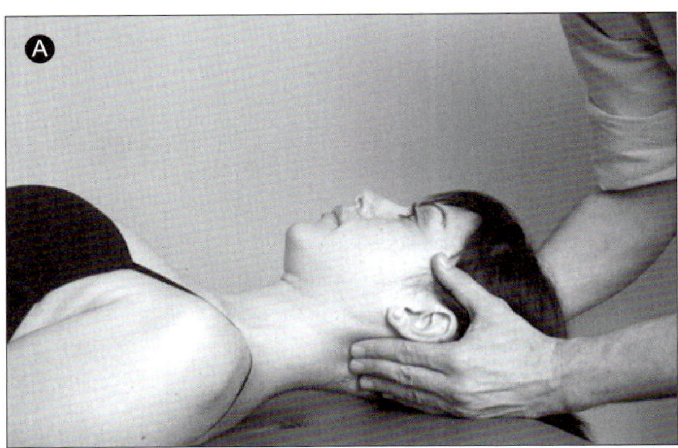

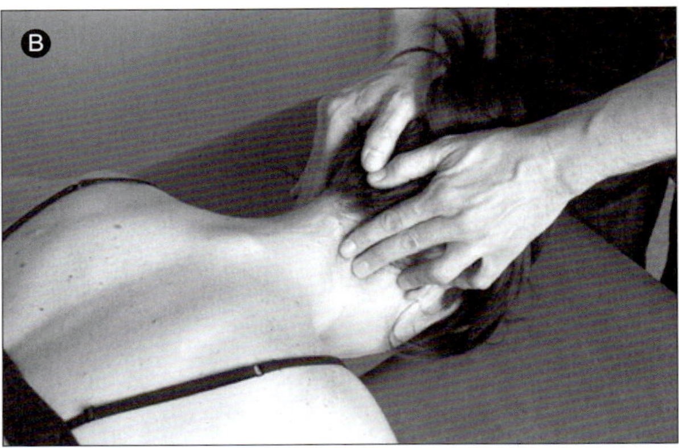

그림 7-21 ■ 관절 기둥 위의 분절 압통에 대한 촉진. 경추 촉진에 사용되는 자세: 앙와위 자세(A)와 엎드린 자세(B).

최근에 Schneider 등이[194] 경추 후관절 통증 진단을 위한 임상 결정 가이드를 개발했다. 그들은 일련의 검사가 높은 수준의 특이성으로 경추 후관절 기능장애를 식별할 수 있음을 보여주었다. 군발성에는 신전-회전(ER) 검사(**그림 7-19**), 일방적인 후전방 보조 움직임(**그림 7-20**) 및 분절 압통에 대한 촉진(**그림 7-21**)이 포함된다.[186] 모든 검사에서 중등-최고도를 나타냈고 관절돌기간 관절에서 언급된 목 통증이 있는 환자에서 평가자 내 및 평가자 간 신뢰도가 우수하다.[194]

근육 압통(Muscle tenderness)

근육 압통의 존재는 경추성 두통을 포함한 다양한 형태의 두통에서 연구되었다.[86,87,109,131,144,146,198-205] 마찬가지로, 다양한 두개주위 지점과 근육 부착 부위에 대한 알로메트릭 연구가 수행되었다. Bovim은[146] 경추성 두통, 편두통 및 긴장성 두통 환자의 압력 민감도를 비교했다. 이 연구에서 압력에 대한 민감도 임계값은 경추성 두통이 있는 대상에서 상당히 낮았다. 가장 민감한 부위는 증상이 있는 쪽의 후두부에 해당한다. 신경 수렴은 목빗근(흉쇄유돌근), 상부 등세모근(상부승모근), 머리널판근(두판상근), 목널판근(경판상근), 머리반가시근(두반극근) 및 목반가시근(경반극근)이 처음 세 개의 척수 신경에서 감각 신경지배를 받기 때문에 경추성 두통 환자에서 특정 근육이 압통을 표현하는 빈도를 설명한다[87](**그림 7-22**). 이 근육 감도는 아마도 경추 통각수용원과 삼차경추계통의 중추 감작 상황에 의해 지속되는 이차 통각과민에서 비롯된다.[102]

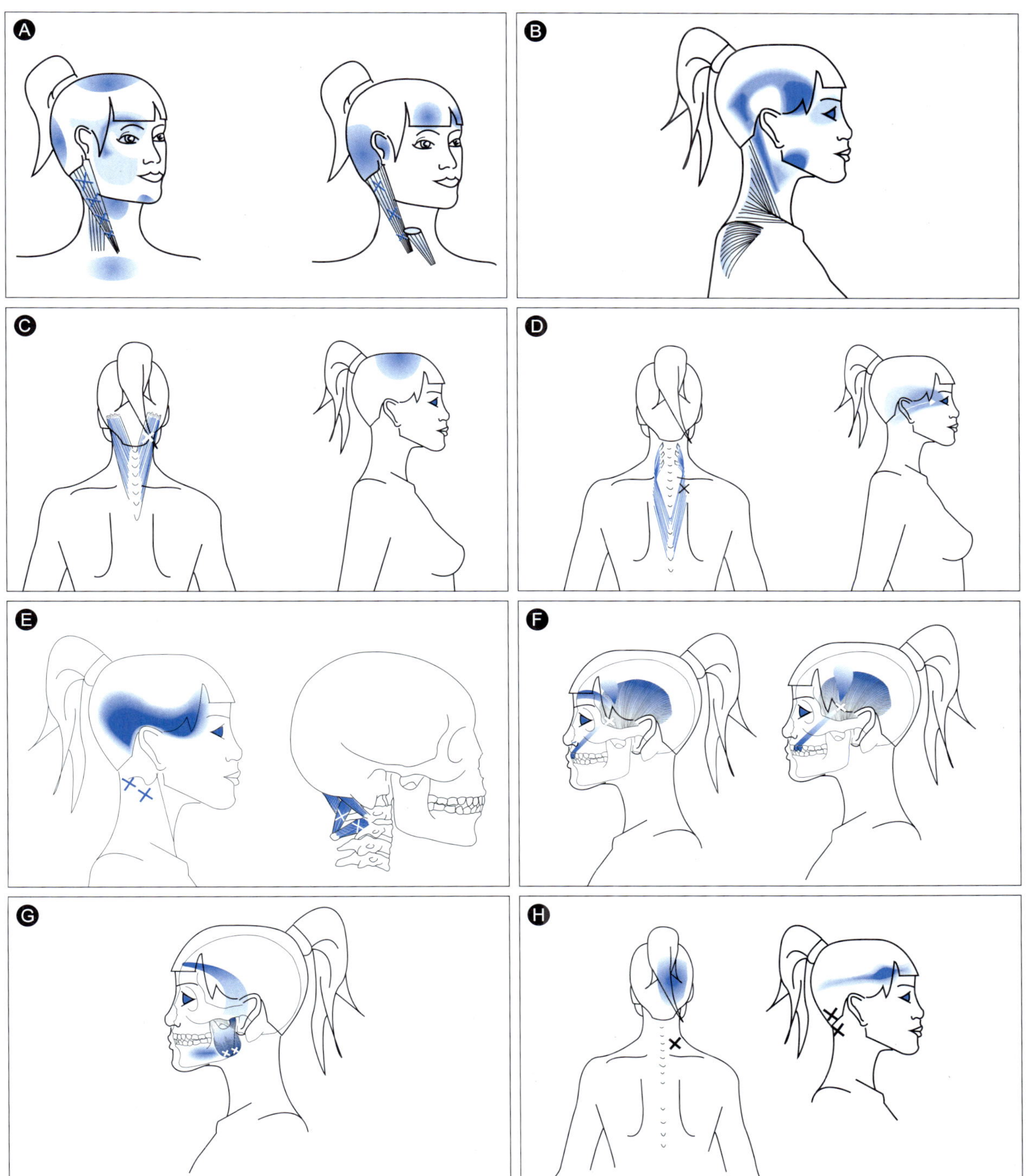

그림 7-22 ■ 근육통 관련 패턴은 두통과 관련될 수 있다. 목빗근(흉쇄유돌근)(A), 상부 등세모근(상부승모근)(B), 머리널판근(두판상근)(C), 목널판근(경판상근)(D), 뒷통수밑근육(후두하근)(E) 측두 근육(F), 표재성 깨물근(교근)(G) 및 머리반가시근(두반극근)(H).

신경근 조절(Neuromuscular control)

통증이 있는 관절 기능장애는 경추 및 축위 견갑골 신경근 기능을 방해하고 신경근 조절이 불량하면 관절 기능장애의 만성화에 기여할 수 있다. 두개골 경추 영역의 이동성과 복잡한 생체 역학으로 인해 정교한 신경 근육 조절이 필요한 취약한 영역이다. 경추의 근육, 특히 후두하 및 심부 굴곡근에는 고유수용기가 많이 있으며, 전정기관과 함께 시력 및 안구운동 근육도 자세 조절에 중요한 역할을 한다.[206,207]

모든 근육은 약간의 기능적 특이성이 있지만 경추와 머리의 움직임과 자세를 제어하는 데 도움이 된다. 강력한 긴 근육은 머리의 하중을 지지하며 주요 부하 생성기이다. 심부 근육은 부하 생성에 덜 기여하지만 분절 안정화 기능이 있다.[208,209] 관절 통증에 대한 이들 근육의 반응에도 약간의 차이가 있다.

두개경추굴곡검사(CCFT)를 사용한 증거에 따르면 경추성 두통이 있는 사람은 경부 굴곡근의 시너지 효과에 약점과 비정상적인 행동 패턴이 있음을 보여준다[140,176,210-215](**그림 7-23**). 어깨올림근(견갑거근)과 등세모근(승모근)의 조임과 같은 견갑골 근육의 기능장애와 같이 신전근의 위축도 입증되었다.[72] 만성 경추 병리를 가진 환자는 또한 깊은 경추 굴근의 근육 섬유의 변화를 나타낸다. 보다 구체적으로, 유형 I 근육 섬유가 유형 II로 변형된다.[216,217] 자기공명영상(MRI)을 사용하여 퇴행성 변화가 관찰되었으며, 지속성 중등도에서 중증의 편타성 관련 장애가 있는 환자의 후두하 근육에서 위축 및 지방 변성이 관찰되었다.[218-220]

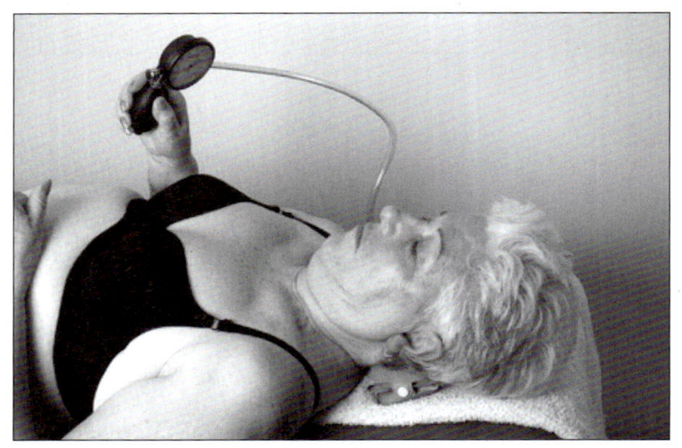

그림 7-23 ■ 경추성 두통이 있는 피험자는 표면 굴곡근의 활동 증가와 관련된 심부 굴곡근의 약화 및 비정상적 가동 패턴을 보여준다.

- 경추성 두통이 있는 개인은 경부 굴곡근의 시너지 효과에 약한 행동 패턴과 비정상적인 행동 패턴을 나타낸다. 여기서 깊은 굴곡근의 활동이 적어 표면 굴곡근의 활동이 증가한다.

심부 경추 굴곡근과 신근 근육의 지구력 상실은 경추성 두통을 포함한 목 통증 장애 환자의 특정 기능장애 특징으로 간주된다. 이 근육 결손의 존재를 확인하기 위해 두개경추 굴곡 검사, 앉아 있는 검사에서 능동 경추 신전 및 회전, 네발 무릎 꿇기에서 능동 상부 경추 회전 등과 같은 특정 검사가 사용된다. 이는 1권의 13장 및 2권(본 권)의 5장에 설명되어 있다.

변경된 신경근 조절은 또한 과도한 상부 등세모근(상부 승모근) 활성화에서 표현된다. Nederhand 등은[221] 편타손상을 입어 다양한 활동 중에 등세모근(승모근)의 활동이 증가한 것을 발견한 대상을 연구했다. 등세모근 근육 섬유의 이러한 과잉 활동은 다양한 대조군과 편타성 대상자 그룹을 구별했다. 특정 활동을 수행한 후 등세모근을 이완할 수 없는 것도 관찰되었다. 이 연구는 Bansevicius와 Saajstad의 결과와도 일치하며,[222] 상부 등세모근의 활동도 강화되었다. 이러한 증가된 활동은 때때로 등세모근의 근육 확장성 변화를 동반한다.[72,176,179]

신경조직 기계적 과민성
(Neural tissue mechanosensitivity)

여러 연구에서 두개골 경추 수준에서 경추성 두통와 변경된 신경조직 기계 감도 사이의 관계를 확립하려고 시도했다. 척수 상부의 경막과 후두개와의 신경분포는 두개경부 분절의 재발성 수막신경의 가지에 의해 형성된 후신경총에 의존한다. 이론적으로 이러한 구조의 자극은 두통으로 나타날 수 있다. 그러나 경추성 두통은 주로 신경병성 통증이라기 보다는 체성 관련 통증이다. 최근 연구에서 신경조직 기계 과민증의 증상은 경추성 두통 환자의 아주 작은 비율에서만 관찰되었다.[31,72] 이 증가된 신경 기계 민감도는 더 민감해진 상태의 표현일 수 있다.

대후두신경, 소후두신경 또는 대이신경의 외상성 손상 또는 압박의 경우 신경조직 기계 과민성과 경추성 두통 사이에 연관성이 확립될 수 있다. 그러나 이 임상 개체는 경추성 두통의 임상 특성과 현저히 다르므로 경추성 두통과 구별해야 한다.[52,72,77]

신경조직 기계 민감도의 평가는 환자를 앙와위로 하여 상부경추 굴곡 검사로 수행된다(**그림 7-24**).

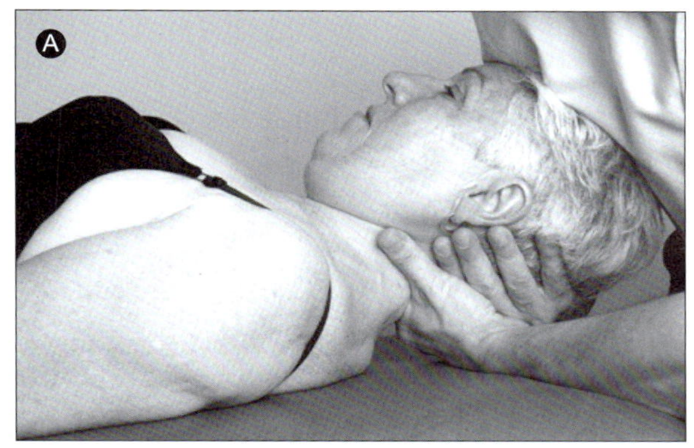

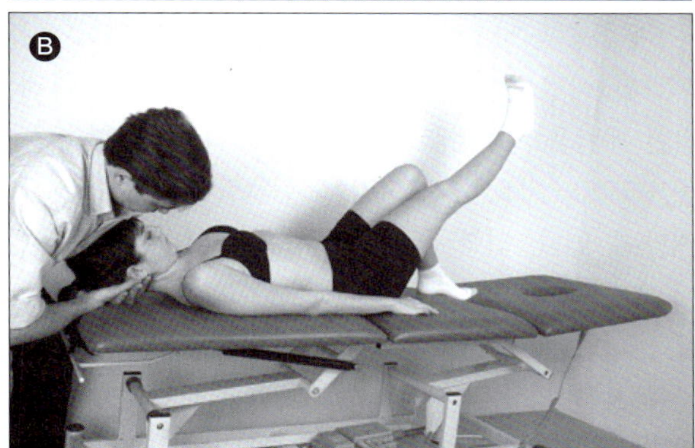

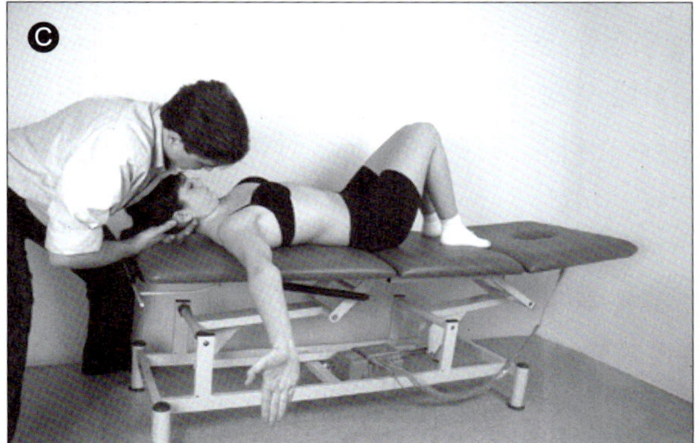

그림 7-24 ■ 두개경추 굴곡 신경역학 검사 - 앙와위(A). 곧게 다리들기 검사(straight leg raise)(B) 및 ULNDT1(C)와 관련된 두개경추굴곡 신경역학 검사.

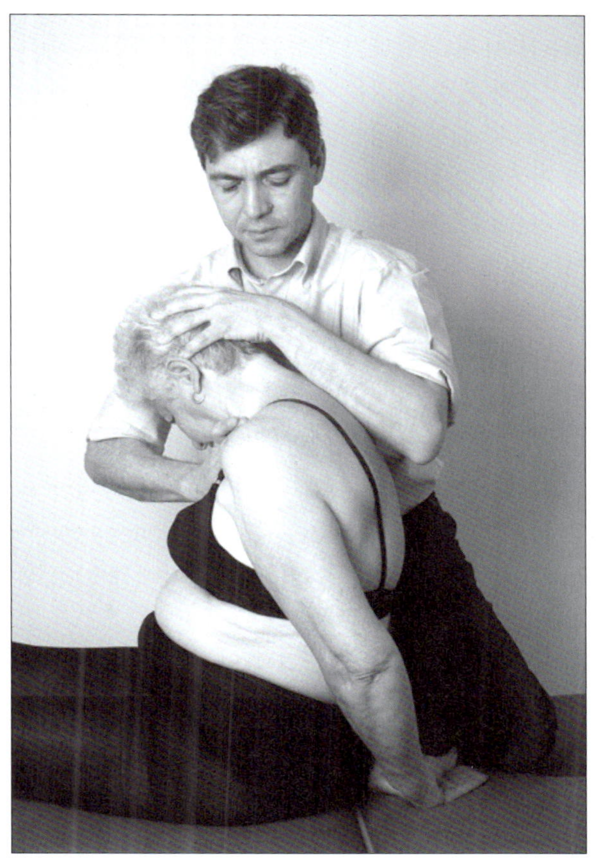

그림 7-25 ■ 대후두신경의 신경역학적 검사.

이 검사에서는 신경조직의 더 큰 민감성을 유발하기 위해 상지(예: ULNDT1) 또는 하지(예: SLR)의 특정 자세를 적용하여 신경계에 장력을 가한 상태에서 두개경추굴곡을 수행한 다음 그렇지 않다(**그림 7-24**). 또는 더 큰 후두신경 기계 민감도를 평가하기 위해 슬럼프 검사의 변형을 수행할 수 있다. 이 변형에서는 두개경추 굴곡이 수행된 다음 평가된 신경에 대한 회전 및 반대쪽 측면 굽힘이 적용된다(**그림 7-25**). 대후두신경은 등세모근(승모근) 위로 출현할 때 촉지될 수도 있다.

운동감각적 민감도
(Kinaesthetic sensitivity)

경추 운동 감각 지각의 변화에 대한 평가는 경추성 두통 환자에서 연구되었으며, 조짐 편두통 환자 및 대조군과 비교하여 이러한 환자에서 어떠한 차이도 나타내지 않았다.[72] 운동감각적 민감도는 장애의 중증도와 관련이 있을 수 있다. 예를 들어, Sterling 등은[225] 더 심각한 장애를 나타내는 높은 수준의 통증과 장애를 가진 환자는 낮은 통증 수준을 가진 대상에서는 없는 운동감각적 결핍을 보였다. 다른 연구에서는 목 통증 및 두통과 관련하여 현기증이나 불안정성의 증상이 보고될 때 자세 조절에 결함이 있는 것으로 나타났다.[226]

집어 말기 검사(Pinch and roll test)

이 검사는 일부 저자에 의해 경추성 두통의 중요한 물리적 발견으로 간주된다.[227,228] Bansevicius와 Pareja는[229,230] 경추성 두통이 있는 환자에서 이 징후의 유효성과 경추성 두통, 긴장성 두통 및 전조가 없는 편두통 사이의 구별 능력을 연구했다. 그들은 세 가지 피부 영역을 선택했다: 상부 등세모근(상부 승모근), 턱의 각도 및 안와상 영역. 경추성 두통 환자에서 검사 민감도의 차이는 두통이 있는 쪽과 반대쪽에서 유의했다. 또한 검사는 경추성 두통 환자에서 더 자주 양성이었다. 이 검사는 경추성 두통 진단에 유용하다고 제안되었지만 두통의 유형을 결정할 수 없으며 경추의 기능장애를 감지하는 데 특이적이지 않다.

치료 TREATMENT

치료는 환자의 특정 상황에 따라 설계되며 가장 관련성이 높은 신체 장애에 따라 기술을 우선시 한다. 경추성 두통의 진단은 항상 두 가지 조건에 의해 확립되어야 함을 강조하는 것이 중요하다. 증상 진단 기준이 충족되고 환자가 특정 패턴의 경추 신체 기능장애를 가지고 있다. 경추성 두통의 치료 가능성은 보수적 접근과 수술적 접근 모두 포함하여 많다. 보수적 접근에는 교육, 특정 척추 가동 및 조작 기술, 경추 및 축견갑 근육 재훈련, 기능적 활성 운동 사용, 체성 감각 결손 관리가 포함된다.

목 통증과 경추성 두통이 있는 환자는 단순하거나 복잡한 패턴을 나타낼 수 있다. 대부분은 복잡하지 않은 패턴을 가지며 교육, 도수치료, 치료 및 기능 운동, 그리고 필요한 경우 감각 운동조절 운동으로 관리할 수 있다. 심한 통증, 현기증을 포함한 여러 신체적 손상, 중추 과민성, 정서적 고통 및 공포 회피 행동을 나타내는 지속적인 편타성 장애로 고통받는 이따금 복잡한 환자는 문제의 다차원성을 다루기 위해 더 복잡한 관리가 필요하다. 이러한 환자 중 다수는 인지 행동, 통증 교육 전략, 둔감화 및 점진적 노출을 결합한 만성 통증 치료 프로그램의 혜택을 받을 수 있다. 이러한 만성 통증 관리 전략은 11장에서 논의된다.

목 통증과 비경추성 두통이 있는 많은 환자들이 임상에 존재한다. 문제는 이러한 환자들에게 경추의 도수치료와 운동의 형태로 치료를 제공해야 하는지 여부이다. 편두통과 긴장성 두통 모두 경추의 근골격계 기능장애로 인한 것이 아니므로 경추를 대상으로 한 치료가 일차적 치료가 되어서는 안된다. 이러한 환자의 치료는 두통과 관련 없이 동반 질환을 구성하는 경추의 특정 신체적 기능장애가 있는 경우에만 의미가 있다. 이러한 경우, 환자는 우리의 목표가 두통 치료가 아니라 경추의 근골격계 질환 치료임을 알아야 한다.

보존적 치료(Conservative treatment)

보존적 치료는 현재 경추성 두통에 대한 선택 치료로 간주된다.[172] 진통제 및 비스테로이드성 항염증제(NSAID)는 이러한 유형의 두통에 일반적으로 사용되는 약리학적 치료법이다.[231] 그러나 단독 요법으로 근골격계 통증의 다른 유형에서 발생하는 것처럼 부분적이고 단기간 지속되는 통증 완화만 달성된다.[232-234] 고통스러운 증상을 줄이고 재활 프로그램에 환자의 참여를 촉진하기 위해 약리학적 제제의 사용이 권장된다.[95]

경추성 두통에 대한 보존적 치료를 평가하는 여러 통제된 임상 연구가 수행되었다. 이전 시험은 주로 도수치료를[33,235] 평가했으며 체계적인 검토는[233,236-238] 도수 절차가 단기 추적 관찰에서 효과적일 수 있다는 결론을 내렸다. 이러한 초기 연구에는 목 근육을 위한 운동 유형이 포함되어 있지 않다. 이제 경추성 두통 환자가 신경근 조절을 변경한 것으로 알려져 있다.[72,140,179,239] Jull 등은[31] 200명의 경추성 두통 환자를 대상으로 한 대조 연구를 수행하여 수동 요법의 효과와 깊은 굴곡근과 견갑골 안정근(하부등세모근 및 앞톱니근)에 대한 훈련 프로그램을 평가했다. 목적은 이 두 가지 유형의 치료 단독 및 조합의 효능을 확인하는 것이었다. 환자는 도수치료, 근육 재훈련 운동, 도수치료와 운동요법의 병행요법, 4개의 대조군으로 나누었다. 치료 기간은 최소 8회, 최대 12회로 6주 동안 지속된다. 환자는 12개월 동안 모니터링되었다. 도수치료와 운동 프로그램 모두 두통의 빈도, 강도 및 지속 시간을 유의하게 감소시키는 것으로 나타났다. 운동기반 치료는 도수치료와 동일한 효과를 보였다. 두 가지 치료법을 동시에 사용했을 때 더 큰 효과에 대한 유의미한 증거는 없었지만, 두 가지 유형의 치료법을 조합하여 치료한 그룹에서 10% 더 많은 환자가 개선을 보였다. 이 작업은 수동 요법과 운동이 모두 경추성 두통관리에 효과적인 치료 도구이며 그 효과가 장기적으로 유지된다는 것을 보여준다. 또한, 도수치료를 수행하는 것이 권장되지 않는 환자의 경우 관절 안정화를 기반으로 하는 특정 운동의 성공적인 프로그램이 개발될 수 있다. 경추성 두통의 보존적 물리치료 관리에 대한 최근의 체계적인 검토에 따르면 경추의 가동화 또는 조작과 경추 및 요추 근육의 훈련을 통합하는 복합 요법이 통증 및 장애를 감소시키고 기능을 개선을 위한 가장 효과적인 치료 전략임을 보여준다.[240]

- 도수치료 및 운동조절의 치료적 운동과 경추 및 경추견갑 근육의 근력 및 지구력 훈련은 경추성 두통의 치료에 효과적이다.
- 두 가지 치료 절차를 함께 사용하는 것이 좋다.
- 도수치료가 바람직하지 않은 환자의 경우 특정 치료적 운동에 기초한 치료가 최상의 결과를 얻을 수 있다.

관절 기능장애 치료

경추성 두통을 다루는 데에는 일반적으로 관절 기능장애의 치료와 깊은 두개경추 및 축견갑 근육의 재교육이 포함된다. 치료 프로그램은 경추성 두통환자의 임상 검사에서 특정 결과에 따라 설계된다.

도수치료의 목표는 경추성 두통와 관련된 통증을 줄이고 경추 관절 기능을 개선하는 것이다. 다음과 같은 다양한 기술이 관절 기능장애의 치료에 사용될 수 있다. 리드미컬하고 점진적인 진폭으로 적용되는 관절 가동화 기술, 두개경추 견인 기술, 부수적 움직임 기술, 움직임 기술을 사용한 가동화, 근육 에너지 기술, 기능적 기술, 고속 조작 기술 등.[241]

관절 치료의 성격은 환자에게 나타나는 관절 기능장애(저운동성, 과운동성 또는 불안정성)의 유형에 따라 달라진다. 가동화 기술을 사용할 때는 연조직

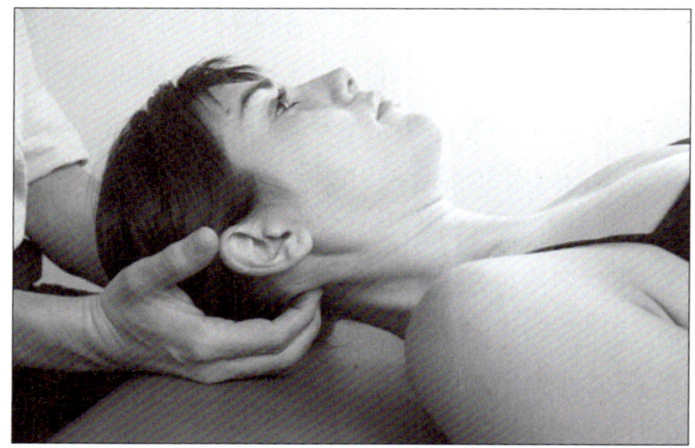

그림 7-26 ■ 두개경추 억제 기법.

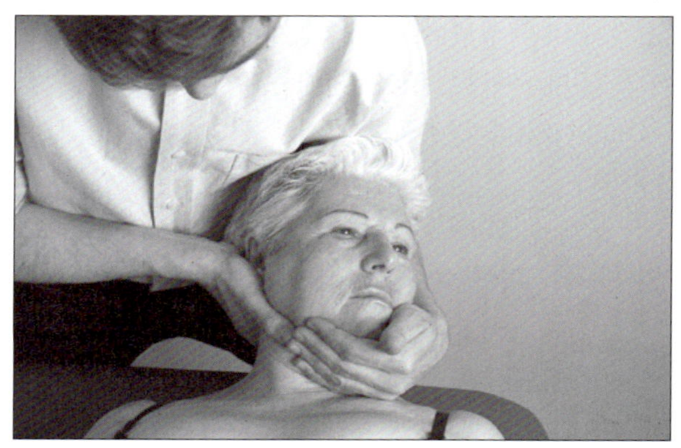

그림 7-29 ■ 경추 2번 회전 관절 기법.

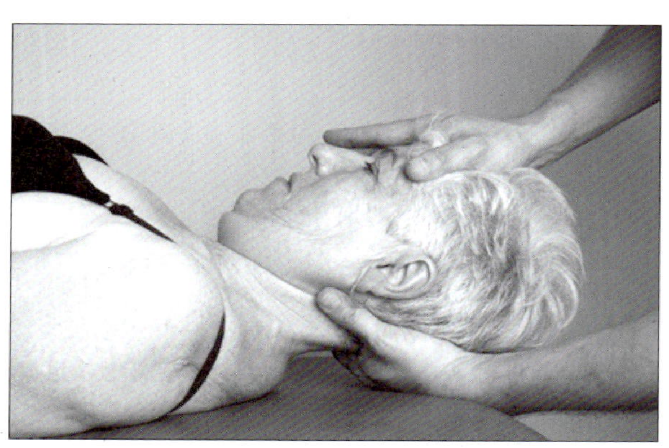

그림 7-27 ■ 두개경추 신전근 스트레칭 기법.

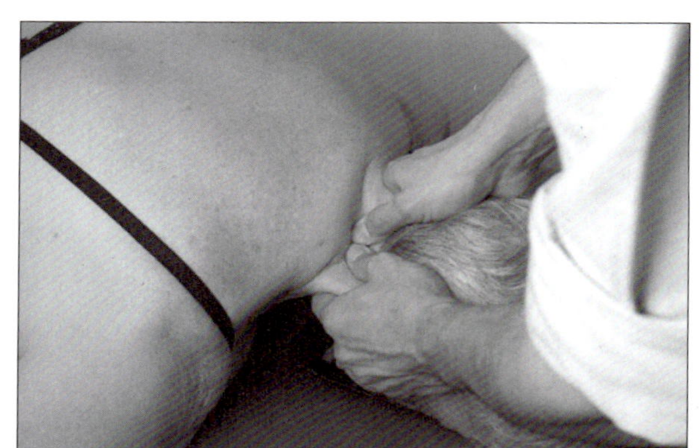

그림 7-30 ■ 편측 보조 추간 운동, 후방 전방.

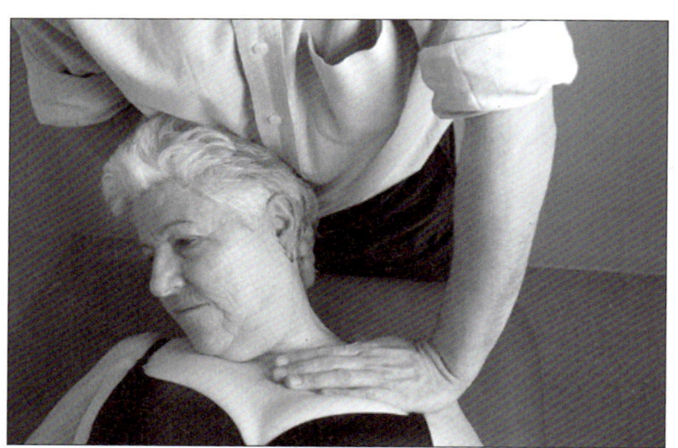

그림 7-28 ■ 경추견갑 근육 스트레칭 기법.

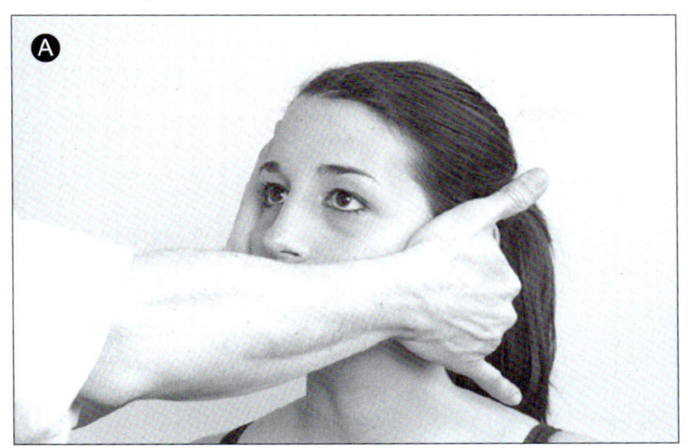

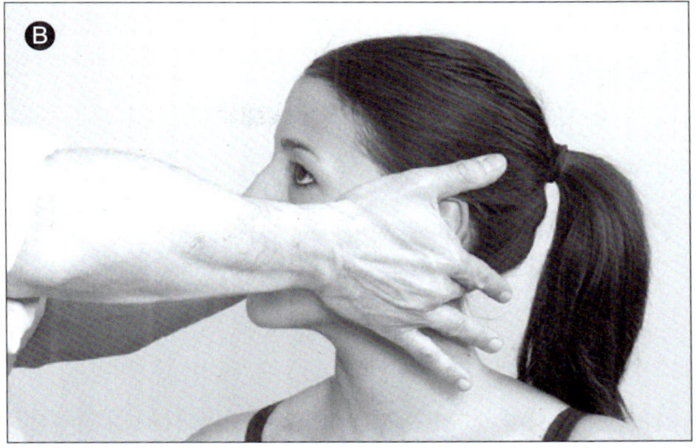

그림 7-31 ■ (A, B) 경추 1번 움직임 가동화.

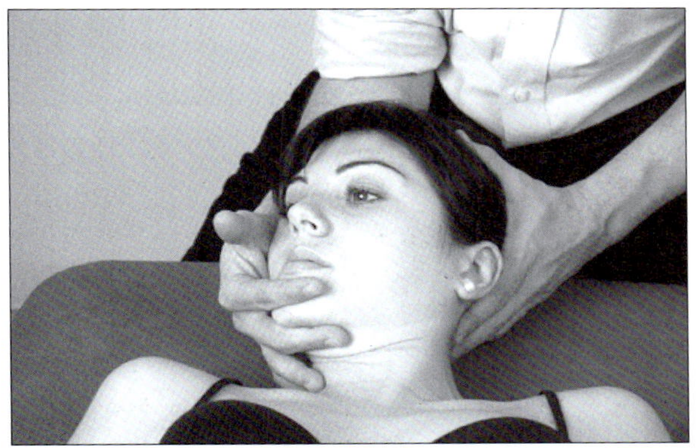

그림 7-32 ■ 경추 0번-경추 1번 후방외측 근육 에너지 기술.

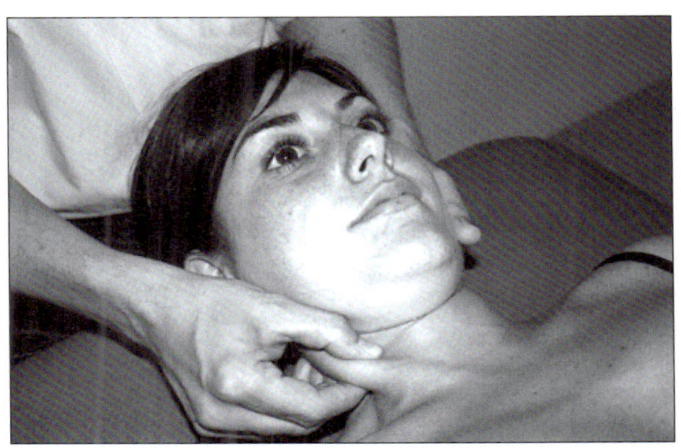

그림 7-34 ■ 목빗근(흉쇄유돌근)에 대한 점진적인 압력.

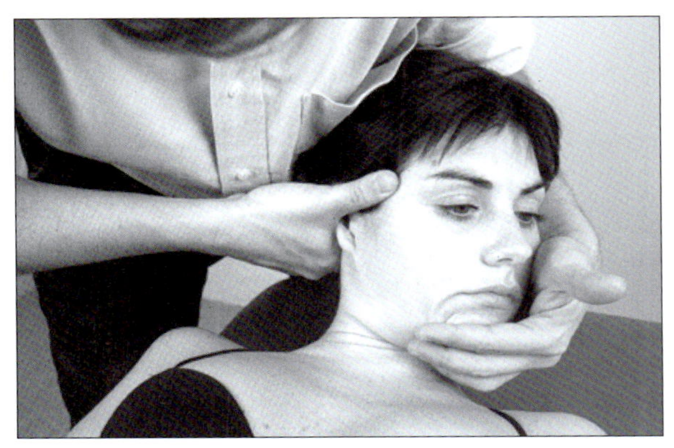

그림 7-33 ■ 고속 회전 조작.

기술(**그림 7-26**)과 점진적인 수동 스트레칭(**그림 7-27** 및 **7-28**), 수동 경추 견인, 점진적 진폭 생리학적 움직임 기술로 시작하여 천천히 진행하는 것이 좋다(**그림 7-29**), 보조 운동 기술(**그림 7-30**), 움직임 기술을 사용한 가동화(**그림 7-31 A,B**), 기능적 기술, 그리고 필요한 경우 근육 에너지 기술(**그림 7-32**) 및 고속 조작 기술(**그림 7-33**). 환자가 두개골 또는 경추 근육에 압통이 있는 경우 압통점에 점진적인 압력 기술을 수행할 수 있다[71,242](**그림 7-34**). 그림은 예를 들어, 몇 가지 기술을 보여준다.

경추성 두통 환자의 치료에서는 과민성 및 증상의 중증도를 고려하는 것이 필수적이며 치료는 항상 환자의 임상 상황에 맞게 조정되어야 한다. 두통을 유발하지 않도록 환자의 증상을 악화시키지 않는 것이 중요하다. 심한 통증과 과민한 상태가 있는 피험자의 경우 관절의 끝 범위에 도달하지 않고 생리적 및 보조적 움직임 기술이 권장된다. 최종 범위에서의 고속 기술과 가동 기술은 이것이 두통을 유발하지 않을 것이라고 확신할 때와 필요하다고 판단되는 경우에만 사용된다. 도수치료는 관절 가동화 및 도수기법과 특정 운동으로 구성된 복합 재활 프로그램의 일부일 때 특히 효과적이다.[31,95,243,244]

경추성 두통 환자에게 적용되는 관절 기술은 주로 두개경추 부위를 다루지만 상부경추 분절의 생체역학에서 하부경추와 상부흉추의 영향을 잊어서는 안된다. 경추성 두통 환자 관리에 사용되는 기술에 대한 자세한 내용은 1권 12장의 두개경추 척추의 평가 기술 및 치료에 대한 부분을 참조하면 된다.

두개경추 운동조절 운동

과학적 증거는 도수치료만으로는 경추의 안정화 근육의 강도를 회복할 수 없음을 보여준다. 행동을 정상화하고 경추근육의 강도와 지구력을 회복시키는 것을 목표로 특정 운동의 적절한 프로그램이 필요하다.[31,245,246]

심부 굴곡근의 특정 기능장애는 경추성 두통 환자뿐만 아니라 경추 신전근 및 축견갑 근육의 기능장애에서 입증되었다. Jull 등은[31,162,247] 경추성 두통 환자에서 이러한 기능장애를 회복하기 위한 운동 프로그램을 설계했다. 초기 운동은 심부 근육의 긴장 활성화 능력을 훈련하여 경추 안정화 역할을 향상시키는 것을 목표로 한다. 심부 경추굴곡 훈련은 압력 피드백 시스템(안정기)을 사용하여 앙와위 자세에서 시작한다(**그림 7–35**). 환자는 정확한 두개경추굴곡 동작(표면 굴곡근의 최소 활성화)을 수행할 수 있을 때까지 훈련하고 심부 경추 굴곡근의 긴장성 지구력 능력을 회복할 수 있다. 신전근의 훈련은 4점 무릎을 꿇은 자세에서 시작되며 운동은 후두하근(두개경추 신전 및 회전 운동)과 더 심부 경추 신전근(두개경추

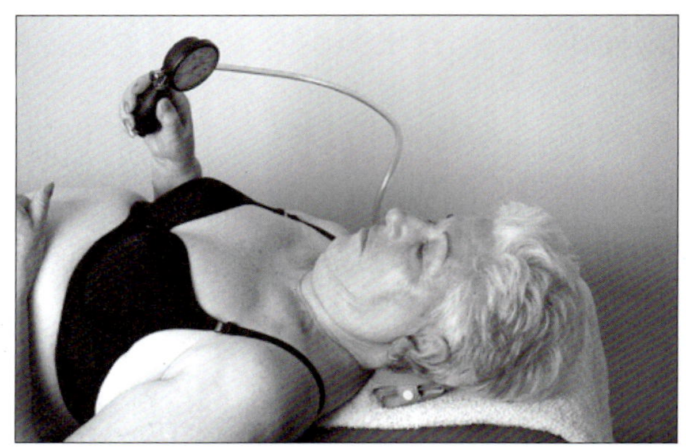

그림 7-35 ■ 압력 바이오피드백을 사용한 심부 경추 굴곡근의 재교육.

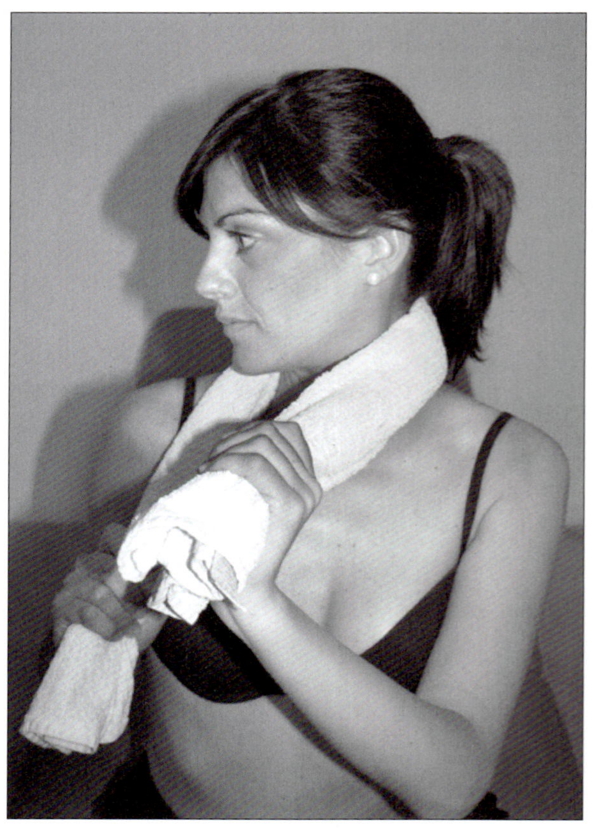

그림 7-36 ■ 후관절 확산을 위한 자기 가동 운동.

부위가 중립 위치에 있는 경추 신전)으로 향하게 된다. 굴곡근과 신전근 모두에 대한 훈련 프로그램은 결국 근력과 지구력 결핍을 해결하기 위해 진행된다.

자세 재교육 운동, 경추 견갑골 안정기 운동, 두개경추의 자가 가동화(**그림 7-36**), 경추두부 운동감각 및 감각 운동 기능 재훈련과 같은 다른 운동이 포함된다. 이러한 운동은 5장과 8장에 설명되어 있다. 운동 외에도 자세 인체공학적 조치를 처방하면 경추성 두통 환자에게 도움이 될 수 있다. 이러한 사람들은 통증으로 인해 잠을 잘 못 자고 목이 뻣뻣하게 굳는 경우가 많기 때문에 회반죽을 바르는 것과 같이 그물망으로 감싼 말아둔 수건을 사용하여 목베게로 자는 것이 좋다(**그림 7-37**).

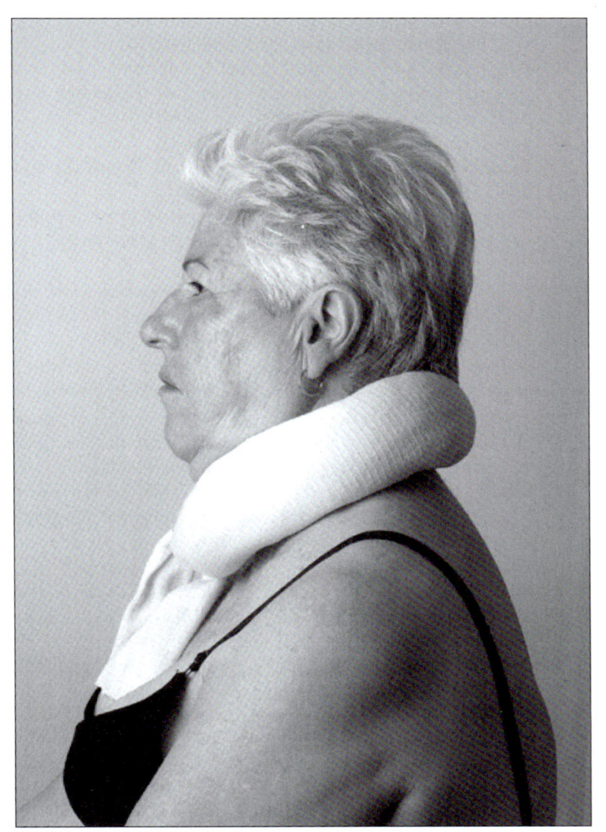

그림 7-37 ■ 목의 통증으로 인해 잠을 잘 이루지 못하는 피험자들은 경추 둥근받침으로 잠을 자도록 조언할 수 있다.

결론적으로, 경추성 두통 환자를 위한 포괄적인 치료 프로토콜이 수립되어야 하며, 이러한 장애는 교육, 관절 기능장애의 치료, 신경근 조절, 두개경추, 경추 및 견갑골 부위 근육의 재훈련, 기능 운동 및 스포츠 활동과 같은 환자에게 존재하는 다양한 장애를 해결한다. 복합적이고 중증의 만성 두통과 중추 과민증 환자의 관리는 다차원적 접근이 필요하다(11장 참조).

중재 및 수술 기법 (Interventional and surgical techniques)

경추성 두통에 대한 다양한 중재적 및 외과적 치료도 다양한 결과로 제안되었다. 경막외 스테로이드 주사의 사용은 진단 및 치료 측면에서 논란의 여지가 있다. 일부 저자는 효과적인 치료법이라고 생각하지만,[248] 다른 저자는 비선택적이며 위험이 있기 때문에 반대한다.[13,94,249-251] 마취 블록은 진단 방법과 치료 절차 모두로 사용되었다.[252-254] 그러나 효과의 지속 시간이 짧기 때문에 치료 용도가 제한된다.[14,175] 코르티코스테로이드를 사용한 대후두신경 및 소후두신경 주위의 침윤이 항상 좋은 결과를 가져온 것은 아니었다.[175] 진통제 추간판조영술은 2개월과 6개월에 부분적인 두통 완화와 함께 수행되었다.[255]

코르티코스테로이드의 관절 주사는 효과적이지만 지속 시간이 제한적이다(**그림 7-38**). 환자의 약 80%에서 치료 후 20일 이내에 통증이 재발한다.[174,256] 더 긴 완화 기간을 보여준 유일한 침습적 치료는 경추성 두통을 담당하는 후관절의 경피적 고주파 신경절제술이었다.[172,257-262] 그러나 일부 저자들은 그 결과가 장기적으로 좋지 않다고 생각한다.[263,264] Biondi가[95] 지적한 바와 같이 마취 시술과 신경 용해술은 도수치료와 물리치료를 기반으로 한 조기 치료가 가능하고 환자의 불편함이 적다는 장점이 있다. 고주파 목면 활주술(Blume 중재), 신경근과 말초 신경의 미세혈관 감압, 추간판 절제술 및 두개경추 관절의 융합과 같은 다양한 수술 절차도 설명되어 있다.

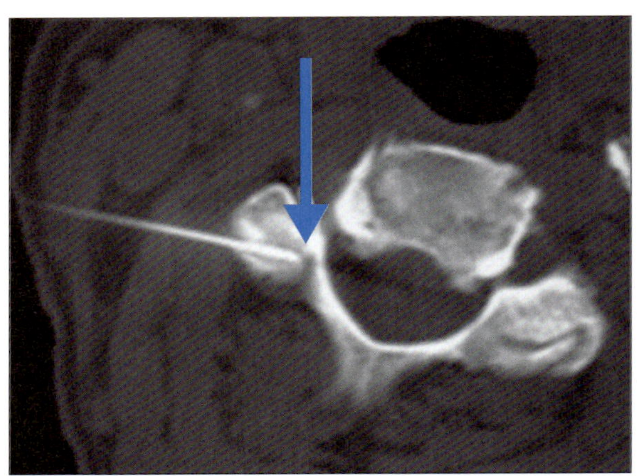

그림 7-38 ■ 후관절의 코르티코스테로이드 침윤은 효과적이지만 기간이 제한된다. (사진제공 = F. Aparisi.)

이러한 기술은 통증이 모든 유형의 비수술적 치료에 반응하지 않는 경우에 권장된다.[96,151,172,265-267]

결론 CONCLUSION

경추성 두통은 일반적인 유형의 두통으로 간주되기 시작했다. 그 존재를 인정하는 진전에는 삼차신경 체계의 해부학적 이해와 상부 경추의 경추 통증 패턴, 병태생리학적 기전에 대한 지식 및 가치 있는 것으로 입증된 진단 기준의 확립이 포함된다. 이러한 기준은 적절한 신체 검사로 보완되어야 하는 첫 번째 진단 접근 방식을 허용한다. 관절 요소의 신체 검사와 두개경추의 신경근 조절은 신체적 손상과 많은 경우 두통의 원인이 되는 구조를 식별한다.

경추성 두통에 대한 다양한 보존적 및 침습적 치료 접근법이 제안되었다. 관절 가동화 기술을 통한 두개경추 척추의 기능적 개선을 목표로 하는 보존적 방법, 안정화 근육 조직의 재훈련 및 감각 운동 결손 치료는 우수한 치료 효과를 보여 현재 선택 치료법이다. 이러한 진전은 만성적이고 종종 쇠약해지는 두통으로 고통받는 많은 환자를 위한 치료적 대안의 개발을 가능하게 했다.

참고문헌

1. Stovner LJ, Zwart JA, Hagen K, et al. Epidemiology of headache in Europe. Eur J Neurol 2006;13(4):333–45.
2. Sjaastad O, Fredriksen TA, Petersen H, et al. Features indicative of cervical abnormality. A factor to be reckoned with in clinical headache work and research? Funct Neurol 2003;18(4):195-203.
3. Sjaastad O, Fredriksen TA, Pfaffenrath V. Cervicogenic headache: diagnostic criteria. Headache 1990;30(11):725–6.
4. Leone M, D'Amico D, Grazzi L, et al. Cervicogenic headache: a critical review of the current diagnostic criteria. Pain 1998;78(1):1–5.
5. Sjaastad O, Fredriksen TA. Cervicogenic headache: criteria, classification and epidemiology. Clin Exp Rheumatol 2000;18(2 Suppl. 19):S3–6.
6. Sjaastad O, Saunte C, Hovdahl H, et al. 'Cervicogenic' headache. An hypothesis. Cephalalgia 1983;3(4):249–56.
7. Bogduk N. Mechanisms and pain patterns of the upper cervical spine. In: Vernon H, editor. The cranio-cervical syndrome. London: Butterworth-Heinemann; 2001. p. 110–16.
8. Bogduk N. The neck and headaches. Neurol Clin 2004;22(1): 151–71, vii.
9. Bogduk N. The anatomical basis for cervicogenic headache. J Manipulative Physiol Ther 1992;15(1):67–70.
10. Fredriksen TA, Sjaastad O. Cervicogenic headache: current concepts of pathogenesis related to anatomical structure. Clin Exp Rheumatol 2000;18(2 Suppl. 19):S16–18.
11. Bogduk N. Cervicogenic headache: anatomic basis and pathophysiologic mechanisms. Curr Pain Headache Rep 2001;5(4): 382–6.
12. Fredriksen TA, Hovdal H, Sjaastad O. 'Cervicogenic headache': clinical manifestation. Cephalalgia 1987;7(2):147–60.
13. Bogduk N, Marsland A. On the concept of third occipital headache. J Neurol Neurosurg Psychiatry 1986;49(7):775–80.
14. Pollmann W, Keidel M, Pfaffenrath V. Headache and the cervical spine: a critical review. Cephalalgia 1997;17(8): 801–16.
15. Bogduk N, McGuirk B. Management of acute and chronic neck pain. An evidence-based approach. Edinburgh: Elsevier; 2006.
16. Becker WJ. Cervicogenic headache: evidence that the neck is a pain generator. Headache 2010;50(4):699–705.
17. Pfaffenrath V, Dandekar R, Pollmann W. Cervicogenic headache – the clinical picture, radiological findings and hypotheses on its pathophysiology. Headache 1987;27(9):495–9.
18. Sjaastad O, Fredriksen TA, Pfaffenrath V, et al. Cervicogenic headache: diagnostic criteria. The Cervicogenic Headache International Study Group. Headache 1998;38(6):442–5.
19. Merskey H, Bogduk N. Classification of chronic pain. 2nd ed. Seattle: International Association for the Study of Pain (IASP) Press; 1994.
20. IHS. Classification and diagnostic criteria for headache disorders, cranial neuralgias and facial pain. Cephalalgia 1988; 8(Suppl. 7):1–96.
21. Headache Classification Committee of the International Headache Society (IHS). The International Classification of Headache Disorders, 3rd edition (beta version). Cephalalgia 2013; 33(9):629–808.

22. Headache Classification Committee of the International Headache Society. The International classification of headache disorders, 3rd edn (beta version). Cephalalgia 2013;33(9):629–808.
23. Sjaastad O, Bakketeig LS. Prevalence of cervicogenic headache: Vaga study of headache epidemiology. Acta Neurol Scand 2008;117(3):173–80.
24. Antonaci F, Sjaastad O. Cervicogenic headache: a real headache. Curr Neurol Neurosci Rep 2011;11(2):149–55.
25. Hogg-Johnson S, van der Velde G, Carroll LJ, et al. The burden and determinants of neck pain in the general population: results of the Bone and Joint Decade 2000-2010 Task Force on Neck Pain and Its Associated Disorders. J Manipulative Physiol Ther 2009;32(2 Suppl.):S46–60.
26. Sjaastad O, Bovim G. Cervicogenic headache. The differentiation from common migraine. An overview. Funct Neurol 1991;6(2):93–100.
27. Gore DR, Sepic SB, Gardner GM, et al. Neck pain: a long-term follow-up of 205 patients. Spine 1987;12(1):1–5.
28. Martelletti P. Proinflammatory pathways in cervicogenic headache. Clin Exp Rheumatol 2000;18(2 Suppl. 19):S33–8.
29. Delfini R, Salvati M, Passacantilli E, et al. Symptomatic cervicogenic headache. Clin Exp Rheumatol 2000;18(2 Suppl. 19):S29–32.
30. Nilsson N. The prevalence of cervicogenic headache in a random population sample of 20-59 year olds. Spine 1995; 20(17):1884–8.
31. Jull G, Trott P, Potter H, et al. A randomized controlled trial of exercise and manipulative therapy for cervicogenic headache. Spine 2002;27(17):1835–43, discussion 1843.
32. Jull G. Headaches associated with cervical spine – a clinical review. In: Grieve G, editor. Modern manual therapy of the vertebral column. Edinburgh: Churchill Livingstone; 1986. p. 322–9.
33. Nilsson N, Christensen HW, Hartvigsen J. The effect of spinal manipulation in the treatment of cervicogenic headache. J Manipulative Physiol Ther 1997;20(5):326–30.
34. Hall T, Chan HT, Christensen L, et al. Efficacy of a C1-C2 selfsustained natural apophyseal glide (SNAG) in the management of cervicogenic headache. J Orthop Sports Phys Ther 2007;37(3):100–7.
35. Haas M, Spegman A, Peterson D, et al. Dose response and efficacy of spinal manipulation for chronic cervicogenic headache: a pilot randomized controlled trial. Spine J 2010;10(2): 117–28.
36. Chaibi A, Russell MB. Manual therapies for cervicogenic headache: a systematic review. J Headache Pain 2012;13(5):351–9.
37. Ylinen J, Nikander R, Nykanen M, et al. Effect of neck exercises on cervicogenic headache: a randomized controlled trial. J Rehabil Med 2010;42(4):344–9.
38. Astin JA, Ernst E. The effectiveness of spinal manipulation for the treatment of headache disorders: a systematic review of randomized clinical trials. Cephalalgia 2002;22(8):617–23.
39. Tuchin PJ, Pollard H, Bonello R. A randomized controlled trial of chiropractic spinal manipulative therapy for migraine. J Manipulative Physiol Ther 2000;23(2):91–5.
40. Nilsson N, Bove G. Evidence that tension-type headache and cervicogenic headache are distinct disorders. J Manipulative Physiol Ther 2000;23(4):288–9.
41. Fishbain DA, Cutler R, Cole B, et al. International Headache Society headache diagnostic patterns in pain facility patients. Clin J Pain 2001;17(1):78–93.
42. Leistad RB, Sand T, Westgaard RH, et al. Stress-induced pain and muscle activity in patients with migraine and tension-type headache. Cephalalgia 2006;26(1):64–73.
43. Jull G, Amiri M, Bullock-Saxton J, et al. Cervical musculoskeletal impairment in frequent intermittent headache. Part 1: Subjects with single headaches. Cephalalgia 2007;27(7): 793–802.
44. Calhoun AH, Ford S, Pruitt AP. Presence of neck pain may delay migraine treatment. Postgrad Med 2011;123(2):163–8.
45. Barr M. Sur un syndrome sympatique cervical posterieur et sa cause frequente: L'arthrite cervicale. Rev Neurol (Paris) 1926;33:1246–8.
46. Liéou YC. Syndrome sympathique cervical posterieur et arthrite cervicale chronique de la colonne vertébrale cervicale Etude clinique et radiologique. These de Strasbourg, 1928.
47. Bogduk N, Lambert GA, Duckworth JW. The anatomy and physiology of the vertebral nerve in relation to cervical migraine. Cephalalgia 1981;1:1–14.
48. Hunter C, Mayfield F. Role of the upper cervical roots in the production of pain in the head. Am J Surg 1949;48:743–51.
49. Kerr FW, Olafson RA. Trigeminal and cervical volleys. Convergence on single units in spinal gray at C1 and C2. Arch Neurol 1961;5:171–8.
50. Kerr RW. A mechanism to account for frontal headache in cases of posterior-fossa tumors. J Neurosurg 1961;18:605–9.
51. Knox DL, Mustonen E. Greater occipital neuralgia: an ocular pain syndrome with multiple etiologies. Trans Am Acad Ophthalmol Otolaryngol 1975;79(32):OP513–19.
52. Bogduk N. The anatomy of occipital neuralgia. Clin Exp Neurol 1981;17:167–84.
53. Cornely C, Fischer M, Ingianni G, et al. Greater occipital nerve neuralgia caused by pathological arterial contact: treatment by surgical decompression. Headache 2011;51(4):609–12.
54. Bogduk N. An anatomical basis for the neck-tongue syndrome. J Neurol Neurosurg Psychiatry 1981;44(3):202–8.
55. Bogduk N. Neck-tongue syndrome. Med J Aust 1980;2(1):4.
56. Bogduk N. C2 ganglion can be injured by compression between the posterior arch of the atlas and the lamina of C2. Spine 1999;24(3):308–9.
57. Lewis DW, Frank LM, Toor S. Familial neck-tongue syndrome. Headache 2003;43(2):132–4.
58. Borody C. Neck-tongue syndrome. J Manipulative Physiol Ther 2004;27(5):e8.
59. Queiroz LP. Unusual headache syndromes. Headache 2013;53(1):12–22.
60. Lance JW, Anthony M. Neck-tongue syndrome on sudden turning of the head. J Neurol Neurosurg Psychiatry 1980;43(2):97–101.
61. Hack GD, Koritzer RT, Robinson WL, et al. Anatomic relation between the rectus capitis posterior minor muscle and the dura mater. Spine 1995;20(23):2484–6.
62. Rutten HP, Szpak K, van Mameren H, et al. Anatomic relation between the rectus capitis posterior minor muscle and the dura mater. Spine 1997;22(8):924–6.
63. Mitchell BS, Humphreys BK, O'Sullivan E. Attachments of the ligamentum nuchae to cervical posterior spinal dura and the lateral part of the occipital bone. J Manipulative Physiol Ther 1998;21(3):145–8.
64. Dean NA, Mitchell BS. Anatomic relation between the

nuchal ligament (ligamentum nuchae) and the spinal dura mater in the craniocervical region. Clin Anat 2002;15(3): 182–5.
65. Nash L, Nicholson H, Lee AS, et al. Configuration of the connective tissue in the posterior atlanto-occipital interspace: a sheet plastination and confocal microscopy study. Spine 2005;30(12):1359–66.
66. Kahkeshani K, Ward PJ. Connection between the spinal dura mater and suboccipital musculature: evidence for the myodural bridge and a route for its dissection – a review. Clin Anat 2012;25(4):415–22.
67. Alix ME, Bates DK. A proposed etiology of cervicogenic headache: the neurophysiologic basis and anatomic relationship between the dura mater and the rectus posterior capitis minor muscle. J Manipulative Physiol Ther 1999;22(8):534–9.
68. Hallgren RC, Hack GD, Lipton JA. Clinical implications of a cervical myodural bridge. AAO Journal 1997;30–5.
69. Hack GD, Hallgren RC. Chronic headache relief after section of suboccipital muscle dural connections: a case report. Headache 2004;44(1):84–9.
70. Enix DE, Scali F, Pontell ME. The cervical myodural bridge, a review of literature and clinical implications. J Can Chiropr Assoc 2014;58(2):184–92.
71. Torres-Cueco R. Cefalea cervicogénica. Criterios diagnósticos, exploración física y aproximación terapéutica. In: Padrós E, editor. Bases diagnósticas, terapéuticas y posturales del funcionalismo craneofacial. Madrid: Ripano; 2006. p. 736–58.
72. Zito G, Jull G, Story I. Clinical tests of musculoskeletal dysfunction in the diagnosis of cervicogenic headache. Man Ther 2006;11(2):118–29.
73. Kerr F. Central relationships of trigeminal and cervical primary afferents in the spinal cord and medulla. Brain Res 1972;43(2): 561–72.
74. Kerr F. The organization of primary afferents in the subnucleus caudalis of the trigeminal: a light and electron microscopic study of degeneration. Brain Res 1970;23(2):147–65.
75. Bogduk N. Anatomy and physiology of headache. Biomed Pharmacother 1995;49(10):435–45.
76. Bogduk N. Headaches and the cervical spine. Cephalalgia 1984;4(1):7–8.
77. Bogduk N. Cervical causes of headache and dizzinesss. In: Boyling JP, Palastanga N, editors. Grieve's modern manual therapy. The vertebral column. London: Churchill Livingstone; 2000. p. 317–31.
78. Bogduk N, Govind J. Cervicogenic headache: an assessment of the evidence on clinical diagnosis, invasive tests, and treatment. Lancet Neurol 2009;8(10):959–68.
79. Piovesan EJ, Kowacs PA, Tatsui CE, et al. Referred pain after painful stimulation of the greater occipital nerve in humans: evidence of convergence of cervical afferences on trigeminal nuclei. Cephalalgia 2001;21(2):107–9.
80. Bartsch T, Goadsby PJ. Increased responses in trigeminocervical nociceptive neurons to cervical input after stimulation of the dura mater. Brain 2003;126(Pt 8):1801–13.
81. Piovesan EJ, Kowacs PA, Oshinsky ML. Convergence of cervical and trigeminal sensory afferents. Curr Pain Headache Rep 2003;7(5):377–83.
82. Chua NH, Suijlekom HV, Wilder-Smith OH, et al. Understanding cervicogenic headache. Anesth Pain Med 2012;2(1):3–4.
83. Sjaastad O, Salvesen R, Jansen J, et al. Cervicogenic headache a critical view on pathogenesis. Funct Neurol 1998;13(1):71–4.
84. Cyriax J. Rheumatic headache. Br Med J 1938;2:1367–8.
85. Hoheisel U, Mense S, Simons DG, et al. Appearance of new receptive fields in rat dorsal horn neurons following noxious stimulation of skeletal muscle: a model for referral of muscle pain? Neurosci Lett 1993;153(1):9–12.
86. Davidoff RA. Trigger points and myofascial pain: toward understanding how they affect headaches. Cephalalgia 1998;18(7):436–48.
87. Borg-Stein J. Cervical myofascial pain and headache. Curr Pain Headache Rep 2002;6(4):324–30.
88. Dwyer A, Aprill C, Bogduk N. Cervical zygapophyseal joint pain patterns. I: A study in normal volunteers. Spine 1990;15(6):453–7.
89. Dreyfuss P, Michaelsen M, Fletcher D. Atlanto-occipital and lateral atlanto-axial joint pain patterns. Spine 1994;19(10): 1125–31.
90. Grenier F, Senegas J, Lavignolle B. Les nerfs rachidiens cervicaux et leur distribution La douleur cervicale. In: Senegas J, editor. Les cervicalgies La cervicarthrose et ses complications. Bordeaux: L'Unit de Pathologie Rachidienne CHR de Bordeaux; 1986. p. 39–62.
91. Fukui S, Ohseto K, Shiotani M, et al. Referred pain distribution of the cervical zygapophyseal joints and cervical dorsal rami. Pain 1996;68(1):79–83.
92. Aprill C, Axinn MJ, Bogduk N. Occipital headaches stemming from the lateral atlanto-axial (C1-2) joint. Cephalalgia 2002;22(1):15–22.
93. Cooper G, Bailey B, Bogduk N. Cervical zygapophysial joint pain maps. Pain Med 2007;8(4):344–53.
94. Biondi DM. Cervicogenic headache: diagnostic evaluation and treatment strategies. Curr Pain Headache Rep 2001;5(4): 361–8.
95. Schofferman J, Garges K, Goldthwaite N, et al. Upper cervical anterior diskectomy and fusion improves discogenic cervical headaches. Spine 2002;27(20):2240–4.
96. Schellhas KP, Smith MD, Gundry CR, et al. Cervical discogenic pain. Prospective correlation of magnetic resonance imaging and discography in asymptomatic subjects and pain sufferers. Spine 1996;21(3):300–11, discussion 311-2.
97. Grubb SA, Kelly CK. Cervical discography: clinical implications from 12 years of experience. Spine 2000;25(11): 1382–9.
98. Ehni G, Benner B. Occipital neuralgia and the C1-2 arthrosis syndrome. J Neurosurg 1984;61(5):961–5.
99. Lord SM, Barnsley L, Wallis BJ, et al. Third occipital nerve headache: a prevalence study. J Neurol Neurosurg Psychiatry 1994;57(10):1187–90.
100. Ziegler DK, Hassanein RS, Couch JR. Headache syndromes suggested by statistical analysis of headache symptoms. Cephalalgia 1982;2(3):125–34.
101. Jull GA. Cervical headache: a review. In: Boyling JP, Palastanga N, editors. Grieve's modern manual therapy. The vertebral column. 2nd ed. London: Churchill Livingstone; 2000. p. 333–47.
102. Olesen J. Some clinical features of the acute migraine attack.
103. An analysis of 750 patients. Headache 1978;18(5):268–71.
104. Saadah HA, Taylor FB. Sustained headache syndrome associated with tender occipital nerve zones. Headache

1987;27(4): 201–5.
105. Nelson CF. The tension headache, migraine headache continuum: a hypothesis. J Manipulative Physiol Ther 1994;17(3): 156–67.
106. Parker GB, Tupling H, Pryor DS. A controlled trial of cervical manipulation of migraine. Aust N Z J Med 1978;8(6):589–93.
107. Parker GB, Pryor DS, Tupling H. Why does migraine improve during a clinical trial? Further results from a trial of cervical manipulation for migraine. Aust N Z J Med 1980;10(2): 192–8.
108. Winston KR. Whiplash and its relationship to migraine. Headache 1987;27(8):452–7.
109. Sjaastad O, Bakketeig L. Tension-type headache: comparison with migraine without aura and cervicogenic headache. The Vaga study of headache epidemiology. Funct Neurol 2008;23(2):71–6.
110. Jensen R. Mechanisms of tension-type headache. Cephalalgia 2001;21(7):786–9.
111. Vandenheede M, Schoenen J. Central mechanisms in tensiontype headaches. Curr Pain Headache Rep 2002;6(5):392–400.
112. Milanov I, Bogdanova D. Trigemino-cervical reflex in patients with headache. Cephalalgia 2003;23(1):35–8.
113. Jensen R. Peripheral and central mechanisms in tension-type headache: an update. Cephalalgia 2003;23(Suppl. 1):49–52.
114. Fernandez-de-las-Penas C, Schoenen J. Chronic tension-type headache: what is new? Curr Opin Neurol 2009;22(3): 254–61.
115. Saper JR. Chronic headache syndromes. Neurol Clin 1989;7(2):387–412.
116. Guerrero AL, Rojo E, Herrero S, et al. Characteristics of the first 1000 headaches in an outpatient headache clinic registry. Headache 2011;51(2):226–31.
117. Bhaskar S, Saeidi K, Borhani P, et al. Recent progress in migraine pathophysiology: role of cortical spreading depression and magnetic resonance imaging. Eur J Neurosci 2013;38(11):3540–51.
118. Hadjikhani N, Sanchez Del Rio M, Wu O, et al. Mechanisms of migraine aura revealed by functional MRI in human visual cortex. Proc Natl Acad Sci U S A 2001;98(8):4687–92.
119. Goadsby PJ, Charbit AR, Andreou AP, et al. Neurobiology of migraine. Neuroscience 2009;161(2):327–41.
120. Bahra A, Matharu MS, Buchel C, et al. Brainstem activation specific to migraine headache. Lancet 2001;357(9261): 1016–17.
121. Janig W. Relationship between pain and autonomic phenomena in headache and other pain conditions. Cephalalgia 2003;23(Suppl. 1):43–8.
122. Dodick DW, Capobianco DJ. Treatment and management of cluster headache. Curr Pain Headache Rep 2001;5(1): 83–91.
123. Goadsby PJ. Pathophysiology of cluster headache: a trigeminal autonomic cephalgia. Lancet Neurol 2002;1(4):251–7.
124. Leone M, Franzini A, Broggi G, et al. Hypothalamic deep brain stimulation for intractable chronic cluster headache: a 3-year follow-up. Neurol Sci 2003;24(Suppl. 2):S143–5.
125. May A, Leone M. Update on cluster headache. Curr Opin Neurol 2003;16(3):333–40.
126. Pringsheim T. Cluster headache: evidence for a disorder of circadian rhythm and hypothalamic function. Can J Neurol Sci 2002;29(1):33–40.
127. Vanelderen P, Lataster A, Levy R, et al. 8. Occipital neuralgia. Pain Pract 2010;10(2):137–44.
128. Antonaci F, Ghirmai S, Bono G, et al. Cervicogenic headache: evaluation of the original diagnostic criteria. Cephalalgia 2001;21(5):573–83.
129. Antonaci F, Fredriksen TA, Sjaastad O. Cervicogenic headache: clinical presentation, diagnostic criteria, and differential diagnosis. Curr Pain Headache Rep 2001;5(4):387–92.
130. Antonaci F, Bono G, Chimento P. Diagnosing cervicogenic headache. J Headache Pain 2006;7(3):145–8.
131. Jaeger B. Are 'cervicogenic' headaches due to myofascial pain and cervical spine dysfunction? Cephalalgia 1989;9(3):157–64.
132. Bono G, Antonaci F, Dario A, et al. Unilateral headaches and their relationship with cervicogenic headache. Clin Exp Rheumatol 2000;18(2 Suppl. 19):S11–15.
133. Sjaastad O, Bovim G, Stovner LJ. Laterality of pain and other migraine criteria in common migraine. A comparison with cervicogenic headache. Funct Neurol 1992;7(4):289–94.
134. Ehni G, Benner B. Occipital neuralgia and C1-C2 arthrosis. N Engl J Med 1984;310(2):127.
135. Wright EF. Referred craniofacial pain patterns in patients with temporomandibular disorder. J Am Dent Assoc 2000;131(9): 1307–15.
136. Fricton JR, Kroening R, Haley D, et al. Myofascial pain syndrome of the head and neck: a review of clinical characteristics of 164 patients. Oral Surg Oral Med Oral Pathol 1985; 60(6):615–23.
137. Kaniecki RG. Migraine and tension-type headache: an assessment of challenges in diagnosis. Neurology 2002;58(9 Suppl. 6):S15–20.
138. Hagen K, Einarsen C, Zwart JA, et al. The co-occurrence of headache and musculoskeletal symptoms amongst 51 050 adults in Norway. Eur J Neurol 2002;9(5):527–33.
139. Sjaastad O, Fredriksen TA, Sand T. The localization of the initial pain of attack. A comparison between classic migraine and cervicogenic headache. Funct Neurol 1989;4(1):73–8.
140. Watson DH, Trott PH. Cervical headache: an investigation of natural head posture and upper cervical flexor muscle performance. Cephalalgia 1993;13(4):272–84, discussion 232.
141. Petersen SM. Articular and muscular impairments in cervicogenic headache: a case report. J Orthop Sports Phys Ther 2003;33(1):21–30, discussion 30-2.
142. Sjaastad O, Fredriksen TA. Cervicogenic headache: the importance of sticking to the criteria. Funct Neurol 2002;17(1):35–6.
143. Gordon SJ, Trott P, Grimmer KA. Waking cervical pain and stiffness, headache, scapular or arm pain: gender and age effects. Aust J Physiother 2002;48(1):9–15.
144. Jensen R, Rasmussen BK, Pedersen B, et al. Cephalic muscle tenderness and pressure pain threshold in a general population. Pain 1992;48(2):197–203.
145. Jensen R, Rasmussen BK, Pedersen B, et al. Muscle tenderness and pressure pain thresholds in headache. A population study. Pain 1993;52(2):193–9.
146. Bovim G. Cervicogenic headache, migraine, and tension-type headache. Pressure-pain threshold measurements. Pain 1992;51(2):169–73.
147. Goadsby PJ. Recent advances in the diagnosis and

management of migraine. BMJ 2006;332(7532):25–9.
148. Sjaastad O. Cluster headache and its variants. Headache 1988;28(10):667–8.
149. Bogduk N, Corrigan B, Kelly P, et al. Cervical headache. Med J Aust 1985;143(5):202, 206-7.
150. Spence J. Migraine and other causes of headache. Ann Emerg Med 1996;27(4):448–50.
151. Pikus HJ, Phillips JM. Characteristics of patients successfully treated for cervicogenic headache by surgical decompression of the second cervical root. Headache 1995;35(10):621–9.
152. Drottning M. Cervicogenic headache after whiplash injury. Curr Pain Headache Rep 2003;7(5):384–6.
153. Bogduk N, Aprill C. On the nature of neck pain, discography and cervical zygapophysial joint blocks. Pain 1993;54(2): 213–17.
154. Pearce JM. Whiplash injury: a reappraisal. J Neurol Neurosurg Psychiatry 1989;52(12):1329–31.
155. Antonaci F, Bulgheroni M, Ghirmai S, et al. 3D kinematic analysis and clinical evaluation of neck movements in patients with whiplash injury. Cephalalgia 2002;22(7):533–42.
156. Drottning M, Staff PH, Sjaastad O. Cervicogenic headache (CEH) after whiplash injury. Cephalalgia 2002;22(3):165–71.
157. Drottning M, Staff PH, Sjaastad O. Cervicogenic headache (CEH) six years after whiplash injury. Funct Neurol 2007;22(3):145–9.
158. Bono G, Antonaci F, Ghirmai S, et al. Whiplash injuries: clinical picture and diagnostic work-up. Clin Exp Rheumatol 2000;18(2 Suppl. 19):S23–8.
159. Barnsley L, Lord SM, Wallis BJ, et al. The prevalence of chronic cervical zygapophysial joint pain after whiplash. Spine 1995;20(1):20–5, discussion 26.
160. Cote P, Cassidy JD, Carroll L. Is a lifetime history of neck injury in a traffic collision associated with prevalent neck pain, headache and depressive symptomatology? Accid Anal Prev 2000;32(2):151–9.
161. Radanov BP, Di Stefano G, Augustiny KF. Symptomatic approach to posttraumatic headache and its possible implications for treatment. Eur Spine J 2001;10(5):403–7.
162. Jull G. Management of cervical headache. Man Ther 1997;2(4):182–90.
163. Uthaikhup S, Sterling M, Jull G. Cervical musculoskeletal impairment is common in elders with headache. Man Ther 2009;14(6):636–41.
164. de Tommaso M, Sardaro M, Vecchio E, et al. Central sensitisation phenomena in primary headaches: overview of a preventive therapeutic approach. CNS Neurol Disord Drug Targets 2008;7(6):524–35.
165. Staud R. Abnormal endogenous pain modulation is a shared characteristic of many chronic pain conditions. Expert Rev Neurother 2012;12(5):577–85.
166. Chua NH, van Suijlekom HA, Vissers KC, et al. Differences in sensory processing between chronic cervical zygapophysial joint pain patients with and without cervicogenic headache. Cephalalgia 2011;31(8):953–63.
167. Vincent MB, Luna RA. Cervicogenic headache: a comparison with migraine and tension-type headache. Cephalalgia 1999;19(Suppl. 25):11–16.
168. van Suijlekom JA, de Vet HC, van den Berg SG, et al. Interobserver reliability of diagnostic criteria for cervicogenic headache. Cephalalgia 1999;19(9):817–23.
169. Bono G, Antonaci F, Ghirmai S, et al. The clinical profile of cervicogenic headache as it emerges from a study based on the early diagnostic criteria (Sjaastad et al., 1990). Funct Neurol 1998;13(1):75–7.
170. Fishbain DA, Lewis J, Cole B, et al. Do the proposed cervicogenic headache diagnostic criteria demonstrate specificity in terms of separating cervicogenic headache from migraine? Curr Pain Headache Rep 2003;7(5):387–94.
171. Fredriksen TA, Sjaastad O. Cervicogenic headache (CEH): notes on some burning issues. Funct Neurol 2000;15(4):199–203.
172. Silverman SB. Cervicogenic headache: interventional, anesthetic, and ablative treatment. Curr Pain Headache Rep 2002;6(4):308–14.
173. Dumas JP, Arsenault AB, Boudreau G, et al. Physical impairments in cervicogenic headache: traumatic vs. nontraumatic onset. Cephalalgia 2001;21(9):884–93.
174. Bogduk N. The neck. Baillières Best Pract Res Clin Rheumatol 1999;13(2):261–85.
175. Anthony M. Cervicogenic headache: prevalence and response to local steroid therapy. Clin Exp Rheumatol 2000;18(2 Suppl. 19):S59–64.
176. Jull G, Barrett C, Magee R, et al. Further clinical clarification of the muscle dysfunction in cervical headache. Cephalalgia 1999;19(3):179–85.
177. Amiri M, Jull G, Bullock-Saxton J, et al. Cervical musculoskeletal impairment in frequent intermittent headache. Part 2: subjects with concurrent headache types. Cephalalgia 2007;27(8):891–8.
178. Griegel-Morris P, Larson K, Mueller-Klaus K, et al. Incidence of common postural abnormalities in the cervical, shoulder, and thoracic regions and their association with pain in two age groups of healthy subjects. Phys Ther 1992;72(6): 425–31.
179. Treleaven J, Jull G, Atkinson L. Cervical musculoskeletal dysfunction in post-concussional headache. Cephalalgia 1994; 14(4):273–9, discussion 257.
180. Farmer PK, Snodgrass SJ, Buxton AJ, Rivett DA. An investigation of cervical spinal posture in cervicogenic headache. Phys Ther 2015;95:212–22.
181. Persson LC, Carlsson JY. Headache in patients with neckshoulder-arm pain of cervical radicular origin. Headache 1999;39(3):218–24.
182. Michler RP, Bovim G, Sjaastad O. Disorders in the lower cervical spine. A cause of unilateral headache? A case report. Headache 1991;31(8):550–1.
183. Jensen OK, Justesen T, Nielsen FF, et al. Functional radiographic examination of the cervical spine in patients with posttraumatic headache. Cephalalgia 1990;10(6):295–303.
184. Zwart JA. Neck mobility in different headache disorders. Headache 1997;37(1):6–11.
185. Hall TM, Briffa K, Hopper D, et al. Comparative analysis and diagnostic accuracy of the cervical flexion-rotation test. J Headache Pain 2010;11(5):391–7.
186. Hall T, Briffa K, Hopper D, et al. Long-term stability and minimal detectable change of the cervical flexion-rotation test.
J Orthop Sports Phys Ther 2010;40(4):225–9.
187. Schneider GM, Jull G, Thomas K, et al. Intrarater and interrater reliability of select clinical tests in patients referred for diagnostic facet joint blocks in the cervical spine. Arch Phys Med Rehabil 2013;94(8):1628–34.

188. Grimshaw DN. Cervicogenic headache: manual and manipulative therapies. Curr Pain Headache Rep 2001;5(4):369– 75.
189. Edmeads J. The cervical spine and headache. Neurology 1988;38(12):1874–8.
190. Jull G, Bogduk N, Marsland A. The accuracy of manual diagnosis for cervical zygapophysial joint pain syndromes. Med J Aust 1988;148(5):233–6.
191. Jull G, Zito G, Trott P, et al. Inter-examiner reliability to detect painful upper cervical joint dysfunction. Aust J Physiother 1997;43(2):125–9.
192. Stolk-Hornsveld F, Gijsberts T, Duquet W, et al. Painprovocation test for C0-C4 as tool in diagnosis of cervicogenic headache. Cephalalgia 1999;19(4):436.
193. Stolk-Hornsveld F, Gijsberts T, Duquet W, et al. Impaired mobility of cervical spine as tool in diagnosis of cervicogenic headache. Cephalalgia 1999;19(4):436.
194. Schneider GM, Jull G, Thomas K, et al. Derivation of a clinical decision guide in the diagnosis of cervical facet joint pain. Arch Phys Med Rehabil 2014;95(9):1695–701.
195. Hall TM, Robinson KW, Fujinawa O, et al. Intertester reliability and diagnostic validity of the cervical flexion-rotation test. J Manipulative Physiol Ther 2008;31(4):293–300.
196. Ogince M, Hall T, Robinson K, et al. The diagnostic validity of the cervical flexion-rotation test in C1/2-related cervicogenic headache. Man Ther 2007;12(3):256–62.
197. Ogince M, Hall T, Robinson K, et al. The diagnostic validity of the cervical flexion-rotation test in C1/2-related cervicogenic headache. Man Ther 2007;12(3):256–62.
198. Vernon H, Steiman I, Hagino C. Cervicogenic dysfunction in muscle contraction headache and migraine: a descriptive study. J Manipulative Physiol Ther 1992;15(7):418–29.
199. Graff-Radford SB, Reeves JL, Jaeger B. Management of chronic head and neck pain: effectiveness of altering factors perpetuating myofascial pain. Headache 1987;27(4):186–90.
200. Jensen R, Rasmussen BK. Muscular disorders in tension-type headache. Cephalalgia 1996;16(2):97–103.
201. Langemark M, Jensen K, Jensen TS, et al. Pressure pain thresholds and thermal nociceptive thresholds in chronic tensiontype headache. Pain 1989;38(2):203–10.
202. Freund B, Schwartz M. Post-traumatic myofascial pain of the head and neck. Curr Pain Headache Rep 2002;6(5):361–9.
203. Sand T, Zwart JA, Helde G, et al. The reproducibility of cephalic pain pressure thresholds in control subjects and headache patients. Cephalalgia 1997;17(7):748–55.
204. Fernandez-de-Las-Penas C, Alonso-Blanco C, Cuadrado ML, et al. Myofascial trigger points and their relationship to headache clinical parameters in chronic tension-type headache. Headache 2006;46(8):1264–72.
205. Sjaastad O, Bakketeig LS. Migraine without aura: comparison with cervicogenic headache. Vaga study of headache epidemiology. Acta Neurol Scand 2008;117(6):377–83.
206. Kulkarni V, Chandy MJ, Babu KS. Quantitative study of muscle spindles in suboccipital muscles of human foetuses. Neurol India 2001;49(4):355–9.
207. Boyd-Clark LC, Briggs CA, Galea MP. Muscle spindle distribution, morphology, and density in longus colli and multifidus muscles of the cervical spine. Spine 2002;27(7):694–701.
208. Comerford MJ, Mottram SL. Functional stability re-training: principles and strategies for managing mechanical dysfunction. Man Ther 2001;6(1):3–14.
209. Comerford MJ, Mottram SL. Movement and stability dysfunction – contemporary developments. Man Ther 2001;6(1):15–26.
210. Falla D, Jull G, Rainoldi A, et al. Neck flexor muscle fatigue is side specific in patients with unilateral neck pain. Eur J Pain 2004;8(1):71–7.
211. Falla D, Jull G, Edwards S, et al. Neuromuscular efficiency of the sternocleidomastoid and anterior scalene muscles in patients with chronic neck pain. Disabil Rehabil 2004;26(12): 712–17.
212. Falla D, Jull G, Hodges PW. Feedforward activity of the cervical flexor muscles during voluntary arm movements is delayed in chronic neck pain. Exp Brain Res 2004;157(1):43–8.
213. Falla D, Bilenkij G, Jull G. Patients with chronic neck pain demonstrate altered patterns of muscle activation during performance of a functional upper limb task. Spine 2004;29(13):1436–40.
214. Falla D. Unravelling the complexity of muscle impairment in chronic neck pain. Man Ther 2004;9(3):125–33.
215. Falla DL, Jull GA, Hodges PW. Patients with neck pain demonstrate reduced electromyographic activity of the deep cervical flexor muscles during performance of the craniocervical flexion test. Spine 2004;29(19):2108–14.
216. Weber BR, Uhlig Y, Grob D, et al. Duration of pain and muscular adaptations in patients with dysfunction of the cervical spine. J Orthop Res 1993;11(6):805–10.
217. Uhlig Y, Weber BR, Grob D, et al. Fiber composition and fiber transformations in neck muscles of patients with dysfunction of the cervical spine. J Orthop Res 1995;13(2):240–9.
218. Hallgren RC, Greenman PE, Rechtien JJ. Atrophy of suboccipital muscles in patients with chronic pain: a pilot study. J Am Osteopath Assoc 1994;94(12):1032–8.
219. McPartland JM, Brodeur RR, Hallgren RC. Chronic neck pain, standing balance, and suboccipital muscle atrophy – a pilot study. J Manipulative Physiol Ther 1997;20(1):24–9.
220. Elliott J, Jull G, Noteboom JT, et al. Fatty infiltration in the cervical extensor muscles in persistent whiplash-associated disorders: a magnetic resonance imaging analysis. Spine 2006;31(22):E847–55.
221. Nederhand MJ, IJzerman MJ, Hermens HJ, et al. Cervical muscle dysfunction in the chronic whiplash associated disorder grade II (WAD-II). Spine 2000;25(15):1938–43.
222. Bansevicius D, Sjaastad O. Cervicogenic headache: the influence of mental load on pain level and EMG of shoulder-neck and facial muscles. Headache 1996;36(6):372–8.
223. Groen GJ, Baljet B, Drukker J. The innervation of the spinal dura mater: anatomy and clinical implications. Acta Neurochir (Wien) 1988;92(1–4):39–46.
224. Groen GJ, Baljet B, Drukker J. Nerves and nerve plexuses of the human vertebral column. Am J Anat 1990;188(3):282–96.
225. Sterling M, Jull G, Vicenzino B, et al. Characterization of acute whiplash-associated disorders. Spine 2004;29(2):182–8.
226. Yahia A, Ghroubi S, Jribi S, et al. Chronic neck pain and vertigo: Is a true balance disorder present? Ann Phys Rehabil Med 2009;52(7–8):556–67.
227. Maigne R. Headache of cervical origin. In: Maigne R, editor. Pain of vertebral origin: diagnosis and treatment. Baltimore:

Williams & Wilkins; 1996. p. 346–55.

228. Meloche JP, Bergeron Y, Bellavance A, et al. Painful intervertebral dysfunction: Robert Maigne's original contribution to headache of cervical origin. The Quebec Headache Study Group. Headache 1993;33(6):328–34.
229. Bansevicius D, Pareja JA, Sjaastad O. 'Skin roll' ('pinch and roll') test: skinfold thickness and tenderness. Headache 1997;37(5):281–5.
230. Bansevicius D, Pareja JA. The 'skin roll' test: a diagnostic test for cervicogenic headache? Funct Neurol 1998;13(2): 125–33.
231. Sjaastad O, Fredriksen TA, Stolt-Nielsen A, et al. Cervicogenic headache: a clinical review with special emphasis on therapy. Funct Neurol 1997;12(6):305–17.
232. Curatolo M, Bogduk N. Pharmacologic pain treatment of musculoskeletal disorders: current perspectives and future prospects. Clin J Pain 2001;17(1):25–32.
233. Hurwitz EL, Aker PD, Adams AH, et al. Manipulation and mobilization of the cervical spine. A systematic review of the literature. Spine 1996;21(15):1746–59, discussion 1759-60.
234. Brodin H. Cervical pain and mobilization. Int J Rehabil Res 1984;7(2):190–1.
235. Jensen OK, Nielsen FF, Vosmar L. An open study comparing manual therapy with the use of cold packs in the treatment of post-traumatic headache. Cephalalgia 1990;10(5):241–50.
236. Vernon H, McDermaid CS, Hagino C. Systematic review of randomized clinical trials of complementary/alternative therapies in the treatment of tension-type and cervicogenic headache. Complement Ther Med 1999;7(3):142–55.
237. Bronfort G, Assendelft WJ, Evans R, et al. Efficacy of spinal manipulation for chronic headache: a systematic review. J Manipulative Physiol Ther 2001;24(7):457–66.
238. Bronfort G, Nilsson N, Haas M, et al. Non-invasive physical treatments for chronic/recurrent headache. Cochrane Database Syst Rev 2004;(3):CD001878.
239. Watson D. Cervical headache: an investigation of natural head posture and upper cervical flexor muscle perfomance. In: Boyling J, Palastanga N, editors. Grieve's modern manual therapy. The vertebral column. 2nd ed. London: Churchill Livingstone; 2000. p. 349–70.
240. Racicki S, Gerwin S, Diclaudio S, et al. Conservative physical therapy management for the treatment of cervicogenic headache: a systematic review. J Man Manip Ther 2013;21(2):113–24.
241. Grant T, Niere K. Techniques used by manipulative physiotherapists in the management of headaches. Aust J Physiother 2000;46(3):215–22.
242. Mayoral O, Torres R. Tratamiento conservador y fisioterápico invasivo de los puntos gatillo miofasciales. In: Patología de las partes blandas en el hombro. Madrid: Fundación Mapfre Medicina; 2003. p. 85–9.
243. Aker PD, Gross AR, Goldsmith CH, et al. Conservative management of mechanical neck pain: systematic overview and meta-analysis. BMJ 1996;313(7068):1291–6.
244. Biondi DM. Cervicogenic headache: mechanisms, evaluation, and treatment strategies. J Am Osteopath Assoc 2000;100(9 Suppl.):S7–14.
245. Jull G. Deep cervical neck flexor dysfunction in whiplash. J Musculoskeletal Pain 2000;8:143–54.
246. Ferreira PH, Ferreira ML, Maher CG, et al. Specific stabilisation exercise for spinal and pelvic pain: a systematic review. Aust J Physiother 2006;52(2):79–88.
247. Jull GA. Management of cervicogenic headache. In: Grant R, editor. Physical therapy of the cervical and thoracic spine. 3rd ed. St. Louis: Churchill Livingstone; 2002. p. 239–65.
248. Reale C, Turkiewicz AM, Reale CA, et al. Epidural steroids as a pharmacological approach. Clin Exp Rheumatol 2000;18(2 Suppl. 19):S65–6.
249. van Suijlekom JA, Weber WE, van Kleef M. Cervicogenic headache: techniques of diagnostic nerve blocks. Clin Exp Rheumatol 2000;18(2 Suppl. 19):S39–44.
250. Bogduk N, Marsland A. The cervical zygapophysial joints as a source of neck pain. Spine 1988;13(6):610–17.
251. Gawel MJ, Rothbart PJ. Occipital nerve block in the management of headache and cervical pain. Cephalalgia 1992;12(1):9–13.
252. Feng FL, Schofferman J. Chronic neck pain and cervicogenic headaches. Curr Treat Options Neurol 2003;5(6):493–8.
253. Bogduk N. Role of anesthesiologic blockade in headache management. Curr Pain Headache Rep 2004;8(5):399–403.
254. Bogduk N. Distinguishing primary headache disorders from cervicogenic headache: clinical and therapeutic implications. Headache Currents 2005;2(2):27–36.
255. Blume HG. Cervicogenic headaches: radiofrequency neurotomy and the cervical disc and fusion. Clin Exp Rheumatol 2000;18(2 Suppl. 19):S53–8.
256. Barnsley L, Lord SM, Wallis BJ, et al. Lack of effect of intraarticular corticosteroids for chronic pain in the cervical zygapophyseal joints. N Engl J Med 1994;330(15):1047–50.
257. van Suijlekom HA, van Kleef M, Barendse GA, et al. Radiofrequency cervical zygapophyseal joint neurotomy for cervicogenic headache: a prospective study of 15 patients. Funct Neurol 1998;13(4):297–303.
258. Lord SM, Barnsley L, Bogduk N. Percutaneous radiofrequency neurotomy in the treatment of cervical zygapophysial joint pain: a caution. Neurosurgery 1995;36 (4): 732–9.
259. Lord SM, Barnsley L, Wallis BJ, et al. Percutaneous radiofrequency neurotomy for chronic cervical zygapophyseal-joint pain. N Engl J Med 1996;335(23):1721–6.
260. Martelletti P, van Suijlekom H. Cervicogenic headache: practical approaches to therapy. CNS Drugs 2004;18(12): 793–805.
261. van Suijlekom H, Van Zundert J, Narouze S, et al. 6. Cervicogenic headache. Pain Pract 2010;10(2):124–30.
262. Lee JB, Park JY, Park J, et al. Clinical efficacy of radiofrequency cervical zygapophyseal neurotomy in patients with chronic cervicogenic headache. J Korean Med Sci 2007;22(2): 326–9.
263. Stovner LJ, Kolstad F, Helde G. Radiofrequency denervation of facet joints C2-C6 in cervicogenic headache: a randomized, double-blind, sham-controlled study. Cephalalgia 2004;24(10): 821–30.
264. Mehnert MJ, Freedman MK. Update on the role of z-joint injection and radiofrequency neurotomy for cervicogenic headache. PM R 2013;5(3):221–7.
265. Bovim G, Fredriksen TA, Stolt-Nielsen A, et al. Neurolysis of the greater occipital nerve in cervicogenic headache. A follow up study. Headache 1992;32(4):175–9.
266. Biondi DM. Cervicogenic headache: a review of diagnostic and treatment strategies. J Am Osteopath Assoc 2005;105(4 Suppl. 2):16S–22S.
267. Fredriksen TA. Cervicogenic headache: invasive procedures. Cephalalgia 2008;28(Suppl. 1):39–40.

8 경추 기원의 현기증에 대한 임상적 접근

CLINICAL APPROACH TO DIZZINESS OF CERVICAL ORIGIN

현기증 및 다양한 감각운동 조절 장애는 일반적으로 경추의 병리 또는 기능장애와 관련이 있다. 사실, 현기증과 불안정은 특히 편타손상 후 목 통증과 관련된 가장 흔한 증상이다.[1] 이러한 유형의 환자에서 가성 현기증 증상의 발생률은 40~85%로 매우 높다.[1-6] 증상은 목 통증이 있는 환자에서 매우 다양할 수 있으며 현기증, 가벼운 빈혈, 불안정, 메스꺼움 및 시야 흐림을 포함할 수 있다. 그들은 변화된 경추 운동 감각,[1,7-12] 변화된 목 운동조절 패턴,[13-15] 변화된 기립 균형,[1,16-20] 변화된 안구 운동 및 목 협응과 같은 감각운동 조절 장애의 몇 가지 객관적인 징후를 동반할 수 있다.[10,21-26] 이러한 경추의 감각 운동 고유수용성 장애는 목 통증 환자의 만성화와 관련된 중요한 요인일 수 있다.[12]

용어(Terminology)

임상의가 직면한 첫 번째 어려움은 이러한 가성 현기증을 나타내는데 사용되는 다양한 용어이다. 어지럼증, 현기증, 불안정, 가벼운 빈혈, 아찔한 현기증, 불균형 또는 불안정과 같은 용어는 환자의 증상 해석을 방해한다. 따라서 첫 번째 단계는 현기증과 관련된 용어를 명확히 하는 것이다.[27]

어지럼 현기증은 대상이 환경과 관련하여 또는 그 반대로 경험하는 잘못된 움직임 감각으로 설명될 수 있다. 이러한 유형의 진정한 현기증은 전정계에서 기원하며 다른 병인의 현기증 또는 가성 현기증과 구별되어야 한다.

전정 현기증은 전정계의 말단 기관(난소낭, 구형낭, 반고리관 및 제8 뇌신경의 전정 부분)에 변형이 발생하는 경우 말초 현기증과 전정 핵, 소뇌, 설하핵 및 중추신경계(CNS)의 서로 다른 상호 연결로 위치하는 경우 중심성 현기증으로 분류된다.[28]

현기증을 호소하는 사람의 85%에서 기원은 말초이고 나머지 15%는 중추이다. 미로 같은 병인이 있을 때 현기증은 회전하는 특성을 갖지만 다른 방식으로 설명할 수 있다. 메스꺼움, 구토 및 발한이 자주 동반되지만 의식 상실이나 낙상은 없다.

*현기증*은 객관적인 균형 상실 없이 불안정한 주관적 감각으로 설명되는 보다 모호한 용어이다. 환자는 불안정한 느낌, 흔들리는 느낌 또는 약점을 보고하며 때때로 메스꺼움을 동반한다.[29] 현기증의 원인이 전정인 반면, 어지러움의 원인은 매우 다양하다.[30] 시각 시스템의 변화, 두정엽과 측두엽의 변화, 소뇌, 피로, 부하 등의 특징적인 증상일 수 있으며, 경추의 기능장애나 병리도 나타날 수 있다.

불균형은 움직임에 대한 인식이 없는 객관적인 안정성 상실이다. 일반적으로 감각 입력과 운동 반응 간의 통합이 변경된 결과이다. 이 증상은 서 있거나 걸을 때 나타나며 앉거나 누워 있을 때는 나타나지 않는다. 현기증은 중추 또는 말초 기원일 수 있지만,[27] 젊은 환자의 심각한 불균형은 일반적으로 중추 병리를 나타낸다. 그러나 고령 환자의 경우 연령과 관련된 정상적인 반응으로 간주되어야 한다.

주관적인 평가의 첫 번째 단계는 현기증과 기타 유사 현기증 호소를 구별하는 것이다.

이 장에서는 경추와 관련된 증상을 정의하기 위해 경추성 현기증과 가현기증이라는 용어를 사용한다. 이러한 증상은 수동 요법, 특정 물리 요법 운동 및 재훈련 방법으로 개선될 수 있다.

경추성 현기증은 거의 일정한 증상으로 또는 매우 짧은 기간 동안 시작될 수 있다.[5] 이러한 유형의 증상은 더 심한 통증이 있는 환자에서 더 흔하고 외상이 있는 환자에서 더 나쁜 장기적 예후와 관련이 있다. 이러한 유사 현기증 증상은 상당한 정서적 영향을 미칠 수 있으며 불안, 우울증 및 공포 회피 행동과 연결될 수 있으며, 이는 환자의 직업, 사회 및 가족 생활에 해로운 영향을 미칠 수 있다.[31]

지속적인 경추성 어지러움이 있는 일부 환자는 공포 회피 행동을 나타내므로 관리에서 이 문제도 안내해야만 한다.

경추와 현기증
CERVICAL SPINE AND DIZZINESS

경추와 가성 현기증 증상 사이의 관계는 논란의 원인이었으며 지금도 마찬가지이다. 일부 저자는 증상의 가능한 경추적 병인을 거부하지만, 다른 저자는 이를 뒷받침할 충분한 실험 및 임상 증거를 제공한다.[5] 그러나 논쟁은 경추 병리를 가진 환자가 현기증, 불안정, 가벼운 빈혈 등을 경험한다는 인식보다 '현기증'이라는 용어의 사용에서 더 많이 발생한다.

경추에 기인한 어지럼증은 1955년 Ryan과 Cope가 '경추성 현기증'[33]이라는 용어를 사용하여 처음 기술했다. Furman과 Cass는[34] 경추성 어지러움(Cervicogenic dizziness, CD)을 '목의 비정상적인 구심성 활동으로 인한 공간의 방향 변화와 불균형의 비특이적 감각'으로 정의했다.

앞서 언급한 바와 같이, 이러한 유형의 증상은 경추 편타성 충돌 후에 더 자주 발생한다.[1] 그러나 외상성 기원의 현기증 또는 현기증 증상은 기원이 될 수 있는 전정이나 뇌간과 같은 다른 많은 구조가 있기 때문에 목에만 국한될 수는 없다. 경추성 현기증의 존재를 고려하기 위해서는 현기증과 다른 경추 징후 및 증상 사이의 시간 관계를 확립할 필요가 있다. 따라서 현기증의 감소는 목 통증 개선과 연관되어야 하며[3] 적절한 감별 진단은 항상 의무적이다.

경추와 현기증 사이의 관계를 설명하기 위해 다양한 가설이 시도되었다.

혈관 가설(Vascular hypothesis)

전정계의 혈관화는 전소뇌동맥의 한 가지인 미로동맥에 의존하며, 이 동맥은 차례로 기저동맥에서 기원한다. 따라서 현기증은 척추기저부전증과 척추동맥 박리의 일반적인 증상 중 하나이다.[35-38] 이러한 유형의 현기증의 특징 중 하나는 다른 신경학적 징후 없이 단독으로 거의 발생하지 않는다는 것이다.[28,35,37] 혈관 병인학은 현기증을 앓고 있는 피험자에서 고려해야 할 요소이지만, 특히 동맥경화증이 있는 노인 환자에서 그 중요성이 과대 평가되었다. 경추 기원의 가현기증 증상의 성격과 임상적 표현은 척추기저부에서 유래하는 현기증과 같은 중추성 현기증의 특징과 일치하지 않는다. 따라서 경추성 어지러움은 혈관 병인과 다른 병인을 나타낸다.

후방경추 교감신경 증후군
(Posterior cervical sympathetic syndrome)

이 증후군은 1926년에 Barré에[39] 의해 그리고 나중에 Lieou에 의해 기술되었으며,[40] 목 통증, 두통 및 현기증의 복잡한 임상 상태에 대한 병인학적 원인을 제공하려고 시도했다. 이 저자들은 이러한 증상이 관절 퇴행성 변화의 결과로 가로돌기 구멍을 통한 궤적에서 척추 동맥을 둘러싸는 교감 신경총의 자극에 의해 발생한다고 생각했다.

그러나 이 가설은 이 교감 신경총의 자극이 척추

동맥의 작은 수축만을 유발하여 뇌 혈류 조절에 최소한의 영향을 미친다는 관찰로 인해 거부되었다.[41,42]

체성감각 가설(Somatosensory hypothesis)

이 가설은 경추성 어지러움(Cervicogenic dizziness, CD)의 증상이 경추의 관절 및 근육 고유수용기에서 진행되는 구심성 정보의 변경에 의해 유발됨을 시사한다.[32,33] 오늘날, 경추는 머리와 안구 운동조절, 균형 및 자세조절에 관여하는 중요한 고유수용성 기관으로 여겨진다. 이 믿음은 목의 긴장 반사가 두개경추 분절에 있는 수용체에서 시작된다는 것을 증명한 Magnus가[43] 수행한 연구에서 시작되었다. 경추에서 오는 비정상적인 입력의 존재는 중추신경계로 수렴되는 전정, 시각 및 발바닥 정보의 나머지 부분과 불일치하여 감각 운동 제어시스템을 방해한다.[44-46] 유사 현기증 감각은 다양한 자세 감각 시스템에 의해 수집된 정보의 충돌의 결과이다. 이 가설은 현재 경추성 현기증(CD)에 대한 최상의 설명을 제공한다. 사실 동물을 대상으로 한 실험 연구에 따르면, 심부 경부 근육에 다른 물질이 침투하면 균형, 안진 및 운동실조의 변화가 유발된다.[47-50]

> 경추성 현기증과 관련된 가성 현기증 감각은 다양한 자세 감각 시스템에 의해 수집된 정보와의 충돌의 결과이다.

동일한 유형의 연구에서 정상적인 피험자를 대상으로 수행했을 때 목 고유수용기에서 오는 정보가 감각운동 조절에 상당한 영향을 미친다는 것이 입증되었다.[51-52] 국소마취제에 의한 경부근육의 침윤은 정상인에게 운동실조와 현기증을 유발할 수 있다.[51,53] 목 근육의 진동도 비슷한 반응을 일으킬 수 있다. 심부 경부 근육과 경부 관절 고유수용기의 구심성 정보의 변경은 경추성 현기증(CD)의 병태생리학적 기초로 간주된다.[2,32,46,51,54,55]

> 심부 경부 근육과 경부 관절 고유수용기의 구심성 정보의 변경은 경추성 현기증(CD)의 병태생리학적 기초이다.

따라서 경추의 관절 또는 근육 기능장애는 어지러움, 유사 현기증, 머리와 눈의 움직임, 균형 조절 장애를 유발할 수 있다. 이러한 증상의 중증도는 일반적으로 통증이나 경직과 같은 다른 경추 증상의 중증도에 비례한다.[5,45,53,56] 경추성 현기증(CD) 및 관련 증상을 더 잘 이해하려면 감각 운동 제어시스템이 어떻게 작동하는지 검토할 필요가 있다.

감각 운동 제어시스템 THE SENSORIMOTOR CONTROL SYSTEM

감각 운동 제어시스템은 머리와 눈의 움직임 제어와 자세 안정성의 제어에 중요하다. 감각 운동 제어의 유지는 복잡하고 자세 센서로 알려진 일련의 감각 기관의 참여가 필요하다.

이러한 감각수용기는 외수용기와 내수용기로 나뉜다. 첫 번째 그룹은 말초 전정계, 시각계 및 발바닥 압력수용기를 포함한다. 그들의 역할은 환경과 관련된 신체의 위치 변화를 중추신경계(CNS)에 알리는 것이다. 그러나 이 시스템이 이러한 자세 외수용기의 상호 위치에 대한 보완 정보를 가지고 있지 않으면 자세 감각 수용체에서 얻은 정보를 사용할 수 없다. 예를 들어, 전정계에 의해 기록된 위치의 변화는 전신의 움직임 또는 머리의 움직임만을 나타낼 수 있기 때문에 이 정보는 중요하다.

외수용기의 상호 위치는 몸 전체에 분포된 안구운동 근육과 고유수용성 센서로 구성된 자세 내수용기에 의해 제공된다. 경추에 있는 수 많은 센서가 특히 관련이 있다(**그림 8-1**). 전정계는 머리의 위치 변화에 관한 정보만을 수집하는 반면, 목의 고유수용기는

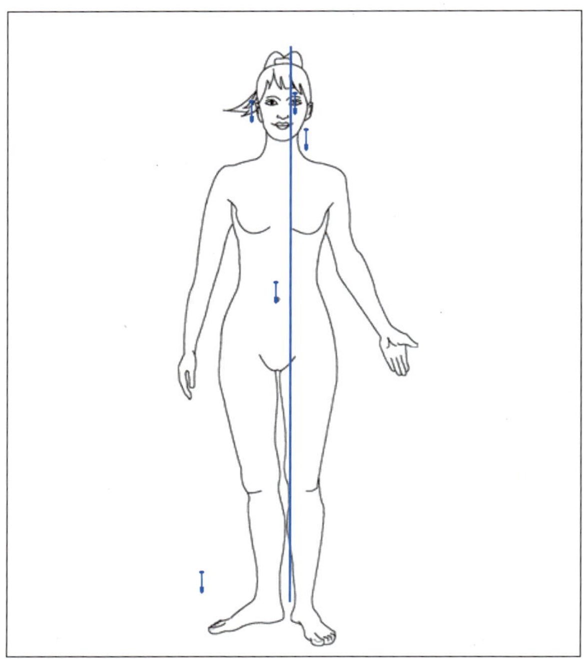

그림 8-1 ■ 균형 조절은 경추에 있는 것을 포함하여 자세 외수용기(시각, 전정 및 발바닥 압수용기)와 자세 내수용기(안구 운동 근육, 관절 및 근육 고유 수용체)의 정보를 사용한다.

신체에 대한 머리의 위치를 알려준다. 자세 내수용기는 환경과 직접적인 관련이 없지만 감각운동 조절에 필수적이다.

감각운동 조절 감각 수용체

외수용기

- 시각계
- 전정계
- 발바닥 압력수용기

내수용기

- 안구운동 근육
- 관절과 근육의 고유수용성 감각
  - 경추
  - 발과 발목

균형 유지와 관련하여 예를 들어, 시각, 전정 및 발바닥 외수용기뿐만 아니라 안구운동 근육, 경추, 척추주위 근육 및 하지 근육의 고유수용성 내수용기에서 오는 모든 정보는 무게 중심의 투영을 유지하기 위해 중추신경계(CNS)에 의해 다음으로 처리된다. 균형을 유지하려면 무게 중심이 지지 다각형 내에 있어야 한다. 균형은 정적인 기능이 아니다. 인간은 경골 관절 주위를 끊임없이 기울이고 거꾸로 된 진자처럼 행동하기 때문이다. 이 감각 운동 제어시스템은 자세그래프(**그림 8-2**)에서 명백한 것처럼 무게 중심의 투영이 1cm 미만의 영역으로 제한되는 방식으로 매우 정확하다.

최소한의 동요가 불균형을 유발할 수 있으므로 감각 운동 제어에 필요한 모든 정보는 실시간으로 통합되어야 한다. 따라서 감각 운동 시스템의 조절 품질은 다양한 센서의 올바른 기능뿐만 아니라, 획득한 모든 정보의 감각 통합에 달려 있다.

> 감각 운동 제어시스템의 조절의 질은 다양한 감각의 효과적인 기능뿐만 아니라, 획득한 모든 정보의 감각 통합에 달려 있다.

중추신경계(CNS)에 도달하는 정보 중 일부가 일관성이 없으면 충돌이 발생하고 중추신경계(CNS)는 어떤 정보가 올바른지 결정해야 한다. 그렇지 않으면 피험자가 현기증과 불안정감을 경험할 수 있다.

그러나 중추신경계(CNS)는 적응 능력이 뛰어나 하나 또는 여러 개의 감각 수용체가 일치하지 않는 정보를 제공하더라도 실시간으로 이 새로운 상황에 적응할 수 있으며 대상자는 현기증 또는 불균형의 증상이 없다. 예를 들어, 노화에 따른 전정계의 점진적인 악화에도 불구하고, 노인 대상자는 균형 조절에서 시각과 고유수용성 시스템의 협력 덕분에 여전히 수용 가능한 수준의 균형을 유지할 수 있다.[27]

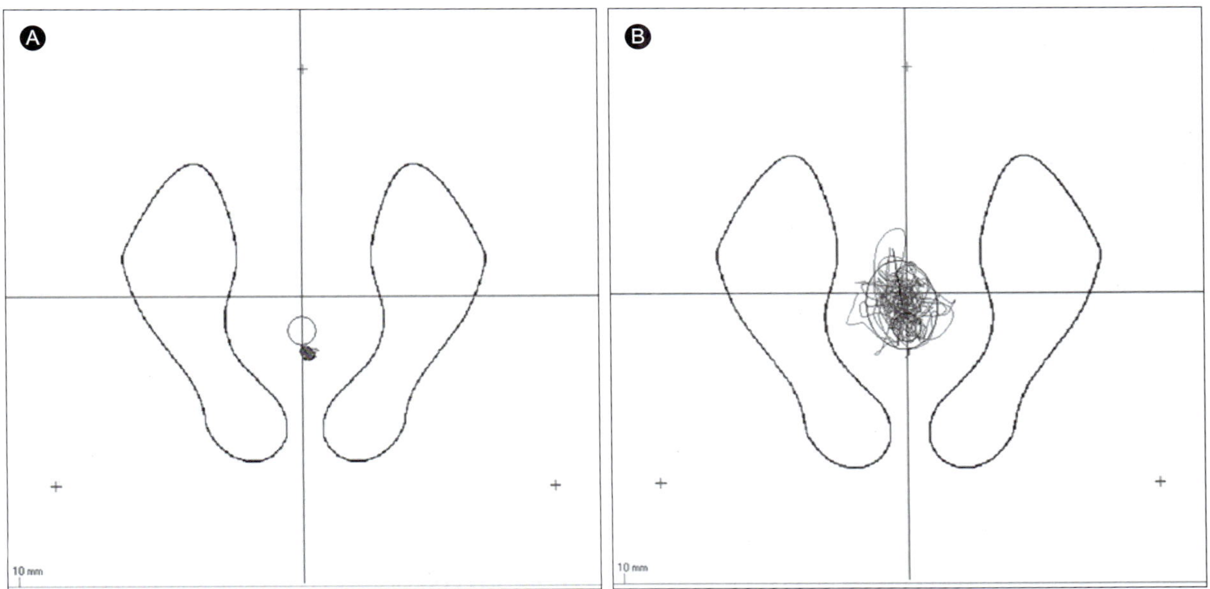

그림 8-2 ■ 무게 중심 투영은 자세그래프 등록(A)에 표시된 것처럼 1cm보다 큰 영역으로 제한되지 않는다. 균형 조절에 심각한 장애가 있는 피험자의 자세그래프 등록(B).

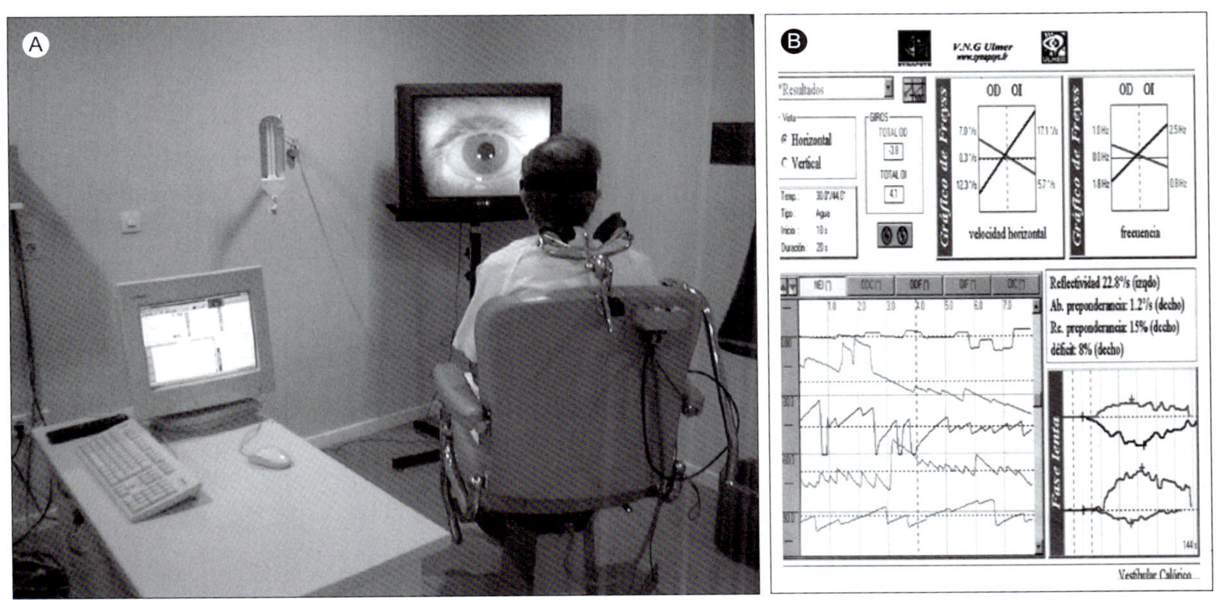

그림 8-3 ■ 영상안진촬영 장비(A) 및 결과(B).

중추신경계(CNS)는 적응 능력이 뛰어나
하나 또는 여러 개의 센서가 일관된 정보를 제공
하더라도 실시간으로 이 새로운 상황에 적응할 수
있으며 대상자는 현기증이나 불균형의 증상이 없다.

최근까지 임상의 특히 이비인후과 의사의 관심은 주로 전정 안구 반사와 같은 전정 기능을 구체적으로 다루는 검사를 통해 균형 또는 머리와 눈의 움직임 조절 검사보다 감각운동 조절을 위한 전정 구성 요소에 집중되어 왔다(**그림 8-3**). 그러나 감각운동 조절에서 전정 입력이 유일하거나 가장 중요한 것은 아니며 적절한 관리를 지시하기 위해서는 변화된 감각운동조절의 징후와 증상의 감별 진단이 중요하다.

자세 감각 수용체 (Postural sensory receptors)

앞에서 언급했듯이 자세 외수용기는 전정계, 시각계 및 발바닥 압력수용기이다. 자세 내수용기는 안구운동 근육과 고유수용기, 경추 및 신체의 나머지 부분을 포함한다.

전정계(Vestibular system)

전정 시스템은 전정 반사 덕분에 특히 직립 자세에서 감각 운동 제어에 필수적인 구성 요소이다. 전정계는 내이에 위치하며 (1) 내이의 낭원낭와 구형낭과 (2) 반고리관의 두 가지 기능 단위로 구성된다.
달팽이관은 청력에 관여하고 균형 조절에는
관여하지 않는다(**그림 8-4**).

내이의 타원낭과 구형낭은 섬모 감각 세포가 위치한 청반으로 알려진 특수 영역이 있는 두 개의 방이다(**그림 8-5**). 섬모 감각 세포는 이석으로 알려진 탄산칼슘 결정이 침착된 젤라틴 층으로 덮여 있다. 이 입자는 중력의 작용으로 인해 머리가 움직이는 동안 움직인다. 따라서 머리가 수직선에 비해 기울어지면 이석이 옆으로 미끄러지는 경향이 있고 감각 섬모 세포가 기울어져 탈분극이 발생한다(**그림 8-6**).

내이의 타원낭과 구형낭의 청반은 서로 수직인 평면에 위치한다. 이것은 전정계가 공간의 세 평면에서 머리의 위치를 결정하는 데 도움이 된다. 내이의 타

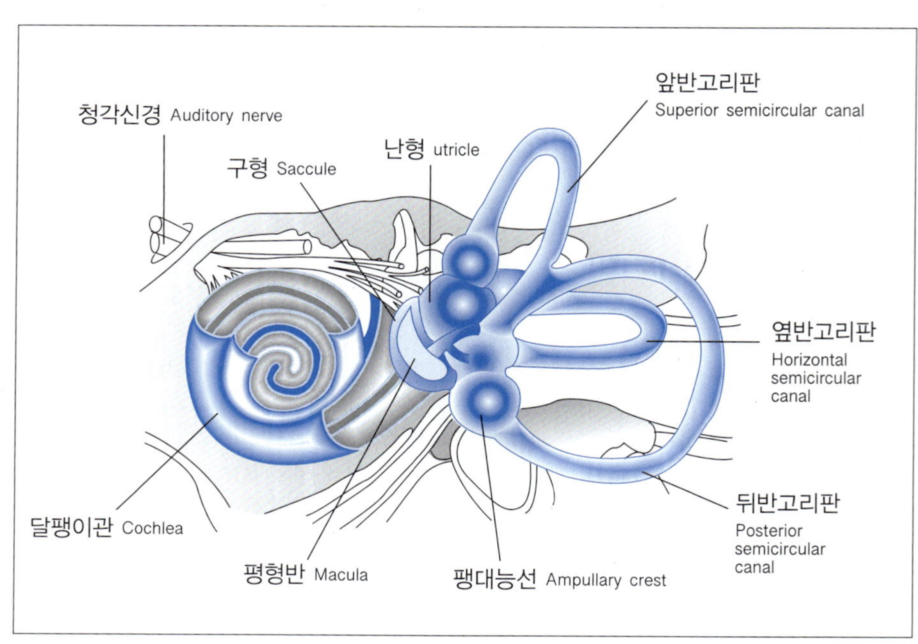

그림 8-4 ■ 전정 장치는 내이에 위치하며 (1) 내이의 타원낭과 구형낭 (2) 반고리관의 두 가지 기능 단위로 구성된다.

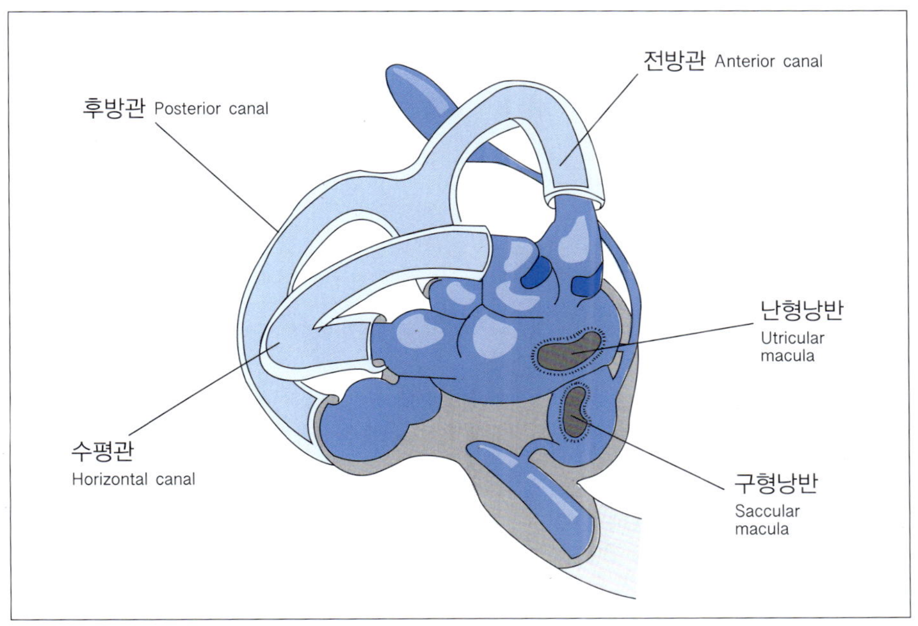

그림 8-5 ■ 내이의 낭원낭과 구형낭은 감각 유모 세포로 구성된 낭반이라고 하는 특수 영역이 있는 두 개의 방이다.

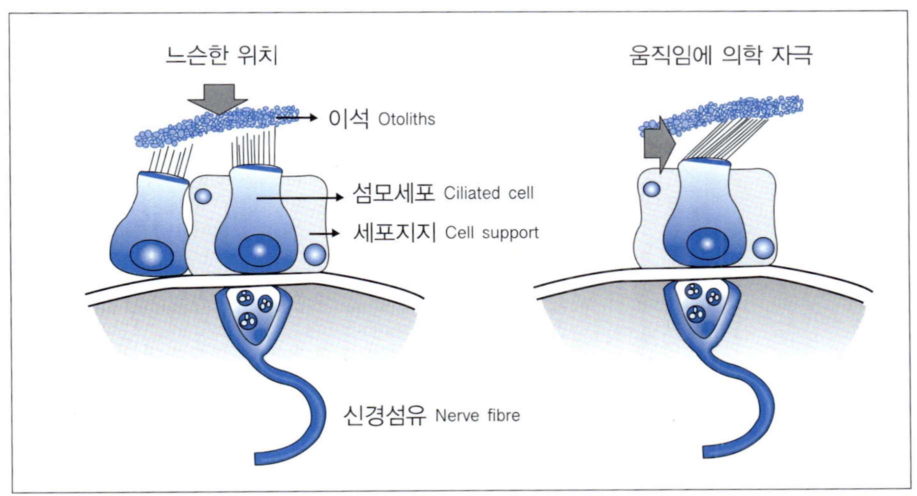

그림 8-6 ■ 이석은 머리가 움직이는 동안 미끄러지는 경향이 있으며 이렇게 함으로써 감각 세포의 섬모를 기울여 탈분극을 유발한다.

원낭과 구형낭은 중력과 관련된 머리의 위치와 관상, 시상 및 수직 방향의 선형 가속도 변화에 대한 정보를 제공한다. 내이의 타원낭과 구형낭의 감각 정보는 자세 안정성을 유지하는 데 도움이 되는 전정척수반사(VSR, vestibulo-spinal reflex)과 머리 움직임 제어를 돕는 전정경추반사(VCRvestibulocervical reflex)에 대한 구심성 입력 역할을 한다.

3개의 반고리관(수평, 시상 및 관상)이 타원낭과 접촉하고 있으며 각 관은 다른 관과 관련하여 직각으로 위치한다. 이 관은 내림프액으로 채워져 있으며,

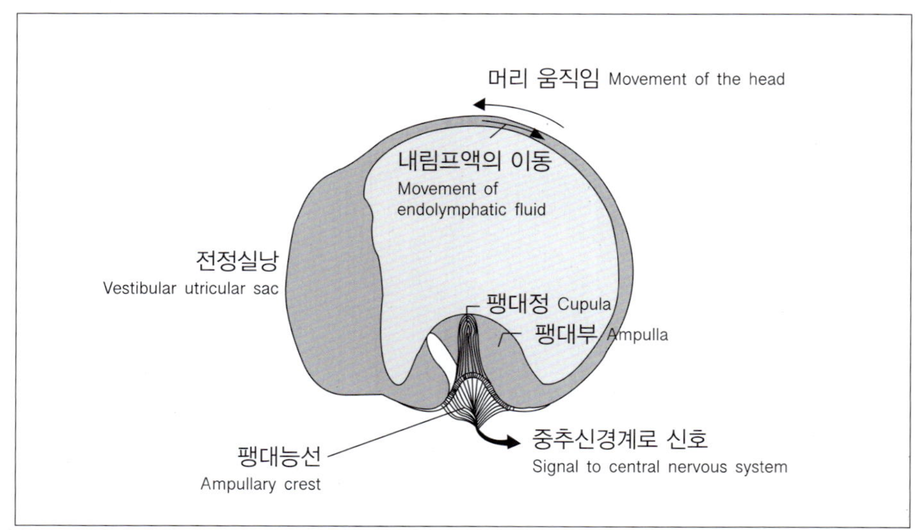

그림 8-7 ■ 3개의 반고리관(수평, 시상 및 관상)은 내림프로 채워져 있으며 끝 부분에는 감각 유모 세포가 박혀 있는 팽대부라고 하는 확장이 있다.

그 가장자리에는 팽창된 팽대부가 있다. 이것은 감각 섬모 세포가 있는 곳이다(**그림 8-7**). 반고리관은 모든 방향의 회전과 각가속도라고 하는 회전 변화의 강도를 감지한다. 반고리관의 정보는 전정안구반사(VOR)에 감각 입력을 제공하여 안구운동 근육을 활성화시켜 시선을 안정시키고 전정경추반사(VCR)가 머리 움직임을 제어하도록 한다.

시각계(*Visual system*)

환경과 관련하여 신체의 위치를 정확하게 조정하기 위해서는 시각을 사용해야 한다. 시각적 입력은 강력한 자세 입력이다. 눈을 뜬 상태에서 인간의 자세 시스템의 정밀도는 일반적으로 눈을 감을 때보다 250% 더 높다. 시력에는 두 가지 유형이 있다. 첫째, 수많은 원추체와 간상체가 있는 망막 또는 중심와의 중앙부에 등록되어 정확한 시력을 보장하는 중심와시(foveal vision); 둘째, 망막의 주변부에 의존하는 주변시가 있다(**그림 8-8**). 중심와와 주변시 모두 감각운동 조절에 역할을 한다. 시각은 전정 시스템이 완전히 파괴되었음에도 불구하고 피험자가 눈을 뜬 상태에서 균형을 유지할 수 있도록 한다.

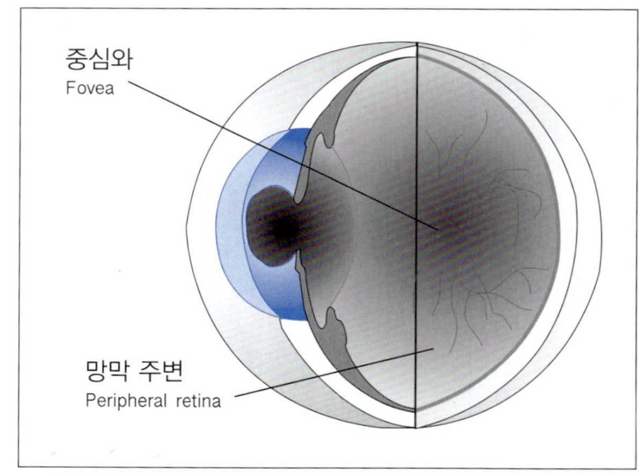

그림 8-8 ■ 인간의 시력에는 두 가지 유형이 있다. 즉, 시력의 정확성을 보장하는 망막 또는 중심와의 중앙 부분에 의해 기록되는 중심와 시력과 망막의 주변 부분에 의존하는 주변 시력이다.

안구 운동은 양안의 방향에 따라 수렴(눈모음)운동과 발산(눈벌림)운동으로 분류할 수 있다. 이러한 수직 움직임에서 두 눈은 반대 수평 방향으로 움직이므로 눈이 가깝거나 먼 물체를 포착할 수 있다.

안구 운동은 또한 고정, 시선 이동 또는 시선 안정화 운동으로 분류된다. 고정 운동은 미세 단속 운동, 표류 및 미세 떨림과 같은 매우 작은 안구 운동을 포함

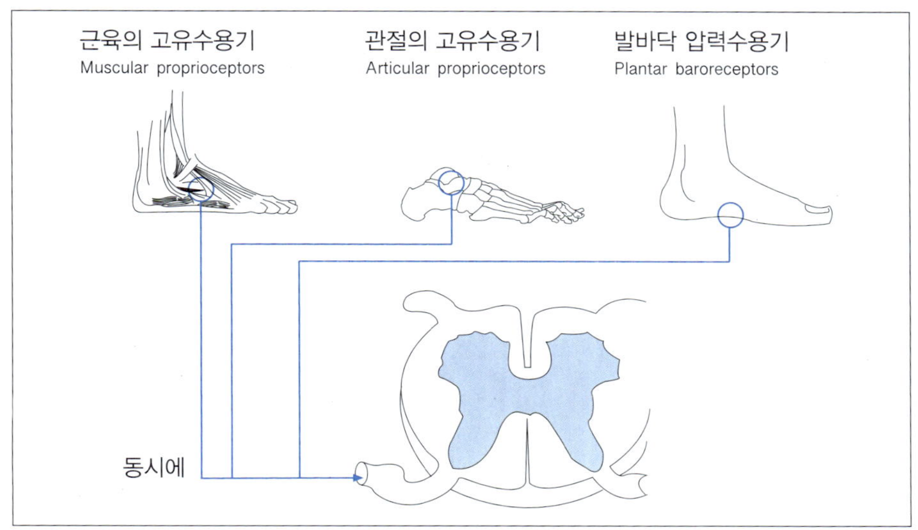

그림 8-9 ■ 발은 발바닥에 있는 압력수용기와 수많은 관절 고유수용기를 가진 내수용기 때문에 중요한 외수용기이다.

한다. 이러한 작은 움직임은 시각적 이미지를 중심와 위로 미세하게 지속적으로 이동시키는 것을 목표로 한다.

시선 이동 동작은 부드러운 추적 동작과 단속 동작이다. 부드러운 추적 안구 움직임은 눈이 움직이는 물체를 따라가게 하고 이것을 자세히 인지할 수 있게 한다. 단속적 움직임은 초점을 갑자기 바꾸는 눈의 빠른 움직임이다. 추적 안구 운동의 속도는 초당 30° 미만이 가능하다. 더 빠른 속도는 따라잡기 단속 속도를 요구하는 경향이 있다. 단속적 움직임은 중심와를 처음에 편심 망막 위치에 위치한 물체로 안내한다.

시선 안정화 운동에는 전정안구반사(VOR), 경추안구반사(COR) 및 광운동 반사가 포함될 수 있다. 전정안구반사(VOR)는 머리 움직임과 반대 방향으로 눈 움직임을 생성하여 머리 움직임 동안 망막의 이미지를 안정화한다. 경추안구 반사(COR)는 역할이 덜하지만, 머리의 회전에 의해 생성되는 것과 반대되는 보상적 시선 이동을 생성한다. 광운동 반사(OKR)는 단속적 움직임과 부드러운 추적 안구 운동의 조합이다. 광운동 반사(OKR)는 개인이 눈으로 움직이는 물체를 멀리 쫓아갔다가 다시 반대 방향으로 달려가서 표적을 재획득 할 때 생성된다.

발바닥 압력 수용체

발바닥에는 압력의 최소 변화를 기록할 수 있는 상당 수의 외수용기가 있다. 이러한 압수용기의 자극은 자세 제어를 크게 수정할 수 있다. 또한 발과 발목 모두 중력선 투영 제어와 관련된 많은 고유 수용체를 가지고 있다(**그림 8-9**).

발의 구조는 뛰어난 적응 능력을 보장하는 뛰어난 움직임의 다양성을 제공한다. 어떤 경우에는 고통스러운 고압 발바닥 부위가 압수용기 입력을 방해하고 자세 조절을 수정할 수 있다.

경추 고유수용 시스템

경추의 주요 기능적 책임은 감각기관, 눈, 코 및 귀를 여러 방향으로 향하게 하기 위해 머리를 위치시키는 것이다. 나머지 신체의 자세를 정리하고 역동적인 균형을 유지하기 위해서는 머리를 안정시키는 것이 중요하다. 앞서 논의한 바와 같이 머리는 중력과 머리 가속도를 감지하는 전정 시스템; 환경과 관련하여 머리와 몸을 안정시킬 수 있는 시각 시스템; 몸통

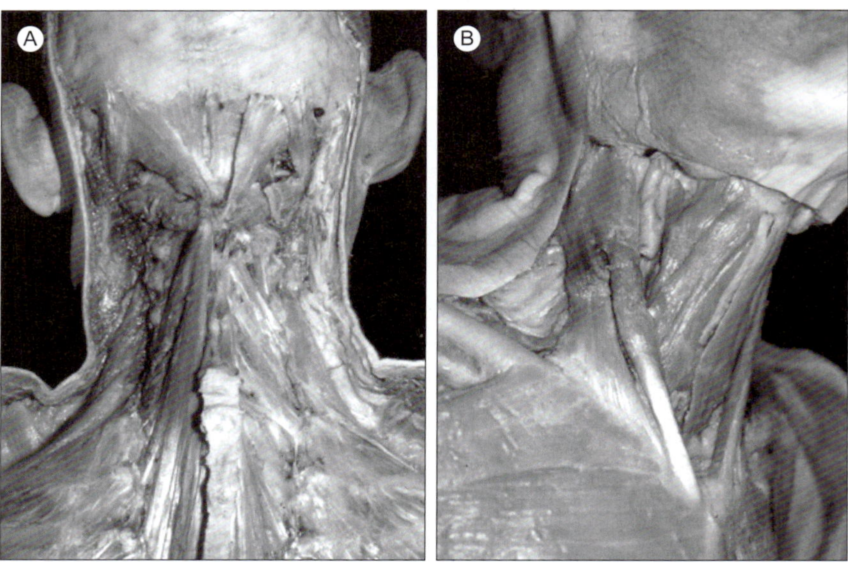

그림 8-10 ■ 경추 고유수용감각은 심부 근육(후두하근 및 심부 경추 굴근)(A)과 표재성 근육(목빗근 및 상부 등세모근)(B)을 포함한다.

과 관련된 머리의 위치에 대한 세부 정보를 제공하는 경추의 고유수용성 정보와 같이 감각 운동 제어에 기본적인 세 가지 유형의 시스템을 보유한다.

전정계는 환경과 관련된 머리 움직임만 감지할 수 있다. 따라서 중추신경계(CNS)는 신체의 나머지 부분과 관련된 머리 방향감에 관한 정보도 필요하며 이 정보는 경추의 고유수용기에 의해 제공된다. 경추의 고유수용성 정보도 눈과 머리의 움직임을 조정하는 데 결정적인 역할을 한다. 전정 및 시각 정보는 자세, 머리 및 눈의 움직임을 수정하지만 이러한 반응은 목의 구심성 입력에 의해 수정된다.[32,58] 첫 세 개의 경추 척추 분절은 감각 운동 제어에 가장 큰 영향을 미친다. 이 영역은 근육(근방추와 골지건 기관)과 관절낭(파치니 소체 및 루피니 수용체) 모두에 상당한 수의 고유수용성 수용체를 가지고 있다.[59,60] 이러한 고유수용성 기능은 심부 후두하부 및 심부 목 굴곡근뿐만 아니라 목빗근(흉쇄유돌근) 및 상부 등세모근(상부 승모근)과 같은 일부 표재성 근육을 포함한다(**그림 8-10**). 첫 번째 근육 그룹은 머리 위치의 최소 변화를 기록하는 역할을 하는 반면 두 번째 근육 그룹은 머리 위치를 전정 및 시각 시스템의 위치에 연결할 수 있는 장력의 역할을 한다.[61,62] 내측 전정 척수관을 통해 외측 전정 핵과 목빗근(흉쇄유돌근) 사이에 연결이 있다. 이 연결은 *전정 유발근 전위*와 함께 관찰될 수 있다.[63,64] 일부 저자는 경추성 어지러움(Cervicogenic dizziness, CD)의 유발 요인 중 하나가 경추 근육 활동 또는 긴장도의 비대칭이라고 믿는다.[65] 현기증은 주로 경추 회전 운동 중에 유발되며 근육 스트레칭의 결과일 수 있다. 비정상적인 활동이 있는 근육의 스트레칭은 감각 운동 제어시스템의 성능을 변경하는 비정상적인 고유 감각 정보를 생성한다. 이러한 경추성 어지러움은 특히 장기간 편심 자세를 유지한 후 머리를 움직일 때 나타나며, 일시적인 불균형으로 인지되어 대상자가 일상적인 환경에서 안정된 기준점을 확인하면 가라앉는다.[65]

근육과 관절의 이 모든 정보는 경추의 운동감각적 위치와 운동 감각의 구성에 기여한다. 중추신경계(CNS)의 위치 정보를 제공하는 역할을 하는 이러한 기계수용기 외에도 경추의 관절은 활차, 외전, 삼차 및 전정 핵과 여러 연결이 있다.[67-72] 따라서 경추 구심은 신체 자세를 조절할 뿐만 아니라 공간에서 머리와 눈을 안정시키는 전정 및 시각 반사와 상호 작용하는 경추 반사를 통해 몸통과 관련하여 머리를 안정시킨다.[32,73,74]

감각운동 조절은 대부분 비자발적 반사 조절에 의해 유지된다. 시각 및 전정 시스템은 시야를 안정화시키는 역할을 하는 전정안구반사(VOR)를 통해 상호 연관된다.[75,76] 머리가 움직이는 동안 눈은 머리와 관련하여 움직여서 이미지가 망막에서 안정적으로 유지되도록 한다. 망막 미끄러짐이 있으면 시야가 흐려지고 주변이 움직이는 것처럼 보인다. 그런 다음 전정안구반사(VOR)는 머리 움직임의 시력에 대한 영향을 없애기 위해 보상적 안구 움직임을 만드는 역할을 한다.

경추의 입력은 전정경추반사(VCR, vestibulocervical reflex)에 의해 전정계와 연결되어 머리의 위치를 안정시킨다.[77] 전정경추반사(VCR)는 이석이나 반고리관에 의해 감지된 움직임에 대응하여 주로 수평면에서 머리의 위치를 안정화한다.[78,79]

경추안구반사(COR)는 머리의 회전에 의해 생성된 것과 반대되는 보상적 시선 이동을 생성하고 목 근육의 스트레칭에 대한 응답으로 체간에 대해 머리를 안정화하는 경추경부반사(CCR, cervico-collic reflex)를 생성한다.[73,77,78,80,81] COR은 전정안구반사(VOR)와 협력하여 움직이는 동안 시야를 잘 인식한다.[77] 경추안구반사(COR)는 전정안구반사(VOR)에 비해 시선 안정성에 약간 기여하지만 변경된 전정안구반사(VOR)을 보상할 수 있다. 경추경부반사(CCR)는 머리를 몸에 고정시켜 과도한 경추 회전을 방지한다. 이 반사는 아마도 목의 깊은 근육의 신경근 방추에서 시작될 것이다.[73] 경추의 입력은 긴장성 목 반사(TNR)를 통해 반중력 신근 운동 시스템과 관련되어 몸이 머리와 관련하여 움직일 때 안정적인 자세를 유지한다.[82]

비정상적인 경추 구심성 입력은 중추신경계(CNS)에 수렴되는 전정, 시각 및 발바닥 정보의 나머지 부분과 불일치를 일으켜 감각 운동 제어시스템에 장애를 일으킬 수 있다.[44-46] 따라서 변경된 목 운동 제어 패턴, 변경된 경추 운동 감각, 변경된 안구 운동 및 목협응 및 기립 균형과 같은 감각 운동 제어 장애는 다양한 자세 감각 시스템에 의해 수집된 정보의 충돌 결과일 수 있다.

경추성 현기증의 감별 진단 DIFFERENTIAL DIAGNOSIS OF CERVICOGENIC DIZZINESS

진단은 환자의 과거 병력, 경추 근골격계 및 관련 감각 운동 장애의 임상 평가 및 전정기능 검사의 사용을 사용하여 전정 장애 및 신경혈관 손상을 제외하고 현기증과 경추 사이의 상관 관계를 확립해야 한다. 현재 경추성 어지러움(Cervicogenic dizziness, CD)의 주요 기준은 다른 병리가 배제된 경우에만 대상이 경추성 어지러움(CD)을 앓고 있다고 결론지어야 한다는 것이다.[83]

경추성 어지러움(CD)의 진단은 환자의 이전 병력, 임상 평가 및 전정 기능 검사의 사용을 사용하여 전정 장애 및 신경 혈관 손상을 제외하고 현기증과 경추 사이의 상관 관계를 확립해야 한다.

신경혈관 기능장애의 현기증에 대한 감별 진단은 10장에 설명되어 있다. 여기서는 척추기저부전이 흔하지 않으며 경추와 관련된 대부분의 가현기증 증상이 이 병리에 의해 유발되지 않는다는 점을 강조하기만 하면 된다.

전정 현기증 VESTIBULAR VERTIGO

전정 현기증의 원인 중 메니에르병, 이경화증, 면역 미로 장애, 미로 감염, 전정 신경염, 이독성 약물, 미로 손상, 청각 신경종 및 양성 돌발성 두위 현훈증

(BPPV)을 강조할 수 있다.[84]

중추성 현기증은 척추기저부전, 박리, 소뇌경색, 키아리 증후군과 같은 두개골 기저부의 기형, 중추신경계 종양과 같은 혈관 장애에 이차적으로 발생할 수 있다.

말초 현기증의 특징
(Characteristics of peripheral vertigo)

전정 현기증은 환경과 관련하여 또는 그 반대와 관련하여 대상이 경험하는 운동 감각을 특징으로 하며 종종 회전 특성을 보인다. 발병은 갑작스럽고, 몇 분, 몇 시간 또는 며칠 지속되고, 자율신경증 발현 및 청력 증상이 동반된다. 말초 현기증은 전정 신경염과 메니에르병을 제외하고는 지속 시간이 짧은 경우가 많다는 점을 감안할 때 중추 현기증과 구별할 수 있다. 청력 상실 또는 이명을 동반할 수 있으며 신경학적 징후는 없다.[85] **표 8-1**은 중추 및 말초 현기증의 차이점을 간략하게 보여준다.

표 8-1

중추 및 말초 현기증의 진단적 차이

	말초성 BPPV	중추
두위변환안진검사 소견		
안진증 잠복시간	2 – 40 s	없음
어지럼증 정도	심각	중등
안진증 시간	〈 1 min	〉 1 min
피로도	예	아니오
적응/진부화	예	아니오
기타 소견		
자세 불안정성	보행 가능, 단방향 불안정	걸을 때 넘어짐, 심한 불안정
청력 상실 및 이명	위 사항이 있다.	보통 없다.
다른 신경학적 증상들	없음	보통 있음

From Swartz and Longwell.[99]

양성자세현훈/양성 돌발성 두위 현훈증
(Benign paroxysmal positional vertigo)

가장 흔한 말초 전정 현기증은 양성 돌발성 두위 현훈증(BPPV)이다. 일반적으로 10~30초 동안 지속되는 회전성 현기증이 갑자기 시작되는 것이 특징이다. 침대에서 몸을 구르고 머리를 뒤로 젖히면 촉발될 수 있다. 지속시간이 짧고 피로가 빠르며 유발한 자세가 유지 또는 변경될 때 사라지고 이러한 자세를 취할 때마다 모습이 나타나는 것이 특징이다. 이는 자발적으로 또는 이석의 위치를 조정한 후에 멈출 수 있으며 때때로 잠시 후에 다시 나타난다.[86] **표 8-2**는 경추성 현기증과 현기증의 일부 말초 및 중추 원인 사이의 차이점을 간략하게 보여준다.

이 개체의 병인은 난형낭반 이석의 외상성, 감염성, 퇴행성 또는 특발성 박리와 반고리관에 침착된 것으로 보인다.[86-89] 위치와 관련하여 반고리관돌증, 이석이 평대능선의 평대정에 계속 붙어 있는 경우 반고리관과 결석설, 이석이 자유롭게 떠다니는 반고리관으로 떨어진 경우의 두 가지 가능성이 있다.[92,93]

표 8-2

경추 가성 현기증과 다른 현기증 현상의 차이점

	빈번한 증상	빈도	지속기간	자극요인
양성체위성돌발현훈	현기증	우발적	수초	머리의 위치를 바꿀 때
경추성 가현기증	어지럼증, 불균형	우발적	수분–수시간	머리 위치나 움직임과 관련
내이의 미로 타박상	현기증, 불균형	우발적	수시간–수일	움직임이 증가
중추 전정기능장애	어지럼증, 불균형	더 지속적인	수일–수주	내이의 병리학적 조합일 수 있다.

From Wrisley et al.[3]

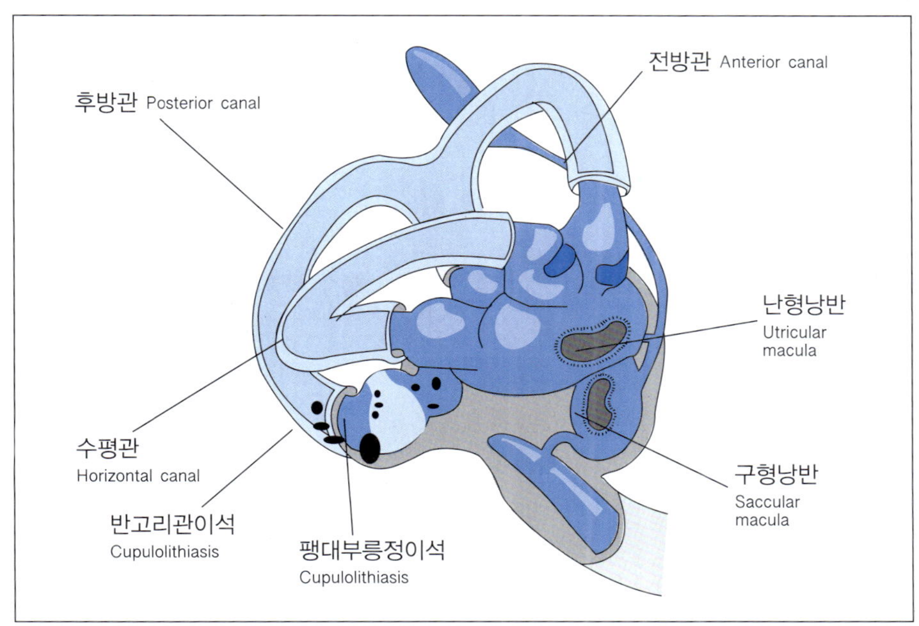

그림 8-11 ■ 양성체위성돌발현훈(BPPV)의 병인은 난형 및 구형 낭반의 이석의 배출과 관 훨씬 아래의 위치에 침착된 것으로 보인다.

대부분의 경우 이석 파편은 후방 반고리관에 위치한다(**그림 8-11**).[94] 환자가 머리를 뻗거나 돌릴 때 현기증이 유발된다. 이석이 후반고리관으로 변위되어 비정상적인 자극을 생성한다. 이 자극은 메스꺼움과 구토를 동반할 수 있는 현기증을 유발한다.

양성체위성돌발현훈(BPPV)의 진단은 2초의 잠복기와 10-20초의 지속 시간으로 현기증을 재현하고 안진을 유발하는 두부변환검사(Dix-Hallpike) 방법을 기반으로 한다. 이 진단 검사는 주로 후방고리관에 대한 것이다. 수평관의 양성체위성돌발현훈은 앙와위 굴림 검사 또는 Pagnini-McClure 기법으로 진단된다.[95]

Dix-Hallpike 두부변화검사 기법

Dix-Hallpike 두부변화검사 기법은 환자가 검사대에 앉아 다리를 쭉 뻗은 상태에서 수행된다. 그런

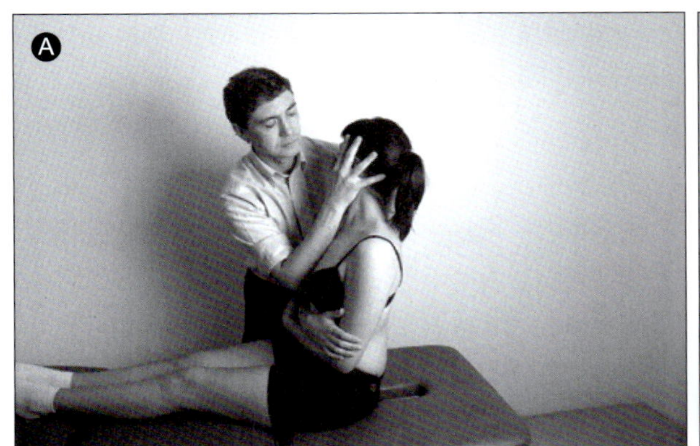

그림 8-12 ■ (A, B) 딕스 홀파이크(두위변환안진) 기법.

다음 환자의 머리가 영향을 받는 귀로 45° 회전된다. 임상의는 환자가 머리를 약 20° 펼친 상태에서 빠르게 뒤로 눕도록 돕는다. 환자가 안진과 관련된 현기증을 경험할 때 기동은 양성이다. 안진은 특징적인 5~10초의 잠복기 이후 처음 45초 이내에 나타나며[96] 이 자세를 유지하면 사라진다(**그림 8–12**).

앙와위 굴림 검사 또는 *Pagnini–McClure* 기법

외측관의 양성체위성돌발현훈(BPPV)을 확인하기 위해 앙와위 굴림 검사 또는 Pagnini–McClure 조작이 사용된다.[97] 이 조작에서 환자는 약 30°의 경추 굴곡으로 침대에 머리를 기대고 누워 있다. 치료사는 앙와위에서 머리를 양쪽으로 약 90° 돌린다. 이 동작 중에 수평 안진이 지면을 향하고 있으면 굴지성 안진이라고 하고 천장을 향하고 있으면 원지성 안진이라고 한다. 굴지성 유형의 수평관 양성자세현훈(HC–BPPV)에서 유도된 안진은 머리가 영향을 받는 귀 쪽으로 돌릴 때 더 강해진다. 대조적으로, 원지성(apogeotropic) 수평관 양성자세현훈에서 안진은 머리가 건강한 귀로 향할 때 더 강하다. 굴지성 안구증의 존재는 환자가 반고리판 결석설(canalolithiasis)가 있음을 나타내고 원지성은 수평반고리관(cupulolithiasis)을 나타낸다(**그림 8–13**).

좋은 치료 반응을 얻으려면 영향을 받는 쪽을 결정하는 것이 중요하다. 이는 반응이 다소 대칭적일 수 있기 때문에 때때로 어렵다.[98] 수평관의 안진은 후관의 안진과 다른 잠복기는 더 짧고(0–3초), 강도는 더 크며, 지속 시간은 1분보다 길 수 있으며 피로도는 후방 관의 자세적 안진이 관찰된 것보다 적다는 특성을 가지고 있다.[105]

항상 전정 현기증으로 감별 진단을 수행하는 것이 좋다. 첫 번째 평가는 목의 능동적 가동 범위이다. 현기증의 특징이 양성체위성돌발현훈을 가리키면 두위변환안진(Dix–Hallpike) 기동이 수행된다. 환자가 목의 통증이나 운동 범위의 제한으로 인해 이 검사를

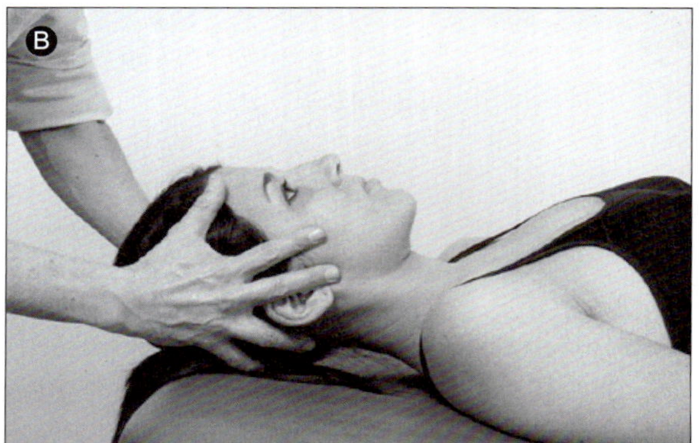

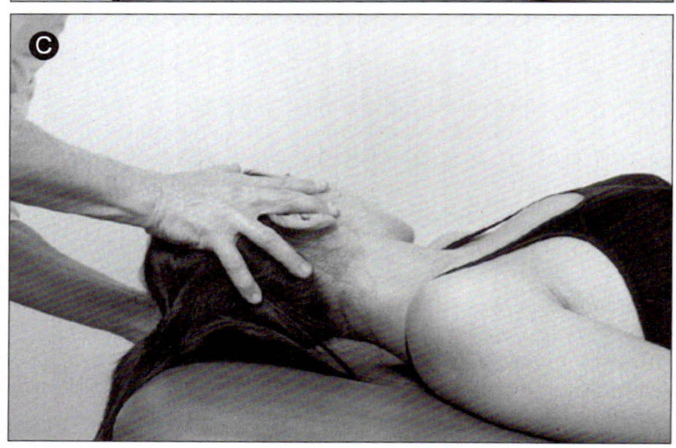

그림 8–13 ■ (A–C) 앙와위 굴림 검사 또는 Pagnini–McClure 기법.

견딜 수 없는 경우에는 머리가 천장을 향하게 하고 측면 와위 자세에서 시행할 수 있다. 결과적으로, 검사대의 머리 부분을 낮추어 경추를 45° 회전하게 유지한다. 검사가 양성이면 Epley 또는 Semont 기동이 수행된다. 두위변환안진의 기동이 음성이면 앙와위 굴림 검사가 수행된다. 이 검사도 음성이고 임상 양상

이 전정 현기증에 해당하는 경우 환자를 이비인후과 전문의에게 의뢰해야 한다.

이석 재배치 기법
(Otolith repositioning manoeuvres)

양성체위성돌발현훈(BPPV)의 치료는 환자의 머리에 일련의 움직임을 적용하여 이석을 가동시키는 것을 목적으로 하는 다양한 재배치 기법을 기반으로 한다.[99] 수평 운하의 양성체위성돌발현훈 처리는 굴지성 변형으로 소위 바베큐 기술 또는 Gufoni 방법으로 수행할 수 있다. 수정된 Sermont 방법과 Gufoni 방법이 원지성 변형에 대해 제안된다.

에플리(Epley) 기법

이 조작은 환자가 침대에 길게 앉아 머리를 증상이 있는 귀 쪽으로 45° 돌리는 것으로 시작된다. 임상

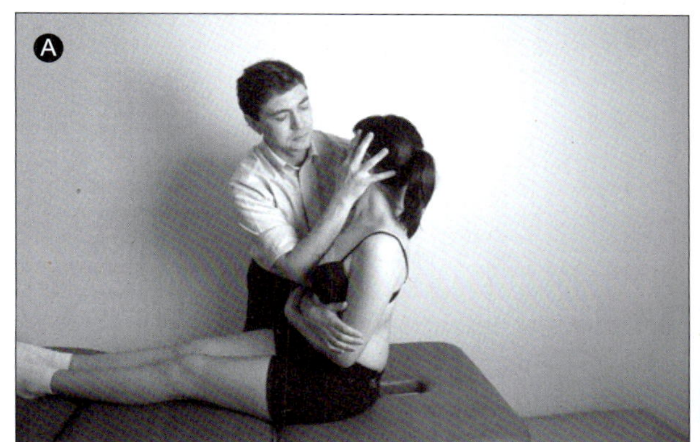
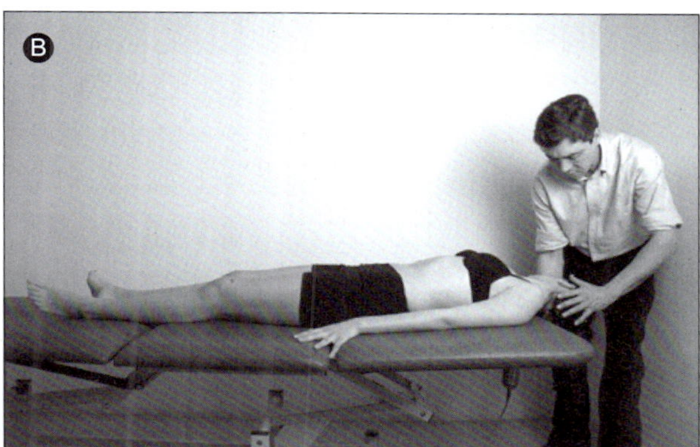
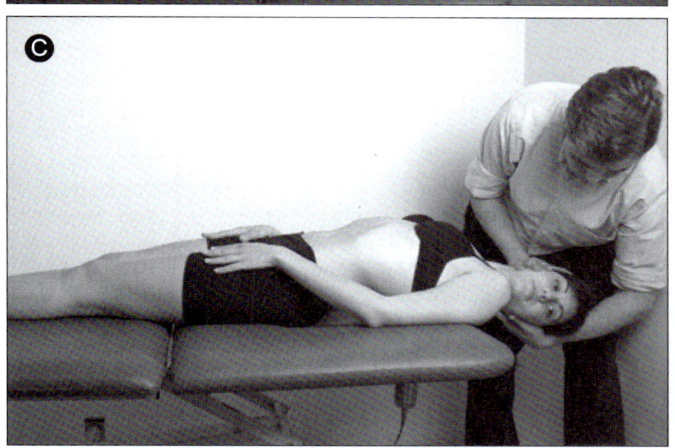
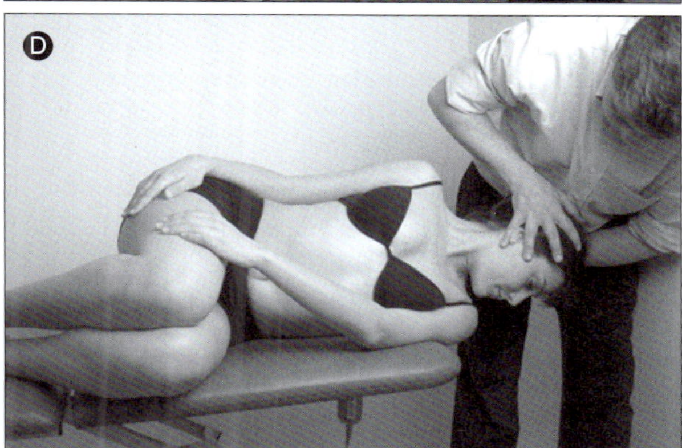
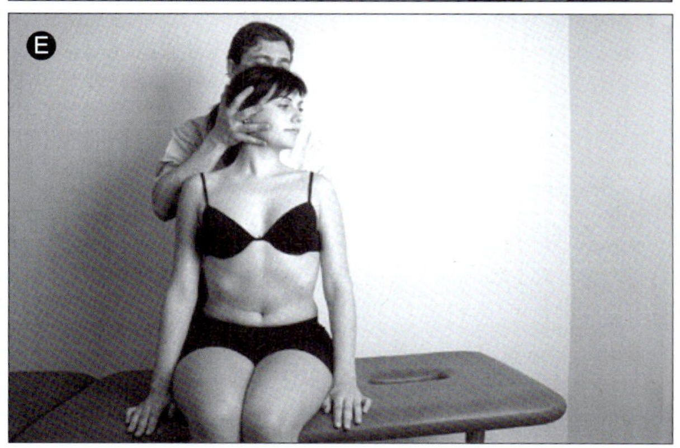

그림 8-14 ■ (A–E) Epley 기법.

의는 환자가 목을 펴고 머리 회전을 유지하면서 빠르게 뒤로 눕도록 도와준다. 이러한 방식으로 입자는 팽대부에서 반고리관의 중심으로 이동한다. 그런 다음 치료사는 환자가 증상이 있는 귀 쪽으로 머리를 45° 돌리도록 돕는다. 환자는 코가 바닥을 가리키도록 옆누움자세에 도달할 때까지 검사대에 회전한다. 그런 다음 환자는 무릎을 가슴 쪽으로 움직이고 앉은 자세로 돌아간다. 마지막으로 머리를 중립 위치로 되돌린다. 각 위치에서 유지 시간은 약 30초에서 1분 사이이다(**그림 8–14**).

이 방법은 경동맥 협착증, 불안정한 관상동맥 병리 및 골수병증, 경추 불안정성 또는 류마티스 관절염과 같은 심각한 경부 병리의 경우에 금기이다.[100]

코크란의 체계적인 검토는 Epley의 기법이 양성체위성돌발현훈(BPPV)의 안전하고 효과적인 치료법임을 확인했다.[101] 75%의 사례에서 단일 위치 변경 기법이 효과적이며 97%의 사례에서 두 가지 기법이 효과적이다.[102] Epley법은 American Academy of Neurology에 따라 A 근거 수준으로 후반고리관의 양성자세 현훈을 치료하는 유일한 권장 방법이다.[103]

Semont 기법

이 조작은 한쪽 옆누움위치에서 다른 쪽 옆누움위치로 환자를 빠르게 이동시키는 것을 포함한다.[104] 환자는 침대에 앉고 머리는 영향을 받지 않는 쪽으로 45% 돌린다.[104] 치료사는 환자를 환측의 옆누움위치로 재빨리 데려가 최소 1분간 이 자세를 유지한다. 그런 다음 환자를 재빨리 반대쪽 옆누움위치로 옮겨 머리가 바닥을 향하게 하여 이 자세를 3분간 유지한다(**그림 8–15**). 마지막으로 환자를 천천히 똑바로 앉은 자세로 되돌린다. 그런 다음 파편은 반고리관의 난형낭으로 떨어진다. 이러한 동작의 결과를 안정시키기 위해 환자는 머리를 신전하거나 돌리지 않는 것이 좋다.[105-107] 그러나 이러한 조치는 불필요해 보인다. 재배치 조작 후 현기증의 재발은 그리 빈번하지 않으며 년간 15%에 도달하지 않는다.[108]

그림 8–15 ■ (A–C) Semont 기법.

환자들이 집에서 이석 재배치를 이루기 위한 세몬트(Semont)법을 연습하도록 가르칠 수 있다. 일반적으로 권장되는 동작은 Epley기법의 변형이다.[109] Brandt–Daroff의 운동을 가르치는 것도 가능하다.[86]

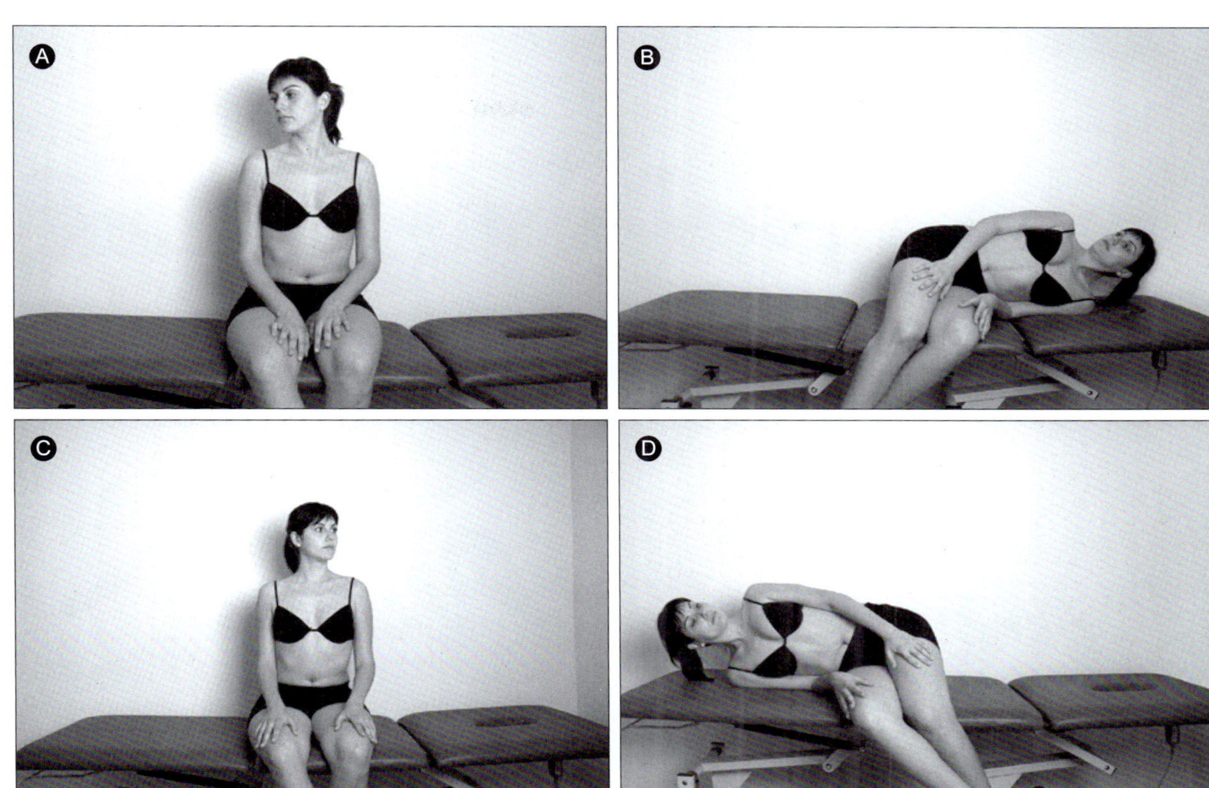

그림 8-16 ■ (A-D) Brandt-Daroff 운동.

Brandt-Daroff 운동

이 운동은 환자가 쉽게 배울 수 있으며 모든 근관에 적용할 수 있다. Brandt-Daroff 운동은 Semont 방법과 유사한 방식으로 수행된다. 환자는 검사대 가장자리에 앉아 머리를 한쪽으로 45% 돌리고 빠르게 반대쪽으로 누워 머리가 천장을 향하게 한다. 그런 다음 현기증이 사라질 때까지 또는 최소 30초가 지날 때까지 이 위치에서 기다린다. 마지막으로 환자는 앉은 자세로 돌아가 30초를 더 기다렸다가 반대쪽도 같은 운동을 한다(**그림 8-16**).

수평관 양성체위성돌발현훈(BPPV) 재배치

외측관 양성체위성돌발현훈(BPPV)은 종종 후방관 양성체위성돌발현훈(BPPV)을 치료하기 위해 설계된 이관 재배치에 반응하지 않는다. 가장 일반적으로 사용되는 치료법은 Lempert 동작 또는 바베큐 롤 동작이다.[110] 환자는 머리가 영향을 받는 귀 쪽으로 완전히 회전된 상태에서 앙와위 자세로 시작한다. 그런 다음 머리를 영향을 받지 않은 쪽을 향해 빠르게 90° 돌리고, 환자가 360° 회전하고 영향을 받는 귀를 아래로 향하는 위치로 다시 돌아올 때까지 영향을 받지 않은 쪽으로 연속적으로 90° 회전을 수행한다. 거기에서 환자는 얼굴을 위로 향하게 한 다음 앉은 자세로 올린다(**그림 8-17**). 이 조작은 원래 굴지성 현기증이 있는 변종에 대해서만 설명되었지만 원지성 형태의 치료에도 사용할 수 있다.

이관에 대한 또 다른 치료법은 Gufoni 이다.[111] 환자는 동작에서 빠르게 움직인다. 영향을 받지 않는 쪽의 옆누움위치에서 앉은 자세를 취한 다음 머리를 45° (바닥을 향함) 돌리고 다시 일어선다.

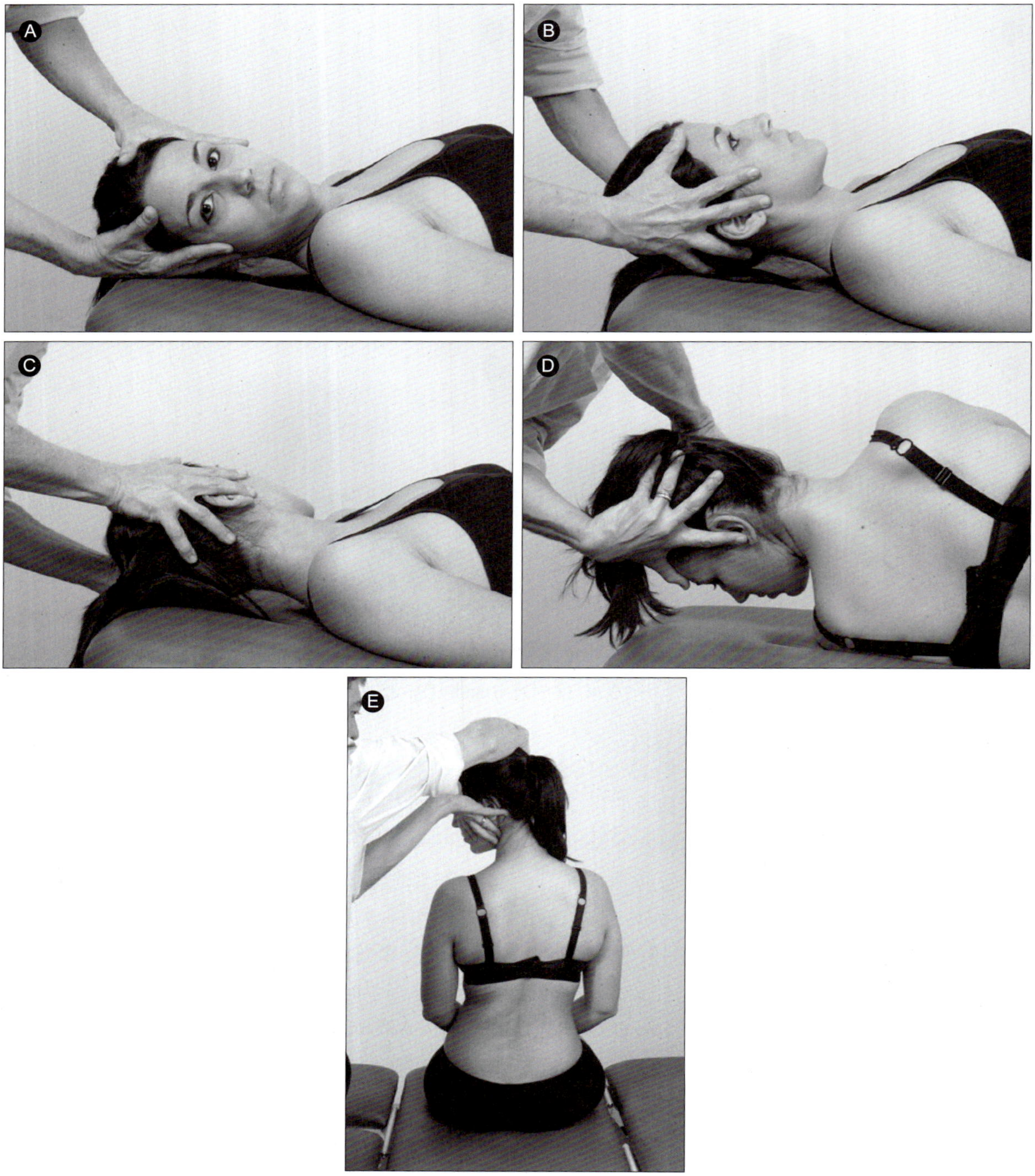

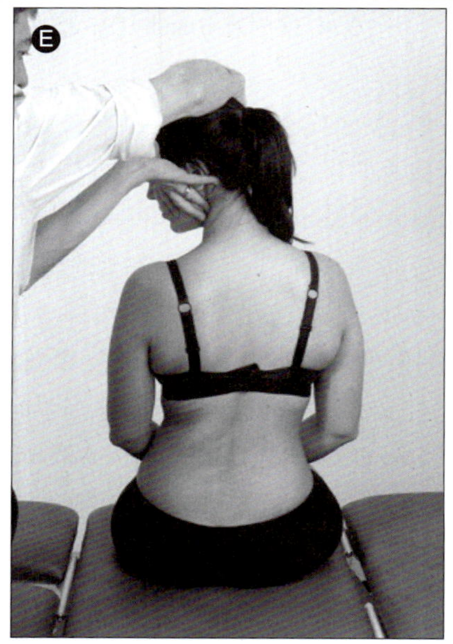

그림 8-17 ■ (A-E) 바베큐 굴림 기법.

기타 일반적인 전정 현기증 (Other common vestibular vertigos)

*메니에르병 또는 내림프수종*은 현기증과 청력 상실을 유발할 수 있는 내이의 장애이다. 메니에르병의 증상은 다양하지만 가장 흔한 것은 20분에서 몇 시간 사이에 지속되는 자발성 회전 현기증의 심각한 발작, 이명 및 청력 상실이다.

*미로염과 전정 신경염*은 더 오랜 기간의 현기증을 특징으로 하며, 이는 어떤 방향으로든 위치의 변화로 악화될 수 있으며 환자가 며칠 동안 침대에 누워 있어야 할 수 있다.[89]

경추성 현기증 및 감각운동 조절 장애의 임상 평가 CLINICAL ASSESSMENT OF CERVICOGENIC DIZZINESS AND SENSORIMOTOR CONTROL IMPAIRMENTS

경추성 어지러움(Cervicogenic dizziness, CD)의 평가는 하나의 구체적이고 결정적인 진단 검사가 없기 때문에 복잡하다. 평가에서 경추 근골격계 및 감각운동 기능장애의 소견과 함께 주관적인 검사를 고려할 필요가 있다.

주관적인 평가(Subjective assessment)

임상적 특징과 환자의 병력은 경추성 현기증을 나타낼 수 있다. 첫째, 경추성 어지러움(CD)의 발병과 다른 목 증상 사이에 시간 관계가 있어야 한다. 그러나, 전정 현기증이 있는 피험자들이 목 증상을 보고하는 것은 드문 일이 아니라는 점을 지적해야 한다. 왜냐하면 따라서 이차 목 문제를 만드는 일차 전정 병리학 때문에 현기증 위기를 피하기 위해 머리 움직임을 줄이려고 시도하는 목 경직을 유발할 수 있기 때문이다.

경추성 현기증은 편타손상 후 자주 호소하며 지속적인 증상이 있는 대상에서 더 심한 경향이 있다.[112] 편타손상은 또한 미로 뇌진탕으로 인한 양성자세현훈(BPPV)을 포함한 외상성 전정 병리와 관련될 수 있다는 점에 유의해야 한다. 편타손상은 특히 두부 외상과 관련된 경우 양성체위성돌발현훈(BPPV)의 직접적인 원인으로 간주된다. 편타손상은 또한 뇌간의 뇌진탕이나 중추 현기증으로 표현될 수 있는 경부 동맥의 부상과 관련될 수 있다.[28,32,114,115]

외상 후 현기증에 급성 및 중증의 편측성 두통이 동반되는 경우 원인은 경동맥 박리일 가능성이 있다. 이러한 경우 일반적으로 시력의 변화, 운동 협응 또는 보행의 변화와 같은 신경학적 징후와 증상이 나타난다.[28,35,38] 따라서 이것이 의심되는 경우 감별 진단을 돕기 위해 적절한 신경학적 검사를 수행하는 것이 필수적이다.[116]

외상 후 현기증의 가능한 원인:

- 경추성 어지러움
- 양성체위성돌발현훈(BPPV)
- 미로진탕
- 뇌진탕
- 경동맥절개

경추성 어지러움(CD)을 가진 환자는 주관적인 불균형 감각을 보고하며 전정 현기증의 회전성 현기증 특성을 보고하지 않는다. 경추성 어지러움(CD)의 증상은 불안정하거나 주관적인 불균형으로 설명될 수 있으며 흐린 시야 및 초점 어려움과 같은 주관적인 시각 감각과 관련될 수 있다.[117]

증상의 빈도, 목 통증과의 시간적 관계, 지속 시간 및 유발 요인 또한 다른 유형의 현기증과 경추성 현기증을 구별하는 데 도움이 될 수 있다. 경추성 어지러움(CD)은 일시적이며 몇 분 또는 몇 시간 동안 지속된다.

경추성 어지러움(CD)의 유발 요인은 머리의 움직임이나 위치와 관련된 모든 활동이다. 종종 머리를 처음으로 움직일 때 어지러움이 나타난다. 머리를 일정 시간 회전 자세로 유지한 후에 나타난다.

경추성 현기증은 주관적인 불안정감이며
전정성 현기증의 특징인 회전성 현기증이 아니다.

신체검사(Physical assessment)

관절 기능장애, 신경 운동조절 변화 및 운동 범위와 같은 경추 근골격 기능장애의 징후는 경추성 어지러움(CD) 환자에서 입증되어야 한다.[118,119]

또한, 경추의 어지러움의 원인을 뒷받침하기 위해 경추의 감각운동 조절과 관련된 일련의 검사도 개발되었다. 여기에는 경추 안진 검사, 경추 관절 위치 및 운동 감각 검사, 안구 운동 검사(예: 부드러운 추격 목 비틀림 검사) 및 자세 검사가 포함되며 임상 및 자세 촬영 플랫폼의 도움을 받는다. 이러한 검사 중 많은 부분이 Jull 등에 의해 설명되었다.[119] Treleaven 등은[1,22,26] 하나의 검사만으로는 경추성 어지러움(CD)을 진단할 수 없지만, 환자의 주관적 보고 및 경추 근골격 손상과 관련된 여러 검사에서 발견된 결과에 대한 임상적 추론이 경추성 어지러움(CD)의 감별 진단에 가장 유용하다고 제안했다.

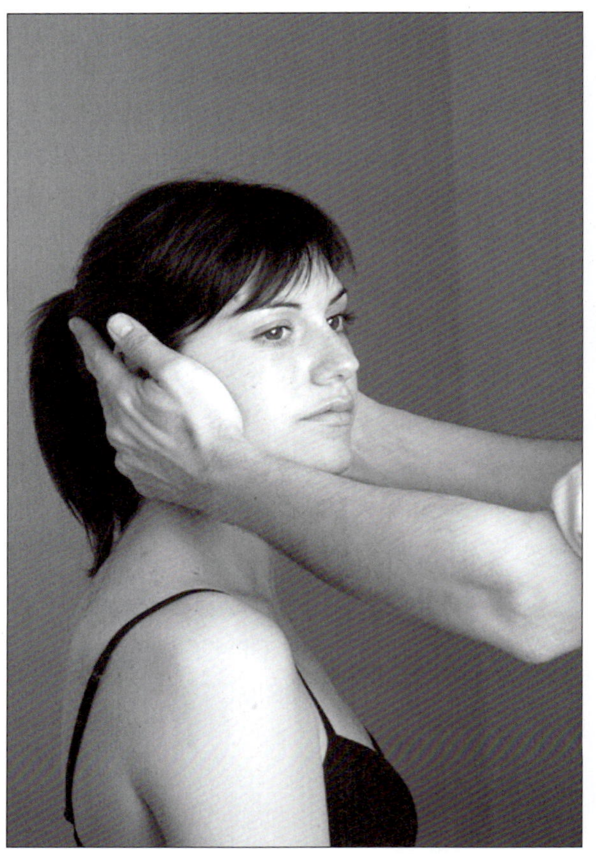

그림 8-18 ■ 경추 회전을 이용한 안진 검사: 치료사가 머리를 안정시키는 동안 환자는 몸통을 회전시킨다.

경추 회전을 이용한 안진 검사

치료사는 환자가 머리를 안정되게 유지하면서 몸을 돌리는 동안 안진의 출현을 관찰한다(**그림 8-18**).[120-122] 이론적으로 전정계를 자극하지 않고 경추 고유수용기를 자극하기 때문에 이 검사를 사용하여 경추성 어지러움(CD)을 식별할 수 있다.

Oosterveld 등은[123] 경추 경부 편타손상 후 이비인후과를 방문한 경추 통증 환자 262명 중 64%가 이 방법으로 안진을 앓는 것으로 나타났다. 그러나 이러한 유형의 검사에서 나타나는 안진증이 항상 경추성 어지러움(CD)에만 국한되는 것은 아니다. 경추의 병리가 없는 피험자의 최대 50%가 이 검사에서 안진을 나타내는 것으로 나타났으며,[122,124] 이는 아마도 정상적인 경추-안구 반사(COR)의 발현으로 인한 것일 수 있다.[3] 그러나 최근 L'Heureux-Lebeau 등은[125] (a)왼쪽 비틀림, (b)중립, (c)오른쪽 비틀림 및 (d) 중립에서 각각 30초 동안 유지되는 경추 회전으로 안진 검사에서 차이를 보여주었으며 경추성 어지러움(CD)환자의 52%가 양성 검사(비디오 안진조영술로 측정한 4가지 위치 중 하나에서 2°초과의 안진)가 양성체위성돌발현훈(BPPV)으로 진단된 환자의 8%와 비교된다. 따라서 이것은 특히 경추성 어지러움(CD)을 암시하는 다른 발견과 관련하여 유용할 수 있다고 생각된다.

경두부 운동감각(Cervicocephalic kinaesthesia)

경두부 운동감각 또는 고유수용감각의 평가를 기

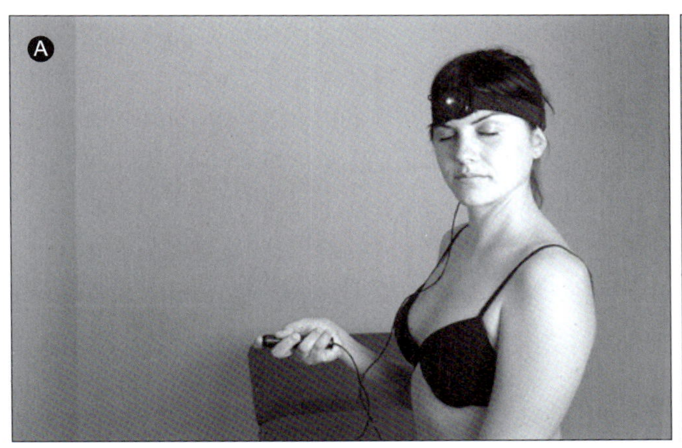

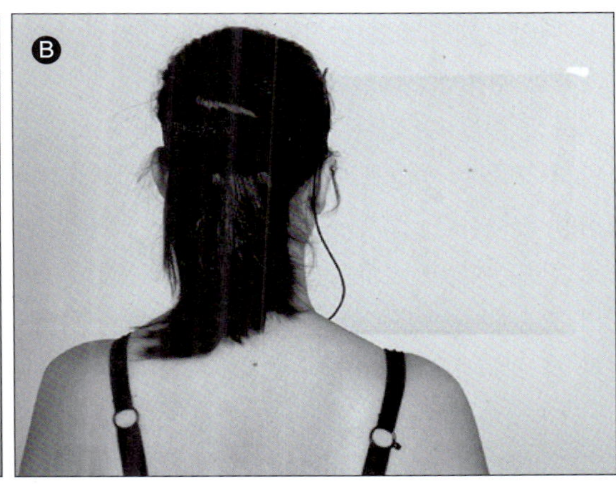

그림 8-19 ■ 경두부 운동감각 검사. 환자는 레이저 빔에 의해 투사되는 중립 머리 위치에서 시작한다. 그런 다음 눈을 감고 오른쪽 경추 회전, 왼쪽 경추 회전 및 신전(A)의 각 동작을 수행한다. 각 동작 후에 가능한 한 정확하게 중립 위치로 돌아가려고 시도한다(B).

반으로 하는 현기증의 경추 병인을 뒷받침하기 위해 다양한 검사가 개발되었다. 그 중 하나는 Revel 등이 개발한 관절위치오류(JPE, Joint Position Error) 검사이다.[126] 눈을 감고 머리 움직임을 수행한 후 자연스러운 머리 자세를 찾는 환자의 능력을 측정한다. 경추 운동 감각의 이러한 변경은 목 관절 및 근육 고유 수용체로부터의 비정상적인 구심성 입력 또는 이 정보의 중추신경계(CNS) 처리 변경을 반영한다. 지속적인 목 통증이 있거나 경추 편타손상을 겪었고 경추성 어지러움(CD)을 참조한 피험자는 이 검사에서 정상 피험자보다 낮은 정확도를 나타냈다.[1,4,6,8,10,126,127]

관절 위치 오류를 평가하기 위해 피험자는 눈을 감고 경추를 중립적인 자연스런 머리 위치에 두고 벽에서 90cm 떨어진 곳에 앉는다. 레이저 포인터를 환자의 머리에 대고 칠판이나 종이에 투사한다. 치료사는 먼저 환자에게 중립적인 휴식 자세에 집중하도록 요청한다. 그런 다음 환자는 편안한 범위 내에서 특정 동작을 수행한 다음 눈을 감고 이 중립 위치로 돌아오도록 요청한다.

환자의 머리를 원래 시작 위치로 다시 배치하고 반복한다. 중립과 끝점 사이의 차이는 각 이동 후 센티미터로 측정된다. 세 번의 비교적 일관된 시도의 평균을 측정해야 한다(**그림 8-19**). 움직임은 경추 고유 감각이 전정 시스템보다 더 많이 관여하는 방식으로 수행함으로써 천천히 수행되어야 한다. 정확도는 센티미터로 측정되며 각도로 변환할 수 있으며 결과 측정으로 사용할 수 있다(**그림 8-20**).

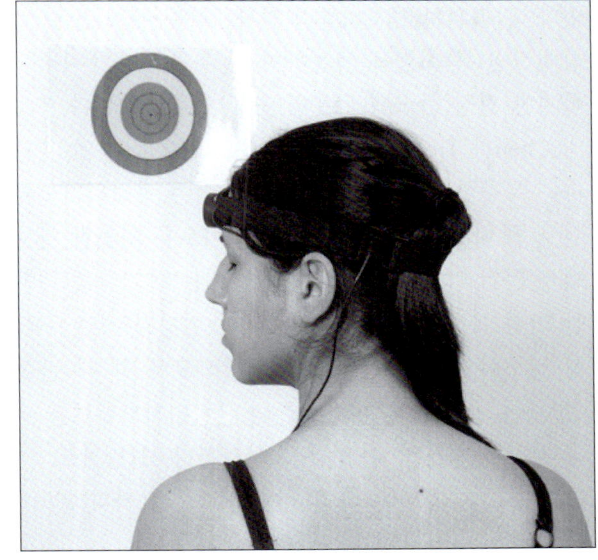

그림 8-20 ■ 관절위치오류는 각도로 단위로 측정할 수 있다. 3° 미만의 오차는 정상으로 간주되며, 3°와 4.5° 사이는 허용 가능하며, 오차가 4.5°보다 크면 검사 양성이다.

레이저를 이용한 관절위치오류(JPE) 검사는 보다 정교한 장비에 대한 검증을 거쳐 적절한 임상적 측정으로 간주될 수 있다. 또한, 본 연구에 따르면 3° 미만의 오차는 정상으로 간주되며 3°에서 4.5° 사이는 허용 가능하다. 오차가 4.5°보다 크면 검사가 양성으로 간주된다.[126] 경추성 현기증으로 고통받는 피험자의 고유수용성 운동감각 조절을 개선하기 위해 동일한 검사를 사용할 수 있다.[129]

Chen과 Treleaven은[130] 최근에 치료사가 머리를 부드럽게 고정하는 동안 피험자가 경추를 회전시키는 대신 몸통을 회전시키는 수정된 관절위치오류 검사(JPE 비틀림 검사)를 개발했다. 이 경우 레이저 포인터가 가슴에 부착된다. 기존의 관절위치오류 검사에서는 검사 중 머리의 움직임도 전정계를 자극할 수 있다. 관절위치오류 비틀림 검사에서 몸통 회전은 상대적인 목 회전을 생성하여 경부 구심성을 자극하지만 전정 시스템에는 영향을 미치지 않는다.

Chen과 Treleaven의 연구에서 목 통증이 있는 환자는 무증상 대조군과 비교할 때 기존 관절위치오류 검사 중 하나와 거의 모든 관절위치오류 비틀림 검사에서 훨씬 더 큰 오류를 보였다. 이는 현기증을 동반한 만성 목 통증이 있는 사람에서 변경된 경추 구심성 정보와 전정 기능장애를 구별하고자 할 때 관절위치오류 비틀림 검사가 기존의 관절위치오류보다 더 적절한 검사일 수 있음을 시사한다. 그럼에도 불구하고 이 가설은 더 많은 탐구가 필요하다.

Kristjansson 등은[9] Revel의 검사를 사용하여 운동미학적 오류가 무증상 피험자와 편타손상에 이차적이고 서서히 퍼지는 목 증상이 있는 피험자를 구별하는 데 도움이 될 수 있음을 보여주었다. 그러나 다른 연구에서 얻은 결과는 비 외상성 경추 통증을 가진 대상에서 운동 감각적 변화의 제한된 증거를 보여준다.[131] 관절위치오류(JPE) 결손은 외상 후 목 통증이 있는 피험자,[9] 특히 더 심각한 증상, 현기증 및 더 높은 수준의 장애를 보고하는 피험자에서 더 흔한 것으로 보인다.[1,8,12,132] 또한, 최근 논문에서 L'Heureux-Lebeau 등[125] 또한 이것은 적어도 한 방향으로의 관절위치오류가 4.5° 이상인 경우 비정상으로 간주되는 양성체위성돌발현훈(BPPV)와 경추성 어지러움(Cervicogenic dizziness, CD)를 구별하는 데 도움이 되는 검사라고 결론지었다.

막대와 프레임 검사(*Rod and frame test*)

경추의 비정상적 고유수용감각은 또한 시각의 외부 정보가 전정 정보 및 경추 고유수용감각과 통합되도록 요구하는 수직 지각의 변화를 일으킬 수 있다. 경추 영역에서 유래하는 변형된 고유수용성 구심성 입력이 수직 방향의 인식을 방해할 수 있다고 제안되었다.[133]

수직성 인식은 막대와 프레임 검사를 통해 정량적으로 측정할 수 있다. 이 검사는 현재 화면의 정사각형 프레임으로 둘러싸인 발광 수직 막대를 생성하는 컴퓨터 소프트웨어로 수행된다.[134] 막대와 프레임은 서로 독립적으로 회전할 수 있다. 피험자는 조이스틱을 사용하여 오프셋 로드를 수직 위치로 배치해야 한다(**그림 8-21**).

그림 8-21 ■ 막대와 프레임 검사.

Grod와 Diakow는[135] 막대와 프레임 검사가 목 통증이 있는 대상에서 손상되었음을 보여주었다. Bagust 등[136] 목 통증이 있는 71명의 환자와 무증상 대조군 17명을 비교한 결과, 증상이 있는 대상자는 무증상 대조군에 비해 수직성 인식이 유의하게 덜 정확함을 보여주었다. 유사하게, Uthaikhup 등 목 통증이 있는 노인 환자는 목 통증이 없는 노인에 비해 수직성을 인식하는 데 더 큰 어려움을 겪는 것으로 나타났다.[133] 그러나 무증상 대조군에서도 변이가 크고 뇌 손상이나 전정 병리를 가진 사람에서도 이 검사가 손상될 수 있으므로 경추성 어지러움(CD)의 감별 진단을 위한 다른 경추 고유감각 검사만큼 유용하지 않을 수 있다.[133,135-137]

안구운동 제한 검사(Oculomotor control tests)

위에서 자세히 설명했듯이 경추-안구 반사(COR)은 특히 저주파의 느린 머리 움직임 동안 시선 안정성을 유지하는 데 도움이 되는 전정안구반사(VOR)을 보완한다. 안구 운동장애는 환자의 편타성 장애(WAD) 사이에 매우 흔하며 경추 또는 전정 구심성 장애 또는 중추신경계(CNS) 통합 감각 운동 제어 정보의 결핍과 관련이 있는 것으로 생각된다. 안구운동장애는 주관적인 특성으로 인해 거의 주의를 기울이지 않는 환자가 보고하는 많은 증상과 관련 될 수 있으므로 더 많은 주의를 기울일 필요가 있다. 환자는 종종 특발성 목 통증 또는 편타손상 후 흐린 시야, 시각 피로와 같은 일부 시각 및 안구 운동 장애를 보고하며 이러한 환자 중 일부는 근시 복시, 변경된 안구 발산, 내직장근, 수렴검사 후 메스꺼움 또는 현기증 등의 편측 또는 양측 결손으로 설명되었다.[24,117,138] 안구 운동 기능장애는 편타손상 후 장애의 숨겨진 원인이 될 수 있으며 불량한 예후를 나타낼 수 있다.[139,140] 경추성 어지러움(CD)의 존재에 대한 특정 검사로 생각되는 안구 운동 검사 중 하나는 연성추적 목비틀림 SPNT(Smooth-Pursuit Neck Torsion) 검사이다.[141]

***연성추적 목비틀림 검사**(Smooth-pursuit neck torsion test).* 이 검사는 머리와 목이 중립 위치와 비틀린 위치에 있는 눈으로 움직이는 표적을 부드럽게 따라가는 능력을 비교한다(**그림 8-22**). 비틀림 위치에서 부드럽게 따라가는 능력의 감소는 안구 운동 제어에서 경추 구심성 관여를 나타낸다. 경추 구심성 원인을 뒷받침하는 것은 목 비틀림 동안의 이러한 변화가 뇌 손상이나 말초 전정 병리를 가진 사람들에게서 나타나지 않는다는 것이다.[141,142] 현재 경추 편타성,[1,21-23,141] 특발성 목 통증 및 경추성 어지럼증을 겪은 피험자에서 연성추적 목비틀림 검사(Smooth-pursuit neck torsion test, SPNT) 의 변경을 보여주는 많은 연구가 있다.[138,140] 원래 Tjell과 Rosenhall이 개발한 이 검사는 경추 편타손상에 대한 진단 검사로 좋은 민감도(72%)와 특이도(91%)를 가지고 있다.[21,141] 외상 후 목 통증이 있는 피험자, 특히 현기증을 호소하는 피험자는 비외상 목 통증이 있는 피험자보다 검사에서 더 높은 결손을 보인다.[10,21,22,138,141,143,144] 눈전위도검사(Electro-oculography)는 연구 연구를 수행하고 안구 움직임을 객관적으로 기록하기 위해 사용할 수 있지만[22,23,143] 최근 연구에서는 이러한 차이를 시각적으로 감지할 수 있다고 제안한다.[145] 본 연구에서는 두 대상 사이의 빠른 안구운동을 중립자세에서 10초간 관찰한 후 목을 좌우로 45° 비틀었을 때 이를 시각적으로 평가하였다[145](**그림 8-23**). 연성추적 목비틀림 검사 (SPNT)의 원래 방법론을 사용하여 이를 더 자세히 조사하려면 더 많은 작업이 필요하다.

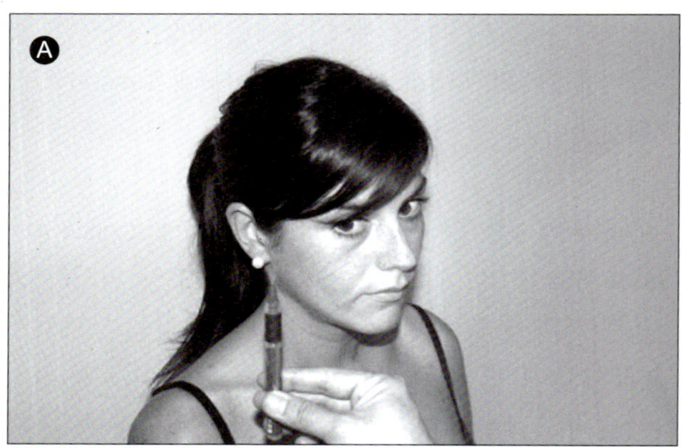
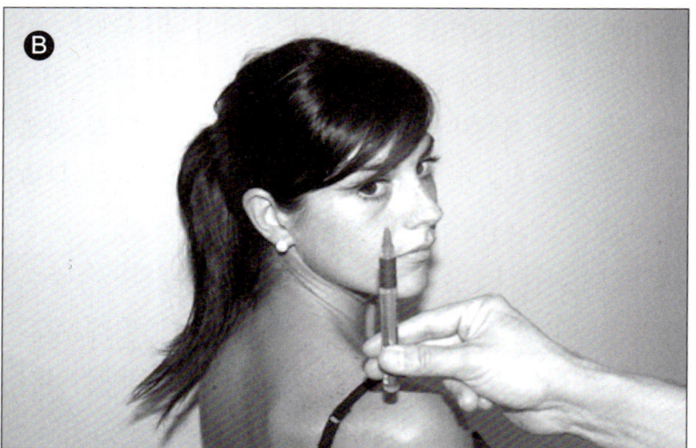

그림 8-22 ■ SPNT(Smooth-Pursuit Neck Torsion) 검사: 머리가 중립 위치에 있고(A) 몸통 회전(B).

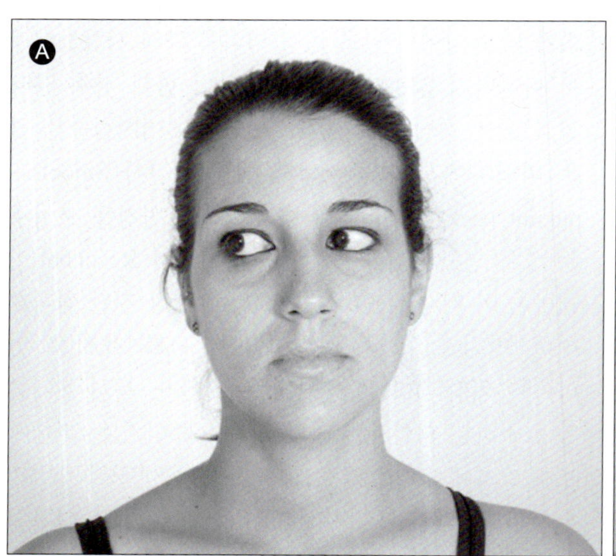

그림 8-23 ■ (A, B) 안구 운동성 검사.

시선 안정성 검사(Gaze stability test)

응시 안정성 검사는 환자에게 눈을 한 지점에 고정하고 회전 및 굴곡-신전의 경추 운동을 수행하도록 요청함으로써 Jull 등의 설명에 따라 평가된다(**그림 8-24**).[119] 환자가 눈을 고정할 수 없거나 머리를 부드럽게 움직일 수 없거나 적절한 운동 범위(약 40°)로 움직일 수 없거나 시각 증상 또는 현기증이 나타나는 경우 검사는 양성이다.[82] 목 통증이 있는 환자는 이 작업에서 장애가 있는 것으로 나타났다. 다시 말하지만 이 검사를 단독으로 사용하는 것은 경추성 어지럼증(CD)에 대한 특정 검사가 아니며 전정 병리를 가진 사람들에서 비정상적일 수 있다.

순차적인 눈과 머리의 움직임

Jul 등[119] 과 Treleaven 등의[26] 검사는 다음과 같은 방식으로 수행된다. 환자에게 시선을 고정한 상태에서 눈을 오른쪽으로 30° 이동한 다음 머리를 같은 방향으로 회전하도록 요청한다. 그런 다음 환자에게 머리를 고정한 상태에서 눈을 다시 시작 위치로 이동하도록 요청한 다음 머리를 다시 시작 위치로 이동한다

(그림 8-25). 왼쪽과 굴곡 및 신전에 대해 동일한 검사가 수행된다.[26,119] 머리와 독립적으로 눈을 움직일 수 없는 것은 비정상으로 간주되며 무증상 대조군과 비교하여 편타성이 있는 사람들에게서 나타났다.[26]

안구 이향 검사(Ocular vergence tests)

경추성 어지러움(CD) 환자에 대한 평가를 수행할 때 안구 운동신경이 손상되었는지 평가하는 것이 흥미로울 수 있다. 즉, 이것이 특별히 진단적인 것은 아니지만 맞춤형 관리를 안내하는 데 도움이 될 수 있다. 일부 수렴(눈모음) 검사는 **그림 8-26** 및 **8-27**에 설명되어 있다. 현재 이 분야에 대한 연구는 제한적이며, 목 통증이 있는 사람들의 변화된 이향을 입증한 연구는 지금까지 단 하나뿐이다.[146] 이 분야에 대한 대부분의 연구는 무증상 근로자에게 집중이 어려운 시각 조건에 따른 목 통증의 발생과 관련되어 있다.[147]

그림 8-24 ■ 시선 안정성 검사.

임상 머리-눈 운동 제어 검사의 신뢰성 및 판별 타당성

Della Casa 등은[145] 최근 만성 목 통증이 있는 환자의 다양한 머리-눈 운동조절 검사의 시각적 관찰의 신뢰성과 건강한 대조군과 비교하여 만성 목 통증 환자에서 이러한 검사의 판별 타당성을 조사했다. 그들은 중립 머리 위치에서의 안구 운동, 45° 좌우 머리 회전, 시선 안정성 및 해리된 순차적 머리 및 눈 운동으로 5가지 안구 운동 제어 검사를 선택했다. 그들은 또한 각 검사에 대한 등급 시스템을 개발했다.

머리중립자세검사에서의 안구운동에서는 10초 동안 가능한 한 빨리 한쪽 표시에서 다른 표시로 눈을 옆으로 움직이면서 머리를 중립 위치에 유지하도록 하였다(**표 8-3**).

시선안정성 시험에서는 10초 동안 머리를 왼쪽에서 오른쪽으로 최대한 멀리, 빠르게 움직이면서 안정된 시선을 유지하도록 하였다(**표 8-4**).

순차적 머리와 눈의 움직임 검사에서는 머리를 가만히 둔 채 눈을 오른쪽이나 왼쪽으로 움직인 후 시선

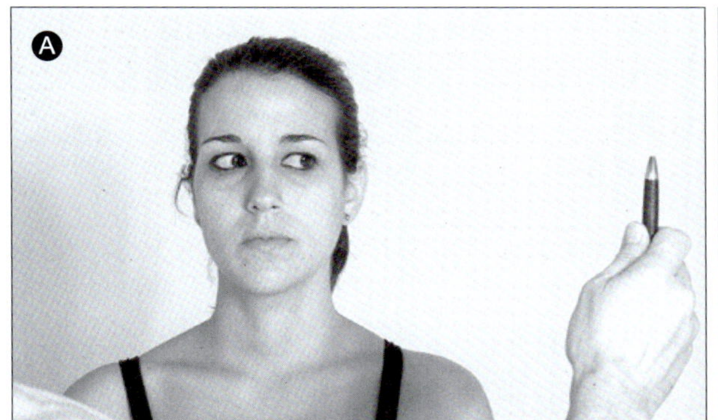

그림 8-25 ■ (A, B) 순차적인 눈과 머리의 움직임.

그림 8-26 ■ 수렴(눈모음) 검사(Convergence test): 피험자는 펜촉이 코 밑부분까지 20cm의 거리에서 가까워짐에 따라 펜촉을 본다. 이것은 검사 중에 한쪽 눈이 수렴할 수 없고 발산하는 경우를 나타낸다.

을 고정한 채로 머리를 같은 방향으로 돌렸다. 이 모든 동작을 10초 동안 반복해야 했다. 목 회전 시험에서 안구 운동은 10초 동안 대상자가 좌우 45°의 상대 회전을 유지하고 가능한 한 빠르게 시선을 움직였다(**표 8–5**).

머리–눈 운동 제어 검사의 물리치료사에 의한 시각적 평가는 신뢰할 수 있는 것으로 나타났다. 5개 중 2개 이상의 양성 검사는 머리–눈 운동조절 장애로 해석될 수 있다. 이 검사 배터리는 만성 목 통증이 있는 환자와 대조군을 구별할 수 있어 경추성 어지럼증(CD)의 감별 진단에도 유용할 수 있다. 그러나 이전 연구 결과에 따라 검사를 향후 개선하고 보다 정

표 8-3

중립 머리 위치에서 안구 운동의 등급 척도

등급	정의
0 = 음성	부드럽고 정확하며 빠른 안구 움직임, 빠른 시선 방향 전환, 머리가 안정적으로 유지됨.
1 = 부분 양성	약간 불규칙한 안구 움직임. 시선 방향을 변경하기 전에 잠시 멈춤. 머리가 약간 불안정.
2 = 확실한 양성	눈의 움직임이 분명히 느리거나 불규칙. 방향을 바꾸기 전에 시선 방향을 장기간 유지. 명백한 머리 움직임. 검사를 수행할 수 없음.

작가의 허락하에 Della Casa 등[145] 에서

표 8-4

시선 안정성 등급 척도

등급	정의
0 = 음성	안정적인 시선. 부드럽고 잘 조화된 머리의 정확하고 빠른 움직임, 머리의 움직임 방향의 유창한 변화.
1 = 부분 양성	안정적인 시선. 약간 불규칙한 머리 움직임.
2 = 확실한 양성	반복적으로 불안정한 시선. 머리의 움직임이 느리고 불규칙.

작가의 허락하에 Della Casa 등[145] 에서

표 8-5

순차적인 머리와 눈 움직임의 평가 척도

등급	정의
0 = 음성	머리와 눈의 명확하고 규칙적이며 부드럽고 구분된 움직임.
1 = 부분 양성	약간 감속된 안구 운동, 가끔 관련된 안구–머리 움직임, 머리 불안정.
2 = 확실한 양성	명확하게 감속되고 불규칙하며 종종 관련된 안구–머리 움직임, 검사가 가능하지 않음.

작가의 허락하에 Della Casa 등[145] 에서

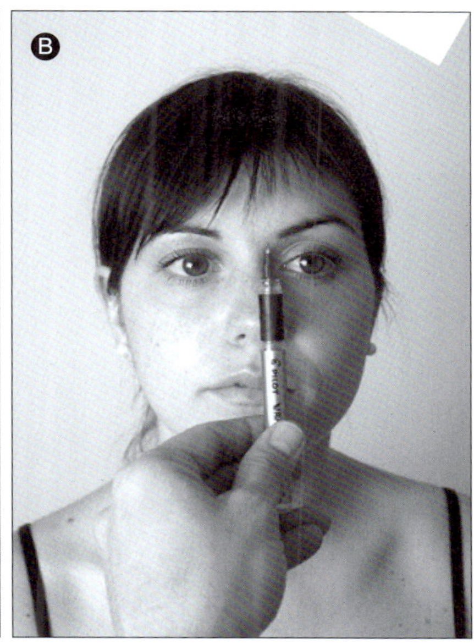

그림 8-27 ■ (A, B) 커버 검사는 이전 검사가 정상이고 안구 편위의 존재를 감지할 때 유용하다. 펜은 환자의 눈에서 20cm 떨어진 곳에 둔다. 각 눈은 손이나 카드로 번갈아 가려진다. 한쪽 눈이 가려져 있을 때마다 고정되어 있어야 한다. 덮지 않은 눈이 복귀 운동을 수행하면 수렴 결손이 있다. 수렴결손과 경추성 현기증 사이에 반드시 관계가 있는 것은 아니라는 점을 강조해야 한다.

교한 평가와 비교하고 말초 전정 병리와 같은 다른 병리와 비교하는 것이 필요하다.

스탠딩 밸런스 평가(*Standing balance assessment*)

경추성 어지러움(Cervicogenic dizziness, CD) 환자의 감각 운동 장애 평가에 있어서는 직접 관리를 위한 자세 균형 평가가 중요하다. 그러나 이러한 유형의 검사는 경추성 어지러움(CD) 환자를 위해 독점적으로 설계된 것은 아니며 경추성 어지러움(CD) 자체에 대한 판별 가치가 거의 없다. 그럼에도 불구하고, 그 결과는 진단으로서 경추성 어지러움(CD)을 확인하거나 반박하는 데 도움이 될 수 있다. Romberg, tandem, step 및 Fukuda-Unterberger 검사와 같은 일부 임상 검사를 사용할 수 있다.[148] 일반적으로 목 통증이 있는 사람들의 균형 변화는 특히 시력이 변할 때 전방 후방 동요 변화와 관련이 있다.

롬베르그(*Romberg*) ***검사.*** 30초 동안 두 발을 모으고 눈을 감고 자세의 변화와 몸이 흔들리는 자세의 진폭을 관찰하는 데 도움이 된다. 이 검사는 일반적으로 환자의 검지 손가락이 앞쪽을 향하게 하여 수행된다(**그림 8-28**). Romberg 검사는 발바닥 구심성을 제거하고 발 아래에 폼 매트를 놓아서 수행할 수도 있다(**그림 8-29**). 전정 병리를 가진 환자는 경추성 어지러움(CD) 환자와 비교할 때 이 검사에서 더 큰 결손을 보여준다.

최근 연구에 따르면, 눈을 감고 편안한 자세(좁은 자세보다)의 검사를 사용하여, 머리를 양쪽으로 비트는 걸 해서 경추의 변화된 균형을 감지하기 위해,[142] 만약 이러한 자세에서 중립자세와 비교하여 신체 흔들림이 증가하는지 관찰하는 것이 가능할 수 있음을 시사한다.[149] 위치, 자궁 경부의 변화된 균형을 감지한다. 그러나 이러한 미묘한 변화를 정교한 장비 없이 감지할 수 있을지는 미지수이다.

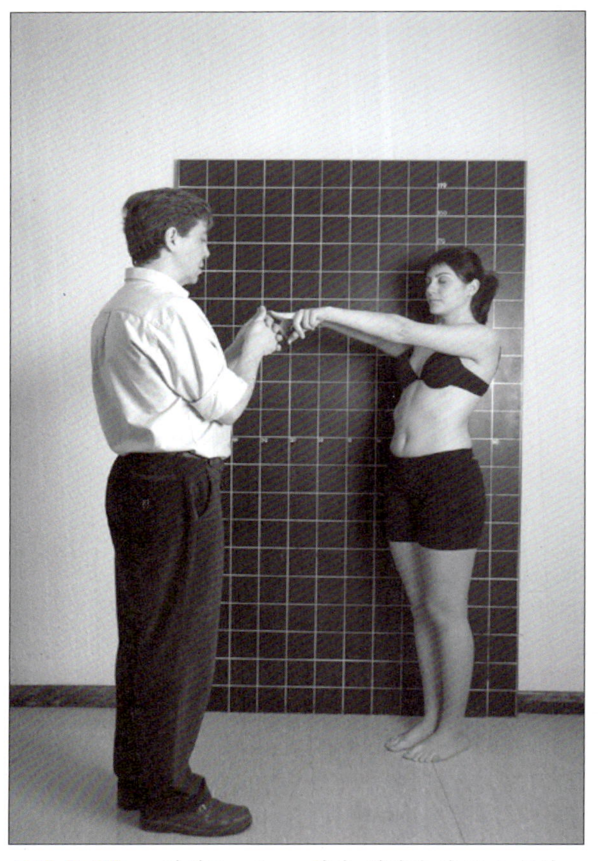

그림 8-28 ■ 자세 Romberg 검사. 환자가 약 30초 동안 눈을 감았을 때 자세 진동의 위치와 진폭의 변화가 관찰된다.

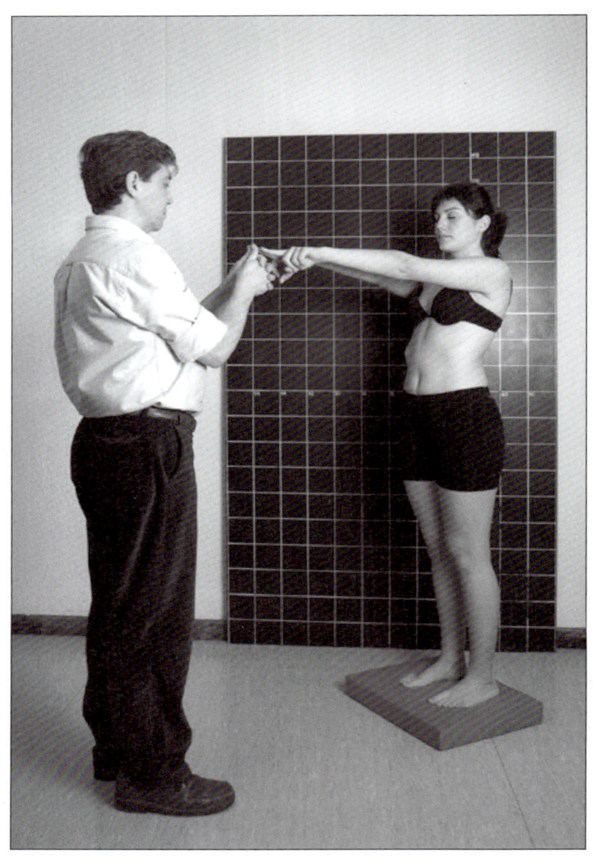

그림 8-29 ■ 발바닥 입력을 수정하는 Romberg 검사.

탠덤**(Tandem) **검사. 환자는 눈을 감고 30초 동안 양발을 나란히 서도록 한다(**그림 8-30**). Treleaven 등[18] 및 Field 등은[150] 목 통증이 있는 환자, 특히 편타성 관련 장애가 있는 환자, 특히 불안정성 또는 현기증을 보고한 환자는 종종 탠덤 검사 양성을 보였다. 즉, 30초 동안 자세를 유지하지 못했다.

후쿠다-운터베르거**(Fukuda-Unterberger) **검사. Fukuda는 동적 활동 중에 자세 톤의 비대칭이 감지될 수 있음을 보여주었다. 제자리 걸음(stepping) 검사라고도 하는 이 검사는 환자에게 눈을 감고 움직이지 않고 제자리 걸음을 하도록 요청하는 것이다. 정상적인 상황에서 환자는 앞으로 1m 미만으로 이동하거나 50걸음에서 45° 이상 회전해서는 안된다.[151-155]

이 검사가 유효하려면 일련의 조건이 충족되어야 한다. 환자의 엉덩이는 45° 굴곡되어야 한다. 걸음의 리듬은 1.2-1.4Hz여야 한다. 피검사자는 눈을 감기 전에 앞을 바라보고 있어야 하며 맨발이어야 한다(**그림 8-31**).

목덜미 반사의 영향을 관찰하면서 검사를 반복한다(**그림 8-32**). 경추의 회전은 같은쪽 하지의 신전 근육의 긴장도를 증가시킨다. 이와 같이 피험자가 머리를 오른쪽으로 돌린 상태에서 이 검사를 수행하면 오른쪽 신전 근육의 긴장도 증가로 인해 왼쪽으로 움직이는 경향이 있다(**그림 8-33**). 정상 방향은 환자가 목 회전과 반대 방향으로 회전할 때이다.[154]

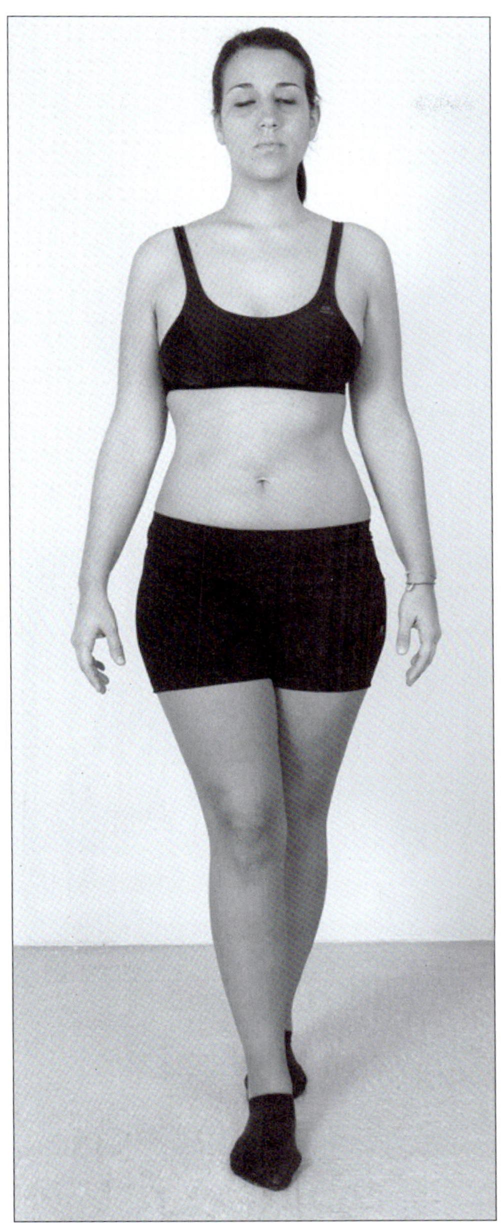

그림 8-30 ■ 덴덤(tandem) 검사.

그림 8-31 ■ 푸쿠다-운터버거(Fukuda - Unterberger) 검사.

그림 8-32 ■ 목덜미 반사의 영향을 분석하기 위한 Fukuda-Unterberger 검사. 그러나 이 검사는 경추성 어지러움에만 해당되는 것은 아니다.

그러나 비정상적인 반응이 반드시 경추성 어지러움(CD)와 연관되는 것은 아니며 경추성 어지러움(CD) 평가 의 관련성과 전정 병리학에 대한 민감도 및 특이성을 결정하기 위해서는 더 많은 연구가 필요하다.[20, 156,157]

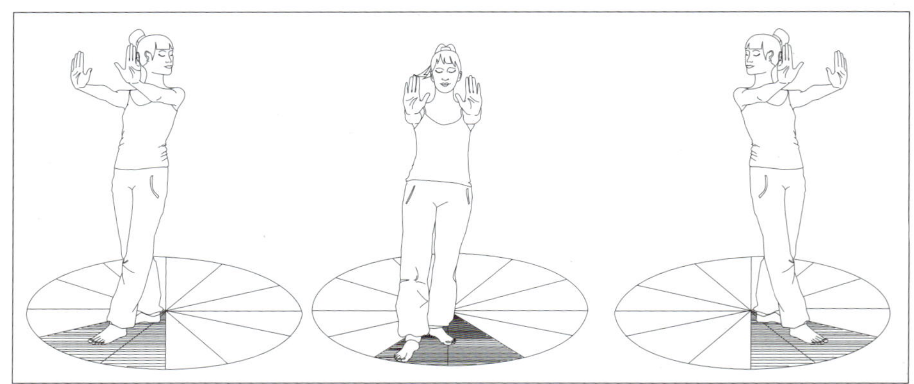

그림 8-33 ■ 경추의 회전은 같은 쪽 하지의 신전 근육의 긴장도를 증가시킨다.

기능적 균형(Functional balance)

기능적 균형 측정에는 걸음검사(step test), 탠덤 걷기 및 머리를 돌리고 위아래로 걷기가 포함된다.[20,158,159] 걸음 검사는 15초 이내에 한 발이 10cm 블록에 완전히 놓였다 떼는 횟수를 측정하며 목 통증이 있는 대상에서 장애가 있는 것으로 나타났다. 목에 통증이 있는 사람들은 넓은 범위의 걷기, 천천히, 머리 회전 및 시상면에서의 움직임이 손상될 수 있다.[20,132,136]

체위기록법(Posturography)

체위기록법는 컴퓨터화된 동력학 플랫폼에서 자세의 신체 흔들림을 기록한다. 체위기록법(Posturography)는 자세 진동을 정량화하고 검사가 수행되는 조건에 따라 자세에 대한 각 감각 시스템(전정, 시각 및 고유 감각)의 상대적 기여도를 관찰할 수 있다(그림 8-34).

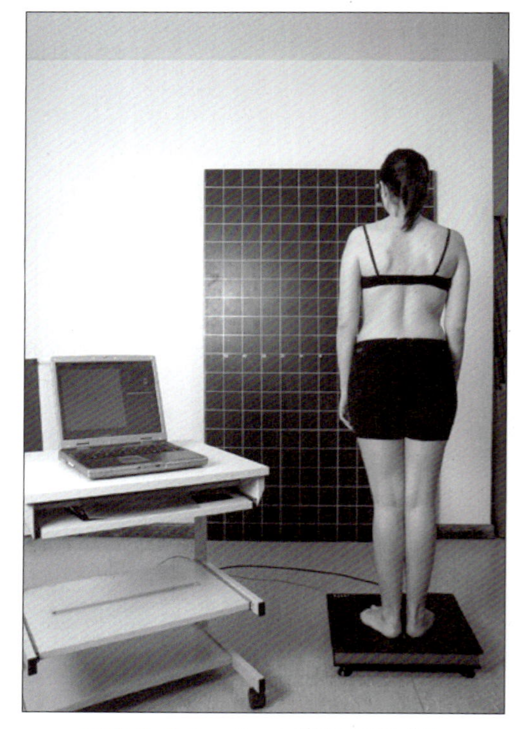

그림 8-34 ■ Satel 체위검사플랫폼.

자세 조영술이 균형 기능장애의 원인을 진단하지는 않지만 경추성 어지러움(CD) 환자의 자세 조절 결핍을 정량화하는데 도움이 된다.[160,161] 이것은 현재 경추성 어지러움(CD)이 있는 피험자, 특히 경추 편타성을 겪은 피험자의 자세 조절 장애 분석에 유용한 도구로 간주된다.[18,20,23,24,54,149,150,162–177]

체위기록법 검사는 감각 시스템(시각, 전정 및 고유수용성)의 다양한 정보를 수정하여 자세 시스템에 대해 갈등 상황이 생성되는 일련의 검사로 구성된다.

다양한 체위기록법 검사는 시각, 전정 및 고유수용성 감각 시스템의 정보를 결정하는 특정 조건

(눈 뜨기, 눈 감기, 한 발으로 서기, 두 발로 서기 등)을 환자에게 적용하여 압력 중심(CoP)의 변위를 확인한다.

압력 중심(CoP)은 신체의 관성력과 자세 제어시스템의 균형을 복원하는 힘의 결과를 나타낸다. 피험자가 안정된 자세를 유지할 때 압력 중심(CoP)은 대략 무게 중심 투영을 나타낸다.[173,174] 지반 반응 벡터와 적용 지점을 기반으로 이 시스템은 시간에 따라 압력 중심(CoP)과 변위를 계산한다. 획득한 기록은 압력 중심(CoP)의 전후방(AP) 축 및 내측-측방(ML) 축의 변위와 가해진 힘을 나타낸다. 검사 등록 시간이 연구되었으며 현재 20-30초의 지속 시간으로 최적의 신뢰성이 달성되는 것으로 간주된다.[175,176]

체위기록법 검사는 다른 순서를 취하고 다른 조건을 통합할 수 있다. 이러한 서로 다른 시퀀스의 관심은 서로 다른 자세 데이터 간의 자세 상호 작용을 조사하는 것이다. 대상은 일반적으로 안정적인 플랫폼(SP)에서 눈을 뜨고(EO) 최대 안정성의 위치에서 시작한다. 상황의 복잡성이 점차 증가하여 균형 제어와 관련된 다양한 기전, 즉 눈을 감고(EC), 불안정한 플랫폼(US)에 영향을 준다.

눈을 감으면 시각적 입력이 제거되거나 시선운동 자극으로 변경된다. 그 후 검사는 동적 자세 촬영 플랫폼에서 수행하거나 플랫폼에 움직이는 판를 배치하여 시상면과 관상면에서 진동을 일으킬 수 있다(**그림 8-35**). 이 체성 감각 입력은 플랫폼에 배치된 폼 패드로 수정할 수도 있다. 또한 눈을 뜨고 눈을 감고 검사한다. 목을 왼쪽이나 오른쪽으로 비틀면서 검사를 하면 경추의 영향을 평가할 수 있다.[14]

사용 가능한 플랫폼 유형에 따라 다양한 검사를 수행할 수 있다. 여기 몇 가지 예가 있다.

1. 눈을 뜨고(EO) 있는 안정적 플랫폼(SP): 환자가 모든 자세 감각 정보(시각, 전정 및 고유수용성)를 사용하기 때문에 최대 안정성을 허용한다.

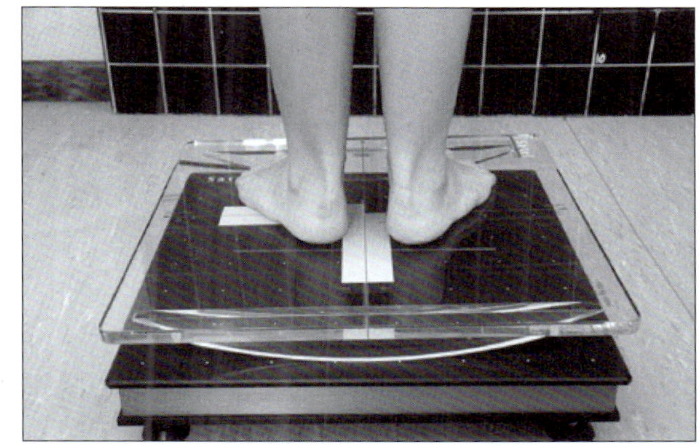

그림 8-35 ■ 관상면에서 진동을 증가시키는 면이 posturographic 플랫폼에 배치되었다.

2. 눈을 감고(EC) 있는 안정적 플랫폼(SP): 전정계와 고유수용성 계통이 균형을 이룬다.
3. 눈을 뜨고(EO) 및 시선운동 자극이 있는 안정적 플랫폼(SP): 시선운동 자극은 전정 및 고유수용성 시스템에 의해 보상되어야 하는 시각적 충돌을 생성한다.
4. 눈을 뜨고(EO) 불안정한 플랫폼(UP)과 시상면 또는 관상면의 불균형: 이 상황에서 신체의 흔들림으로 인해 이러한 평면에서 플랫폼 움직임이 발생하기 때문에 고유수용성 충돌이 생성되며, 이는 시각, 전정계 및 목 고유감각에 의해 보상되야 한다(**그림 8-36**).
5. 눈을 감고(EC) 불안정한 플랫폼(UP)과 시상면 또는 관상면의 불균형: 이 경우 시각적 입력을 제거하여 이러한 평면에서 플랫폼의 움직임에 의해 생성된 고유수용성 충돌이 전정 시스템으로 보상되어야 한다.

경추성 어지럼증(CD)이 있는 피험자에서 이 검사를 더 민감하게 만들기 위해 이 모든 검사는 목을 오른쪽 및 왼쪽 비틀림 또는 목 신전과 같은 다른 위치에서 수행할 수 있다.[14a-d] 예: 눈을뜨고(EO)가 있는 불안정한 플랫폼(SP) 및 신전, 오른쪽 또는 왼쪽 사경경추.

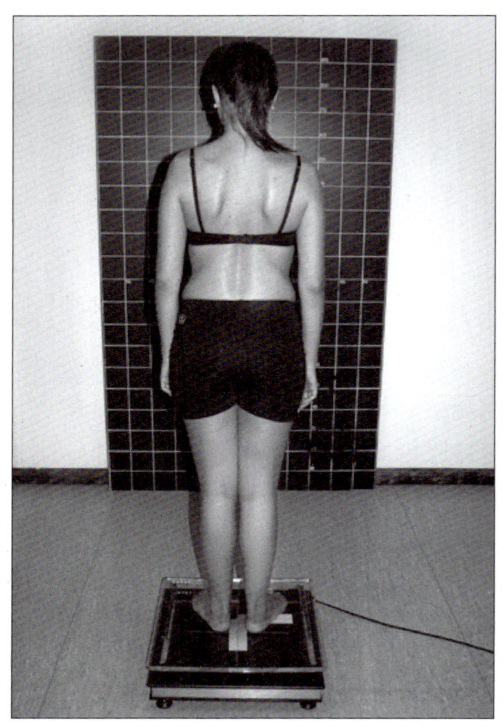

그림 8-36 ■ 시상면의 불안정한 플랫폼에 대한 자세기록검사.

경추 구심성 정보와 주로 머리의 신전과 충돌이 있다. 시각 및 기타 체성 감각 신체 정보로 보상될 수 있는 전정 정보의 장애도 있다.[7] 눈을 감고(EC) 불안정한 플랫폼(UP): 체성 감각 신체 정보가 전정계, 시각 및 경추 구심성 정보 사이 충돌을 보상해야 한다.

자세기록분석. 상당한 양의 정보가 자세기록 컴퓨터 시스템 분석에 의해 제공된다. 우리는 안정 측정 플랫폼으로 얻은 신호 분석을 용이하게 할 수 있는 일부 데이터만 지적할 것이다.

압력중심(CoP) 패턴의 복잡성을 설명하는 다양한 매개변수가 있다. 압력중심의 변동을 분석하는 데 사용되는 데이터 수집 프로토콜 및 방법에 대한 표준화가 거의 없다.[180] 압력중심 변수의 신뢰성을 확립하기 위한 연구가 수행되었다.[181,182] 자세 제어 평가에서 좋은 신뢰도를 보인 변수는 압력중심, 평균 속도 변수(MVLO), 근호 평균 제곱근(RMS) 및 평균 주파수(MFRQ)의 범위이다.[181-185]

그러나 이제 압력중심(CoP)의 변위 길이, 면적 및 속도를 측정하는 이러한 매개변수는 획득된 신호의 복잡성을 분석하고 자세 제어의 변화를 결정하기에 충분하지 않은 것으로 보인다. 신체 흔들림의 감소가 항상 좋은 자세 제어 전략을 나타내는 것은 아니다. 실제로 이러한 감소는 주관적으로 불안정한 환자의 과도한 강성을 나타낼 수 있다.[186] 실제로 일부 환자들은 '자세 실명'이라고 불리는 것을 가지고 있다. 이 환자들은 눈을 뜬 상태보다 눈을 감은 상태에서 더 낮은 압력중심 변위를 보여 정상보다 낮은 Romberg 계수를 보여준다(2.88).[187] 이 자세 실명은 자세 조절 결손이 있는 피험자의 시각 정보 통합 실패의 징후로 해석되지만, 자신이 불안정하다고 느끼고 눈을 감았을 때 넘어지는 것을 두려워하는 환자에서 흔히 볼 수 있는 과잉 경계 전략의 결과일 수도 있다.

따라서 압력중심(CoP) 신호 분석에 대한 접근 방식 중 하나는 웨이블릿 분석으로 고속 푸리어(Fourier) 변환(FFT)을 사용하여 여러 개의 독립적인 주파수 대역으로 분해한다. 이러한 유형의 신호 분석은 목에서 변경된 고유 수용성 입력과 관련된 특정 자세 제어 변화를 식별하는데 신뢰할 수 있는 것으로 생각된다.[188]

압력중심(CoP) 진동은 주파수 스펙트럼 분석을 기반으로 선형(안정도), 벡터 그래픽(스타토키네시오그램) 또는 스펙트럼으로 나타낼 수 있다. 오늘날 표준 값은 표준화된 플랫폼을 사용하여 게시된다. 그 중 하나는 Gagey가 설명한 프랑스 균형자세협회(Association Posture et Equilibre)의 표준이다.[189] 어려움은 이러한 플랫폼의 구성이 매우 구체적인 프로토콜을 충족해야 한다는 것이다.[190] 스타토키네시오그램(statokinesiogram)은 지원 다각형의 기하학적 중심에 위치한 참조와 관련하여 압력중심의 다양한 연속 위치를 설명한다. 타토키네시오그램은 도표에 그려지며 표면 및 길이 값이 계산되는 시상 및 관상면

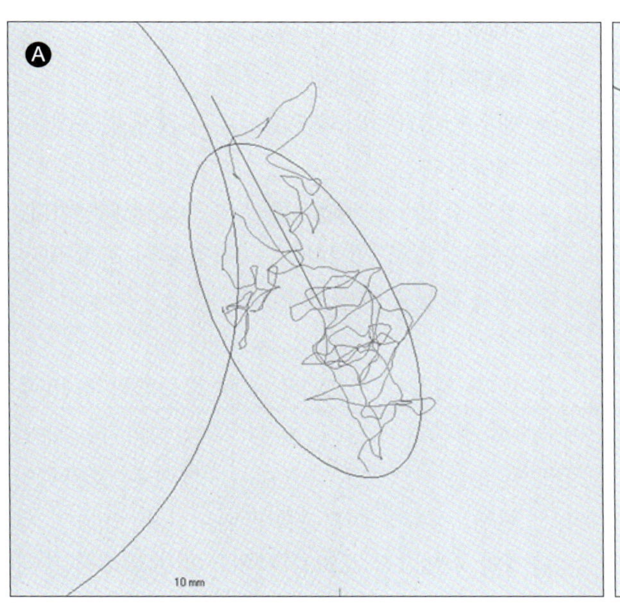

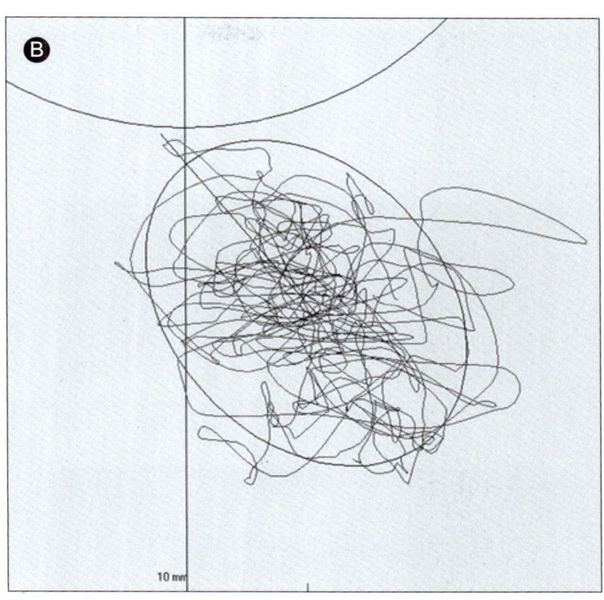

그림 8-37 ■ 스타토키네시오그램(statokinesogram)을 통해 표면과 길이를 정량화 할 수 있다. (A)피시험자는 작은 영역과 매우 작은 길이를 보여준다. (B)표면이 약간 더 크고 길이가 상당히 더 길다.

의 평균 위치를 결정하는 데 도움이 된다. 표면은 제곱 밀리미터로 표시되는 신뢰 타원 영역이며 압력중심의 연속 위치를 포함한다. 표면은 평균 균형 위치에서 무게 중심을 유지하기 위해 자세 시스템의 효율성을 평가한다.

표면	**평균(상부 와 하부 제한)**
눈 뜨고	91 (39 – 210)
눈 감고	225 (79 – 638)

길이는 검사 중 압력중심을 통과하는 경로를 나타낸다(**그림 8-37**).

Romberg의 몫은 눈을 감은 표면적과 눈을 뜬 표면적의 비율로 표시되는 것이다. 이러한 방식으로 기립 균형에서 시각적 입력의 참여를 분석할 수 있다. 일반적으로 표면은 약 250% 증가하며 Romberg 몫의 정상 값은 2.88(1.12에서 6 사이)이다.[77]

Romberg의 지수와 유사하게 자세 조절에서 족저 구심성 정보의 관련성은 족저 지수로 계산할 수 있다. 이것은 폼매트에 대한 검사를 수행할 때 기록된 표면과 안정적인 플랫폼에서 얻은 표면 사이의 관계에서 얻을 수 있다. 분명히 사용된 폼의 두께와 밀도가 다르기 때문에 표준 값이 없다.

안정도는 시간에 따른 압력 중심의 연속적인 위치 좌표를 기록하고 두 개의 그래프를 얻는다. 평균 X 및 평균 Y 값은 안정도(**그림 8-38**)로 얻은 진동을 계산하여 얻는다.[189] 평균 Y는 전후 방향으로 압력중심(CoP)의 다른 위치의 평균에 해당한다.

고속 퓨리에 변환(FFT)은 자세 흔들림 데이터를 다른 주파수 대역으로 분해한다. 이러한 방식으로 서로 다른 주파수 대역은 서로 다른 유형의 감각운동 조절 채널에 해당하도록 가정된다. 중간에서 초저에 이르는 고유한 압력중심(CoP) 신호 주파수 대역폭이 식별되었다.[188] 느린 주파수는 시각 및 전정 조절 채널에 해당하고[195,196] 낮은 주파수는 소뇌 조절과 관련되고 빠른 주파수는 척추 반사 조절 및 근육 활동에 속한다.[195,197,198] 이러한 고주파수는 고유수용성 조절 기작(**그림 8-39**)을 더 많이 사용하는 것으로 가정되었다. 자주 연구되는 4가지 주파수 대역은 다음과 같다.

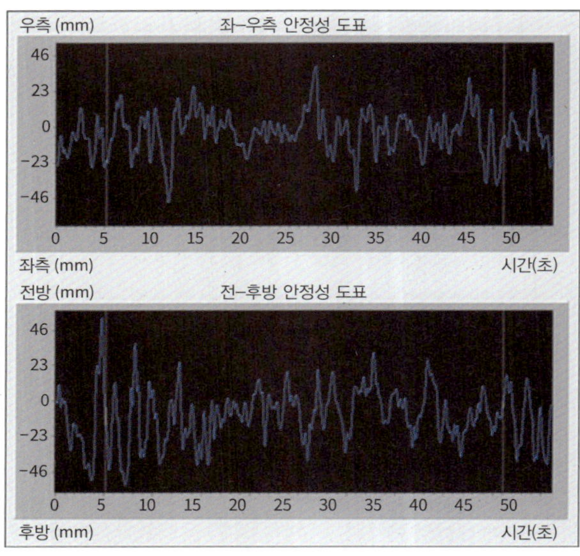

그림 8-38 ■ 안정도를 사용하면 두 개의 그래프를 얻을 수 있다: 하나는 전방–후방 이동(Y)이고 다른 하나는 우측–좌측 이동(X)이다.

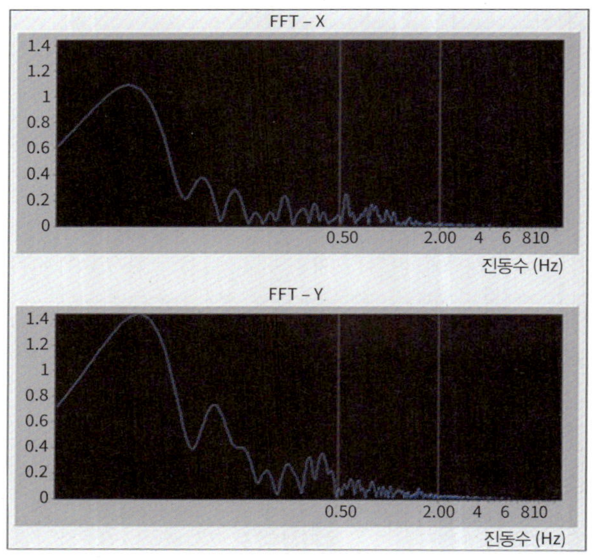

그림 8-39 ■ 고속 퓨리에 변환(FFTs).

- 초저(0 – 0.10Hz)는 느린 시각 회로에 해당한다.
- 매우 낮음(0.10 – 0.39Hz)은 전정계 활동에 해당한다.
- 낮음(0.39 – 1.56Hz)은 소뇌 조절에 해당한다.
- 중등도(1.56 – 6.25Hz)는 척추 반사 조절 및 근육 활동을 나타낸다.

전정 및 체감각 시스템은 신체 흔들림의 높은 주파수에서 자세를 보다 효율적으로 안정화하는 반면 시각 및 전정 시스템은 낮은 주파수에서 더 효과적이다.[202] 현재, 경추성 현기증뿐만 아니라 목 통증이 있는 환자의 자세학적 보고를 특성화하기 위해서는 더 많은 연구가 필요하다. 주파수 대역폭을 구체적으로 분석한 연구에 따르면 경추 편타성 충돌을 겪은 피험자는 저주파를 사용하는 경향이 있다.[177,178,203] 유사하게, Quek 등은[177] 목 통증이 있는 고령의 환자에서 매우 낮은 주파수의 상당한 증가와 중간 주파수의 감소를 발견했다. 이러한 결과는 목 통증이 있는 사람들이 근육 고유 감각 시스템을 가동하는 능력이 감소되어 전정 시스템에 더 의존적일 수 있음을 시사한다.

마찬가지로, Röijezon 등은[203] 편타손상장애(Whiplash–associated disorder, WAD)와 만성 비특이적 목 통증이 있는 대상 간의 차이점을 연구했다. 그들은 편타손상장애(WAD) 피험자에서 느린 동요 구성 요소의 증가된 크기를 발견했지만 만성 비특이적 목 통증 환자에서는 그렇지 않았다. 그들은 편타손상장애(WAD)의 느린 구성 요소의 크기와 더 심각한 균형 장애, 더 심각한 감각 증상 및 더 열악한 신체 기능 사이의 상관 관계를 관찰했다. 편타손상장애(WAD) 환자에서 느린 동요 구성요소의 이러한 증가된 크기는 변경된 경추 고유수용성 정보 또는 중추신경계(CNS)에서 이 정보의 변경된 통합의 특성일 수 있다.

Box 8-1

감각 조직 검사

체성 감각 및 전정 기능장애의 패턴 (체성 감각 지수)

이 지수는 취소된 시각적 입력이 균형에 미치는 영향에 대해 알려준다. 표준 플랫폼 눈 감김(SP-EC) 검사는 표준 플랫폼 눈 열림(SP-EO) 검사에 비해 비정상적으로 낮은 값을 제공한다. 체성 감각 자극은 부적절하며 안정적인 플랫폼에서 시각적 입력이 사라지는 상황을 보상할 수 없다.

시각-전정 기능장애의 패턴 (시각 지수)

이 경우 눈을 뜨고 수행하는 감각 변경 검사는 좋지 않은 결과를 제공한다. 예를 들어, 불안정한 플랫폼 눈 열림(UP-EO) 검사는 안정플랫폼 눈 열림(SP-EO)에 비해 낮은 값을 보여준다. 시각 자극은 부적절하며 체성 감각 입력의 변화를 보상할 수 없다.

전정 기능장애의 패턴 (전정 지수)

최대 안정성 또는 안정한 플랫폼 눈열림(SP-EO)의 위치와 비교하여 불안정한 플랫폼 눈감김(UPEC)을 사용한 검사 실행은 비정상적으로 낮은 값을 제공한다. 전정 정보는 시각 입력의 제거와 체성 감각 입력의 변화로 인한 상황을 보상할 수 없다.

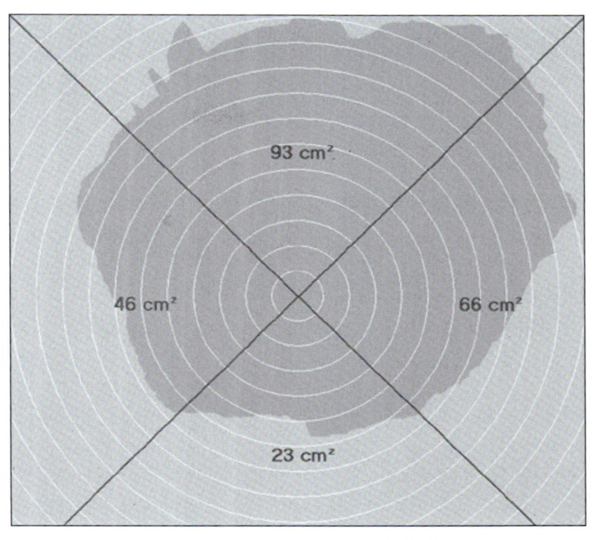

그림 8-40 ■ 균형면 정량화.

감각 조직 검사(Sensorial organization test)

이 검사는 환자의 평형에 대한 체성 감각, 시각 및 전정 수용체의 상대적 기여도 분석으로 구성된다. 검사의 목적은 변경된 균형을 담당하는 감각 시스템을 감지하는 것이다(Box 8-1).

시각적 바이오피드백을 사용하여 균형을 평가할 수 있는 다른 많은 흥미로운 도구를 제공하는 플랫폼이 있다.

균형 표면. 균형 표면은 피험자가 균형을 잃지 않고 무게 중심의 투영으로 덮을 수 있는 영역이다. 이 값을 얻기 위해 대상은 플랫폼에 위치하고 컴퓨터 화면에서 자신의 무게 중심 투영 상태를 관찰한다. 그런 다음 발목을 중심으로 균형을 잃지 않고 가능한 한 가장 큰 영역을 담당하려고 한다. 이 정보를 통해 대상의 안정성 한계와 균형 제어가 부족한 영역을 설정할 수 있다(**그림 8-40**).

요약(Summary)

요약하면, 경추성 어지럼증(CD)의 진단은 경추 근골격 평가 및 감각 운동 조절 검사를 포함해야 하는 신체 검사 결과와 함께 환자의 주관적 보고 및 병력을 고려한 임상 추론에 기초해야 한다. **표 8-6**은 감각 운동 조절을 위한 검사 목록이다. 경추성 어지럼증(CD)의 진단에 있어서 단일 검사보다 여러 검사의 조합이 더 중요하다는 점을 지적해야 한다. 또한 주관적 평가 및 기타 근골격 소견과 함께 사용해야 한다.

검사 소견에 따라 다른 전정 기능 검사가 필요할 수도 있다(**표 8-7**).

표 8-6

경추성 현기증(CD)과 관련된 감각 운동 신체 평가 검사

표시	조건	경추성 어지럼증(CD)의 감별진단의 검사 특별성
목 회전과 관련된 안진증	경추 회전을 이용한 안진 검사	+
	경추 회전 안진 검사 30초 동안 유지한다 (초당 2°보다 큰 안진)	+++
경추두부 근감각	어떤방향으로 4.5° 초과되는 관절자세오류	+++
	목뒤틀림에서 관절자세오류검사	+++
	막대와 프레임 검사	+
안구운동 조절 검사	연성 목비틀림검사	+++
	시선안정검사	++
	눈과 머리의 순차적움직임	++
	안구이향검사	+
서기 균형 검사	자세 롬버그(Romberg) 검사	+
	탄뎀(Tandem) 검사	++
	체위기록법	+
	체위기록법-경추비틀림	+++
기능적 그리고 운동적 검사	푸쿠다운터버거(Fukuda-Unterberger) 검사	+
	크고 느린 머리 움직임으로 걷기	++
	스텝검사	+

높음(+++), 중간(++), 낮음(+).

치료 TREATMENT

지난 몇 년 동안 경추성 어지러움(CD) 및 감각운동 조절 장애를 관리하기 위해 다양한 전략이 개발되었다. 이러한 치료 방법에는 도수치료, 치료 운동, 목 운동감각 재훈련, 안구-경추 협응, 균형 및 맞춤형 감각운동 조절 운동이 포함될 수 있다.

이러한 환자에서 도수치료와 운동치료의 목적은 관절과 근육의 비정상적인 구심성 입력을 감소시켜 목의 고유수용감각을 정상화시키는 것이다.[5,23] 치료는 환자의 특정 관절 및 근육 손상에 적응해야 한다.[23,204] 그러나 경추성 어지러움(CD)은 다른 감각 운동 제어시스템의 감각 통합을 변경할 수 있다. 따라서 종종 전정, 시각 및 체성 감각시스템의 통합을 향상시키는 특정 운동을 사용해야 한다. 머리와 눈의 움직임 조절, 고유감각 및 균형을 개선하기 위한 치료는 검사 결과에 따라 맞춤화 될 수 있다. 다양한 전정 재활 운동도 경추성 어지러움(CD)의 치료 전략으로 통합될 수 있다.[205,206] 정보의 통합을 돕기 위해 서로 다른 유형의 정보 간에 상충되는 상황을 만드는 연습도 유용하다.[23,119]

도수치료(Manual therapy)

Jull 등에[119] 의해 언급된 바와 같이 경추성 어지럼증(CD) 환자의 치료는 체성 감각 및 고유 감각 손상뿐만 아니라 기능장애 구심성 막과 관련된 관절 및 기타 구조를 다루어야 한다.

표 8-7

전정현기증 감별 진단에 필요한 검사

테스트	표시	양성결과	감별진단
두위변환안진 검사	수초-수분간 지속되는 침대에서 돌면서 경추 신전할 때 어지럼증	어지럼증과 안진증	후방척추관 양성체위성 돌발현훈(BPPV)
앙와위 돌리기 검사	침대가 돌면서 어지럼증과 안진증	어지럼증과 수평안진증	수평척추관 양성체위성 돌발현훈(BPPV)
척추뇌저동맥부전	지속적인 머리 신전과 회전위치 어지럼증	어지럼증과 안진증 또는 지속적 목신전과 회전이후 다른 신경학적 징후	척추뇌저동맥순환부전 (VBI)
뇌신경 검사	신경학적 징후, 어지럼증, 외상관련 어지럼증	양성 뇌신경검사	척추뇌저동맥순환부전, 척추동맥박리, 중추전정
동체시력 검사	어지럼증	정적시력검사와 관련하여 시력의 3개 이상의 손실	말초전정
두부자극 검사	한방향으로 빠른 움직임의 어지럼증	신속눈운동의 어지럼증과 안진증	말초전정
두부충동 검사	머리 움직임의 어지럼증	신속눈운동의 어지럼증과 안진증	말초전정
자발성 안구진탕증	자발적 안진증의 어지럼증	앉은 자세에서 어지럼증. 몸 자세변화에 바뀌지 않는 어지럼증	급성 말초전정 뇌간 또는 소뇌 장애
주시눈떨림 (주시안진)	눈움직임의 어지럼증	특정방향 시선에 나타나는 어지럼증	뇌간 또는 소뇌 장애 정상범주 안와근육피로 선천적안진증
두진안진거사	빠른 머리 움직임의 어지럼증	신속눈 움직임과 시선고정 불능	말초전정 중추전정
연추척 중립	눈움직임에 어지럼증	자연스런 목 위치에서 눈 따라가는 역할에 신속조준움직임	중추전정
안구신속운동	눈움직임에 어지럼증	늦어지는 속도, 지연, 정확도	중추전정
사지협응 검사	균형결손, 어지럼증	운동측정장애 또는 율동부정	중추전정

양성체위성돌발현(BPPV, benign paroxysmal positional vertigo); 척추동맥박리(VAD, vertebral artery dissection); 척추뇌저동맥순환부전(VBI, vertebrobasilar insuficiency.)

Reid와 Rivett은[205] 2005년에 경추성 어지럼증 치료에서 수동 요법의 효율성에 대한 체계적인 검토를 수행했으며 수동 치료 후 경추성 어지럼증의 징후와 증상이 유의하게 개선되는 긍정적인 결과를 제안했다.

다른 연구에서는 도수치료를 전기 요법, 근육 이완 운동, 바이오피드백 및 목 지지대와 같은 다른 치료법과 결합했다.[45,207]

보다 최근에는 경추성 어지럼증(CD)에 대한 수동 요법의 장기적인 효과에 대한 연구가 수행되었다. Malmstrom 등[118] 22명의 경추성 어지럼증 환자에서 다양한 전략의 효과를 연구하고 2년의 추적 기간 동안 관찰했다. 이 연구는 22명의 환자를 대상으로 목 통증 및 현기증과 장기적인 치료 효과와 관련될 수 있는 신체적 소견을 보고하기 위한 것이다. 치료는 연조직 기술, 국소 도수치료, 목, 몸통 및 어깨 안정화 기술, 신체 인식 및 일부 가정 훈련 프로그램으로 구성되었다. 이 연구에서 그들은 경추의 가동성은 정상 또는 예상보다 더 큰 값을 기록했지만 경흉추의 가동성은 감소했음을 발견했다. 저자들은 불안정한 안정성과 자세 불균형뿐만 아니라 가동성/과이동성 경추와 수반되는 경흉추 부위의 조합이 목에 부하를 가하여 비정상적인 고유수용성 유입을 생성할 수 있다고 가정했다. 그들은 또한 이 환자들이 근육 촉진과 관절돌기간 관절과 관련하여, 또한 자세 균형이 좋지 않고 동적 안정성이 좋지 않다는 것을 발견했다. 이 연구에서 이러한 결과를 기반으로 한 치료는 장기적으로 목 통증과 현기증을 감소시켰지만 일부 환자에서는 유지 전략이 필요했다.[118]

Reid 등은[208] 경추성 어지럼증(CD) 치료에서 지속적 자연 골단활주 (SNAG, sustained natural apophyseal glides) 기술의 효과를 연구하기 위해 이중 맹검 무작위 대조 임상 시험을 실시했다. SNAG 치료는 즉각적인 임상 효과가 있었고 통계적으로 현기증, 경추 통증 및 경추 기능장애로 인한 장애를 줄이는 데 유의미한 지속 효과가 있었다. 그 이후로 이 연구자들은[209-211] 경추성 어지럼증(CD) 환자를 대상으로 무작위 대조 임상 실험을 추가로 수행했다.[213-215] 한 연구에서 그들은 86명의 만성 경추성 어지럼증(CD) 환자에게 자가 SNAG운동 대 가동범위(ROM) 운동이 있는 수동 관절 가동화(PJM) 또는 위약 이 두 가지 수동 요법 중재(4-6회 치료)의 효과를 비교했다:[209,210] SNAG와 PJM은 모두 만성 경추성 현기증의 강도와 빈도에 있어 비교할 수 있는 즉각적이고 지속적인(12주) 감소를 제공했다. SNAG 치료가 경추 가동범위(ROM)를 개선하고 치료 후 12주 동안 효과가 유지되었지만 이 손상에 대한 수돌관절가동화(PJM)의 효과는 좋지 않았다. SNAG나 PJM은 경추성 현기증이 있는 사람들의 관절 재배치 정확도나 균형에 의미 있는 영향을 미치지 않는다.[209] Reid 등이[211] 환자들을 따라 장기적인 결과를 연구했다. 12개월에 두 도수치료 그룹은 위약에 비해 어지러움 빈도가 낮고 전반적으로 인지된 효과가 높았지만, 어지러움 강도, 통증 강도 또는 머리 위치 조정 정확도에서 그룹 간 차이는 없었다. 이러한 연구는 수동 요법이 만성 경추성 현기증 치료에 장기적으로 유익한 효과가 있다는 증거를 제공했다. 또한 특정 환자의 불만 사항을 해결하고 개별 임상 상황에 맞게 중재를 조정하며 초기에 지나치게 집중적인 치료를 피하는 것이 중요하다. 그러나 결과는 치료 결과를 더욱 개선하기 위해 다양한 감각운동 조절 장애에 대한 치료를 포함하는 것이 중요할 수 있음을 시사한다.

치료적 운동(Therapeutic exercise)

경추성 어지럼증(CD)이 있는 피험자는 경추 및 축위 견갑골 신경근 기능의 변화를 보일 수 있다.[212-221] 경추 근육의 통증과 피로도 감각 운동 제어를 변경할 수 있다. 목 근육 활성화의 정상적인 패턴을 회복하면 통증을 줄이고 경추 고유 감각을 정상화하여 자세 제어를 개선하는 데 도움이 될 수 있다.[204] 두개경추굴곡근, 심부신전근, 축견갑근의 운동조절 운동은 치료의 중요한 부분이 될 수 있다.

또한 경추성 어지럼증(CD) 환자는 경추 근육을 이완시키는데 어려움이 있다고 제안되었다. 따라서 비정상적인 이완 시간이 경추성 어지럼증(CD)과 관련된 요인일 수 있다.[222] 목에서 오는 이러한 고유수용성 장애와 통각수용성 입력은 환자가 지나치게 경계할 때, 현기증이나 불안정한 느낌을 두려워할 때 더 분명하다. 따라서 경추성 어지럼증(CD) 환자의 치료에는 경부 및 견갑골 근육 안정제 재훈련이 포함되어야 하며,[23] 과잉 경계가 있는 환자의 경우 경추 운동학적 훈련 및 근육 이완이 포함되어야 한다.

경두부 운동감각
(Cervicocephalic kinaesthesia)

경추두부 운동감각의 평가에 사용된 것과 동일한 검사(관절위치오류, JPE)를 재훈련 방법으로 사용할 수 있다. 치료사는 환자에게 시작 위치에 도달하도록 요청할 수 있다. 자연스러운 머리 위치에서 시작하여 눈을 감고 한 방향(굴곡, 신전, 좌우 회전)으로 움직임을 수행한 후 눈을 뜨고 수행에 대한 피드백을 얻을 수 있다. 그런 다음 환자는 눈을 감고 범위 내의 다른 지점을 찾으려고 시도할 수 있다(**그림 8-41** 및 **8-42**).

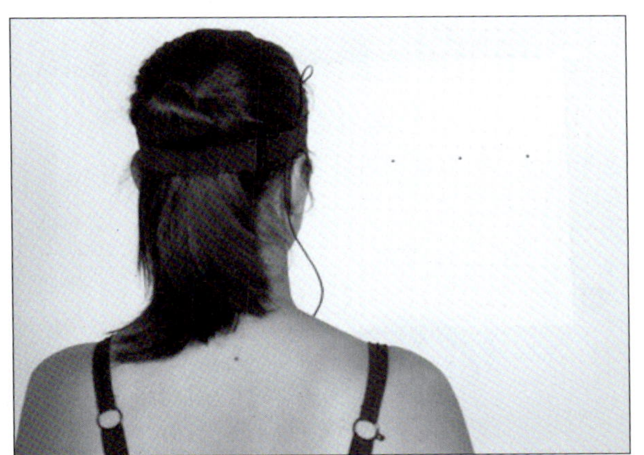

그림 8-41 ■ 경두부 운동감각의 재교육.

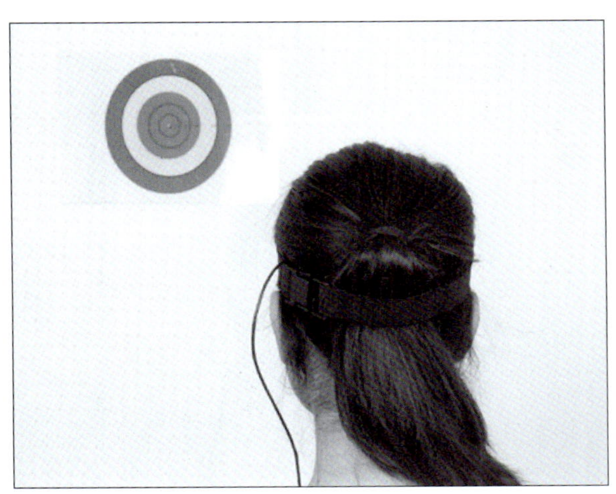

그림 8-42 ■ 표적에 대한 경두부 운동 감각의 재교육.

가상현실로 경추 운동감각 재훈련

최근 Sarig-Bahat 등은[223-226] 목 통증이 있는 환자의 재훈련 방법으로 사용할 수 있는 경추 운동학을 평가하는 가상 현실 시스템을 개발했다. 이 시스템은 목 통증에 대한 유효하고 신뢰할 수 있는 평가 도구로 입증되었으며 목 통증이 있는 대상자의 범위, 속도, 목 움직임의 부드러움 및 정확성, 통증 강도, 목 장애를 포함한 경추 운동학 개선 및 운동 개선에도 유용하다.[227] 이 가상현실 시스템의 장점은 원격진료 및 원격 평가와 만성 목 통증 환자의 경추 운동학적 훈련을 구현할 수 있다는 것이다[227](**그림 8-43**). 그럼에도 불구하고, 레이저와 피드백 대상을 사용하는 유사한 운동도 효과적인 것으로 보인다.

그림 8-43 ■ 가상 현실 운동. 참가자는 움직이는 표적을 가능한 한 빨리(A) 정확하게(B) 따라야 한다.

시각과 안구-경추 운동
(Visual and oculo-cervical exercises)

경추-안구 반사(COR)는 느린 두부 움직임 동안 시각적 안정성을 유지하는 전정안구반사(VOR)를 보완하므로 안구-경추 협응 운동이 경추성 어지러움(CD)의 치료에 도움이 될 수 있다.

Revel 등은[7] 안구-경추 협응 운동과 목 고유수용감각에 기반한 재활 프로그램이 경두부 운동감각을 개선할 수 있을 뿐만 아니라 경추의 가동성, 통증 및 인지된 장애를 개선할 수 있음을 보여주었다.

눈가동성 운동(Eye mobility exercises)

환자의 재훈련을 용이하게 하기 위해서는 머리를 움직이지 않는 눈 운동이 좋은 출발점이 된다. 환자는 적절한 거리에서 눈을 사용하여 다양한 안구 운동 복잡성의 다른 그림을 따른다(**그림 8-44**). 안구 가동성 운동은 목을 좌우로 45° 비틀어 수행할 수 있다. 이러한 운동과 다음 운동은 처음에는 앉았다가 안정된 플랫폼에 서서 수행한 다음 불안정한 플랫폼이나 폼매트 표면에서 수행해야 한다.

그림 8-44 ■ 다양한 시각적 목표를 따르는 안구 운동성 운동.

그림 8-45 ■ 눈 융합 훈련.

안구운동 근사 운동
(Oculomotor convergence exercises)

안구 운동 조절은 근점 융합 훈련과 같은 눈 근사를 향상시키기 위한 특정 운동으로 향상될 수 있다(**그림 8-45**).

저속 시각 추적 운동(Slow visual pursuit exercises)

이 운동은 연성 목비틀림 검사와 동일한 절차를 포함한다. 환자는 머리를 중립 위치에 둔 채 움직이

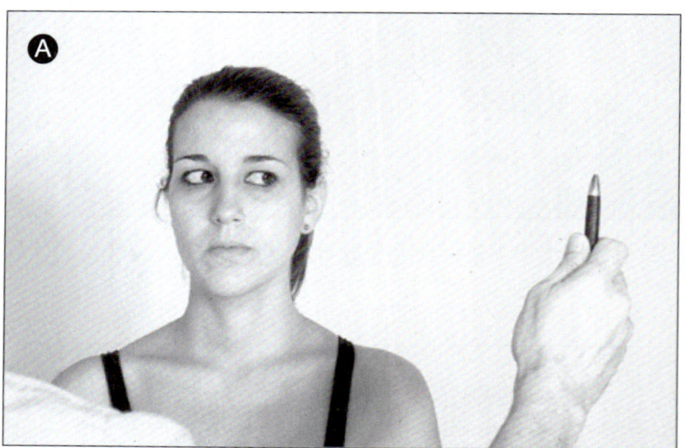

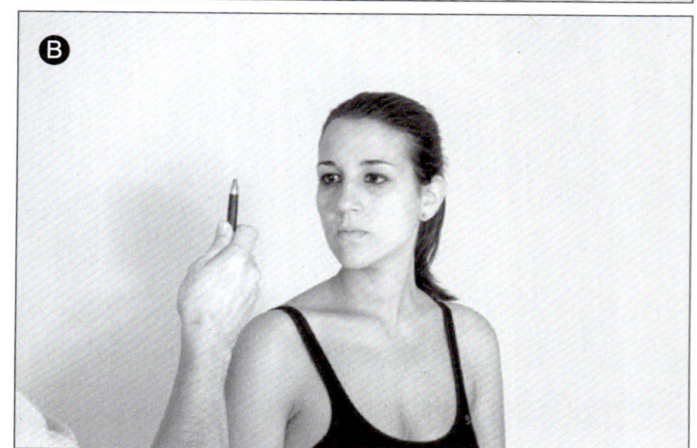

그림 8-46 ■ (A, B) 저속 시각적 추적 연습.

지 않고 눈으로 다른 방향으로 움직이는 목표물을 따른다. 치료사는 환자가 표적을 따라가는 능력을 관찰하고 단속적 안구 운동이 있는지 또는 현기증이나 불안정과 같은 증상이 재현되는지 관찰한다. 그런 다음 몸통을 45° 회전시키면서 동일한 눈 추적 동작을 수행한다(**그림 8-46**). 환자는 눈으로 공의 궤적을 따라가면서 한 손에서 다른 손으로 공을 던질 수도 있다.

시선 안정 운동(*Gaze stability exercises*)

환자는 눈을 한 지점에 고정하고 목의 회전 및 굴곡-신전 동작을 매번 더 넓고 빠르게 수행해야 한다(**그림 8-47**). 진행은 환자에게 한 지점을 보고, 눈을 감고, 머리를 돌리도록 요구할 수 있으며, 항상 초기 지점을 향한 눈의 방향을 유지한다. 환자는 눈을 뜨고 여전히 초기 지점을 보고 있는지 확인한다. 점진적으로 시각적 기준점은 더 끝 범위인 다른 위치에 있다. 이 운동은 환자가 폼 매트 위에 서 있는 경우 발바닥 입력을 변경하여 수행할 수도 있다(**그림 8-48**). 환자에게 흰색과 검은색 세로선이 있는 카드에 눈을 고정시키거나 초점이 한 지점이 아닌 여러 단어로 되어 있는 경우, 이 운동의 난이도가 높아진다.

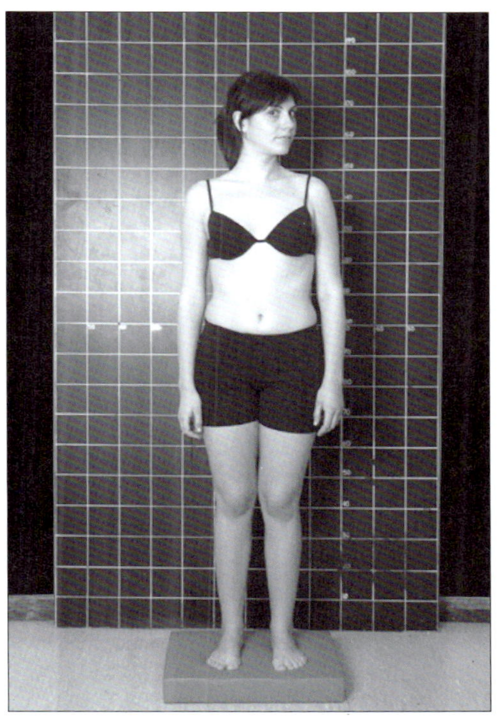

그림 8-48 ■ 시선 안정 운동: 발바닥 입력 변경.

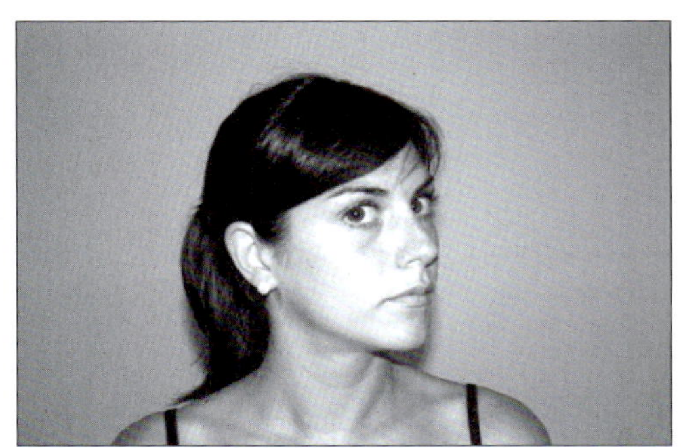

그림 8-47 ■ 시선 안정 운동.

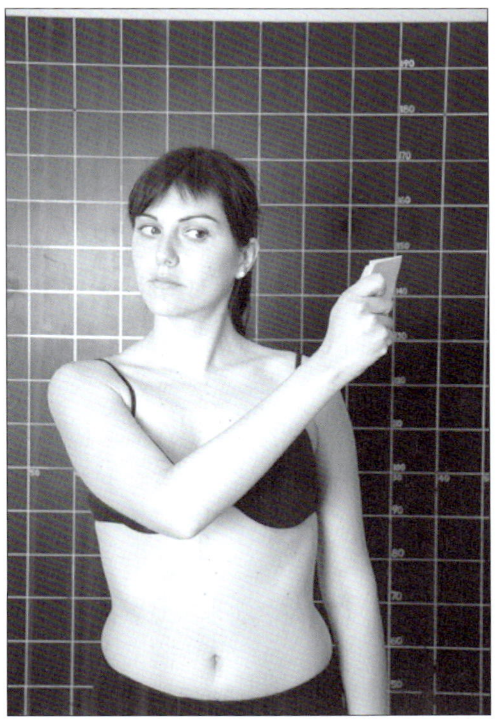

그림 8-49 ■ 경추-안구 분리 운동.

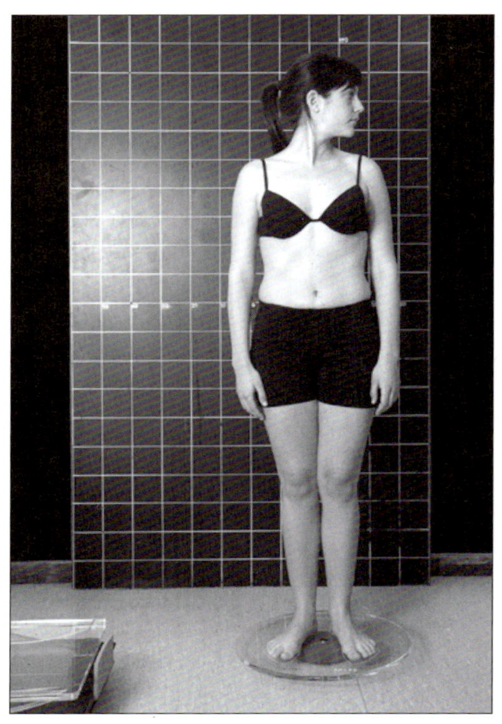

그림 8-50 ■ 발바닥 및 체성 감각 입력이 수정된 운동.

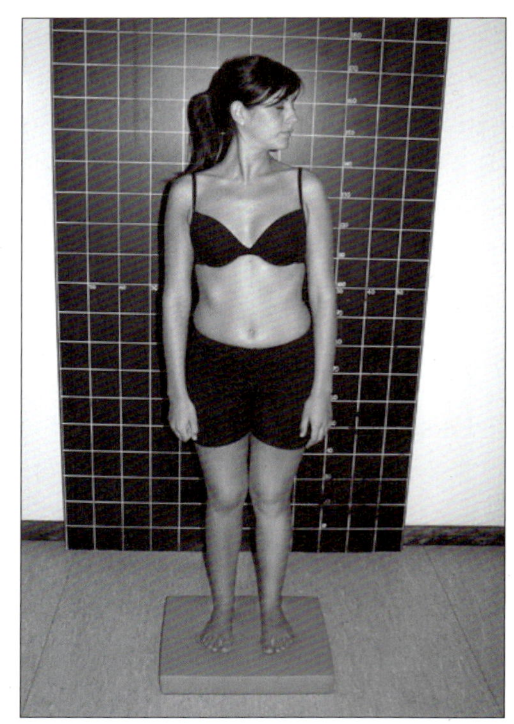

그림 8-51 ■ 발바닥, 체성감각 및 시각 입력이 수정된 운동.

경추-안구 분리 운동 *(Cervico-ocular dissociation exercises)*

환자에게 머리와 표적의 분리된 움직임을 수행하도록 요청한다(예: 머리가 한 방향으로 움직인 다음 눈이 움직이고, 머리가 시작 위치로 돌아간 다음 눈이 움직이거나 머리가 한 방향으로 회전하는 동안 표적이 반대 방향으로 움직인다)(**그림 8-49**).

균형 조절 연습(Balance control exercises)

자세 검사와 자세 기록법을 통해 균형 장애의 원인이 되는 감각 결손을 식별한 후, 우리는 더 결핍된 시스템을 자극하는 운동을 설계할 수 있다. 자세 시스템의 결함은 다른 시스템에 의해 보상되는 경향이 있으므로 개인이 기능장애 시스템을 훈련하도록 강요 받기 위해 의존하는 시스템의 정보를 제거하거나 변경하여 균형잡힌 재훈련을 시도한다.

서 있는 자세에서 균형 훈련은 다양한 자세 전략의 재교육으로 통합된다. 균형 재훈련은 개인이 더 의존하는 시스템의 정보를 제거하거나 변경하여 통합을 선호하기 위해 갈등 상황을 만들면서 시도한다.[23] 이러한 방식으로 다양한 전정 재활 운동이 경추성 어지럼증(CD)의 치료 전략으로 통합될 수 있다.[228,229] 전정 재활 프로그램을 사용하면 현기증이 감소하고 균형 조절이 개선되는 것으로 나타났다.[228] 이러한 재훈련은 자세 기록 플랫폼의 도움으로 또는 없이 달성할 수 있다. 플랫폼 사용의 장점은 자세 제어에서 환자의 개선을 정확하게 정량화할 수 있다는 것이다.

시각 및 체성 감각 시스템을 수정하는 운동

첫째, 대상은 눈을 감고 서서 시상면과 축면에서 머리를 움직인다. 눈을 뜬 상태에서 동일한 머리 움직임을 수행할 수 있지만 안구운동 자극을 통해 수행

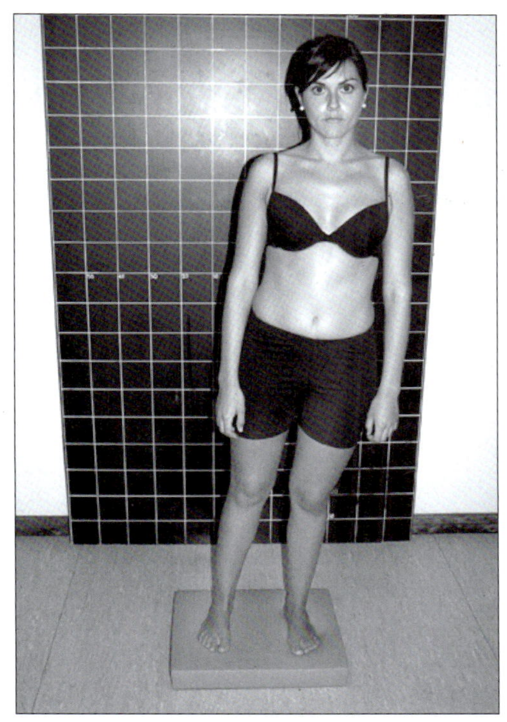

그림 8-52 ■ 폼매트에서의 균형 운동.

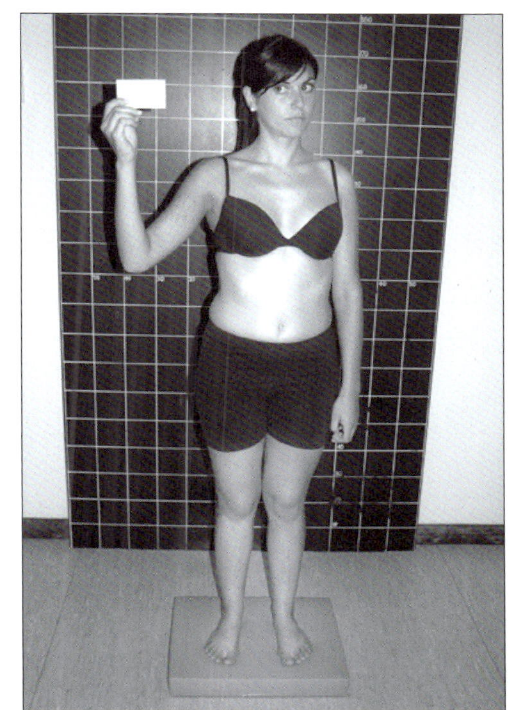

그림 8-53 ■ 폼매트와 안구경부 분리에 대한 균형 조절.

할 수 있다.

발바닥 및 체성 감각 시스템을 수정하는 운동

대상은 먼저 발을 나란히 놓고 균형을 유지한 다음 폼매트 표면이나 불안정한 플랫폼에서 눈을 뜬 상태에서 머리를 시상면과 축면에서 움직인다(**그림 8-50**).

불안정한 플랫폼과 관련하여 기립 자세 시스템에 의해 제어되는 진폭에 해당하는 4~5° 이상의 자세 진동을 허용하지 않는 넓은 곡률 반경을 기반으로 하는 것이 중요하다. 이러한 진폭 외에도 반고리관의 자극이 더 중요한 역할을 한다.[154]

발바닥, 체성 감각 및 시각 시스템을 수정하는 운동

피험자는 눈을 감거나 안구운동 자극으로 폼매트 표면이나 불안정한 플랫폼에서 균형을 유지한 다음 시상면과 축면에서 머리를 움직인다(**그림 8-51**).

균형 훈련(*Balance training*)

환자는 발목을 사용하여 몸을 흔드는 동작을 수행한다. 처음에 환자는 한 방향(앞-뒤, 오른쪽-왼쪽)으로만 흔들고 나서 원의 모양을 만든다. 이 모든 것이 안정된 표면에서 이루어진다. 나중에 같은 운동을 폼매트 표면에서 수행할 수 있다(**그림 8-52**). 환자는 또한 폼매트 표면이나 불안정한 플랫폼에 서서 경추의 회전 및 굴곡-신전 운동을 수행한다. 일부 운동은 폼매트 위에서 눈을 뜬 다음 눈을 감고 걷는 동안 수행할 수도 있다.

이러한 균형 조절 운동 외에도 안구-경추 협응 및 머리 협응 운동을 추가할 수 있다(**그림 8-53**).

걷기와 돌기(Walking and turning)

환자에게 한 방향으로 걷고, 빠르게 180° 회전하고, 반대 방향으로 걷도록 요청한다.

걷기 및 안구-경추 조절

환자에게 먼저 머리를 중립 위치에 두고 한쪽을 바라보고 나서 다른 쪽 또는 위아래를 바라보며 걸으라고 요청한다. 환자는 정면을 보고 머리를 한쪽에서 다른 쪽으로 또는 위아래로 돌린다.

현대의 자세 기록 플랫폼에는 환자의 감각 결손에 맞는 여러 재훈련 프로그램이 있다.

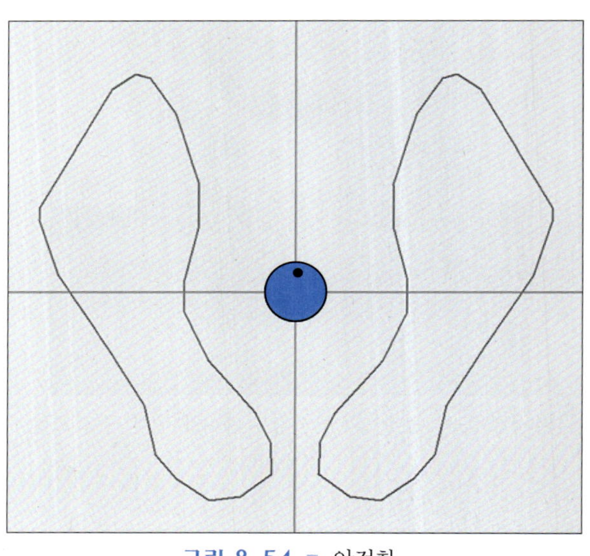

그림 8-54 ■ 안정화.

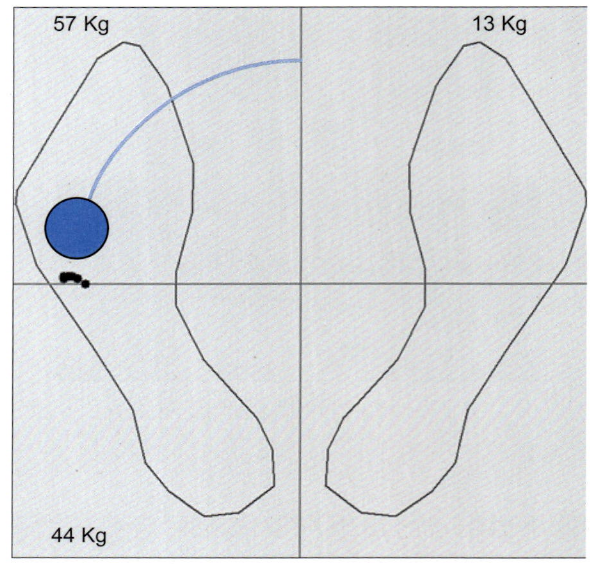

그림 8-56 ■ 부하 전달.

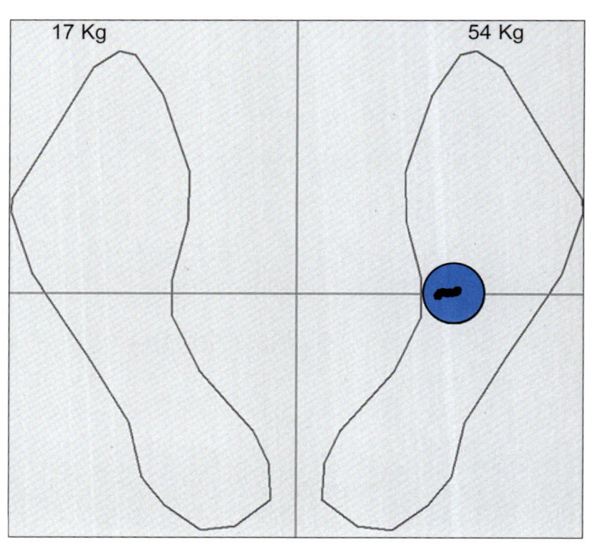

그림 8-55 ■ 부하.

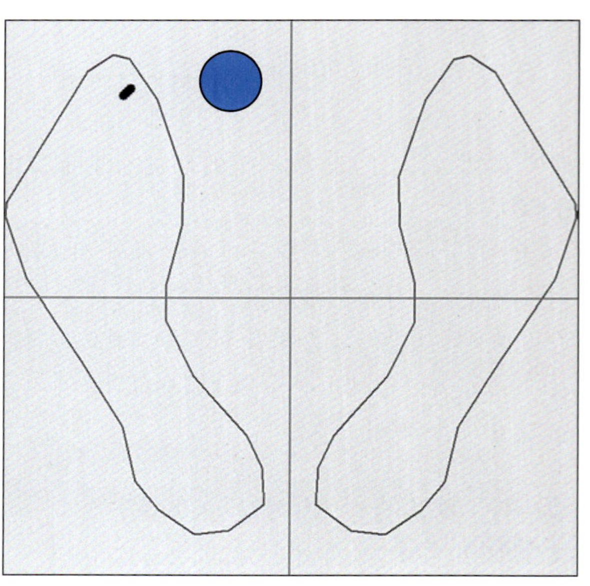

그림 8-57 ■ 자세 제어.

안정화(Stabilization)

환자는 컴퓨터 화면에서 움직이는 작은 점으로 자신의 무게 중심 투영을 관찰하고 점점 작아지는 영역 안에 머물러야 한다. 이 검사는 감소된 표면적에서 무게 중심의 투영을 유지하는 능력을 기록한다(**그림 8-54**). 시각적 이미지는 제거되고 무게 중심이 목표에서 벗어날 때마다 나타나는 소리로 대체될 수 있다.

부하(Load)

컴퓨터 화면에 목표물이 나타나고 환자는 무게 중심의 투영을 목표물 쪽으로 향하게 하고 몇 초 동안 유지한다. 이 대상은 화면의 다른 부분에 나타난다(**그림 8-55**). 시험 난이도의 진행은 대상이 무게 중심 투영의 초기 위치에서 더 멀리 떨어져 나타난다는 사실에 있다.

부하 전달(Load transfer)

이 연습에서 목표물은 화면에 나타나며 90°의 아치로 움직인다. 환자는 무게 중심 투영을 움직여서 환자에게 도달해야 한다(**그림 8-56**). 운동은 화면 영역의 다른 사분면에서 수행된다. 이 운동을 통해 하중의 동적 전달을 훈련하고 지지를 제어할 수 있다. 이 연습은 화면의 다른 사분면에서 개발된다. 이 연습을 통해 하중의 동적 전달을 재훈련 할 수 있다.

자세 조절(Postural control)

일단 대상이 안정성을 제어하면 하중과 지지의 전달은 일상 생활에서 직면하는 것과 유사한 무작위 불안정과 관련된 상황과 관련하여 균형 제어를 훈련하기 시작한다. 목표는 화면과 다른 임의의 위치에 빠르게 나타나기 시작하며 환자는 목표에 도달해야 한다(**그림 8-57**). 표적의 빠른 출현은 자세 제어와 관련하여 예측하는 능력을 훈련하는 것을 가능하게 한다.

가상 현실 연습(Virtual reality exercises)

체형기록 플랫폼에는 3D 환경에서 시각-전정 인식 충돌을 일으킬 수 있는 여러 가상 현실 재교육 프로그램이 있다. 예를 들어, 이 프로그램에서 비행기는 안구운동 효과를 생성하는 움직이는 환경에서 여러 목표에 도달해야 한다(**그림 8-58**).

그림 8-58 ■ 가상 현실 연습.

요약

모든 감각 운동 재훈련은 통증이나 두통을 피하고 약간의 현기증을 감수하면서 점진적인 어려움으로 하루에 여러 번 수행해야 한다. 감각운동 조절의 변화가 있다면 교통사고 후[6,12] 초기에 나타나기 때문에 이러한 운동은 가능한 한 빨리 시행하되 통증의 심각성을 높이는 것은 피해야 한다. 감각운동 장애 치료의 기본 원칙은 환자가 현기증이나 가성 현기증 증상을 유발하는 상황에 적응하도록 돕는 것이다.[31,230-232] 따라서 환자가 집에서 매일 짧은 시간에 여러 세션으로 이러한 운동을 수행하는 것이 중요하다. 운동의 난이도는 점진적으로 증가하며 중증도, 초기 증상 및 환자의 연령에 따라 달라진다. 임상 상황이 좋아지면 춤, 자전거 타기, 테니스 등 감각운동 조절시스템에 부하를 줄 수 있는 신체 활동을 시작하는 것이 좋다.

감각운동 장애 치료의 기본 원칙은 환자가 현기증이나 가성 현기증을 유발하는 상황에 적응하도록 돕는 것이다.

결론 CONCLUSION

경추성 현기증은 불안정하고 불안정한 주관적인 감각이 특징이며 일반적으로 목 통증, 경추 근골격계 및 안구-목 협응의 감각 운동장애, 경추 운동감각, 목 운동조절 패턴 및 기립 균형과 관련이 있다.

경추성 어지럼증(CD)의 진단은 현기증과 감각 운동 장애 사이의 기존 관계와 중추 또는 전정 현기증과 같은 다른 병인이 배제된 경추 근골격 기능장애의 존재를 기반으로 한다. 또한 환자가 제시하는 신체적 손상에 따라 최상의 치료 전략을 계획하기 위해 관련된 다양한 감각 운동 변화와 균형 조절을 정량화 할 필요가 있다.

현재 경추성 어지럼증(CD)의 존재를 뒷받침하는 데 도움이 되는 몇 가지 임상 검사가 있다. 또한 전정 현기증을 식별하는 데 도움이 될 수 있는 임상 검사가 있어 이러한 유형의 현기증을 경추성 어지럼증(CD)과 구별하는 데 도움이 될 수 있다. 경추성 어지럼증(CD)은 다양한 도수치료 기술, 경추 근육의 재훈련, 경두부 운동 및 안구-경추 협응 운동 등을 사용하고 자세 및 기립 균형 조절을 재훈련 함으로써 관리할 수 있다.

치료의 최종 목표는 적응 및 통합 능력을 향상시키기 위해 감각 운동 제어시스템의 구심성 입력의 다양한 변경에 점진적인 노출을 포함하는 운동으로 환자를 훈련시키는 것이다. 목 통증과 어지러움이 있는 환자에서 감각 운동 훈련과 균형 조절 운동의 한 가지 중요한 이점은 통증 및 기타 신체 질환보다는 외부에 주의를 집중시키는 것이다. 이 전략은 운동 학습과 수행 능력을 향상시켜 공포 회피 행동을 줄이고 더 나은 통증과 장애 결과로 이어질 수 있다.

참고문헌

1. Treleaven J, Jull G, Sterling M. Dizziness and unsteadiness following whiplash injury: characteristic features and relationship with cervical joint position error. J Rehabil Med 2003; 35(1):36–43.
2. Oostendorp R, Van Europen A, van Erp J, et al. Dizziness following whiplash injury: a neuro-otological study in manual therapy practice and therapeutic implication. JMMT 1999; 7(3):123–30.
3. Wrisley DM, Sparto PJ, Whitney SL, et al. Cervicogenic dizziness: a review of diagnosis and treatment. J Orthop Sports Phys Ther 2000;30(12):755–66.
4. Heikkila H, Johansson M, Wenngren BI. Effects of acupuncture, cervical manipulation and NSAID therapy on dizziness and impaired head repositioning of suspected cervical origin: a pilot study. Man Ther 2000;5(3):151–7.
5. Reid SA, Rivett DA. Manual therapy treatment of cervicogenic dizziness: a systematic review. Man Ther 2005;10(1):4–13.
6. Sterling M, Jull G, Vicenzino B, et al. Characterization of acute whiplash-associated disorders. Spine 2004;29(2):182–8.
7. Revel M, Minguet M, Gregoy P, et al. Changes in cervicocephalic kinesthesia after a proprioceptive rehabilitation program in patients with neck pain: a randomized controlled study. Arch Phys Med Rehabil 1994;75(8):895–9.
8. Heikkila H, Astrom PG. Cervicocephalic kinesthetic sensibility in patients with whiplash injury. Scand J Rehabil Med 1996; 28(3):133–8.
9. Kristjansson E, Dall'Alba P, Jull G. A study of five cervicocephalic relocation tests in three different subject groups. Clin Rehabil 2003;17(7):768–74.
10. Heikkila HV, Wenngren BI. Cervicocephalic kinesthetic sensibility, active range of cervical motion, and oculomotor function in patients with whiplash injury. Arch Phys Med Rehabil 1998;79(9):1089–94.
11. Kristjansson E, Hardardottir L, Asmundardottir M, et al. A new clinical test for cervicocephalic kinesthetic sensibility: 'the fly'. Arch Phys Med Rehabil 2004;85(3): 490–5.
12. Sterling M, Jull G, Vicenzino B, et al. Development of motor system dysfunction following whiplash injury. Pain 2003; 103(1–2):65–73.
13. Woodhouse A, Vasseljen O. Altered motor control patterns in whiplash and chronic neck pain. BMC Musculoskelet Disord 2008;9:90.
14. Sjolander P, Michaelson P, Jaric S, et al. Sensorimotor disturbances in chronic neck pain – range of motion, peak velocity, smoothness of movement, and repositioning acuity. Man Ther 2008;13(2):122–31.
15. Woodhouse A, Stavdahl O, Vasseljen O. Irregular head movement patterns in whiplash patients during a trajectory task. Exp Brain Res 2010;201(2):261–70.
16. Michaelson P, Michaelson M, Jaric S, et al. Vertical posture and head stability in patients with chronic neck pain. J Rehabil Med 2003;35(5):229–35.
17. Sjostrom H, Allum JH, Carpenter MG, et al. Trunk sway measures of postural stability during clinical balance tests in patients with chronic whiplash injury symptoms. Spine 2003;28(15): 1725–34.
18. Treleaven J, Jull G, Lowchoy N. Standing balance in persistent whiplash: a comparison between subjects with and

without dizziness. J Rehabil Med 2005;37(4):224–9.
19. Stapley PJ, Beretta MV, Dalla Toffola E, et al. Neck muscle fatigue and postural control in patients with whiplash injury. Clin Neurophysiol 2006;117(3):610–22.
20. Stokell R, Yu A, Williams K, et al. Dynamic and functional balance tasks in subjects with persistent whiplash: a pilot trial. Man Ther 2011;16(4):394–8.
21. Tjell C, Tenenbaum A, Sandström S. Smooth pursuit neck torsion test – a specific test for whiplash associated disorders? J Whiplash Relat Disorders 2003;1:9–24.
22. Treleaven J, Jull G, LowChoy N. Smooth pursuit neck torsion test in whiplash-associated disorders: relationship to selfreports of neck pain and disability, dizziness and anxiety. J Rehabil Med 2005;37(4):219–23.
23. Treleaven J, Jull G, LowChoy N. The relationship of cervical joint position error to balance and eye movement disturbances in persistent whiplash. Man Ther 2006;11(2): 99–106.
24. Storaci R, Manelli A, Schiavone N, et al. Whiplash injury and oculomotor dysfunctions: clinical-posturographic correlations. Eur Spine J 2006;15(12):1811–16.
25. Grip H, Jull G, Treleaven J. Head eye co-ordination using simultaneous measurement of eye in head and head in space movements: potential for use in subjects with a whiplash injury. J Clin Monit Comput 2009;23(1): 31–40.
26. Treleaven J, Jull G, Grip H. Head eye co-ordination and gaze stability in subjects with persistent whiplash associated disorders. Man Ther 2011;16(3):252–7.
27. Ramírez R. Tratamiento de los trastornos del equilibrio. Informacion Terapeutica del Sistema Nacional de Salud 2002; 26(2):44–7.
28. Furman JM, Whitney SL. Central causes of dizziness. Phys Ther 2000;80(2):179–87.
29. Meadows J, Magee D. An overview of dizziness and vertigo for the orthopaedic manual therapist. In: Boyling J, Palastanga N, editors. Grieve's modern manual therapy. The vertebral column. 2nd ed. London: Churchill Livingstone; 1994. p. 381–9.
30. Neuhauser H, Lempert T. Vertigo and dizziness related to migraine: a diagnostic challenge. Cephalalgia 2004;24(2): 83–91.
31. Yardley L, Luxon L. Treating dizziness with vestibular rehabilitation. BMJ 1994;308(6939):1252–3.
32. Brandt T, Bronstein AM. Cervical vertigo. J Neurol Neurosurg Psychiatry 2001;71(1):8–12.
33. Ryan GM, Cope S. Cervical vertigo. Lancet 1955; 269(6905):1355–8.
34. Furman J, Cass S. Balance disorders: a case-study approach. Philadelphia: F.A. Davis; 1996.
35. Grad A, Baloh RW. Vertigo of vascular origin. Clinical and electronystagmographic features in 84 cases. Arch Neurol 1989;46(3):281–4.
36. Husni EA, Bell HS, Storer J. Mechanical occlusion of the vertebral artery. A new clinical concept. JAMA 1966;196(6): 475–8.
37. Schellinger PD, Schwab S, Krieger D, et al. Masking of vertebral artery dissection by severe trauma to the cervical spine. Spine 2001;26(3):314–19.
38. Bonkowsky V, Steinbach S, Arnold W. Vertigo and cranial nerve palsy caused by different forms of spontaneous dissections of internal and vertebral arteries. Eur Arch Otorhinolaryngol 2002;259(7):365–8.
39. Barré M. Sur un syndrome sympathique cervical postérieur et sa cause frequente: L'arthrite cervicale. Rev Neurol (Paris) 1926;33:1246–8.
40. Lieou YC. Syndrome sympathique cervical posterieur et arthrite cervicale chronique de la colonne vertébrale cervicale Etude clinique et radiologique. These de Strasbourg, 1928.
41. Bogduk N, Lambert GA, Duckworth JW. The anatomy and physiology of the vertebral nerve in relation to cervical migraine. Cephalalgia 1981;1(1):11–24.
42. Bogduk N. Cervical causes of headache and dizziness. In: Boyling JP, Palastanga N, editors. Grieve's modern manual therapy. The vertebral column. 2nd ed. London: Churchill Livingstone; 1994. p. 317–31.
43. Magnus R. Some results of studies in the physiology of posture. Cameron prize lectures. Lancet 1926;211:531–6.
44. Brandt T. Cervical vertigo – reality or fiction? Audiol Neurootol 1996;1(4):187–96.
45. Bracher ES, Almeida CI, Almeida RR, et al. A combined approach for the treatment of cervical vertigo. J Manipulative Physiol Ther 2000;23(2):96–100.
46. Borg-Stein J, Rauch S, Krabak B. Evaluation and management of cervicogenic dizziness. Clin Rev Phys Rehabil Med 2001; 13(4):255–64.
47. Igarashi M, Alford BR, Watanabe T, et al. Role of neck proprioceptors for the maintenance of dynamic bodily equilibrium in the squirrel monkey. Laryngoscope 1969;79(10):1713–27.
48. Igarashi M, Miyata H, Alford BR, et al. Nystagmus after experimental cervical lesions. Laryngoscope 1972;82(9):1609–21.
49. Biemond A, De Jong JM. On cervical nystagmus and related disorders. Brain 1969;92(2):437–58.
50. Hinoki M, Hine S, Okada S, et al. Optic organ and cervical proprioceptors in maintenance of body equilibrium. Acta Otolaryngol Suppl 1975;330:169–84.
51. de Jong PT, de Jong JM, Cohen B, et al. Ataxia and nystagmus induced by injection of local anesthetics in the Neck. Ann Neurol 1977;1(3):240–6.
52. Heikkilä H. Cervical vertigo. In: Boyling J, Jull G, editors. Grieve's modern manual therapy. 3rd ed. London: Elsevier Churchill Livingstone; 2004. p. 233–42.
53. Wyke B. Cervical articular contribution to posture and gait: their relation to senile disequilibrium. Age Ageing 1979;8(4): 251–8.
54. Karlberg M, Persson L, Magnusson M. Impaired postural control in patients with cervico-brachial pain. Acta Otolaryngol Suppl 1995;520(Pt 2):440–2.
55. Brandt T, Orberk E, Weber R, et al. Pathogenesis of cervical artery dissections: association with connective tissue abnormalities. Neurology 2001;57(1):24–30.
56. Froehling DA, Silverstein MD, Mohr DN, et al. The rational clinical examination. Does this dizzy patient have a serious form of vertigo? JAMA 1994;271(5):385–8.
57. Thiagarajan P, Ciuffreda KJ. Versional eye tracking in mild traumatic brain injury (mTBI): effects of oculomotor training (OMT). Brain Inj 2014;28(7):930–43.
58. Thurrell A, Bertholon P, Bronstein AM. Reorientation of a visually evoked postural response during passive whole body rotation. Exp Brain Res 2000;133(2):229–32.
59. Kulkarni V, Chandy MJ, Babu KS. Quantitative study of muscle spindles in suboccipital muscles of human foetuses. Neurol India 2001;49(4):355–9.
60. Boyd-Clark LC, Briggs CA, Galea MP. Muscle spindle

distribution, morphology, and density in longus colli and multifidus muscles of the cervical spine. Spine 2002;27(7):694–701.
61. Toupet M. [Convergence of visual and neck proprioceptives on the vestibulo-ocular reflex arc and the 'vestibulocerebellum' (author's transl)]. Ann Otolaryngol Chir Cervicofac 1982;99(3):119–28.
62. Biguer B, Donaldson IM, Hein A, et al. Neck muscle vibration modifies the representation of visual motion and direction in man. Brain 1988;111(Pt 6):1405–24.
63. Zhou G, Cox LC. Vestibular evoked myogenic potentials: history and overview. Am J Audiol 2004;13(2):135–43.
64. Pérez-Guillem V, González-García E, García-Piñero A, et al. Potencial vestibular miogénico evocado: un aporte al conocimiento de la fisiología y patología vestibular. Patrones cuantitativos en la población normal. Acta Otorrinolaringol Esp 2005;56:349–53.
65. Boquet J. Asimetrías tónicas en la nuca y desequilibrios propioceptivos. In: Gagey P, Weber B, editors. Posturología. Regulación y alteraciones en la bipedestación. Barcelona: Masson; 2001.
66. Dutia MB. The muscles and joints of the neck: their specialisation and role in head movement. Prog Neurobiol 1991; 37(2):165–78.
67. Bartsch T, Goadsby PJ. Increased responses in trigeminocervical nociceptive neurons to cervical input after stimulation of the dura mater. Brain 2003;126(Pt 8):1801–13.
68. Metherate RS, da Costa DC, Herron P, et al. A thalamic terminus of the lateral cervical nucleus: the lateral division of the posterior nuclear group. J Neurophysiol 1986;56(6): 1498–520.
69. Schwabe A, Drepper J, Maschke M, et al. The role of the human cerebellum in short- and long-term habituation of postural responses. Gait Posture 2004;19(1):16–23.
70. McLain RF. Mechanoreceptor endings in human cervical facet joints. Spine 1994;19(5):495–501.
71. Yoganandan N, Knowles SA, Maiman DJ, et al. Anatomic study of the morphology of human cervical facet joint. Spine 2003;28(20):2317–23.
72. Wyke B. Neurology of the cervical spinal joints. Physiotherapy 1979;65(3):72–6.
73. Peterson BW, Goldberg J, Bilotto G, et al. Cervicocollic reflex: its dynamic properties and interaction with vestibular reflexes. J Neurophysiol 1985;54(1):90–109.
74. Kanaya T, Gresty MA, Bronstein AM, et al. Control of the head in response to tilt of the body in normal and labyrinthinedefective human subjects. J Physiol 1995;489(Pt 3):895–910.
75. Brandt T. Modelling brain function: the vestibulo-ocular reflex. Curr Opin Neurol 2001;14(1):1–4.
76. Raphan T, Cohen B. The vestibulo-ocular reflex in three dimensions. Exp Brain Res 2002;145(1):1–27.
77. Peterson BW, Choi H, Hain T, et al. Dynamic and kinematic strategies for head movement control. Ann N Y Acad Sci 2001; 942:381–93.
78. Dutia M, Price R. Interaction between the vestibulo-collic reflex and the cervico-collic stretch reflex in the cescerebrate cat. J Physiol 1987;387:19–30.
79. Gdowski GT, McCrea RA. Integration of vestibular and head movement signals in the vestibular nuclei during whole-body rotation. J Neurophysiol 1999;82(1):436–49.
80. Jurgens R, Mergner T. Interaction between cervico-ocular and vestibulo-ocular reflexes in normal adults. Exp Brain Res 1989;77(2):381–90.
81. Schubert MC, Das V, Tusa RJ, et al. Cervico-ocular reflex in normal subjects and patients with unilateral vestibular hypofunction. Otol Neurotol 2004;25(1):65–71.
82. Kristjansson E, Treleaven J. Sensorimotor function and dizziness in neck pain: implications for assessment and management. J Orthop Sports Phys Ther 2009;39(5):364–77.
83. Bruzzone MG, Grisoli M, De Simone T, et al. Neuroradiological features of vertigo. Neurol Sci 2004;25(Suppl. 1):S20–3.
84. Ramirez R. Trastornos del equilibrio. Un abordaje multidisciplinario. Madrid: McGraw-Hill Interamericana; 2003.
85. Alpini D, Caputo D, Pugnetti L, et al. Vertigo and multiple sclerosis: aspects of differential diagnosis. Neurol Sci 2001 ;22(Suppl. 2):S84–7.
86. Solomon D. Benign paroxysmal positional vertigo. Curr Treat Options Neurol 2000;2(5):417–28.
87. Epley JM. Positional vertigo related to semicircular canalithiasis. Otolaryngol Head Neck Surg 1995;112(1):154–61.
88. Brandt T. Steddin S. Current view of the mechanism of benign paroxysmal positioning vertigo: cupulolithiasis or canalolithiasis? J Vestib Res 1993;3(4):373–82.
89. Parnes LS, Agrawal SK, Atlas J. Diagnosis and management of benign paroxysmal positional vertigo (BPPV). CMAJ 2003; 169(7):681–93.
90. Schuknecht HF. Cupulolithiasis. Arch Otolaryngol 1969; 90(6):765–78.
91. Schuknecht HF, Ruby RR. Cupulolithiasis. Adv Otorhinolaryngol 1973;20:434–43.
92. Hall SF, Ruby RR, McClure JA. The mechanics of benign paroxysmal vertigo. J Otolaryngol 1979;8(2):151–8.
93. Parnes LS, McClure JA. Free-floating endolymph particles: a new operative finding during posterior semicircular canal occlusion. Laryngoscope 1992;102(9):988–92.
94. Honrubia V, Baloh RW, Harris MR, et al. Paroxysmal positional vertigo syndrome. Am J Otol 1999;20(4):465–70.
95. Vannucchi P, Giannoni B, Pagnini P. Treatment of horizontal semicircular canal benign paroxysmal positional vertigo. J Vestib Res 1997;7(1):1–6.
96. Dix MR, Hallpike CS. The pathology, symptomatology and diagnosis of certain common disorders of the vestibular system. Proc R Soc Med 1952;45(6):341–54.
97. McClure JA. Horizontal canal BPV. J Otolaryngol 1985; 14(1):30–5.
98. Lee SH, Kim JS. Benign paroxysmal positional vertigo. J Clin Neurol 2010;6(2):51–63.
99. Swartz R, Longwell P. Treatment of vertigo. Am Fam Physician 2005;71(6):1115–22.
100. Humphriss RL, Baguley DM, Sparkes V, et al. Contraindications to the Dix-Hallpike manoeuvre: a multidisciplinary review. Int J Audiol 2003;42(3):166–73.
101. Hilton M, Pinder D. The Epley (canalith repositioning) manoeuvre for benign paroxysmal positional vertigo. Cochrane Database Syst Rev 2002;(1):CD003162.
102. White J. Bening paroxysmal position vertigo: how to diagnose and quickly treat it. Cleve Clin J Med 2004;71(9):722–8.
103. Fife TD, Iverson DJ, Lempert T, et al. Practice parameter: therapies for benign paroxysmal positional vertigo (an evidence-based review): report of the Quality Standards

Subcommittee of the American Academy of Neurology. Neurology 2008;70(22):2067–74.
104. Semont A, Freyss G, Vitte E. Curing the BPPV with a liberatory maneuver. Adv Otorhinolaryngol 1988;42: 290–3.
105. Lopez-Escamez JA, et al. Multiple positional nystagmus suggests multiple canal involvement in benign paroxysmal vertigo. Acta Otolaryngol 2005;125(9):954–61.
106. Massoud EA, Ireland DJ. Post-treatment instructions in the nonsurgical management of benign paroxysmal positional vertigo. J Otolaryngol 1996;25(2):121–5.
107. De Stefano A, Dispenza F, Citraro L, et al. Are postural restrictions necessary for management of posterior canal benign paroxysmal positional vertigo? Ann Otol Rhinol Laryngol 2011;120(7):460–4.
108. Nunez RA, Cass SP, Furman JM. Short- and long-term outcomes of canalith repositioning for benign paroxysmal positional vertigo. Otolaryngol Head Neck Surg 2000;122(5): 647–52.
109. Radtke A, von Brevern M, Tiel-Wilck K, et al. Self-treatment of benign paroxysmal positional vertigo: Semont maneuver vs Epley procedure. Neurology 2004;63(1):150–2.
110. Lempert T, Tiel-Wilck K. A positional maneuver for treatment of horizontal-canal benign positional vertigo. Laryngoscope 1996;106(4):476–8.
111. Casani AP, Nacci A, Dallan I, et al. Horizontal semicircular canal benign paroxysmal positional vertigo: effectiveness of two different methods of treatment. Audiol Neurootol 2011;16(3):175–84.
112. Treleaven J. Dizziness, unsteadiness, visual disturbances, and postural control: implications for the transition to chronic symptoms after a whiplash trauma. Spine 2011;36(25 Suppl.): S211–17.
113. Dispenza F, De Stefano A, Mathur N, et al. Benign paroxysmal positional vertigo following whiplash injury: a myth or a reality? Am J Otolaryngol 2011;32(5):376–80.
114. Gresty MA, Bronstein AM, Brandt T, et al. Neurology of otolith function. Peripheral and central disorders. Brain 1992;115(Pt 3):647–73.
115. Lempert T, Gresty MA, Bronstein AM. Benign positional vertigo: recognition and treatment. BMJ 1995;311(7003): 489–91.
116. Thomas LC. Cervical arterial dissection: an overview and implications for manipulative therapy practice. Man Ther 2016;21:2–9.
117. Treleaven J, Takasaki H. Characteristics of visual disturbances reported by subjects with neck pain. Man Ther 2014;19(3): 203–7.
118. Malmstrom EM, Karlberg M, Melander A, et al. Cervicogenic dizziness – musculoskeletal findings before and after treatment and long-term outcome. Disabil Rehabil 2007;29(15): 1193–205.
119. Jull G, Sterling S, Falla D, et al. Whiplash, headache, and neck pain: research-based directions for physical therapies. Philadelphia: Churchill Livingstone Elsevier; 2008.
120. Phillipszoon AJ, Bos JH. Neck torsion nystagmus. Pract Otorhinolaryngol (Basel) 1963;25:339–44.
121. Fitzgerald DC. Persistent dizziness following head trauma and perilymphatic fistula. Arch Phys Med Rehabil 1995; 76(11):1017–20.
122. Norre ME. Cervical vertigo. Diagnostic and semiological problem with special emphasis upon 'cervical nystagmus'. Acta Otorhinolaryngol Belg 1987;41(3):436–52.
123. Oosterveld WJ, Kortschot HW, Kingma GG, et al. Electronystagmographic findings following cervical whiplash injuries. Acta Otolaryngol 1991;111(2):201–5.
124. Calseyde P, Ampe W, Depondt M. E.N.G. and the cervical syndrome neck torsion nystagmus. Adv Otorhinolaryngol 1977;22:119–24.
125. L'Heureux-Lebeau B, Godbout A, Berbiche D, et al. Evaluation of paraclinical tests in the diagnosis of cervicogenic dizziness. Otol Neurotol 2014;35(10):1858–65.
126. Revel M, Andre-Deshays C, Minguet M. Cervicocephalic kinesthetic sensibility in patients with cervical pain. Arch Phys Med Rehabil 1991;72(5):288–91.
127. Loudon JK, Ruhl M, Field E. Ability to reproduce head position after whiplash injury. Spine 1997;22(8):865–8.
128. Roren A, Mayoux-Benhamou MA, Fayad F, et al. Comparison of visual and ultrasound based techniques to measure head repositioning in healthy and neck-pain subjects. Man Ther 2009;14(3):270–7.
129. Jull G, Falla D, Treleaven J, et al. Retraining cervical joint position sense: the effect of two exercise regimes. J Orthop Res 2007;25(3):404–12.
130. Chen X, Treleaven J. The effect of neck torsion on joint position error in subjects with chronic neck pain. Man Ther 2013;18(6):562–7.
131. Rix GD, Bagust J. Cervicocephalic kinesthetic sensibility in patients with chronic, nontraumatic cervical spine pain. Arch Phys Med Rehabil 2001;82(7):911–19.
132. Armstrong BS, McNair PJ, Williams M. Head and neck position sense in whiplash patients and healthy individuals and the effect of the cranio-cervical flexion action. Clin Biomech (Bristol, Avon) 2005;20(7):675–84.
133. Uthaikhup S, Jull G, Sungkarat S, et al. The influence of neck pain on sensorimotor function in the elderly. Arch Gerontol Geriatr 2012;55(3):667–72.
134. Bagust J. Assessment of verticality perception by a rod-andframe test: preliminary observations on the use of a computer monitor and video eye glasses. Arch Phys Med Rehabil 2005;86(5):1062–4.
135. Grod JP, Diakow PR. Effect of neck pain on verticality perception: a cohort study. Arch Phys Med Rehabil 2002;83(3): 412–15.
136. Bagust J, Rix GD, Hurst HC. Use of a computer rod and frame (CRAF) test to assess errors in the perception of visual vertical in a clinical setting. A pilot study. Clin Chiro 2005;8(3): 134–9.
137. Humphreys BK. Cervical outcome measures: testing for postural stability and balance. J Manipulative Physiol Ther 2008;31(7):540–6.
138. Hildingsson C, Wenngren BI, Bring G, et al. Oculomotor problems after cervical spine injury. Acta Orthop Scand 1989; 60(5):513–16.
139. Hildingsson C, Toolanen G. Outcome after soft-tissue injury of the cervical spine. A prospective study of 93 car-accident victims. Acta Orthop Scand 1990;61(4):357–9.
140. Hildingsson C, Wenngren BI, Toolanen G. Eye motility dysfunction after soft-tissue injury of the cervical spine. A controlled, prospective study of 38 patients. Acta Orthop Scand 1993;64(2):129–32.
141. Tjell C, Rosenhall U. Smooth pursuit neck torsion test: a specific test for cervical dizziness. Am J Otol 1998;19(1):76–81.
142. Treleaven J, LowChoy N, Darnell R, et al. Comparison of sensorimotor disturbance between subjects with persistent whiplash-associated disorder and subjects with vestibular

pathology associated with acoustic neuroma. Arch Phys Med Rehabil 2008;89(3):522–30.
143. Prushansky T, Dvir Z, Pevzner E, et al. Electro-oculographic measures in patients with chronic whiplash and healthy subjects: a comparative study. J Neurol Neurosurg Psychiatry 2004;75(11):1642–4.
144. Kelders WP, Kleinrensink GJ, van der Geest JN, et al. The cervico-ocular reflex is increased in whiplash injury patients. J Neurotrauma 2005;22(1):133–7.
145. Della Casa E, Affolter Helbling J, Meichtry A, et al. Head-eye movement control tests in patients with chronic neck pain; inter-observer reliability and discriminative validity. BMC Musculoskelet Disord 2014;15:16.
146. Brown S. Effect of whiplash injury on accommodation. Clin Experiment Ophthalmol 2003;31(5):424–9.
147. Richter HO. Neck pain brought into focus. Work 2014;47(3): 413–18.
148. Hill K, Bernhardt J, McGann A, et al. A new test of dynamic standing balance for stroke patients: reliability, validity and comparison with healthy elderly. Physiotherapy Canada 1996;48.
149. Yu LJ, Stokell R, Treleaven J. The effect of neck torsion on postural stability in subjects with persistent whiplash. Man Ther 2011;16(4):339–43.
149a. Alund M, Larsson SE, Ledin T, et al. Dynamic posturography in cervical vertigo. Acta Otolaryngol Suppl 1991;481:601–2.
149b. Roth V, Kohen-Raz R. Posturographic characteristics of whiplash patients. En: Proceedings of the XXth Regular Meeting of The Barany Society 1998; Wuerzburg, Germany, 11–17 September 1998.
149c. Nacci A, Ferrazzi M, Berrettini S, et al. Vestibular and stabilometric findings in whiplash injury and minor head trauma. Acta Otorhinolaryngol Ital 2011;31(6):378–89.
149d. Yu LJ, Stokell R, Treleaven J. The effect of neck torsion on postural stability in subjects with persistent whiplash. Man Ther 2011;16(4):339–43.
150. Field S, Treleaven J, Jull G. Standing balance: a comparison between idiopathic and whiplash-induced neck pain. Man Ther 2008;13(3):183–91.
151. Fukuda T. The stepping test: two phases of the labyrinthine reflex. Acta Otolaryngol 1959;50(2):95–108.
152. Gagey PM, Bizzo G, Debruille O. [Are the parameters of the Fukuda's stepping test valid?]. Agressologie 1983;24(7):331–6.
153. Weber B, Gagey PM, Noto R. [Does repetition change the performance of Fukuda's test?]. Agressologie 1984;25(12): 1311–14.
154. Gagey P, Weber B. Posturología. Regulación y alteraciones de la bipedestación. Barcelona: Masson; 2001.
155. Choy NL, Johnson N, Treleaven J, et al. Balance, mobility and gaze stability deficits remain following surgical removal of vestibular schwannoma (acoustic neuroma): an observational study. Aust J Physiother 2006;52(3):211–16.
156. Alpini D, Ciavarro GL, Zinnato C, et al. Evaluation of headto-trunk control in whiplash patients using digital CranioCorpoGraphy during a stepping test. Gait Posture 2005;22(4): 308–16.
157. Cohen HS, Sangi-Haghpeykar H, Ricci NA, et al. Utility of stepping, walking, and head impulses for screening patients for vestibular impairments. Otolaryngol Head Neck Surg 2014;151(1):131–6.
158. Bohannon RW, Larkin PA, Cook AC, et al. Decrease in timed balance test scores with aging. Phys Ther 1984;64(7): 1067–70.
159. Hill K, Bernhardt J, McGann A, et al. A new test of dynamic standing balance for stroke patients: reliability, validity and comparison with healthy elderly. Physiotherapy Canada 1996;48:257–62.
160. Norre ME, Forrez G, Stevens A, et al. Cervical vertigo diagnosed by posturography? Preliminary report. Acta Otorhinolaryngol Belg 1987;41(4):574–81.
161. Norre ME. Head extension effect in static posturography. Ann Otol Rhinol Laryngol 1995;104(7):570–3.
162. Alund M, Larsson SE, Ledin T, et al. Dynamic posturography in cervical vertigo. Acta Otolaryngol Suppl 1991;481:601–2.
163. Alund M, Ledin T, Odkvist L, et al. Dynamic posturography among patients with common neck disorders. A study of 15 cases with suspected cervical vertigo. J Vestib Res 1993;3(4): 383–9.
164. Chester JB Jr. Whiplash, postural control, and the inner ear. Spine 1991;16(7):716–20.
165. Karlberg M, Johansson R, Magnusson M, et al. Dizziness of suspected cervical origin distinguished by posturographic assessment of human postural dynamics. J Vestib Res 1996;6(1):37–47.
166. Karlberg M, Magnusson M, Malmstrom EM, et al. Postural and symptomatic improvement after physiotherapy in patients with dizziness of suspected cervical origin. Arch Phys Med Rehabil 1996;77(9):874–82.
167. Rubin AM, Woolley SM, Dailey VM, et al. Postural stability following mild head or whiplash injuries. Am J Otol 1995;16(2):216–21.
168. Mallinson AI, Longridge NS. Dizziness from whiplash and head injury: differences between whiplash and head injury. Am J Otol 1998;19(6):814–18.
169. Allum JH, Shepard NT. An overview of the clinical use of dynamic posturography in the differential diagnosis of balance disorders. J Vestib Res 1999;9(4):223–52.
170. Kogler A, Lindfors J, Odkvist LM, et al. Postural stability using different neck positions in normal subjects and patients with neck trauma. Acta Otolaryngol 2000;120(2):151–5.
171. Allum JH, Bloem BR, Carpenter MG, et al. Differential diagnosis of proprioceptive and vestibular deficits using dynamic support-surface posturography. Gait Posture 2001;14(3): 217–26.
172. Madeleine P, Prietzel H, Svarrer H, et al. Quantitative posturography in altered sensory conditions: a way to assess balance instability in patients with chronic whiplash injury. Arch Phys Med Rehabil 2004;85(3):432–8.
173. Gil-Agudo A, Baydal-Bertomeu J, Fernández-Bravo C, et al. Determinación de parámetros cinéticos en las pruebas de equilibrio y marcha de pacientes con latigazo cervical. Rehabilitación 2006;40(3):141–9.
174. Michaelson P, Michaelson M, Jaric S, et al. Vertical posture and head stability in patients with chronic neck pain. J Rehabil Med 2003;35(5):229–35.
175. Dehner C, Heym B, Maier D, et al. Postural control deficit in acute QTF grade II whiplash injuries. Gait Posture 2008; 28(1):113–19.
176. Bianco A, Pomara F, Petrucci M, et al. Postural stability in subjects with whiplash injury symptoms: results of a pilot study. Acta Otolaryngol 2014;134(9):947–51.
177. Quek J, Brauer SG, Clark R, et al. New insights into neck-painrelated postural control using measures of signal

frequency and complexity in older adults. Gait Posture 2014;39(4): 1069–73.
178. Roth V, Kohen-Raz R. Posturographic characteristics of whiplash patients. In: Proceedings of the XXth regular meeting of the Barany Society, 1998; Würzburg, Germany, 11–17 September 1998.
179. Doyle RJ, Hsiao-Wecksler ET, Ragan BG, et al. Generalizability of center of pressure measures of quiet standing. Gait Posture 2007;25(2):166–71.
180. Raymakers JA, Samson MM, Verhaar HJ. The assessment of body sway and the choice of the stability parameter(s). Gait Posture 2005;21(1):48–58.
181. Lin D, Seol H, Nussbaum MA, et al. Reliability of COP-based postural sway measures and age-related differences. Gait Posture 2008;28(2):337–42.
182. Lafond D, Corriveau H, Hebert R, et al. Intrasession reliability of center of pressure measures of postural steadiness in healthy elderly people. Arch Phys Med Rehabil 2004;85(6):896– 901.
183. Centomo H, Termoz N, Savoie S, et al. Postural control following a self-initiated reaching task in type 2 diabetic patients and age-matched controls. Gait Posture 2007;25(4): 509–14.
184. Cornilleau-Peres V, Shabana N, Droulez J, et al. Measurement of the visual contribution to postural steadiness from the COP movement: methodology and reliability. Gait Posture 2005;22(2):96–106.
185. Carpenter MG, Frank JS, Silcher CP, et al. The influence of postural threat on the control of upright stance. Exp Brain Res 2001;138(2):210–18.
186. Gagey PM, Toupet M. Orthostatic postural control in vestibular neuritis: a stabilometric analysis. Ann Otol Rhinol Laryngol 1991;100(12):971–5.
187. Liang Z, Clark R, Bryant A, et al. Neck musculature fatigue affects specific frequency bands of postural dynamics during quiet standing. Gait Posture 2014;39(1):397–403.
188. APF. Normes 85. Paris: Association Francaise de Posturologie; 1985.
189. Bizzo G, Guillet N, Patat A, et al. Specifications for building a vertical force platform designed for clinical stabilometry. Med Biol Eng Comput 1985;23(5):474–6.
190. Chagdes JR, Rietdyk S, Haddad JM, et al. Multiple timescales in postural dynamics associated with vision and a secondary task are revealed by wavelet analysis. Exp Brain Res 2009; 197(3):297–310.
191. Friedrich M, Grein HJ, Wicher C, et al. Influence of pathologic and simulated visual dysfunctions on the postural system. Exp Brain Res 2008;186(2):305–14.
192. Patel M, Fransson PA, Johansson R, et al. Foam posturography: standing on foam is not equivalent to standing with decreased rapidly adapting mechanoreceptive sensation. Exp Brain Res 2011;208(4):519–27.
193. Oppenheim U, Kohen-Raz R, Alex D, et al. Postural characteristics of diabetic neuropathy. Diabetes Care 1999;22(2): 328–32.
194. Paillard T, Costes-Salon C, Lafont C, et al. Are there differences in postural regulation according to the level of competition in judoists? Br J Sports Med 2002;36(4):304–5.
195. Kapoula Z, Matheron E, Demule E, et al. Postural control during the Stroop test in dyslexic and non dyslexic teenagers. PLoS ONE 2011;6(4):e19272.
196. Golomer E, Dupui P, Sereni P, et al. The contribution of vision in dynamic spontaneous sways of male classical dancers according to student or professional level. J Physiol (Paris) 1999;93(3):233–7.
197. Lacour M, Bernard-Demanze L, Dumitrescu M. Posture control, aging, and attention resources: models and postureanalysis methods. Neurophysiol Clin 2008;38(6):411–21.
198. Golomer E, Dupui P, Bessou P. Spectral frequency analysis of dynamic balance in healthy and injured athletes. Arch Int Physiol Biochim Biophys 1994;102(3):225–9.
199. Golomer E, Dupui P. Spectral analysis of adult dancers' sways: sex and interaction vision-proprioception. Int J Neurosci 2000;105(1–4):15–26.
200. Nagy E, Toth K, Janositz G, et al. Postural control in athletes participating in an ironman triathlon. Eur J Appl Physiol 2004;92(4–5):407–13.
201. Ghilardi P, Casani A, Fattori B, et al. Static posturography and whiplash. In: Alpini D, Brugnoni G, Cesarani A, editors. Whiplash injuries. 2nd ed. Milan: Springer; 2014. p. 171–84.
202. Röijezon U, Björklund M, Djupsjöbacka M. The slow and fast components of postural sway in chronic neck pain. Man Ther 2011;16(3):273–8.
203. Persson L, Karlberg M, Magnusson M. Effects of different treatments on postural performance in patients with cervical root compression. A randomized prospective study assessing
204. the importance of the neck in postural control. J Vestib Res 1996;6(6):439–53.
205. Reid SA, Rivett DA. Manual therapy treatment of cervicogenic dizziness: a systematic review. Man Ther 2005;10(1): 4–13.
206. Treleaven J. Sensorimotor disturbances in neck disorders affecting postural stability, head and eye movement control – Part 2: case studies. Man Ther 2008;13(3):266–75.
207. Wing LW, Hargrave-Wilson W. Cervical vertigo. Aust N Z J Surg 1974;44(3):275–7.
208. Reid SA, Rivett DA, Katekar MG, et al. Sustained natural apophyseal glides (SNAGs) are an effective treatment for cervicogenic dizziness. Man Ther 2008;13(4):357–66.
209. Reid SA, Callister R, Katekar MG, et al. Effects of cervical spine manual therapy on range of motion, head repositioning, and balance in participants with cervicogenic dizziness: a randomized controlled trial. Arch Phys Med Rehabil 2014;95(9): 1603–12.
210. Reid SA, Rivett DA, Katekar MG, et al. Comparison of Mulligan sustained natural apophyseal glides and Maitland mobilizations for treatment of cervicogenic dizziness: a randomized controlled trial. Phys Ther 2014;94(4):466–76.
211. Reid SA, Callister R, Snodgrass SJ, et al. Manual therapy for cervicogenic dizziness: long-term outcomes of a randomised trial. Man Ther 2015;20(1):148–56.
212. Watson DH, Trott PH. Cervical headache: an investigation of natural head posture and upper cervical flexor muscle performance. Cephalalgia 1993;13(4):272–84, discussion 232.
213. Jull G, Barrett C, Magee R, et al. Further clinical clarification of the muscle dysfunction in cervical headache. Cephalalgia 1999;19(3):179–85.
214. Falla D, Jull G, Rainoldi A, et al. Neck flexor muscle fatigue is side specific in patients with unilateral neck pain. Eur J Pain 2004;8(1):71–7.
215. Falla D, Jull G, Edwards S, et al. Neuromuscular efficiency of the sternocleidomastoid and anterior scalene muscles in patients with chronic neck pain. Disabil Rehabil 2004;26(12): 712–17.

216. Falla D, Jull G, Hodges PW. Feedforward activity of the cervical flexor muscles during voluntary arm movements is delayed in chronic neck pain. Exp Brain Res 2004;157(1): 43–8.
217. Falla D, Bilenkij G, Jull G. Patients with chronic neck pain demonstrate altered patterns of muscle activation during performance of a functional upper limb task. Spine 2004;29(13): 1436–40.
218. Falla D. Unravelling the complexity of muscle impairment in chronic neck pain. Man Ther 2004;9(3):125–33.
219. Falla DL, Jull GA, Hodges PW. Patients with neck pain demonstrate reduced electromyographic activity of the deep cervical flexor muscles during performance of the craniocervical flexion test. Spine 2004;29(19):2108–14.
220. Nederhand MJ, Hermens HJ, IJZerman MJ, et al. Chronic neck pain disability due to an acute whiplash injury. Pain 2003;102(1–2):63–71.
221. Falla D, Rainoldi A, Merletti R, et al. Myoelectric manifestations of sternocleidomastoid and anterior scalene muscle fatigue in chronic neck pain patients. Clin Neurophysiol 2003;114(3):488–95.
222. Elert J, Kendall SA, Larsson B, et al. Chronic pain and difficulty in relaxing postural muscles in patients with fibromyalgia and chronic whiplash associated disorders. J Rheumatol 2001;28(6): 1361–8.
223. Sarig-Bahat H, Weiss PL, Laufer Y. Cervical motion assessment using virtual reality. Spine 2009;34(10):1018–24.
224. Sarig-Bahat H, Weiss PL, Laufer Y. Neck pain assessment in a virtual environment. Spine 2010;35(4):E105–12.
225. Sarig Bahat H, Weiss PL, Laufer Y. The effect of neck pain on cervical kinematics, as assessed in a virtual environment. Arch Phys Med Rehabil 2010;91(12):1884–90.
226. Sarig Bahat H, Chen X, Reznik D, et al. Interactive cervical motion kinematics: sensitivity, specificity and clinically significant values for identifying kinematic impairments in patients with chronic neck pain. Man Ther 2015;20(2): 295–302.
227. Sarig Bahat H, Takasaki H, Chen X, et al. Cervical kinematic training with and without interactive VR training for chronic neck pain – a randomized clinical trial. Man Ther 2015;20(1): 68–78.
228. Hansson EE, Mansson NO, Hakansson A. Effects of specific rehabilitation for dizziness among patients in primary health care. A randomized controlled trial. Clin Rehabil 2004;18(5):558–65.
229. Schneider KJ, Meeuwisse WH, Nettel-Aguirre A, et al. Cervicovestibular rehabilitation in sport-related concussion: a randomised controlled trial. Br J Sports Med 2014;48(17):1294–8.
230. Shepard NT, Telian SA, Smith-Wheelock M, et al. Vestibular and balance rehabilitation therapy. Ann Otol Rhinol Laryngol 1993;102(3 Pt 1):198–205.
231. Yardley L, Beech S, Zander L, et al. A randomized controlled trial of exercise therapy for dizziness and vertigo in primary care. Br J Gen Pract 1998;48(429):1136–40.
232. Cohen HS, Kimball KT. Increased independence and decreased vertigo after vestibular rehabilitation. Otolaryngol Head Neck Surg 2003;128(1):60–70.

편타손상과 관련된 9가지 물리적 및 심리적 요인: 물리치료 평가 및 관리에 대한 영향

PHYSICAL AND PSYCHOLOGICAL FACTORS INVOLVED IN WHIPLASH: IMPLICATIONS FOR PHYSIOTHERAPY ASSESSMENT AND MANAGEMENT

소개
INTRODUCTION

편타손상 관련 장애(WAD)는 일반적이고 장애화되는 비용이 많이 드는 경향이 있다. 수치는 코호트 연구에 따라 다르지만, 대부분의 국제 데이터에 따르면 최대 50%의 사람들이 완전히 회복하지 못한다.[1] 완전히 회복되지 않는 사람들의 증상은 경미한 수준의 목 통증 및 관련 장애에서 일상 생활에 상당한 영향을 미치는 중등도/중증 통증 및 장애에 이르기까지 다양하다.[1,2] 의료, 장애, 업무 생산성 손실, 개인 비용을 포함하여 편타손상에 이차적으로 발생하는 관련 비용은 상당하다.[3,4]

현재까지 평가된 대부분의 편타손상의 급성 단계에 대한 치료법은 지속적인 증상이 나타나는 환자의 발병률을 감소시키는 효과를 아직 입증하지 못했다.[5-7] 이것은 이러한 무작위 대조 시험에서 배운 것이 거의 없음을 시사하는 것은 아니다. 실제로 활동을 유지하고 현명한 조언을 하는 것이 대부분의 편타손상자에게 휴식과 목보호대 처방보다 우월하다는 것이 분명하다.[8] 그러나 이러한 치료 접근 방식이 있음에도 상당수의 환자에게서 지속적인 증상이 나타난다. 이에 대한 한 가지 이유는 편타 손상 관련 장애(WAD)와 관련된 잠재적 기전에 대한 고려가 거의 없는 균질한 상태로 보는 것으로 보이는 조사된 치료의 비특이적 특성 때문일 수 있다. 편타 손상 관련 장애는 이전에 가정한 것보다 더 복잡한 조건인 것으로 보인다. 최근 몇 년 동안, 잠재적인 기저 기전의 추측을 가능하게 하는 편타성 충돌 상태의 특성(신체적 및 심리적)에 대한 통찰력을 제공하기 시작했다.

이 장에서는 상태의 신체적, 심리적 징후에 대한 급증하는 지식과 임상 물리치료 실습에 대한 의미를 논의하기 전에 편타손상, 관련된 가능한 구조 및 분류에 대해 간략히 설명한다.

편타손상
THE WHIPLASH INJURY

편타손상에 따른 증상은 본질적으로 다양할 수 있다. 주요 증상은 일반적으로 목의 뒤쪽 영역에서 발생하지만 머리, 어깨 및 팔, 흉부, 견갑골 및 요추 영역으로 방사될 수도 있는 목 통증이다. 두통, 현기증/균형 상실, 시각 장애, 감각 이상, 마취, 쇠약과 같은 증상과 집중력 및 기억력 장애와 같은 인지 장애도 흔하다.[9-11] 증상의 시작은 즉시 발생할 수 있으며 많은 환자에서 최대 12–15시간 동안 지연될 수 있다.[12]

편타손상의 기전은 완전히 밝혀지지 않았지만

일반적으로 다른 분절 수준에서 동시에 발생하는 굴곡 및 신전과 함께 경추의 복잡한 좌굴이 포함된다는 것이 인정된다.[13] 카데바에서 실험해보면 시뮬레이션된 후방 충돌에 노출된 하부 경추의 분절 간 과신전, S-곡선 형성 및 상부 경추의 차등 가속을 포함하여 분절 운동의 혼란을 생명공학적 연구에서 입증했다.[14,15] 흉추 경사(thoracic ramping)라고 하는 상부 흉추의 위쪽 방향 가속 및 신전/회전을 포함하는 이차 흉추 움직임도 발생한다.[15] 편타손상에 대한 문서화된 척추 운동학은 주로 가장 일반적으로 보고되는 사고인 후방 충돌에 초점을 맞추었다. 전후방 충돌 및 측면 충돌을 비롯한 다른 충돌 방향이 자주 발생한다는 점에 유의해야 한다. 근육 활성화가 후방 충돌과 비교할 때 이러한 충돌 방향에서 머리와 목의 반응에 더 큰 영향을 미치므로 연조직에 대한 보호 능력이 있다는 일부 증거가 있다.[15,16]

편타손상 후 거의 모든 경추 구조가 손상될 수 있다고 생각할 수 있다. 생체 내에서 편타성 충돌 후 손상된 구조를 식별하려는 탐구는 이러한 보다 미묘한 병변을 식별하기 위한 현재 영상 기술의 둔감함으로 인해 복잡하다.[17] 그럼에도 불구하고, 자동차 충돌(MVC)로 명백한 병변이 있는 비생존 경우에서 병변이 발생할 가능성을 확인하는 생명공학 연구, 병변의 가능성 입증, 카데바 연구의 증거를 종합할 때, 부상당한 사람들 중 적어도 일부의 병리학 병변의 존재에 대한 합리적인 주장이 있다. 다른 것들 사이에서 손상된 구조에는 특히 관절돌기간 관절, 추간판, 활액주름, 척추체 및 신경 조직(후근 신경절, 척수 또는 뇌간 포함)이 포함될 수 있다.[19]

임상 연구는 생물 공학 및 카데바 연구 모두에서 잠재적인 구조적 병변의 발견에 대한 일부 지원을 제공한다. Lord 등은[20] 위약조절된 관절 블록을 사용하여 편타손상 후 지속적인 통증이 있는 일부 환자에서 상당한 통증 완화를 달성함으로써 관절돌기간 관절의 관절병증이 만성 편타 손상 관련 장애(WAD)와 연결시켰다. Smith와 동료들은 또한 만성 편타손상 관련 장애 환자에서 관절돌기간관절의 고주파 신경절제술 후 통증과 통각과민에 대한 심리적 고통과 정량적 감각 측정의 감소를 보여주었다.[21,22]

편타손상 및 회복 경로의 분류 CLASSIFICATION OF WHIPLASH INJURY AND RECOVERY PATHWAYS

퀘벡 특별팀(Quebec Task Force, QTF)의 편타손상 분류(**표 9–1**)는[23] 1995년에 제안되었으며 현재 전 세계적으로 여전히 사용되는 분류 방법이다. QTF 시스템은 다소 단순하고 징후와 증상에만 기초하지만, 이를 통해 편타손상 관련 질병(WAD)의 환자 관리에 관여하는 의사 및 기타 이해 관계자가 해당 상태에 대해 공통 언어를 가질 수 있다. 대부분의 환자는 편타손상 관련 질병 II(WAD II) 분류에 속하지만, 이 그룹의 건강 결과는 다양할 수 있으며 이는 QTF시스템의 한 가지 문제로 요약되었다.[24] QTF시

표 9-1

편타성 관련 장애의 퀘벡 특별팀 분류 (Quebec Task Force, QTF)

퀘벡 특별팀 분류 등급	임상보고
0	목관련 통증 없음 신체 증후 없음
I	통증, 경직, 압통 한정 목통증 신체 증후 없음 목통증
II	다음을 포함하는 근골격계 징후 ▪ 감소된 가동범위 ▪ 압통점
III	목통증 근골격계 징후 다음을 포함하는 신경학적 징후 ▪ 심부건 반사 감소 또는 소멸 ▪ 근력저하 ▪ 감각 결핍
IV	목 통증과 골절 또는 탈구

From Spitzer et al.[23]

스템에 대한 수정이 제안되었지만 일반적으로 더 복잡했으며 이러한 이유로 편타손상 관련 질병(WAD) 관리에 관련된 모든 이해 관계자가 쉽게 채택하지 않는다.

코호트 연구에 따르면, 회복이 발생하는 경우 부상 후 처음 2–3개월 이내에 회복되며 이 시점 이후에는 상태가 안정된다.[2,25] 전반적인 회복이 좋지 않은 사람들의 경우에도 이 초기 부상 후 기간에는 초기에 증상이 어느 정도 감소하는 것으로 보인다. 최근에 궤적 모델링 분석을 사용하여 편타손상 후 세 가지 뚜렷한 임상 회복 경로가 확인되었다.[2]

1. 통증 관련 장애의 초기 수준이 경증에서 중등도이고 회복이 좋은 양호한 회복 경로(45% 또는 사람들이 이 경로를 따를 것으로 예상된다).
2. 초기 중등도/중증 통증 관련 장애의 경로로 약간의 회복이 있지만 장애 수준은 12개월에 중등도로 유지되며 부상당한 사람들의 39%가 이 경로를 따를 것으로 예상된다.
3. 초기 중증 통증 관련 장애의 경로 및 중등도/중증 장애로의 일부 회복, 개인의 16%가 이 경로를 따를 것으로 예상된다.

편타성 상태의 물리적 특성(Physical characteristics of the whiplash condition)

편타손상을 입은 개인에서 특정 구조적 병변을 식별할 수 있다는 것이 중요할 수 있지만, 증상의 병리해부학적 원인을 식별하는 것은 근골격 통증의 적절한 관리에 대한 근거가 거의 없고 대신 고통스러운 상태의 기저에 깔린 기전과 과정을 지향하는 치료를 해야 한다는 것은 논란이 된다.[26,27]
이 경우 이 저자들은 신경병성 통증 상태를 언급했지만 다른 근골격계 상태에 대한 유사한 접근이 필요하다. 편타성 장애와 관련하여 다양한 신체적, 정신적 손상이 이 상태를 특징짓는 것으로 나타나고 있다.

움직임, 운동 및 감각운동 기능장애 (Movement, motor and sensorimotor dysfunction)

편타손상 장애(WAD)에서 가장 흔히 확인되는 운동 결손은 움직임 상실 또는 경추 가동 범위 감소이다.[28,29] 대부분의 전향적 연구에 따르면, 편타손상을 입은 모든 개인은 부상 직후부터 경추의 활동 범위가 상실된다.[30,31] Kasch 등은[30] 회복 또는 비회복 여부에 관계없이 부상 후 3개월까지 모든 개인에서 운동 손실의 회복이 발생했다고 보고했다.[30,31] 그러나 편타성 대상을 보다 정확하게 분류하면 지속적인 중등도/중증 수준의 통증 및 장애(NDI로 측정)를 갖는 대상이 부상 후 3개월에 활성 운동 손실을[28] 계속 표시함을 알 수 있다. 대조적으로, 회복하거나 또는 덜한(그러나 여전히 유의한) 통증을 갖는 참가자와 장애는 Kasch와 동료들이 본 것과 유사한 운동 손실의 회복을 보였다(**그림 9–1**). 이것은 통증과 장애 수준에 기초한 편타손상을 가진 개인을 구별하는 것의 중요성을 보여준다.

경추와 견갑대 영역 모두에서 변경된 근육 가동 패턴은 만성 편타손상 관련 장애(WAD)의 특징인 것으로 분명히 나타났다.[32,33] 세로 데이터는 이러한 변화가 손상 직후부터 명백하게 나타나며,[28,33] 고통과 장애가 더 높은 수준으로 보고된 사람들에서 더 큰 결손이 있음을 보여준다.[28] 장애가 있는 운동 패턴은 지속적인 만성 증상이 있는 사람뿐만 아니라 경미한 통증과 장애가 있는 사람과 부상 후 상당한 기간(3개월 및 2년)에 이 현상이 완전히 회복되었다고 보고한 사람에게도 지속된다는 점에 유의하는 것이 중요하다.[28,34] 이러한 지속적인 근육 조절 결핍은 회복된 개인의 훗날 목 통증 사건에 더 취약하게 만들 수 있지만 이 제안은 아직 입증되지 않았다. 그럼에도 불구하고, 이러한 결과는 편타손상이 경추의 운동 기능에 미치는 상당한 영향을 보여주고 보고된 증상과 상관

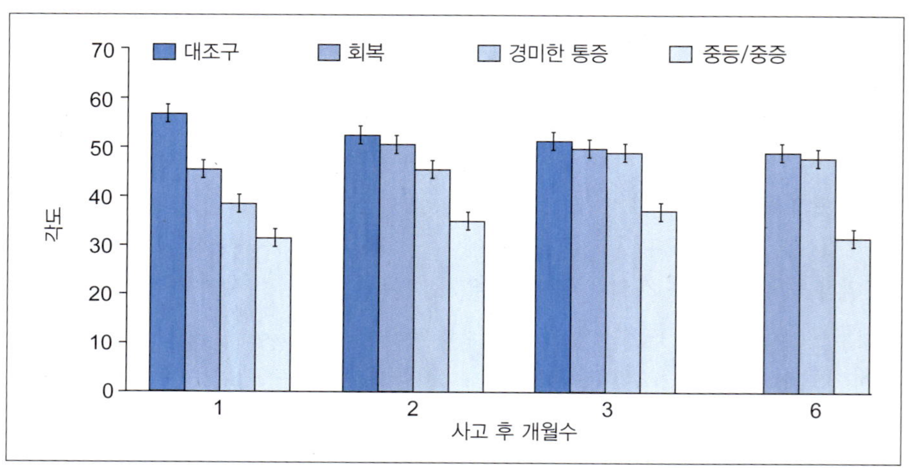

그림 9-1 ■ 편타손상 그룹(회복, 경미한 통증 및 장애, 중등도/중증 통증 및 장애) 및 부상 후 1개월 미만, 2개월, 3개월 및 6개월 미만의 활성 신전을 위한 대조군에 대한 평균(SEM).

없이 편타손상을 가진 모든 사람들의 관리에서 조기 및 특정 재활이 중요할 것임을 나타낸다.

감각운동 기능장애는 또한 급성 및 만성 편타손상 관련 장애(WAD)의 특징이다. 이 감각운동 기능장애에 대한 조사는 운동 미학적 결함, 균형 장애 및 안구 운동조절 상실의 세 가지 영역에 초점을 맞추었다. 주로 관절 재배치 오류가 증가하는 형태의 운동감각적 결함이 만성 편타손상 관련 장애에서 자주 나타나는 것으로 나타났으며, 현기증이 있는 환자에서는 위치 변경 오류가 더 크다.[10,35] 균형 교란은 만성 편타손상 관련 장애에서도 분명하며(어지러움을 보고하는 사람들은 다시 악화됨) 약물 유형, 불안 또는 보상 상태와 같은 교란 요인과 관련이 없는 것으로 보인다.[36] 연성 목 비틀림 검사는 목에 영향을 미치는 안구 운동 제어의 척도로 사용되었다.[37] 이 검사에서는 머리를 중립 위치에 두고 안구 운동 제어를 측정한 다음 머리 아래에서 몸통을 회전시킨 안구 운동(목 비틀림)과 비교한다.[37] 편타손상 관련 장애환자는 전정 장애 또는 중추신경계 장애가 있는 환자에서 분명하지 않은 목 뒤틀린 자세에서 방해 받는 안구 운동 제어를 보인다. 현기증이 있는 만성 편타손상 환자는 다시 안구 운동조절의 더 큰 손실을 보인다.[38]

감각운동 장애는 편타손상의 평가와 치료에서 고려해야 할 중요한 문제가 될 것이 분명하다. 만성 편타손상 관련 장애(WAD)를 가진 모든 사람들이 어느 정도 결핍을 보이는 반면, 어지러움 또는 불안정성을 보고하는 환자는 더 큰 결손을 보이며, 이는 어지러운 편타손상을 입은 개인의 관리에서 이러한 요인에 중점을 둘 필요가 있음을 나타낸다. 관절 재배치 오류의 측정값만이 편타손상의 급성 단계에서 조사되었으며, 부상 후 몇 주 이내에 특히 중등도/심각한 수준의 통증 및 장애가 있는 사람들에게 더 큰 오류가 존재하는 것으로 나타났다.[28]

대부분의 임상의는 손상된 경추 관절 또는 근육 구조의 무질서한 구심성 입력 때문이라는 제안에 동의하지만 편타손상 관련 장애(WAD)의 감각운동 장애의 기본 기전은 완전히 명확하지 않았다.[10,39] 그러나 근방추 활동에 대한 염증 매개체의 영향, 중추신경계 기능에 대한 통증의 영향, 전정 기능 장애 및 약물 및 불안의 잠재적 영향과 같은 다른 요인은 아직 배제되지 않았다.

편타손상에서 중추 과흥분성에 대한 증거(Evidence for central hyperexcitability in whiplash)

운동 기능장애가 편타손상 관련 장애(WAD)의 일관된 특징인 것으로 밝혀진 반면, 이러한 기능장애는 특발성 목 통증, 즉 비외상적 성격의 목 통증이 있는 사람들에게도 나타난다.[32,33,40] 대조적으로, 감각 과민성(중추 과민성)은 두 가지 목 통증 상태를 구별하는 특징일 수 있으며 편타손상 관련 장애 환자가 자주 보고하는 더 높은 수준의 통증과 장애를 설명하는 데 도움이 될 수 있다.[41]

수많은 코호트의 일관된 증거는 편타손상 관련 장애(WAD)의 다양한 자극에 대한 감각 과민증(또는 통증 역치 감소)의 존재를 보여준다. 최근 2건의 체계적인 검토는 만성 편타손상 관련 장애에서 발견되는 손상 부위의 국소 및 원격 부위에서 광범위한 감각 과민증의 감각 표현이 중추신경계 내에서 증가된 통각 처리 또는 감작의 존재를 나타낸다는 중간 정도의 증거가 있다고 결론지었다.[42,43] 이후의 발견은 척수 과흥분성[44] 및 손상된 하행 억제 기전[45]의 명백한 증거로 이것을 뒷받침할 것이다. 건강한 대조군과 비교할 때 비외상성 목 통증에서 중추 과민성을 나타내는 유사한 발견에 대한 일부 보고[46]가 있는 반면, 비외상성 목 통증과 편타손상 관련 장애(WAD)는 후자의 외상성 목 통증 그룹에서 더 두드러진 감각 장애를 나타낸다.[41,47,48] 이러한 발견은 외상성 발병 여부에 따라 다양한 침해수용성 처리 기전이 경부 통증의 기초가 될 수 있음을 시사하며, 이는 비외상성 경부 통증 환자에서 물리적 치료에 더 나은 반응을 보이는 한 가지 이유가 될 수 있다.[49,50] 또한 목 통증 분류 시스템이 이러한 결과를 고려해야 하며 모든 목 통증에 대한 단일 분류 시스템이 최적이 아닐 수도 있음을 시사한다. 이러한 제안은 추가 조사가 필요하다.

경추의 국소적인 기계적 통각과민은 만성 편타성 및 특발성 목 통증 모두에 공통적인 것으로 보이며 지속적인 말초 통각수용성 원인을 나타낼 수 있다.[41,51] 목 통증 상태의 만성 단계에 존재하는 것 외에도 국소 기계적 통각과민은 환자가 보고한 증상 강도 및 장애 수준에 관계없이 급성 편타손상 후에 발생하는 것으로 나타났다.[28,30] 그러나, 국소 기계적 통각과민은 회복되거나 계속 경미한 증상을 보고한 사람들에서 몇 주 이내에 해결되었지만, 부상 후 6개월에 중등도/중증 성질의 지속 증상을 보고하는 편타성 환자에서 변화가 없이 지속적으로 변화가 없었다.[28]

대조적으로, 광범위한 감각 과민증 현상은 편타손상 관련 장애(WAD)에 고유할 수 있다. Scott 등은 만성 편타손상 관련 장애 피험자들은 특발성 목 통증 피험자에는 없는 경추와 멀리 떨어진 부위의 압력, 열 및 냉기 자극에 대한 통증 역치를 낮추는 것과 관

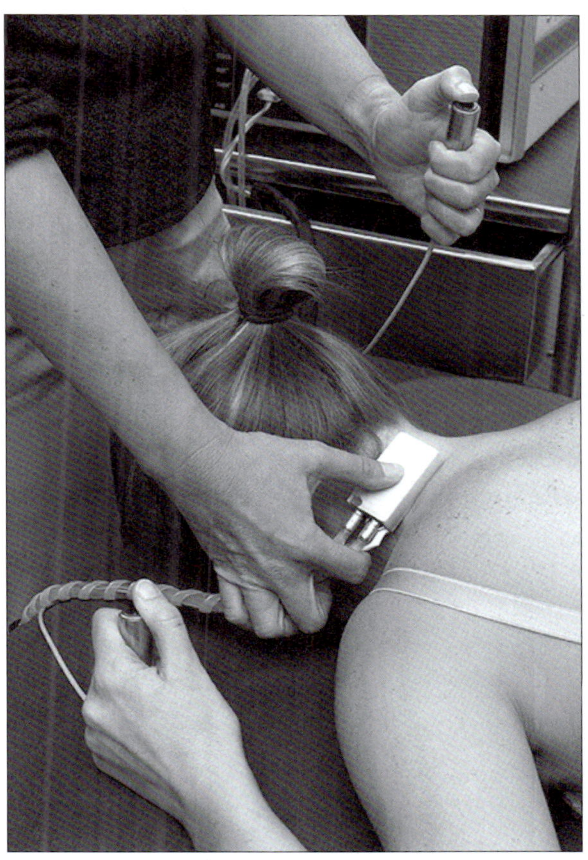

그림 9-2 ■ 실험실 환경에서 경추에 대한 냉통 역치 측정. 열극은 30° C로 사전 설정되고 참가자가 처음으로 통증을 느낄 때까지 1° C/초로 증가한다.

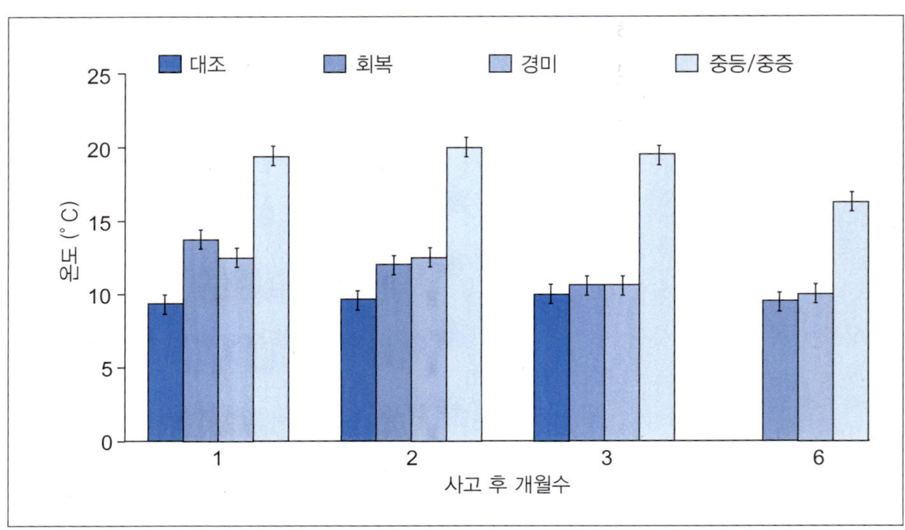

그림 9-3 ■ 대조군(1-3개월)의 냉통 역치(경추에 대해 측정) 및 3개의 편타성 그룹(회복 NDI 8 미만, 경증 증상 NDI 10-28, 중등도/중증 증상 NDI 30초과) 부상 후 1, 2, 3, 6개월 시점. 중등도/심각한 증상이 지속되는 편타손상 그룹은 부상 후 1개월 이내에 냉담한 통각과민을 나타내지만 해결되지 않는다.

련된 더 복잡한 표현을 보여주었다. 이런 상태 간의 차이에 대한 이유는 명확하지 않지만, 더 심각하고 광범위한 통증이 있는 상태가 더 큰 정도의 감각 과민성을 나타낸다는 것이 입증되었다.[52] 편타손상 관련 장애(WAD) 환자는 일반적으로 더 높은 수준의 통증과 장애를 보고하며[41] 적어도 임상적으로는 더 광범위한 통증을 느끼는 경향이 있다. Scott과 동료들의 연구 결과는[41] 편타손상 관련 장애가 중추신경계 내에서 발생할 가능성이 가장 높은 통증의 신경생물학적 처리에서 보다 복잡한 변화를 포함하는 상태임을 입증하는 이전 지식 체계에 추가되었다.

만성 편타손상 관련 장애(WAD)의 일관된 특징인 광범위한 감각 과민증이 부상 직후에 나타나는 것으로 나타났으며, 적어도 기능 회복이 좋지 않은 편타손상을 입은 사람들에게서 나타난다.[53,54] 가장 중요한 것은 한랭 통각과민의 감각적 특징이 손상 후 6개월 및 2년의 장기 추적 관찰에서 불량한 회복에 대한 예후 지표인 것으로 보인다는 것이다(**그림 9-2** 및 **9-3**).[34,55-57] 물리치료사는 만성 증상의 발달 경향을 나타낼 수 있는 환자의 임상 양상에 주의를 기울이는 것이 필수적이며, 이러한 이유로 감각 기능의 평가가 중요할 것이다.

편타성 관련 장애와 관련된 심리적 요인
PSYCHOLOGICAL FACTORS INVOLVED IN WHIPLASHASSOCIATED DISORDERS

고통스러운 근골격 질환과 마찬가지로 심리적 요인과 건강 결과간의 관계는 잘 문서화되어 있으며 이는 편타손상에서도 마찬가지이다. 일반적으로 심리적 요인만으로는 부상 후 회복 불량을 완전히 설명할 수 없지만 다른 과정과 상호 작용하고 증상 지속에 역할을 할 가능성이 있다고 간주된다. 편타손상의 경우 일부 연구에서는 외상 후 부하 증상,[57,58] 극심한 통증[59] 및 회복에 대한 부정적인 기대를[60] 포함한 일부 요인이 예후 능력을 보여주었다. 다른 심리적 요인에는[59,61] 우울증과 움직임에 대한 두려움이[62,63] 포함되며 예후에 대한 상반된 증거가 있다.

편타손상 관련 장애(WAD)는 외상성 사건, 일반

적으로 자동차충돌사고(MVC)에[6] 의해 시작된다. 외상후 스트레스 장애(PTSD)는 자동차충돌사고(MVC)에 따른 일반적인 심리적 후유증이지만 편타손상 관련 장애에서 조사된 것은 최근의 일이다. 목 통증에 대한 고통과 대조적으로 또는 추가로 충돌 자체를 둘러싼 고통의 효과는 결과에 상당한 영향을 미칠 수 있다. 최근 데이터에 따르면, 외상후 스트레스 장애 증상은 자동차충돌사고[58,65,66] 후 편타손상을 입은 개인에서 드문 일이 아니다. 외상 후 부하 증상의 조기 존재는 손상으로부터의 열악한 기능 회복과 관련이 있는 것으로 나타났다.[55,57,58] 편타손상을 입은 개인의 상당한 비율(10–25%)은 목 통증의 주요 징후[58,67,68] 외에도 외상후 스트레스 장애의 진단 기준을 충족하며 이러한 통증과 외상후 스트레스 장애의 동반 질환은 부상 후 불량한 회복에 기여할 수 있다.

통증/장애의 발달과 외상후 스트레스 장애(PTSD) 증상은 관련이 있는 것으로 보이며, 연구는 외상후 스트레스 장애와 통증 사이의 잠재적인 공유 신경생물학적 경로에 초점을 맞추기 시작했다.[69,70] 편타손상 관련장애(WAD) 연구와 관련하여 통증 관련 외상후 스트레스 장애 증상을 예측하는 것 외에도 부상 후 장애, 초기에 더 높은 통증 수준이 나중의 외상후 스트레스 장애 증상을 예측하는 역관계도 존재한다.[56] 이 연구에서 한랭 통각 과민은 또한 통증 관련 장애와 외상후 스트레스 장애 증상을 모두 예측했다. 통증 관련 장애와 외상후 스트레스 장애 증상 사이의 관계에 대한 추가 조사가 실험 연구에서 수행되었다. 외상후 스트레스 장애 증상을 개선하기 위한 중재는 통증과 장애 감소에도 효과가 있는 것으로 나타났다. 예비 무작위 대조 시험에서 Dunne 등은[71] 외상후 스트레스 장애에 대한 증거 기반 치료인 외상 중심 인지행동요법(CBT)이 만성 WAD 환자에서 외상후 스트레스 장애 증상 및 외상후 스트레스 장애 진단의 예상되는 감소 외에도 통증 및 장애에 임상적으로 관련된 변화를 초래했음을 보여주었다. 후기 연구에서 만성 편타손상 관련 장애에서도 외상 단서 노출이 경추 부위에서 측정된 더 큰 냉기 및 기계적 통각과민을 초래하는 것으로 나타났다.[73]

따라서 편타손상 후 통증, 장애 및 외상 후 스트레스 장애(PTSD) 증상 사이의 밀접한 관계를 보여주는 데이터가 축적되고 있다.

편타손상에 따른 결과 예측
THE PREDICTION OF OUTCOME FOLLOWING WHIPLASH INJURY

편타손상을 입은 사람들의 최대 50%가 지속적인 통증과 장애를 보고하므로, 회복이 잘 되지 않을 위험이 있는 사람들과 잘 회복될 사람들을 모두 임상적으로 식별할 수 있는 것이 중요하다. 이것은 가장 필요한 사람들에게 계속 줄어들고 있는 건강 자원을 목표로 삼는데 도움이 될 수 있다. 회복 불량에 대한 가장 일관된 위험 요소는 처음에는 보고된 통증 수준이 높을 수록, 처음에는 장애 수준이 더 높다는 것이다.[1,74] 최근 메타 분석에 따르면, 초기 통증 점수가 시각 아날로그 척도(VAS)에서 5.5/10 이상이고 목 장애 지수(NDI)에서 29% 이상 점수가 임상 사용에 유용한 컷오프 점수임을 나타낸다.[74] 불량한 기능 회복을 예측하는 이 두 가지 요인의 일관성을 고려할 때 급성 말초혈관질환 환자의 평가에 필수적이어야 한다.[75]

다양한 연구에서 예후 능력을 보여주는 다른 요인들도 확인되었다. 여기에는 초기 중등도의 외상 후 부하 증상의 심리적 요인, 극심한 통증 및 우울한 기분의 증상이 포함된다.[1,57,59] 추가적으로, 회복에 대한 낮은 기대는 낮은 회복을 예측하는 것으로 나타났다.[60,76]

냉각 통각과민은 부상 후 12개월에 장애 및 정신 건강 결과를 예측하는 것으로 나타났으며[34,56] 한랭 압력 검사로 측정된 한랭 통증 내성 감소는 지속적인 장애를 예측했다.[53] 최근의 체계적인 검토는 냉각 통각과민을 부정적인 예후 지표로 뒷받침할 수 있는 적당한 증거가 있다고 결론지었다.[77] 낮은 압력 통증 역치(기계적 통각과민)와 같은 다른 감각 측정은 일관되지 않은 예후 능력을 보여주었다. Walton 등은[78] 다리의 말단 부위에 대한 압력 통증 역치가 손상 후 3개월에 목 통증 관련 장애를 예측한다는 것을 보여주었지만 다른 연구에서는 이 요인이 이후 장애에 대한 독립적인 예측 인자가 아님을 보여주었다. 통각과민 반응의 기초가 되는 정확한 기전은 명확하게 이해되지 않았지만 일반적으로 중추신경계 또는 중추 과흥분성의 증가된 통각 처리를 반영하는 것으로 알려져 있다.[42,79]

물리치료사가 일반적으로 평가하는 일부 요인은 예후 능력을 나타내지 않으며 여기에는 두개경추 굴곡 검사, 관절 재배치 오류 및 균형 상실과 같은 운동 및 감각 운동 기능의 측정이 포함된다.[80] 목 움직임의 감소된 범위는 일관성이 없다. 일부 연구에서는 예측 가능한 것으로 나타났고 다른 연구에서는 그렇지 않았다.[74] 이것은 이러한 요인들이 편타손상 관련 장애(WAD) 환자의 임상 평가에서 고려되어서는 안 되지만 예후를 측정하는 데 사용되어서는 안 된다는 것을 말하는 것은 아니다.[81] 보상 프로세스 및 사고 관련 요인과 관련된 결과를 예측하기 위해 일반적으로 고려되는 다른 요인은 강력한 예후 지표가 아니다. 소득 및 교육 수준과 같은 인구 통계학적 또는 사회적 요인은 일관되지 않은 예측 능력을 나타내지만 일관된 예후 능력을 나타내는 경우는 거의 없다.[74]

편타손상 관련 장애(WAD)의 대부분의 예후 연구는 1상 또는 탐색적 연구였으며 확인 또는 검증 연구는 거의 수행되지 않았다.[82] 검증 연구는 새롭고 독립적인 코호트에서 확인된 요인의 예후 능력을 확인하는 데 중요하다. 최근 연구에서는 초기 장애, 냉각 통각과민, 연령 및 외상 후 부하 증상을 포함하는 일련의 예후 지표에 대한 검증을 수행했다. 결과는 예측 집합이 손상 후 12개월에 완전한 회복 또는 경미한 증상이 남아 있는 환자로부터 중등도/중증 장애 환자를 구별하는 데 우수한 정확도를 보여주었다는 것을 나타낸다.[57] 이러한 결과는 물리치료사가 일반적으로 지속적인 중등도/중증 증상을 보고할 가능성이 있는 환자를 광범위하게 식별하는 것을 목표로 하기 때문에 임상적으로 유용하다.

표 9-2

체계적인 검토 결과를 기반으로 한 편타손상 후 기능 회복 불량의 예후 지표

불량한 회복에 대한 예후 지표라는 일관된 증거를 보여주는 요인	예후 지표가 아니라는 일관된 증거를 보여주는 요인	불일치 증거 요인들
■ 초기 통증 수준: 5.5/10 초과 ■ 초기 장애 수준: NDI 29%초과 ■ 외상 후 부하 증상 ■ 부정적 회복예후 ■ 높은 통증 파국 ■ 냉각 통각과민	■ 사고 관련 사항 (예, 충돌인지, 차량내 위치, 사고 속도) ■ 영상촬영에 대한 소견 ■ 운동 기능장애	■ 고령 ■ 여성 ■ 경추 가동범위 ■ 보상적 관련 요인

이전 코호트 연구의 데이터를 기반으로 만성 중등도/중증 장애와 부상 후 12개월에 완전한 회복을 모두 식별하는 임상 예측 규칙이 최근 개발되었다. 결과는 외상 후 부하 진단 척도(Post-traumatic Stress Diagnostic Scale)의 과각성 하위척도에서 초기 NDI 점수 40%이상, 연령 35세 이상 및 6 이상의 점수가 12개월에 중등도/중증 장애 환자를 공정한 민감도, 좋은 특이성과 72%의 양성 예측 값으로 환자를 예측할 수 있음을 나타낸다.[84] 회복이 잘 될 환자를 예측하는 것도 중요하다. 이러한 환자는 집중적인 개입이 덜 필요하기 때문이다. 초기 NDI 점수가 32% 이하이고, 연령이 35세 이하인 경우, 부상 후 12개월에 완전한 회복이 예상되었으며 양성 예측값은 71%였다.[84]

세 번째 중간 위험 그룹은 만성 통증 및 장애를 회복하거나 발전할 수 있다(NDI 점수 32%초과 및 과각성 하위 척도 3초과 과각성 하위척도에서). 과각성 하위척도는 증상의 빈도를 평가하는 다섯 가지 항목으로 구성된다. 수면장애; 과민성 감정; 집중하기 어려움; 과한 경계; 그리고 쉽게 놀라게 된다.[85]

표 9-2는 불량한 기능 회복에 대한 일관된 예후 지표, 불량한 회복과 관련이 없다는 일관된 증거가 있는 요인 및 일관되지 않은 증거가 있는 요인을 요약한다.

편타손상의 물리치료 평가에 대한 시사점 IMPLICATIONS FOR PHYSIOTHERAPY ASSESSMENT OF WHIPLASH

편타손상환자에 대한 임상 평가는 해당 상태와 관련된 것으로 나타난 신체적, 심리적 과정을 반영하도록 시도해야 한다. 편타손상을 입은 환자에 대한 정확하고 철저한 평가가 필요하며 이는 치료 대상이 될 수 있는 만성의 위험 요소를 식별하기 위해 부상의 급성 단계에서 특히 중요하다.

환자 평가에는 경부 통증 및 두통의 이전 병력과 가능한 부상 기전과 같은 적절한 병력이 포함되어야 한다. 사고 관련 기능이 결과에 대한 일관된 예후 지표로 나타나지는 않았지만[86] 일부 연구에서는 일부 예측 능력을 보여주었다.[87] 통증과 장애 수준은 장기간 회복의 일관된 지표로 반복적으로 나타났으므로[74] 초기 평가에서 이러한 구성을 측정하기 위한 검증된 도구를 사용하는 것이 필수적이다. 환자는 '적신호' 상태(편타손상 관련 장애 IV – 골절/탈구)와 심리사회적 '황색기'의 존재 여부를 선별해야 한다. 편타손상과 관련하여 외상 후 부하의 심리적 요인은 상태의 급성 단계에서 만성 단계로의 전환에 관여하는 것으로 보이며, 임상의는 편타손상 환자의 평가에서 외상 후 부하 증상의 척도(예: 사건의 영향 척도)를 포함하기를 원할 수 있다.[75]

이 장의 앞부분에서 설명했듯이 편타손상 관련 장애(WAD) 환자에서 감각 과민증의 식별은 두 가지 이유로 중요하다. 첫째, 감각 과민증과 불량하거나 지연된 회복의 연관성 때문에,[56,57] 둘째, 임상의에게 감각 과민증의 존재를 경고할 수 있는 환자 인터뷰 및 병력에서 정보를 얻기 때문에, 다음 중추 과흥분성 및 증상 악화의 추가 유발과 같은 물리적 개입을 피하도록 주의해야 한다. 감각 과민증이 있는 편타손상 환자는 항상 더 높은 수준의 통증과 장애를 보고하며 이러한 요인을 측정하는 것의 중요성을 강조다. 감각 과민증의 존재에 대한 추가 단서는 다음을 포함할 수 있다: 상태의 높은 과민성;[88] 기계적 및 열적 이질통의 존재(예: 셔츠 소매 또는 침구가 피부에 닿을 때의 통증 또는 추위에 대한 내성); 및 통증으로 인한 수면 장애. 또한, 감각이상이나 마취와 같은 통증이 없는 증상의 존재를 기록해야 한다. 통증성 및 비통증성 증상을 모두 고려하면 환자의 주관적인 보고로부터 만들어진 신경병성 통증 진단의 정확도를 향상시킬 수 있는 것으로 나타났지만[89] 이것이 편타손상 상태로 추론될 수 있는지 여부는 명확하지 않다.

신체 검사는 감각 과민증의 존재 여부에 대한 추가 표시를 제공한다. 경추의 도수 검사에 대한 통각과민 또는 이질통의 반응은 편타성 환자에서 일반적이며 중추 과흥분성을 반영할 가능성이 있다. 임상 상황에서 압력 알고리즘의 사용은 점점 더 보편화되고 있으며 편타손상 평가에 유용한 도구가 될 것이다. 물론 일부 환자는 편타손상 관련 장애 III(WAD III, 신경학적 결손)으로 분류될 수 있기 때문에 지시된 경우 임상 신경학적 검사(감각 상실, 근력, 반사)가 필요할 것이다. 그러나 이들은 편타손상 환자의 소수인 것으로 보이며 대다수는 현저한 감각 장애를 나타내지만 전도 손실이 없는(WAD II) 이 분류 그룹의 이질적인 특성을 반영한다.[24]

냉각 통각과민 및 교감신경장애의 존재는 편타손상 이후 결과에 중요한 것으로 보인다.[77] 현재 이용 가능한 실험실 장비가 고가여서 임상적 사용이 불가능하기 때문에 냉통 역치의 임상적 평가가 어렵다. 최근 연구에 따르면, 경추에 얼음을 대고 5/10을 초과하는 통증의 시각 아날로그 척도(VAS)는 냉각 통각과민의 실험실 측정과 잘 관련되어 있으며 임상 실습에 유용할 수 있다.[90]

물리치료사는 일상적으로 경추의 움직임 범위를 평가하며, 이는 이 측정의 예후 능력으로 인해 평가의 핵심으로 남을 것이다. 평가에는 경추 및 견갑대 부위의 근육 가동 패턴도 포함되어야 한다. 또한, 감각운동 기능장애의 평가는 임상 상황에서 수행하기 비교적 간단하며 목 통증과 관련된 현기증을 보고하는 편타손상 환자에게 특히 중요하다. Jull 등이[91] 이러한 평가를 수행하는 방법에 대한 자세한 설명을 독자에게 추천한다.

높은 수준의 통증, 장애 및 감각 과민증이 있는 경우, 편타손상 환자의 검사는 최소한 첫 번째 경우에 축소해야 할 수도 있다. 앞서 설명한 이유 때문에 이 환자 그룹에서 증상과 통각과민 반응이 악화되지 않는 것이 중요하다.

물리치료에 대한 시사점 IMPLICATIONS FOR PHYSIOTHERAPY MANAGEMENT

현재 사용 가능한 급성 편타손상 관련 장애(WAD) 관리 지침은 활동 수준 유지, 목 운동 및 단순 진통제를 통해 환자를 안심시키는 데 도움이 된다.[75] 복잡한 표현, 그들은 현저한 신체적 기능장애와 심리적 고통을 모두 포함하는 복잡한 상태를 가진 사람들의 관리에 부적절할 가능성이 높다.

물리치료 중재가 감각 과민성을 조절할 수 있는지 여부는 현재 명확하지 않다. 척추 도수치료는 기계적 통각과민에 대해 통각저하 효과를 나타내지만[92] 냉각 통각과민에도 유사한 효과가 나타나는지는 알려져 있지 않다. 만성 편타손상에 대한 물리 요법(운동 및 도수치료)의 예비 무작위 대조 시험의 결과는 나중에 더 큰 연구에서 그대로 나오지 못하였지만[93] 냉기 및 기계적 통각과민의 존재가 이러한 특징이 없는 사람들에게서 나타나는 통증 및 장애 수준의 효과적인 감소를 완화시킨다는 것을 나타낸다.[50] 이러한 환자는 적절한 통증 완화를 달성하기 위해 약리학적 개입이 필요할 수 있다.

이것은 운동 및 도수치료를 포함한 물리 요법을 제안하지 않고, 편타손상으로 인한 목 통증이 있는 사람들에게 적용되지 않는다. 특정 운동과 도수치료를 결합한 접근 방식은 경추성 두통(특발성 목 통증) 관리에 효과가 있음을 입증했다.[49] 이 치료 접근 방식은 기계적 및 냉각 통각과민이 없는 만성 편타성 환자의 통증과 장애를 감소시키는 것으로 나타났다.[93] 보다 일반적인 등급의 운동 프로그램도 이 환자 그룹에서 어느 정도 효과를 보였다.[94] 그러나 최근 연구에서는 정보와 운동 조언을 제공하는 물리치료사의 단일 세션에 비해 집중적인 12주 운동 프로그램의 효과가 더 크지 않다는 것을 보여주었다.[50] 심리적 요인 및 중추 과흥분성과 같은 추가 과정은 운동외에 특정 표적화를 요구할 수 있으며 이러한 라인에 따른 접근법은 현재 검사되고 있다.

결론 CONCLUSION

물리치료사는 편타손상을 입은 개인을 평가하고 관리하는 데 중요한 역할을 한다. 편타손상 관련 장애(WAD)는 다양한 정도의 신체적(운동, 감각 운동 및 감각) 장애와 심리적 고통을 포함하는 복잡한 이질적 상태라는 것이 이제 인식되고 있다. 임상의는 환자를 정확하게 검사하기 위해 모든 노력을 기울여야 하며 보고된 통증 및 장애 수준 외에도 신체적, 심리적 요인에 대한 평가를 포함해야 한다. 이 데이터는 건전한 임상 추론 기술과 함께 회복이 불량할 위험이 있는 사람들을 조기에 식별하고 최적의 회복 기회를 제공하기 위해 모든 편타손상 환자를 위한 맞춤형 적절한 중재 제도의 토대를 마련해야 한다.

참고문헌

1. Carroll L, Holm L, Hogg-Johnson S, et al. Course and prognostic factors for neck pain in whiplash-associated disorders (WAD). Results of the Bone and Joint Decade 2000–2010 Task Force on Neck Pain and Its Associated Disorders. Spine 2008;33(42):583–92.
2. Sterling M, Hendrikz J, Kenardy J. Developmental trajectories of pain/disability and PTSD symptoms following whiplash injury. Pain 2010;150(1):22–8.
3. Crouch R, Whitewick R, Clancy M, et al. Whiplash associated disorder: incidence and natural history over the first month for patients presenting to a UK emergency department. Emerg Med J 2006;23(2):114–18.
4. MAIC. Annual report 2011-2012. Brisbane; 2012.
5. Jull G, Kenardy J, Hendrikz J, et al. Management of acute whiplash: a randomized controlled trial of multidisciplinary stratified treatments. Pain 2013;154:1798–806.
6. Lamb S, Gates S, Williams M, et al. Emergency department treatments and physiotherapy for acute whiplash: a pragmatic, two-step, randomised controlled trial. Lancet 2013;381(9866): 546–56.
7. Teasell R, McClure J, Walton D, et al. A research synthesis of therapeutic interventions for whiplash-associated disorder (WAD): part 2 – interventions for acute WAD. Pain Res Manag 2010;15(5):295–304.
8. Scholten-Peeters G, Bekkering G, Verhagen A, et al. Clinical practice guideline for the physiotherapy of patients with whiplash associated disorders. Spine 2002;27(4): 412–22.
9. Barnsley L, Lord S, Bogduk N. The pathophysiology of whiplash. Spine State of the Art Reviews 1998;12(2):209–42.
10. Treleaven J, Jull G, Sterling M. Dizziness and unsteadiness following whiplash injury – characteristic features and relationship with cervical joint position error. J Rehabil Med 2003;35(1):36– 43.
11. Radanov B, Sturzenegger M. Predicting recovery from common whiplash. Eur Neurol 1996;36:48–51.
12. Provinciali L, Baroni M. Clinical approaches to whiplash injuries: a review. Crit Rev Phys Rehabil Med 1999;11:339–68.
13. Davis C. Injury threshold: whiplash associated disorders. J Manipulative Physiol Ther 2000;23(6):420–7.
14. Cusick J, Pintar F, Yoganandan N. Whiplash syndrome: kinematic factors influencing pain patterns. Spine 2001;26(11): 1252–8.
15. Stemper B, Yoganandan N, Rao R, et al. Influence of thoracic ramping on whiplash kinematics. Clin Biomech (Bristol, Avon) 2005;20:1019–28.
16. Brolin K, Halldin P, Leijonhufvud I. The effect of muscle activation on neck response. Traffic Inj Prev 2005;6: 67–76.
17. Uhrenholt L, Grunnet-Nilsson N, Hartvigsen J. Cervical spine lesions after road traffic accidents. a systematic review. Spine 2002;27(17):1934–41.
18. Yoganandan N, Pintar F, Cusick J. Biomechanical analyses of whiplash injuries using an experimental model. Accid Anal Prev 2002;34:663–71.
19. Curatolo M, Bogduk N, Ivancic P, et al. The role of tissue damage in whiplash associated disorders. Spine 2011;36(25S): S309–15.
20. Lord S, Barnsley L, Wallis B, et al. Chronic cervical zygapophysial joint pain after whiplash: a placebo-controlled prevalence study including commentary by Derby R Jr. Spine 1996; 21(15):1737–45.
21. Smith A, Jull G, Schneider G, et al. Cervical radiofrequency neurotomy reduces psychological distress and pain catastrophization, but not post-traumatic stress in individuals with chronic WAD. Pain Res Manag 2013;18(2):e13.
22. Smith A, Jull G, Schneider G, et al. Cervical radiofrequency neurotomy reduces Central hyperexcitability and improves neck movement in individuals with chronic whiplash. Pain Med 2014;15(1):128–41.
23. Spitzer W, Skovron M, Salmi L, et al. Scientific Monograph of Quebec Task Force on Whiplash associated Disorders: redefining "Whiplash and its management. Spine 1995;20(8S): 1–73.
24. Sterling M. A proposed new classification system for whiplash associate disorders – implications for assessment and management. Man Ther 2004;9(2):60–70.
25. Kamper S, Rebbeck T, Maher C, et al. Course and prognostic factors of whiplash: a systematic review and meta-analysis. Pain 2008;138(3):617–29.
26. Woolf C, Bennett G, Doherty M, et al. Towards a mechanismbased classification of pain. Pain 1998;77:227–9.
27. Jensen T, Baron R. Translation of symptoms and signs into mechanisms in neuropathic pain. Pain 2003;102(2):1–8.
28. Sterling M, Jull G, Vizenzino B, et al. Development of motor system dysfunction following whiplash injury. Pain 2003;103: 65–73.
29. Dall'Alba P, Sterling M, Trealeven J, et al. Cervical range of motion discriminates between asymptomatic and whiplash subjects. Spine 2001;26(19):2090–4.
30. Kasch H, Flemming W, Jensen T. Handicap after acute whiplash injury. Neurology 2001;56:1637–43.
31. Sterling M, Jull G, Vicenzino B, et al. Characterisation of acute whiplash associated disorders. Spine 2004;29(2):182–8.
32. Jull G, Kristjansson E, Dall'Alba P. Impairment in the cervical flexors: a comparison of whiplash and insidious onset neck pain patients. Man Ther 2004;9(2):89–94.
33. Nederhand M, Hermens H, Ijzerman M, et al. Cervical muscle dysfunction in chronic whiplash associated disorder grade 2. The relevance of trauma. Spine 2002;27(10):1056–61.
34. Sterling M, Jull G, Kenardy J. Physical and psychological predictors of outcome following whiplash injury maintain predictive capacity at long term follow-up. Pain 2006;122:102–8.
35. Heikkil H, Wenngren B. Cervicocephalic kinesthetic sensibility, active range of cervical motion and oculomotor function in patients with whiplash injury. Arch Phys Med Rehabil 1998;79:1089–94.
36. Treleaven J, Jull G, LowChoy N. Standing balance in persistent whiplash: a comparison between subjects with and without dizziness. J Rehabil Med 2005;37:224–9.
37. Tjell C, Rosenhall U. Smooth pursuit neck torsion test: A specific test for cervical dizziness. Am J Otol 1998;19:76–81.
38. Treleaven J, Jull G, LowChoy N. Smooth pursuit neck torsion test in whiplash-associated disorders: relationship to selfreports of neck pain and disability, dizziness and anxiety.

J Rehabil Med 2005;37:219–23.
39. Revel M. Cervicocephalic kinesthetic sensibility in patients with cervical pain. Arch Phys Med Rehabil 1991;72:288–91.
40. Tjell C, Rosenhall U. Smooth pursuit neck torsion test – a specific test for WAD. Journal of Whiplash and Related Disorders 2002;1(2):9–24.
41. Scott D, Jull G, Sterling M. Widespread sensory hypersensitivity is a feature of chronic whiplash-associated disorder but not chronic idiopathic neck pain. Clin J Pain 2005;21(2):175–81.
42. Stone A, Vicenzino B, Lim E, et al. Measures of central hyperexcitability in chronic whiplash associated disorder – a systematic review and meta-analysis. Man Ther 2012;18(2):111–17.
43. Van Oosterwijck J, Nijs J, Meeus M, et al. Evidence for central sensitization in chronic whiplash: a systematic literature review. Eur J Pain 2013;17:299–312.
44. Lim E, Sterling M, Stone A, et al. Central hyperexcitability as measured with nociceptive flexor reflex threshold in chronic musculoskeletal pain: a systematic review. Pain 2011;152(8): 1811–20.
45. Ng T, Pedler A, Vicenzino B, et al. Less efficacious conditioned pain modulation and sensory hypersensitivity in chronic whiplash-associated disorders in Singapore. Clin J Pain 2014; 30(5):436–42.
46. Johnston V, Jimmieson N, Jull G, et al. Quantitative sensory measures distinguish office workers with varying levels of neck pain and disability. Pain 2008;137:257–65.
47. Chien A, Eliav E, Sterling M. Sensory hypoaesthesia is a feature of chronic whiplash but not chronic idiopathic neck pain. Man Ther 2010;15(1):48–53.
48. Elliott J, Jull G, Sterling M, et al. Fatty infiltrate in the cervical extensor muscles is not a feature of chronic insidious onset neck pain. Clin Radiol 2008;63(6):681–7.
49. Jull G, Trott P, Potter H, et al. A randomised controlled trial of physiotherapy management for cervicogenic headache. Spine 2002;27(17):1835–43.
50. Michaleff Z, Maher C, Lin C, et al. Comprehensive physiotherapy exercise program or advice alone for chronic whiplash (PROMISE): a pragmatic randomised controlled trial (ACTRN12609000825257). Lancet 2014;384(9938):133–41.
51. Chien A, Eliav E, Sterling M. Sensory function in chronic whiplash associated disorders. In: 11th World Congress on Pain 2005; Sydney.
52. Carli G, Suman A, Biasi G, et al. Reactivity to superficial and deep stimuli in patients with chronic musculoskeletal pain. Pain 2002;100:259–69.
53. Kasch H, Qerama E, Bach F, et al. Reduced cold pressor pain tolerance in non-recovered whiplash patients: a 1 year prospective study. Eur J Pain 2005;9(5):561–9.
54. Sterling M, Jull G, Vicenzino B, et al. Sensory hypersensitivity occurs soon after whiplash injury and is associated with poor recovery. Pain 2003;104:509–17.
55. Sterling M, Jull G, Vicenzino B, et al. Physical and psychological factors predict outcome following whiplash injury. Pain 2005;114:141–8.
56. Sterling M, Hendrikz J, Kenardy J. Similar factors predict disability and PTSD trajectories following whiplash injury. Pain 2011;152(6):1272–8.
57. Sterling M, Hendrikz J, Kenardy J, et al. Assessment and validation of prognostic models for poor functional recovery 12 months after whiplash injury: a multicentre inception cohort study. Pain 2012;153(8):1727–34.
58. Buitenhuis J, DeJong J, Jaspers J, et al. Relationship between posttraumatic stress disorder symptoms and the course of whiplash complaints. J Psychosom Res 2006;61(3): 681–9.
59. Walton D, Pretty J, MacDermid J, et al. Risk factors for persistent problems following whiplash injury: results of a systematic review and meta-analysis. J Orthop Sports Phys Ther 2009; 39(5):334–50.
60. Holm L, Carroll L, Cassidy D, et al. Expectations for recovery important in the prognosis of whiplash injuries. PLoS Med 2008;5(5):e105.
61. Carroll L, Liu Y, Holm L, et al. Pain-related emotions in early stages of recovery in whiplash-associated disorders: their presence, intensity and association with pain recovery. Psychosom Med 2011;73(8):708–15.
62. Pedler A, Sterling M. Assessing fear-avoidance beliefs in patients with whiplash associated disorders: a comparison of 2 measures. Clin J Pain 2011;27(6):502–7.
63. Williamson E, Williams M, Gates S, et al. A systematic review of psychological factors and the development of late whiplash syndrome. Pain 2008;135:20–30.
64. Deleted in proofs.
65. Sterling M, Kenardy J, Jull G, et al. The development of psychological changes following whiplash injury. Pain 2003;106(3):481– 9.
66. Sullivan M, Thibault P, Simmonds M, et al. Pain, perceived injustice and the persistence of post-traumatic stress symptoms during the course of rehabilitation for whiplash injuries. Pain 2009;145(3):325–31.
67. Mayou R, Bryant B. Psychiatry of whiplash neck injury. Br J Psychiatry 2002;180:441–8.
68. Jaspers J. Whiplash and post-traumatic stress disorder. Disabil Rehabil 1998;20:397–404.
69. Asmundson G, Coons M, Taylor S, et al. PTSD and the expereince of pain: research and clinical implications. Can J Psychiatry 2002;47(10):930–7.
70. McLean S, Clauw D, Abelson J, et al. The development of persistent pain and psychological morbidity after motor vehicle collision: integrating the potential role of stress response systems into a biopsychosocial model. Psychosom Med 2005; 67:783–90.
71. Dunne R, Kenardy J, Sterling M. A randomised controlled trial of cognitive behavioural therapy for the treatment of PTSD in the context of chronic whiplash. Clin J Pain 2012;28(9):755–65.
72. NHMRC. Australian guidelines for the treatment of adults with ASD and PTSD; 2007.
73. Dunne-Proctor R, Kenardy J, Sterling M. The impact of Posttraumatic Stress Disorder on physiological arousal, disability and sensory pain thresholds in patients with chronic whiplash. Clin J Pain 2016;32(8):645–53.
74. Walton D, Macdermid J, Giorgianni A, et al. Risk factors for persistent problems following acute whiplash injury: update of a systematic review and meta-analysis. J Orthop Sports Phys Ther 2013;43(2):31–43.
75. MAA. Guidelines for the management of whiplash associated disorders. Sydney: Motor Accident Authority (NSW); <www.maa.nsw.gov.au> 2014.
76. Carroll L, Holm L, Ferrari R, et al. Recovery in whiplashassociated disorders: do you get what you expect. J Rheumatol 2009;36:1063–70.
77. Goldsmith R, Wright C, Bell S, et al. Cold hyperalgesia as a prognostic factor in whiplash associated disorders: a

systematic review. Man Ther 2012;17(5):402–10.

78. Walton D, McDermid J, Teasell R, et al. Pressure pain threshold testing demonstrates predictive ability in people with acute whiplash. J Orthop Sports Phys Ther 2011;41(9):658–65.
79. Curatolo M, Arendt-Nielsen L, Petersen-Felix S. Evidence, mechanisms and clinical implications of central hypersensitivity in chronic pain after whiplash injury. Clin J Pain 2004;20(6): 469–76.
80. Daenen L, Nijs J, Raadsen B, et al. Cervical motor dysfunction and its predictive value for long-term recovery in patients with acute whiplash-associated disorders: a systematic review. Man Ther 2013;45(2):113–22.
81. Spearing N, Connelly L, Gargett S, et al. Systematic review: Does compensation have a negative effect on health after whiplash? Pain 2012;153:1274–82.
82. Sterling M, Carroll L, Kasch H, et al. Prognosis after whiplash injury: Where to from here? Discussion Paper 3. Spine 2011;36(25S):s330–4.
83. Foa E, Cashman L, Jaycox L, et al. The validation of a self-report measure of posttraumatic stress disorder: the posttraumatic diagnostic scale. Psychol Asses 1997;9(4):445–51.
84. Ritchie C, Hendrikz J, Kenardy J, et al. Development and validation of a screening tool to identify both chronicity and recovery following whiplash injury. Pain 2013;154:2198–206.
85. Foa E Posttraumatic stress diagnostic scale: manual. Minneapolis: NCS Pearson; 1995.
86. Scholten-Peeters G, Verhagen A, Bekkering G, et al. Prognostic factors of whiplash-associated disorders: a systematic review of prospective cohort studies. Pain 2003;104(1–2):303–22.
87. Sturzenegger M, Radanov B, Stefano GD. The effect of accident mechanisms and initial findings on the long-term course of whiplash injury. J Neurol 1995;242:443–9.
88. Zusman M. Mechanisms of musculoskeletal physiotherapy. Phys Ther Rev 2004;9:39–49.
89. Bouhissera D, Attal N. Novel strategies for neuropathic pain. In: Villannueva L, Dickensen A, Ollat H, editors. The pain system in normal and pathological states. Seattle: IASP Press; 2004. p. 299–310.
90. Maxwell S, Sterling M. An investigation of the use of a numeric pain rating scale with ice application to the neck to determine cold hyperalgesia. Man Ther 2012;18(2):172–4.
91. Jull G, Falla D, Treleaven J, et al. A therapeutic exercise approach for cervical disorders. In: Jull G, Boyling J, editors. Grieve's modern manual therapy. 3rd ed. Edinburgh: Churchill Livingstone; 2005.
92. Vicenzino B, Collins D, Benson H, et al. An investigation of the interrelationship between manipulative therapy-induced hypoalgesia and sympathoexcitation. J Manipulative Physiol Ther 1998;21(7):448–53.
93. Jull G, Sterling M, Kenardy J, et al. Does the presence of sensory hypersensitivity influence outcomes of physical rehabilitation for chronic whiplash? – A preliminary RCT. Pain 2007;129(2): 28–34.
94. Stewart M, Maher C, Refshauge K, et al. Randomized controlled trial of exercise for chronic whiplash-associated disorders. Pain 2007;128(1–2):59–68.

10 경추 도수치료 및 신경혈관 사고

CERVICAL MANIPULATION AND NEUROVASCULAR ACCIDENTS

경추의 도수치료, 특히 고속 도수기법은 드물게 두개 외 경부 동맥, 즉 척추기저계와 덜 일반적으로 내부 경동맥과 관련된 심각한 합병증을 유발할 수도 있다.[1-4] 내부 경동맥이 혈액 공급의 대부분(80%)을 제공하지만 척추 및 기저 동맥은 전체 대뇌 흐름의 20%를 제공하므로[5,6] 이들의 손상은 심각한 장기간 효과 및 경우에 따라 사망을 야기하는 뇌간 및 소뇌 구조의 허혈을 유발할 수 있다.[7,8] 뇌혈관 허혈이나 뇌졸중으로 이어지는 경부 동맥 박리는 사실 경추 조작 이후에 발생할 수 있는 가장 심각한 부작용이다.[4,9] 경부 동맥 손상은 경추 조작의 결과일 뿐만 아니라 목에 대한 경미한 기계적 외상의 결과이며, 회전 또는 경추 신전 기술을 수행할 때 척추기저 시스템의 명백한 손상 없이 자발적으로 나타날 수도 있다.[10-13] 문제는 경부 동맥 손상의 가장 흔한 증상 중 일부가 경추 통증 및 두통과 같은 경추 근골격 병리의 증상과 유사하다는 사실에 있다. 이것은 또한 척추 또는 경동맥 박리의 가장 흔한 초기 증상이다.[14] 이러한 신경혈관 합병증은 흔하지 않지만, 잠재적인 심각한 장기적 후유증으로 인해 최근 몇 년 동안 이 주제가 널리 검토되었다.

유병률 PREVALENCE

이것은 매우 드문 합병증으로 간주되지만, 경추 도수치료 후 경부 동맥 손상의 보고된 발병률은 발표된 여러 연구에서 크게 다르다.[15-19] Haldeman 등은[12] 경추 도수치료 후 동맥 박리의 위험은 585만 건 중 1건으로 상당히 낮다. 그러나 위험은 일반적으로 더 높게 추정되어 400,000건 중 1건과 150만 건의 조작 중 1건에 이른다.[3,15,17,20-23]

지난 20년 동안, 문헌은 도수치료의 결과로 척추동맥 손상의 빈도가 증가하는 것으로 나타났다.[16,24,25] 많은 경우에 이러한 합병증이 공공 기관에 보고되지 않기 때문에 심각한 합병증의 발생률은 과소 평가된다는 제안이 있다.[4,26] 이것은 호주의 소송에서[27] 얻은 기밀 정보와 Rivett와 Reid가[28] 수행한 연구에 의해 확인된 한 연구에서 도수치료 1건이 뇌혈관 사고를 일으켰다. 또한 많은 사례가 인식되지 않고 저절로 치유될 수도 있다.[10,26] 그러나 일반적으로 발병률은 낮지만 경추에 도수치료를 제공하는 의사에 대한 훨씬 더 나은 교육이 필요하다.[2]

뇌혈관 사고는 매우 드문 합병증으로 간주되지만 환자와 의사 모두에게 치명적인 결과를 초래할 수 있다.[20,29] 이러한 유형의 절차에는 위험이 전혀 없을 수 없으므로 이 주제가 중요하다.

뇌혈관 사고는 척추 조작 후 가장 심각한 부작용이다. 뇌혈관 사고는 매우 드문 합병증으로 간주되지만 조작 절차에 위험이 없는 것은 아니다.

경동맥의 해부학
ANATOMY OF THE CERVICAL ARTERIES

척추동맥은 도수치료 후 더 자주 손상되는 동맥이지만 내부 경동맥도 같은 유형의 손상을 입을 수 있다(**그림 10-1**).

척추동맥(Vertebral artery)

척추 동맥은 쇄골하 동맥에서 경추를 향해 수직으로 뻗어 있으며 특정 해부학적 관계에 따라 4개의 영역 또는 분절로 나뉜다.[31,32] 이 네 영역은 전횡분절(V1), 가로분절(V2), 환추축추분절(V3) 및 두개내분절(V4)로 알려져 있다[9,30](**그림 10-2**).

전횡분절(V1)은 성상신경절과 근접한 목긴근(경장근)과 전방목갈비근(전사각근) 사이에 위치하며, 경추 6번의 가로돌기(횡돌기) 안쪽으로 들어가는 경추 7번의 가로돌기 앞에 위치한다. 동맥은 일반적으로 이 위치에서 경추에 접근하지만 경추 3번까지 더 높은 위치의 가로돌기 구멍을 통해 들어갈 수도 있다.[31]

가로 분절(V2)은 경추 2번에서 나올 때까지 경추의 가로돌기 구멍을 통과하는 전체 부분으로 구성된다. 이 궤적에는 혈관과 교감 신경총이 동반한다. 각 분절위치에서 추간공을 통해 출현할 때 척수 신경 앞에 위치한다. 동맥은 주변의 연조직에 부착되는 결합조직으로 덮여 있다. 따라서 동맥의 외부층인 외막은 가로돌기구멍(횡돌기공)의 골막과 근막에 직간접적으로 부착되어 있는 반면[33] 구멍 내부는 고정되어 있다.

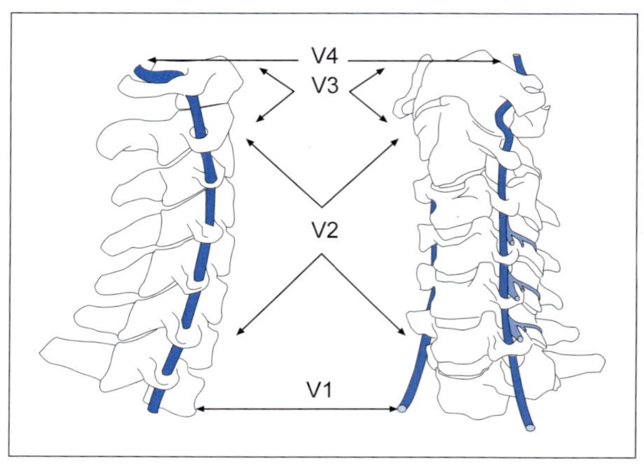

그림 10-2 ■ 척추 동맥은 4개의 분절로 나뉘며, 각 분절은 전횡분절(v1), 가로분절(v2), 환추축추분절(v3) 및 두개내분절(v4)과 같이 특정한 해부학적 관계를 가지고 있다.

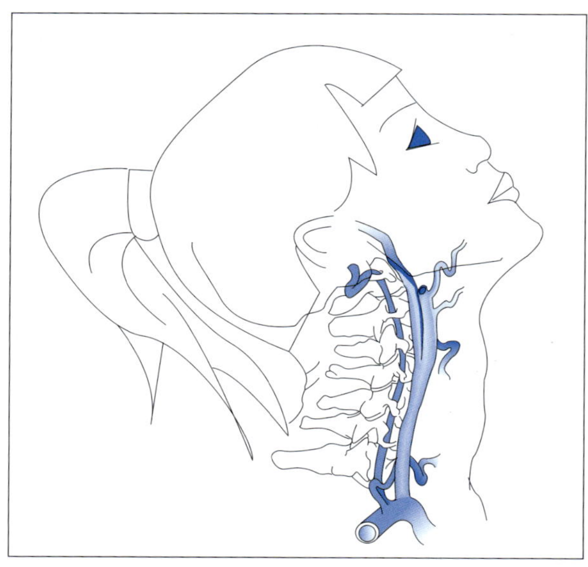

그림 10-1 ■ 뇌 순환은 척추 및 내부 경동맥에 따라 다르다.

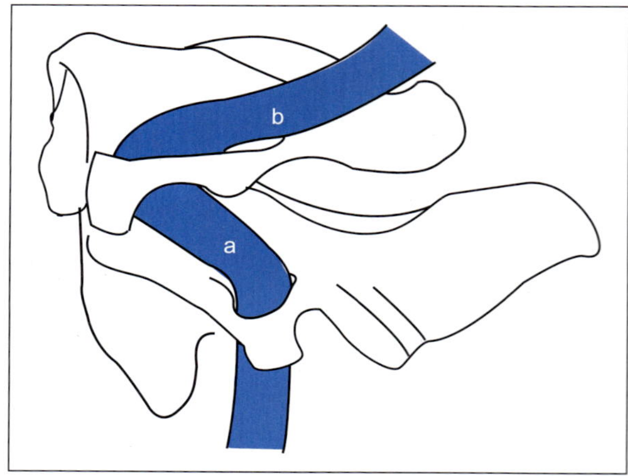

그림 10-3 ■ v3 분절에서 척추 동맥은 수직 방향에서 수평 방향으로 이동하여 두 개의 곡선을 설명한다. (a) 경추 2번의 가로돌기 구멍에서 경추 1번의 가로돌기 구멍으로 앞뒤로 나가는 것 및 (b) 경추 1번의 구멍에서 후두 구멍의 뒤쪽 부분까지 뒤쪽과 안쪽으로 진행된다.

환축추축 분절(V3)은 경추 2번의 가로돌기 구멍의 출구에서 후두 구멍을 통한 입구까지 이어지는 동맥의 일부이다. 이 분절에서 동맥은 수직 방향에서 수평 방향으로 변경되어 두 가지 만곡: 경추 2번의 가로돌기 구멍에서 경추 1번의 가로돌기 구멍까지 전방 및 외부로 향하는 곡선; 그리고 다른 하나는 경추 1번의 구멍에서 후두공의 뒤쪽 부분까지 앞뒤로 진행된다(**그림 10-3**). 이 동맥 분절은 후두경부 근육과 접촉하고 환추-후두막을 가로지른다. 경추 1번 위치에서 척추 동맥은 척추관의 뒤쪽 아치에 있으며 인대고리인 후관절 인대에 의해 지지를 받은 후 환추후두막과 경막을 통과하여 두개골로 들어간다(**그림 10-4**).[33-37] 경우에 따라 이 인대가 골화되어 완전하거나 불완전할 수 있는 골교(후교교)를 형성할 수 있다(**그림 10-5**).[38,39] 이 부분에서 동맥은 특히 이 경추 영역의 높은 이동성으로 인해 상당한 인장력과 전단력으로 인해 부상을 입기 쉽다(**그림 10-6**).[40-43]

두개내 분절(V4)은 정중선에서 10-15mm 경막을 관통하고 양쪽 측면에 대해 전방 외측에 위치한다. 이것은 기저 동맥을 형성하기 위해 그것의 대응물에 결합되고, 이는 이후에 대뇌동맥고리(circle of Willis)로 공급된다. 척추기저근계의 해부학적 구조

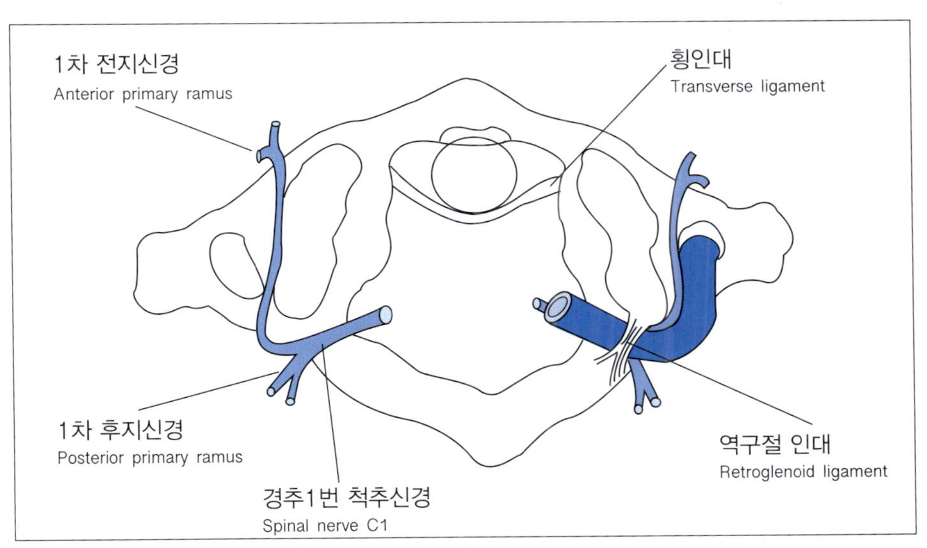

그림 10-4 ■ 척추 동맥은 경추 1번의 후궁에 위치하여 채널을 형성하며, 이 동맥에서 후관절 인대가 안정화된다.

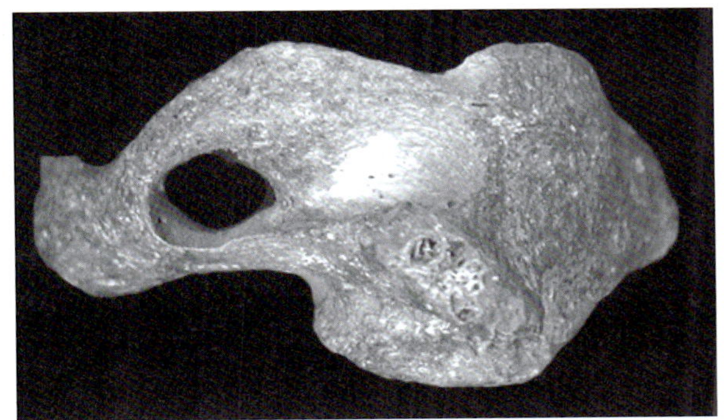

그림 10-5 ■ 이 표본에서 후관절 인대는 두꺼운 뼈 다리(후두교)로 대체된다.

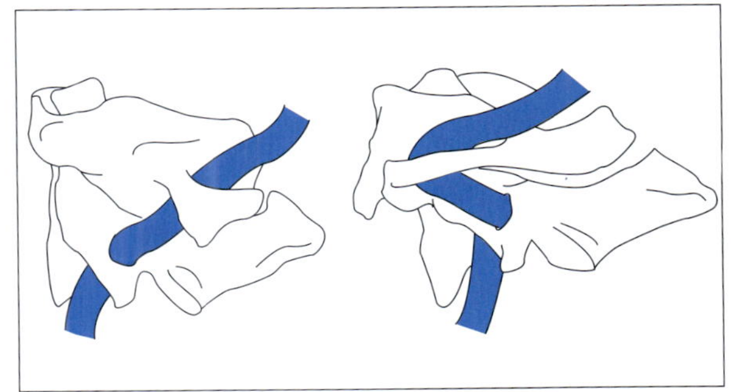

그림 10-6 ■ v3 분절에서 척추 동맥의 손상은 회전 시 경추 2번에 비해 경추 1번의 이동성이 더 크기 때문에 더 자주 발생한다.

에는 개인차가 많다는 점은 주목할 가치가 있으며, 이는 그 취약성이 개인마다 다양함을 시사한다.[36,44,45] 기저 동맥에는 수많은 뇌간 가지, 소뇌 동맥(미로 동맥이 나오는 전방, 후하소뇌, 상소뇌) 및 후대뇌동맥이 있다.

내부 경동맥(Internal carotid artery)

내부 경동맥은 경추 3번위치 부근에서 온목동맥(총경동맥)에서 분기되며 경부, 측두골 추체부, 해면 및 상악상부의 4개 분절로 나뉜다. 동맥의 대부분은 두개내 위치한다.[46,47]

두개외 경추 분절은 경추에서 수직으로 달리고 외부 경동맥 뒤에 위치한다(**그림 10-1** 참조). 내부 경동맥은 목빗근(흉쇄유돌근) 아래에 위치하며 그 상부는 경상인두와 경상설근에 의해 외경동맥과 분리되어 있다. 이것은 목의 긴머리근(두장근, longus capitis)과 경추 3번과 경추 4번의 가로돌기 앞을 지나간다.

두개골의 기저부에서 내부 경동맥은 경동맥을 통과할 때 추체 부분이 된다. 두개골을 통한 궤적 전체에 걸쳐 해면체 분절로 알려져 있으며 마침내 상악상 분절로 변한다. 내부 경동맥은 대뇌 피질의 중요한 부분을 관개하는 여러 가지를 생성한다. 내측 대뇌 동맥 및 전대뇌 동맥과의 통신은 내부 경동맥의 박리에 이차적으로 색전증에 의해 더 자주 영향을 받는 영역이다. 경추를 통해 자유롭게 움직이지만 환추 위의 경동맥에 들어갈 때 뼈 표면에 부착된다.

내부 경동맥의 손상은 흔히 뇌혈관 사고와 일시적인 뇌허혈의 원인이 된다. 그러나 그들은 도수기법을 연습하는 사람들의 훈련에 거의 관심을 받지 못했다. 이 동맥의 손상은 경추 및 안면 통증 및 두통의 잠재적인 원인이며,[48,49] 이는 박리된 환자가 도수치료를 찾게 만들 수 있다.

경동맥 손상의 위치 LOCATION OF THE INJURIES OF THE CERVICAL ARTERIES

척추동맥(Vertebral artery)

척추 동맥은 위치와 해부학적 관계로 인해 기계적 외상에 특히 취약하다.[2,41] 부상은 이론적으로 경추의 움직임 동안 압박이나 스트레칭에 더 민감한 일부 영역이 있지만, 궤적을 따라 어느 지점에서나 발생할 수 있다.

V1 분절에서 척추 동맥의 손상은 빈번하지 않다. 그럼에도 불구하고, 긴목근(경장근, longus colli) 및 앞쪽목갈비근(전사각근, scalenus anterior) 및 심부 경추 근막과 같은 여러 구조에 의한 이 동맥의 압박이 가능하다는 것이 혈관 조영술을 통해 입증된다.[50,51]

V2 분절에서 척추 동맥은 외부 외상으로부터 어느 정도 보호된다. 그러나 가로돌기 구멍의 비대성 퇴행성 변화의 존재로 인해 왜곡과 자극을 겪을 수 있다. 1969년, Scheenan 등이[52] 혈관 조영술로 동맥이 가로돌기 구멍의 골극에 의해 압축될 수 있음이 입증되었다. 그들은 또한 이 부분에서 머리의 신전과 회전이 회전 측면의 동맥을 압박할 수 있음을 보여준다.

두개 내 V4 분절에서 척추 동맥은 경추 기법에 의해 거의 손상되지 않지만[27,53] 동맥의 상대적인 고정으로 인해 가능하다.[1]

V3 분절은 척추 동맥의 외상성 손상이 주로 발생하는 곳이다. De Kleyn과 Nieuwenhuyse는 1927년에 머리의 회전과 신전 동안 척추 동맥이 환추와 축추의 수준에서 막힐 수 있다는 것을 처음으로 보여주었다.[54] 이러한 상황을 설명할 수 있는 여러 가지 이유가 있다. 한 가지 이유는 동맥의 이동성이 인접한 구조에 비해 낮은 지점에서 조작의 결과로 동맥이 손상될 수 있다는 것이다(**그림 10-7**).[1,11,35,55] 동맥이 덜 움직이는 이 지점은 주로 경추 2번의 가로돌기 구멍, 경추 1번의 후방고리관, 대후두공 및 두개내 경막에 위치한다. 또 다른 이유는 굴곡-신전의 약 50%와 전

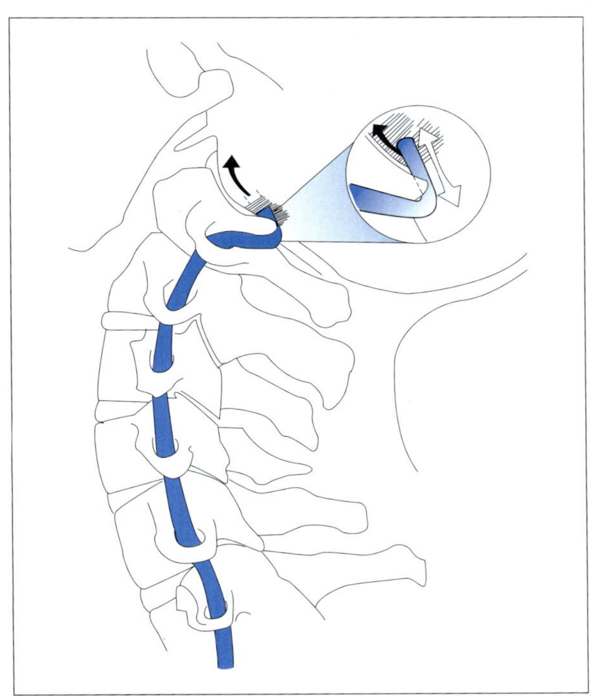

그림 10-7 ■ 동맥이 가장 흔히 손상되는 위치는 v3 분절로, 동맥이 더 많이 부착되는 경추 2번의 가로돌기 구멍; 경추 1번의 척추관 또는 후방고리; 그리고 경막의 입구 이 세 지점이 있다.

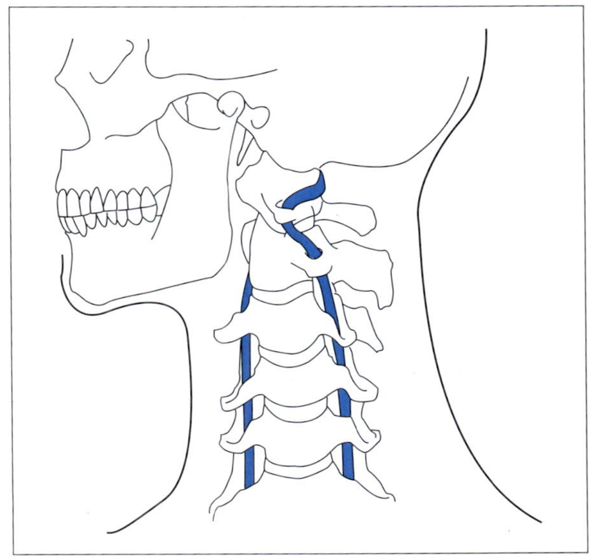

그림 10-8 ■ 회전은 척추동맥에 가장 많은 부하를 주는 운동이므로 혈관관류를 더 많이 감소시킬 수 있다.

체 경추의 회전의 거의 50%를 담당하는 두개골 척추의 상당한 가동성이다.[57-59] 척추 동맥이 경추 1번과 경추 2번의 가로돌기 구멍에 상대적으로 부착되어 있다는 사실과 이 두개 척추 분절의 이동성은 동맥이 특히 머리를 회전하는 동안 상당한 스트레칭을 겪을 수 있음을 시사한다.[46,56,60] 회전하는 동안 척추 동맥의 스트레칭을 증폭시킬 수 있는 한 가지 요인은 동측 경추 1번–경추 2번 관절이 고정된 상태로 유지되는 반면, 반대쪽 관절은 앞으로 움직이는 것으로 제안되었다.[41] 따라서 회전은 척추 동맥에 가장 많은 부하를 유발하는 운동이며 결과적으로 그 부하는 잠재적으로 혈관 관류를 상당히 감소시킬 수 있다(**그림 10-8**).[61-66] 환자가 동맥의 외부 기계적 압박으로 인해 척추 동맥 기능 부전의 징후를 보고하는 '회전 척추 동맥 압박(rotational vertebral artery compression)' 또는 '활 사냥꾼 증후군(bow hunter's syndrome)'으로 알려진 드문 상태가 있다.[51,67,68]

내부 경동맥(Internal carotid artery)

경동맥은 또한 압축, 스트레칭 및 비틀림과 같은 외부 기계적 부하를 받을 수 있다.[69,70] 1977년 Beatty의 연구에서[71] 내부 경동맥 박리가 척추 기술에 기인한 최초의 증례가 발표되었다. 최근 몇 년 동안 도수치료 후 이 동맥이 박리되었다는 증례 보고가 여러 차례 발표되었다.[47,72,73] 그러나 이 동맥에 대한 조작적 손상은 훨씬 덜 흔한 것으로 간주된다.[2,9,74]

이중 초음파 및 자기 공명 영상(MRI)을 사용하면 반대쪽 내부 경동맥의 혈류가 경추의 최대 회전으로 감소될 수 있음이 확인되었다.[75,76] 그러나 이것이 대뇌동맥고리의 항상성 기능으로 인해 뇌로 가는 혈류의 전반적인 감소로 항상 이어지는 것은 아니다. 관류의 감소는 근육 조직 층 사이의 동맥의 압박 또는 경추 회전의 끝을 향해 동맥을 늘이기 때문일 수 있지만 이를 뒷받침하는 문헌의 증거는 제한적이다. 경동맥압박의 한 예는 경부회전시 두힘살근(악이횡근)

의 후복부와 근막대 사이에서 설명된다.[77]

내부 경동맥의 박리는 두 번째와 세 번째 또는 세 번째와 네 번째 추간 공간 수준에서 특징적인 방식으로 발생한다.[9,78,79] 이 동맥의 박리에서 제안된 기전은 동맥이 상부 척추 분절에 대해 압축되는 강렬하고 갑작스러운 스트레칭이며, 이것은 반대쪽 경사와 관련된 경추 과신전 동안 발생한다.[80,81] 이 위치는 내부 경동맥을 상부경추의 앞쪽 표면에 고정시켜 과신장에 더 취약하게 만들 수 있다.[82] 동맥 손상을 유발하는 것으로 생각되는 과신전과 관련된 또 다른 구성요소는 회전이다.[9,83]

동맥 손상의 생리병리학
PHYSIOPATHOLOGY OF THE ARTERIAL INJURY

동맥벽의 형태
(Morphology of the arterial walls)

다른 동맥과 마찬가지로 경추동맥의 벽은 내막, 중막 및 외막의 3개 층으로 구성된다.[53] 기계적 부하에 대한 각 동맥층의 저항은 콜라겐 비율, 특히 엘라스틴 비율에 따라 다르다.[84] 일부 저자는[27,80] 손상과 관련된 기계적 요인을 분석하기 위해 척추 동맥 벽의 형태와 구성을 검토했다.

가장 안쪽에 있고 가장 두꺼운 층인 속막(tunica intima)는 가장 탄력적이며 내피 세포의 단일 층과 주로 세로 방향을 갖는 탄성 섬유 그물로 구성된다[85](**그림 10-9**). 내막은 고속 조작에서 발생할 수 있는 것처럼 빠른 스트레칭을 겪을 때 파열되기 쉽다. 따라서 힘의 크기뿐만 아니라 가해지는 속도도 조작 중 이 막의 손상을 일으키는 요인이 될 수 있다. 이 내층에 반복적인 부하가 가해지면 동맥벽이 변화되어 파열되기 쉬운 것으로 알려져 있다. 그러나 경부 동맥이 높은 인장력이나 반복적 신장에 노출된 카데바 및 동물 연구는[86-89] 조작에 의해 생성된 것보다 훨씬 더 큰 힘이 동맥에 구조적 손상을 유발하는 데 필요하다는 것을 반복적으로 보여주었으며, 이는 정상적인 상황에서 경부 동맥이 그들에게 가해지는 힘을 잘 견딜 수 있다. 따라서 염증촉진 매개체와 같은 다른 요인이 동맥 감수성을 결정하는데 더 중요할 수 있다.[90]

중막은 원주에 배치된 근육 섬유로 구성된다. 그것은 콜라겐 섬유와 탄성 섬유를 거의 포함하지 않으므로 내막보다 덜 탄력적이다.[85] 중막의 손상은 외상

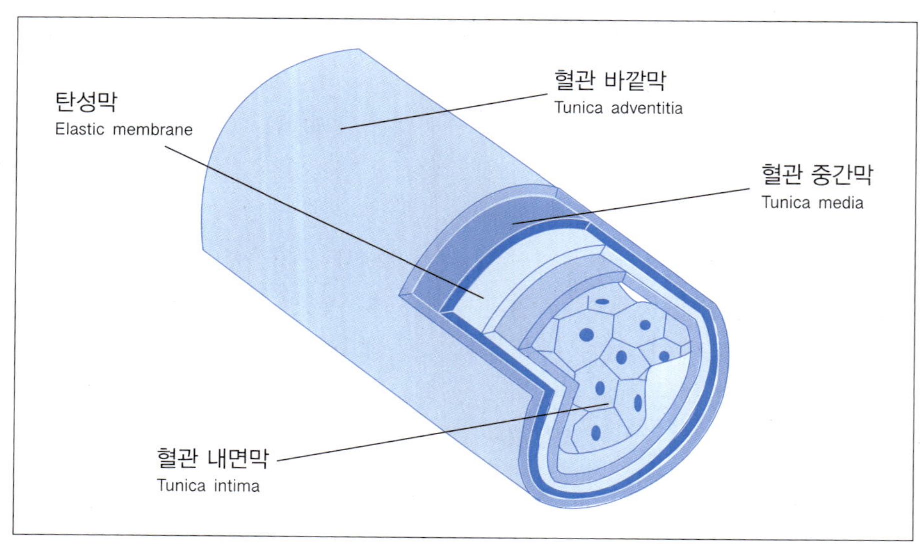

그림 10-9 ■ 경동맥의 벽은 내막, 중막 및 외막의 3개의 층이 있다.

의 결과로 직접 발생할 수 있지만 조직 손상과 관련된 효소 방출의 결과인 경우가 더 많다.[53] Volker 등은 중막과 외막이 실제로 이전에 생각했던 것보다 외상에 더 취약할 수 있다고 제안했다.

가장 외부이고 단단한 층인 외막은 주로 내부가 세로 방향이고 외부가 원주 방향인 콜라겐 섬유로 구성된다.[85] 이 층은 또한 경추를 조작하는 동안 직접 손상될 수 있다.[90,91]

동맥벽의 손상과 관련된 중요한 측면은 나이가 들수록 콜라겐의 비율이 상대적으로 증가하고 엘라스틴과 평활근 섬유의 두께가 감소하여 소동맥에서 발생하는 탄력의 상실이다. 척추 동맥과 같은 동맥 내강의 중요한 감소 및 대뇌 관류 감소를 유발할 수 있다.[93] 그러나 조작과 관련된 동맥 손상은 젊은 사람들에게 더 흔하며 Mann과 Refshauge가[27] 지적한 바와 같이 동맥 강성은 척추 동맥과 같은 작은 동맥에서 발생하는 평활근 섬유의 수축과 같은 다른 요인에 의해 조절되고 동맥 내강의 심각한 감소를 일으킬 수 있다.[94]

척추 동맥의 흥미로운 측면은 각 동맥 분절의 서로 다른 층에 있는 콜라겐과 엘라스틴의 비율이다.[95] 따라서 외막과 중막에서는 두개외 부분에서 두개내 부분으로의 전이에서 탄성 요소의 극적인 감소가 있으며 이 마지막 부분은 훨씬 더 단단하다.[35,95,96] 이것은 두개내층의 동맥층이 혈압을 유지해야 하는 반면 두개외부는 인장력에 저항한다는 사실에 의해 설명될 수 있다.[96] Mann과 Refshauge가[27] 강조한 것처럼 세 층 중 각각의 다른 강성은 경미한 외상이나 조작 후 합병증의 출현에 기여하는 요인이 될 수 있다.

생리병리학적 기전 (Physiopathological mechanisms)

경부 동맥의 손상과 관련된 것으로 보이는 두 가지 이론적인 생리병리학적 기전이 있다. 동맥벽의 조직 손상으로 인해 박리를 유발하고 혈전 형성 및 후속적인 색전술이 뒤따를 수 있고 동맥벽의 자극으로 인한 일시적인 혈관경련이 관련될 수 있다. 후자는 생체 내에서 입증된 적이 없으며 이전 보고서의 인기에도 불구하고 현재는 가능성 있는 기전으로 간주되지 않는다.[80,97]

도수치료 사고와 관련된 두 가지 생리적 기전이 있다.

- 동맥 박리, 혈전 및 색전증.
- 일시적인 혈관 경련.

척추 동맥에 손상이 있는 대부분의 경우, 척추 동맥의 손상이 확인되었으며, 종종 세 번째 V3 부분에서 확인된다. 가장 흔한 손상은 동맥막의 파열로 인한 동맥벽의 박리와 혈관벽의 층 사이로 스며드는 혈액이다.[40,97,98] 일반적으로, 박리는 중막과 내막 사이,

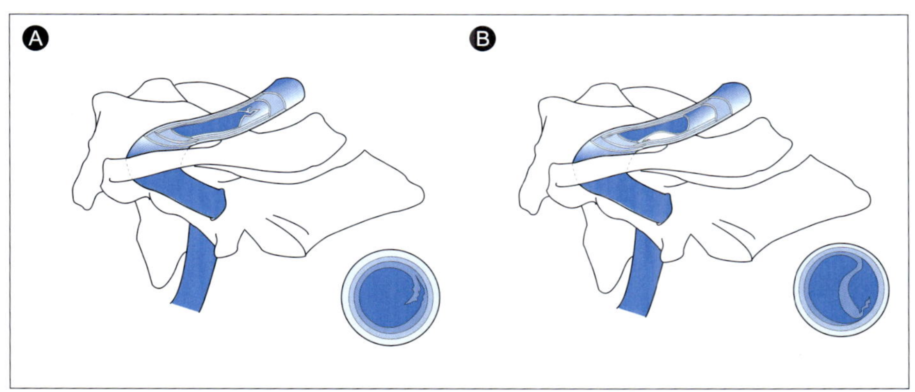

그림 10-10 ■ 내막의 파열(A) 및 동맥 박리(B).

또는 외막과 중막 사이에서 발생한다. 첫 번째 경우, 내막의 파열은 동맥압 하에서 혈액이 중간층으로 빠져나가 동맥벽의 박리를 유발한다(**그림 10-10**). 이러한 경우 중 일부에서는 이 막의 파열로 인해 끝에서 혈관의 속공간과 소통하는 잘못된 속공간이 형성될 수 있다.

이 내막이 파열된 후, 혈관이 더 이상의 외상을 겪지 않는다면 증상을 나타내지 않고 수리할 수 있다. 두 번째 경우는 중막의 파열이 발생했을 때 혈관의 맥관(vasa vasorum)의 벽내 출혈에 의한 박리이다(**그림 10-11**).[99-101] 이 내막하 혈종 또한 혈관경련을 유발할 수 있다. 동맥벽의 절개는 동맥을 따라 확장

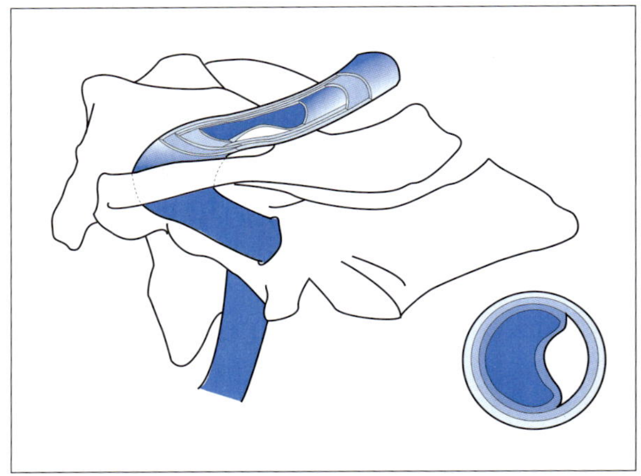

그림 10-11 ■ 혈관의 맥관(vasa vasorum)의 벽내 출혈로 인한 중막 파열 및 동맥 박리.

될 수 있다.[2,80,102,103]

동맥의 내피하 조직의 노출과 관련된 절개의 결과로 국소 순환의 변화는 혈소판 응집과 혈전 형성을 촉진할 수 있으며, 이 혈전 형성은 색전을 일으켜 말단에서 순환을 차단할 수 있다(**그림 10-12**).[98,99,104] 따라서 동맥 박리는 일시적인 허혈 또는 영구적인 대뇌 또는 뇌간 허혈(예: 외측 수질 또는 발렌베르크 증후군)로 이어질 수 있다. 그럼에도 불구하고 어떤 경우에는 측부 순환이 뇌간에 적절한 관류를 제공하기 때문에 대뇌 허혈이 발생하지 않는다.[45,105]

경동맥의 절개가 있을 때 자발적인 경우 88%에서 완전한 임상 회복이 있다.[106] 첫 달의 사망률은 2%에 불과하고 향후 10년 내 사망률은 1%이다.[107] 그러나 Di Fabio가 수행한 조작 후 사고에 대한 검토에서 사망률은 사례의 18%에 달했다.[108] 그러나 일반적으로 동맥 박리로 고통받는 대부분의 환자는 장애가 없거나 낮은 수준으로 좋은 결과를 보인다.[2,90]

혈관 경련은 허혈을 일으키는 또 다른 이론적 기전이다. 척추기저 허혈은 조작 후 치명적인 결과를 나타내더라도 혈관 조영술, 도플러 초음파 또는 부검에서 최소 혈관 손상의 증거를 찾을 수 없는 것으로 설명되었다.[2,90,109-112] 따라서 이러한 경우 신경학적 후유증을 유발하는 기전이 일시적인 동맥 경련일 수 있다고 제안되었다.[92,110,113-116] 최근 몇 년 동안 이미징 기능이 향상되면서 더 미묘한 방사선 사진 기능을 더

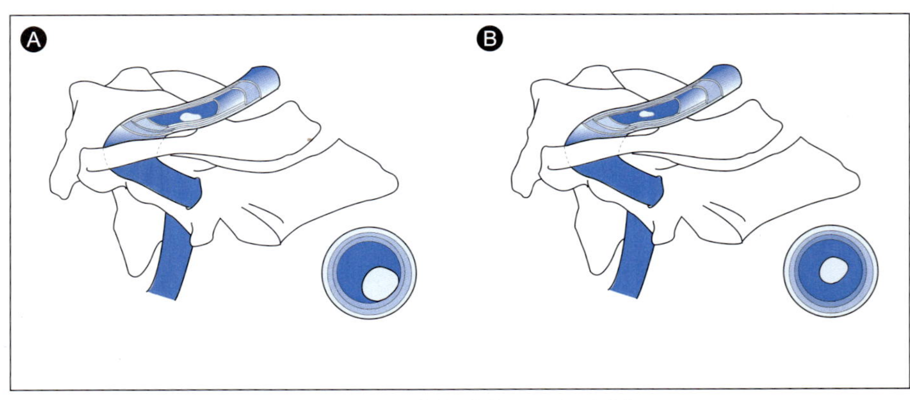

그림 10-12 ■ 혈전 형성(A) 및 색전술(B).

쉽게 식별할 수 있기 때문에 이러한 경우가 덜 일반적이다. 혈관 경련은 심각한 혈관 외상 후 사망의 가장 중요한 원인 중 하나로 알려져 있다.[117] 이러한 혈관 경련은 경추 외상 후 척추 동맥에서도 관찰되었다.[92,118,119] 내부 경동맥의 혈관경련으로 인한 일시적인 허혈의 경우도 손상이나 혈관 병리 없이 설명되었다. [120] 이러한 유형의 혈관 경련은 동맥벽의 외상에 이차적으로 혈액 요소 및 혈관 벽에 의해 방출되는 강력한 혈관 수축 물질에 대한 반응으로 발생하는 것으로 보인다.[53] 그럼에도 불구하고, 경미한 외상으로 인한 경동맥 손상에서 혈관 경련이 하는 역할은 현재로서는 추측에 불과하며 이러한 혈관 경련이 영구적인 허혈을 유발하기에 충분할 것 같지는 않다.[80,97]

위험 요소 RISK FACTORS

경부 동맥의 부상은 경추 도수치료나 비외상성 사건의 결과로 발생할 수 있다. 치료사가 직면한 문제는 위험 상황에서 해당 주제를 식별하는 것이다. 지난 몇 년 동안, 경추 도수치료와 관련된 위험 요소를 식별하기 위한 목적으로 여러 검토가 수행되었다.[2,4,12,40,41,108,121–126]

위험 요인을 이해하는데 어려움 중 하나는 이러한 합병증이 비교적 드물다는 것이다. Haldeman 등이[124] 강조한 바와 같이 미국과 캐나다의 대형 병원에서 척추 동맥 박리 사례는 연간 3건 이하이므로 이 기관에 관한 많은 진술은 다음과 같은 소수의 환자, 사례 시리즈 또는 전문가 의견에서 얻은 관찰의 추정 또는 일반화 결과일 뿐이다.[2]

뇌혈관 사고의 위험인자는 환자와 관련된 위험인자와 기법과 관련된 위험인자로 분류할 수 있다.

환자와 관련된 위험 요소들 (Risk factors related to the patient)

환자와 관련하여 제안된 위험인자는 척추동맥의 해부학적 기형, 경부동맥의 과거 외상, 동맥벽 구성요소의 기형, 연령, 성별, 고혈압과 같은 심혈관 요인, 경구 피임약, 흡연 및 편두통을 포함한다.

척추 동맥의 해부학적 기형

경부 동맥에는 해부학적 다양성이 있으며, 이는 경동맥의 취약성이 개인마다 크게 다를 수 있음을 의미한다.[36,44,45] 저형성증과 같은 다양한 해부학적 기형이나 기원 및 경로의 기형은 도수치료 중에 부상을 입을 수 있다.[36,80]

척추 동맥의 저형성. 척추 동맥의 비대칭은 경추 조작에서 척추기저 합병증의 출현을 선호하는 요인으로 제안되었다.[127] 이 비대칭은 매우 일반적이며 인구의 7.5~13.7% 사이에 나타난다.[38] 왼쪽 척추 동맥은 일반적으로 오른쪽 척추 동맥보다 두껍다.[45,128] 경추의 회전에 따라 척추 동맥의 내강이 감소하여 혈류가 감소할 수 있지만 일반적으로 대뇌동맥고리(circle of Willis)와 연결되어 있어 대뇌 관류는 유지된다는 점을 고려해야 한다. 대뇌 관류를 감소시키기 위해서는 한편으로는 경부 동맥의 흐름의 상당한 감소가 필요하고 다른 한편으로는 적절한 관류를 유지하기 위해 측부 순환도 불충분해야 하기 때문이다. 그러나 동맥 중 하나가 눈에 띄게 저형성인 경우 경추의 회전 동안 대뇌 관류가 심각하게 감소할 수 있다.

경동맥의 기원과 경로의 이상. 경부 동맥의 기시와 경로의 기형은 다양하지만 가장 심각한 기형 중 하나는 대뇌동맥고리(circle of Willis)의 동맥 사이의 연결 부족이다.

조작 후 발생하는 이상반응과 관련하여 후하소뇌동맥의 비정상적인 기원이 기술되어 있다. 이 동맥은 일반적으로 두개내 분절의 척추 동맥에서 나오므로 외상에 의해 손상되지 않는다. 그러나 경우에 따라 대후두공(foramen magnum)에 들어가기 전에 척추동맥에서 나올 수 있으므로 경추 외상으로 인해 직접 부상을 입을 수 있다.[129]

척추 동맥의 절개는 동맥이 경추 6번 대신 경추 3번의 가로돌기 구멍을 통해 경추에 비정상적인 접근을 갖는 경우에도 설명된다.[130]

경동맥의 과거 외상

경부 동맥 박리의 원인 중 하나는 심각한 경추 외상이다.[131-133] 이 외상성 병인은 모든 해부의 24–59%를 차지하는 것으로 일부 사람들은 생각했는데,[131,134] 대부분은 척추 조작이 아니라 자동차 사고 때문이었다.[26,90,136,137] 그러나 최근에는 경부 동맥 박리가 경미하거나 경미한 외상과 관련이 있는 것으로 생각되었다. 절개는 또한 자발적으로 발생할 수 있지만 종종 이것은 목의 약간의 긴장과 관련된 사소한 사건과 관련이 있다.[26,30] 일부 저자들은 부상의 유형과 잔여 후유증 사이에 상당한 차이가 있기 때문에 외상성 경부 동맥 박리와 자발적인 경부 동맥 박리 사이에는 구별이 있어야 한다고 생각한다. 따라서 외상성 박리에서 동맥류가 더 자주 발생하고 동맥 폐쇄로 더 자주 진행되며 잔류 신경학적 결손이 더 크다.[138] 대조적으로, 자연 박리 환자의 경우 회복이 더 일반적이다. 종종 경추의 심각한 외상에서 척추 동맥의 절개가 다른 심각한 조직 손상으로 가려질 수 있다.[139] 따라서 경추 외상을 겪은 모든 환자의 신경학적 검사를 포함하는 적절한 신체 평가가 필요하다.

- 경추의 심각한 외상에서는 척추 동맥의 절개가 다른 심각한 부상으로 가려질 수 있다.
- 경추 손상을 입은 환자의 경우 신경학적 탐색을 포함한 적절한 신체 검사를 수행해야 한다.

경부 동맥의 박리는 또한 머리나 목에 대한 최소한의 간접적인 외상이나 치과 시술 중 또는 기침이나 재채기를 할 때 경추의 신전 위치, 경추의 회전을 유지하는 것, 미용실에서 머리를 감거나, 요가를 하거나, 다른 스포츠 활동을 하거나, 천장에 그림을 그리는 것과 같은 사소한 움직임의 결과일 수도 있다. 또한 내막의 파열은 경추의 신전 및 회전과 같은 생리적 운동을 수행할 때 알려진 외상 없이 경동맥의 자발성 박리의 흔한 원인으로 알려져 있지만,[13,18,104,148] 최근에는 일부 저자는 중막과 동맥벽의 외부층이 자발적 박리에서 주로 영향을 받는다고 설명했다.

경우에 따라 환자가 이전에 수 차례의 도수치료를 받았음에도 불구하고 도수 후 뇌혈관 이상반응이 발생하였다.[12,97] 이 상황은 드물지 않으며 최근 및 오래된 혈전이 발견된 사후 연구에 의해 제안되며 잠재적으로 자발적인 해부 또는 이전 조작과 관련이 있다.[27,149] 이 발견은 자발적인 동맥 손상 또는 조작으로 인한 손상이 어떻게 무증상 상태로 남을 수 있고 자발적으로 치유될 수 있는지를 보여준다. 그러나 기존 손상을 신전하고 도수치료를 수행할 때 심각한 척추기저근 합병증을 일으킬 위험이 매우 높다.

자발적인 동맥 손상이나 조작으로 인한 손상은 무증상 상태로 남을 수 있으며, 도수치료 후 심각한 척추기저 합병증의 위험은 매우 높다.

동맥벽의 구조적 구성요소의 이상

도수 후 경부 동맥의 박리와 관련된 것으로 보이는 요인 중 하나는 기저 동맥병증의 존재 또는 콜라겐[10,150] 및 엘라스틴과 같은 동맥벽의 구조적 요소의 유전적 기형이다.[10,90]

척추 동맥의 조직학적 연구는[151,152] 해부 동맥류가 있었던 피험자의 내부 탄성층에 구조적 결함이 있음을 보여준다. 내막(tunica intima)에 속하는 이 층은 주로 탄성 섬유로 구성되어 있으며 동맥벽 중 가장 저항력이 높은 것으로 간주된다. Sato의 연구는[152] 또한 내부 탄성층의 결함이 내막의 얇아짐과 관련이 있음을 보여주었다. 이 두 가지 관련 변형은 동맥벽의 저항을 감소시키고 경막에서 척추 동맥의 입구 이전 지점에 위치하며 이는 척추 동맥의 손상이 더 빈번한 경추 1번–경추 2번 구역과 일치한다.

동맥 박리 또는 동맥병증을 포함하는 가족력은 위험 가능성이 있는 환자를 식별하는 데 유용할 수 있다.[153,154] 피험자가 경부 동맥 박리를 일으키기 쉬운 병리학에는 섬유근 이형성증,[155-157] 엘러스-단로스(Ehlers- Danlos) 증후군 IV형[158-160] 및 마판(Marfan) 증후군이[161-163] 있다. Schievink는[164] 경부 동맥 박리 환자의 20%가 결합 조직의 일부 변형으로 고통받고 있으며 이것은 다른 저자에 의해 지지되지만 이것은 예를 들어, 골격, 안구 또는 피부 이상, 또는 안면 기형에 의해 입증되는 확립된 유전성 조직 장애가 아닐 수 있다고 제안했다.[165] 또한 전신 과민증은 엘러스-단로스 증후군의 양성 변이체와 관련이 있을 수 있기 때문에 위험 요인으로 생각된다. 그러나 다른 연구에서는 절개 또는 유전적 연관성이 있는 환자의 결합 조직 장애에[136] 대한 설득력 있는 증거를 찾지 못했다.[90]

일부 저자들은 고호모시스테인 혈증과 같은 호모시스테인의 대사 이상은 동맥벽의 구조적 취약성을 유발하기 때문에 동맥 손상의 위험을 증가시킬 수 있다고 제안했지만,[72,166] 비록 일부 그룹에서 중요하지만 이것은 더 최근의 연구에 의해 확인되지는 않았다.[167]

또한 연령, 성별, 고혈압, 경구 피임약 및 편두통과 같은 다른 위험 요소가 확인되었다.

연령과 관련하여 일반적으로 경추의 퇴화, 동맥경화 및 동맥경화의 변화로 인해 고령자에서 척추기저근 손상의 위험이 더 높다고 생각된다. 그러나 동맥경화증과 죽상동맥경화증은 박리를 예방할 수 있는 것으로 보이며[90] 실제로 45세 이하의 젊은 성인에서 경부 동맥의 박리는 뇌혈관 사고의 더 빈번한 원인이다.[10,168] 예를 들어, 스포츠에서 뇌혈관 손상이 가장 일반적으로 젊은 사람들에 의해 발생하는 것은 주로 척추 또는 경동맥의 박리로 인한 것으로 알려져 있다.[136,169] 도수치료 후 공개된 이상반응 사례에 대하여, 피해자의 대부분은 30~45세의 젊은 성인이다.[108,121] 그러나 이 연령대에서 이처럼 사고가 많이 발생하는 것은 도수치료를 더 자주 찾는 환자들의 특성을 반영한 것일 수도 있다는 지적도 나온다.[124,170]

성별과 같은 다른 위험 요인과 고혈압,[10] 경구 피임약 사용[40,173]및 흡연[174]과 같은 심혈관 요인은[171,172] 충분한 증거로 검증될 수 없다.[90]

편두통은 젊은 성인의 뇌혈관 사고의 위험 요소이며 일부 저자는 이를 경부 조작 후 부작용과 연결한다.[149,175] 그러나 이러한 사건이 이러한 주제에서 더 자주 발생한다는 것이 현재 입증되지 않았더라도[40] 편두통 위기가 있는 피험자의 경추를 조작하는 것은 권장되지 않는다.[170]

박리에 대한 계절적 위험 요인이 있을 수 있다는 말이 있어[168,176,177] 일시적인 환경 요인이 원인일 수 있음을 시사한다. Schievink 등은[177] 200명의 환자 그룹을 검사하고 10월에 척추 동맥의 박리가 극도로 높은 것을 관찰했다. 다른 해에 비해 가을에 58% 더 많은 환자가 박리를 겪었다.[42,178] 일부 저자들은 호흡기 감염을 겪은 환자에서 척추동맥 박리 사례를 제시했으며, 호흡기 감염이 빈번한 계절에 동맥 박리 사례도 증가했다. 감염과 관련된 염증 유발 기전이 동맥을 더 약하고 외상에 취약하게 만들 수 있다.[90,141]

도수치료와 관련된 위험 요소
(Risk factors related to manipulation)

Mann과 Refshauge는[27] 강도, 속도, 진폭, 방향 및 혈관 사고와의 관계와 같은 고속 조작 기술을 특징짓는 다양한 측면을 분석했다. Symons 등은[88] 그들은 조작하는 동안 척추 동맥이 지지하는 힘을 연구했으며, 그 크기가 파괴를 일으키는데 필요한 것보다 상당히 낮다는 것을 보여준다.[179]

일반적으로 속도보다 자극의 힘과 진폭이 척추 동맥 손상의 원인이 되는 매개변수로 간주된다. 사실, 일부 저자들은 조작의 속도가 조직 손상의 위험을 최소화한다고 생각한다. 그러나 다른 사람들은 이 전제가 점탄성 특성으로 인해 동맥과 관련이 없을 수 있다고 제안한다.[27] 빠른 속도로 수행되는 기동은 느린 속도로 수행되는 기동보다 동맥 손상을 일으킬 가능성이 더 높을 것으로 예상할 수 있다.[180] 고속 기법을 시행하기 전에 근육 스트레칭이나 생리적 가동 기술과 같이 동맥 점탄성을 높이는 기법을 사용하는 것이 좋다.

조작의 진폭은 경부 동맥의 손상과 직접적인 관련이 있는 것으로 간주되는 매개변수 중 하나이다. 대부분의 박리가 환추축추 분절에서 발생한다는 사실은 척추동맥의 높은 이동성과 관련이 있는 것으로 보인다.[42,60,114,181] 그러나 기법에 의한 움직임의 진폭은 가동화 기술에 의한 움직임에 비해 훨씬 작아 척추동맥에 미치는 영향이 적은 것으로 판단된다.[86,182]

조작으로 인한 부작용과 조작 추력의 방향 사이에는 관계가 있다. 회전의 조작 기술은 뇌혈관 사고의 더 높은 위험과 관련이 있는 것으로 나타났다.[22,104,108,183,184] 이것을 설명할 수 있는 이유 중 하나는 경추 회전이 반대쪽 척추 동맥의 혈류를 변경하는 것으로 생각된다는 사실이다. 그럼에도 불구하고, 이 이론은 현재 논란의 여지가 있다. 동맥조영술, 도플러 초음파 및 자기 공명을 이용한 혈관 조영술과 같은 다른 기술을 사용하는 것뿐만 아니라[59,65,185] 실험 및 표본에 대한 서로 다른 연구에서는[62,186] 회전이 회전과 반대 방향의 척추 동맥의 흐름을 감소시킬 수 있음을 보여준다. 연구에서는 중요한 혈역학적 변화를 발견하지 못했다.[36,195-197] 다른 임상의들은 반대쪽 척추 동맥에서 목 회전의 흐름이 증가하는 것으로 나타났으며, 이는 혈류 측정이 개인마다 매우 다양할 수 있으므로 목 조작으로 인한 부작용의 위험을 결정하는데 특히 유용하지 않을 수 있다는 제안으로 이어진다.[76]

Mitchell 등은[189,198] 경두개 도플러 초음파를 사용하여 무증상의 젊은 대상에서 척추 동맥의 V4 부분을 분석하여 경추의 움직임이 후두와 내 관류를 감소시킬 수 있는지 확인했다. 그들의 연구는 경추의 최대 회전이 양쪽 척추 동맥의 관류를 감소시킬 수 있음을 보여주었지만 회전 반대 쪽이 더 중요하다. 관류의 이러한 변화는 혈관 병리가 더 만연한 고령의 피험자에서 더 가능성이 높다는 것이 분명하다.[108] 이러한 발견은 저자에 따르면, 회전하는 척추 동맥의 기능 검사의 실행에 대한 몇 가지 정당성을 제공한다. 특히 고령 환자에서. Sakaguchi 등이[190] 수행한 또 다른 연구에서는 1108명의 환자가 척추 동맥 초음파를 받았다. 많은 환자들이 회전하는 동안 흐름 속도의 변화를 보였다. 이 환자들 중 12.3%가 경추 회전 중 증상을 보였고, 이는 현기증 및 시야 흐림과 같은 척추기저부전(VBI)과 관련되어 척추 동맥의 압박을 시사한다. 이 그룹의 한 피험자는 이를 확인하기 위해 경추 회전 동안 후대뇌동맥의 혈관조영술과 단일 광자 방출 컴퓨터 단층촬영(SPECT)을 받았다. 최대하 경부 회전 동안 발생하는 압박의 첫 번째 증거는 경추 1번–경추 2번 사이의 명백한 동맥 압박을 보여주었으며 두 번째 증거는 후두 피질, 소뇌 및 뇌간의 관류의 현저한 감소를 보여준다.

Arnold 등은[199] 도플러 초음파를 사용하여 21명의 피험자, 가능한 척추기저부전(VBI)가 있는 6명의 피험자에서 척추 동맥의 기능 검사로 사용된 다른 위치의 효과를 보여 주었고 최대 회전 위치에서 동맥 흐름의 현저한 감소를 관찰했다.

그러나 이에 반해 회전 중 동맥관류의 변화를 보이지 않는 것도 있다. Thiel 등은[196] 30명의 무증상 대상체를 척추기저부전(VBI)에 기인할 수 있고 결합된 목 신전과 회전의 기동에 의해 촉발된 증상이 있는 12명의 대상체와 비교했다. 그들의 결과는 머리와 목의 다른 위치가 척추 동맥의 흐름에 거의 영향을 미치지 않는다는 것을 보여주었다. 그들은 이 작업을 사용하여 사전 조작 검사에 사용된 조작의 유효성에 의문을 제기했지만, 결과는 완전히 신뢰할 수 없었지만 증상이 척추기저부전(VBI) 또는 다른 병리에 해당하는지 확신하지 못했기 때문이다.

Cote 등은[195] Thiel의 연구 결과를 통계 분석에 제출했고 그들은 동일한 결론에 도달했다. 신전–회전 검사는 척추기저부전(VBI)를 배제하기 위한 유효한 방법이 아니며 사용을 권장하지 않는다. 이를 뒷받침하기 위해 일부 저자는 반대측 회전에서 척추 동맥의 혈류가 현저히 감소하거나 폐색되었지만 척추기저부전(VBI)의 징후나 증상이 참가자에게 경험되지 않은 연구를 보고했다.[196,200] 유사하게, 사전 조작 위치 검사에서 양성 반응을 보인 개인에 대한 초음파 연구는 정상적인 혈류를 보여주었다.[200]

Thomas 등은[76,193] 자기 공명 혈관 조영술을 사용하여 다양한 사전 조작 위치에서 4개의 모든 경부 동맥의 혈류를 동시에 측정하고 일부 혈관의 혈류가 일부 회전 위치에서 감소하는 반면, 뇌가 유지되는 다른 동맥 및 총 혈류에 의해 보상되는 경향이 있음을 발견했다.

대부분의 혈류 연구는 머리 위치의 영향을 조사했지만 조작 추력의 영향을 조사한 것은 거의 없다는 점에 유의하는 것이 중요하다. 그러나 Licht 등은 도플러 초음파로 척추 동맥 흐름의 속도는 고속 조작 직후에 유의하게 변경되지 않았으며[201] 무증상 대상이나 조작 전 검사가 양성인 대상에서도 관찰되었다.[202] 이 발견은 보다 최근의 초음파[203] 및 자기 공명 연구에서도 확인되었다.[204]

Zaina 등은[197] 정상 피험자에서 최대 회전을 포함한 회전은 척추 동맥의 관류에 큰 변화를 일으키지 않음을 보여주었다. 3년 전에 이 연구자 그룹은 경추의 최대 회전 위치에서 경추 1번–경추 2번의 최대 유속과 경추 5번–경추 6번의 유속 백분율 같은 두 가지 매개변수의 측정을 기반으로 신뢰할 수 있는 방법을 개발했다.[36] Zaina 등은[197] 마지막 작업에서 왼쪽 척추 동맥에서만 명확하게 나타났지만, 최대 회전에서 중립 위치로 이동할 때 경추 1번–경추 2번에서 속도의 감소가 있음을 보여주었다. 이 발견은 사전 조작 검사 동안 임상의가 최대 회전 위치에서 중립 위치로 이동한 후 몇 초 동안 반응의 모양을 평가한다는 것을 정당화한다. 그러나 본 연구는 정상인만을 대상으로 하였기 때문에 척추기저부전(VBI)가 있는 대상으로 결론을 유추할 수는 없다. 증상이 있는 개인에 대해 수행되었고 머리 회전 시 척추 동맥의 혈류에 현저한 변화가 나타난 유일한 연구는 중증 심혈관 질환이 있는 노인 환자를 대상으로 했다.[194,205]

이러한 현저한 불일치는 동맥 흐름을 정량화하는 데 사용되는 매개변수, 분석된 움직임 또는 움직임의 조합, 연구 대상이 증상이 있거나 무증상인 경우 사용된 초음파 스캐너 유형이면 연구는 피험자가 앙와위 또는 앉거나 하는 자세로 진행되었으며, 이와 같은 방법론적 차이와 유형의 연구에 대한 연구자의 경험으로 설명될 수 있다.[197] 이러한 발견에도 불구하고 혈액 흐름이 머리 위치에 의해 영향을 받는 사람들이 있다는 사실을 인식하는 것이 중요하며 이러한 사람들은 수동 기술로 주의를 기울여야 한다.

경추 회전 중 감소된 관류와 관련하여 결과가 상충되지만, 이것은 두개경추 척추에서 가장 높은 진폭과 잠재적인 생체 역학적 긴장을 갖는 움직임이므로 척추에 상당한 양의 동맥 스트레칭을 생성할 수 있음이 분명하다. 이 신장은 반대쪽 회전으로 중립 길이의 3–5%에 도달할 수 있다.[88,179]

이 두개경추 부위에서는 동맥에 대한 장력이 가장 클 수 있는데, 이는 경추 1번과 경추 2번의 가로돌기 구멍 사이의 경우와 같이 끝단이 상대적으로 고정된 부위에서 반대쪽으로 큰 진폭 회전이 이 부분에서 척추 동맥의 스트레칭 유도할 수 있기 때문이다.[206] Haynes 등은[38,207] 그들은 회전 운동 중 척추 동맥의 흐름 감소가 이러한 스트레칭으로 인한 동맥 내강의 신장 때문이 아니라 대부분 경추 2번의 가로돌기 구멍을 나가는 내강의 국소 압축 때문이라고 제안했다.

이 이론은 Dumas 등이[192] MRI와 함께 혈관 조영술을 사용한다. 이 저자는 경추 1번과 경추 2번 사이의 35° 회전에서 시작하여 동맥의 스트레칭과 혈류 장애가 있다고 생각했지만 Haynes는[38] 이러한 스트레칭이 발생하기 위해서는 최소한 45°가 필요하다고 주장했다. 회전하는 동안 척추 동맥이 받는 부하는 경막을 관통하는 지점과 환추 후방고리의 틈 사이에 동맥이 상대적으로 고정되어 있기 때문에 경추의 신전과 함께 훨씬 더 증가할 수 있다(**그림 10–13**). 신전

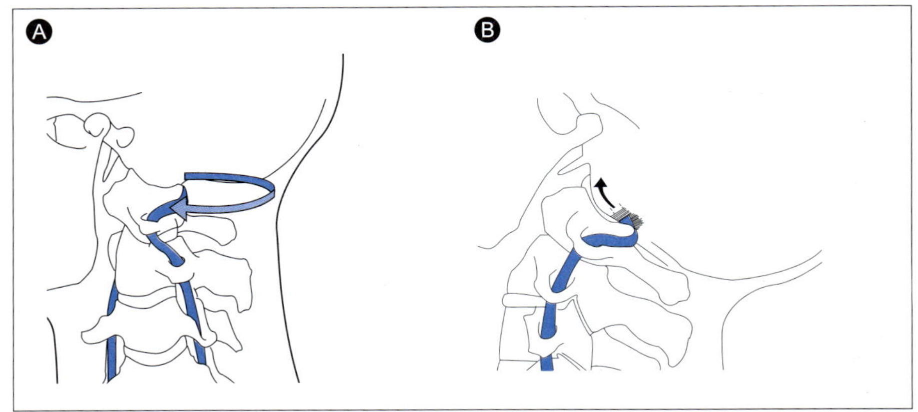

그림 10-13 ■ 척추 동맥의 과도한 스트레칭을 촉진할 수 있는 두 가지 움직임은 회전(A)과 신전(B)이다.

과 회전의 움직임은 두개경추에서 결합되어 있으므로 이 영역의 회전은 상당한 양의 신전을 유도할 수 있고,[58] 이는 척추 동맥의 후두하 부분에 상당한 긴장을 유발할 수 있음을 상기하는 것이 중요하다. 그러나 보다 최근의 연구에서는 이것이 전형적인 조작적 위치의 경우가 아닐 수도 있음을 시사했다.[76,179,182]

그럼에도 불구하고, 일부 저자들은 건강한 척추 동맥이 부상 없이 이 스트레칭을 견딜 수 있다고 생각한다.[76,179,193] 도수치료 중 척추 동맥이 허용하는 최대 스트레칭 정도는 46%에 불과하며,[38] 이는 척추 동맥의 실패를 유발하는 데 필요한 139% 및 162%보다 낮은 비율이다.[88]

조작과 관련된 위험 요소는 다음과 같다.

- 과도한 힘
- 과도한 속도
- 견인
- 과도한 회전과 신전

필연적으로 발생하는 결합된 동측 측굴 운동은 대측 회전 운동 동안 척추 동맥의 스트레칭을 제한하는 것으로 보인다.[58,192] 측면 굽힘은 동맥에 가장 적은 양의 장력을 발생시키는 움직임이다.[209,210]

따라서 새로운 증거가 없는 경우 회전 범위는 45°를 초과하지 않는 한 초기 측면 굽힘으로 제한되어야 하며 따라서 확장 구성 요소를 피해야 한다.

경동맥과 관련하여 더 큰 위험을 초래할 것으로 제안된 조작은 반대쪽 측굴 또는 회전과 관련된 경추 신전을 포함하는 조작이다[47,81,82,211] (**그림 10-14**).

결론적으로 도수치료로 인한 동맥손상의 가장 중요한 위험인자는 경부동맥의 무증상 손상을 포함하는 경추의 이전 외상과 동맥벽의 취약성을 수반하는 장애 또는 변화된 상태이다.[90,212] 동맥 박리의 발달은 조작 중에 가해지는 힘에 크게 의존하지 않고 외상이나 이전 병리의 결과로 환자의 동맥 취약성 상황에 따라 달라진다.[26,29,90,212] 따라서 목 도수치료 후 뇌혈관 사고는 이전 손상의 악화 또는 혈관 병리,[2,3,12] 유전적 감수성[10,14,212] 또는 결합 조직의 변형과 같은 병전 상태로 인해 발생할 가능성이 가장 높다.[29,87,89,90,136,156,165,179]

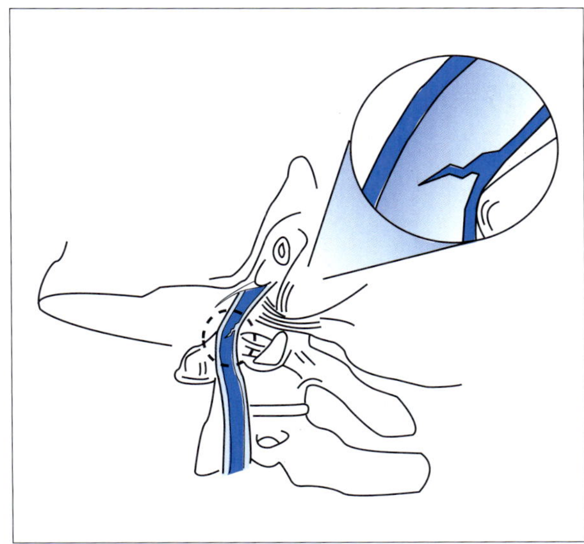

그림 10-14 ■ 경동맥 손상의 잠재적 위험이 더 큰 조작은 반대쪽 경사 또는 회전과 관련된 신전을 포함하는 도수치료.

도수치료가 올바르게 수행되면 건강한 척추 동맥이 위험하지 않다는 증거가 있다.[179] 그러나 구조적으로 취약한 동맥은 거의 모든 움직임에서 위험할 수 있다. 이러한 위험에 처한 환자에서 회전하는 두개경추의 조작은 잠재적으로 위험하다.[38,40,213] 따라서 어떤 유형의 도수기법을 적용하기 전에 외상 사례에서 환자의 증상이 혈관 손상과 관련이 있는지 평가하고 가능하면 동맥벽을 약화시킬 수 있는 동맥병증이나 병리를 배제하는 것이 좋다.

조작으로 인한 동맥 손상의 가장 중요한 위험 요소는 다음과 같다.

- 경동맥의 무증상 손상을 포함하는 경추의 과거 외상.
- 혈관 병리, 유전적 감수성 또는 결합 조직 장애와 같이 동맥벽의 취약성을 포함하는 장애 또는 변경된 상태.

신경혈관 사고 및 도수치료의 임상 병력

CLINICAL HISTORY OF NEUROVASCULAR INCIDENTS AND MANIPULATION

앞에서 설명한 것처럼 가장 중요한 위험 요소는 경부 동맥 손상 또는 이전의 허혈성 사건의 존재이며, 이는 이러한 상황을 식별하기 위해 이러한 도수기법을 사용하는 모든 치료사가 절대적으로 의무적이다. 환자의 병력이 증상이나 일시적인 허혈의 가능성을 시사하는 경우, 치료를 시작해서는 안 되며 환자는 철저한 신경학적 검사를 위해 의뢰해야 한다.

신경혈관 손상의 징후와 증상

(Signs and symptoms of a neurovascular injury

신경혈관 손상을 나타낼 수 있는 징후와 증상은 안면 감각 이상, 입술 마취, 복시, 흐린 시력, 메스꺼움, 구토, 불안정, 운동 실조, 구음 장애, 낙하 발작 및 안진증을 포함하여 다양한다.

대부분의 치료사들은 경부 동맥 박리의 가장 초기의 가장 흔한 징후가 두통과 경추 통증을 더하거나 빼는 것이라는 사실을 인식하지 못한다.[14,214,215] 유일한 증상이 급성 경추 통증이었던 일부 사례가 발표되었다.[216,217] Nichols 등은[218] 척추동맥이 두통을 유발할 수 있음을 실험적으로 입증했다. 본 저자들은 건강한 피험자의 척추동맥과 기저동맥에 팽창성 공을 삽입하여 공을 팽창시키고 동맥벽이 늘어나게 했을 때 피험자가 이마, 뺨, 후두부, 목과 심지어 등세모근(승모근)의 후두부의 통증을 호소함을 확인하였다. 또한, Munari 등은[219] 경피적 혈관 성형술 동안 경동맥이 경부 및 안면 통증 및 두통을 나타낼 수 있음을 입증했다. 그러나 통증의 위치 자체는 절개의 신뢰할 수 있는 지표가 아니다.[137]

경부 동맥 박리의 가장 초기의 가장 흔한 징후는 두통이며, 이는 경추 통증과 연관되거나 연관되지 않을 수 있다.

갑작스럽고 강렬한 두통의 존재는 일반적으로 허혈의 징후보다 먼저 나타난다.[164,215] 어떤 경우에는 통증이 유일한 증상일 수 있다.[216,220] 자기공명영상(MRI)를 이용한 혈관조영술의 발전으로 이전에 두통이나 조작 후 현기증으로 진단받은 많은 환자들이 실제로 진단되지 않은 내막 박리가 있음을 보여주었다.[206] 환자가 제공한 이 두통의 특성에 대한 설명이 일반적으로 유일한 진단 단서이기 때문에 이 사실의 임상적 관련성을 과소평가할 수 없다. Beletsky 등은[134] 척추 또는 내부 경동맥의 박리를 겪은 116명의 피험자를 대상으로 수행한 연구에서 가장 흔한 증상이 두통과 경추 통증으로 나타났으며 이는 개인의 74%에 영향을 미쳤다. 두통과 경추 통증은 가장 흔한 증상일 뿐만 아니라 종종 경동맥 손상의 유일한 증상이기도 하다.[206, 216,217]

경부동맥 박리로 인한 두통의 주요 특징은 갑작스런 발병, 높은 중증도 및 이전에 겪었던 다른 두통과의 차이점이다.[215]

경동맥 박리로 인한 두통의 특징:

- 갑작스런 발현
- 높은 심각도
- 전에 겪었던 두통과의 차이점
- 강도 높은 신체활동 또는 힘 있고 빠른 움직임 또는 자세 이후의 발현

특히 스포츠, 격렬한 신체 활동 또는 강제적이고 빠른 머리 움직임이나 자세를 취한 후 경추 통증과 두통의 급성 발병을 보고하는 피험자의 경우 주의를 기울여야 한다.[18,29,215,221] Silbert 등은[221] 161명의 환자를 대상으로 내부 경동맥과 척추동맥 박리로 인한 두통의 특징을 연구한 결과, 두통이 편측성이며 항상 박리와 같은 쪽에 있으며 연속적이고 맥동하는 성질을 가질 수 있음을 보여주었다. 내부 경동맥이나 척추동맥의 박리로 인한 두통은 전자가 전두측두엽 부위에서 더 심하고 후자가 후두부 부위에서 더 심할 수 있다는 점에서 다르다.

임상적 문제는 동맥박리의 초기 증상이 근골격계 증상과 유사할 수 있어 이러한 환자들 중 일부는 도수치료를 요청할 수 있다는 점이다.[11,124,221,222] 다른 발표된 증례는 조작 중 뇌혈관 사건을 겪은 환자가 보고한 증상이 환자가 치료를 요청한 이유였으나 동맥박리의 증상임을 나타낼 수 있다.[206,215,223] 따라서 진단 오류로 이어질 수 있는 임상적 문제는 동맥병에 의한 경추통과 기계적 경추통의 이력이 공존할 수 있다는 점이다.

임상적 문제는 동맥박리의 초기 증상이 근골격계 증상과 유사할 수 있다는 점이다.

척추 동맥의 박리 및 이로 인한 외측 척수 증후군의 다른 일반적인 증상은 현기증, 연하 곤란, 구음장애, 복시, 낙하 발작, 운동 실조, 안진, 메스꺼움, 구토, 감각 이상, 호너 증후군(Horner syndrome) 및 맥동 이명이다.[102,214,224]

시각 증상도 흔하다. 초기 연구에 따르면, 척추 동맥이 박리된 피험자의 최대 86%에서 나타날 수 있다.[186,225-227] 보다 최근의 추정에 따르면, 후방 순환 뇌졸중 환자의 약 50%가 일부 시각 장애를 보고할 것이라고 제안한다.[8] 이러한 시각 증상에는 복시, 시야 흐림, 안진, 각막 반사 상실 및 시야 변화가 포함된다. 척추뇌저동맥순환부전(VBI)가 시각 피질에 영향을 줄 때, 상태의 정도에 따라 동측 반맹 또는 사분면으로 나타날 수 있다.[226] 환자는 또한 번쩍이거나 번쩍이는 불빛과 같은 시야에서 환각을 경험할 수 있다. 복시는 뇌신경 III, IV 또는 VI의 침범으로 인한 것일 수 있다.

가장 흔한 청각 증상은 청력 저하 또는 부분적인 청력 상실[225,228,229] 및 이명이다.[139,230,231] 환자가 박동성 이명의 갑작스러운 출현을 보고하고 두통 및 목 통증과 관련이 있는 경우 척추 또는 내부 경동맥의 박리성 동맥류의 징후일 수 있으므로 조작을 피해야 한다.[232-234]

안면 및 동측 눈주위 감각이상은 척추뇌저동맥순환부전(VBI) 및 내부 경동맥 박리의 일반적이고 잘 알려진 증상이다. 그들은 특히 발렌베르그 증후군(Wallenberg syndrome)에서 만연하다. 그들은 일반적으로 감각저하와 안면 및 동측 구강주위 마취와 관련이 있다. 이러한 감각이상 이면의 기전은 시상의 삼차시상다발의 상태인 것으로 보인다.[186,227,235,236] 무통성 발성장애는 발렌베르그 증후군(Wallenberg syndrome)의 흔한 증상이다. 특징적인 쉰 목소리로 나타나는 이 발성 장애는 성대의 마비로 인한 것일 수 있다. 성대 근육의 조절은 미주핵에서 일어나기 때문이다.

어지럼증과 현기증은 척추뇌저동맥순환부전(VBI)의 빈번한 증상이다.[237] 전통적으로 현기증은 척추뇌저동맥순환부전(VBI)의 주요 증상으로 간주되었지만 모든 환자에서 발생하지는 않는다.[186] Husni 등은 척추뇌저동맥순환부전(VBI)환자에서 40%만이 현기증을 앓는 반면 100%는 어지럼증을 앓는 것으로 나타났다. 최근 일부 문헌에 따르면, 현기증이 척추뇌저동맥순환부전(VBI)에서 단독 증상으로 나타날 수 있지만[8,238] 다른 신경 징후 없이 단독으로 나타나는 경우는 드물다.[225] 고립되어 나타나는 가장 흔한 유형의 현기증은 양성 발작성 체위 현기증이라는 점에 유의해야 한다.[239-241] 척추뇌저동맥순환부전(VBI)와 달리 전정 병리를 동반하는 안진은 피로할 수 있으며, 현기증과 현기증은 둘 다 두개경추 척추 통증과 관련된 일반적인 특징이다.[242,243] 따라서 이러한 유형의 환자에서 치명적인 결과를 초래하는 도수치료 사례가 많이 기술되어 있기 때문에 현기증 증상의 정확한 감별 진단을 수행하는 것이 중요하다.[170]

낙상 공격, 갑작스러운 다리 약화 또는 의식 상실 없이 쓰러지는 것은 척추기저 허혈의 전형적인 증상 중 하나이지만 가장 흔하지는 않다.[244]

내부 경동맥의 박리는 안검하수, 동공축소 및 안면무한증의 전형적인 증상과 함께 호너 증후군을 유발할 수 있다. 경동맥 박리의 다른 증상에는 안면 홍조,[18,72] 현기증, 두통, 시야의 변화, 메스꺼움, 구토 및 뇌신경 10번, 11번, 12번의 마비가 포함될 수 있다.[245] 환자가 내부 경동맥의 일시적인 허혈의 징후나 증상이 있는 경우 몇 번의 허혈 후에 완전한 뇌혈관 사건이 발생할 수 있으므로 완전한 신경학적 검사를 수행해야 한다.

척추 동맥 박리의 증상

- 시각 증상: 복시, 흐릿한 시야, 안진
  제6 뇌신경 마비, 각막 반사 상실 및 시야 변화
- 청각 증상: 청력저하 및 박동성 이명
- 무통성 발성 장애 및 구음 장애
- 메스꺼움
- 지각 이상 또는 안면 및 동측 구강주위 마취
- 어지럼증과 현기증
- 쓰러짐 발작

내부 경동맥 박리의 증상

- 호너 증후군
- 현기증
- 두통
- 시야의 변화
- 메스꺼움과 구토
- 뇌신경 10번, 11번, 12번 마비
- 사지 약화 및 감각 이상

어떤 경우에는 경부 동맥의 박리가 경추 및 상지와 관련된 증상을 동반하여 경추 신경근병증을 유도한다. 가로돌기 구멍의 척추 동맥은 전방 척수 뿌리에 가깝다. 벽내 혈종이나 박리성 동맥류로 인한 동맥 직경의 증가는 신경근을 압박하여 신경근병증을 유발할 수 있다.[246-248] 이것은 일반적으로 하부 경추 신경 뿌리에 영향을 미친다.

증상의 시작(Onset of symptoms)

동맥 박리의 증상은 대부분의 경우 거의 즉시 또는 처음 24–48시간 이내에 나타나지만,[60,170] 어떤 경우에는 최대 2개월까지 지연될 수 있으며 이는 환자가 동맥 사이의 관계를 확립하는 것을 방지하기에 충분한 시간이다. 외상 사건과 증상, 그리고 이것은 중요한 진단 및 치료 결과를 낳는다.[134] 몇몇 저자는 척추기저 허혈 후 증상의 가장 지연된 징후가 5년이라고 말한다.[135] 그러나 임상 문제 중 하나는 측부 순환이 적절한 후방 두개골 관류를 유지할 수 있기 때문에 동맥 혈류의 감소가 무증상일 수 있다는 것이다.[149]

도수치료 후 뇌혈관 사고는 초기에는 고립된 국소 징후와 증상으로 나타날 수 있지만, 그러나 이것이 발전함에 따라 Wallenberg 증후군 및 뇌수척수 분리 증후군과 같은 완전히 다른 증상의 임상 상황뿐만 아니라 다른 뇌간, 소뇌 또는 시상 증후군으로 명백해질 수 있다.

발렌베르그 증후군(Wallenberg syndrome)

외측 수질 증후군으로도 알려진 이 증후군은 후하소뇌동맥의 폐쇄로 인해 발생한다.[11,129,237,249] 이것은 척추동맥의 세 번째 부분(V3)의 손상으로 인한 혈전의 전파로 인해 이 위치에서 폐색이 발생하기 때문에 도수 후 가장 흔한 뇌혈관 사건이다. 이 증후군은 외측 수질 증후군으로도 알려져 있는데, 이는 후하소뇌동맥이 숨뇌의 외측 부분을 세척하기 때문이다. 징후와 증상은 핵과 배외측 숨뇌에 위치한 관의 파괴로 인한 것이다.

다음 구조가 일반적으로 영향을 받는다: 손상 측에서 운동실조 및 긴장저하를 유발하는 하소뇌자루; 하행 척수 및 뇌신경 5번의 핵, 얼굴의 열 및 동측 통증 감수성 상실 및 각막 반사 상실을 유발. 몸통과 동측 팔다리에 열 및 고통스러운 감수성의 손실을 일으키는 외측 상행 척수 시상; 호너 증후군을 유발하는 하행 교감신경로; 안진, 현기증 및 메스꺼움을 유발하는 하전정핵; 쉰 목소리와 연하곤란으로 나타나는 혀인두와 미주신경의 모호한 핵.

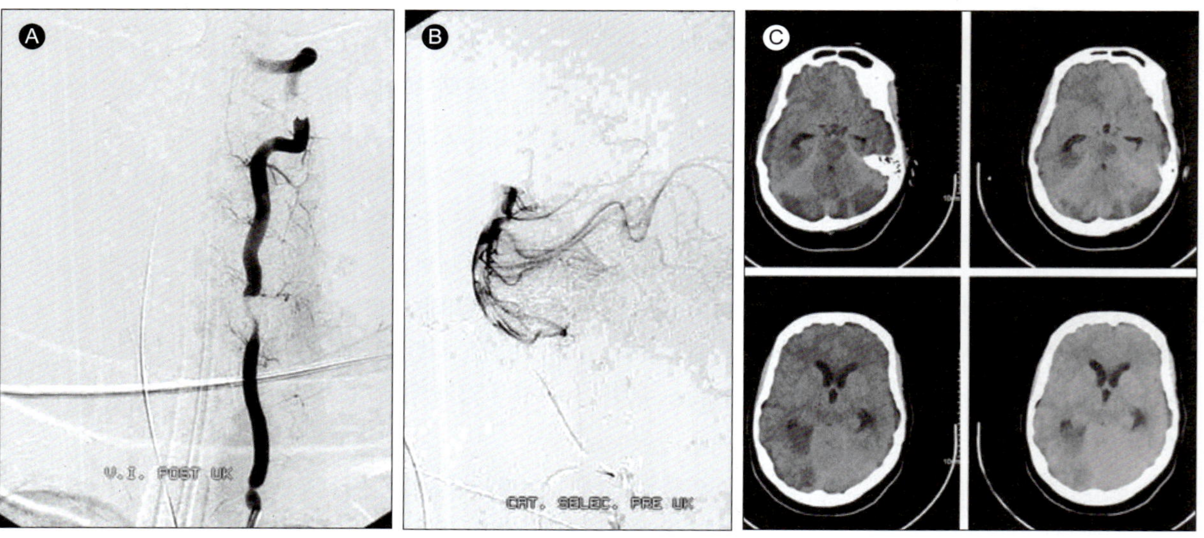

그림 10-15 ■ 경추 도수치료 후 포착 증후군. (A) v2 세그먼트의 해부와 호환되는 왼쪽 척추 동맥의 동맥 조영술. (B) 관강내 혈전의 존재로 인한 기저 동맥의 충전 결함. (C) 양쪽 소뇌 반구의 돌출부와 오른쪽 후대뇌동맥 영역에서 허혈 영역을 볼 수 있는 컴퓨터 단층 촬영. (이미지 제공: Izquierdo-Casas 박사).

대뇌연수척수간 차단 증후군

'고정 증후군'으로도 알려진 이 증후군은 기저 동맥의 폐쇄와 뇌교의 허혈에 의해 발생한다.[250] 대상은 의식을 유지하지만 수직 안구 및 수렴 운동을 제외한 모든 수의적 움직임을 잃는다. 이것은 척추동맥 박리의 5%에서 발생한다.[60,97,114,170] Izquierdo-Casas 등은[251] 척추 동맥의 V2 분절의 박리 결과로 혈전이 색전된 경추 기술 후 잠금 증후군 1례를 제시하였다(**그림 10-15**). 이것은 드물지만 경추 도수의 파괴적인 결과이며 임상의는 이러한 불리한 결과를 피하기 위해 가능한 모든 조치를 취하는 것이 중요하다.

도수적 검사
MANIPULATIVE EXAMINATION

신경혈관 손상의 징후 또는 증상의 존재는 모든 유형의 도수치료 기술을 완전히 금한다. 따라서 잠재적으로 위험에 처할 수 있는 대상을 사전에 식별하는 것이 필요하며 이를 위해 척추 동맥의 기능 또는 위치 검사 시리즈가 설명된다.

척추 동맥의 기능 검사
(Functional tests of the vertebral artery)

전통적으로, 조작 전에 수행된 척추 동맥의 기능 검사를 통해 척추뇌저동맥순환부전(VBI)를 배제할 수 있다고 언급되었다. 1927년 De Kleyn과 Nieuwenhuyse에[54] 의해 척추 동맥 검사가 처음 기술된 이후로 다양한 검사가 설명되었지만 이는 회전 위치와 목 신전의 변형일 뿐이었다. 일부 저자는 경추를 회전 및 신전에 직접 배치하지만 다른 저자는 부하가 적은 경추 위치에서 시작하여 더 많은 부하를 받는 경추 위치로 순차적으로 점진적으로 수행할 것을 권장한다. 이 검사는 음성 검사를 통해 위험 없이 도수기법을 적용할 수 있다는 믿음과 함께 수십 년 동안 경추에 도수기법을 사용하는 사람들을 위한 표준 절차였다.

척추 동맥의 기능 검사는 선별 검사에 불과하므로 이론적으로 경추 조작 후 부작용 위험이 있는 대상을 식별하는 데 도움이 되도록 높은 감도를 가져야 한다. 이들은 일반적인 치료적 위치인 회전 또는 회전 및 신전의 위치가 척추 동맥 내강을 감소시킬 수 있으므로 이전에 협착이 있었던 환자에서 뇌간 신경 구조와 후두와 불충분한 관류로 인한 허혈 증상의 출현을 유도한다는 전제에 기초한다. 그러나, 기술한 바와 같이, 사전 조작 검사 동안 척추 동맥의 혈역학적 변화에 관해 최근 몇 년 동안 수행된 연구는 매우 다양하고 상충되는 결과를 산출했다. 이러한 연구 중 일부는 검사 위치에서 척추 동맥 관류의 감소를 보여주지만,[75,188,189,199,201] 다른 연구에서는 이와는 대조적으로 유의미한 변화를 나타내지 않는다.[36,195-197,252] 따라서 척추동맥의 폐쇄를 확인하기 위한 검사의 민감도는 논란의 여지가 있다. 그러나 관류의 감소를 보여주는 이러한 연구로부터 최대 반대측 회전과 조작 전 위치에 가해지는 장력이 척추의 흐름을 감소시키는 경향이 있다는 사실과 같은 몇 가지 실용적인 결론에 도달할 수 있다. 회전 및 신전 또는 De Kleyn의 검사보다 동맥이 더 강렬하다.[199] 이러한 기능 검사는 동맥 관류의 심각한 변화가 있는 일부 대상에서 완전히 음성일 수 있다는 점에 유의하는 것이 중요하다. 또한, 사전 조작 검사 동안 어떤 유형의 증상도 경험하지 않았지만 그림과 같이 혈관 조영술과 함께 보여지는것 처럼 척추 동맥의 완전한 폐쇄(부재)가 있거나[253] 경추 회전 운동 동안 동맥의 완전한 폐색이 있는 피험자의 경우도 있다.[28,254]

- 사전 조작 검사는 척추 동맥 박리를 겪을 경향이 있는 환자를 감지할 수 없다.
- 이전에 동맥 박리 또는 동맥이 완전히 폐쇄된 경우에도 반대측 동맥이 충분한 혈관 관류를 유지할 수 있으므로 조작 전 검사에서 위음성이 나타날 수 있다.

따라서 사전 조작 검사의 예측 가치는 여러 저자

에 의해 질문 되었다. 이들은 이러한 검사가 척추 동맥 박리를 겪을 경향이 있는 환자를 식별할 수 없음을 보여준다.[20,40,195,202,252,254] 유사하게, 이 사실은 Haldeman 등이[124] 경추 조작 후 뇌혈관 사고에 대한 64건의 법의학 법원 사례 중 조작 전 검사가 음성인 피험자에서 뇌혈관 사건의 사례가 있었다.[28,112] 이 사례 중 27건에서 치료사는 이전에 사전 조작 검사를 수행했지만 이 환자 중 어느 누구도 긍정적인 반응을 나타내지 않았다. 따라서 사전 조작 검사는 위험에 처한 대상을 식별하는 데 필요한 민감도가 부족하고 따라서 음성 검사는 조작이 안전한지 여부를 결정할 수 없음이 분명하다.

한편, 조작 후 사고의 생리병리와 관련하여 관련된 기전은 척추 또는 경동맥의 박리, 일시적인 혈관 경련 및 혈전증 또는 색전증이다.

절개의 경우 선천적 또는 외상적 병인으로 인해 벽이 약해질 수있는 동맥에 손상이 있다. 따라서 동맥 감수성을 분석하는 것으로 추정되는 검사는 잠재적 위험 또는 부상에 관한 유용한 임상 정보를 제공하는데 제한적이다. 이와 같은 병리학적 상황에서 검사는 실제로 환자를 위험에 빠뜨릴 것이다.[255] 일시적인 혈관 경련과 관련하여 조작 전 검사로도 이를 예측할 수 없다. 또한 기능 검사는 조작 추력의 효과를 검사 할 수 있는 능력이 없다. 이전 동맥 박리의 경우, 반대측 동맥은 동맥이 완전히 폐쇄되더라도 충분한 혈관 관류를 유지할 수 있기 때문에 사전 조작 검사에서 위음성이 나타날 수 있다.[206] 더욱이 이것은 사전 조작 검사가 치명적인 결과를 초래할 수 있는 가장 심각한 위험 상황이다.

목 조작 후 부작용과 관련된 다른 기전은 과거의 내피 손상으로 인한 혈전이다. 이와 같은 병리학적 상황에서 도수치료를 하면 혈전 색전증이 생겨 뇌혈관 사고가 발생할 수 있다.[255]

사전 조작 검사는 이미 설명된 관류의 보상 기전으로 인해 죽상 동맥 경화증이나 저형성증과 같이 조작을 금할 수 있는 다른 유형의 동맥 협착증을 식별할 수 없다.

사전 조작 검사의 또 다른 문제는 현기증의 감별 진단이 충분히 이루어지지 않은 경우 나타날 수 있는 빈번한 위양성이다. 척추 동맥의 유발 움직임은 가장 흔한 형태의 말초 현기증 중 하나인 양성 발작성 체위 현기증(BPPV)의 진단에 사용되는 Dix–Hallpike 검사와 같은 검사와 유사하다. 또한, 사전 조작 검사 동안 관절 고유수용기와 경추 근육 수용체의 자극은 유사하게 혈관 병리와 관련이 없는 경추성 현기증을 유발할 수 있다. 이러한 발견으로 인해 일부 저자들은 낮은 특이성과 민감도 때문에 조작 전 검사의 사용을 포기하는 것을 고려하게 되었다.[202,255]

그럼에도 불구하고, 그리고 척추동맥 검사가 모든 위험 상황을 식별하지 못한다는 점을 고려하면, 이전에 통제된 방식으로 조작 중 경동맥 환자가 겪는 것과 유사한 다양한 부하 상황에 대한 환자의 반응을 평가하지 않고 수동 치료를 수행하는 것은 현명하지 않다. Refshauge 등은 검사가 부작용을 겪을 수 있는 환자를 식별하지 못하더라도 일부 경우에는 동맥 관류가 불충분한 환자를 식별하는 데 실제로 도움이 되기 때문에 검사를 폐기하는 것은 부주의하다.[29,76,257,258]

도수치료를 하기 전에, 도수치료 중 경동맥이 겪는 것과 유사한 다양한 부하 상황에 대한 환자의 반응을 통제된 방식으로 평가해야 한다.

Richter와 Reinking은[259] 척추동맥 관류의 기능적 검사의 효과와 물리치료 학생에게 가르치는 것과의 관련성에 관한 연구를 검토한 결과 민감도와 특이도가 낮다는 것을 보여주었다. 그럼에도 불구하고, 그들은 조작 기술을 사용할지 여부를 결정하는 것이 주로 환자의 임상 병력에 대한 분석을 기반으로 하는 한 여전히 진료를 권장한다.

현재 이용 가능한 정보와 사전 조작 검사의 논란의 여지가 있는 임상적 가치를 고려할 때 환자의 임상 병력에서 가능한 위험 지표의 탐지에 중점을 두어야 함은 분명하다.[29,257,258] 이러한 이유로 지난 몇 년 동안 발표된 임상 지침 및 추론 지침은 사전 조작 프로토콜의 첫 번째 단계로 병력 및 주관적 검사의 중요성을 강조한다.[257,258,260] 따라서 환자의 병력과 주관적인 검사가 지배적인 역할을 하는 보다 광범위한 임상 탐구에서 척추동맥의 기능적 검사를 포함하는 것이 좋다.

- 사전 조작 프로토콜의 첫 번째 단계는 환자의 임상 병력에서 잠재적 위험 지표를 식별하는 것을 목적으로 하는 병력 및 주관적인 검사이다.
- 치료사는 가능한 동맥 박리 또는 척추뇌저동맥순환부전(VBI)의 징후 또는 증상을 인식할 수 있는 충분한 지식을 가지고 있어야 한다.

주관적인 검사(Subjective examination)

주관적인 검사의 목적은 도수치료를 금하는 임상 상황을 가능한 한 배제하는 것이다. 조작의 위험 상황을 암시할 수 있는 병력의 중요한 문제는 다음과 같다.

- 콜라겐 장애, 섬유근 이형성증, 마르판 증후군 또는 엘러스-단로스 증후군, 심지어 전신 이완과 같은 동맥벽을 약화시킬 수 있는 병리의 개인 임상 병력. 이와 관련하여 동맥 박리와 동맥병증 모두 가족력이 매우 중요하다. 이러한 병리의 대부분은 선천적이거나 가족력이 있기 때문이다.
- 갑작스러운 심한 후두하부 또는 측두부 경부 통증, 중증 급성 두통 또는 환자가 경험한 적이 없는 비정상적인 두통과 같은 동맥 박리를 암시할 수 있는 증상, 특히 날카롭고 빠른 또는 목의 높은 진폭의 움직임 또는 격렬한 신체 활동. 동맥 박리는 허혈과 관련된 징후 없이 급성 경부 통증이나 두통으로만 나타날 수 있음을 명심하는 것이 중요하다.
- 뇌혈관 허혈의 징후 또는 증상, 예를 들어, 안면 및 구강주위 감각이상, 입술 마취, 구음/구음 장애, 발성 장애, 복시, 흐릿한 시야, 시야 변화, 제6 뇌신경 마비, 각막 반사 소실, 청력 저하, 이명, 불안정, 운동 실조, 급격한 균형 상실, 방향 감각 상실, 호너 증후군, 안진, 현기증, 메스꺼움 또는 구토. 환자가 설명된 증상 중 하나라도 겪는 경우 임상의는 외상으로 인해 증상이 나타났는지, 특히 경추의 움직임이나 위치로 인해 증상이 악화되었는지 확인해야 한다.
- 동맥경화증과 같은 경부 동맥의 후천성 협착 및 동맥 협착을 유발할 수 있는 비대성 관절 퇴행성 변화.
- 강도가 낮더라도 외상성 부상. 동맥 박리의 증상은 종종 경추 편타손상과 같은 외상 후 일반적으로 겪는 것과 유사하기 때문에 징후와 증상을 주의 깊게 분석할 필요가 있다.
- 호흡기 감염, 발열 또는 권태감.
- 환자가 이전 치료, 특히 경추의 도수 및 비도수치료를 받았는지 여부와 증상에 대한 영향.[257]

주관적인 검사에서 얻은 정보가 동맥 박리 또는 신경혈관 기능 부전의 명확한 징후를 나타내지 않으면 동맥의 기능 검사를 수행한다. 동맥 박리 또는 신경혈관 기능 부전과 잠재적으로 관련된 징후는 사전 조작 기능 검사를 절대 금기한다. 이는 환자를 불필요하게 위험에 빠뜨릴 수 있기 때문이다. 이 경우 환자는 즉시 전문 시설로 이송되어야 한다. 징후와 증상이 불확실한 경우 미리 신경학적 검사를 시행할 수 있다(**표 10-1**).

- 동맥 박리 또는 신경혈관 기능 부전과 관련된 징후는 사전 조작 검사를 절대 금한다.
- 환자가 현기증이나 어지러움을 호소하고

표 10-1

경부 동맥의 기능 검사에 대한 적응증 및 금기 사항

기능적 경동맥 검사(FCAT)를 수행하기 전에

척추 동맥의 기능 검사를 금하는 병력, 징후 또는 증상의 정보:

절대적:

- 동맥박리 증상(두통 또는 갑작스런 출현의 높고 또는 후두하 경부 통증, 급성으로 환자가 전에 경험한 적이 없음)
- 뇌혈관 허혈의 징후 또는 증상
- 선천적이거나 후천적인 경추 또는 두개경추 불안정성의 의심

↓

기능적 경동맥 검사(FCAT) 금기사항

상대적:

- 콜라겐 장애 동맥경화증과 같이 동맥벽을 약화시키는 병리를 경고할 수 있는 개인 임상 병력의 정보
- 동맥 경화증
- 경추의 급성 퇴행성 변화
- 경추 외상
- 호흡기 감염, 발열 또는 권태감
- 혼란스러운 증상 ──► **신경학적 탐색**

↓

기능적 경동맥 검사(FCAT)는 신중하고 점진적으로 수행된다.
다른 관련 증상이 없는 현기증 또는 어지럼증 증상

↓

전정계의 기능적 검사
(Dix-Hallpike manoeuvre)

> 다른 관련 증상이 없는 경우에만 신체검사를 시행하여 원인이 척추뇌저동맥순환부전(VBI)인지 다른 병인인지 확인해야 한다.

환자가 현기증이나 어지러움을 보이고 다른 관련 증상이 없는 경우에만 신체 검사를 실시하여 원인이 척추뇌저동맥순환부전(VBI)인지 또는 전정 장애와 같은 다른 원인인지 확인해야 한다.

신체 검사(Physical examination)

경동맥의 기능 검사

현재 조작을 사용하여 신경혈관 사고를 방지하기 위한 다양한 프로토콜과 임상 지침이 있다. 이 지침에는 1988년에 처음 작성되고 Rivett 등이[257] 2000, 2004, 2006년에 개정했으며 현재 검토 중인 호주물리치료사협회(Australian Physiotherapy Association)[257]의 사전 조작 프로토콜이 포함된다. 정형도수물리치료사 국제연맹 (IFOMPT, International Federation of Orthopedic Manipulative Physical Therapists)는 최근 잠재적인 신경혈관 기능장애에 대한 경추 부위의 치료 전에 임상의를 평가하도록 안내하는 임상 추론 프레임워크를 발표했다.[258] 이 문서는 경동맥 촉진 및 경추 인대 검사와 같은 다른 검사에 대한 제안을 포함하고 있지만 기능 검사에 관한 호주 물리치료 지침의 입장을 지지한다. 또한 다른 그룹에 대한 지침에 대한 다른 최근 개정 사항이 있다. 캐나다 카이로프랙틱 협회 저널(Journal of the Canadian Chiropractic Association)이 발행한 Carey의 프로토콜은[261] 2005년 임상 진료 지침으로 대체되었다; Gross 등의[263]

도수치료 저널에 이전에 출판된 오타리오 대학의 물리치료사(Ontario College of Physiotherapists)의 임상 지침; 그리고 Manipulative Association of Chartered Physiotherapy and Society of Orthopaedic Medicine에서[260] 채택하고 Kerry 등에[213] 의해 2008년에 개정된 가이드.

경부 동맥의 기능 검사는 경추와 관련된 치료 절차 전에 모든 환자에서 수행되어야 하며, 특히 고속 조작이나 고진폭 운동 기술이 사용되는 모든 경우에 수행해야 한다. 고용된 위치는 경추 치료 세션 동안 사용되는 정상적인 절차의 일부이기 때문에 추가 또는 과도한 시간이 필요하지 않다.[257] 이 검사는 주관적인 평가가 병리 또는 신경혈관 기능부전의 가능성을 나타내거나 두개척추 불안정성이 의심되는 경우 권장되지 않는다. 혼란스러운 증상이나 최근 외상의 이력이 있는 경우 평가 중 바람직하지 않은 영향을 피하기 위해 신중하고 점진적인 평가를 수행해야 한다. 중요한 것은 검사에 위험이 없다는 점이다.[27,264] 단순히 경추를 회전시키는 것만으로도 뇌혈관 질환이 유발된 사례가 있다.[109,170]

- 모든 환자는 치료를 받기 전에 경동맥의 기능 검사를 실시해야 한다.
- 병력이 병리 또는 신경혈관 기능부전의 가능성을 나타내거나 두개-척추 기능부전이 의심되는 경우 이 탐색을 권장하지 않는다.
- 증상이 혼란스럽거나 최근 외상의 이력이 있는 경우 평가 중 바람직하지 않은 영향을 피하기 위해 신중하고 점진적인 평가를 수행할 필요가 있다.

또한 도수 전 기능 검사는 도수 추력 동안 경추에 의해 받는 힘을 완전히 유도하지 않는다는 점에 유의하는 것이 중요하다. 기능적 자극 검사가 음성이라고 해서 경동맥이 조작 중에 가해지는 힘과 속도를 견딜 수 있다는 것을 의미하지는 않는다.[75] 또한 이 검사는 부상 가능성을 예측하지 않는다. 부수적 관류 능력을 평가하고 부상이 발생할 경우 부상의 가능한 심각성을 나타내는 지표로 사용할 수 있다.[70]

경부 동맥의 기능적 검사는 처음에 앉은 자세에서 경부 가동성의 평가가 선행되어야 한다. 환자는 각 시상면, 관상면 및 축면에서 경추의 능동적이고 고립된 생리학적 움직임을 수행한다. 경동맥과 잠재적으로 관련된 징후 및 증상의 출현은 검사 중 뿐만 아니라 검사 및 도수치료 후에도 주의 깊게 분석된다.

- 척추동맥의 기능 검사는 위험할 수 있으니, 신중하고 점진적으로 시행해야 한다.
- 사전 조작 검사는 조작 중 경추에 받는 힘을 완전히 유도하지 않는다. 유발 검사가 음성이라고 해서 경부 동맥이 조작 중에 가해지는 힘과 속도를 견딜 수 있다는 의미는 아니다.
- 사전 조작 검사는 동맥 손상 가능성을 예측하지 않는다.
- 경동맥과 관련될 수 있는 징후 및 증상의 출현은 검사 중 뿐만 아니라 검사 및 도수치료 후에도 주의 깊게 분석되야 한다.

Rivett 등이[257] 초안을 작성하고 Arnold 등[199] 및 Mitchell 등[189,198] 연구 호주 물리치료사 협회(Australian Physiotherapy Association)의 임상 권장 사항에서 필요한 기능 검사에는 다음이 포함된다.

- 최대 범위에서 경추 회전.
- 사전 조작 위치 – 필요한 치료 위치에 환자를 배치하는 시뮬레이션(**그림 10–16**).
- 또한, 환자가 증상의 출현을 보고하는 위치; 예를 들어, 경추신전.

한 번의 움직임이 아닌 점진적으로 최대 회전 범위를 달성하는 것이 좋다.

이전에 증상이 나타나지 않는 한 모든 자세는 10초 동안 유지한다. 이 기간 동안 안진의 출현을 평가

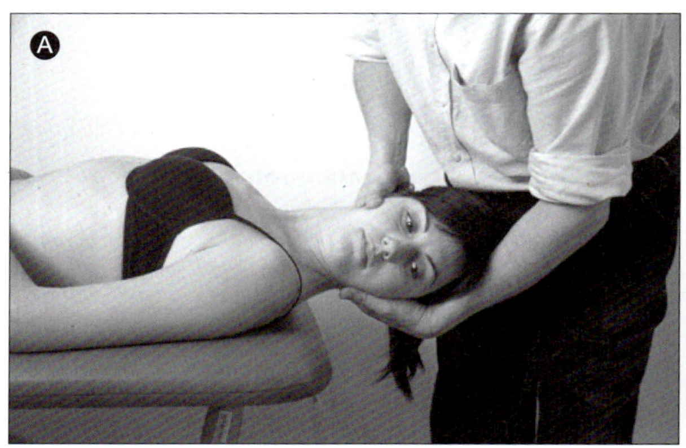

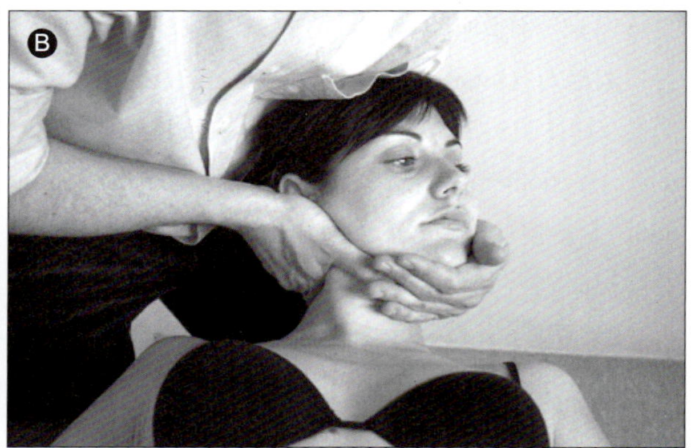

그림 10-16 ■ 권장되는 기능 검사는 전체 범위의 경추 회전(A) 및 의도한 조작 위치의 유도(B)이다.

해야 하며, 환자에게 현기증 또는 전 실신과 같은 증상을 즉시 보고하도록 요청해야 한다. 각 검사 후에는 10초의 대기 시간이 있어야 한다. 경우에 따라 증상이 시작될 때까지 잠복기가 있기 때문이다.[80,97,189,197] 잠복기는 아마도 머리 움직임에 대한 전정 구조의 즉각적인 반응과 대조적으로 시간이 지남에 따라 뇌 관류의 점진적인 감소 때문일 것이다.

이전 검사가 음성인 경우, 척추뇌저동맥순환부전(VBI)와 관련된 징후 및 증상을 식별하기 위해 필요한 경우, 두개경추 신전을 추가하거나 최대 범위로 확장할 수 있다(**그림 10-17**). 이 위치는 점진적으로 획득되며 마찬가지로 10초 동안 유지된다.

경추의 통증과 뻣뻣함이 완전한 가동성의 검사를 제한하는 경우, 검사가 불완전하여 치료 방식을 선택하는 데 필요한 모든 정보를 사용할 수 없다는 것을 기록해야 한다.

동맥 손상 또는 척추뇌저동맥순환부전(VBI)와 관련된 징후 및 증상의 증거가 있는 경우 환자는 즉시 전문의료시설로 이송해야 한다. 임상 병력과 기능 검사로 인해 징후와 증상이 혼동되는 경우 도수기법이나 광범위한 경추 가동성을 부여하는 기술을 적용해서는 안된다. 도수치료에 대한 환자의 반응을 모니터링해야 하며 의심스러운 경우 의학적 평가를 위해 환자를 의뢰해야 한다.

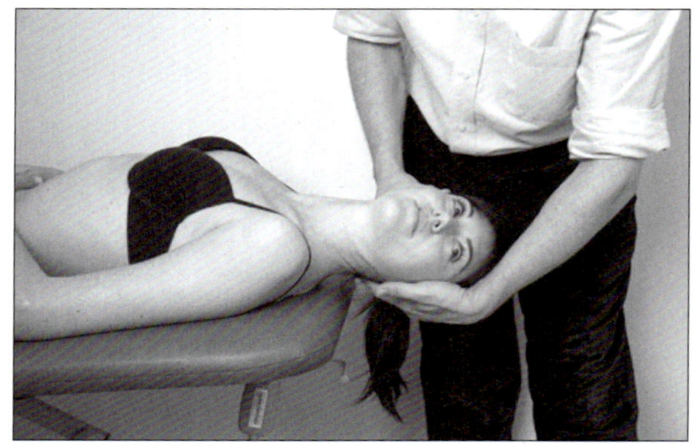

그림 10-17 ■ 척추 동맥의 기능 검사가 음성이면 전체 범위 회전에서 두개경추 신전을 수행할 수 있다.

치료 중 및 치료 후에 신경혈관 징후 및 증상의 가능한 출현을 평가해야 한다. 각 치료 세션과 함께 사전 조작 검사를 수행해야 한다.

현재 모든 임상 가이드는 환자로부터 정보에 입각한 동의를 얻을 것을 권장한다. 치료사가 치료에 사용될 절차, 특히 조작 기술에 관한 정보를 제공하는 것이 중요하다.[257,258] 그러나 Cote 등은[195] 윤리적인 관점에서 환자에게 불필요하게 경고를 보내는 것은 허용되지 않는다. 사전 동의에 대한 권장 사항은 국가마다 다를 수 있지만 일반적으로 동의 절차는 최소한 치료의 위험과 이점에 대한 조언을 포함하고 치료 대안에 대한 약간의 논의를 포함해야 한다.[257,258]

현기증 증상의 감별

주관적인 검사에서 피험자가 현기증 증상을 보고하는 경우 실제로 척추기저근에 기인한 것인지 아니면 다른 원인이 있는지 확인해야 한다.[265] 첫째, 척추뇌저동맥순환부전(VBI)는 흔하지 않은 개체이며 대부분의 현기증 증상이 이 병인에 속하지 않는다. 현기증이나 어지럼증이 종종 척추뇌저동맥순환부전(VBI)의 주요 특징인 반면, 척추뇌저동맥순환부전 또는 동맥 박리의 현기증은 뇌간과 소뇌, 중추 및 말초 전정 시스템 같은 기저 동맥에 의해 관계되는 영역에서 허혈의 다른 징후 또는 증상 없이 단독으로 나타날 수 있다.

Grad와 Baloh는[225] 척추뇌저동맥순환부전(VBI)에서 처음에는 현기증이 단독으로 나타날 수 있지만 6개월 이상의 기간 동안 후방 순환의 허혈의 다른 증상 없이 현기증이 존재한다는 것은 다른 병인을 암시해야 한다는 것을 발견했다.

빈도로 인해 일반적으로 감별 진단이 필요한 현기증 유형 중 하나는 양성자세현훈 (BPPV)이다.[241,266-268] 이 유형의 현기증은 회전성이며 급성이지만 짧고 머리나 몸통의 빠른 움직임에 의해 유발된다. 이 현기증을 유발하는 자극은 중력과 머리 위치의 변화이며 관절 관계의 수정이나 동맥 관류에 미치는 영향이 아니다. 딕스홀파이크(Dix-Hallpike)[269] 검사와 같은 특정 검사는 특히 누운 자세에서 수행되는 경우 척추동맥의 검사와 유사하다. 따라서 척추동맥 검사 중 현기증의 유발로 척추뇌저동맥순환부전(VBI)가 의심되는 일부 환자는 대신 전정현훈으로 고통받을 수 있다. 현기증이 계속되거나 악화되고 검사 단계에서 빨리 가라앉지 않으면 이것은 가능성이 더 높은 것으로 간주된다. 그런 다음 이 현기증의 원인을 확인하기 위해 Dix-Hallpike 검사 또는 기타 전정 검사를 수행하는 것이 좋다(**표 10-2**). 경추성 현기증의 감별 진단은 8장에서 논의된다.

표 10-2

경동맥의 기능 검사를 위한 프로토콜

- 임상 병력이 척추뇌저동맥순환부전(VBI) 또는 혈관 손상 가능성을 나타내는 경우, 기능적 경동맥 검사(FCAT)를 수행해서는 안된다.
- 기능적 경동맥 검사(FCAT)에 앞서 경추의 완전한 가동성 검사가 선행되어야 한다.
- 병력이 혈관 손상 또는 척추뇌저동맥순환부전(VBI)를 시사하지 않는 경우 기능적 경동맥 검사(FCAT)가 수행된다.
- 병력이 불분명한 경우 기능적 경동맥 검사(FCAT)는 신중하고 점진적으로 수행된다.
  - 기능적 경동맥 검사(FCAT)는 음성이지만 임상 병력이 불분명한 경우, 도수치료 또는 말단 범위 가동을 포함하는 치료를 수행해서는 안된다. 환자의 반응을 모니터링해야 하며 의심스러운 경우 환자에게 보다 철저한 의료 검사를 의뢰해야 한다.
  - 기능적 경동맥 검사(FCAT)이 양성이면 환자를 보다 완전한 건강 검진을 위해 의뢰해야 한다.
  - 기능적 경동맥 검사(FCAT)가 음성이면 도수치료가 시작될 수 있다.
- 증상이 현기증만 유발하는 경우 전정 기능 검사가 수행된다.
  - 전정 기능 검사가 양성이면 가동 또는 도수치료를 시작하기 전에 이 문제를 평가하고 해결해야 한다.
  - 전정 기능 검사가 음성이면 환자에게 가능한 척추뇌저동맥순환부전(VBI) 평가를 의뢰해야 한다.
- 기능적 경동맥 검사(FCAT)이 음성이고 척추뇌저동맥순환부전(VBI) 또는 혈관 손상을 시사하는 임상 병력이 없는 경우에만 도수치료를 시작할 수 있다.

Rivett D, Shirley D, Magarey M, Refshauge K. 2006의 허가를 받아 수정. 경추 장애 관리에서 척추뇌저동맥순환부전(VBI)를 평가하기 위한 임상 지침. 부록 2. 임상 흐름도. 호주물리치료협회.

척추동맥의 기능적 검사에서 현기증만 유발된다면 전정기능검사를 시행해야 한다.

경동맥 맥박의 촉진 및 청진

일부 저자는 흥미로운 조작 전 검사로 경동맥 맥박의 촉진 또는 청진을 권장했다.[258,270] 이 검사는 척추 동맥의 기능 검사 위치와 중립 위치 사이의 맥박 변화를 감지한다. 이 검사는 일부 연구에서 척추동맥의 흐름이 감소하면 총경동맥, 특히 반대쪽 동맥에서 총경동맥의 흐름이 증가한다고 결정하고[271] 경동맥 촉

그림 10-18 ■ 하우탄트 테스트 : 중립자세(A)와 경추회전(B).

진이 정상 경동맥 검사의 일부라고 결정했기 때문에 정당화되었다.[213] 그러나 진단적 중요성이 불분명하고 부작용 위험에 대한 명확한 표시를 제공할 가능성은 없다.[258] 또한, 경동맥 청진이 음성이어서[170,272] 이 검사가 감지에 필요한 민감도를 갖지 못하는 조작 후 사고 사례가 기록되어 있다.

하우탄트(Hautant)의 검사

하우탄트(Hautant)의 검사는 척추 동맥의 혈류 감소와 후두와 관류의 결과로 소뇌 병인의 고유 감각 변화를 보여주기 때문에 물리적 탐색에 포함될 수 있는 또 다른 검사이다.[243,273] 이것은 잠재적으로 척추 동맥 검사보다 혈관 기능장애의 더 객관적인 측정을 제공할 수 있다. 그러나 민감도와 특이도가 낮아 이 검사의 타당성에 의문을 제기한다.

환자는 검사대에 앉고, 팔뚝은 회외전, 손가락은 펴고 팔꿈치는 90° 굴곡한다. 그런 다음 환자에게 15~30초 동안 눈을 감도록 요청하고 치료사는 환자가 양팔의 위치를 대칭적으로 유지할 수 있는지 확인한다. 평가의 이 부분이 음성이면 척추 동맥의 기능 검사에서와 같이 경추를 회전 및 신전 위치에 놓고 치료사는 팔 위치의 대칭을 다시 관찰한다. 한쪽 또는 양쪽 팔의 대칭 상실, 회내 또는 팔꿈치 굴곡의 상실은 척추 동맥과 관련된 소뇌 상태를 나타낼 수 있다(**그림 10-18**).

신경혈관 사고 및 경추 도수치료
NEUROVASCULAR ACCIDENTS AND CERVICAL MANIPULATION

이 검토 후에 전문가가 물어야 하는 첫 번째 질문은 경추에 도수기법을 사용하는 것이 권장되는지 여부이다. 일부 저자는 작은 위험에도 불구하고 도수치료의 이점이 위험을 초과하지 않는다고 생각하므로 가동술 기술의 사용을 독점적으로 권장한다.[22,97,108,256,274,275] 이러한 권고는 경추 수치료가 가동화보다 더 많은 부작용을 나타낸다는 증거가 있다는 사실에 근거하는 경향이 있지만,[21] 기법은 경추 통증 및 두통 치료에 효과적임이 입증되었다.[276-281] 따라서 매개변수가 부상 위험이 더 높은 것으로 나타난 조작을 제외하고 사용이 정당하다.

물론 병력에서 제공하는 데이터가 상충되는 경우 가동화기법을 사용하는 것이 바람직하다. 환자를 처음 방문하거나 치료할 때 고속 기술이나 높은 진폭의 움직임을 전달하는 기술을 사용하는 것은 권장되지 않는다. 고속 기술은 도수치료 진행의 마지막 단계여야 하며 처음 방문하는 동안 첫 번째 선택이 아니다.

고속 기술은 일반적으로 도수치료 진행의 마지막 단계이며 첫 방문 시 첫 번째 선택이 아니다.

일부 전문가에게는 고속 기술이 유일한 치료 도구인것 같다. 조작을 하는 전문가와 사고 발생의 관계가 연구되었다.[25,108,170] Rothwell은[25] 45세 미만 환자의 뇌혈관 사고 위험이 카이로프랙터를 방문하는 100,000회 중 1.3명이라고 추정했다. 이러한 연구에서 카이로프랙터의 치료 후 사고 발생률이 훨씬 높다는 것은 분명하지만, 이는 도수치료를 더 자주 사용하기 때문일 것이다. 물리치료사의 발병률은 2%에 미치지 못하지만 카이로프랙터의 경우 70%에 이른다.[108]

Jul은[280] 호주 물리치료사가 두통 환자를 치료하기 위해 선택한 도수기법(고속 기법 또는 가동술) 유형을 비교했다. 이 연구의 결론은 해당 국가의 물리치료사가 고속 조작을 사용할 때 발생할 수 있는 위험을 인식하고 있으며 가동술보다 적게 사용한다는 것을 보여준다. 환자의 42%에서 일부 세션 동안 고속 조작이 사용되었지만 이 기술은 수행된 모든 치료의 약 20%에서만 사용되었으며 첫 번째 방문에서 선택된 경우는 10%에 불과했다. Grant 와 Niere가[282] 수행한 또 다른 연구에서 물리치료사가 두통 치료에 사용하는 치료 방식을 조사했는데, 환자의 40% 이상에서 도수가 사용되었지만 경추 2번-경추 3번 수준에서 더 자주 사용되었으며, 더 작은 범위는 상부 분절 경추 0번-경추 1번 및 경추 1번-경추 2번에서 사용되었다. 카이로프랙터는 약간의 부작용 때문에 가동기술을 더 많이 사용해야 한다고 권장되었다.[21]

조작 후 부작용 사례와 관련된 것으로 보이는 또 다른 측면은 환자가 이전에 받은 도수치료의 횟수이다. 이전 사례의 문헌은 일부 리뷰에서 환자가 이전에 받은 도수치료 세션의 50%에[108] 달하는 높은 빈도를 보여준다.[124] Di Fabio의 검토에서[108] 부작용을 겪은 피험자의 10%만이 처음으로 조작을 받았다. 방문 횟수가 많을수록 동맥 박리 위험이 높다는 것을 보여주는 충분한 데이터가 있다.[25] 또한 다른 저자들은 건강한 동맥 조직이 반복되는 긴장을 견딜 수 있어야 한다고 주장하지만[97] 많은 환자가 동일한 세션에서 여러 번의 조작을 받았다.[86,179]

일부 리뷰에서는 치료를 금하는 임상 병력이 있고 도수치료를 받은 적이 없는 환자가 있음을 보여주었다.[283,284] Terrett은[170] 여러 번 도수치료 이후 동맥 박리 징후가 있는 피험자의 사례를 설명했다. 도수치료 후 최소한의 부작용은 새로운 조작에 대한 완전한 금기로 간주되어야 한다.[123,285]

도수치료 후 최소한의 부작용은 새로운 도수치료에 대한 완전한 금기로 간주되어야 한다.

동일한 임상 상황에서 일반적으로 사용되는 다른 유형의 치료와 비교하여 경추 도수의 위험/이점 비율에 대한 통찰력을 얻기 위해 몇 가지 흥미로운 연구가 수행되었다. 조작의 위험은 비스테로이드성 항염증제(NSAID)의 섭취와 관련된 위험과 비교되었다. 왜냐하면 조작 기술을 사용하는 것보다 훨씬 더 높을 수 있기 때문이다.[286] 2001년 Graumlich는[287] 미국에서 비스테로이드항염증제(NSAID)로 인한 위장 합병증을 분석한 결과 이러한 약물이 매년 100,000명 이상의 입원과 약 16,500명의 사망을 초래한다는 사실을 발견했다. 그러나 이러한 비교는 두 방식 간의 효능 및 임상 검사의 상당한 차이를 감안할 때 다소 과장될 수 있다.[4]

1995년 Dabbs와 Lauretti는[288] 비스테로이드항염증제(NSAID) 사용과 관련된 사망 위험과 도수치료 후 사망 위험을 비교한 결과, 경추 도수치료로 사망할 위험은 400,000분의 1인 반면 NSAIDs는 40,000분의 1이었고, NSAID 사용 시 사망 위험이 있음을 발견했다. Carey는[289] 1천만 건의 조작 중 3건으로 사망 위험을 설정했다. Tramer 등은[290] 2000년에 피험자가 2개월 동안 NSAID를 매일 복용할 때 위십이지장 합병증으로 인한 사망 위험이 1/1200임을 보여주었다.

경추 수술도 위험이 없는 것은 아니며, 1000건 중 15.6건이 신경학적 합병증을 유발하고 사망률은 1000건 중 6.9건이다.[20]

도수치료 및 사고 예방의 기술적 측면 (Technical aspects of the manipulation and accident prevention)

도수치료 후 부작용에 대한 최신 지식을 통해 기술적 측면에 대해 몇 가지 관찰을 할 수 있다.

강조해야 할 첫 번째 관찰은 관절 가동화 기술과 근육 에너지 기술 자체가 위험에서 완전히 자유롭지 않다는 것이다.[108] 동맥의 구조적 약점이 있는 대상에서 모든 움직임 가장 부드러운 조작조차도 박리를 유발할 가능성이 있다는 것이 알려져 있기 때문이다.[291]

두 번째 관찰은 위험을 피하기 위해 기술의 힘과 진폭뿐만 아니라 이전에 생각했던 것과 달리 속도도 조절해야 한다는 것이다. 동맥막은 더 빠른 속도로 박리되기 쉬우므로 속도가 관절 간극을 얻는데 필요한 것보다 크지 않아야 한다고 제안된다.

회전 조작이 취약한 환자에게 잠재적으로 위험하다는 충분한 증거가 있기 때문에 회전은 조절되어야 하는 다른 매개변수이고,[40,121] 45° 미만으로 제한하는 것이 좋고 일부 저자는 측면 추력이 더 낮은 동맥 스트레칭을 생성하기 때문에 위험을 최소화할 수 있다고 제안한다.[206,209,224] 동맥 손상의 원인은 추력뿐 아니라 도수 적용 전의 회전 위치에도 있다. 다른 매개변수인 신전(extension)은 척추 및 경동맥 모두의 잠재적 위험을 보여주었으므로 아마 피해야 한다.[81] 역설적으로 많은 치료사들은 상당한 정도의 신전을 경추에 적용한 도수치료법을 사용한다.

일부 전문가들은 조작 중에 견인력을 적용하면 위험이 감소한다고 생각한다.[292] 그러나 표본에서 수행된 한 연구에서 제공된 정보에서 축 견인이 척추 동맥의 막힘을 유발할 수 있음을[63] 보여주었기 때문에 이 제안은 확인할 수 없다.[184,193]

모든 고속 조작 기술 또는 조직에 상당한 부하를 주는 기술은 연조직에 대한 예비 치료와 함께 이는 탄성 능력을 향상시킬 수 있기 때문에 동맥벽의 절개 위험을 줄이면서, 더 큰 움직임의 진폭이 점진적으로 적용되는 생리적 가동이 선행되어야 한다. 모든 도수치료에 주의를 기울여야 하지만 대부분의 기술은 정상적이고 건강한 경동맥의 안전 한계 내에서 잘 수행된다.[179,293] 그러나 건강에 해로운 동맥이나 손상된 동맥의 상황은 그렇게 확실하지 않으며 도수 또는 가동 기술의 안전한 적용조차도 임상의를 보호하지 못할 수 있다.[20,80,193]

다른 상황은 발견 위험 요소뿐만 아니라 고속 기술을 금할 수 있다. 이는 환자의 불편함, 두통 또는 급성 목 통증이 될 수 있고, 특히 병인이 혈관 기원이 아니더라도 외상[18] 및 현기증 증상의 병력이 있는 경우에는 더욱 그렇다.

결론적으로 기술적인 측면에서:

1. 현기증, 두통 또는 급성 목 통증의 급성 발병 중에 조작을 수행해서는 안된다.
2. 환자에게 현기증이나 불쾌한 증상을 유발하는 모든 조작은 피해야 한다.
3. 척추 동맥의 기능 검사와 경추 도수 자세의 시뮬레이션은 첫 번째 세션뿐만 아니라 모든 치료 전에 수행해야 한다.
4. 사전 조작 검사와 그 반응은 환자 기록에 문서화되어야 한다.

5. 퇴행성 변화가 있는 고령 환자에게 조작을 해서는 안된다.
6. 초기 치료로 수동적 가동화 기술을 사용해야 하며, 경추의 모든 유형의 기법을 고려하기 전에 처음 24시간 동안 그 효과를 관찰해야 한다.
7. 도수치료가 적용될 때 기능 검사가 음성인 경우 한 번의 부드러운 조작을 사용해야 한다.
8. 도수치료의 힘과 속도는 적당해야 한다.
9. 회전 범위는 45°를 초과해서는 안된다.
10. 도수치료하는 동안 견인 요소가 없어야 한다.
11. 상부 두개경추를 도수치료할 때는 매우 주의를 기울여야 한다.
12. 환자로부터 사전 동의를 받아야 한다.

결론 CONCLUSION

현재의 임상 지식과 임상 병력 및 주관적 검사의 중요성에 따르면, 모든 임상 상황에서 치료사는 고속 도수기법 또는 높은 범위의 움직임을 포함하는 기법이 적합하고 적절한 치료 옵션인지 결정해야 한다. 도수치료로 인한 동맥 손상의 가장 중요한 위험 인자는 경부 동맥의 무증상 손상을 수반하는 경추의 이전 외상과 동맥벽의 약화를 수반하는 장애 또는 변형이다.

동맥 박리의 발달은 도수치료 중에 가해지는 힘에 의존하는 것이 아니라 외상이나 이전 병리의 결과로서 환자의 동맥 취약성에 의존하는 것 같다. 현재 이용 가능한 지식으로는 도수치료로 인한 뇌혈관 사고의 위험이 있는 모든 대상을 예측할 수 없으며 기능 검사의 음성 결과가 부작용을 피할 수 있다는 보장도 없다. 사전 조작 기능 검사와 철저한 임상 검사가 조작에 위험이 없음을 절대적으로 보장하지는 않는다. 사고의 수를 최소화하기 위한 목적으로 잠재적으로 위험한 가동술을 단순히 피하는 것만으로는 충분하지 않지만 우수한 기술이 필요하며 가장 중요한 것은 이러한 움직임을 금하는 모든 징후와 증상에 대한 우수한 임상적 이해가 필요하다.

참고문헌

1. Albuquerque FC, Hu YC, Dashti SR, et al. Craniocervical arterial dissections as sequelae of chiropractic manipulation: patterns of injury and management. J Neurosurg 2011;115(6): 1197–205.
2. Biller J, Sacco R, Alberquerque F, et al. Cervical arterial dissections and association with cervical manipulative therapy. A statement for healthcare professionals from the American Heart Association/American Stroke Association. Stroke 2014;45:3155–74.
3. Cassidy D, Boyle E, Cote P, et al. Risk of vertebrobasilar stroke and chiropractic care. Results of a population-based casecontrol and case-crossover study. Spine 2008;33(4S):S176–83.
4. Ernst E. Adverse effects of spinal manipulation: a systematic review. J R Soc Med 2007;100(7):330–8.
5. Lord RS. Vertebrobasilar ischaemia and the extracranial arteries. Med J Aust 1973;2(1):32–7.
6. Moore K, Dalley A. Clinically oriented anatomy. 5th ed. Philadelphia: Lippincott Williams & Wilkins; 2006.
7. Fujita N, Ueda T, Yamanaka T, et al. Clinical application of ultrasonic blood rheography in vertebral artery for vertigo. Acta Otolaryngol Suppl 1995;519:178–83.
8. Stayman A, Noguiera RG, Gupta R. The diagnosis and management of vertebrobasilar insufficiency. Curr Treat Options Cardiovasc Med 2013;15:240–51.
9. Paciaroni M, Bogousslavsky J. Cerebrovascular complications of cervical manipulation. Eur Neurol 2009;61:112–18.
10. Debette S, Leys D. Cervical-artery dissections: predisposing factors, diagnosis and outcome. Lancet Neurol 2009;8(July): 668–78.
11. Frumkin LR, Baloh RW. Wallenberg's syndrome following neck manipulation. Neurology 1990;40(4):611–15.
12. Haldeman S, Carey P, Townsend M, et al. Arterial dissections following cervical manipulation: the chiropractic experience. CMAJ 2001;165(7):905–6.
13. Okawara S, Nibbelink D. Vertebral artery occlusion following hyperextension and rotation of the head. Stroke 1974;5(5): 640–2.
14. Debette S, Grond-Ginsbach C, Bodenant M, et al. Differential features of carotid and vertebral artery dissections: the CADISP study. Neurology 2011;77(12):1174–81.
15. Choi S, Boyle E, Cote P, et al. A population-based case-series of Ontario patients who develop a vertebrobasilar artery stroke after seeing a chiropractor. J Manipulative Physiol Ther 2011;34(1):15–22.
16. Lee KP, Carlini WG, McCormick GF, et al. Neurologic complications following chiropractic manipulation: a survey of California neurologists. Neurology 1995;45(6):1213–15.
17. Lee VH, Brown RD, Jayawant N, et al. Incidence and outcome of cervical artery dissection. A population-based study. Neurology 2006;67(Nov):1809–12.
18. Norris JW, Beletsky V, Nadareishvili Z. Sudden neck movement and cervical artery dissection. The Canadian Stroke Consortium. CMAJ 2000;163(1):38–40.

19. Rivett D, Milburn P. Complications arising from manipulative therapy in New Zealand. Physiotherapy 1997;83:626–32.
20. Hurwitz E, Aker P, Adams AH, et al. Manipulation and mobilization of the cervical spine. A systematic review of the literature. Spine 1996;21(15):1746–60.
21. Hurwitz EL, Morgenstern H, Vassilaki M, et al. Adverse reactions to chiropractic treatment and their effects on satisfaction and clinical outcomes among patients enrolled in the UCLA Neck Pain Study. J Manipulative Physiol Ther 2004;27(1): 16–25.
22. Klougart N, Leboeuf-Yde C, Rasmussen RL. Safety in chiropractic practice. Part 1: The occurrence of cerebrovascular accidents after manipulation to the neck in Denmark from 1978-1988. J Manipulative Physiol Ther 1996;19:371–7.
23. Vickers A, Zollman C. ABC of complementary medicine. The manipulative therapies: osteopathy and chiropractic. BMJ 1999;319(7218):1176–9.
24. Kapral MK, Bondy SJ. Cervical manipulation and risk of stroke. CMAJ 2001;165(7):907–8.
25. Rothwell DM. Chiropractic manipulation and stroke: a population-based case-control study. Stroke 2001;32(5): 1054–60.
26. Engelter S, Grond-Ginsbach C, Metso A, et al. Cervical artery dissection: trauma and other potential mechanical trigger events. Neurology 2013;80(21):1950–7.
27. Mann T, Refshauge KM. Causes of complications from cervical manipulation. Aust J Physiother 2001;47:255–66.
28. Rivett D, Milburn P, Chapple C. Negative pre-manipulative vertebral artery testing despite complete occlusion: a case of false negativity. Man Ther 1998;3(2):102–7.
29. Thomas LC. Cervical arterial dissection: an overview and implications for manipulative therapy practice. Man Ther 2016;21:2–9.
30. Caso V, Paciaroni M, Bogousslavsky J. Environmental factors and cervical artery dissection. In: Baumgartner RW, Bogousslavsky J, Caso V, et al., editors. Handbook on cerebral artery dissection. Basel: Karger; 2005. p. 44–53.
31. Argenson C, Franke JP, Sylla S, et al. The vertebral arteries (segments V1 and V2). Anat Clin 1980;2:29–41.
32. Warwick R, Williams PL, editors. Gray's anatomy. 35th ed. Edinburgh: Longman; 1975.
33. Chopard RP, de Miranda Neto MH, Lucas GA, et al. The vertebral artery: its relationship with adjoining tissues in its course intra and inter transverse processes in man. Rev Paul Med 1992;110(6):245–50.
34. Franke JP, Di Marino V, Pannier M, et al. The vertebral arteries (arteria vertebralis). The V3 atlanto-axoidal and V4 intercranial segments-collaterals. Anat Clin 1981;2:229–42.
35. George B, Laurian C. Vertebro-basilar ischaemia with thrombosis of the vertebral artery: report of two cases with embolism. J Neurol Neurosurg Psychiatry 1982;45(1):91–3.
36. Johnson C, Grant R, Dansie B, et al. Measurement of blood flow in the vertebral artery using colour duplex Doppler ultrasound: establishment of the reliability of selected parameters. Man Ther 2000;5(1):21–9.
37. Thiel HW. Gross morphology and pathoanatomy of the vertebral arteries. J Manipulative Physiol Ther 1991;14(2): 133–41.
38. Haynes M. Vertebral arteries and cervical movement: Doppler ultrasound velocimetry for screening before manipulation. J Manipulative Physiol Ther 2002;25(9):556–67.
39. Lamberty BGH, Zivanovic S. The retro-articular vertebral artery ring of the atlas and its significance. Acta Anat (Basel) 1973;85:113–22.
40. Haldeman S, Kohlbeck FJ, McGregor M. Risk factors and precipitating neck movements causing vertebrobasilar artery dissection after cervical trauma and spinal manipulation. Spine 1999;24(8):785–94.
41. Haneline M, Triano J. Cervical artery dissection. A comparison of highly dynamic mechanisms: manipulation versus motor vehicle collision. J Manipulative Physiol Ther 2005;28(1): 57–63.
42. Nibu K, Cholewicki J, Panjabi MM, et al. Dynamic elongation of the vertebral artery during an in vitro whiplash simulation. Eur Spine J 1997;6(4):286–9.
43. Reddy M, Reddy B, Schoggl A, et al. The complexity of trauma to the cranio-cervical junction: correlation of clinical presentation with Doppler flow velocities in the V3-segment of the vertebral arteries. Acta Neurochir (Wien) 2002;144(6):575–80, discussion 580.
44. Giuffre R, Sherkat S. The vertebral artery: developmental pathology. J Neurosurg Sci 1999;43(3):175–89.
45. Macchi C, Giannelli F, Cecchi F, et al. The inner diameter of human intracranial vertebral artery by color Doppler method. Ital J Anat Embryol 1996;101(2):81–7.
46. Davis JM, Zimmerman RA. Injury of the carotid and vertebral arteries. Neuroradiology 1983;25(2):55–69.
47. Haneline M, Croft A, Frishberg B. Association of internal carotid artery dissection and chiropractic manipulation. Neurologist 2003;9(1):35–44.
48. Sturzenegger M. Spontaneous internal carotid artery dissection: early diagnosis and management in 44 patients. J Neurol 1995;242(4):231–8.
49. Taylor AJ, Kerry R. Neck pain and headache as a result of internal carotid artery dissection: implications for manual therapists. Man Ther 2005;10(1):73–7.
50. Dadsetan MR, Skerhut HE. Rotational vertebrobasilar insufficiency secondary to vertebral artery occlusion from fibrous band of the longus coli muscle. Neuroradiology 1990;32(6): 514–15.
51. Healy AT, Lee BS, Walsh K, et al. Bow hunter's syndrome secondary to bilateral dynamic vertebral artery compression. J Clin Neurosci 2015;22(1):209–12.
52. Scheenan S, Bauer R, Meyer J. Vertebral artery compressions in cervical spondylosis. Neurology 1969;10:968.
53. Pollanen MS, Deck JH, Boutilier L, et al. Lesions of the tunica media in traumatic rupture of vertebral arteries: histologic and biochemical studies. Can J Neurol Sci 1992;19(1): 53–6.
54. De Kleyn A, Nieuwenhuyse A. Schwindelanfalle und Nystagmus bei einer bestimmten Stellung des Kopfes. Acta Otolaryngol 1927;VII:155–7.
55. Sim E, Schwarz N, Biowski-Fasching I, et al. Color- coded Duplex sonography of vertebral arteries. 11 cases of blunt cervical spine injury. Acta Orthop Scand 1993;64(2): 133–7.
56. Kuether TA, Nesbit GM, Clark WM, et al. Rotational vertebral artery occlusion: a mechanism of vertebrobasilar insufficiency. Neurosurgery 1997;41(2):427–32, discussion 432–3.
57. Bogduk N, Mercer S. Biomechanics of the cervical spine. I: Normal kinematics. Clin Biomech (Bristol, Avon) 2000;15: 633–48.
58. Mimura M, Moriya H, Watanabe T, et al. Three-dimensional

motion analysis of the cervical spine with special reference to the axial rotation. Spine 1989;14(11):1135–9.
59. Selecki BR. The effects of rotation of the atlas on the axis: experimental work. Med J Aust 1969;1(20):1012–15.
60. Hufnagel A, Hammers A, Schonle PW, et al. Stroke following chiropractic manipulation of the cervical spine. J Neurol 1999;246(8):683–8.
61. Andersson R, Carleson R, Nylen O. Vertebral artery insufficiency and rotational obstruction. Acta Med Scand 1970;188(6): 475–7.
62. Barton JW, Margolis MT. Rotational obstructions of the vertebral artery at the atlantoaxial joint. Neuroradiology 1975;9(3):117–20.
63. Brown BSJ, Tatlow WF. Radiographic studies of the vertebral arteries in cadavers. Effects of position and traction on the head. Radiology 1963;81:80–8.
64. Grossmann RI, Davis KR. Positional occlusion of the vertebral artery: a rare cause of embolic stroke. Neuroradiology 1982; 23(4):227–30.
65. Toole JF, Tucker SH. Influence of head position upon cerebral circulation. Studies on blood flow in cadavers. Arch Neurol 1960;2:616–23.
66. Yang PJ, Latack JT, Gabrielsen TO, et al. Rotational vertebral artery occlusion at C1-C2. AJNR Am J Neuroradiol 1985;6(1): 96–100.
67. Di Duro JO. Stroke in a chiropractic patient population. Cerebrovasc Dis 2003;15(1–2):156. author reply 156.
68. Zaidi HA, Albuquerque FC, Chowdhry SA, et al. Diagnosis and management of bow hunter's syndrome: 15-year experience at Barrow Neurological Institute. World Neurosurg 2014;82(5): 733–8.
69. Grego F, Lepidi S, Cognolato D, et al. Rationale of the surgical treatment of carotid kinking. J Cardiovasc Surg (Torino) 2003;44(1):79–85.
70. Rivett D, Sharples K, Milburn P. Effect of premanipulative tests on vertebral artery and internal carotid blood flow: a pilot study. J Manipulative Physiol Ther 1999;22:368–75.
71. Beatty RA. Dissecting hematoma of the internal carotid artery following chiropractic cervical manipulation. J Trauma 1977; 17(3):248–9.
72. Parwar BL, Fawzi AA, Arnold AC, et al. Horner's syndrome and dissection of the internal carotid artery after chiropractic manipulation of the neck. Am J Ophthalmol 2001;131(4): 523–4.
73. Peters M, Bohl J, Thomke F, et al. Dissection of the internal carotid artery after chiropractic manipulation of the neck. Neurology 1995;45(12):2284–6.
74. Herzog W, Tang C, Leonard T. Internal carotid artery strains during high-speed, low-amplitude spinal manipulations of the neck. J Manipulative Physiol Ther 2015;38(9):664–71.
75. Refshauge KM. Rotation: a valid premanipulative dizziness test? Does it predict safe manipulation? J Manipulative Physiol Ther 1994;17(1):15–19.
76. Thomas L, McLeod L, Osmotherly P, et al. The effect of endrange cervical rotation on vertebral and internal carotid arterial blood flow and cerebral inflow: A sub analysis of an MRI study. Man Ther 2015;20(3):475–80.
77. Etheredge SN, Effeney DJ, Ehrenfeld WK. Symptomatic extrinsic compression of the cervical carotid artery. Arch Neurol 1984;41(6):672–3.
78. Flis CM, Jäger HR, Sidhu PS. Carotid and vertebral dissections: clinical aspects, imaging features,and endovascular treatment. Eur Neurol 2007;17:820–34.
79. Ozdoba C, Sturzenegger M, Schroth G. Internal carotid artery dissection: MR imaging features and clinical-radiologic correlation. Radiology 1996;199(1):191–8.
80. Haneline MT, Rosner AL. The etiology of cervical artery dissection. J Chiropr Med 2007;6(3):110–20.
81. Stringer WL, Kelly DL Jr. Traumatic dissection of the extracranial internal carotid artery. Neurosurgery 1980;6(2): 123–30.
82. Lepojarvi M, Tarkka M, Leinonen A, et al. Spontaneous dissection of the internal carotid artery. Acta Chir Scand 1988;154(10):559–66.
83. Fabian TC, Patton JH Jr, Croce MA, et al. Blunt carotid injury. Importance of early diagnosis and anticoagulant therapy. Ann Surg 1996;223(5):513–22, discussion 522–5.
84. Dobrin PB. Mechanical properties of arterises. Physiol Rev 1978;58(2):397–460.
85. Piffer CR, Zorzetto NL. Microscopy anatomy of the vertebral artery in the suboccipital and intracranial segments. Anat Anz 1980;147(4):382–8.
86. Austin N, DiFrancesco L, Herzog W. Microstructural damage in arterial tissue exposed to repeated tensile strains. J Manipulative Physiol Ther 2010;33:14–19.
87. Kawchuk GN, Wynd S, Anderson T. Defining the effect of cervical manipulation on vertebral artery integrity: establishment of an animal model. J Manipulative Physiol Ther 2004;27(9):539–46.
88. Symons B, Leonard T, Herzog W. Internal forces sustained by the vertebral artery during spinal manipulative therapy. J Manipulative Physiol Ther 2002;25(8):504–10.
89. Wynd S, Anderson T, Kawchuk GN. Effect of cervical spine manipulation on a pre-existing vascular lesion within the canine vertebral artery. Cerebrovasc Dis 2008;26:304–9.
90. Debette S. Pathophysiology and risk factors of cervical artery dissection: what have we learnt from large hospital-based cohorts? Curr Opin Neurol 2014;27:20–8.
91. Dunne JW, Conacher GN, Khangure M, et al. Dissecting aneurysms of the vertebral arteries following cervical manipulation: a case report. J Neurol Neurosurg Psychiatry 1987;50(3): 349–53.
92. Nagasawa S, Handa H, Naruo Y, et al. Biomechanical study on aging changes and vasospasm of human cerebral arteries. Biorheology 1982;19(3):481–9.
93. Dorfler P, Puls I, Schliesser M, et al. Measurement of cerebral blood flow volume by extracranial sonography. J Cereb Blood Flow Metab 2000;20(2):269–71.
94. Berczi V, Toth P, Kovach AG, et al. Biomechanical properties of canine vertebral and internal carotid arteries. Acta Physiol Hung 1990;75(2):133–45.
95. Bevan JA. Sites of transition between functional systemic and cerebral arteries of rabbits occur at embryological junctional sites. Science 1979;204(4393):635–7.
96. Wilkinson IM. The vertebral artery. Extracranial and intracranial structure. Arch Neurol 1972;27(5):392–6.
97. Frisoni G, Anzola G. Vertebrobasilar ischaemia after neck motion. Stroke 1991;22:1452–60.
98. Caplan LR. Vertebrobasilar embolism. Clin Exp Neurol 1991; 28:1–22.
99. Anson J, Crowell RM. Cervicocranial arterial dissection. Neurosurgery 1991;29(1):89–96.
100. Ehrenfeld WK, Wylie EJ. Spontaneous dissection of the internal carotid artery. Arch Surg 1976;111(11):1294–301.
101. Hart RG, Easton JD. Dissections of cervical and cerebral arteries. Neurol Clin 1983;1(1):155–82.

102. Mokri B, Houser OW, Sandok BA, et al. Spontaneous dissections of the vertebral arteries. Neurology 1988;38(6):880–5.
103. Zetterling M, Carlstrom C, Konrad P. Internal carotid artery dissection. Acta Neurol Scand 2000;101(1):1–7.
104. Sherman DG, Hart RG, Easton JD. Abrupt change in head position and cerebral infarction. Stroke 1981;12(1):2–6.
105. Hoshino Y, Kurokawa T, Nakamura K, et al. A report on the safety of unilateral vertebral artery ligation during cervical spine surgery. Spine 1996;21(12):1454–7.
106. Stahmer SA, Raps EC, Mines DI. Carotid and vertebral artery dissections. Emerg Med Clin North Am 1997;15(3):677–98.
107. Bassetti C, Carruzzo A, Sturzenegger M, et al. Recurrence of cervical artery dissection. A prospective study of 81 patients. Stroke 1996;27(10):1804–7.
108. Di Fabio RP. Manipulation of the cervical spine: risks and benefits. Phys Ther 1999;79(1):50–65.
109. Daneshmend TK, Hewer RL, Bradshaw JR. Acute brain stem stroke during neck manipulation. Br Med J (Clin Res Ed) 1984;288(6412):189.
110. Easton JD, Sherman DG. Cervical manipulation and stroke. Stroke 1977;8(5):594–7.
111. Katirji MB, Reinmuth OM, Latchaw RE. Stroke due to vertebral artery injury. Arch Neurol 1985;42(3):242–8.
112. Parkin PJ, Wallis WE, Wilson JL. Vertebral artery occlusion following manipulation of the neck. N Z Med J 1978;88(625): 441–3.
113. Fast A, Zinicola DF, Marin EL. Vertebral artery damage complicating cervical manipulation. Spine 1987;12(9):840–2.
114. Horn SW 2nd. The "Locked-In syndrome following chiropractic manipulation of the cervical spine. Ann Emerg Med 1983;12(10):648–50.
115. Kanshepolsky J, Danielson H, Flynn RE. Vertebral artery insufficiency and cerebellar infarct due to manipulation of the neck. Report of a case. Bull Los Angeles Neurol Soc 1972;37(2): 62–5.
116. Vaccaro AR, Klein GR, Flanders AE, et al. Long-term evaluation of vertebral artery injuries following cervical spine trauma using magnetic resonance angiography. Spine 1998;23(7):789– 94, discussion 795.
117. Marshall LF, Bruce DA, Bruno L, et al. Vertebrobasilar spasm: a significant cause of neurological deficit in head injury. J Neurosurg 1978;48(4):560–4.
118. Apsatarov EA, Balmagambetov BR, Liubinskii VL. [Angiographic diagnosis and rheologic properties of blood in vertebrobasilar insufficiency caused by scalenus anticus syndrome]. Kardiologiia 1988;28(9):74–7.
119. Seric V, Blazic-Cop N, Demarin V. Haemodynamic changes in patients with whiplash injury measured by transcranial Doppler sonography (TCD). Coll Antropol 2000;24(1): 197–204.
120. Arning C, Schrattenholzer A, Lachenmayer L. Cervical carotid artery vasospasms causing cerebral ischemia: detection by immediate vascular ultrasonographic investigation. Stroke 1998;29(5):1063–6.
121. Assendelft WJJ, Bouter LM, Knipschild PG. Complications of spinal manipulation. A comprehensive review of the literature. J Fam Pract 1996;42(5 (May)):475–80.
122. Carnes D, Mars T, Mullinger B, et al. Adverse events and manual therapy. Man Ther 2010;15:355–63.
123. Ernst E. Manipulation of the cervical spine: a systematic review of adverse events, 1995-2001. Med J Aust 2002;176(8): 376–80.
124. Haldeman S, Kohlbeck FJ, McGregor M. Stroke, cerebral artery dissection, and cervical spine manipulation therapy. J Neurol 2002;249(8):1098–104.
125. Rubinstein S, Peerdeman S, van Tulder M, et al. A systematic review of the risk factors for cervical artery dissection. Stroke 2005;36:1575–80.
126. Stevinson C, Ernst E. Risks associated with spinal manipulation. Am J Med 2002;112(7):566–71.
127. Jentzen JM, Amatuzio J, Peterson GF. Complications of cervical manipulation: a case report of fatal brainstem infarct with review of the mechanisms and predisposing factors. J Forensic Sci 1987;32(4):1089–94.
128. Hedera P. Influence of extreme head rotations on brainstem auditory evoked potentials (BAEP). Clin Neurol Neurosurg 1995;97(4):290–5.
129. Sedat J, Dib M, Mahagne MH, et al. Stroke after chiropractic manipulation as a result of extracranial postero-inferior cerebellar artery dissection. J Manipulative Physiol Ther 2002; 25(9):588–90.
130. Jackson RS, Wheeler AH, Darden BV 2nd. Vertebral artery anomaly with atraumatic dissection causing thromboembolic ischemia: a case report. Spine 2000;25(15):1989–92.
131. Friedman D, Flanders A, Thomas C, et al. Vertebral artery injury after acute cervical spine trauma: rate of occurrence as detected by MR angiography and assessment of clinical consequences. AJR Am J Roentgenol 1995;164(2):443–7, discussion 448–9.
132. Schwarz N, Buchinger W, Gaudernak T, et al. Injuries to the cervical spine causing vertebral artery trauma: case reports. J Trauma 1991;31(1):127–33.
133. Veras LM, Pedraza-Gutierrez S, Castellanos J, et al. Vertebral artery occlusion after acute cervical spine trauma. Spine 2000;25(9):1171–7.
134. Beletsky V, Nadareishvili Z, Lynch J, et al. Cervical arterial dissection: time for a therapeutic trial? Stroke 2003;34(12):2856–60.
135. Beaudry M, Spence JD. Motor vehicle accidents: the most common cause of traumatic vertebrobasilar ischemia. Can J Neurol Sci 2003;30(4):320–5.
136. Dittrich R, Heidbreder A, Rohsbach D, et al. Connective tissue and vascular phenotype in patients with cervical artery dissection. Neurology 2007;68(24):2120–4.
137. Thomas L, Rivett D, Attia J, et al. Risk factors and clinical presentation of cervical arterial dissection: preliminary results of a prospctive case-control study. J Orthop Sports Phys Ther 2015;45(7):501–11.
138. Mokri B. Traumatic and spontaneous extracranial internal carotid artery dissections. J Neurol 1990;237(6):356–61.
139. Schellinger PD, Schwab S, Krieger D, et al. Masking of vertebral artery dissection by severe trauma to the cervical spine. Spine 2001;26(3):314–19.
140. Prabhakar S, Bhatia R, Khandelwal N, et al. Vertebral artery dissection due to indirect neck trauma: an underrecognised entity. Neurol India 2001;49(4):384–90.
141. Micheli S, Paciaroni M, Corea F, et al. Cervical artery dissection: emerging risk factors. Open Neurol J 2010;4:50–5.
142. Endo K, Ichimaru K, Shimura H, et al. Cervical vertigo after hair shampoo treatment at a hairdressing salon: a case report. Spine 2000;25(5):632–4.
143. Nwokolo N, Bateman DE. Stroke after a visit to the

hairdresser. Lancet 1997;350(9081):866.
144. Shimura H, Yuzawa K, Nozue M. Stroke after visit to the hairdresser. Lancet 1997;350(9093):1778.
145. Weintraub MI. Beauty parlor stroke syndrome: report of five cases. JAMA 1993;269(16):2085–6.
146. Hanus SH, Homer TD, Harter DH. Vertebral artery occlusion complicating yoga exercises. Arch Neurol 1977;34(9):574–5.
147. Thomas L, Rivett D, Levi C. Risk factors and clinical features of craniocervical arterial dissection. Man Ther 2011;16: 351–6.
148. Nagler W. Vertebral artery obstruction by hyperextension of the neck: report of three cases. Arch Phys Med Rehabil 1973;54(5):237–40.
149. D'Anglejan-Chatillon J, Ribeiro V, Mas JL, et al. Migraine – a risk factor for dissection of cervical arteries. Headache 1989;29(9):560–1.
150. Guillon B, Tzourio C, Biousse V, et al. Arterial wall properties in carotid artery dissection: an ultrasound study. Neurology 2000;55:663–6.
151. Brandt T, Hausser I, Orberk E, et al. Ultrastructural connective tissue abnormalities in patients with spontaneous cervicocerebral artery dissections. Ann Neurol 1998;44:281–5.
152. Sato T, Sasaki T, Suzuki K, et al. Histological study of the normal vertebral artery – etiology of dissecting aneurysms. Neurol Med Chir (Tokyo) 2004;44(12):629–35, discussion 636.
153. Majamaa K, Portimojarvi H, Sotaniemi KA, et al. Familial aggregation of cervical artery dissection and cerebral aneurysm. Stroke 1994;25(8):1704–5.
154. Mokri B, Mokri B, Piepgras DG, et al. Familial occurrence of spontaneous dissection of the internal carotid artery. Stroke 1987;18(1):246–51.
155. Perez-Higueras A, Alvarez-Ruiz F, Martinez-Bermejo A, et al. Cerebellar infarction from fibromuscular dysplasia and dissecting aneurysm of the vertebral artery. Report of a child. Stroke 1988;19(4):521–4.
156. Schievink WI, Wijdicks EF, Michels VV, et al. Heritable connective tissue disorders in cervical artery dissections: a prospective study. Neurology 1998;50(4):1166–9.
157. Vega Molina J, Chiras J, Poirier B, et al. Fibromuscular dysplasia of the vertebral artery (angiographic features). A review of 85 cases. J Neuroradiol 1985;12(2):123–34.
158. Mondon K, de Toffol B, Georgesco G, et al. [Ehlers Danlos type IV syndrome presenting with simultaneous dissection of both internal carotid and both vertebral arteries]. Rev Neurol (Paris) 2004;160(4 Pt 1):478–82.
159. North KN, Whiteman DA, Pepin MG, et al. Cerebrovascular complications in Ehlers-Danlos syndrome type IV. Ann Neurol 1995;38(6):960–4.
160. Vles JS, Hendriks JJ, Lodder J, et al. Multiple vertebro-basilar infarctions from fibromuscular dysplasia related dissecting aneurysm of the vertebral artery in a child. Neuropediatrics 1990;21(2):104–5.
161. Schievink WI, Michels VV, Piepgras DG. Neurovascular manifestations of heritable connective tissue disorders. A review. Stroke 1994;25(4):889–903.
162. Schievink WI, Parisi JE, Piepgras DG, et al. Intracranial aneurysms in Marfan's syndrome: an autopsy study. Neurosurgery 1997;41(4):866–70, discussion 871.
163. Youl BD, Coutellier A, Dubois B, et al. Three cases of spontaneous extracranial vertebral artery dissection. Stroke 1990;21(4): 618–25.
164. Schievink WI. Spontaneous dissection of the carotid and vertebral arteries. N Engl J Med 2001;344(12):898–906.
165. Giossi A, Ritelli M, Costa P, et al. Connective tissue anomalies in patients with spontaneous cervical artery dissection. Neurology 2014;83(22):2032–7.
166. Pezzini A, Del Zotto E, Archetti S, et al. Plasma homocysteine concentration, C677T MTHFR genotype, and 844ins68bp CBS genotype in young adults with spontaneous cervical artery dissection and atherothrombotic stroke. Stroke 2002;33(3): 664–9.
167. Arauz A, Hoyos L, Cant C, et al. Mild hyperhomocysteine mia and low folate concentrations as risk factors for cervical arterial dissection. Cerebrovasc Dis 2007;24(2–3):210–14.
168. Kloss M, Metso A, Pezzini A, et al. Towards understanding seasonal variability in cervical artery dissection. J Neurol 2012;259:1662–7.
169. Fragoso YD, Adoni T, Amaral LL, et al. Cerebrum-cervical arterial dissection in adults during sports and recreation. Arq Neuropsiquiatr 2015:Oct 6.
170. Terrett AGJ. Vertebrobasilar stroke following spinal manipulation therapy. In: Murphy DR, editor. Conservative management of cervical spine syndromes. New York: McGraw-Hill; 2000. p. 533–78.
171. Pezzini A, Caso V, Zanferrari C, et al. Arterial hypertension as risk factor for spontaneous cervical artery dissection. A casecontrol study. J Neurol Neurosurg Psychiatry 2006;77(1): 95–7.
172. Sasaki O, Ogawa H, Koike T, et al. A clinicopathological study of dissecting aneurysms of the intracranial vertebral artery. J Neurosurg 1991;75(6):874–82.
173. Ask-Upmark E, Bickerstaff ER. Vertebral artery occlusion and oral contraceptives. Br Med J 1976;1(6008):487–8.
174. Crawford JP, Hwang BY, Asselbergs PJ, et al. Vascular ischemia of the cervical spine: a review of relationship to therapeutic manipulation. J Manipulative Physiol Ther 1984;7(3):149–55.
175. Tzourio C, Benslamia L, Guillon B, et al. Migraine and the risk of cervical artery dissection: a case-control study. Neurology 2002;59(3):435–7.
176. Paciaroni M, Georgiardis D, Arnold M, et al. Seasonal variability in spontaneous cervical artery dissection. J Neurol Neurosurg Psychiatry 2006;77(5):667–79.
177. Schievinck W, Wijdicks EF, Kuiper J. Seasonal pattern of spontaneous cervical artery dissection. J Neurosurg 1998;89(1): 101–3.
178. Grau AJ, Brandt T, Buggle F, et al. Association of cervical artery dissection with recent infection. Arch Neurol 1999;52(7): 851–6.
179. Herzog W, Herzog W, Leonard TR, et al. Vertebral artery strains during high-speed, low amplitude cervical spinal manipulation. J Electromyogr Kinesiol 2012;22(5):740–6.
180. Goldstein SJ. Dissecting hematoma of the cervical vertebral artery. Case report. J Neurosurg 1982;56(3):451–4.
181. Schneider RC, Gosch HH, Taren JA, et al. Blood vessel trauma following head and neck injuries. Clin Neurosurg 1972;19: 312–54.
182. Buzzatti L, Provyn S, Van Roy P, et al. Atlanto-axial facet displacement during rotational high-velocity low-amplitude thrust: an in vitro 3D kinematic analysis. Man Ther 2015;20(6):783–9.
183. Haynes M. Internal forces sustained by the vertebral artery during spinal manipulative therapy: letter to the. J

Manipulative Physiol Ther 2004;27(1):67–8.
184. Smith RA, Estridge MN. Neurologic complications of head and neck manipulations. JAMA 1962;182:528–31.
185. Petersen B, Von Maravic M, Zeller JA, et al. Basilar artery blood flow during head rotation in vertebrobasilar ischemia. Acta Neurol Scand 1996;94(4):294–301.
186. Husni EA, Bell HS, Storer J. Mechanical occlusion of the vertebral artery. A new clinical concept. JAMA 1966;196(6):475–8.
187. Bowler N, Shamley D, Davies R. The effect of a simulated manipulation position on internal carotid and vertebral artery blood flow in healthy individuals. Man Ther 2011;16(1): 87–93.
188. Haynes M, Hart R, McGeachie J. Vertebral arteries and neck rotation: Doppler velocimeter interexaminer reliability. Ultrasound Med Biol 2000;26(8):1363–7.
189. Mitchell J, Keene D, Dyson C, et al. Is cervical spine rotation, as used in the standard vertebrobasilar insufficiency test, associated with a measureable change in intracranial vertebral artery blood flow? Man Ther 2004;9(4):220–7.
190. Sakaguchi M, Kitagawa K, Hougaku H, et al. Mechanical compression of the extracranial vertebral artery during neck rotation. Neurology 2003;61(6):845–7.
191. DeMaria AA Jr. Positional compression of vertebral artery shown by magnetic resonance angiography. South Med J 1995;88(8):871–2.
192. Dumas JL, Salama J, Dreyfus P, et al. Magnetic resonance angiographic analysis of atlanto-axial rotation: anatomic bases of compression of the vertebral arteries. Surg Radiol Anat 1996;18(4):303–13.
193. Thomas L, Rivett D, Bateman GA, et al. Effect of selected manual therapy interventions for mechanical neck pain on vertebral and internal carotid arterial blood flow and cerebral inflow. Phys Ther 2013;93(11):1563–74.
194. Weintraub MI, Khoury A. Critical neck position as an independent risk factor for posterior circulation stroke. A magnetic resonance angiographic analysis. J Neuroimaging 1995;5(1): 16–22.
195. Cote P, Kreitz BG, Cassidy D, et al. The validity of the extensionrotation test as a clinical screening procedure before neck nanipulation: a secondary analysis. J Manipulative Physiol Ther 1996;19(3):159–64.
196. Thiel H, Wallace K, Donat J, et al. Effect of various head and neck positions on vertebral artery blood flow. Clin Biomech (Bristol, Avon) 1994;9(2):105–10.
197. Zaina C, Grant R, Johnson C, et al. The effect of cervical rotation on blood flow in the contralateral artery. Man Ther 2003;8(2):103–9.
198. Mitchell JA. Changes in vertebral artery blood flow following normal rotation of the cervical spine. J Manipulative Physiol Ther 2003;26(6):347–51.
199. Arnold C, Bourassa R, Langer T, et al. Doppler studies evaluating the effect of a physical therapy screening protocol on vertebral artery blood flow. Man Ther 2004;9(1):13–21.
200. Rivett D. Vertebral artery blood flow during pre-manipulative testing of the cervical spine [PhD thesis]. Dunedin: University of Otago; 2000.
201. Licht PB, Christensen HW, Hojgaard P, et al. Triplex ultrasound of vertebral artery flow during cervical rotation. J Manipulative Physiol Ther 1998;21:27–31.
202. Licht PB, Christensen HW, Hoilund-Carlsen PF. Is there a role for pre-manipulative testing before cervical manipulation? J Manipulative Physiol Ther 2000;23(3):175–9.
203. Erhardt JW, Windsor BA, Kerry R, et al. The immediate effect of atlanto-axial high velocity thrust techniques on blood flow in the vertebral artery: a randomized controlled trial. Man Ther 2015;20(4):614–22.
204. Quesnele J, Triano J, Noseworthy M, et al. Changes in vertebral artery blood flow following various head positions and cervical spine manipulation. J Manipulative Physiol Ther 2014;37(1):22–31.
205. Weintraub MI, Khoury A. Cerebral hemodynamic changes induced by simulated tracheal intubation: a possible role in perioperative stroke? Magnetic resonance angiography and flow analysis in 160 cases. Stroke 1998;29:1644–9.
206. Michaud TC. Uneventful upper cervical manipulation in the presence of a damaged vertebral artery. J Manipulative Physiol Ther 2002;25(7):472–83.
207. Haynes M, Milne N. Color duplex sonographic findings in human vertebral arteries during cervical rotation. J Clin Ultrasound 2001;29(1):14–24.
208. Schievinck WI. Spontaneous dissection of the carotid and vertebral arteries. N Engl J Med 2001;344(12):898–906.
209. Haynes MJ. Doppler studies comparing the effects of cervical rotation and lateral flexion on vertebral artery blood flow. J Manipulative Physiol Ther 1996;19(6):378–84.
210. Terret AGJ. Vertebrobasilar stroke following spinal manipulation therapy. In: Murphy D, editor. Conservative management of cervical spine syndromes. New York: McGraw-Hill; 2000.
211. Licht PB, Christensen HW, Hoilund-Carlsen PF. Carotid artery blood flow during premanipulative testing. J Manipulative Physiol Ther 2002;25(9):568–72.
212. Brandt T, Orberk E, Weber R, et al. Pathogenesis of cervical artery dissections: association with connective tissue abnormalities. Neurology 2001;57(1):24–30.
213. Kerry R, Taylor A, Mitchell J, et al. Cervical arterial dysfunction and manual therapy: a critical literature review to inform professional practice. Man Ther 2008;13:278–88.
214. Arnold M, Bousser M. Carotid and vertebral artery dissection. Pract Neurol 2005;5:100–9.
215. Sturzenegger M. Headache and neck pain: the warning symptoms of vertebral artery dissection. Headache 1994;34(4): 187–93.
216. Arnold M, Cumurciuc R, Stapf C, et al. Pain as the only symptom of cervical artery dissection. J Neurol Neurosurg Psychiatry 2006;77(9):1021–4.
217. Krespi Y, Gurol ME, Coban O, et al. Vertebral artery dissection presenting with isolated neck pain. J Neuroimaging 2002;12(2): 179–82.
218. Nichols FT 3rd, Mawad M, Mohr JP, et al. Focal headache during balloon inflation in the vertebral and basilar arteries. Headache 1993;33(2):87–9.
219. Munari LM, Belloni G, Moschini L, et al. Carotid pain during percutaneous angioplasty (PTA). Pathophysiology and clinical features. Cephalalgia 1994;14(2):127–31.
220. Maruyama H, Nagoya H, Kato Y, et al. Spontaneous cervicocephalic arterial dissection with headache and neck pain as the only symptom. J Headache Pain 2012;13(3):247–53.
221. Silbert PL, Mokri B, Schievink WI. Headache and neck pain in spontaneous internal carotid and vertebral artery dissections. Neurology 1995;45(8):1517–22.
222. Asavasopon S, Jankosi J, Godges JJ. Clinical diagnosis of vertebrobasilar insufficiency: resident's case problem. J

Orthop Sports Phys Ther 2005;35:645–50.

223. Smith WS, Johnston SC, Skalabrin EJ, et al. Spinal manipulative therapy is an independent risk factor for vertebral artery dissection. Neurology 2003;60(9):1424–8.
224. Dziewas R, Konrad C, Drager B, et al. Cervical artery dissection – clinical features, risk factors, therapy and outcome in 126 patients. J Neurol 2003;250(10):1179–84.
225. Grad A, Baloh RW. Vertigo of vascular origin. Clinical and electronystagmographic features in 84 cases. Arch Neurol 1989;46(3):281–4.
226. Hicks PA, Leavitt JA, Mokri B. Ophthalmic manifestations of vertebral artery dissection. Patients seen at the Mayo Clinic from 1976 to 1992. Ophthalmology 1994;101(11):1786–92.
227. Saeed AB, Shuaib A, Al-Sulaiti G, et al. Vertebral artery dissection: warning symptoms, clinical features and prognosis in 26 patients. Can J Neurol Sci 2000;27(4):292–6.
228. Milandre L, Lucchini P, Khalil R. [Lateral bulbar infarctions. Distribution, etiology and prognosis in 40 cases diagnosed by MRI]. Rev Neurol (Paris) 1995;151(12):714–21.
229. Nagahata M, Hosoya T, Fuse T, et al. Arterial dissection of the vertebrobasilar systems: a possible cause of acute sensorineural hearing loss. Am J Otol 1997;18(1):32–8.
230. Koyuncu M, Celik O, Luleci C, et al. Doppler sonography of vertebral arteries in patients with tinnitus. Auris Nasus Larynx 1995;22(1):24–8.
231. Yokota M, Ito T, Hosoya T, et al. Sudden-onset tinnitus associated with arterial dissection of the vertebrobasilar system. Acta Otolaryngol Suppl 2000;542:29–33.
232. Pelkonen O, Tikkakoski T, Luotonen J, et al. Pulsatile tinnitus as a symptom of cervicocephalic arterial dissection. J Laryngol Otol 2004;118(3):193–8.
233. Mas JL, Bousser MG, Hasboun D, et al. Extracranial vertebral artery dissections: a review of 13 cases. Stroke 1987;18(6): 1037–47.
234. Mas JL, Goeau C, Bousser MG, et al. Spontaneous dissecting aneurysms of the internal carotid and vertebral arteries – two case reports. Stroke 1985;16(1):125–9.
235. Ausman JI, Diaz FG, de los Reyes RA, et al. Posterior circulation revascularization. Superficial temporal artery to superior cerebellar artery anastomosis. J Neurosurg 1982;56(6): 766–76.
236. Pessin MS, Gorelick PB, Kwan ES, et al. Basilar artery stenosis: middle and distal segments. Neurology 1987;37(11):1742–6.
237. Rigueiro-Veloso MT, Pego-Reigosa R, Branas-Fernandez F, et al. [Wallenberg syndrome: a review of 25 cases]. Rev Neurol 1997;25(146):1561–4.
238. Moubayed SP, Saliba I. Vertebrobasilar insufficiency presenting as isolated positional vertigo or dizziness: a double-blind retrospective cohort study. Laryngoscope 2009;119(10): 2071–6.
239. Nunez RA, Cass SP, Furman JM. Short- and long-term outcomes of canalith repositioning for benign paroxysmal positional vertigo. Otolaryngol Head Neck Surg 2000;122(5): 647–53.
240. Parnes LS, Agrawal SK, Atlas J. Diagnosis and management of benign paroxysmal positional vertigo (BPPV). CMAJ 2003;169(7):681–93.
241. Kim JS, Zee DS. Clinical practice. Benign paroxysmal positional vertigo. N Engl J Med 2014;370(12):1138–47.
242. Treleaven J. Sensorimotor disturbances in neck disorders affecting postural stability, head and eye movement control. Man Ther 2008;13(1):2–11.
243. Meadows J, Magee J. An overview of dizziness and vertigo for the orthopedic manual therapist. In: Boyling J, Palastanga N, editors. Grieve's modern manual therapy. Edinburgh: Churchill Livingstone; 1994.
244. Conman W. Dizziness related to ENT conditions. In: Grieve G, editor. Modern manual therapy of the vertebral column. Edinburgh: Churchill Livingstone; 1986.
245. Bonkowsky V, Steinbach S, Arnold W. Vertigo and cranial nerve palsy caused by different forms of spontaneous dissections of internal and vertebral arteries. Eur Arch Otorhinolaryngol 2002;259(7):365–8.
246. Crum B, Mokri B, Fulgham J. Spinal manifestations of vertebral artery dissection. Neurology 2000;55(2):304–6.
247. Hetzel A, Berger W, Schumacher M, et al. Dissection of the vertebral artery with cervical nerve root lesions. J Neurol 1996;243(2):121–5.
248. McGillion SF, Weston-Simons S, Harvey JR. Vertebral artery dissection presenting with multilevel combined sensorimotor radiculopathy: a case report and literature review. J Spinal Disord Tech 2009;22(6):456–8.
249. Barinagarrementeria F, Amaya LE, Cantu C. Causes and mechanisms of cerebellar infarction in young patients. Stroke 1997;28(12):2400–4.
250. Barbic D, Levine Z, Tampieri D, et al. Locked-in syndrome: a critical and time-dependent diagnosis. CJEM 2012;14(5): 317–20.
251. Izquierdo-Casas J, Soler-Singla L, Vivas-Díaz E, et al. Disección vertebral como causa del síndrome de enclaustramiento y opciones terapéuticas con fibrinólisis intraarterial durante la fase aguda. Rev Neurol 2004;38(12):1139–41.
252. Licht PB, Christensen HW, Hoilund-Carlsen PF. Vertebral artery volume flow in human beings. J Manipulative Physiol Ther 1999;22(6):363–7.
253. Westaway MD, Stratford P, Symons B. False-negative extension/rotation pre-manipulative screening test on a patient with an atretic and hypoplastic vertebral artery. Man Ther 2003;8(2):120–7.
254. Bolton PS, Stick PE, Lord RSA. Failure of clinical tests to predict cerebral ischemia before neck manipulation. J Manipulative Physiol Ther 1989;12(4):304–7.
255. Thiel H, Rix G. Is it time to stop functional premanipulative testing of the cervical spine? Man Ther 2005;10: 154–8.
256. Refshauge KM, Parry S, Shirley D, et al. Professional responsibility in relation to cervical spine manipulation. Aust J Physiother 2002;48:171–9.
257. APA. Clinical guidelines for assessing vertebrobasilar insufficency in the management of cervical spine disorders. <www.physiotherapy.asn.au >: Australian Physiotherapy Association; 2006.
258. Rushton A, Rivett D, Carlesso L, et al. International framework for examining of the cervical region for cervical arterial dysfunction prior to orthopaedic manual therapy intervention. Man Ther 2014;19(3):222–8.
259. Richter RR, Reinking MF. Evidence in practice. How does evidence on the diagnostic accuracy of the vertebral artery test influence teaching of the test in a professional physical therapist education program? Phys Ther 2005;85(6):589–99.
260. Barker S, Kesson J, Turner G, et al. Guidance for premanipulative testing of the cervical spine. Man Ther 2000;5(1):37–40.

261. Carey P. A suggested protocol for the examination and treatment of the cervical spine: managing the risk. J Can Chiropr Assoc 1995;39(1):35–40.
262. Canadian Chiropractic Association, Canadian Federation of Chiropractic Regulatory Boards, Clinical Practice Guidelines Development Initiative, et al. Chiropractic clinical practice guideline: evidence-based treatment of adult neck pain not due to whiplash. J Can Chiropr Assoc 2005;49(3):158–209.
263. Gross AR, Kay TM, Kennedy C, et al. Clinical practice guideline on the use of manipulation or mobilization in the treatment of adults with mechanical neck disorders. Man Ther 2002; 7(4):193–205.
264. Dunne J. Pre-manipulative testing: predicting risk or pretending to? Aust J Physiother 2001;47:165.
265. Yacovino DA, Hain TC. Clinical characteristics of cervicogenicrelated dizziness and vertigo. Semin Neurol 2013;33(3):244–55.
266. Baloh RW. Differentiating between peripheral and central causes of vertigo. J Neurol Sci 2004;221(1):3.
267. Furman JM, Cass SP. Benign paroxysmal positional vertigo. N Engl J Med 1999;341(21):1590–6.
268. White J. Benign paroxysmal positional vertigo: how to diagnose and quickly treat it. Cleve Clin J Med 2004;71(9):722–8.
269. Dix MR, Hallpike CS. The pathology, symptomatology and diagnosis of certain common disorders of the vestibular system. Proc R Soc Med 1952;45(6):341–54.
270. Meadows J. Diagnóstico diferencial en fisioterapia. Madrid: McGraw-Hill Interamericana; 2000.
271. Hardesty WH, Whitacre WB, Toole JF, et al. Studies on vertebral artery blood flow in man. Surg Gynecol Obstet 1963;116:662–4.
272. Murthy JM, Naidu KV. Aneurysm of the cervical internal carotid artery following chiropractic manipulation. J Neurol Neurosurg Psychiatry 1988;51(9):1237–8.
273. Miller KJ, Sittler MD, Corricelli DM, et al. Combination testing in orthopedic and neurologic physical examination: a proposed model. J Chiropr Med 2007;6(4):163–71.
274. Raskind R, North CM. Vertebral artery injuries following chiropractic cervical spine manipulation – case reports. Angiology 1990;41(6):445–52.
275. Wand B, Heine P, O'Connell N. Should we abandon neck manipulation for mechanical neck pain? Yes. BMJ 2012; 345(7869):e3679.
276. Boline PD, Kassak K, Bronfort G, et al. Spinal manipulation vs. amitriptyline for the treatment of chronic tension-type headaches: a randomized clinical trial. J Manipulative Physiol Ther 1995;18(3):148–54.
277. Bronfort G, Evans R, Nelson B, et al. A randomized clinical trial of exercise and spinal manipulation for patients with chronic neck pain. Spine 2001;26(7):788–97.
278. Gross A, Miller J, D'Sylva J, et al. Manipulation or mobilisation for neck pain: a Cochrane Review. Man Ther 2010;15(4): 315–33.
279. Hurwitz EL, Morgenstern H, Harber P, et al. A randomized trial of chiropractic manipulation and mobilization for patients with neck pain: clinical outcomes from the UCLA neck-pain study. Am J Public Health 2002;92(10): 1634–41.
280. Jull G. Use of high and low velocity cervical manipulative therapy procedures by Australian manipulative physiotherapists. Aust J Physiother 2002;48(3):189–93.
281. Nilsson N. A randomized controlled trial of the effect of spinal manipulation in the treatment of cervicogenic headache. J Manipulative Physiol Ther 1995;18(7):435–40.
282. Grant T, Niere K. Techniques used by manipulative physiotherapists in the management of headaches. Aust J Physiother 2000;46(3):215–22.
283. Puentedura E, March J, Anders J, et al. Safety of cervical spine manipulation: are adverse events preventable and are manipulations being performed appropriately? A review of 134 case reports. J Manipulative Physiol Ther 2012;20(2):66–74.
284. Stevinson C, Honan W, Cooke B, et al. Neurological complications of cervical spine manipulation. J R Soc Med 2001; 94(3):107–10.
285. Vautravers P, Maigne JY. Cervical spine manipulation and the precautionary principle. Joint Bone Spine 2000;67(4): 272–6.
286. Ellrodt A. Assessing the risks of cervical manipulation for neck pain. CMAJ 2002;166(9):1134–5.
287. Graumlich JF. Preventing gastrointestinal complications of NSAIDs. Risk factors, recent advances, and latest strategies. Postgrad Med 2001;109(5):117–20, 123–8.
288. Dabbs V, Lauretti WJ. A risk assessment of cervical manipulation vs. NSAIDs for the treatment of neck pain. J Manipulative Physiol Ther 1995;18(8):530–6.
289. Carey P. A Report on the occurrence of cerebral vascular accidents in chiropractic practice. J Can Chiropr Assoc 1993;57(2): 104–6.
290. Tramer MR, Moore RA, Reynolds DJ, et al. Quantitative estimation of rare adverse events which follow a biological progression: a new model applied to chronic NSAID use. Pain 2000;85(1–2):169–82.
291. Schneider G. Vertebral artery complications following gentle cervical treatments. (Comment on Mann T and Refshauge KM, Aust J Physiother 47:255-66.) Aust J Physiother 2002; 48(2):151.
292. Cyriax J, Cyriax P. Cyriax's illustrated manual of orthopaedic medicine. 2nd ed. London: Butterworth Heinemann; 2000.
293. Symons B, Bruce S, Walter H. Cervical artery dissection: a biomechanical perspective. J Can Chiropr Assoc 2013;57(4): 276.

11 복합 통증 환자

THE COMPLEX PAIN PATIENT

통증의 문제

THE PROBLEM OF PAIN

이 장은 주제에 대한 간략한 소개를 목적으로 하며, 이 주제에 대한 이해는 만성 통증의 치료뿐만 아니라 다양한 측면을 다룬다. 이 문제를 해결하는 것은 여러 가지 이유로 중요하다. 이는 의료 전문가가 일상적인 임상 실습에서 직면하는 가장 일반적인 문제 중 하나이며, 개인 및 사회경제적 수준 모두에 상당한 영향을 미치며, 마지막으로 일반적인 치료 접근 방식이 실망스러운 결과를 제공하기 때문이다. 근골격계 질환 치료에서 최근 몇 년 동안 새로운 치료 도구가 눈에 띄게 발전했음에도 불구하고 만성 통증은 서구 국가에서 심각한 건강 문제가 되고 있다.

만성 통증의 유병률은 산업화된 국가에서 매우 높다. 2006년 유럽에서 실시된 역학 연구에 따르면, 중등도에서 중증의 만성 통증의 유병률은 인구의 19%에 달하며 사회 및 직장 생활의 질에 심각한 영향을 미친다.[1] 다양한 유형의 만성 통증 중 근골격계 통증이 가장 흔하고 장애를 유발한다. 가장 흔한 만성 통증 상태는 허리 및 목 통증,[2,3] 두통[4] 및 섬유근육통이다.[5]

- 유럽에서 중등도에서 중증의 만성 통증의 유병률은 19%이다.[1]
- 만성 통증은 일상생활 활동, 대인관계 및 정신건강에 중대한 영향을 미친다.[2]
- 근골격계 통증은 가장 흔하고 큰 장애가 된다.[4]
- 가장 흔한 부위는 등과 목,[4,5] 두통[6] 및 섬유근육통이다.[7]
- 치료가 매우 제한적이어서 고객의 불만이 최대 60%에 이를 수 있다.[13]

만성 통증은 또한 의료 서비스 이용 증가, 약물 치료 및 침습적 절차에 대한 지출, 손실된 작업 시간 및 보상과 관련된 비용의 결과로 수반되는 높은 경제적, 사회적 비용으로 인해 사회적 문제이다. 유럽에서 통증이 고용에 미치는 영향에 대해 2009년에 발표된 데이터에 따르면 근골격계 통증은 결근의 49%, 영구 장애의 60%를 차지하며 비용은 2,400억 유로에 달한다. 의료비의 기하급수적인 증가에도 불구하고, 예를 들어, 서구 사회에서 등 및 목 통증의 유병률은 계속 증가했다.[7,8]

최근 연구에 따르면, 만성 통증 치료로 인해 발생하는 미국 의료 비용이 6,350억 달러에 달하여 암, 당뇨병 및 심장 질환에 대한 총 비용을 초과하는 것으로 나타났다.[24] 이 연구는 또한 침습적 시술의 사용 증가와 관련된 현재 추세를 보여준다. 물리치료 및 기타 보존적 접근이 환자에게 더 유익할 것이다.[9] 이 연구에서 밝혀진 중요한 측면은 통증에 대한 현재 지식과 그 치료 사이의 불일치이다. 이 연구는 또한 건강 전문가와 사회의 교육을 통해서만 달성할 수 있는 문화적 변화를 통해서만 만성 통증의 영향을 줄이는

것이 가능하다는 점에 주목한다.[9]

근골격계 통증은 가장 흔한 통증일 뿐만 아니라 개인의 일생에 걸쳐 가장 큰 영향을 미치는 통증이다. 2012년에 발표된 글로벌 질병 부담 연구에 따르면[2] 전 세계적으로 장애를 안고 살아가는 주요 원인은 1위 요통, 4위 목 통증이다.

통증의 신경생리학적 기전에 대한 더 나은 이해와 치료를 위한 더 나은 치료 도구에도 불구하고 서구 국가들이 진정한 전염병을 경험하고 있다고 해도 과언이 아니다.[10] David Morris가 지적했듯이 '오늘날 우리는 생의학 연구가 해부학, 생리학 및 통증 약리학에 대한 지식을 크게 확장했지만, 특히 만성 통증과 관련하여 전에는 결코 통증이 현재 유행하는 비율에 도달한 적이 없다는 역설에 직면해 있다.[11]

John Bonica가 지적했듯이 문제는 의료 시스템이 급성 통증과 같은 방식으로 만성 통증의 진단 및 치료를 다루었으며 효과가 거의 없었고, 많은 경우 의인성 합병증이 발생했다는 것이다.[12] 많은 만성 통증 환자는 중추성 과흥분성과 심리사회적 요소의 패턴을 보이며, 이는 일반적으로 급성 통증에 사용된 전략이 이러한 환자에서 실패하는 이유를 설명한다.

만성 통증과 생의학적 패러다임
CHRONIC PAIN AND THE BIOMEDICAL PARADIGM

통증은 역사적으로 질병의 명백한 증상으로 여겨져 왔다.[13] 그러나 현재로서는 조직 손상 없이 통증을 경험할 수 있음이 분명하다.

따라서 만성 통증 치료의 실패는 통증을 조직 손상과 필연적으로 관련된 감각으로 이해한 결과이다. Jacobson과 Mariano가[14] 지적한 바와 같이 만성 통증 치료의 어려움은 주로 생물 의학의 철학적, 구조적 원리에서 비롯된다. 17세기부터 20세기 중반까지 통증의 개념은 데카르트의 인간 개념에서 직접 파생됐다. 데카르트에 따르면 인간은 영혼과 육체라는 두 가지 구성 요소가 별개의 존재로 작용한다. 그의 견해에 따르면 마음의 활동은 영혼의 활동의 결과였다. 데카르트는 통증에 대한 인식은 마음이 몸을 관찰하고 그 신호를 해석하는 특별한 장소에서 발생한다고 생각했다. 통증은 몸에서 오는 신호로서 마음으로 인지된다(**그림 11–1**).

그림 11–1 ■ René Descartes(1596–1650) De L'homme.

서구 국가에서 지배적이었던 이 이원론적 개념은 통증의 생물의학적 패러다임을 지지해 왔다. 이 패러다임은 통증을 말초 조직 손상의 결과로 중추신경계(CNS)에서 생성되는 감각 지각으로 간주했다. 따라서 수십 년 동안 지배해온 전통적인 치료 모델은 '장기 기반 의학'이다. 진단을 위해서는 영향을 받은 장기나 시스템을 표적으로 하는 특정 검사가 필요하며 치료는 특정 장기나 시스템을 다룬다. 우리는 통증이 조직 손상의 직접적인 결과라고 계속 생각한다. 이것은 우리가 계속해서 통증을 기계적으로 해결한다는 것을 의미한다. 사실, 오늘날 통증에 전념하는 의사와 물리치료사를 위한 학부 및 대학원 과정 모두 학습 기술과 절차에 지나치게 집중되어 있다. 더욱이, 환자의 치료는 환자의 실제 필요보다 특정 기술 또는

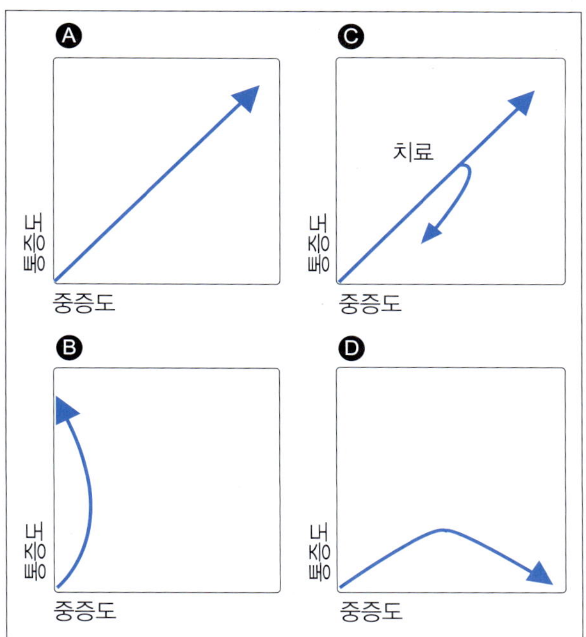

그림 11-2 ■ 통증의 역설. 생의학 모델에서는 통증과 조직 손상 사이에 직접적인 상관관계가 있다고 가정한다. 따라서 더 큰 조직 손상은 비례적으로 더 심한 통증과 관련이 있다(A). 손상된 조직에 대한 적절한 치료적 개입은 통증을 제거하는 데 충분하다(B). 그러나 역설적이게도 경미한 부상에 심한 통증을 호소하는 환자(C)가 많고, 반면에 증상이 거의 없는 병적 악화가 큰 환자(D)가 관찰되고 있다. Butler D의 허가를 받아 다시 그림. 민감한 신경계. from Butler D. The sensitive nervous system. Adelaide: Noigroup Publications; 2000.

'학교'에 대한 치료사의 선호도 및 선호도에 더 많이 의존한다.

Haldeman이[15] *고전적 병리학적 모델*이라고 부르는 생물의학 패러다임에 따르면, 통증과 조직 손상 사이에는 직접적인 선형 상관관계가 있다. 따라서 더 큰 조직 손상은 비례적으로 더 심한 통증을 의미한다. 손상된 조직에 대한 적절한 치료적 개입은 통증을 완화하는데 충분하다. 단, 단기간 지속되는 심한 통증의 경우에 한한다. 역설적이게도 경미한 부상에 심한 통증을 호소하는 환자가 많고, 반대로 증상이 거의 없이 병적 악화가 큰 환자가 많다는 점에 주목한[16](**그림 11-2**). 수십 년 동안 완전히 무증상의 피험자들이 경추와 요추에 심각한 퇴행성 변화를 보인다는 사실에 대한 충분한 증거가 있었다.[17,18]

이 생물의학 모델에서 심리적 요인과 사회적 문제는 항상 2차 현상으로 간주된다.[19] 따라서 이러한 태도는 두 가지 범주의 환자, 즉 기질적 통증이 있는 환자와 심인성 통증이 있는 환자로 분류된다.

생의학 패러다임에서 심리적 요인과 사회적 문제는 항상 2차적 요인이다. 따라서 이러한 태도는 두 가지 범주의 환자, 즉 기질적 통증이 있는 환자와 심인성 통증이 있는 환자로 이어진다.

생물의학 모델은 주로 급성 질환의 치료에서 건강에 중요한 기여를 나타낸다. 그러나 생물학적 요인에 대한 유일한 관심은 필요하지만 만성 통증의 치료에는 충분하지 않다. 이러한 유형의 통증을 겪고 있는 많은 환자는 가장 진보된 의학적 기여에도 불구하고 개선을 달성하지 못하고 심각한 장애로 발전할 것이다. 따라서 특히 만성 통증이 있는 환자의 경우 통증 경험과 관련된 다른 변수가 있다. 이러한 변수는 중추신경계 신경가소성 및 심리사회적 측면과 관련이 있으며 고통스러운 경험을 구성하는데 매우 중요하다.[20]

통증의 혁명 PAIN REVOLUTION

지난 20년 동안 통증에 대한 이해에 진정한 혁명이 있었고 패러다임의 전환이 있었다. 이러한 변화의 중요한 요인은 통증의 신경생물학의 발전과 임상 실습에 생물심리사회적 패러다임의 포함을 포함한다. 통각과 통증이 거의 동의어로 간주되는 모델에서 통증이 뇌의 반응으로 해석되고 통각이 다양한 역할을 할 수 있는 보다 복잡하지만 더 매력적인 관점으로 전환되었다. 우리가 종종 강조했듯이, 통증의 문제는 주로 치료에 있는 것이 아니라 통증이 본질적으로 무엇인지에 대한 불충분하거나 부적절한 이해에 있다. 그리고 이것은 통증을 항상 부상과 관련된 인식으로

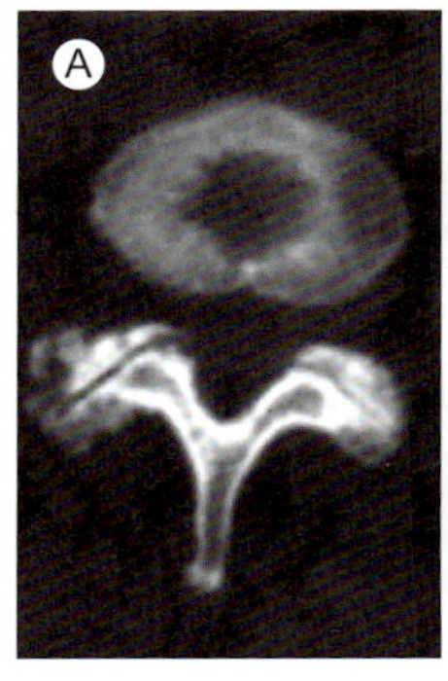

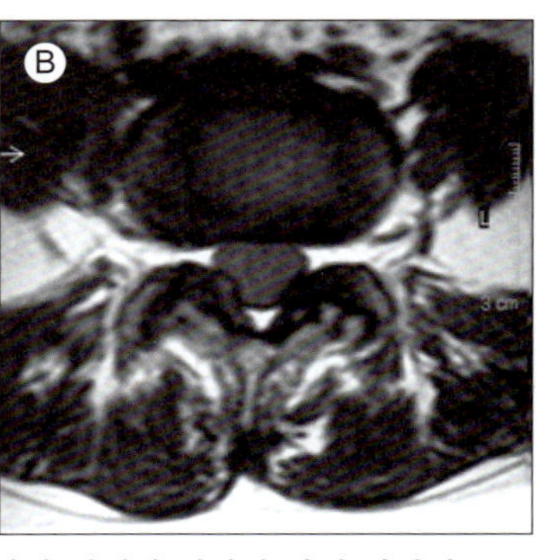

그림 11-3 ■ 요추 후관절 퇴행성 변화와 같이 만성적으로 발생하는 다양한 요소가 있다. 그러나 대부분의 피험자는 만성 통증을 일으키지 않는다. 요추 후관절의 심한 퇴행성 비대가 있는 환자의 컴퓨터단층촬영(CT) 이미지(A) 및 자기공명영상장치(MRI)(B).

계속 고려한다는 것을 의미한다.[21] 오늘날 우리는 부상과 통증 사이에 상관관계가 없다는 것을 알고 있다. 많은 환자에서 경미한 부상으로 심한 통증이 발생하고, 반대로 병리학적 악화가 큰 다른 환자는 증상이 거의 없다[16](**그림 11-3**).

수십 년 동안 병리학적 관점에서 만성 통증의 발달을 설명하려는 시도가 있었고 이것이 완전히 배제되어서는 안되지만 분명히 불충분하다.[22]

통증의 문제는 주로 치료에 있는 것이 아니라 통증이 본질적으로 무엇인지에 대한 불충분하거나 부적절한 이해에 있다.

Melzack과 Wall의[23] 게이트 제어 이론의 제안은 다차원적 관점에서 통증을 고찰하기 시작하는 데 결정적이었다. 통증은 각 개인의 주관적인 통증 경험을 결정할 수 있는 구심성 및 원심성 기전을 실질적으로 변화시켜 조절될 수 있다.

통증에 대한 이해의 결정적인 변화는 급성 통증에서 만성 통증으로 전환하는 기본 기전으로서 중추신경계(CNS) 신경가소성의 중요성에 대한 인식과 관련이 있다.[24-27] 만성 통증의 발병은 중추신경계의 심각한 구조적 및 기능적 변화와 관련될 수 있다. 중추 신경가소성 변화와 환자가 발생할 수 있는 통증 및 장애 사이에는 필요한 상관관계가 없다는 점에 유의해야 한다. 그러나 많은 피험자들에서 중추 감작은 만성 통증과 관련된 임상 증상을 설명하는 중요한 측면이다. 중추 과민증은 Woolf에[25] 의해 '통증 과민성을 유발하는 중추신경계내 신경 신호의 증폭'으로 정의된다.

중추 감작(Central sensitization, CS)은 중추신경계의 뉴런에 대한 소성 변화를 수반하여 재조직, 역치 활성화 감소 및 억제성 개재뉴런의 해체를 초래한다. 중추 감작(CS)는 만성 요통,[28-31] 광범위한 근골격계 통증,[32] 편터성손상 관련 장애,[27,33-37] 복합 부위 통증 증후군,[38] 만성 골반통,[39-43] 섬유근육통,[28,44-48] 만성 피로 증후군,[49] 상과통,[50] 골관절염[51] 및 수술 후 통증[52]과 같은 다양한 만성 통증 상태에서 광범위하게 연구된다.[52]

중추 감작(CS)이 급성에서 만성 통증으로 이행하는 많은 기전을 설명한다는 사실에도 불구하고 만성 통증에서의 역할은 아직 명확하지 않다. 예를 들어, 정량적 감각 검사(QST)와 통증 또는 장애 사이의 관계에 대해 2013년에 발표된 체계적인 검토 및 메타분석에서는 이 연관성이 일관되지 않다고 보고했다. 이 검토에서는 예를 들어, 통증 역치 평가가 중추 감작(CS)의 좋은 지표가 아니며 과민성이 환자의 통증 및 장애 보고에 중요한 역할을 하지 않는다는 결론을 내렸다.[53]

부적응 중추 과민증의 발달은 통각 정보 처리와 관련된 변화뿐만 아니라 운동 변화, 신경 내분비 및 면역 시스템의 조절 장애, 인지된 위협에 대한 반응으로 인한 인지 행동 요인을 포함한다.[54] 통증의 혐오 감정적 요소는 투쟁 또는 도피 행동을 촉진하는 부하 반응을 유발하는 것을 목표로 한다.[55,56] 이 감정적 요소는 자율신경계와 신경내분비 신경계에 의해 매개되는 생리적 각성의 상태를 의미한다.[57,58] 통증의 감정적 구성 요소의 크기는 위협으로 인식하는 정도에 비례한다. 이러한 부하 반응은 심리적 위협에 의해 유발될 수도 있다.

앞에서 언급했듯이 면역 체계는 부하 반응에서 중요한 역할을 한다.[59-62] 부상에 따른 이차적인 면역 변화는 통증에 대한 인식을 증가시킬 뿐만 아니라 행동, 기분, 동기 및 인지에도 변화를 일으킨다.[63-65] 중추신경계(CNS)는 자극 강도 측면에서뿐만 아니라 생리학적 반응이 발생하는 맥락에 따라 반응한다. 만성 편타성, 섬유근육통 등과 같은 복합적이고 만성적인 통증 상태의 발달은 종종 기능장애와 관련이 있다.[35,67-70] 중추신경계(CNS)에서 처리한다. 많은 만성 통증 증후군은 통증의 중추 조절 이상으로 연속적으로 설명될 수 있다.[69] 신경가소성 깊은 변화는 만성 통증을 급성 통증과 다르게 생각하도록 한다.

만성 통증과 관련된 중심 변화에 대한 이해의 발전 중 하나는 기능적 신경 영상 기술의 개발이었다.[71-77] 뇌 영상 기술을 사용하여 통증 인식 및 연대순화의 기초가 되는 중추신경계 기전에 대한 가설을 검사할 수 있다(**그림 11-4**).

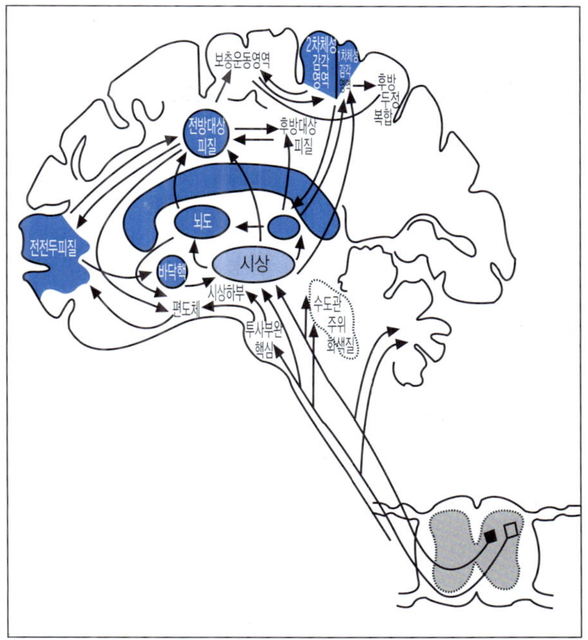

그림 11-4 ■ 통증 처리에 관여하는 피질하 및 피질 구조. 앞쪽찌겉질(전방대상피질,ACC, anterior cingulate cortex); 편도체(Am, amygdala); 바닥핵(BG, basal ganglia); 시상하부(HT, hypothalamus); 수도관주위회색질(PAG, periaqueductal grey); 투사부완핵심(PB, parabrachial core of the projection), 뒤쪽찌겉질(후방대상피질,PCC, posterior cingulate cortex); 전전두피질(PFC, prefrontal cortex); 후방두정복합(PPC, posterior parietal complex); 1차 체성감각영역(Si,primary somatosensory area); 2차 체성감각영역(Sii, secondary somatosensory area); 보충운동영역(SmA, supplementary motor area). Modified with permission from Price DD. Psychological and neural mechanisms of the affective dimension of pain. Science 2000;288(5472):1769-72.

급성에서 만성 통증으로의 전환을 가장 잘 설명하는 요인은 두 가지이다.

- 중추 감작으로 알려진 중추 통증 조절의 이상을 초래하는 일련의 신경가소성 변화.
- 이러한 역기능 중추신경계(CNS) 변화를 확립하는데 있어서 심리사회적 요인의 영향

만성 통증에 대한 우리의 이해도 심리적, 사회적 관점에 기반한 설명 모델의 개발을 통해 상당한 변화를 겪었다. 다양한 종류의 심리사회적 요인이 만성 통증의 발병에 결정적인 역할을 하는 것은 분명하다.[79]

생물심리사회적 패러다임은 모든 생물학적, 심리학적, 사회적, 문화적 요인이 통증의 발달, 유지 및 악화에 필수적이라는 점을 고려하여 통합을 추구한다. 생물심리사회적 접근은 만성 통증에 대한 고려의 근본적인 변화를 의미한다. 고전적 모델의 환원주의와 달리 만성 통증과 그 다양한 징후는 통증 상황에 대한 환자의 인식과 반응에 영향을 미치는 병태생리학적 변화, 심리적 특성 및 사회적, 문화적 요인 간의 상호 작용으로 설명된다. 이러한 관점에서, 기질적 통증과 심인성 통증 사이의 구분이 제거된다.

생물심리사회적 모델은 환자의 임상적 표현, 진화, 예후 및 치료에 대한 반응이 특정 질병이나 신체적 기능장애에만 의존하는 것이 아니라 신념, 행동 및 사회적 맥락에도 의존한다는 것을 이해하는 것을 포함한다. 통증은 개인의 고유한 과거 역사와 미래에

대한 잠재적 결과를 포함하여 통증 경험에 부여된 의미에 의해 영향을 받는 지각적 경험이다.[80] Waddell이[81] 언급한 바와 같이 의료에 대한 환자의 요구는 증상에 대한 환자의 해석과 통증 경험과 관련된 학습된 문화적 행동 패턴에 크게 좌우된다.

통증은 개인의 고유한 과거 역사와 미래에 대한 잠재적 결과를 포함하여 통증 경험에 부여된 의미에 의해 영향을 받는 지각적 경험이다.

생물심리사회적 모델은 환자의 상황과 질병에 대한 인식 내에서 환자의 문제를 고려하는 것을 포함하므로 통증을 다차원적 현상으로 이해하는데 도움이 된다. 이는 각 환자의 다양한 정도에 따라 생체의학적, 심리적, 문화적 및 사회적 요인이 관련된다. 생물심리사회적 접근법의 채택은 임상의와 연구자 사이에 변화를 가져왔다.

기능, 장애 및 건강의 국제 분류(WHO, 2001)에 대한 세계보건기구(WHO)의 간행물은 건강의 개념적 틀의 변화에 대한 이러한 필요성을 반영한다. 치료 목표는 통증을 제거하는 것으로만 구성될 수 없으며 환자의 전문적, 사회적 및 레크리에이션 활동 재개도 다루어야 한다. 따라서 관련된 개인 및 사회적 요인은 환자 평가와 환자의 신념 및 행동과 특히 관련이 있다. 통증 관리는 통증의 병태생리학 분야의 최근 발전과 다양한 인지, 감정, 행동 및 사회적 측면의 역할에 기초해야 한다.

다차원 경험으로서의 통증
PAIN AS A MULTIDIMENSIONAL EXPERIENCE

통증은 국제 통증 연구 협회(IASP)에 의해 '실제 또는 잠재적 조직 손상과 관련된 불쾌한 감각 및 감정적 경험, 또는 이러한 손상의 관점에서 설명됨'으로 정의된다.[83] 이 정의는 통증이 연관될 수 있지만 조직 손상으로 부상 없이 통증이 있을 수 있다. 또한 감정적 요소는 통증 경험의 불가분의 일부로 포함되었다. 이 정의는 통증을 세 가지 차원을 포괄하는 실존적으로 복잡한 주관적 경험으로 이해하는 것을 의미한다.

1. **차별적 감각.** 그 기능은 고통스러운 자극을 전달하고 그 강도와 시공간적 특성을 설명하는 것이다.
2. **동기 부여-감정적.** 통증의 경험을 불쾌하고 혐오하며 불안과 피험자의 정서적 반응 장애 및 도피 행동을 유발할 수 있는 특성을 포함한다.
3. **평가-인지.** 생각, 신념, 귀인, 의미 및 가치가 통증을 경험하는 역할을 갖는다. 또한 주의, 예기, 기대, 파국, 기억 등의 역할.

그러나 통증에는 다른 차원이 많이 있다.

- **운동.** 통증은 기능장애 운동 패턴, 근육량 감소 및 운동 의사 과실 현상과 같은 운동 활동의 변화와 관련이 있다.
- **다중체계.** 통증은 교감신경계, 교감신경-부신계, 신경내분비계 및 면역계와 관련된 다중 시스템 반응을 생성한다. 따라서 만성 통증이 있는 많은 환자는 이러한 시스템의 조절 장애를 나타낼 수 있다.
- **행동.** 통증에는 행동 기능도 있다. 예를 들어, 아픈 역할의 발달과 두려움 회피 행동이 있다.
- **사회 및 문화.** 마지막으로, 통증은 가족의 역할, 작업 환경, 다양한 사회 구조, 복지 사회의 개념, 의료 시스템의 역할 및 미디어, 종교 신념 등에 대한 영향과 같은 사회적, 문화적 측면을 고려하지 않고 이해될 수 없다. (**그림 11-5**).

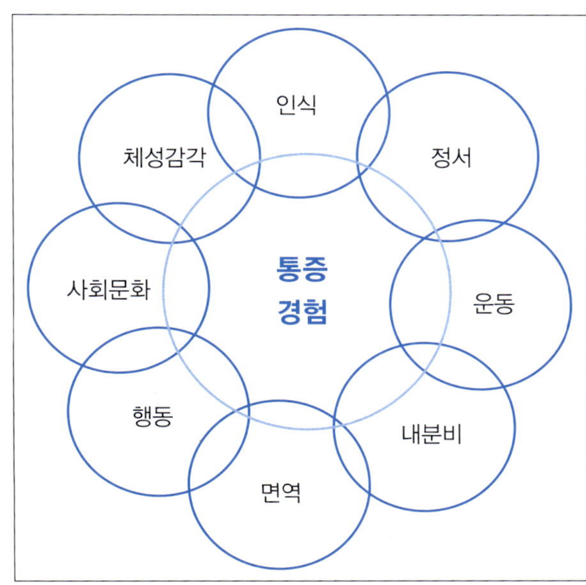

그림 11-5 ■ 여러 차원을 포괄하는 복잡한 주관적 경험으로서의 통증.

통증은 개인 전체를 포함한다. Melzack과 Wall은[80] 다음과 같이 썼다.

> 심리학적 증거는 통증이 개인의 고유한 과거 역사, 통증을 유발하는 상황에 부여한 의미, 순간의 '마음의 상태'에 의해 영향을 받는 지각적 경험으로서의 통증의 관점을 강력하게 지지한다. 이런 식으로 통증은 현재의 생각과 두려움, 미래에 대한 희망을 포함하여 개인 전체의 기능이 된다.

통증은 생물학적, 심리적, 사회적 구심성과 개인의 기존 신경 구조가 결합된 결과이다. 따라서 통증을 이해하려면 생물학적, 심리적, 사회적, 문화적 측면과 같은 다양한 측면을 다룬다.[84] 그리고 복합 통증 환자의 관리에 노력을 기울이는 사람들은 학제간 전문 지식을 보유해야 한다.

만성 통증 관리의 문제 중 하나는 다양한 전문적 편견에서 비롯된다. 따라서 최근 수십 년 동안 협력과 치료의 질을 향상시키기 위해 만성 통증 환자를 돌보는 모든 사람들을 위한 전문가 간 교육의 필요성이 강조되어 왔다. 국제 통증 연구 협회(IASP)는 이러한 필요성을 인식하고 2010년 통증에 대한 특별 관심 그룹을 만들었다. 교육(http://www.iasppain.org/SIG/Education) 및 국제통증커리큘럼개요(IASP, Interprofessional Pain Curriculum Outline, http://www.iasp-pain.org/Education/CurriculumDetail.aspx?ItemNumber=2057) 함께 배우기 위해 통증 관리에 관련된 다양한 직업을 위한 공유 기회를 가능하게 하는 것을 목표로 개발했다. 또한 최근에는 세계물리치료연맹(World Confederation for Physical Therapy)이 물리치료사뿐만 아니라 통증에 관심있는 모든 전문가 간의 의사소통을 촉진하고 정보와 아이디어의 교환을 장려하기 위해 물리치료 통증 네트워크(Physical Therapy Pain Network, http://www.wcpt.org/ptp)를 설립했다. SEFID(Spanish Society on Physiotherapy and Pain), 영국 물리치료 통증협회, 캐나다 물리치료협회 통증과학부 등과 같이 여러 국가에서 물리치료 전문직의 통증에 관심이 있는 많은 이해 집단과 협회가 설립되었다.

통증에 대한 일반적인 고려 사항
GENERAL CONSIDERATIONS ABOUT PAIN

통증과 그 생물학적 기능
(Pain and its biological function)

통증은 실제 또는 잠재적인 조직 손상과 관련된 불쾌한 감각 경험 이상이며, 이것이 국제 통증 연구 협회(IASP) 정의가 통증의 생물학적 목적과 그 복잡한 차원을 규정하기에 불충분한 이유이다.[86] 통증은 더 이상 조직 손상이나 기능장애의 반사 결과로 간주되는 증상으로 간주되어서는 안 된다. 통증은 항상 명확한 생물학적 기능을 가진 뇌의 반응으로 부상을 예방하는 데 중요합니다. 통증은 분명히 불쾌하다. 통증의 이 혐오적인 감정적 구성요소는 행동 보호 반응의 생성을 허용하여 개인이 잠재적으로 통증을 유발할 수 있는 자극을 피할 수 있도록 한다. 따라서 통증

은 생존에 필수적이기 때문에 중요한 진화적 기능을 가지고 있다.[87]

급성 및 만성 통증은 모두 조직 상태의 직접적인 반영이 아니다. 통증은 손상을 예방하고 손상이 발생했다는 정보를 제공하며 궁극적으로 치유 과정을 촉진하는 역할을 한다. 엄격하게 과학적이지는 않지만 교훈적 관점에서 생물학적 기능에서 세 가지 유형의 통증을 구별할 수 있다.

- 초기 통증, Aδ 통증은 조직 손상에 대한 심한 불균형 통증을 특징으로 한다. 그 임무는 손상을 방지하기 위해 즉각적인 철수에 대한 대응을 생성하는 것이다.
- 부상이 발생했음을 경고하는 두 번째 통증인 C 통증. 종종 경고를 받으면 통증이 사라지는 경향이 있다. 두 통증 모두 원발성 통증이다 (**그림 11-6**).
- 마지막으로, 세 번째 통증인 이차 통증은 치유 과정을 촉진하고 움직임이나 부하를 제한하는 행동을 생성하는 조직 복구를 목표로 한다.

1차 통증의 임무는 부상을 피하고 경고하는 것이며, 2차 통증은 행동적 기능이 있어 조직 치유를 촉진한다.

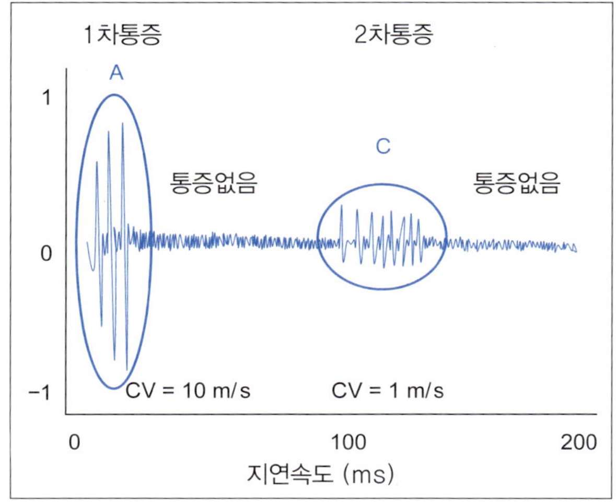

그림 11-6 ■ 신경학적 기록의 그림.

'3가지 통증'과 그 생물학적 기능:
- 1차 통증 – 손상 방지
- 2차 통증 – 부상이 발생했음을 알리는 경고 신호
- 3차 통증 – 치유 과정을 촉진하고 움직임이나 부하를 제한하는 행동을 생성하는 조직 복구

면역 체계는 통증 체계와 매우 유사하며 보호 체계이기도 하다. 면역 체계와 신경계는 공동으로 그리고 지속적으로 보호 기전을 활성화할지 여부를 평가하고 결정해야 한다. 따라서 두 시스템 모두 보호 대응이 필요한 잠재적인 새로운 위협에 대해 평생 학습해야 한다. 그러나 또한 시각, 청각, 후각 및 미각과 같은 모든 감각은 생물학적 무결성에 대한 잠재적 위협을 감지하는데 관여한다.

통증은 또한 적응성 통증과 부적응성 통증으로 분류할 수 있다. 적응성 통증은 생존에 기여하고 부상을 예방하며 치유를 촉진한다. 부적응 통증은 신경계의 비정상적인 처리의 표현이다. 적응성 통증의 예는 침해수용성 및 염증성 통증인 반면 부적응성 예는 신경병증 및 복합 통증을 포함한다.

통증은 자극이 발생했을 때 중추신경계의 흥분 정도에 따라 다르다.

통각 시스템의 활동과 통증 인식은 자극뿐만 아니라 주어진 시간의 신경계의 민감도에 따라 달라진다. 많은 현상이 중심 흥분성의 증가 또는 감소와 관련이 있다. 예를 들어, 일부 여성이 호르몬 주기 동안 경험하는 후각, 미각 또는 청각 자극에 대한 인식의 변화가 있다. 감각 지각은 교감신경계, 신경 내분비계 및 면역계의 활동에 크게 영향을 받는다.

치료적 관점에서는 통증이나 통증을 유발하는 자극이 생성되는 순간에 환자의 신경계의 흥분성을 고려하는 것이 중요하다. 환자가 중추 과흥분성(central hyperexcitability)이 높으면 과도하게 격렬한 치료

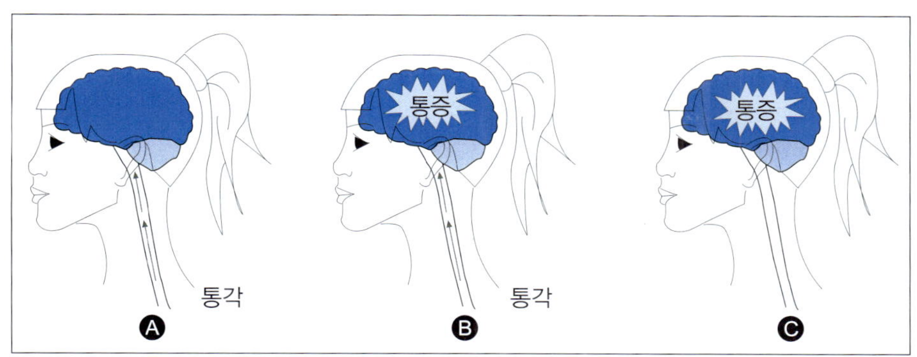

그림 11-7 ■ 통각이 반드시 통증의 지각으로 이어지는 것은 아니다(A). 통증은 일반적으로 통각수용기(B)의 활성화 결과 이지만 통각이 없는 통증(C)이 있을 수 있다.

기술이나 통증을 유발하는 모든 치료 기술은 일반적으로 금기이다. Nijs와 Van Houdenhove에 의해 언급된 바와 같이 '만성 통증(…)의 발달 및 유지와 관련된 과정을 알지 못하거나 무시하는 치료사는 중추감작을 유발하거나 유지함으로써 환자에게 이익보다 해를 끼칠 수 있다'.

또한 중심적 흥분은 당시 개인의 감정적 상황과 인지적 정교함에 따라 달라진다. 통증에 대한 환자의 해석과 귀인은 환자의 지각 정도를 결정한다. 또한 적용되는 치료법에 대한 개인의 기대는 하강하는 통증 조절 경로를 활성화하여 결과에 매우 중요하다.

통증은 통각을 필요로 하지 않는다.

통증은 항상 뇌의 출력이다. 따라서 통증과 통각은 동의어가 아니다. 통각은 통증이 있는 많은 환자와 관련된 기전일 수 있지만, 다른 많은 환자는 명백한 통각 기전 없이 심각하고 무력한 통증을 겪을 수 있다.

통각은 신체에서 작용하는 유해한 자극에 의해 유발되는 생물학적 현상과 개인이 의식적으로 자각하기 전에 말초에서 중추신경계로 전달되는 현상을 의미한다(**그림 11-7**). 통각은 의식에 도달하지 않는 동안 통증이 없는 뇌 반응을 유발할 수 있다.[89] 중추신경계(CNS)는 통증 수용체가 아니지만 고통스러운 경험을 만든다.[89] 통증에 대한 인식에 영향을 미치며 침해수용성 입력 없이도 나타날 수 있다. Osborn과 Derbyshire는[90] 기능적 자기공명영상(MRI) 연구에서 단순히 통증을 겪고 있는 다른 사람을 관찰하는 것만으로도 정서적 경험뿐만 아니라 실제 유해한 신체적 경험을 낳는다는 것을 보여준다. 이러한 경험은 통증과 관련된 감정 및 감각 뇌 영역의 활성화와 관련이 있다. 최면 유도는 통각 자극으로 실험적으로 생성된 것과 동등한 통증 네트워크에 속하는 뇌 영역의 활성화를 유발할 수 있다.[91,92]

통증과 부상 사이의 상관관계는 개인마다 상당히 다를 수 있으며 심지어는 전혀 상관관계가 없을 수도 있다. 이러한 견해는 통증 연구 및 치료 전문가들에 의해 널리 인정되고 있지만, 환자를 치료하는 전문가들 사이에서는 흔히 공유되지 않는다. 그들은 여전히 통증을 조직 손상의 직접적인 반사로 간주하며, 결과적으로 만성 통증에 대한 우리의 현재 이해와 종종 환자가 겪는 치료 접근 사이에는 상당한 격차가 남아 있다.[93]

- 통각은 정보가 의식되기 전에 유기체에 대한 유해 자극의 작용과 주변부에서 중추신경계로 전달되는 생물학적 현상의 결과이다.
- 통증은 감각적 측면뿐만 아니라 인지적, 정서적 측면을 포함하는 개인의 지각이다.
- 통증 없는 통각과 통각 없는 통증이 있을 수 있다.

의식의 산물로서의 통증

다른 인간의 경험과 마찬가지로 통증 경험은 감각이 아니라 의식의 현상이며 개인에 의한 통각 수용의 해석이다.

의식은 동적으로 작동하는 여러 뇌 네트워크 간의 통신 결과로 나타나는 뇌의 새로운 속성이다. 따라서 뇌는 감각 정보, 당시 상호작용하는 맥락적 단서, 인지 처리 및 저장된 기억으로부터 현실에 대한 내부 표현(개인의 통증 경험)을 구축한다.

많은 만성 통증의 경우 뇌의 통증 생성은 통각 입력과 관련이 없는 경우가 많다.

통증은 마치 스크린에 투사되고 대상이 관찰하는 영화처럼 뇌가 의식에 투사하는 것으로 간주될 수 있다. 통증을 지각으로 이해한다는 것은 통증의 경험이 다른 지각에 공통적이라는 것을 의미한다. 지각은 청각, 후각 및 통각수용성 여부와 상관없이 자극에 의해 자동으로 발생하지 않는다. 사실, 우리의 뇌는 기억 불러일으키기, 활동 계획 또는 미래 상황, 마음 방황, 내적 멘션 등과 같은 *뇌 기본 모드 네트워크*의 활성화와 관련된 활동을 수행할 때 또는 새롭거나 관련성이 없을 때 인식을 지속적으로 취소한다. 지각 조절의 실제 가능성은 만성 통증 관리에 대한 상당한 관심의 측면이다.

복잡한 추론으로서의 통증

통증은 항상 복잡하고 무의식적인 추론의 결과이다. 동시에 처리되는 중추신경계(CNS) 프로세스뿐만 아니라 외부 및 내부 감각 자극에 대한 분석의 결과이다.

통증인 이 복잡한 추론의 결과는 개인의 이전 경험, 미래 결과에 대한 예상, 가족 및 사회적 학습, 자극이 발생하는 맥락에 의해 결정된다.[94] 이러한 모든 측면은 개인의 생물학적 무결성에 대한 위협에 대한 인식에 기반한 의미를 나타낸다. Ramachandran이 말했듯이 통증은 부상에 대한 단순한 반성적 반응이라기 보다는 유기체의 건강 상태에 대한 의견이다. 의견이 우리의 사회적, 문화적 맥락에서 가족의 어린 시절로부터 얻은 정보의 결과인 것과 마찬가지로 우리 자신의 경험과 대조적으로 통증도 마찬가지이다.

통증은 항상 의미를 나타낸다.

통증은 통각 입력뿐만 아니라 맥락적 단서, 특히 그 중요성에 대한 해석이다. 증상의 의미에 대한 환자의 귀인, 특히 심각한 문제의 징후로서의 인식, 삶에 대한 잠재적 영향에 대한 신념 및 미래에 대한 걱정은 모두 통증 인식에 중요하다.[98,99]

통증에 대한 환자의 믿음은 정서적, 행동적 반응, 장애 및 치료에 대한 반응을 결정한다.[100,101] 통증의 위협적인 의미에 대한 증가된 인식은 증가된 파국, 과잉 경계 및 불안으로 표현되며, 이는 차례로 통증 강도를 증가시킨다.[96,102,103]

> 증상의 의미에 대한 환자의 귀인, 삶에 대한 잠재적 영향에 대한 신념 및 미래에 대한 걱정은 모두 통증 인식에 중요하다.

의미는 개인의 인지, 감정, 이전 경험, 기억 및 학습, 사회적 환경 및 문화적 구성에 의해 결정된다. 종교적 개념과 의료 전문가와 같은 전문가의 역할도 고통스러운 경험의 의미를 발전시키는 데 관여한다.[96,97] 의료 전문가는 환자의 임상 상태에 위협적인 해석을 제공할 때 만성 통증 발병의 '진짜 범인'이 될 수 있다. 이러한 모든 복잡한 문제가 통증 경험을 어떻게 변화시킬 수 있는지 이해하는 것은 만성 통증 환자를 치료하는데 절대적으로 중요하다.

통증과 장애에 대한 환자의 인식에서 의미의 결정적인 중요성은 위협적인 의미를 수정하는 전략의 사용을 정당화한다(**그림 11-8**). 이것은 Moseley와 Butler가[104] 제안한 통증 생물학 교육의 핵심 구성요소이다. 통증을 조직 손상의 지표로 개념화하여 신체 조직 보호의 필요성으로 간주한다.[105]

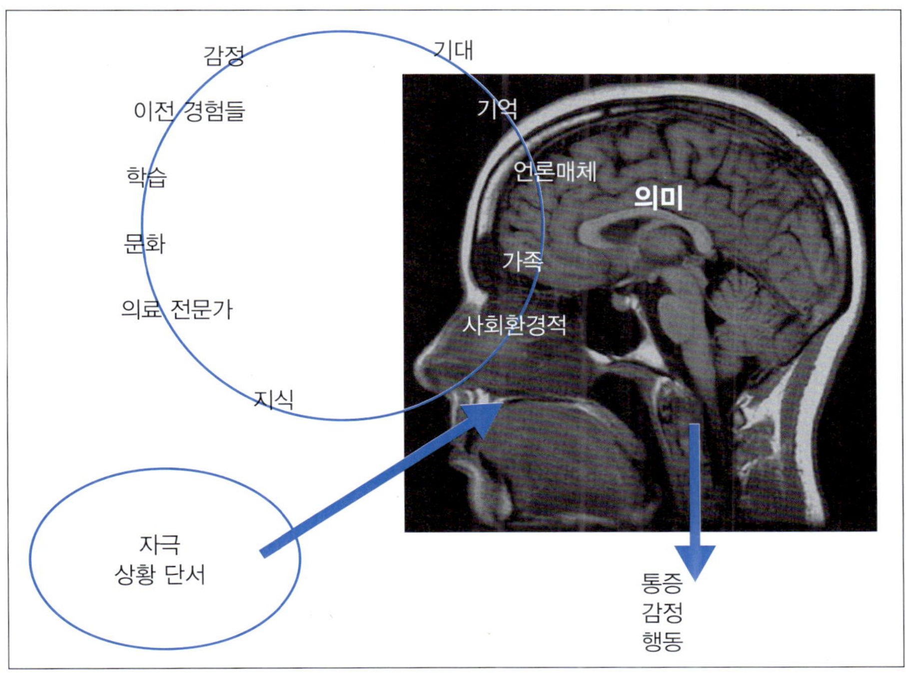

그림 11-8 ■ 통증은 항상 의미를 나타낸다.

통증: 주의, 현저성 및 관련성

실제 또는 잠재적 위협의 징후인 통증은 주의를 요한다. 통각 자극에 대한 주의는 통증 심각성을 증가시키는 능력을 기반으로 가장 많이 연구된 측면 중 하나이다. 주의는 처리를 편향시키고 가장 적절한 정보를 선택함으로써 작동한다. 통각 자극으로부터 피험자의 주의를 산만하게 하는 것은 통증에 대한 주관적 인식을 감소시킬 뿐만 아니라 유발된 뇌 반응의 크기도 감소시킨다.[107-109]

통증은 주의를 집중시키기 위해 상향식, 하향식 기전 또는 동시에 둘 다 필요하다. 상향식 기전은 자극의 현저성과 직접적인 관련이 있는 반면 하향식 기전은 관련성과 관련이 있다. 현저성은 자발적인 통제에 의존하지 않으며 자극의 강도와 새로움에 의해 결정된다.[86,110] 현저성은 주의를 끌기 위한 침해수용성 자극의 능력이 그 강도뿐만 아니라 그 당시 발생하는 다른 자극과의 경쟁에 달려 있다는 것을 의미한다. 이것은 또한 이전 경험과 피험자의 기대와의 대조에 달려 있다. 현저성은 적절한 행동을 개발할 필요가 있는 자극의 처리에 우선순위를 둠으로써 중요한 역할을 한다. 통증의 경우 신체적 완전성에 대한 위협에 대한 운동 또는 행동적 행위에 해당된다.

- 실제적이거나 잠재적인 위협의 징후인 통증은 주의를 요한다.
- 통증은 상향식(중요성) 및 하향식(관련성) 기전에 의해 주의를 이끈다.

자극에 대한 주의와 관련된 하향식 기전은 관련성에 의해 결정된다. 자극의 관련성은 각 개인(이전 경험)에 따라 다르며 개인 역사에 대한 감정적, 인지적 정교화에 따라 달라진다(**그림 11-9**). 따라서 통증의 관련성은 매우 다른 측면에 따라 다르다. 예를 들어, 통증이 심각하거나 잠재적으로 장애를 일으킬 수 있는 질병의 징후라는 해석, 환자가 의료 전문가로부터 받는 상충되는 설명 등.

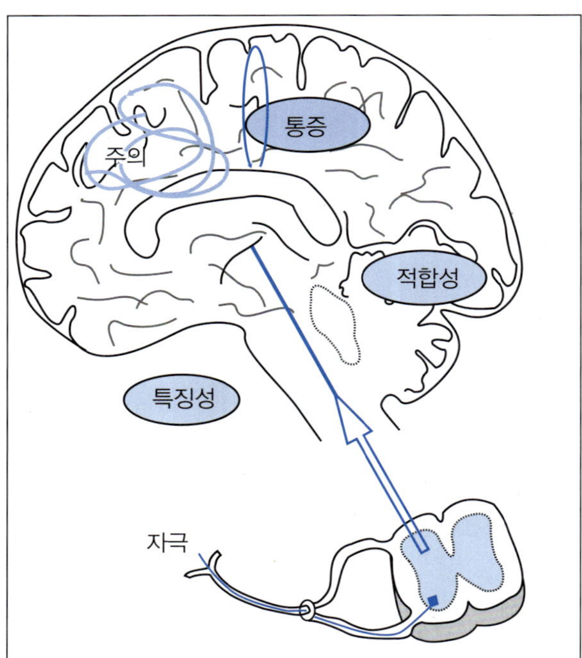

그림 11-9 ■ 통증은 주의를 집중시키기 위해 상향(중요성) 및 하향 기전(관련성)이 필요하다.

행동 표적 반응으로서의 통증

통증은 행동에 대한 일관된 반응이다. 통증은 이 반응이 개인의 생물학적 필요에 적합하다는 결정이 내려진 후에만 나타난다.[111] Wall이 지적했듯이 통증은 청각이나 시각과 같은 다른 감각 양상보다 갈증이나 배고픔과 비슷하다. 따라서 실제든 잠재적이든 손상을 예방하거나 추가 손상을 피하기 위해 필요하다고 판단될 때 뇌에서 통증이 발생한다. 주어진 시간에 통증 반응을 일으킬 수 있는 것은 통각 입력 또는 맥락의 의미이다.

또한, 모든 통증 경험은 특정 시간에 적절하다고 여겨지는 것에 기초하여 각 개인에게 특정한 행동 반응과 연관된다.[112] 통증, 인지, 감정, 운동, 행동 등 모든 차원은 개인의 생존을 촉진하기 위한 것이다.[113] 어떤 경우에는 손상을 예방하거나 추가 손상을 피하기 위해 통증을 증폭시켜야 한다. 다른 경우에는 싸움 또는 도피 반응을 허용하기 위해 하강하는 노르아드레날린 조절 시스템의 강렬한 활성화가 필요하거나 손상을 피할 수 없는 상황에서 세로토닌 조절 기전이 활성화된다.

- 실제적이거나 잠재적인 위협의 징후인 통증은 주의를 요한다.
- 통증은 상향(중요성) 및 하향(관련성) 기전에 의해 주의를 이끈다.

위협에 대한 반응으로서의 통증

위협에 대한 반응으로서의 통증은 Sanders와[114] Price가[115] 이미 언급한 바 있다. Sanders에게[114] 통증은 일반적으로 부상의 위협과 관련된 감각적이고 정서적인 불편함이다. Price는[115] 통증을 조직 손상에 대해 보고된 것과 유사한 신체 감각, 위협의 경험, 위협에 대한 인식에 기초한 불편함 또는 부정적인 감정으로 구성된 신체적 지각으로 정의한다. Moseley가 언급했듯이 통증은 '작동 방식의 단순성: 신체가 위험에 처해 있으며 조치가 필요하다'라는 특징이 있다.[116] 통증은 적응된 행동 반응을 필요로 하는 실제 또는 잠재적 위협에 대한 인식에 대한 생물학적으로 일관된 결론이다. 따라서 통증은 개인에 대한 위협을 인지하고 이를 예방하기 위한 조치가 필요할 때 뇌에서 생성된다.[116] 모든 차원의 통증이 이 목표를 향하고 있다. 통증은 또한 많은 맥락적, 사회적, 문화적 측면에 의해 결정되는 행동으로 표현된다.

통증은 적응된 행동 반응을 필요로 하는 실제 또는 잠재적 위협에 대한 인식에 대한 생물학적으로 일관된 결론이다.

통증은 신체 및 공간 프레임워크를 필요로 한다.

통증은 잠재적으로 위협적인 자극을 식별하고 이에 대응하는 것이기 때문에 신체와 특정 물리적 공간에서 느껴진다. 그러므로 통증은 신체적인 표상과 신체 주위의 개인주위 공간의 표상을 필요로 한다.[117]

이러한 측면과 신체 및 개인 주변 공간 표현과 관련된 가능한 뇌 영역은 다양한 저자에 의해 검토되었다(검토는 Legrain 등,[118] Moseley 등.[119] 참조). '가상체'뿐만 아니라 신체의 근거리 참조 공간을 포함하는 표현 프레임워크의 개념이다.[117] 이러한 뇌 표현이 없으면 개인은 공격성이 발생하거나 발생할 수 있는 위치를 신체 및 공간적으로 인식할 수 없다. 이 표현이 없으면 대상은 공격성에 대해 가장 적절한 운동 반응을 선택할 수도 없다. 따라서 통증은 시상의 복측 후핵, S1, S2, 대뇌섬의 일부 및 후방두정피질과 같이 체성 조직을 갖는 뇌 영역의 활성화를 필요로 한다. 이러한 신체 및 개인 주변 공간 표현은 단독으로 발생하는 것이 아니라 운동, 항상성 및 정서적 표현과 연결되어 있다.[119]

통증은 부적응반응일 수 있다.

통증에는 보호 기능만 있는 것이 아니다. 많은 환자들은 개인의 심각한 악화를 초래하는 조직 또는 신경계 손상에 이차적이지 않은 복잡한 통증으로 고통받는다. 강조된 바와 같이 통증은 개인의 온전함을 유지하는 데 도움이 되는 대신 개인의 악화를 결정하는 완전히 역기능적인 부적응 뇌 반응일 수 있다. 지금 당장은 통증이 심각한 침해수용성 원인과 관련이 없는 경우를 적절하게 식별하는 것이 중요하다. 그 후, 복합 통증을 식별하는 데 도움이 될 수 있는 측면을 다룰 것이다. 의인성 원인의 대부분은 건강 관리 전문가가 이 복잡하고 부적응적인 통증을 식별할 수 없기 때문에 발생한다.

통증은 감정과 관련되어 있다.

감정(emotion)은 인간 경험의 중심이며 의식에 결정적으로 관여한다. Chapman이[55] 지적한 바와 같이 감정은 종종 느낌(feeling)과 혼동된다. 감정은 일차적으로 생리적 반응이며 이차적으로 주관적일 뿐이다. 감정에는 자율 신경계와 호르몬 시스템의 활성화와 같은 객관적인 요소가 있다. 감정의 주관적인 측면은 감정이며 의식의 현상이다.[56] 감정의 역할은 여러 행동 중에서 선택하기 위한 관련 정보(감정적 가치)를 생성하는 것이다. 감정은 인식 내에서 자극이 주어진 시간에 획득하는 생물학적 중요성 또는 의미를 나타낸다.

> 통증과 관련된 감정은 인식 내에서 자극이 주어진 시간에 획득하는 생물학적 중요성 또는 의미를 나타낸다.

생물학적으로 유용한 통증은 혐오스럽고 불쾌하며 회피 반응을 결정해야 한다. 그러나 급성 통증에 적응하는 이러한 심리적 및 행동적 반응은 손상이 명확한 회복 단계에 있거나 물질적 손상이 없을 때 부적응이 될 수 있다. 임상의로서 이러한 반응이 부적응적으로 되어 복잡한 통증을 유발할 수 있는 시기를 인식하는 것이 중요하다.

만성 통증은 불안, 우울증 및 낮은 자기 효능감과 관련이 있다. 또한 불안과 우울증이 있는 환자는 더 많은 고통을 경험하고 만성 통증으로 발전할 가능성이 더 높다.[120] 만성 통증이 있는 환자는 통증과 삶에 대해 종종 강박적으로 부정적이고 비관적인 생각을 나타낸다. 따라서 감정과 부정적인 생각은 통증에 대한 인식과 회피 행동의 발달, 그리고 마지막으로 환자의 장애에 중요한 역할을 한다. 치료적 관점에서 이러한 심리적 측면은 치료 반응을 결정할 수 있으므로 평가하는 것이 필수적이다.

통증과 신체인지도

만성 통증은 상당한 피질 신경가소성 변화를 일으킬 수 있다.[121] 만성 통증이 있는 환자의 피질 재조직은 신체 인식을 왜곡할 수 있다. 사실, 피질 재조직의 양은 통증의 중증도 및 만성과 상관관계가 있는 것으로 보인다. 지속적인 통증에서 왜곡된 신체 인식의 역할은 지난 몇 년 동안 새롭고 흥미로운 연구 분야였다.[121,123,124] 이 연구는 이러한 왜곡된 신체 인식을 개선하고 정상적인 피질 재조직을 회복하기 위한 새로운 치료 접근법으로 이어졌다. 이 목표를 달성하기 위해 감각 입력의 흐름 조작, 점진적 노출 프로그램에서 감각 및 운동 피질 표현 영역 활성화, 감각 기술 훈련, 거울 요법, 측면 인식, 2점 식별, 차등 운동과 같은 다양한 전략이 개발되고 있다.[125] 이미지 등. 목표는 대상이 통증을 감지하는 신체 영역의 피질 표현에 작용하는 것이다. 다양한 임상 조건에서 기능의 회복과 통증의 개선은 감각 및 운동 피질 표현의 정상화를 필요로 한다.

통증은 단순한 고통이 아니다.

통증은 감각적 측면을 포함할 뿐만 아니라 항상 감정적, 운동적, 행동적 및 내분비 및 면역 반응과 같은 다중 시스템 반응과 연관된다. 사실, 통증 자체는 중추신경계(CNS)의 출력이다. 행동 반응을 포함한 이러한 모든 다중 시스템 반응은 매우 가변적이며 피험자가 특정 상황에 적절하다고 생각하는 것이 무엇인지에 달려 있다.

- 통증은 감각적 측면을 포함할 뿐만 아니라 항상 감정적, 운동적, 행동적, 내분비 및 면역 반응과 같은 다중 시스템 반응과 관련이 있다.
- 만성 통증은 심각한 동반 질환과 관련이 있다.

만성 통증은 상당한 동반 질환과 관련이 있기 때문에 통증을 다기관 반응으로 고려하는 것이 중요하다. 근골격계 통증을 가진 많은 환자들은 우울증, 기분 저하, 불안과 같은 심리적 문제 외에도 두통, 과민성 대장 증후군, 통증성 방광 증후군 및 만성 골반통과 같은 다른 만성 질환을 앓고 있다.

통증과 인지 기능

만성 통증은 인지 과정에 해로운 영향을 미칠 수 있다.[120,126] 이러한 과정에는 주의력, 학습 및 기억력, 정신 운동 능력 및 실행 기능이 포함된다. 차례로, 인지 과정은 통증 인식을 조절할 수 있다. 인지 기능의 이러한 변화는 환자의 임상 상태를 악화시키고 통증 경험의 인지적 재 정교화를 포함하는 중재에 상당한 장벽이 될 수 있다. 흥미로운 연구 영역은 만성 통증, 인지 기능장애 및 뇌 활동 변화와 뇌 신경망 연결성 간의 상관 관계를 분석하는 것이다.[127,128]

기억으로서의 통증

통증의 혐오적 성격은 학습을 촉진한다. 어떤 자극이 생물학적 무결성에 해로울 수 있는지를 배우는 것은 생존에 매우 중요하다. 유아기부터 개인은 잠재적으로 위험한 자극에 대해 보다 일관되고 적절한 반응을 발전시킬 수 있는 통각 경험을 축적한다. 면역 시스템과 같은 다른 보호 시스템과 마찬가지로 통증 시스템은 보호 기전을 활성화할지 여부를 지속적으로 평가하고 결정해야 하므로 평생 학습을 계속하는 것이 중요하다.

통증에 대한 기억은 다른 기억과 마찬가지로 자극의 정서적 중요성에 직접적으로 의존한다. 인간은 어린 시절부터 평생 동안 혐오적이거나 쾌락주의적인 감정적 영향을 동반한 관련성 있고 의미 있는 경험만을 저장한다. 특히 부정적인 의미와 관련된 외부 또는 내부 혐오 자극은 고통스러운 기억의 획득을 촉진할 수 있다. 공포나 부하 반응과 관련된 면역 체계 및 시상하부-뇌하수체 축과 같은 다양한 시스템의 활성화는 기억 강화를 촉진한다. 또한 변연계의 핵심 구성요소인 편도체의 활성화는 해마의 신경 발생을 결정할 수 있다.[129]

기억과 학습의 관계는 Fordyce의 초기 연구에서 만성 통증 연구의 핵심이었다.[130,131] 현재 많은 연구자들은 뇌 회로에서 관찰된 소성 변화를 기반으로 증거 병리가 없을 때 통증이 지속되는 것은 중추신경계의 통증 기억에서 비롯된다고 주장한다.[132-135]

만성 통증은 Apkarian에[135] 의해 정의되었다. '만성 통증은 통증에 대한 기억의 지속성 또는 초기 자극 부상으로 인해 유발된 통증 기억을 소멸시키지 못하

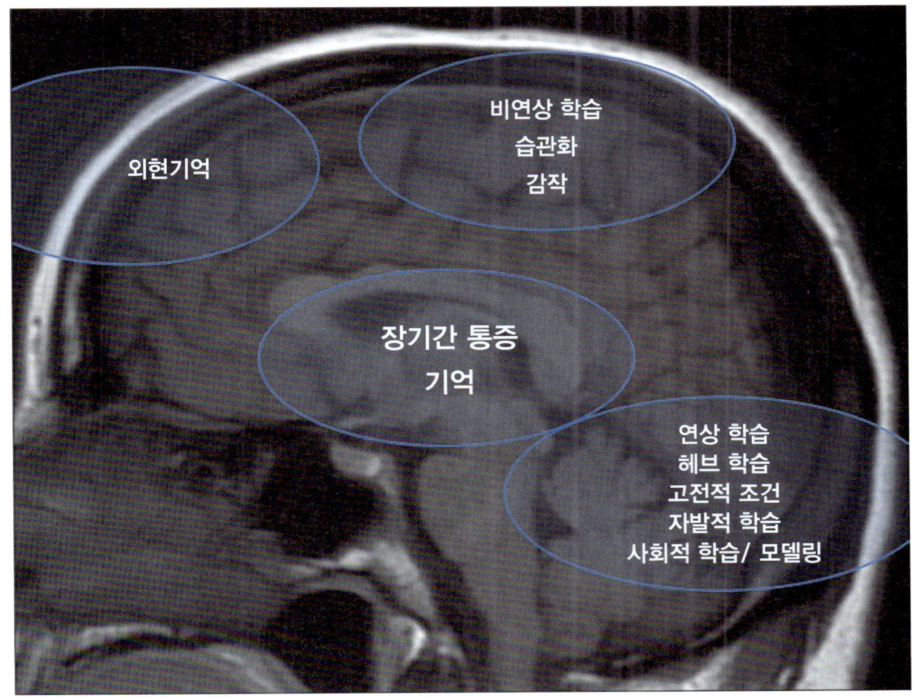

그림 11-10 ■ 장기 통증 기억을 생성하는 것은 명시적 및 암시적 기억과 같은 다양한 기전에 의해 발생할 수 있다. 명시적 기억은 기억에 저장된 사건을 의식적으로 재생산하는 과정이다. 암묵적 기억에는 비연상 학습(습관화 및 민감화 현상)과 연상 학습(헤비안 학습, 고전적 조건화, 조작적 조건화 및 사회적 학습/모델링)이 포함된다.

는 것이다.[133] 만성 통증과 신체 지각의 부적응적 변화는 중추신경계의 학습 관련 및 기억 관련 소성 변화와 관련이 있다.[136]

> 만성 통증은 통증에 대한 기억의 지속성 또는 통증의 기억을 소화할 수 없는 능력이다.

장기 통증 기억을 생성하는 것은 명시적 및 암시적 기억과 같은 다양한 기전에 의해 발생할 수 있다. Flor가 지적했듯이[136] 명시적 기억은 기억에 저장된 사건을 의식적으로 재생산하는 과정에 해당한다. 암묵적 기억은 무의식적으로 습득되는 것으로 습관화 및 감작 현상과 같은 비연관 학습과 연관 학습, 헵의 학습, 고전적 조건화, 조작적 조건화 및 사회적 학습 또는 모델링을 포함한다(**그림 11-10**). 이러한 기전은 변연부 영역과 편도체 및 해마의 내측 전전두엽 영역의 재구성으로 이어진다. 이러한 신경가소성 변화는 체성감각 및 인지 영역의 처리를 변경하고, 이는 차례로 구심성 및 내수용성 자극의 조절 능력을 변경한다.[137]

> 두려움은 통증 기억의 주요 매개체이다.

두려움은 통증 기억의 주요 매개체이다. 통증의 경험은 고통을 경험하는 것에 대한 두려움뿐만 아니라 평생 통증의 기억을 생성할 만큼 강렬할 수 있다. 손상을 예측하는 것은 통증 시스템의 중요한 측면이다. 따라서 통증을 경험하는 동안 존재하는 모든 자극은 통증의 예측인자로 기억에 저장될 수 있다. 통증에 대한 두려움과 학습 사이의 관계는 Vlaeyen의 두려움 회피 모델의 근본적인 측면이다.[138,139]

만성 통증을 중추신경계(CNS)에 집대성한 기억

으로 간주하는 것은 상당한 치료적 의미를 가지고 있다. 이는 이 '통증 기억'이 역전되어 만성 통증을 소멸시킬 수 있음을 의미한다.

통증은 사회적이다.

통증은 개인적일 뿐만 아니라 사회적 경험이기도 한다. 모든 통증은 행동으로 표현된다. 통증은 생존에 위험을 초래하는 상황에서 사회적 지지를 얻기 위한 유용한 의사소통 형태인 통증 관련 감정의 외적 언어적, 손동작, 행동적 및 신체적 표현을 동반한다. 통증과 통증 행동은 어린 시절부터 배운 사회적 반응이다. 게다가 통증 경험은 문화와 사회적 환경에 의해 형성되는데, 이는 왜 통증에 대한 인식과 표현이 문화에 의해 명확하게 결정되는지를 설명한다. 현재 통증이 있는 환자를 치료하는 많은 전문가들이 복잡한 가족 및 사회문화적 통증 프레임워크를 이해하지 못하는 것은 용납할 수 없다.

> 통증과 통증 행동은 어린 시절부터 학습되고 문화와 사회적 환경에 의해 형성되는 사회적 반응이다.

결론적으로 통증은 필연적으로 인지적 및 정서적 요인, 운동 및 행동적 반응, 내분비 및 면역반응과 같은 다계적 반응을 의미하며 학습, 이전 경험 및 문화에 의해 크게 영향을 받는다. 따라서 통증은 통각 자극의 특성, 더 높거나 낮은 중추신경계 민감도, 당시 개인의 신체적, 심리적 상태, 그리고 그것이 발생하는 맥락에 의해 영향을 받는 복잡한 주관적 경험이다.[140] 통증은 본질적으로 주관적인 현상이다. 이는 개인의 삶에 도입되어 연관된 정서적, 행동적 등의 반응을 수반한다. 인지 평가를 받으며 사회적, 문화적 좌표에 의존한다.

만성 통증 및 중추 과민 CHRONIC PAIN AND CENTRAL SENSITIZATION

만성 통증의 병인 (Pathogenesis of chronic pain)

통각 수용체와 통증

통각수용기는 유해한 자극을 변환하고 인코딩할 수 있는 말초 체성감각 시스템의 고역치 감각수용체이다. 따라서 통각은 고강도 자극에 의해 유발된다. 통각수용기는 전압 개폐성 Na 채널(NaV)과 일시적인 수용체 전위 채널(즉, TRPV1, TRPA1)을 통해 강렬한 기계적, 열적 또는 화학적 자극을 전기적 활동으로 변환한다. 이 일차 통각수용기는 얇게 수초화된 Aδ 섬유(그룹 III)와 수초가 없는 C 섬유(그룹 IV)이다. 체성 통증은 주로 C 섬유에 의해 매개되며, 대부분은 다양한 열적, 기계적 및 화학적 자극에 반응할 수 있는 다형태 통각수용기이다(**표 11-1**). 말초 통각수용기에서 상위 중추로의 정보 전달은 상당한 조절을 거치며, 이는 일차 통각수용기 자체의 활성, 하강 조절 경로, 신경교 세포의 활동 및 중추 통각 처리 상태, 모두 차례로 여러 뇌 영역에서 활동에 따라 달라진다.[141,142] 말초 감작의 기전에 대한 검토는 1권 5장(**그림 11-11**)을 참조.

표 11-1

구심성 그룹 III 및 IV

Aδ (III)	Aδ (N) 급성 통증(쏘는 통증) Aδ (T) 무해한 감기
C (IV) C 비통각수용성	C (T) 열 C (T) 추위
C (IV) C 통각수용성	C (N 피부의) 타는 느낌 C (다봉형) 심부통증 C (MN) C (MT) C (MT) 무증상

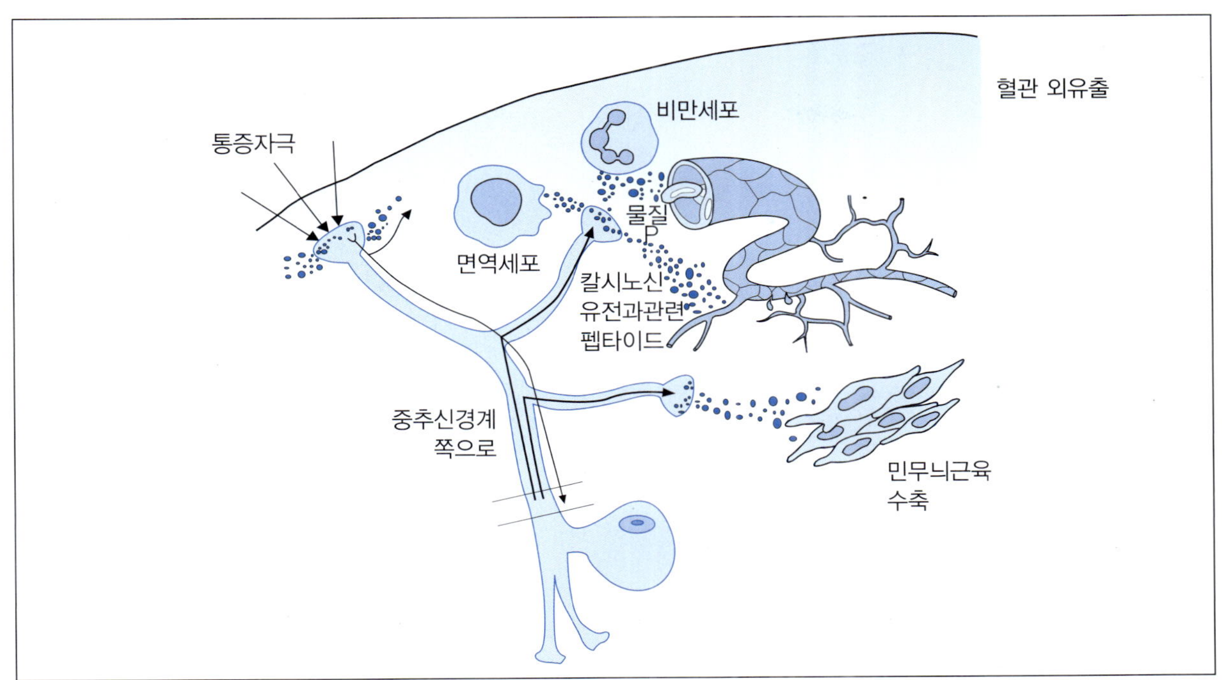

그림 11-11 ■ C 섬유의 자극은 활동 전위를 유발하여 중추신경계에 직교 방식으로 그리고 말단 가지로 역방향전위 방식으로 전파된다. 이러한 역방향 활동 전위는 SP, CGRP 및 뉴로키닌 A와 같은 신경 펩티드의 방출을 유발한다. 이러한 신경 펩티드는 특히 비만 세포가 히스타민을 방출하도록 자극하고, 이는 차례로 면역 세포에 대한 혈관 확장 및 증가된 모세관 투과성을 유발한다. C 섬유와 조직 손상으로 인해 배지로 방출된 동종 물질(예: bradykinin 및 prostaglandin)의 활동에 의해 유발된 이러한 반응은 신경성 염증을 결정한다.

2차 뉴런과 중추 감각

통각 경로의 첫 번째 시냅스는 척수의 후각 또는 해당 뇌신경의 감각 핵에 있다. 척수후각은 6개의 조직학적 층을 포함하며, Rexed 에서는 박층이라고 하며 박층 I(가장 표면적)에서 VI(가장 깊은 층) 까지 있다.

2차 침해수용성 신경세포(SONN)은 주로 박층 I 과 II에 위치한다(**그림 11-12**). 이 뉴런은 두 가지 유형으로 분류된다: 유해한 자극에만 반응하는 침해수용특이성(NS) 신경세포과 광범위한 강도에서 저역치 및 침해수용성 자극에 반응할 수 있는 광역동적 범위(WDR) 신경세포이다.

Lamina I(marginal zone)과 Lamina II(substantia gelatinosa)는 말초 통각수용기의 구심성 축삭, 특히 펩타이드성 C 섬유와 Aδ 섬유를 받는다. 박층 II는 유해 및 비 유해 자극의 강도를 조절하고 주변부에서 뇌로 신호를 전달하는 필터 역할을 하는 조절 신경세포간을 포함한다(**그림 11-13**). 박층 III와 IV는 Aß 섬유의 무해한 자극에 반응하는 신경세포를 포함한다. 따라서 이러한 신경세포는 주변부로부터 유해하지 않은 자극을 받고 지형적으로 조직화된 작은 수용필드를 가지고 있다. Lamina V 신경세포는 기본적으로 Aß, Aδ 및 C 비펩타이드성 섬유로부터 정보를 수신하는 광역동성 영역(WDR, Wide Dynamic Range) 신경세포이다. 마지막으로, VI층 신경세포는 근육과 관절에서 무해한 기계적 자극을 받는다.

박층 I 척수시상로(STT) 신경세포는 크게 배쪽 후부(VP) 핵, 배쪽 내측 핵(VMpo)의 뒤쪽 부분, 배쪽 후방하방 (VPI) 핵 및 내측 등쪽 핵(MDvc)의 배쪽 꼬리 부분으로 돌출한다. 박층 V 신경시상로 축색

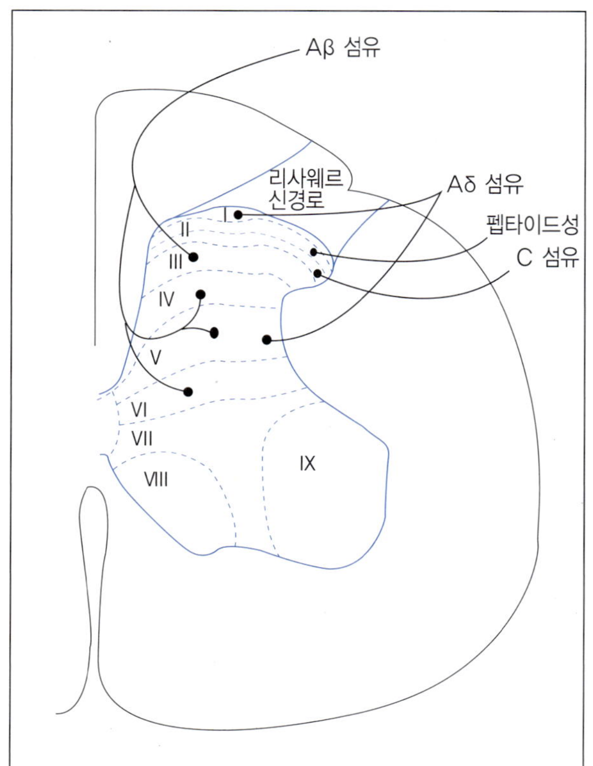

그림 11-12 ■ 렉스드판들. 후각에서 구심성 섬유의 투영 다이어그램. 침해수용성 Aδ 및 C 섬유는 주로 판 I 및 II에서 2차 침해수용성 신경세포과 신경연결 한다. Laminae III 및 IV에는 Aß 섬유의 무해한 자극에 반응하는 뉴런이 포함되어 있다. Lamina V 뉴런은 기본적으로 Aß, Aδ 및 C 섬유로부터 정보를 수신하는 광역동영역(WDR) 신경세포이다. 마지막으로, 6판의 신경세포은 근육과 관절에서 무해한 기계적 충격을 받는다.

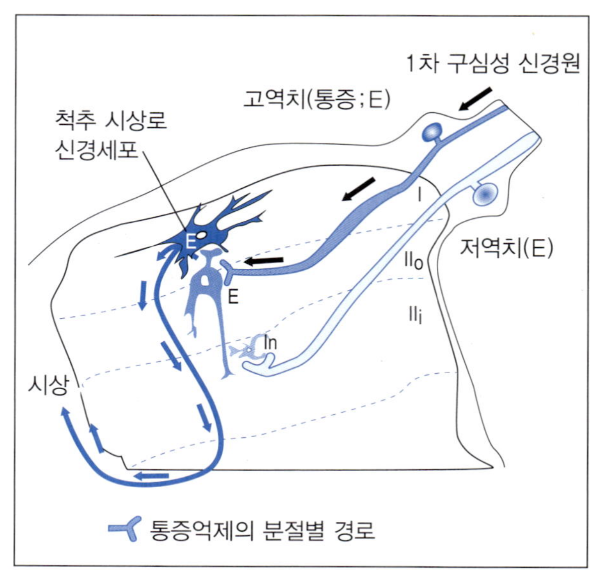

그림 11-13 ■ 판 II(교양질,substantia gelatinosa)는 유해 및 비 유해 자극의 강도를 조절하고 말초에서 뇌로 신호를 전달하는 필터 역할을 하는 조절 인터뉴런을 포함한다. E, 흥분성; In, 억제성; STT, 척수 시상로.

돌기(STT axons)는 배면후방핵(ventral posterior VP nucleus), 배면후방하방(VPI), 복부회측핵(ventral lateral nucleus) 및 수질막내핵(intralaminar nuclei)에서 끝난다.

대부분의 I 2차 침해수용성 신경세포(SONN)층은 침해수용성 특이적이다. 이 신경세포는 또한 낮은 임계값 구심성에서 작은 진폭의 시냅스 입력과 수용 필드 외부에서 통각 입력을 받는다. 그러나 정상적인 조건에서 이러한 입력은 침해수용성 특정 신경세포의 탈분극을 결정하지 않는다. 그러나 이러한 뉴런의 감작은 수용 필드 임계값과 공간 및 시간 속성의 중대한 변화와 함께 이러한 하위 임계값 입력의 모집을 결정할 수 있다.[24]

광역동영역(WDR) 신경세포는 먼저 저강도의 무해한 자극에 점진적으로 반응하며, 강도가 증가하면 유해한다. 광역동영역(WDR) 신경세포은 뇌간과 시상의 일부 및 상부 센터로 투사된다. 그들은 종종 깊은 내장 및 체세포 구조에서 유래하는 유형 C, Aδ 및 Aß 섬유를 받는다(**표 11-2**).

후각의 2차 침해수용성 신경세포(SONN)은 1차 구심성 신경전달물질 방출에 의해 활성화된다. 이 수준의 주요 신경 전달 물질은 AMPA(α-amino-3-hydroxy-5-methyl-4-isoxazolepropionic acid) 및 NMDA (N-Methyl-D-aspartic acid) 수용체에 결합하는 글루타메이트와 뉴로키닌-1(NK 1) G-단백질 결합 수용체에 결합하고 티로신에 대한 뇌 유래 신경영양인자(BDNF)를 키나제 수용체에 결합하는 P물질(SP)이다.

표 11-2

렉스드판(Rexed lamina), 1차 및 2차 신경세포 및 기능

판	입력	2차 뉴런	기능
I	C Aδ	NS	통증
II	C Aδ 비통각성구심	흥분성 개재뉴런 억제성 개재뉴런	구심신호전달 조정
III + IV	Aβ	작은 수용장 수용체	촉감자극전달
V	C Aδ Aβ	광역학영역 (WDR)	통증, 온도, 촉감 자극

글루타메이트는 통각수용기 및 비통각수용기 모두에 대한 후각의 일차 구심성 신경전달물질이다. AMPA(α-amino-3-hydroxy-5-methyl-4-isoxazolepropionic acid) 글루타메이트(Na+) 수용체에 작용하여 후각 뉴런에서 빠른 시냅스 전위를 생성한다. 수초화되지 않은 펩티드성 통각수용체는 또한 SP 및 칼시토닌 유전자 관련 펩티드(CGRP)를 방출한다. 글루타메이트 및 SP와 같은 기타 신경 전달 물질은 시냅스 후 뉴런에 다른 영향을 미친다. 글루타메이트는 시냅스에서만 작용하며 신경교세포에 의한 시냅스에서의 재포착은 빠르고 매우 효과적이다.

신경펩타이드는 글루타메이트 효과의 증폭과 연장을 결정하는 다른 역할을 한다. 신경펩타이드는 재포착 기전이 없고 파급력이 커서 많은 시냅스 후각 신경세포에 강력한 영향을 미치고 원격으로 그 효과를 발휘할 수 있다. 많은 임상 상황에서 후각의 증가된 흥분성 및 확산성 통증 위치는 부분적으로 신경전달물질의 비재포획 및 신경펩티드 방출의 증가 때문이다. P 물질은 오래 지속되는 막 탈분극을 일으키고 C-섬유 유발 시냅스 전위의 시간적 합산에 기여하고 중추 감작에 기여한다. 칼시토닌 유전자 관련 펩티드(CGRP)는 시냅스 후 CGRP1 수용체를 통해 중추 감작에 기여하여 단백질 키나제 C(PKC)와 단백질 키나아제 A(PKA)는 또한 중추 감작의 발달에 관여하는 뇌 유래 신경영양 인자(BDNF)의 방출을 향상시킨다.[24] 이러한 펩타이드의 증가된 수준은 많은 만성 통증 물질의 광범위한 특성뿐만 아니라 후각 뉴런의 증가된 흥분성에 기여한다.[143]

중추 과민 및 만성 통증 (Central sensitization and chronic pain)

최근 수십 년 동안 상당한 진전으로 인해 중추신경계(CNS)에서 발생하는 신경가소성 변화의 중요성이 인식되고 있으며, 이는 통증 증폭과 급성 통증에서 만성 통증으로의 전환과 관련이 있다.[47,67,69,144,145] 중추 감작은 통증 패러다임을 조직에서 중추신경계 가소성으로 전환했다. 통증은 말초 통각수용기 활동의 결과일 뿐만 아니라 중추신경계(CNS)의 흥분성과 가소성 상태를 동적으로 반영하기도 한다. 기본 가정은 척수의 침해수용성 정보가 학습 과정과 유사하게 장기적으로 후각 시냅스에서 변화를 유도한다는 것이다. 따라서 2차 뉴런은 흥분성을 증가시키고 고통스러운 자극과 정상적인 자극 모두에 대한 증폭된 반응을 표현한다.[145] 중추 감작은 통각 자극 없이 말초 병변이 치유된 후에도 통각 뉴런의 활성을 유지한다. 따라서, 심각한 조직 손상이 없고 따라서 신체 검사에서 거의 발견되지 않는 피험자는 중증 및 만성 통증을 겪을 수 있다. 중추 감작은 급성 통증에서 만성 통증으로의 전환에[25,36,67,69,145-148] 관여할 뿐만 아니라 치료 결과를 결정할 수도 있다.[33,149]

따라서 환자의 임상 상태에서 중추 감작의 기여도를 확인하는 것이 중요하다.

> 통증은 말초 통각수용기 활동의 결과일 뿐만 아니라 중추신경계의 흥분성과 가소성 상태를 동적으로 반영하기도 한다.

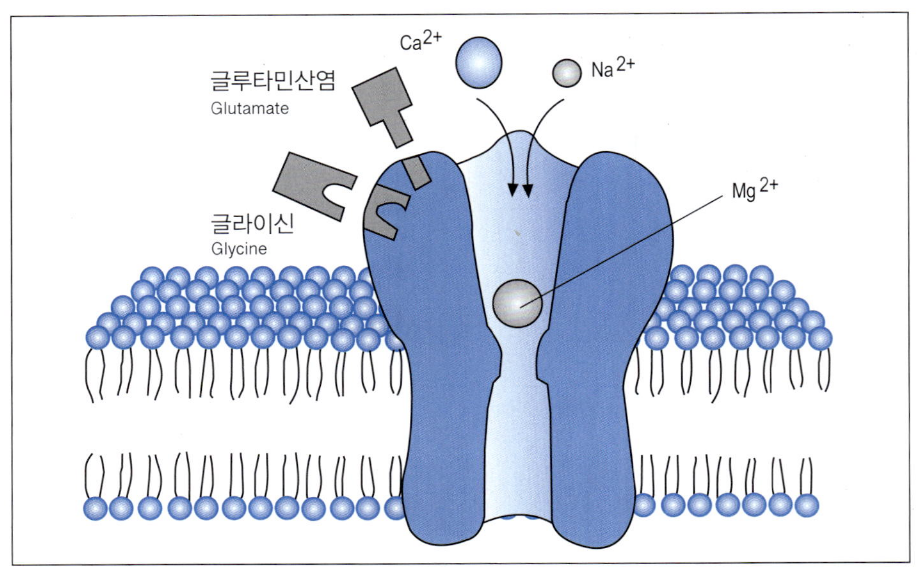

그림 11-14 ■ nmDA 수용체, 마그네슘 이온에 의해 차단됨.

척추 수준에서 중추 과민

2차 침해수용성 신경세포(SONN)은 신경가소성 변화의 결과로 활동을 수정할 수 있으며, 초기에는 일시적인 기능적 변화가 안정적인 형태학적 변화가 될 수 있다. 중추 감작은 급성 통증에서 만성 통증으로의 전환을 설명하기 때문에 최근 몇 년 동안 많은 관심을 끌었다.

척추 수준에서 이러한 변화 중 일부는 장기 강화 및 '와인드업'을 포함한다. 이러한 현상은 2차 침해수용성 신경세포(SONN)이 C 섬유의 강렬하거나 지속적인 자극 후에 지속적인 기능적 변화를 겪고 말초 조직의 자극 없이도 유지되는 활동을 증폭한다는 것을 의미한다.[150,151] 와인드업('wind-up') 현상은 N-methyl-D-aspartate(NMDA) 이온 채널에 대한 글루타메이트의 작용 결과로 발생한다(**그림 11-14**). 이러한 NMDA 이온 채널은 일반적으로 통증 전달에 참여하지 않는다. 그러나 글루타메이트의 지속적인 방출은 광역학영역(WDR) 2차 뉴런의 내부 작동에 변화를 일으키고 이러한 수용체의 개방을 유도한다.[144,152-154]

이 과정은 다음과 같은 방식으로 진행된다. 글루타메이트는 시냅스의 1차 구심성 신경에서 방출될 때 2차 침해수용성 신경세포(SONN)에 결합한다. 이것은 세포로의 나트륨 유입에 의한 탈분극을 유발한다. NMDA(N-Methyl-D-aspartic acid) 수용체는 일반적으로 마그네슘 이온으로 차단되어 글루타메이트가 이온 채널을 열 수 없다. 그러나 지속적인 탈분극은 NMDA 수용체에서 마그네슘을 제거하여 칼슘이 세포질로 들어가도록 한다. Ca^{2+} 이온은 다수의 세포내 효소를 유발하는 2차 전달자이다. 세포 내 Ca^{2+}의 증가는 활성 의존성 중추 감작을 시작하는 주요 트리거 중 하나이다.

많은 효과 중 하나는 시냅스 후 막에 존재하는 이온 채널의 인산화이다. 인산화는 수용체가 더 오랫동안 열린 상태로 유지되도록 하여 마그네슘이 채널을 다시 닫는 것을 방지한다. 뉴런의 핵에서 장기간의 유전자 발현이 변형되어 새로운 이온 채널이 합성된다(**그림 11-15**). 세포내 Ca^{2+} 농도의 증가는 산화질소(NO)의 생성을 증가시킨다. 산화질소(NO)는 인접 뉴런을 자극하는 것 외에도 면역계의 신경교 세포를 활성화하여 사이토카인의 합성을 증가시켜 중추 감작을 촉진할 수 있다. 이렇게 민감해진 뉴런은 고

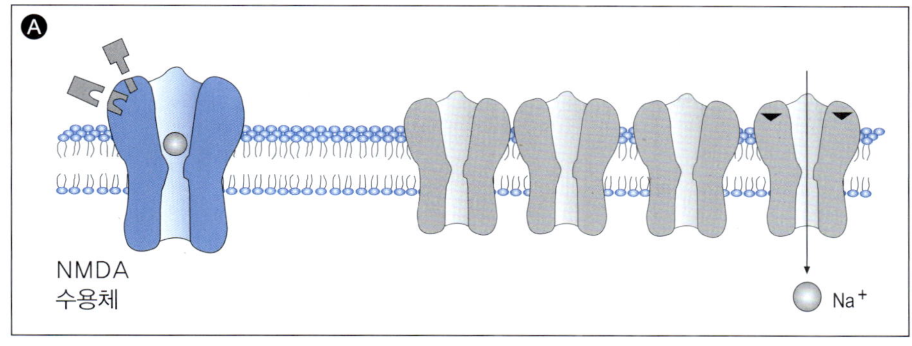

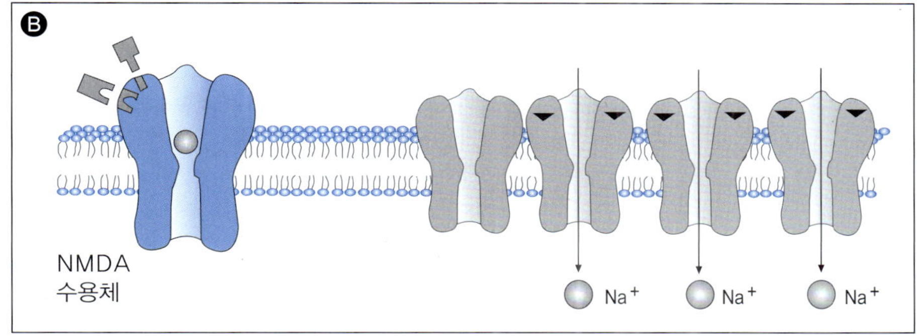

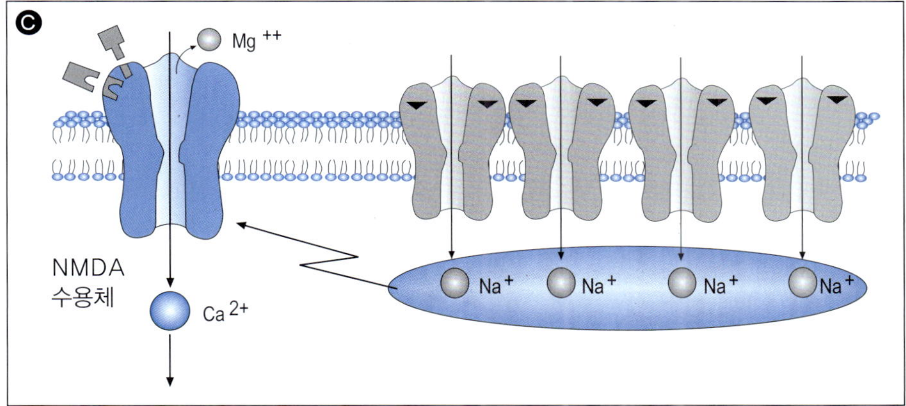

그림 11-15 ■ 감기 현상. 1차 구심성 및 지속적인 nnSO 탈분극에 의해 방출된 글루타메이트(A 및 B)는 마그네슘 차단 nmDA 수용체를 제거하여 Ca^{2+}가 세포질로 들어가도록 한다(C). Ca^{2+} 이온은 이온 채널의 인산화를 촉발하여 한편으로는 수용체가 더 오랫동안 열려 있고 두 번째로 새로운 이온 채널이 합성되도록 한다.

통스러운 자극과 고통스럽지 않은 자극 모두에 과흥분한다. 중추 감작은 다른 많은 효과가 있다. 이차 통각과민 및 이질통 외에도 자발적 활동의 증가와 수용 영역의 확장을 유발할 수 있으며, 이는 해당 척추 분절의 가장자리를 넘어 통증이 퍼지게 한다.

통각수용기 구심성 신경분포 근육이나 관절은 피부에 신경분포하는 것보다 더 오래 지속되는 중추 감작을 생성한다. 척추 수준에서 급성 통증에서 만성 통증으로의 전환에는 새로운 시냅스의 생성과 같은 후각 회로의 형태학적 변화가 포함된다. 박층 I 및 V뉴런에서 발생하는 이러한 변화는 편도체 및 전방 대상 피질(ACC)과 같은 중추신경계(CNS)의 다른 부분에서 입증되었다.

만성 통증 상황의 형성을 선호하는 것으로 간주되는 현상은 후각의 흥분독성 신경과자극 또는 신경변성이다. 이것은 비정상적인 일차 구심성 활성이 글루타메이트 수준을 증가시킴과 동시에 많은 양의 물질 P(SP) 및 기타 신경 펩티드를 방출함을 의미한다. 따라서 NMDA(N-Methyl-D-aspartic acid) 수용체의 과도한 활성은 후각 뉴런의 Ca^{2+} 수준을 증가시켜 GABA 중간 뉴런의 세포자멸사를 결정하는 미토콘드리아의 용량을 넘어선다. 이 과정의 결과로 후각에는 억제성 개재뉴런이 없어 만성 과잉행동과 침해수용성 뉴런의 억제를 유발한다.

중추 감작은 또한 무해한 자극과 유해한 자극 모두에 반응하는 광역동적 뉴런으로의 침해수용성 특정 뉴런의 전환과 후각 수용장의 확장을 결정할 수 있다.[24,161]

지난 10년 동안 연구를 통해 중추 감작 현상에서 신경교 세포(예: 미세아교세포 및 성상교세포)의 중요성에 대한 인식이 높아져 지속적인 통증을 유지하는데 핵심적인 역할을 한다.[162-164] 신경교 세포는 신경정보 통합에 적극적으로 관여하며 시냅스 활동을 조절하고 다양한 방식으로 뉴런과 통신한다.

말초 손상과 칼시토닌 유전자 관련 펩티드(CGRP), P물질(SP) 및 글루타메이트와 같은 뉴런의 시냅스전 말단에서 신경 펩티드의 후속 방출은 '아교 활성화'를 결정할 수 있다. 활성화된 신경교 세포는 신경 흥분성을 추가로 증가시키는 전염증성 사이토카인(종양괴사인자-알파, 염증유도(인터류)-1, 염증유도(인터류)-6)과 뇌 유래 신경영양 인자를 생성한다[165](**그림 11-16**). 또한 TNF-α와 IL-1β가 척수 시냅스 전달을 직접 조절하여 중추 감작을 유도하고 통증 상태를 향상시킬 수 있는 것으로 나타났다.[166] 이러한 신경교 활성화는 만성 통증의 발병기전에 필수적인 역할을 하는 것으로 믿어진다.[167-171] 아교세포 활성화는 또한 반대쪽의 통증 감각 현상(즉, 거울상 통증)과 관련될 수 있다.[172] 마찬가지로, 만성 통증 환자에서 뇌 신경교 활성화의 증가가 최근에 입증되었다.[173]

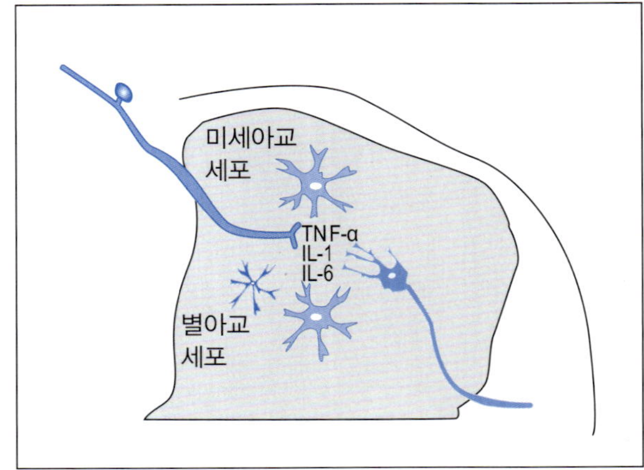

그림 11-16 ■ 신경교 활성화. 활성화된 신경교 세포는 신경 흥분성을 추가로 증가시키는 전염증성 사이토카인(TnF-α, 종양괴사인자-알파; iL-1, 염증유도(인터류)-1; iL-6, 염증유도(인터류)-6) 및 뇌 유래 신경영양 인자를 생성한다.

다양한 신경가소성 척추 수준 변화는 중추 감작으로 이어진다.

- 2차 뉴런 WDR 및 NS의 감도의 영구적인 변화
- 신경전달물질 수치 변화
- 새로운 시냅스 생성
- 후각에 있는 뉴런의 수용 영역 확장: 연관통
- 억제성 뉴런의 세포자연사
- 척추 수준에서 신경교 활성화
- 내림차순 변조의 변경
- 뇌신경교 활성화의 증가

결론적으로, 통각 시스템의 과민화, 통각 시스템의 활성화 역치를 낮추는 것은 개별 반응의 보호를 증폭시킨다. 말초 감작은 염증 매개체에 노출된 후 말초 통각 수용체의 활성화 역치가 감소됨을 의미한다. 그것은 통각 시스템의 흥분성을 증가시키는 데 기여하지만 중추 감작과 달리 조직 손상 부위에서만 발현된다(일차 통각과민). 따라서 중추 과민 반응은

잠재적으로 부상을 나타낼 수 있는 자극에 대한 증가된 감도(이차 통각과민)를 허용하고 과민 상태가 일단 조직이 치유되면 기준선 상태로 복귀하는 적응 반응이다. 그러나 감작은 통각 입력이 사라진 후 지속되면 부적응일 수 있다. Woolf가[25] 언급한 바와 같이 '이러한 상황에서 통증은 환상적 지각, 즉 실제 유해한 자극에 의해 유발되는 것과 동일한 품질을 갖지만 이러한 유해한 자극이 없을 때 발생하는 감각'과 동일할 수 있다.

- 적응 반응으로서의 중추 과민화: 잠재적으로 부상을 나타낼 수 있는 자극에 대한 민감도 증가(이차 통각과민). 단, 조직이 치유되면 과민증 상태가 기준선 상태로 돌아간다.
- 부적응 반응으로서의 중추 감작: 통각 입력이 사라진 후 지속되는 경우

임상 만성 통증은 특정 손상으로 인한 특정 말초 입력에 의한 '통증 시스템'의 지속적인 활성화의 결과일 뿐만 아니라 중추신경계의 변경된 흥분 상태를 반영한다.[25] 통각 입력에 의해 정당화되는 것보다 더 긴 지속 시간, 더 큰 중증도 또는 더 큰 분포를 나타내거나 낮은 역치 Aß 섬유의 자극 후에 발생하는 통증은 증가된 흥분 또는 감소된 억제로 인한 중추 증폭 현상을 암시한다.[25]

통각 경로

침해수용성 정보는 반대쪽 척수시상로(STT)의 시상으로, 척수망상로와 척수중뇌로를 통해 수질과 뇌간으로 올라간다. 척수변연로와 같은 다른 영역은 시상에 투영되지 않고 편도체와 시상하부에 투영된다.[55, 174-176]

통각 전달에는 5가지 기본 경로가 있다 (**그림 11–17**).

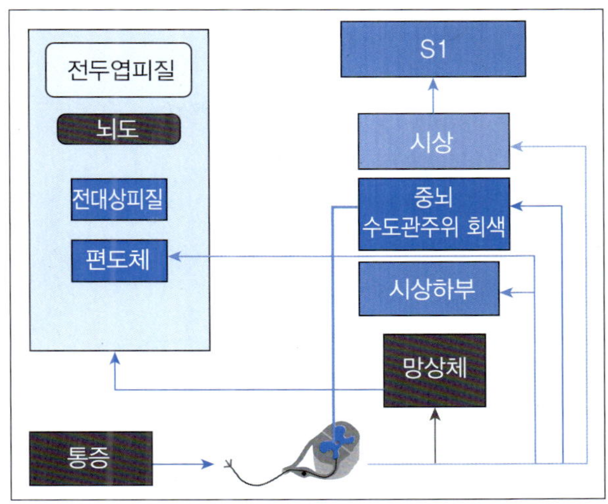

그림 11–17 ■ 통각 전달에는 망상 형성, 시상 하부, PAG, 시상, S1, S2, 섬과 같은 다양한 중추신경계 구조로 투영되는 여러 경로(척수 시상, 척수망, 척수뇌뇌, 경추 시상, 척수 편도체 및 시상하부)가 관여한다. ACC, 편도체 및 전전두엽 피질. ACC, 전대상피질; PAG, 수도관주위 회색.

- 척수시상로는 가장 중요한 통각수용경로이지만 온도와 촉각 자극의 전달과도 관련이 있다. 이 경로의 축삭은 복측 후측(VPL) 핵, 복측 후하(VPI) 핵, 복측 후내측(VPM) 핵, 중앙 외측(CL) 핵 및 기타 층내 핵과 같은 다른 시상 핵에서 끝난다. 및 내측 시상 핵. VPL 핵의 구심성 말단은 체세포적으로 조직화되어 있다. 외측 시상핵에 도달하는 축색돌기는 주로 1차(S1) 및 2차(S2) 체성감각 피질과 섬섬의 중간 및 후방 부분으로 돌출되어 있으며 통증 강도 및 공간적 현지화와 같은 판별 감각 통증 요소에 관여한다. 이 경로는 침해수용성 메시지의 특이성과 차별성을 유지한다.
- 척수망막관은 뇌간 망상 형성 및 내측 시상 핵에 대한 연결을 제공하고 시상하부 및 변연계로 돌출한다. 이 전달 경로는 polysynaptic이고 somatotopic 조직이 거칠고 수렴도가 높아 통각 방식의 특이성을 잃는다. 전두엽과 변연 신피질에 대한 투영으로 인해

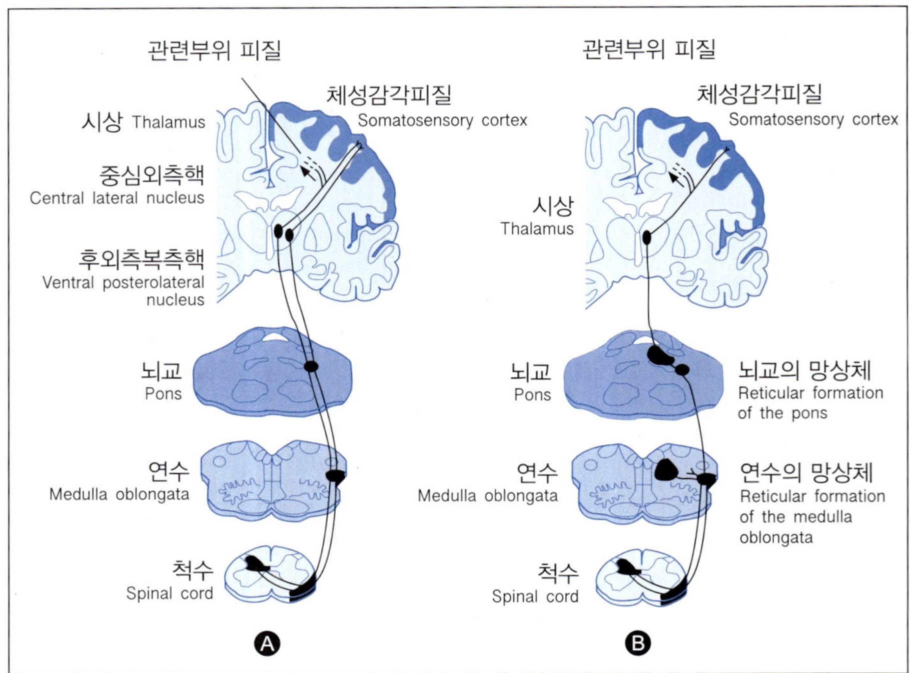

그림 11-18 ■ 침해수용성 전달의 주요 경로: 척수시상로(A)와 척수망상로(B).

이 경로는 고통스러운 경험의 정서적 및 정서적 구성 요소에 관여한다(**그림 11-18**).

- 척수중뇌로는 망상 형성과 중뇌의 수도관주위 회색(PAG) 물질로 끝난다(**그림 11-19**). 이 경로는 변연계의 주요 구성 요소 중 하나인 편도체와 연결되어 통증의 정서적 구성 요소에 기여한다. 그 역할은 통증 조절 기전에서 중요하다.
- 경시상관은 두 상부 경추 분절의 백질에 위치한 외부 경추 핵의 뉴런에서 시작하여 중뇌와 시상에 도달한다.
- 척수변연로는 두 가지가 있다. 하나는 편도체에 직접 투사되어 감정적 반응의 발달을 돕는 척수편도관이고, 다른 하나는 자율신경계(ANS)의 제어 중추에 직접 투사되는 척수시상하부로, 복합 활성화 신경 내분비 및 심혈관 반응.

척추상 센터와 통증 (Supraspinal centres and pain)

시상(Thalamus)

시상은 후각 시스템을 제외한 모든 감각 시스템에서 정보를 수신하고 이 정보를 특정 피질 표현 영역으로 투영한다. 이것이 시상을 종종 '의식의 문'으로 간주하는 이유이다. 시상은 구조적으로 복잡한 구조이며 다른 핵으로 세분화된다. 통각 정보에서의 역할과 관련하여, 일부 시상 핵은 일반적으로 통증의 감각-분별적 측면과 관련된 외측 통증 시스템에 속하는 것으로 간주되어 왔으며, 일부 다른 핵은 정동-동기 통증 구성요소와 관련된 내측 통증 시스템에 속하는 것으로 간주된다.

척수 시상 경로로부터 축삭을 받는 외측 시스템의 핵은 배면후외측(VPL) 및 배면후내측(VPM) 핵과 배면후하방(VPI) 핵이며 대측 S1 및 양측 S2 및 인슐라의 중간 및 후방 부분으로 돌출된다. 측내시상

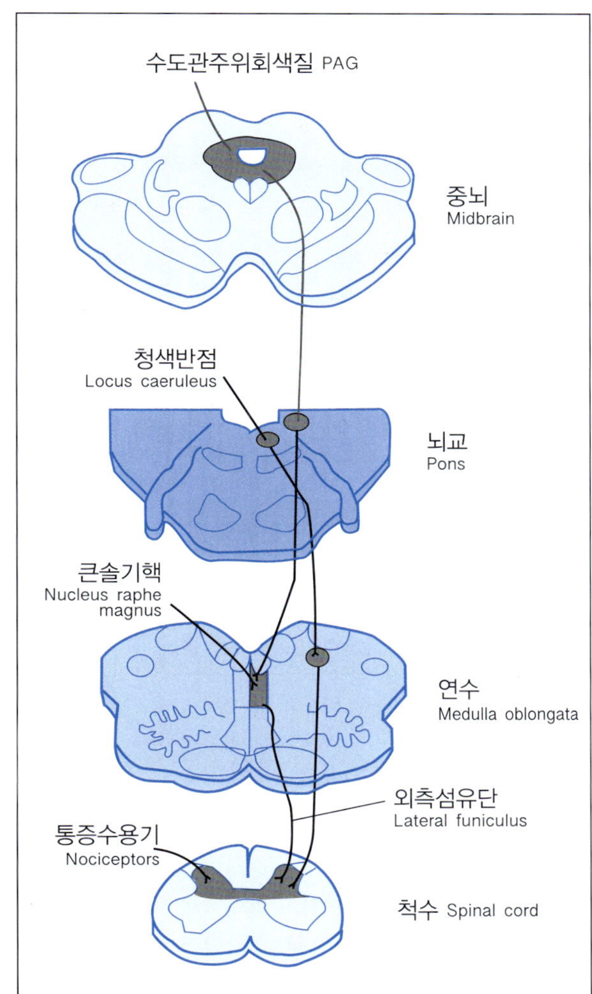

그림 11-19 ■ 척수중뇌로(spinomesencephalic tract)는 큰솔기(raphe magnus)로 돌출되어 외측섬유단(lateral funiculus)를 통해 척수의 후각(dorsal horn)에 도달한다. 또 다른 경로는 청색반점(locus caeruleus)에서 나와 후각의 동일한 영역으로 돌출된다.

(Intralaminar) 및 내측시상핵(medial thalamic nuclei)는 척추그물체(spinoreticular), 척수중뇌(spinomesencephalic) 및 척추완방경로(spino-parabrachial pathways)에서 정보를 받는다. 이러한 내측 시상 핵은 전대상 피질(ACC), 편도체, 해마, 전두엽 및 전전두엽 피질과 같은 변연계의 중요한 구조로 조밀하게 돌출된다. 그것들은 인지된 통증 위협을 나타내며 통증의 정서적 및 인지적 평가 요인과 관련이 있다.

뇌간(Brainstem)

뇌간으로 향하는 척추 투영은 침해수용 활동을 항상성 각성 및 자율 회로와 통합하는 중요한 역할을 한다. 뇌간은 모든 정보를 전뇌 영역으로 보내기 전에 공동으로 처리한다.[112] 뇌간은 통증 인식의 변화를 중재하는데 중요하다.

뇌간의 망상 형성(RF)은 중요한 오름차순 및 내림차순 투영 시스템과 뇌간 내의 다수의 국부 뉴런간 연결로 구성된다. 해부학적으로나 기능적으로 3개의 수직 영역으로 나뉘며 *상행 망상 활성화 시스템, 세로토닌성 뉴런의 등줄 핵* 및 *편도체와 시상 하부의 많은 구심성 신경*을 포함한다. 망상 형성(RF)는 청반(locus coeruleus), 배면피개(ventral tegmentum) 및 솔기로(raphe pathways)와 같은 많은 피질 및 피질하부 구조와 연결된다. 이것은 운동, 호흡 및 심혈관 기능과 통증 조절을 중재하는데 중요한 역할을 한다. 망상 형성(RF)의 활동은 일주기 리듬과 관련이 있다. 이것은 의식의 중요한 중재자이며 급성 통증 자극에 따른 도피 행동을 촉진한다.

하행 통증 조절 시스템

언급한 바와 같이 만성 통증은 침해수용성 정보 처리의 중추적 변화의 결과일 수도 있다. 깊은 침해수용성 정보를 받는 2차 침해수용성 신경세포(SONN) 활동은 척추상 센터의 강력한 조절 영향을 받는다.[178,179] 특정 경로는 척수에서 뇌로의 침해수용성 전달을 억제(하향 억제)하거나 강화(하향 촉진)한다.[180] 또한, 하행 조절 기전은 신경 회로와 관련되어 있어 중요하며, 고통스러운 경험의 감정적 및 인지적 측면이 전달에 영향을 미칠 수 있다. 하행 경로는 등각에 있는 여러 뉴런 요소와의 상호작용을 통해 통각을 조절한다; 일차 구심성 섬유의 말단, 척수상 중심으로의 투영 뉴런, 내재 흥분성 및 억제성 개재뉴런, 기타 하행 경로의 말단[180](**그림 11-20**).

하행 계통의 해부학적 구조는 중추 감작 상태의 발달 및 유지와 관련될 수 있다.[181,182] 하행 통증 조절

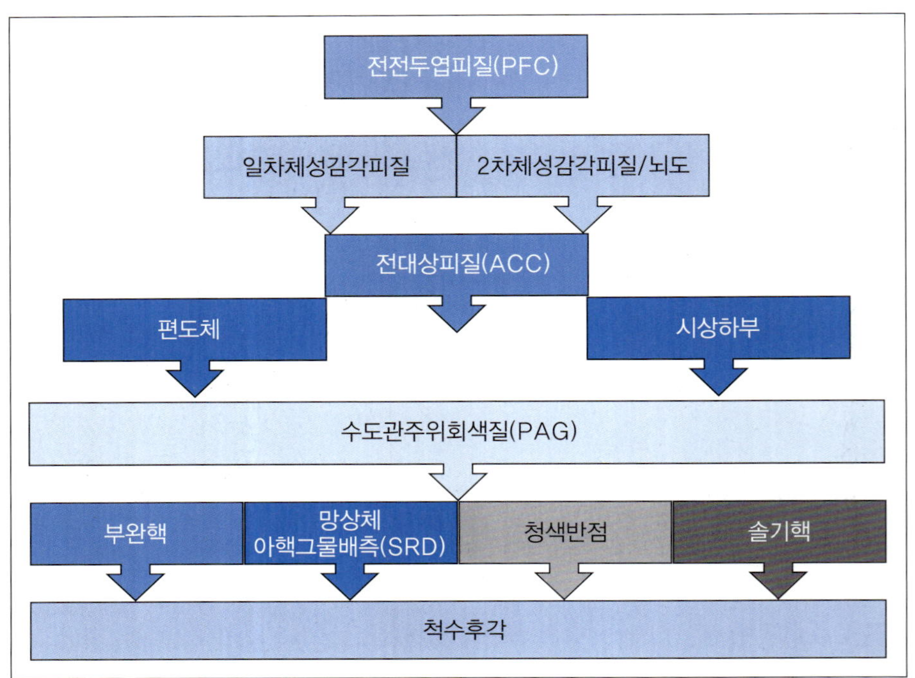

그림 11-20 ■ 통증 조절 시스템은 많은 피질 및 피질하 구조를 포함한다: 전전두엽 피질(PFC), 일차(S1) 및 이차(S2) 체감각 피질, 섬도, 전대상 피질(ACC), 편도체, 시상하부, 수관주위 회백질(PAG), 부완핵(parabrachial nucleus), 아핵그물배측(SRD, subnucleus reticularis dorsalis), 청색반점(locus caeruleus), 솔기핵(raphe nuclei) 및 척수후각(dorsal horn).

시스템은 기능장애 하강 억제 시스템 또는 강화된 하행 촉진 시스템으로 인해 만성 통증과 관련이 있다.[182,183] 따라서 하행성 통증 조절 경로는 뇌에서 뇌간으로 '하향식'으로 활성화되거나 말초 및 척수 침해수용 활성에서 뇌간으로 '상향식'으로 활성화될 수 있다.[184]

> 만성 통증은 기능장애 하행 억제 시스템 또는 강화된 하행 촉진 시스템과 관련될 수 있다.

상행 제어 시스템은 역자극에 의한 진통을 설명하며 Le Bars 등[185] *확산유해제어조정*(DNIC, Diffuse Noxious Inhibitory Control)는 신체의 한 위치에서 발생하는 침해수용성 자극에 반응하는 후각 뉴런이 신체의 다른 원격 위치에 적용된 유해 자극에 의해 억제될 수 있는 기전을 의미한다. 이 기전을 통해 감각 시스템은 가장 두드러지고 가장 최근의 자극에 집중할 수 있다.[186] 뉴런 그룹이 확인되었다. 즉, 확산유해제어조정(DNIC)의 핵심 구조인 등쪽 망상 핵이라고도 하는 아핵그물배측(SRD, subnucleus reticularis dorsalis)이다.[185,187] SRD는 체세포와 내장 조직 모두로부터 침해수용성 입력을 받고 등각의 표피층과 깊은 판으로 직접 투사된다.[186] SRD는 '통증 억제-통증' 또는 역자극 현상을 매개하는 주요 척추상 부위로 제안되었다.

반대로, 아핵그물배측(SRD, subnucleus reticularis dorsalis)의 뉴런 그룹은 통각과민을 유발할 수 있다. 전복측내측수질(RVM, rostroventromedial medulla)과 같은 SRD는 촉진 및 억제 작용을 모두 발휘한다. 따라서 후각 침해수용성 정보의 조절은 하강 억제 조절을 통해 얻을 수 있을 뿐만 아니라 촉진 하강 활성을 향상시킬 수 있다.[183]

확산유해제어조정(DNIC)는 정상적인 조건에서 신체 전반에 걸쳐 광범위하게 억제되는 강장제 수준을 담당한다. 억제력 상실은 섬유근육통(FM)[76] 환자에서 자발적인 통증과 압통이 비정상적으로 광범위하게 분포하는 원인이 될 수 있다고 제안된다. '조건부 통증 조절'(CPM)이라는 용어는 현재 다음의 DNIC와 같은 현상을 평가하는 프로토콜을 언급하는데 선호된다.[188]

이러한 조건부 통증 조절(CPM) 변화는 유해 자극 직후에 발생할 수 있다.[189] Yarnitsky가[184] 언급한 바와 같이, 이러한 발견은 비효율적인 조건부 통증 조절(CPM)이 통증에 이차적인지 또는 덜 효율적인 통증 억제가 만성 통증 발병의 위험 요소인지에 대한 질문을 제기한다. 일부 종단 연구는 기능장애 조건부 통증 조절(CPM)이 통증 획득의 일차적임을 시사한다.[190,191] 침해수용성 상태와 특발성 통증 증후군 사이의 연관성은 '인과 관계'로 해석될 수 있다.[192] 따라서 '침해수용성' 통증 조절이 있는 피험자는 만성 통증 증후군이 발병하는 경향이 더 커질 수 있다.

또 다른 중요한 측면은 조건부 통증 조절(CPM)과 기대 또는 위약과 같은 기타 통증 조절 현상 간의 관계이다. 컨디셔닝 자극의 강도 변화에 대한 제안이 조건부 통증 조절(CPM)효율성을 변경할 수 있음이 나타났다.[193] 따라서 조건부 통증 조절(CPM) 효율성은 효율성에 대한 제안에 의해 향상될 수 있다.[194] Goodin 등은[195,196] 낙관적인 태도를 갖는 것이 조건부 통증 조절(CPM)효율성을 향상시키는 방법을 보여주었다. 따라서 조건부 통증 조절(CPM)은 차례로 다른 뇌 영역의 활동에 의해 하향식으로 조절된다.

하향식 하향 조절 시스템은 또한 전복측내측수질(RVM, rostroventromedial medulla), 솔기핵(raphe nuclei), 고립로핵(tractus solitarius nucleus), 청색반점(locus caeruleus) 및 수관주위 회백질(PAG)와 같은 뇌간의 다양한 노르아드레날린성 및 세로토닌성 구성 요소에 의해 형성된다. 이 뇌간 통증 조절 센터는 척수로 투영을 보내는데, 이는 주변에서 들어오는 통각 수용을 억제하거나 촉진할 수 있다. 하행 촉진과 비교하여 하행 억제의 활성화와 관련된 구조 사이에는 절대적인 해부학적 분리가 없다. 예를 들어, 전복측내측수질(RVM)과 고립로핵(NTS) 모두의 일반적인 해부학적 구조는 억제 또는 촉진을 생성하는 하행 경로를 발생시킨다.[180]

수관주위 회백질(PAG)는 통증 조절의 핵심 구조이다. 이것은 수로와 평행하게 이어지는 여러 개의 세로 기둥으로 구성되어 있다. 이것은 척수중뇌로로부터 입력을 받고 시상하부, 전복측내측수질(RVM), 상완주위핵(PBN), NTS, 대퇴핵, 소엽, 수질의 A5 및 A7 노르아드레날린성 핵과 상호 연결되어 있다.[197] 이것은 불안과 두려움과 같은 감정에서 핵심적인 역할과 일치하는 전전두엽 피질, 전대상 피질(ACC, anterior cingulate cortex), 편도체 및 시상하부와 같은 다양한 피질 및 변연 구조와 연결되어 있다. 수관주위 회백질(PAG)에 대한 전뇌 입력은 행동 목표, 과거 경험 및 순간의 신체 요구와 관련하여 전전두엽 피질, 편도체, ACC 및 시상하부로부터의 상황 정보를 중재한다. 수관주위 회백질(PAG)는 배측 PAG(PAGd)와 복측 PAG(PAGv)의 두 가지 별개의 영역으로 나눌 수 있다. 배측 PAG(PAGd)는 배외측 교뇌와 자율 신경계 조절에 관여하는 복측 수질에서 시작된다. 복측 PAG(PAGv)는 등줄 핵과 인접한 망상 형성에 연결된다. 수관주위 회백질(PAG)의 조절 작용이 주로 RVM을 통해 전달되기 때문에 수관주위 회백질(PAG)와 전복측내측수질(RVM) 사이의 연결은 통증 조절에 중요하다. 배측 수관주위 회백질(PAGd)의 자극은 항통각수용성, 교감신경 흥분, 알파 운동 뉴런의 활성화, 심박수 및 혈압 증가, 하지 혈관 확장, 호흡수 증가 및 운동 활동 증가(즉, 투쟁-도피 반응)를 유도한다. 신경전달물질은 노르아드레날린이고 진통효과는 기계적 통각수용성 자극의 아편유사 진통제에 의해 매개된다.

배측 수관주위 회백질(PAGd)활성화는 개인에게 위협이 되고 투쟁-도피 반응이 필요한 상황에서 진통을 유발한다. 복측 수관주위 회백질(PAGv)는 큰 솔기(raphe magnus)핵으로 이동한다. 이 자극은 교감 신경계의 억제 및 알파 운동 뉴런의 억제를 유발한다. 그것의 활동은 수동성, 정지, 경계 감소, 반응성 감소, 저혈압 및 서맥을 결정한다. 신경전달물질은 세로토닌이고 진통효과는 통각수용성 자극에 대한 아편유사 진통제이다. 복측 수관주위 회백질(PAGv) 활성화는 부상 후 회복 상황에서 진통을 유발한다. 통각 조절은 또한 시상, 시상하부, 뇌간 망상형성, 변연계 및 기타 피질 영역의 복잡한 상호 작용에 의해 더 높은 수준에서 발생한다. 다른 경로는 뇌에 통증의 본질과 의미를 알리고 수관주위 회백질(PAG)에서 다른 반응 기전을 활성화하는 전뇌 영역을 활성화한다. 이러한 반응 기전은 통증이 탈출할 수 있는지 또는 피할 수 없는지에 따라 행동 조정의 다른 방법이다.[198] 탈출 가능한 통증은 배측 수관주위 회백질(PAGd) 및 노르아드레날린성 시스템의 활성화와 관련이 있으며 동물이 일시적인 위협을 탈출하거나 직면할 수 있도록 하는 자율, 운동 및 감각 변화 패턴을 유발한다. 피할 수 없는 통각 수용 입력은 정지 및 교감 억제 패턴을 조정하는 복측 수관주위 회백질(PAG)및 세로토닌 시스템의 뉴런을 활성화한다.

전복측내측수질(RVM, rostroventromedial medulla)는 개별적인 뉴런 집단을 통합하는 이질적 영역이며, 각각은 후각 층 I, II 및 V에 대한 내림차순 경로를 제공한다. RVM은 PAG를 통해 직접적으로뿐만 아니라 관련 전뇌 구조와 조밀하게 연결되어 있다. 이러한 구조에는. 전대상 피질(ACC)및 섬(IC) 피질, 특정 피질하 편도체 및 시상하부 핵이 포함된다. 전대상 피질(ACC, anterior cingulate cortex)의 뇌간 입력은 감각 및 정서적 측면을 통증의 주의, 인지 및 정서적 측면과 통합하는 데 중추적인 역할을 하기 때문에 전대상 피질(ACC)가 특히 중요하다.[115] 전복측 연수(RVM)은 각각의 'OFF' 및 'ON' 세포를 통해 억제 및 촉진 작용을 한다. OFF 세포는 아편유사제에 의해 (간접적으로) 흥분되고 침해수용성 입력에 의해 억제된다. OFF 세포는 침해수용성 반사 직전에 일시적인 방전 중단을 나타내며 하강 억제 유도에 참여한다다. ON 세포는 아편유사제에 의해 억제되고 통각 입력에 의해 흥분되어 하강 촉진을 유발한다.

뇌간의 상완주위핵(parabrachial nucleus, PBN)은 자율신경 및 체성감각 정보를 통합하고 통증의 정서적 및 인지적 차원과 관련된 상위 구조와 연결되어 있다. 상완 주위 핵의 다양한 세분화는 *고립핵*(NTS), 전복측 연수수질(RVM, rostroventromedial medulla) 및 후각으로 돌출된다. PBN의 자극은 통각 및 비통각 입력 모두에 대한 후각 뉴런의 반응을 억제한다.

고립로핵(NTS)는 미주 신경과 표층 및 깊은 후각 신경 세포의 구심성 신경으로부터 주요 입력을 받아 내장 정보를 처리한다. 상호 연결되어 있는 상완주위핵(PBN)과 마찬가지로 고립로핵(NTS)는 자율 시스템과 감각 시스템 간의 인터페이스 역할을 한다. 그것은 시상하부, 변연계 및 피질 영역과 상호 연결되어 있으며 PAG 및 뇌간의 모노아민성 핵에 주요 입력을 제공하고 척수로 직접 투사한다.

등측 뿔에 노르아드레날린성 뉴런을 투영하는 등*외측다리뇌피개*(DLPT, dorsolateral pontine tegmentum)는 통증 조절에 크게 기여한다. 노르아드레날린성 투영의 주요 출처는 청색반점(locus caeruleus) 및 A5 및 A7(청색밑, subcaeruleus) 영역이다. 이러한 노르아드레날린성 뉴런은 척수 침해수용 활성에 대한 수관주위 회백질(PAG) 및 전복측내측수질(RVM, rostroventromedial medulla) 통증 조절에 대한 평행 경로이다.

청색반점(locus caeruleus, LC)는 노르에피네프린의 뇌 합성을 위한 주요 부위이며 부하 반응 동안 많은 교감 효과를 담당한다. LC는 내측 전전두엽 피질(MPC) 및 시상하부로부터 입력을 수신하고 척수, 편도체, 해마, 소뇌 및 전두엽 피질과 같은 많은 영역에 투영을 보낸다. 청색반점(LC)은 개인의 생물학적 완전성을 잠재적으로 위협하는 감각 자극에 대한 반응

과 관련이 있다.[55] 청색반점(LC) 활성화와 그에 따른 노르에피네프린 방출은 시상하부–뇌하수체–부신 축을 활성화하여 시상하부에서 코르티코트로핀 방출인자(CRF)의 방출을 자극하고, 이는 차례로 뇌하수체 전엽에서 부신피질 자극 호르몬(ACTH)의 방출을 유도한다. 부신에 의해 코티솔의 방출을 유발하는 샘. 청색반점(LC) 활성화는 전전두엽 피질에 영향을 주어 인지 기능을 수정하고 측좌핵에서의 작용을 통해 동기를 증가시킨다.

1차 체성감각 피질

일차 체감각 피질(S1)은 두정엽에 위치하며 브로드만 영역 1, 2, 3a 및 3b를 포함한다. S1 및 S2 피질은 외측 시상 핵으로부터 입력을 수신하고 감각 판별 처리를 담당한다.[199] S1은 체세포적으로 조직화되어 있으며 통각 자극의 위치와 지속 시간에 대한 인식에 중요하다. S1의 활동 패턴은 통각 및 비통각 체성 감각 자극에서 동일하게 유도된다. 이것은 두 자극이 S1에서 동일한 뉴런 그룹을 활성화한다는 것을 의미하지 않지만 현재 사용 가능한 기술로 공간적으로 구별하기 어려운 뉴런의 다른 하위 그룹을 활성화한다.[200]

이차 체성 감각 피질

2차 체성감각 피질(S2)은 S1의 측면 및 후면에 위치하며 후두정두정(posterior parietal operculum)을 차지한다. 해부학적 위치와 강력한 연결성으로 인해 S2는 침해수용성 정보를 전대상 피질(ACC) 및 내측 전전두엽 피질과 같은 변연 피질 영역에 연결하는 독특한 위치에 있다.[55,201] 따라서 S2는 신체의 체성감각 표현을 생성하고 이 표현을 정서적 평가와 연결하는데 관여한다.[55]

섬 피질(Insular cortex)

도피질은 S2에 인접하여 위치하는 해부학적으로 복잡한 구조이며 신체의 체성 감각 및 내수용성 표현에서 핵심적인 역할을 하며 이 복합 감각 정보를 정동 통증 구성요소와 통합한다.[202,203] 통증에 대한 신경 영상 연구에서 섬은 가장 자주 활성화되는 구조이다.[142]

섬은 후방, 중간 및 전방의 세 가지 하위 영역으로 나눌 수 있다.

Craig에[204] 따르면, 섬은 섬의 뒤쪽에서 앞쪽으로

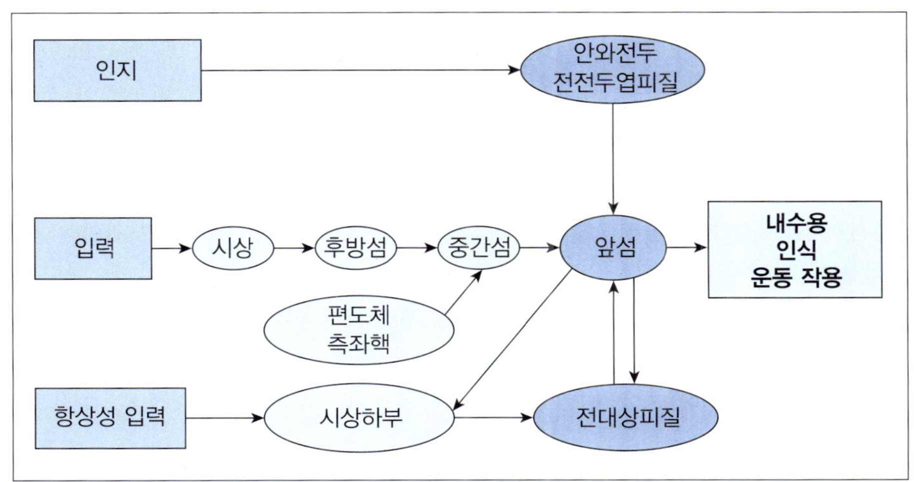

그림 11-21 ■ 섬은 섬의 뒤쪽에서 앞쪽으로 다양한 정보를 추가하여 체성 감각, 항상성 및 감정 정보의 통합을 허용하는 직렬 처리 시스템과 같다. ACC, 전대상피질; ainS, 앞섬; minS, 중간 섬; nacc, 측좌핵; PFC, 전전두엽 피질; pinS, 후방 섬; THA, 시상.

다양한 정보를 추가하여 체성 감각, 항상성 및 감정 정보의 통합을 허용하는 직렬 처리 시스템과 같다 (**그림 11-21**).

후방 섬은 시상으로부터의 내수용성(항상성) 및 외수용성 신호를 통합한다.[205] 중간 섬은 후방 섬 입력을 수신하고 이 정보를 편도체 및 측위 핵으로부터의 입력과 통합한다. 편도체에 대한 이러한 연결은 통증 인식과 경계를 증가시키고 내부 수용 및 외부 수용 정보 모두의 혐오 또는 쾌락의 정서적 가치를 생성하는데 도움이 된다. 측좌핵과의 연결은 신체 지각에 동기 부여 및 보상 요소를 추가한다. 이 모든 정보는 전두엽에서 가장 높은 통합 수준에 도달하고, 전두엽은 전대상 피질(ACC)와 안와전두엽 및 복외측 전전두엽 피질로부터 정보를 받는다. 이 중요한 하행 제어 시스템은 잠재적인 위협 상황과 메모리 저장소에 대한 선택적 주의 프로세스를 용이하게 한다.

섬 피질은 신체, 특히 신체의 항상성 조건과 관련된 모든 주관적 감정을 정서적 경험과 환경 및 자아에 대한 의식적 인식으로 통합하는데 중요하다.[204]

대상 피질(Cingulate cortex)

대상 피질은 변연계의 핵심 구조로 간주되며 전대상 피질(ACC), 중간 대상 피질(MCC), 후대상 피질(PCC) 및 후비장 피질(RSC)[206]과 같은 별개의 영역으로 나뉜다(**그림 11-22**).

전대상피질 (ACC)에 대한 주요 입력은 전대상피질(ACC)를 이전에 고려된 내측 통증 시스템의 중심에 배치하여 정서적-동기적 통증 구성요소를 지원하는 내측 및 층내 시상 핵에서 비롯된다.[115,207,208] S2 및 인슐라와 함께 전대상피질(ACC)는 통증에 의해 활성화되는 가장 일관된 영역이다. 전대상피질 (ACC)는 감각 및 정서적 측면을 통증의 주의, 인지 및 정서적 측면과 통합하는데 중심 역할을 하는 것으로 간주된다.[115]

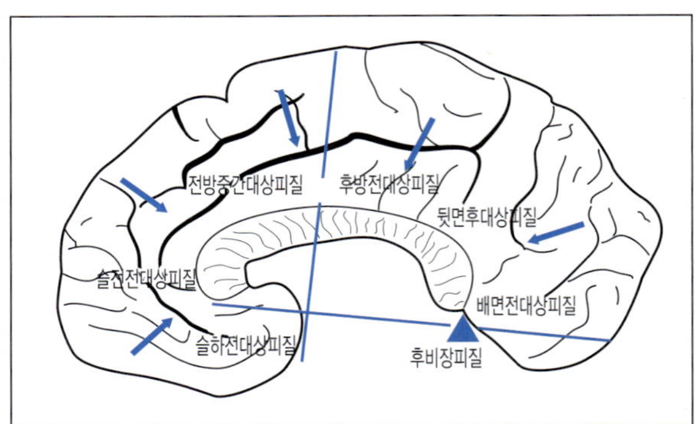

그림 11-22 ■ 대상 피질은 변연계의 핵심 구조로 간주되며 전대상 피질(ACC), 중간대상 피질(mCC), 후대상 피질(PCC) 및 후비장 피질(RSC)과 같은 별개의 영역으로 나눈다. 3개의 이러한 각 영역은 하위 영역으로 세분화된다. 슬하(subgenual, sACC) 및 슬전(pregenual, pACC)에 있는 전대상 피질(ACC), 중간대상 피질(mCC) in 전방(anterior, amCC) 및 후방(posterior, pmCC), 후대상피질(PCC) in 뒷면(dorsal, dPCC) 및 배면(ventral, vPCC).

시상하부(Hypothalamus)

*시상하부*는 척수시상하로로부터 통각수용성 입력을 받고 뇌간 및 피질변연계 구조와 광범위하게 연결되어 있다. 시상하부는 침해수용성과 신경내분비계 사이의 연결을 나타내며 실제 또는 잠재적 위협에 대한 다중 시스템 반응 생성에 관여한다.

편도체(Amygdala)

통증 인식에 대한 편도체의 중요한 기여는 특히 정서적 차원에서 점점 더 분명해지고 있다.[93,209,210] 편도체는 부하, 불안 및 두려움과 같은 부정적인 감정과 관련이 있다. 편도체는 위협적인 상황에서 활성화되어 방어 행동을 촉진한다. 편도체는 기억 강화에 핵심적인 역할을 하므로 공포 조절뿐만 아니라 보상 및 식욕 학습을 포함한 다른 형태의 연관 학습에도 중요하다.[211,212]

편도체는 부하와 기대 유발 진통에 연루되어 정서적 부하 동안 항통각수용 작용을 시작할 수 있는 수관주위 회백질(PAG)로 투영을 보낸다.[209,213]

해마(Hippocampus)

해마는 장기 명시적 기억의 저장 및 인출을 위한 주요 뇌 구조로 간주된다.[214] 적응적 가치와 관련하여 해마는 통증 및 통증 관련 행동을 학습하는데 중요하며 만성 통증 및 만성 통증 관련 회피 행동에 중요한 역할을 할 수 있다.

이마엽앞(전전두엽) 피질(Prefrontal cortex)

전두엽의 앞쪽 부분인 전전두엽 피질(PFC)은 뇌 질량의 30%를 차지한다. 이것은 중등측(mid-dorsal), 등회측(dorsolateral) (dlPFC), 배외측(ventrolateral), 안와전두(orbitofrontal) 및 내전측(medial frontal) 부분으로 세분될 수 있다.[215] 전전두엽 피질(PFC)은 추상적 사고, 개인 성격의 특성, 의사 결정 및 계획 행동 및 행동과 같은 인간을 특징짓는 상위 수준의 피질 기능에 관여한다(**그림 11-24** 참조).

이마엽앞(전전두엽) 통증 유발 활동은 통증 감각과 직접 관련되기 보다는 통증 지각의 인지적, 주의력 및 정서적 측면과 관련될 수 있다.[216] 배외측 전전두엽 피질(DLPC)은 '하행' 내인성 통증 조절 시스템의 핵심 구조로 간주되어 왔으며 따라서 위약 진통과 관련이 있다.[217,218] 배외측전전두엽(vlPFC) 활성화는 통증 경험의 인지 조절과 관련된 것으로 나타나기 때문에 진통에도 관여한다.[99]

뇌와 만성 통증
(The brain and chronic pain)

신경 영상 연구는 급성 통증과 만성 통증의 뇌 처리 사이에 현저한 차이가 있음을 보여주었다. 이러한 차이는 만성 통증 환자의 다양한 뇌 영역의 기능 및 구조적 변화와 관련이 있다. 이미 언급했듯이 신경 영상은 체성 감각 시스템의 반응뿐만 아니라 뇌의 감정, 인지 및 조절 영역이 관련된 상태를 포괄하는 만성 통증의 개념을 형성하는데 도움이 되었다.[120]

만성 통증 및 증강 중추 통증 처리

만성 통증에서 관찰되는 뇌 변화 중 하나는 중추 통증 처리의 증가이다. 예를 들어, 섬유근육통(FM) 환자에 대한 초기 신경영상 연구에서는 통증 관련 영역(S1, S2, ACC, IC 및 소뇌)에서 뇌 활동이 증가하는 것으로 나타났다.[72]

동일한 자극 강도를 받은 만성 통증 환자는 더 많은 통증을 호소했으며 이 영역에서 더 큰 피질 활동을 보였다. 이러한 증가된 활성은 이들 환자에서 증가된 민감도를 반영하는 것으로 해석된다[72](**그림 11-23**). 건강한 대조군에서 자극 강도가 증가하면 섬유근육통(FM) 환자가 인식하는 것과 동일한 통증 강도를 달성하기 위해 뇌 활성화 패턴을 동일시했다.

만성 통증 및 억제 시스템 기능장애

만성 통증이 있는 환자는 종종 다양한 신체 부위에 광범위한 통증을 나타낸다. 이 광범위한 통증은 '조건부 통증 조절'(CPM) 프로토콜로 평가할 수 있는 억제 수준이 낮기 때문일 수 있다.[188] 억제 상실은 뇌에서도 발생할 수 있다. Jensen 등은[74] 섬유 근육통 환자가 대조군과 달리 통증 억제에 관여하는 영역인 주동 전대상 피질(rostral anterior cingulate cortex)에서 활성화를 보이지 않는 것을 관찰했다.[219]

인지된 통증 강도는 환자와 대조군 모두에서 동일했지만, 주동 전대상 피질 (rostral ACC, rACC) 활성화는 환자에서 더 낮았다. 이전에 논의된 바와 같이, 주동 전대상 피질(rACC)의 활성화는 DLPC-주의 및 위약 항침해수용성 네트워크와 관련이 있다. 섬유근육통(FM) 환자의 억제 상실은 이러한 대뇌-중뇌-척수 통증 조절 기전의 변화와 관련이 있을 수 있다.[219]

통증 매트릭스와 돌출 네트워크

현재 '통증 매트릭스'의 개념은 이전에 믿었던 많은 통증 관련 영역이 다중 모드 관련 자극에 반응하기 때문에 논쟁의 여지가 있다. Iannetti 등,[220] Mouraux

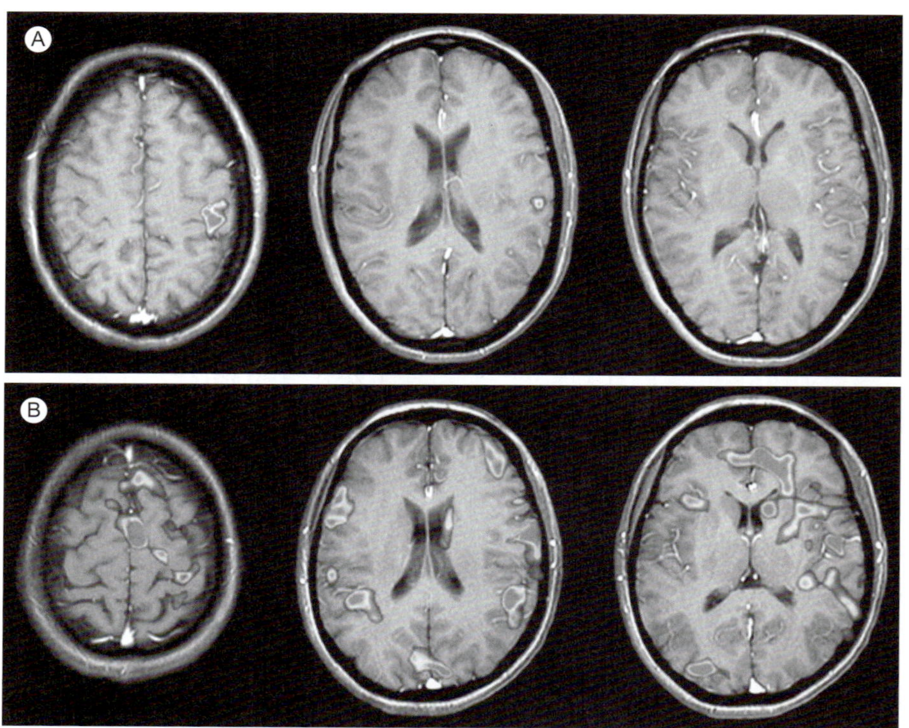

그림 11-23 ■ 기능적 자기공명영상 (Functional magnetic resonance imaging, fMRI)로 얻은 뇌 활성화 패턴. 대조군에 4kg의 엄지손가락 압력을 가하여 활성화 패턴. 반대쪽 감각 운동 영역 1(A)의 활성화가 관찰된다. 섬유근육통이 있는 대상에 동일한 압력을 가하여 활성화 패턴. 다양한 활성화 패턴이 관찰되며, 서로 다른 정수리 및 전두부, 섬엽 및 전방 대상 피질에서 상당한 활성을 보인다(B). 제공: Deus 등[231] 및 CRC Mar(Health Corporation)의 Barcelona Biomedical Research Park (PRBB)의 첨단 기술 연구소(IAT).

등에[200,221] 의해 수행된 최근 연구 및 Legrain 등[118] 통증에 대한 뇌 반응의 특이성에 의문을 제기했다. 전대상 피질(ACC), 섬 및 S2와 같은 일부 뇌 영역은 침해수용성 특정 반응의 증거 없이 다중 모드 자극에 반응하는 것으로 나타났다. 전방 섬도 및 대상 피질은 다중 모드 감각 자극 돌출 감지 네트워크로 간주되며, 이에 의해 현저한 자극이 인코딩되고 주의를 적절하게 조정하도록 처리된다.[118,200,222-226] 따라서 이러한 영역의 활동은 통증에만 국한되지 않으며 실제로 일반적인 돌출 반응을 나타낼 수 있다.[118,224] 이것은 전두엽(aINS), 전대상 피질(ACC), 중간대상피질(MCC), 측두정 접합부(TPJ) 및 증외측전전두엽 피질(dlPFC)를 포함하는 돌출 네트워크(SN)로 알려진 특정 뇌 네트워크의 인식으로 이어졌다. 돌출 네트워크(SN)에서의 활동은 외부 자극이 주의를 끌 수 있는 정도에 달려 있다.[200,224,227] 자극에 대한 관심은 그것의 중요성뿐만 아니라 관련성에 의해 결정된다는 점에 유의해야 한다. 자극의 관련성은 각 개인, 이전 경험에 따라 다르며 개인 역사에 대한 감정적, 인지적 정교화에 달려 있다. 따라서 통증의 관련성은 매우 다른 측면에 따라 달라진다. 예를 들어, 통증이 심각하거나 잠재적으로 장애를 일으킬 수 있는 질병의 징후라는 해석, 의료 전문가의 상충되는 설명 등이다. 따라서 일부 실험에서 이러한 뇌 영역의 활동 증가 만성 통증 환자의 통증 상태는 더 큰 통증 현저성 및 관련성과 관련될 수 있다.

만성 통증과 뇌 활동 패턴의 변화

앞서 언급한 연구들이 참으로 흥미롭긴 하지만, 만성 통증은 급성 통증에서 관찰되는 '통증 매트릭스'의 반응 증가로 단순하고 배타적으로 이해될 수 없다.[228] 만성 통증을 특징짓는 뇌 활동 패턴은 뇌 반응과 동일하지 않다. 자극이 실험적으로 유도될 때 이 환자에서 관찰된다. 급성 통증 자극은 일반적으로 체성 감각 및 대상 피질 영역을 활성화하는 반면, 자발성 통증 및 이질통은 전전두엽 피질 및 변연계(ACC, anterior insula 및 basal ganglia)와 같은 변연 영역을 활성화한다.[229-235] 이러한 뇌 영역의 활성화는 주의력 요소, 과잉 경계 및 통증의 정서적 요소와 관련이 있다. 이러한 연구는 '정서적' 측면이 체성 감각 측면보다 더 큰 정도로 만성 통증을 특징짓는다는 점을 강조한다.[236] Schweinhardt 등은[237] 만성 신경병증성 통증이 있는 환자에서 전방 인슐라의 활성화는 실험적 통증이 유도된 건강한 대상과 비교하여 정서적 측면의 통합에 더 많이 관여하는 주동 영역에서 발생한다는 것을 관찰했다. 또한 섬유근육통(FM) 환자에서 관찰된 것은 전두엽(anterior insula) 및 대상 피질(cingulate cortex)과 같은 감정적 측면을 인코딩하는 영역에서 증가된 활성화다.[232,233]

급성 및 만성 통증은
다양한 뇌 활동 패턴과 관련하여 다르다.

Parks 등은[235] 무릎 골관절염 환자에서 유발된 통증과 자발적인 통증 사이의 피질 반응의 차이를 분석했다. 가장 중요한 차이점은 자발적인 통증이 전전두엽 변연계 구조와 관련되어 감정 상태와 더 관련이 있는 반면 유발된 실험적 통증은 그렇지 않다는 것이다. 저자에 따르면, 이는 기계적 및 열적 통증 역치가 환자가 경험하는 통증과 동일한 구성을 측정하지 않는다는 것을 의미한다. 이것은 또한 만성 통증이 있는 환자에서 통증 역치와 보고된 통증 및 통증 관련 장애 사이에 종종 약한 상관 관계가 있는 이유를 설명한다.

Balikiet 등은[229] 만성 요통 환자의 뇌 활동 패턴을 분석한 결과 통증 강도가 일정하지 않고 수시로 변한다는 사실을 발견했다. 그들은 통증이 급격히 증가할 때와 강도가 높게 유지될 때의 뇌 반응을 따로 분석했다. 이 저자들은 통증이 급격히 증가할 때의 뇌 활동 패턴이 실험적 급성 통증을 겪고 있는 건강한 환자에서 관찰된 것과 유사하다는 것을 보여주었다. 이 패턴은 전방 섬, mACC, 보조 운동 영역(SMA), 일차 체성 감각(S1) 및 운동(M1) 영역, 이차 체성 감각 피질(S2) 및 소뇌의 활성화를 특징으로 한다. 그러나 통증 강도가 일정하게 유지되는 시간에는 패턴이 달랐으며 특히 내측 전전두엽 피질(mPFC)의 활성화가 두드러졌다. 편도체, 주동 전대상 피질(rACC), 시상 후부 및 복부 선조체의 활성화도 관찰되었다. 따라서 통증 인식은 뇌 활성화 영역이 급성 통증과 관련된 영역에서 감정 처리와 관련된 다른 영역으로 이동하는 것을 포함한다. 내측 전전두엽 피질(mPFC)의 현저한 활성화를 특징으로 하는 이 다른 패턴의 뇌 활동은 자기에 대한 정서적 처리와 관련되어 만성 통증이 급성 통증과 질적으로 어떻게 다른지를 설명한다. 따라서 만성 통증은 더 혐오스럽고 불쾌한 통증의 경험에 해당한다.

만성 통증은 뇌 활성화 영역이
급성 통증과 관련된 영역에서 감정 처리와 관련된
다른 영역으로 이동하는 것을 포함한다.

반면에 내측 전전두엽 피질(mPFC) 활성화는 등외측 전전두엽 피질(dlPFC)의 활성화와 정반대이며, dlPFC는 주의력과 작업 기억에 관여한다. 이것은 또한 일부 저자에 의해 만성 통증이 있는 환자와 이러한 환자에서 빈번한 인지 기능장애가 관찰된 등외측 전전두엽 피질(dlPFC) 위축을 설명할 수 있다. 내측 전전두엽 피질(mPFC) 활성화는 류마티스 관절염 환자에서 통증을 경험할 때도 관찰되었지만 실험적 통

증을 받을 때는 발생하지 않았다.[238] 이 연구는 또한 내측 전전두엽 피질(mPFC)활성화의 크기가 우울 증상과 상관관계가 있음을 발견했다. 우울 장애와 지속성 통증은 동일한 중추신경가소성 변화를[239] 공유하기 때문에 현재로서는 통증 또는 이와 관련된 감정 장애에 해당하는지 판단하기 어렵다.

만성 통증 및 피질 재구성

만성 통증에 대한 연구 영역 중 하나는 일차 체성 감각(S1) 에서 관찰된 다양한 신경가소성 변화와 관련이 있다.[132,240-244] 신체의 모든 부분의 피질 표현은 해당 영역의 민감도에 정비례한다. 더 큰 감도를 가진 신체 영역과 따라서 더 높은 밀도의 수용 필드는 일차 체성 감각(S1)에서 더 잘 나타난다. 체성 감각 영역의 변화는 환자가 통증을 인지하는 신체 영역에 해당하는 가상 신체 영역의 피질 표현에서 비정상적인 재구성으로 설명될 수 있다.[245-247]

체성 감각 피질의 재조직화는 환상 사지 통증,[248-253] 만성 요통[254] 및 복합 부위 통증 증후군(CRPS)과 같은 임상 상태에서 관찰되었다.[245-247,255-258] 피질 재조직의 양은 통증 중증도 및 통증 만성성과 상관관계가 있는 것으로 보인다.[122] 신경 영상 연구에 따르면 환자가 관련 통증을 경험하는 피질 영역이 인접한 피질 영역과 겹친다.[245,246,258] 예를 들어, 만성 요통이 있는 환자에서 허리의 표현은 S1의[254] 다리 표현으로 이동한다. Juottonen 등은[245] S1 엄지 표현과 영향을받는 쪽의 새끼 손가락 사이의 거리가 감소하는 것을 관찰했다. 상지 절단 환자와 복합부위 통증 증후군(CRPS) 환자에서 입술 자극은 손에 해당하는 S1 영역의 활성화를 유발한다.[246,248,259]

체성 감각 영역의 변화는 환자가 통증을 인지하는 신체 영역에 해당하는 가상 신체 영역의 피질 표현에서 비정상적인 재구성으로 설명될 수 있다.

이러한 표현의 변경은 왜 만성 통증을 가진 환자가 영향을 받는 사지의 영역에 해당하지 않는 영역에서 자극을 자주 인지하거나 영향을 받은 사지의 크기가 반대쪽보다 크다고 보고하는지 설명할 수 있다.[260-262] 예를 들어, Soler 등은[263] 48명의 완전한 척수 손상 환자에서 관찰된 바에 따르면, 손상 수준 위의 다양한 신체 지점을 만짐으로써 손상 수준 아래의 매우 먼 지역, 완전 마취된 신체 부위에서 통증 및 비통증 관련 감각을 재현할 수 있었다.

체세포 재조직의 정도는 통증 및 통각과민의 중증도[246] 및 감각 차별의 변화의 중증도와 직접적으로 상관관계가 있는 것으로 보인다.[122] 흥미롭게도, 대뇌 피질의 재구성은 2점 식별로 평가된 감각 식별 장애와 상관 관계가 있다.[122]

복합부위 통증 증후군(CRPS)에서 두 반구 사이의 비대칭을 보여주는 일차 운동 영역(M1)과 보조 운동 영역에서도 피질의 재구성이 관찰된다.[264-266] 반대측 일차 운동 감각(M1)에서 억제 기전이 감소하고 흥분성이 증가하는 것으로 나타났다.[264] Maihofner 등은[266] 운동 작업을 수행하는 동안 피질 활동을 분석하고 M1 및 보조 운동 피질의 활성화가 증가하여 중심 운동 회로의 상당한 재구성을 관찰했다. 따라서 복합부위 통증 증후군(CRPS)환자에서 피질 운동 영역의 기능에 광범위한 변화가 있다. 이러한 표현의 변경은 CRPS 환자에서 운동 해리의 어려움과 근긴장 이상을 설명할 수 있다. Gieteling 등은[267] 특히 근긴장 이상을 나타내는 복합부위 통증 증후군(CRPS) 환자의 피질 변화를 분석했다. 복합부위 통증 증후군(CRPS)를 가진 피험자와 대조군 사이의 피질 활성화는 시행 중 그리고 영향을 받은 손과 영향을 받지 않은 손의 손 움직임을 상상하는 동안 비교된다. 복합부위 통증 증후군(CRPS)를 가진 피험자와 대조군 사이에 영향을 받지 않은 손의 손 움직임의 실행과 손 움직임의 상상에 차이가 없음이 주목된다. 그러나 대조군과 비교하여 복합부위 통증 증후군(CRPS)환자에서 영향을 받은 손의 손 움직임에 대한 상상은 전전두엽 피질과 동측 전운동 피질에서 덜 활성화를 유발했다.

중심후회(postcentral gyrus)와 하두정피질(inferior parietal cortex)에서 더 적은 활성화가 관찰된다. 이 연구는 근긴장이상이 있는 CRPS1을 가진 피험자가 운동 계획, 체성 감각 통합 및 자율 반응과 관련된 영역의 활성화가 감소했음을 보여준다. 이 흥미로운 연구는 복합부위 통증 증후군(CRPS)환자의 치료에서 운동 영상의 사용을 지지한다. 따라서 신체의 피질 표현의 재구성은 신체 인식을 방해하고 지속적인 고통스러운 상태에 강하게 연루될 수 있다.[121,124,268] 이러한 변화는 가상 신체와 실제 신체 사이의 불일치로 이어질 수 있으며 만성 통증이 있는 대상에서 관찰되는 운동 지각 및 운동 수행 장애의 기초가 될 수 있다.[269-271]

피질의 재구성은 만성 통증 환자에서 흔히 관찰되는 태만 현상의 기초가 될 수 있다. 방치 현상은 감각 방치와 신체 지각의 왜곡, 운동 및 인지 방치로 분류할 수 있다. 방치의 가장 많이 연구된 형태 중 하나는 후천적 뇌 병변 후 피험자에게서 흔히 볼 수 있는 편측 반사이다.[266,272] 편측 반사는 '반대측 반측 반측 공간, 자신의 신체 일부, 상상 장면의 일부에서 감각 자극에 대응하는 처리의 결함으로 정의되거나 손상되지 않은 운동 기능에도 불구하고 대측 사지와 함께 행동하지 않는 것을 포함할 수 있음으로 정의된다.[273]

피질 재조직은 만성 통증 환자에서 흔히 관찰되는 감각, 운동 및 인지 방치 현상의 기초가 될 수 있다.

만성 통증 환자는 고차 인지 표현에서 상당한 변화를 보인다. 예를 들어, 복합부위 통증 증후군(CRPS) 환자는 방치 증후군이 발생하여 영향을 받은 사지가 이상하게 인식되고(인지 과실) 사지를 움직이기 위해 주의와 시각적 초점이 필요하다(운동 무시).[123,274] Galer와 Jensen이[274] 복합부위 통증 증후군(CRPS) 환자 242명을 대상으로 한 연구에 따르면, 84%에서 일부 방치 증상이 나타났고 47%에서 인지 및 운동 방치 증상이 나타났다. Lewis 등은[123] 복합부위 통증 증후군(CRPS) 환자가 인지 소홀을 보인다는 질적 연구를 수행했다. 즉, 사지의 정신적 이미지가 왜곡되어 마치 자신의 신체에 속하지 않은 것처럼 이상하게 인식하고 공간적 위치를 인식하는데 어려움을 겪는다. 환자는 사지에 적대감을 표현하며 어떤 경우에는 절단을 선호한다. Moseley는[275] 또한 복합부위 통증 증후군(CRPS) 환자가 통증을 인식하는 측면에 해당할 때 이미지 측면을 인식하는 데 어려움을 겪는다는 것을 보여준다. 이러한 체성 감각 및 인지 방치 현상은 만성 요통 환자에서도 기록되었다.[276] 방치의 증상은 만성 통증 환자가 경험하는 장애를 악화시킬 수 있다.

방치는 전통적으로 움직임이나 접촉과 관련된 통증을 피하기 위한 고통스러운 사지의 보호 반응으로 간주된다. 그러나 이러한 방치는 오히려 사지의 피질 표현의 변화의 결과인 것으로 보인다.

표상의 변화가 지각 장애의 결과일 뿐만 아니라 원인임을 확인하기 위해 다양한 연구들이 진행되어 왔다. 복합부위 통증 증후군(CRPS)가 있는 대상에서 사지의 확대 이미지를 보면 사지의 통증과 부종이 증가한다.[277]

피질 표현의 변화는 효과적인 치료 후에 정상화될 수 있다.[278] Maihofner 등에[278] 의해 입증된 바와 같이, 증상의 개선과 피질 재구성의 정상화 사이에는 상관관계가 있다. 또한, Pleger 등은[279] 복합부위 통증 증후군(CRPS) 환자에 적합한 감각 및 운동 재활 프로그램이 일차 체성 감각(S1) 및 이차 체성 감각 피질(S2)에서 피질 재구성을 정상화할 수 있음을 입증했으며, 이는 피질 맵의 정상화와 두 지점 간의 개선된 식별 사이의 상관 관계를 보여준다. 따라서 감각 장애는 말초적 변화만 수반하는 것이 아니라 피질 지도의 중대한 변화를 수반한다. 따라서 감각 운동 구별을 재훈련하는 것은 지각 능력을 향상시킬 뿐만 아니라 통증을 개선하는 데 있어서 일부 만성 통증 상태의 치료에서 중요한 측면이 될 수 있다.[280-282]

뇌 표현의 변화는 통증, 감각 장애, 고유 감각 장애, 혈관 운동 변화, 근긴장 이상, 비정상적인 움직임 패턴 및 환자가 통증을 보고하는 신체 부위를 무시하는 현상을 유발할 수 있다.

임상 연구 및 기능적 신경 영상 연구를 기반으로 지난 10년 동안 수행된 연구는 만성 통증 개체의 말초 및 중추 변화 사이의 관계에 대한 철저한 검토로 이어졌다. 확실히, 침해수용성 정보는 중추신경가소성 변화로 이어질 수 있으며, 결과적으로 영향을 받는 신체 부위에 대한 인식의 변화를 일으킬 수 있다. 그러나 피질 표현의 변화는 결과일 뿐만 아니라 만성 통증을 가진 개인이 경험하는 징후와 증상의 원인이기도 하다. 표현의 변경만으로도 통증, 감각 장애, 고유 감각 장애, 혈관 운동 변화, 근긴장 이상, 비정상적인 움직임 패턴 및 환자가 통증을 보고하는 신체 부위를 무시하는 현상을 유발할 수 있다. 이러한 발견은 치료에 중요한 의미를 가지며 이러한 방치 현상을 역전시켜 피질 재구성을 개선할 수 있는 새로운 전략의 길을 열었다.[280,281]

기억으로서의 만성 통증

만성 통증과 관련된 중추신경 가소성 변화는 연관 학습 및 기억에 관여하는 해마 및 대뇌 피질과 같은 뇌의 다른 영역에서 가소성과 분자, 신경 생리학적 및 구조적 유사성을 공유한다.[283] 뇌 회로의 이러한 소성 변화를 기반으로 한 많은 연구자들은 명백한 병리가 없는 상태에서 통증이 지속되는 것은 중추신경계의 통증에 대한 기억에서 비롯된다고 주장한다.[132-135,286]

명백한 병리학이 없는 만성 통증은 뇌의 '통증 기억'에서 비롯될 수 있다.

장기 통증 기억을 생성하는 것은 명시적 및 암시적 기억과 같은 다양한 기전에 의해 발생할 수 있다. Flor가 지적했듯이 명시적 기억은 기억에 저장된 사건을 의식적으로 재생산하는 과정에 해당한다. 암묵적 기억은 무의식적으로 습득되는 것으로 습관화 및 감작 현상과 같은 비연관 학습뿐만 아니라 연상 학습, 헤비안 학습, 고전적 조건화, 조작적 조건화 및 사회적 학습 또는 모델링을 포함한다.

통증 기억은 통각 자극 후에 활성화될 수 있을 뿐만 아니라 매우 다른 자극으로도 활성화될 수 있다. 만성 통증이 있는 대상자의 경우 통증이 있는 사지를 만지는 것만으로도 실제로 만지지 않은 상태에서도 통증과 붓기를 유발할 수 있으며,[287] 통증이 있는 사지의 움직임이 전혀 없는 상상을 할 수 있다.[288]

만성 통증을 중추신경계(CNS)에 성문화된 기억으로 간주하는 것은 상당한 치료적 의미를 가지고 있다. 이는 이 '통증 기억'이 '소화'되거나 적어도 '활성화'를 줄여 만성 통증을 줄이는 것이 가능할 수 있음을 의미한다.

만성 통증, 휴식 상태 네트워크 및 연결

신경계의 가장 관련성이 높은 기능적 특성 중 하나는 명확한 의사소통이다. 연결성은 신경 기능에 필수적이다. '연결하거나 죽는다'는 원칙이다. 신호를 수신 및 전송하지 못하는 뉴런은 세포자멸사 과정을 거친다.[289] 통증은 다차원적 경험이며 이미 Melzack[290]이 신경 기질 이론에서 제안한 것처럼 통증에 대한 의식적 경험은 다른 지각과 마찬가지로 많은 뇌 영역의 활성화를 필요로 한다. 따라서 뇌 활동과 통증 사이의 관계를 이해하는 데 상당한 진전이 있었고 관련된 다양한 뇌 네트워크 간의 연결성을 분석하는 능력이 있었다. '네트워크 분석'은 통증을 인지하는 것과 같이 특정 조건 동안 유사한 공변 활동을 하는 뇌 영역을 식별할 수 있다.

최근까지 대부분의 기능적 신경과학 연구는 과제나 자극에 대한 뇌 반응을 기록하고 분석하는 것을 목표로 했다. 그러나 명시적인 입력이나 출력이 없는 경우에도 뇌는 활성 상태를 유지한다.[291] 실제로 뇌 활동의 대부분은 고유한 신경 신호 전달과 관련이 있으며 특정 작업이 뇌 에너지의 5% 미만을 차지하는 것으로 확인되었다.[292] Zhang과 Raichle이[293] 지적했듯이 우주의 총 질량 에너지의 75%가 암흑 에너지인 것과 마찬가지로 자발적인 신경 활동은 '뇌의 암흑 에너지'로 간주될 수 있다. 이 '뇌 휴식 상태' 활동은 뇌 활동 패턴을 고려하는데 결정적인 변화를 수반했다.[294]

가장 먼저 인식된 휴지상태 네트워크는 *기본 모드 네트워크*(DMN)로,[295-297] 외부 주의가 필요한 작업 중에는 비활성화되기 때문에 소위 기본모드 네트워크(DMN)이다. 기본 모드 네트워크(DMN)의 일부인 주요 영역은 내측전전두피질(mPFC), 후방대상피질(PCC), 하두정엽(IPL), 내측 측두엽 및 해마형성(HF)이다.[295,297,298]

만성 통증이 뇌 네트워크에 미치는 영향을 보여주는 첫 번째 연구는 Baliki 등이[299] 만성 요통 환자에서 수행했다. 이 저자들은 만성 요통 환자가 간단한 시각적 작업을 수행하는 동안 여러 주요 기본 모드 네트워크(DMN)영역에서 비활성화가 감소한 것을 발견했다. 자발적인 통증이 있는 이 환자들에게서 자기에 대한 감정적 평가를 조절하는 뇌 영역인 내측전전두피질(mPFC)의 활성화가 증가하는 것이 관찰되었다.[229] 주로 mPFC에서[299,300] 작업 수행 중 비활성화 감소는 만성 통증이 있는 환자가 자기 준거적 사고 상태에 '갇힌' 상태이거나 통증에 집중하고 있음을 시사하는 것으로 해석할 수 있다.[77]

주요 발견은 만성 통증이 유발되는 뇌 활동 패턴의 측면에서 급성 통증과 다르다는 것이다. 내측전전두피질(mPFC)와 같은 정서적 및 자기 관련 처리에 중요한 뇌 영역의 활동도 우울 증상과 통증 중증도 간의 관계를 매개하는 데 중요한 역할을 할 수 있다. 따라서 만성 통증은 보다 '감정적'이다.[238] 또한, 내측전전두피질(mPFC)는 수관주위 회백질(PAG)와 해부학적으로 연결되어 있으므로 항침해수용 시스템과의 통신을 매개하는 기본 모드 네트워크(DMN)내에서 가장 중요한 노드일 수 있다.[301]

기본 모드 네트워크(DMN)은 내부 자가 모니터링에 중요하기 때문에 비정상적인 활동은 통증에서 주의를 끌지 못하는 것으로 해석될 수 있다. 이러한 결과는 만성 통증이 많은 뇌 기능에 상당한 영향을 미치고 기본 모드 네트워크(DMN)의 변경이 이러한 환자에서 관찰되는 정서적 고통과 인지 및 행동 기능 장애의 원인이 될 수 있음을 시사한다.

기본 모드 네트워크(DMN)의 비정상적인 활동은 통증에서 주의를 끌지 못하는 것으로 해석될 수 있다.

통증과 뇌의 동적 통증 연결체. 휴식 상태 연구에 따르면 뇌 활동 분석은 그 본질을 가장 잘 표현하는 것, 즉 연결성에 초점을 맞출 필요가 있다. 뇌의 신경 연결에 대한 포괄적인 지도를 연결분절(connectome)이라고 한다.[302-304]

뇌의 동적 행동은 통증에 대한 주의력과 관련된 동적 변동에 의해 결정되며, 위에서 언급한 바와 같이 중요도와 관련성에 따라 달라진다.

통증과 주의력 사이에는 잘 알려진 상호 작용이 있다. 통증은 주의력과 인지 처리를 방해하는 반면, 인지 작업에 참여하면 통증이 감소한다.[305] 따라서 통증 경험은 관련성에 관련된 돌출 네트워크(SN), 항통각 네트워크, 기본 모드 네트워크(DMN) 및 인지 네트워크와 같은 다른 네트워크 간의 활동 및 동적 연결에 의해 결정된다.

> 통증은 침해수용성 자극(돌출성)과 경쟁하는 다른 자극과 관련성을 수정할 수 있는 지시된 주의, 생각 및 맥락을 필요로 하는 다양한 정신 과정에 의해 조절될 수 있다.

돌출네트워크(SN)는 적응 행동을 생성하기 위해 가장 생물학적으로 관련된 내부 및 외부 자극을 식별하므로 중요한 역할을 한다.[306] 중앙 집행 네트워크와 기본 모드 네트워크(DMN) 간의 활동을 중재하는 중요한 역할을 한다.

돌출네트워크(SN)의 활성화는 외부 자극이 주의를 끌 수 있는 정도에 따라 다르다.[200] 기본모드 네트워크(DMN)활성화는 돌출 네트워크의 활성화에 반비례한다. Kucyi 등은[301] 피험자가 통증에 주의를 기울일 때 돌출네트워크(SN)은 피험자가 산만할 때보다 더 강하게 활성화된다는 것을 보여주었다. 기본 모드 네트워크(DMN)의 활성화는 피험자의 마음이 방황할 때 생성되고 피험자가 고통에 주의를 집중할 때 비활성화된다. 이 두 패턴은 항통각 시스템과의 다른 기능적 연결성과 관련이 있다. 피험자가 고통에서 벗어나 정신을 차릴 때, 항통각 수용 시스템은 내측전전두피질(mPFC)와 수관주위 회백질(PAG)사이의 기능적 연결성이 증가함을 보여준다. 이 연구는 기본 모드 네트워크(DMN)과 항통각 시스템 사이의 동적 커뮤니케이션이 통증에 대한 주의력의 자발적 변동의 기초가 될 수 있음을 시사한다. 또한 '통증에서 분리'하는 능력 측면에서 피험자 사이에 차이가 있음을 보여준다. 어떤 피험자들은 쉽게 마음을 헤매는 경향이 있어 고통으로부터 주의를 돌리는 반면, 다른 피험자들은 대조적으로 통증에 주의를 집중하는 경향이 있다. 따라서 이것은 통증에서 벗어나는데 어려움을 겪는 피험자가 기본 모드 네트워크(DMN)과 항통각 수용 시스템 사이의 기능적 연결성이 적다는 것을 시사한다.

따라서 만성 통증 관리의 가능성은 통증에서 주의를 '해제'하는 능력 훈련에 있을 수 있다. 예를 들어, 통증에 대한 마음챙김의 효과는 통증에서 마음을 돌이키는 학습 과정 때문일 수 있다. 그러나 주의는 고통의 의미와 해석에 의해 강하게 좌우된다. 통증 설명 접근법과 같이 통증에 대한 환자의 믿음을 바꾸기 위한 직접적인 개입도 환자를 통증에서 분리시킬 수 있다.

인지 통증 조절. 이미 언급했듯이, 전전두엽 피질의 다른 영역은 다른 기전에 기반하여 통증 조절에 역할을 한다. 등외측 전두엽피질(dlPFC) 및 복측 전두엽 피질(vlPFC)의 활성화는 진통 조절과 관련이 있다. 반대로, 내측 전전두엽 피질(mPFC)와 안와전두피질(orbitofrontal cortex, OFC)의 활성화는 통증 인식 증가와 관련이 있다.

등외측 전두엽 피질(dlPFC) 또는 복측 전전두엽 피질(vlPFC)의 활성화에는 다른 기전이 포함된다. 등외측 전두엽 피질(dlPFC) 유도 진통에 의존하는 기전은 주의 통증 조절과 관련이 있으며[216] 위약 진통과 관련이 있다.[217,218,307] Wiech 등[99]에서 볼 수 있듯이 복측 전전두엽 피질(vlPFC)진통의 기초가 되는 기전은 훨씬 더 '인지적'이다. 복측 전전두엽 피질(vlP-

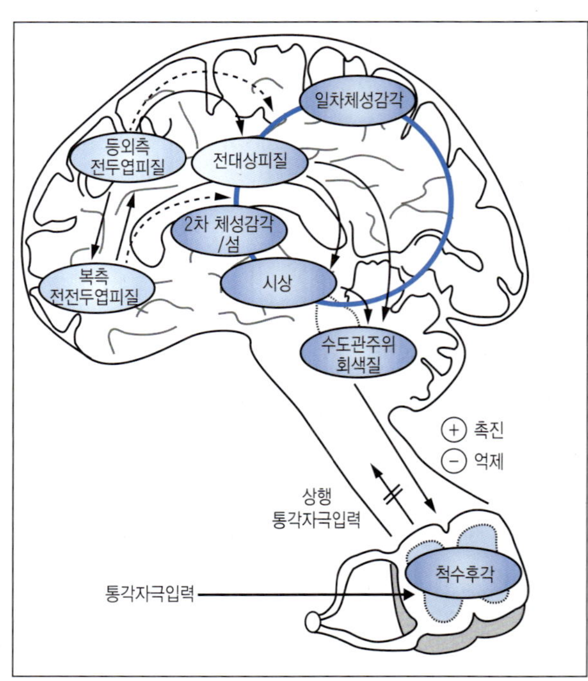

그림 11-24 ■ 전전두엽 피질의 다른 영역과 다른 기전에 기초하여 통증 조절에 역할을 한다. 복측 전전두엽 피질(vlPFC)로 유도된 진통에 의존하는 기전은 주의 통증 조절과 관련이 있다. 복측 전전두엽 피질(vlPFC)은 자극의 정서적 중요성을 재평가하는 데 관여하여 통증 중증도에 대한 인식을 감소시킨다. ACC, 전대상피질; 등외측 전두엽 피질(dlPFC), 배외측 전전두엽 피질; PAG, 수도관 주위 회백질; 복측 전전두엽 피질(vlPFC, ventrolateral prefrontal cortex). Wiech 등의 허가를 받아 복제.[99]

FC)는 통증의 심각성에 대한 인식을 감소시키는 자극의 정서적 중요성의 재평가에 관여한다.[99] **(그림 11-24)**.

만성 통증 및 구조적 뇌 변화

만성 통증이 있는 환자는 통증을 다르게 처리할 뿐만 아니라 회백질과 백질 모두에서 구조적 뇌 변화를 나타낼 수 있다. MRI에서 정량화할 수 있는 뇌 구조의 회백질 변화는 복셀 기반 형태측정(VBM) 및 복셀 기반 피질 두께(VBCT)를 사용한 회백질 밀도 및 부피이다.[308] VBM과 피질 두께 분석이 모두 회백질을 정량화하는 데 사용되지만 동일한 처리 기술을 기반으로 하지 않으며 결과는 상호 교환할 수 없다.[309]

만성 통증과 관련된 뇌 형태 측정의 차이를 보여준 최초의 임상의는 Apkarian 등은[310] 만성 요통이 있는 환자가 대조군보다 신피질 회백질 부피(GMV)가 5–11% 적음을 발견했다. GMV의 이러한 감소는 주로 양측 배외측 전전두엽 피질(dlPFC)과 우측 시상에서 발생했다. 신피질 회백질 부피(GMV)의 감소는 통증 지속 시간과 관련이 있는 것으로 보인다. 하향식 억제제 시스템 및 더 높은 인지 기능과 관련된 영역인 배외측 전전두엽 피질(dlPFC)의 감소는 만성 통증 환자에게 존재하는 인지 장애와 상관관계가 있는 것으로 보인다.[311,312]

이러한 구조적 변화는 만성 요통 환자,[313] 섬유 근육통,[314-319] 복합 부위 통증 증후군(CRPS),[320] 과민성 대장 증후군(IBS),[321,322] 만성 골반통,[323] 편두통,[324-329] 만성 긴장성 두통,[330] 만성 안면 통증[331]과 같은 다양한 임상 조건을 가진 다른 연구에서 관찰되었다.[332,333] 통증 및 측두하악 장애. 형태 측정법의 이러한 변경은 만성피로증후군[334] 및 외상후 스트레스 장애(PTSD) 환자에서도 관찰되었다.[335]

회백질의 감소는 주로 전두엽 피질, 전대상 피질(ACC), IC 및 시상과 같은 중추 처리 또는 통증 조절 영역에서 관찰되었다. 이러한 변화가 관찰된 다른 영역은 해마 주변, 기저핵, S1, S2, 측두엽, 후대상피질 및 뇌간이다. 이러한 구조적 변화가 통증의 원인인지 결과인지 추측되었다.[336]

뇌의 구조적 변화가
통증의 원인인지 결과인지는 분명하지 않다

초기에 이러한 발견은 일부 저자에 따르면 만성 통증의 발병 원인이 노화된 뇌에서 볼 수 있는 신경퇴행 과정일 것임을 시사한다.[314] Kuchinad 등은 섬유근육통(FM)을 가진 개인은 건강한 대조군보다 3.3배 더 큰 회백질 부피의 연령 관련 감소를 나타낸다. 따라서 매년 섬유근육통(FM)은 나이에 따른 회백질의 정상적인 손실의 9.5배에 해당한다. 일부 저자들은 섬유근육통과 같은 개체가 노화가 가속화되는 뇌 장애의 결과라고 제안하기 시작했다.[337]

일부 연구에서는 회백질의 감소가 시간이 지남에 따라 더 긴 통증 기간과 관련이 있음을 확인하는 것 같다.[310,314,320,324-326,329,330,338-340] 그러나 다른 연구에서는 회백질의 이러한 변화가 통증의 지속 시간이 아니라 불안 및 정서적 통증과 같은 통증의 강도 및 정서적 구성 요소와 상관 관계가 있음을 나타낸다.[313]

종적 연구는 이것이 원인이 아니라 통증의 결과라고 제안하는것 같다. RodriguezRaecke 등은[341] 골관절염에 대한 고관절 교체 전후에 MRI를 수행하여 통증이 사라질 때 완전히는 아니지만 기준선 회백질 수준으로 돌아가는 것을 관찰했다. 그러나 나중에 논의하겠지만 이 환자들을 장기간 추적한 결과 매우 다른 결론이 도출되었다. Gwilym 등은[342] 수술 전과 인공관절 수술 후 9개월 후에 편측 고관절 골관절염 환자를 대상으로 유사한 연구를 수행했으며 대조군과 비교했다. 수술 전 뇌 용적에서 관찰된 변화는 9개월 후에 정상화되었다. 따라서 이러한 변화는 노화 과정이 가속화된 것으로 해석될 수 없으며 통증과 관련이 있다.

이러한 구조적 변화의 기능적 의미는 불분명하다. 일부 저자는 주동 전대상 피질(rACC) 또는 등외측 전전두엽피질(dlPFC)와 같은 이러한 기전에서 중요한 것으로 간주되는 영역에서 부피 감소가 관찰되기 때문에[343] 이것이 변경된 내인성 통증 억제 시스템의 발현이라고 제안한다.[339,340]

일부 저자에 따르면, 전전두엽 피질 및 해마와 같은 영역에 영향을 미칠 때 구조적 변화는 만성 통증이 있는 대상에서 종종 관찰되는 인지 결손과 관련이 있을 수 있다.[319,319,337,343] 예를 들어, 이는 섬유근육통(FM) 환자가 보고한 기억력 결핍 및 '섬유안개'를 정당화한다.[337]

그러나 이러한 연구의 영향에도 불구하고 그 해석은 여러 가지 이유로 복잡하고 문제가 있다. 첫째, 동일한 뇌 영역을 조사한 모든 구조적 MRI 연구에서 동일한 변화가 발견되지는 않았다. 연구에서 보고된 구조적 변화가 있는 영역은 매우 다양하며, 이는 연구가 다양한 통증 조건에서 수행되었다는 사실로 설명될 수 있다. 그러나 이러한 모든 임상 조건의 공통 특징은 만성 통증이기 때문에 이러한 변화가 감지된 뇌 영역 측면에서 더 큰 우연의 일치가 있어야 한다. 일부 연구에서는 만성 통증과 통증이 없는 대조군 환자의 회백질 부피에 유의미한 차이가 없음을 발견했다.[344,345]

두 번째 문제는 회백질의 변화에 대한 알려지지 않은 병태생리학이다. 이러한 변화는 뉴런 손실의 결과일 뿐만 아니라 수지상 가시의 밀도 감소, 신경교세포의 변화, 신경염증 또는 세포외액 또는 혈액량의 변화로 인한 것일 수도 있다.[77,346]

또 다른 문제는 결과가 거의 독점적으로 횡단면 연구에서 파생된 상관 분석에 기반한다는 것이다. 인과 관계의 증거가 없으면 이러한 형태적 변화가 실제로 만성 통증의 원인인지, 시간이 지남에 따라 통증이 지속된 결과인지 또는 여러 교란 요인이 있는지 알 수 없다.

Rodriguez-Raecke 등은[341] 고관절 수술을 받는 환자에 대한 종단 연구에서 수술 후 얻은 뇌 용적의 정상화는 말초 통각 수용원의 제거와 관련이 있을 수 있다는 점 외에도 다음과 같이 치료에 대한 투자와 그에 따른 긍정적인 기대의 효과, 수술 후 환자 활동 수준 및 생활 방식의 변화 같은 많은 다른 측면과 관련될 수 있다고 지적했다.

회백질의 양 감소와 관련된 가능한 요인은 높은 수준의 부하, 우울증, 불안 및 파국과 같은 정동 장애이다.[77,345] 만성 통증과 관련된 부하는 만성 통증이 있는 대상에서 전전두피질(PFC), 해마, 편도체 등에서 관찰되는 변화를 결정할 수 있는 신경 호르몬 변화를 유발할 수 있는 것으로 알려져 있다. Gianaros 등은[349] 만성 부하 상황이 해마의 회백질 부피 감소를 예측할 수 있음을 보여주었다.

Jensen 등은[340] 섬유근육통(FM) 환자의 기능적 및 구조적 변화에 대한 연구에서 피질 두께의 감소가 더 높은 점수의 우울증과 상관관계가 있음을 보여주었다. 따라서 통증 감소로 인한 기분의 개선은 회백질 이상의 부분적 관해를 설명할 수 있다.[77] 다른 연구에 따르면 회백질의 변화는 신경증이나 파국과 같은 성격 특성과 관련이 있다.[350-352] Hsu 등은[345] 섬유근육통(FM)환자를 대상으로 한 연구를 수행했는데, 좌전방 섬의 회백질 부피 감소는 정동 장애가 있는 환자에게만 나타났다. 건강한 대조군과 비교하여 섬유근육통(FM) 환자에서 관찰된 구조적 차이는 정동 장애를 조절한 후에 사라졌다.

고려해야 할 또 다른 측면은 환자가 임상적으로 개선되고 복용을 중단할때 사라지는 구조적 뇌 변화[353,354]를 일으킬 수 있는 항염증제 및 아편제와 같은 일부 진통제를 섭취하는 효과이다.

Rodriguez-Raecke 등은[355] 2013년에 고관절 수술을 받는 더 많은 환자를 포함하여 두 번째 연구를 발표했으며 수술 후 12개월의 추적 관찰을 통해 4개의 시간 슬롯에서 구조적 뇌 변화를 평가했다. 이 연구에서 시간에 따른 회백질의 증가는 매우 미묘했고 효과 크기는 작았다. 이 저자들은 만성 통증 환자에서 관찰된 변화가 신경 위축 때문이 아니라 수술후 통각 입력의 감소, 생활 방식의 변화, 운동 기능의 개선,

더 나은 정신 상태 및 더 큰 복지와 관련이 있을 수 있다고 제안했다.

이와 관련하여 최근 Dolman 등은 만성 요통과 피질 쇠퇴 사이에는 연관성이 없음을 발견했다. 이 저자들은 피질 부피의 감소가 통증 자체보다는 동반이환된 정동 장애에 기인할 수 있다고 제안한다. 그들의 결과는 정서적 측면, 연령 및 약물 소비와 같은 다른 변수를 제어하면 통증이 있는 환자와 대조군 사이의 회백질 차이가 제거됨을 나타낸다. 저자들이 지적한 바와 같이, 만성 통증과 회백질 변화 사이의 관계에 대해 상당한 의구심이 남아 있다.

통증과 인지 기능

최근 몇 년 동안 일련의 인지 과정에서 만성 통증의 영향이 연구되었다.[120,126,128] 이러한 과정에는 주의력, 학습 및 기억력, 처리 속도, 정신 운동 능력 및 실행 기능이 포함된다. 이러한 인지 기능은 신경 심리학적 검사로 평가할 수 있다. 만성 통증이 있는 환자는 특히 복잡한 작업을 수행할 때 주의력 결핍을[357,358] 보인다.[359] 섬유근육통 환자는 작업기억과 주의력 조절에 변화가 있는 것으로 나타났다.[312,360,361] 최근 리뷰에서는 만성 통증이 있는 피험자가 건강한 대조군보다 작업 기억 검사에서 어떻게 더 낮은 수행력을 보이는지를 보여주었다. 그러나 작업 기억 검사에서 환자와 대조군 사이에 생리학적 차이가 있는지 여부는 명확하지 않다. 실행 기능과 의사 결정은 또한 다양한 만성 통증 상태에서 변경된다.[311,312,362]

피험자가 장기간에 걸쳐 아편유사제를 투여받는 경우 이러한 인지 결함이 악화될 수 있다. 인지 기능의 이러한 변화는 환자의 임상 상태를 악화시키고 통증의 인지적 재정밀화와 관련된 중재에 장애물이 될 수 있다. 만성 통증이 인지 및 실행 기능에 미치는 영향에 대한 최신 검토를 위해 Berryman 등이 권장한다.

뇌 변화의 임상적 의미

척수 및 척수상 신경가소성 변화의 진행은 활성 침해수용원이 없는 만성 통증 경험을 설명하는 신경생리학적 기전일 수 있다. 신경 영상 기술은 만성 통증과 관련된 뇌 기전을 이해하는 데 도움이 될 수 있는 문을 열었다.

만성 통증은 돌출 네트워크를 포함한 다양한 뇌 영역의 중추 처리 증가와 관련이 있으며 광범위한 피질 재구성을 동반할 수 있다. 또한, 만성 통증에 대한 뇌 활동은 급성 통증에 대해 표시된 패턴에서 보다 전전두엽 및 변연 회로로 이동한다.[136,364,365] 또한 뇌 영역 간의 뇌 연결성 변화와 관련될 수 있다(**그림 11-25**). 만성 통증이 있는 환자는 특히 항통각수용과 관련된 영역에서 뇌 영역 간의 구조 및 연결성뿐만 아니라 활성화(통증 민감도 증가)(더 큰 감정적 반응)의 변화가 증가하는 것으로 나타났다. 신경 영상 연구는 통증이 통증일 뿐만 아니라 종종 신체 인식의 변화와 정서적 문제 및 인지 결손을 동반한다는 개념을 뒷받침한다.[336,366]

만성 통증은 다음과 관련될 수 있다.

- 돌출 네트워크를 포함한 다양한 뇌 영역의 중앙 처리 증가
- 광범위한 피질 재편성
- 서로 다른 뇌 영역 간의 연결성 변화
- 더 많은 전전두엽 및 변연 회로로의 뇌 활동의 변화

만성 통증은 돌출 네트워크를 포함한 다양한 뇌 영역의 중추 처리 증가와 관련이 있으며 광범위한 피질 재구성을 동반할 수 있다. 또한, 만성 통증에 대한 뇌 활동은 급성 통증에 대해 표시된 패턴에서 보다 전전두엽 및 변연 회로로 이동한다.

심각한 병리학이 없는 복잡한 통증에 대한 설명은 이러한 뇌 변화에서 찾을 수 있다. 따라서 문제가 아직 뇌의 조직이 아닌 경우 궁극적으로 이러한 변화를 역전시키는 데 치료 전략이 집중되어야 한다.

최근 몇 년 동안 신경 영상 기술의 인상적인 발전

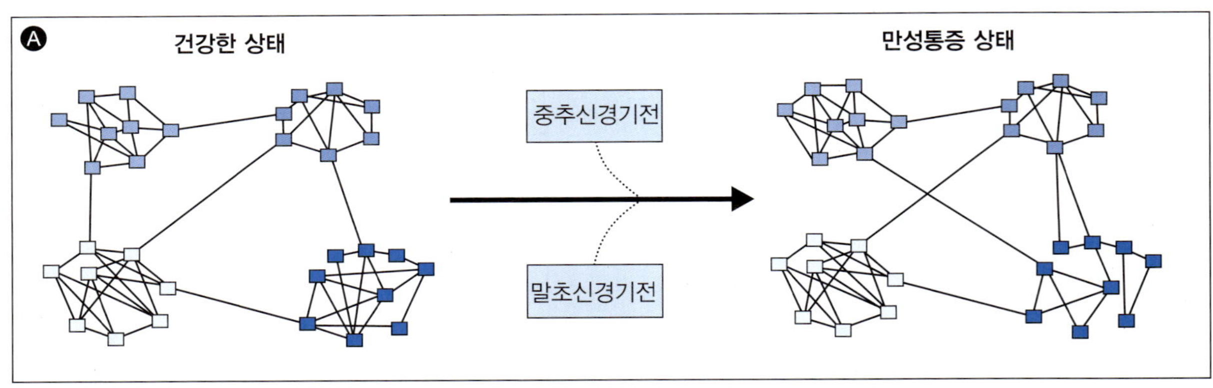

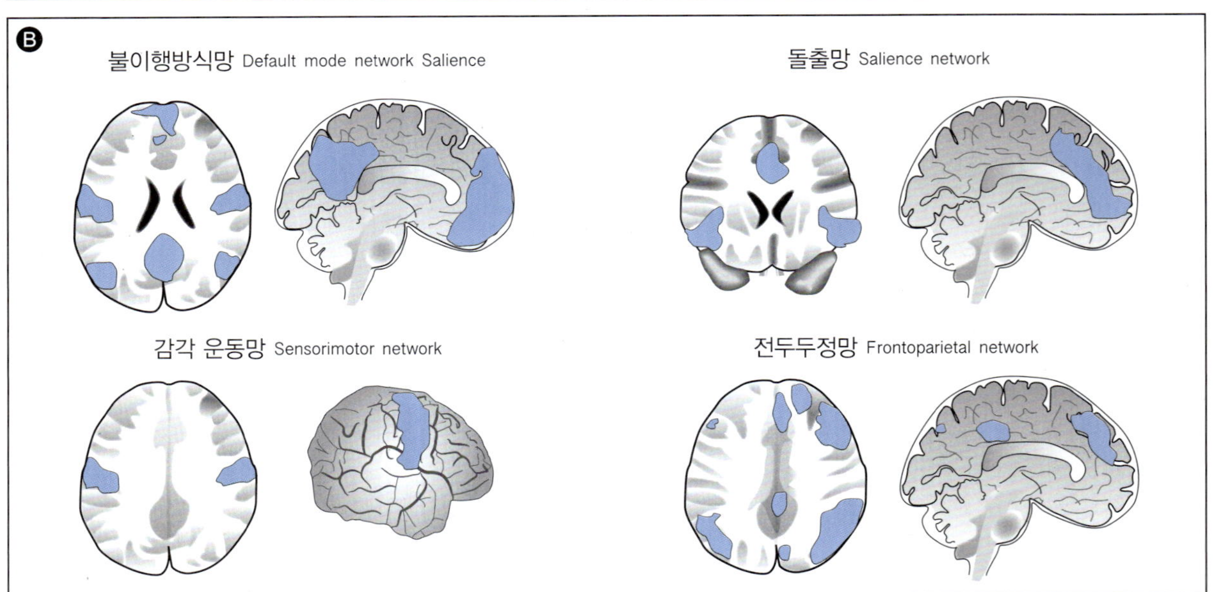

그림 11-25 ■ (A, B) 뇌는 노드가 구성 요소 또는 노드에 해당하는 서로 다른 상호 연관된 네트워크로 표시될 수 있다. 만성 통증의 존재는 말초 및 중추 기전을 통해 내부 또는 모듈 내 상호 작용의 변화를 통해 이러한 모듈의 속성을 변경할 수 있다. Farmer 등의 허가를 받아 복제.[365]

에도 불구하고 오늘날 우리가 갖고 있는 지식은 부분적이고 제한적이며 만성 통증 환자의 진단에 사용할 수 있는 임상 바이오마커를 제공하지 않는다. 게다가 통증은 기계론적 관점에서 바이오마커로 환원될 수 없는 복잡한 경험이다.

결론적으로 Baliki 등에[367] 따르면 만성 통증 환자의 뇌는 단순히 건강한 뇌가 통증 정보를 처리하는 것이 아니라 지속적인 통증에 의해 인지 장애와 관련된 다른 신경학적 상태를 연상시키는 방식으로 변형된 뇌이다.

통증 및 신경생물학적 모델
PAIN AND NEUROBIOLOGICAL MODELS

1965년 Melzack과 Wall이[23] 제안한 통증의 관문 조절 이론은 현대의 신경생물학적 통증 모델 개발의 시발점이라고 할 수 있다.

통증의 게이트 제어 이론
(The gate control theory of pain)

Melzack과 Wall은 통각 입력과 통증 사이에 선형적이고 직접적인 관계가 없음을 설명하기 위해 게이트 제어 이론을 개발했다(**그림 11-26**). 이 이론은 통각 신호의 중추 변조에 대한 설명을 제공할 뿐만 아니라 통증을 신체적 측면과 심리적 측면 간의 상호작용의 결과로 간주했기 때문에 통증에 대한 이해에 결정적인 변화를 나타냈다. 이 이론은 수년에 걸쳐 수정되었지만 기본 개념을 유지한다.[67,368]

Melzack과 Wall의 이론은 다른 중추신경계(CNS) 수준에서, 그리고 주로 척수의 후각에서 통각 입력의 전달을 조절하는 기전이 있다고 제안했다. 이것은 많은 수의 침해수용성 및 Aß 일차 구심성 섬유, 흥분성 및 억제성 개재뉴런 및 더 높은 중추신경계(CNS) 중심에서 오는 하행성 섬유가 젤라틴 물질에 수렴된다는 것을 제안했다. 이론은 다음을 기반으로 한다.

1. 구심성 섬유의 침해수용성 자극을 2차 침해수용성 뉴런(SONN)으로 전달하는 것은 후각의 게이트 기전에 의해 제거되거나 증폭될 수 있다.
2. 제어 기전은 후각에 도달하는 자극에 따라 달라진다. 침해수용성 섬유의 활성 증가는 전파를 촉진하는 경향이 있는 반면(게이트를 열림), Aß 터치 섬유와 같은 직경이 큰 비통각수용성 섬유의 활성은 전파를 억제하는(게이트를 닫음) 경향이 있다.
3. 제어 게이트 기전은 차례로 척추 상부 자극에 의해 영향을 받는다. 대구경 섬유의 자극은 전달을 조절하는 척수 게이트 시스템의 중앙 제어 시스템의 활동을 결정한다.

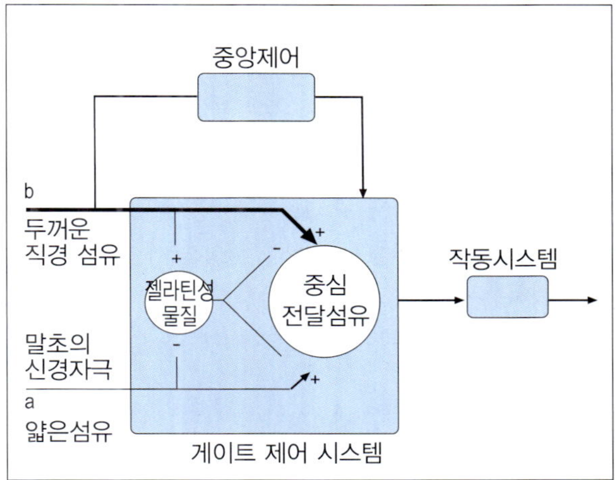

그림 11-26 ■ 게이트 제어 이론. 통각수용성 뉴런(a) 및 비통각수용성 뉴런(b) 박층 ii(젤라틴성 물질 – GS) 및 중심 전달 섬유(T)에 돌출. 두꺼운 직경의 비침해수용성 섬유(b)의 활성 증가는 T 섬유의 활성화를 감소시키는 GS에 대한 억제 효과를 발휘한다. 이 섬유는 또한 증가된 중추신경계(CnS) 조절 활성을 유발한다.

이 이론은 통증 개념의 혁명을 나타낸다. 그 이후로 통증은 통각 자극의 결과인 물리적 반사 감각으로만 간주되지 않았기 때문이다. 말초 통각 정보는 다른 말초 비통각 정보와 중추신경계(CNS)의 영향 모두에 의해 지속적으로 조절된다.[369]

이 이론은 임상의와 연구자가 중추신경계(CNS)를 단순한 정보 수신자가 아니라 입력을 필터링, 선택 및 변조하는 능동 시스템으로 이해하도록 강요했다. 뒷뿔은 단순히 수동적인 전송 스테이션이 아니라 억제, 여기 및 변조와 같은 동적 활동이 발생하는 사이트였다.[370]

통증에 대한 게이트 제어 이론은 다양한 감각 및 심리적 요인이 모듈형 및 하강 억제 시스템을 활성화하여 통증에 대한 인식을 어떻게 활성화할 수 있는지를 설명하려는 첫 번째 모델이었다. 이 이론은 부상, 통각 및 통증 사이의 직접적인 상관 관계가 없고 부상과 통증에 대한 심리적 반응을 포함한 다양한 개별 반응을 설명할 수 있는 통합 이론 모델을 설계하려고 시도한다.

Melzack은[370,371] 침해수용성 활성화 후 통증 경험을 결정하는 다른 뇌 영역이 활성 침해수용원이 없는 경우에도 동일한 통증 인식을 유발할 수 있다고 처음으로 가정했다.

병렬 처리 이론
(The parallel processing theory)

1968년 Melzack과 Casey는 게이트 제어 이론의 확장, 즉 병렬 처리 이론을 개발했다. 이 이론은 통증 경험을 특징짓는 다양한 감각적, 정서적, 인지적 측면과 관련된 다양한 시스템이 있다고 제안했다. 이 이론에서 후각에 도달하는 자극은 다른 채널을 통해 동시에 전달된다. 중추 조절과 인지 제어의 상위 센터는 일단 모든 정보를 평가하고 과거 경험과 비교하여 확인하고 적응된 반응을 결정하면 두 시스템(감각 변별 및 정서적 동기)에 영향을 미친다(**그림 11-27**). 통증 경험은 감각, 인지 및 감정적 기전에 의해 조절될 수 있다.

이 병렬 처리 이론은 통증 경험의 다른 구성 요소가 어떻게 다른 경로를 사용하고 다른 뇌 구조에서 끝나는지를 보여주는 이후 연구에 의해 뒷받침되었다. 감각 판별 요소는 주로 척수 시상로 또는 삼차 시상로에 의존하며, 두부 말단의 경우 시상의 후복부 핵과 시냅스를 설정하고 거기에서 1차 및 2차 체성감각 피질에 도달한다. 정동-동기 요소는 망상 형성, 특히 상완주위 핵, 시상의 층층내 핵, 대상 피질, 섬엽, 전두엽, 편도체 및 시상하부로 투사되는 다른 경로를 사용한다(**그림 11-28** 및 **11-29**). 마지막으로 1990년 Melzack은[373] 뉴로매트릭스 이론과 함께 통증의 패러다임으로 더 많은 영향을 끼친 모델을 개발했다.

신체 자기 신경 매트릭스 개념
(Body - self neuromatrix concept)

Melzack은 인지의 새로운 이론적 모델로서 신체 자기 신경 매트릭스의 개념을 개발했다. 이 모델은 무엇보다도 통증의 복잡성을 드러낼 수 있었고 환상사지 통증 또는 완전한 척수 절제술을 받은 피험자의 하지에서 경험한 통증과 같은 통증의 많은 상황을

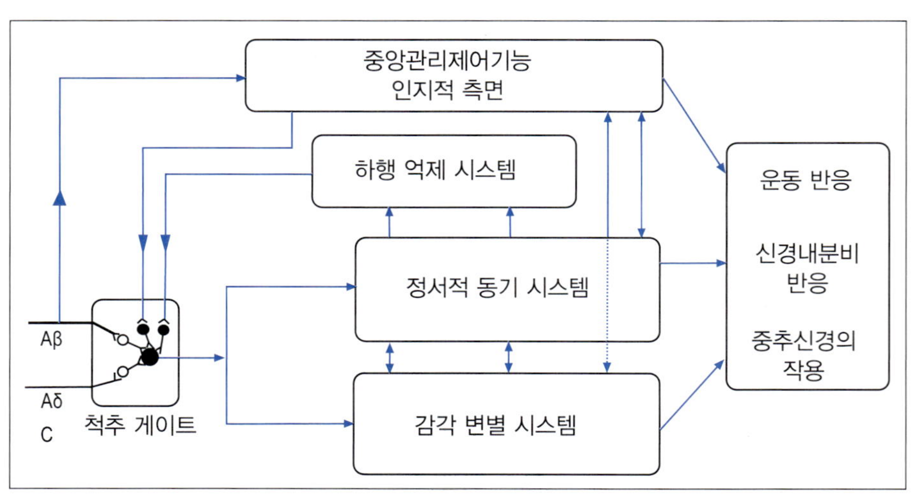

그림 11-27 ■ 병렬 처리 이론은 고통스러운 정보가 서로 다른 경로를 통해 상승한다고 강조한다. 상위 센터는 과거 경험에 대해 모든 정보를 평가하고 적절한 응답을 결정하면 두 시스템(감각-차별 및 정서적-동기)에 영향을 미친다.

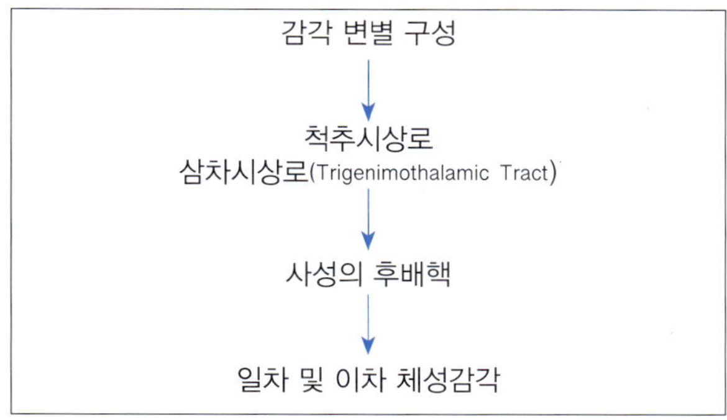

그림 11-28 ■ 감각 구별 요소는 주로 척수 시상로 또는 삼차 시상로에 의존하여 시상의 후복부 핵과 시냅스를 형성하고 거기에서 1차 및 2차 체성감각 피질에 도달한다.

정서적 동기 구성

척수망상체로, 척수중뇌로,
척수편도체로, 척수시상하부로

대상피질 섬 전두엽
편도체 시상하부

그림 11-29 ■ 정동–동기 요소는 망상 형성, 특히 상완주위 핵, 시상의 층내 핵, 그리고 대상 피질, 섬엽, 전두엽, 편도체 및 시상하부로 투사되는 다른 경로를 사용한다.

설명하는 모델 역할을 할 수 있었다.[290,370,371,374]

Melzack은 뇌가 많은 영역에서 광범위한 뉴런 네트워크, 즉 신체–자기 신경 매트릭스를 가지고 있으며, 이 신경 매트릭스에서 모든 신체 지각이 파생되고 최종적으로 자아 감각을 소유한 전신으로 느껴지는 패턴을 생성한다고 제안했다.[375] 신경 기질은 지각을 생성할 뿐만 아니라 각 신체 경험과 관련된 다양한 운동, 감정, 행동 및 감각 반응을 담당한다.[370] 신경 기질의 시냅스 구조는 유전적 유전에 의해 결정되지만, 개인의 체성 감각 및 정서적 경험, 학습 및 뇌의 인지 기능에 의해 심오한 변형을 겪는다. – 동기 및 평가통증 경험의 인지적 차원(**그림 11–30**). 통증 경험 및 행동과 관련된 뇌 영역은 체성 감각 시스템 외에도 항상성, 시각 및 전정 시스템, 변연계 및 뇌의 인지 영역을 포함해야 하므로 널리 퍼져 있다.[375]

> 뉴로매트릭스의 시냅스 구조는 유전적 유전에 의해 결정되지만, 개인의 체성감각 및 감정적 경험, 학습 및 인지에 의해 심오한 수정을 겪는다.

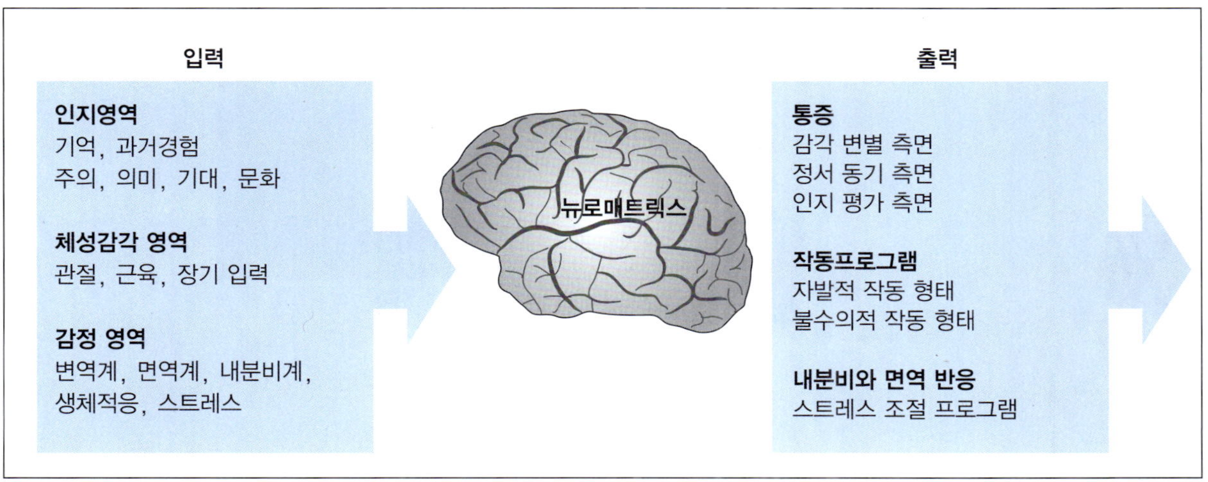

그림 11-30 ■ melzack의 신경 기질 모델. 신체 자기 신경 매트릭스에 대한 입력은 감각 판별, 인지 평가 및 감정적이다. 신체 자기 신경 매트릭스의 출력은 통증, 행동 프로그램, 내분비 및 면역 반응이다.

신경 매트릭스를 구성하는 다양한 구성 요소는 병렬 처리를 허용하기 위해 발산하고 처리의 출력 제품 간의 상호 작용을 허용하기 위해 수렴한다. 이러한 반응은 경험과 통증 행동의 특정 특성을 결정하는 특정 신경 신호의 활성화에 의해 유발된다. 다른 신경 신호는 침해수용성 자극에 의해 유발될 수 있지만, 독립적으로 유발될 수도 있다.

뉴로매트릭스 이론은 이 통증이 뇌를 가지고 있는 가상의 몸인 신체 이미지에서 경험된다고 가정한다. Melzack이 말했듯이 '몸을 느끼기 위해 몸이 필요하지 않다.[376] 뉴로매트릭스 개념은 통증 고려에 심오한 의미를 가지며 새로운 임상 및 치료 접근 방식 개발의 문을 연다. 통증은 통각 자극에 대한 반사 반응이 아니라 광범위한 대뇌 신경망에 의해 생성된 특정 신경 신호에 의해 생성되는 다차원적 경험이다. 이 이론은 통증의 병리해부학적 모델에서 벗어나 있다. 통증은 자극의 결과가 아니라 중추신경계(CNS)에 의해 생성된 반응이다.

통증은 통각 자극에 대한 반사 반응이 아니라 광범위한 대뇌 신경망에 의해 생성된 특정 신경 신호에 의해 생성되는 다차원적 경험이다.

이 모델에 따르면, 침해수용성 자극은 통증 경험 및 관련 반응을 생성할 수 없지만 통증이 일부인 반응 패턴을 유발하는 특정 신경 신호만을 활성화할 수 있다(**그림 11-31**). 침해수용성 자극은 패턴을 유발할 수 있지만 생성하지는 않다.[375] 또한, 통각 자극은 신경 기질에 작용하여 특정 신경 신호를 유발할 수 있는 다양한 자극 중 하나이다. 따라서 뇌는 가장 적절하다고 생각되는 반응을 걸러내고, 조절하고, 선택하는 능동적 시스템이다. 따라서 뇌의 신경망은 통각 자극 없이 통증을 포함한 신체의 모든 지각 경험을 생성할 수 있다. 연구 데이터는 능동적 통각 입력없이 고통스러운 경험이 어떻게 발생할 수 있는지를 보여준다.[91,92,377-379]

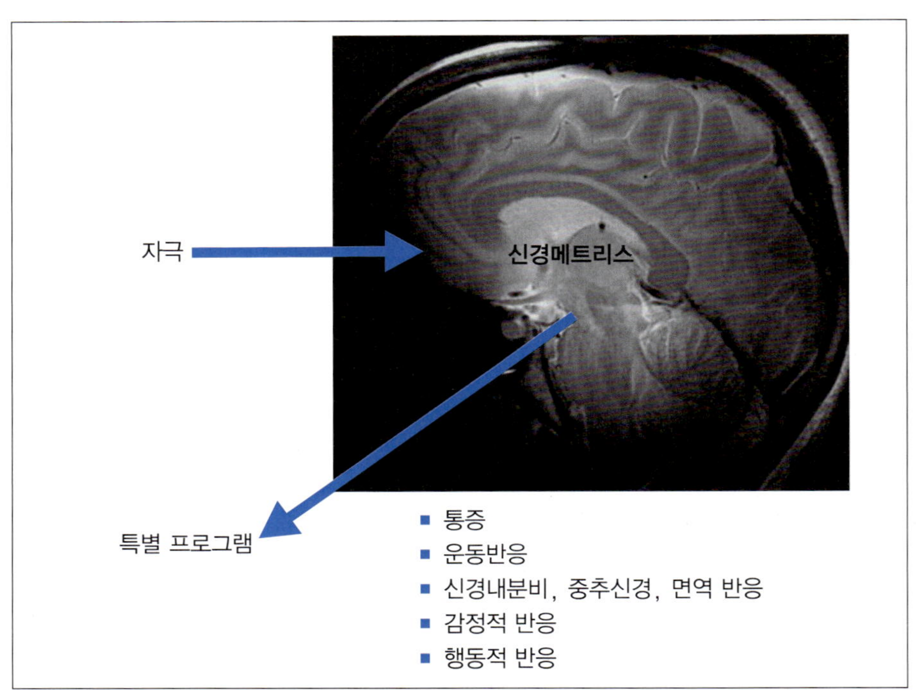

그림 11-31 ■ 이 모델에 따르면, 통각수용성 자극은 통증 경험 및 관련 반응을 생성할 수 없으며 통증이 일부인 반응 패턴을 유발하는 특정 신경 신호만 활성화할 수 있다.

그 결과는 '통각은 아프지 않다'라는 말로 요약될 수 있다. 각각의 지각 경험으로서의 통증은 이미 프로그램(신경 신호)으로 뇌에 저장되어 있다. 이 프로그램의 활성화를 위한 일관된 자극의 존재만 필요하다. 이는 피부, 신체 및 내장 통증과 같은 다양한 유형의 통증에 대한 반응이 개인, 특히 유아기에 어떻게 유사한지를 설명한다. 개인은 또한 개인의 이전 경험, 학습, 사회적 환경 및 문화에 의해 결정되는 매우 다른 반응을 나타낸다. 사회 및 가족 환경과 문화는 개인의 통증 경험에 완전한 '의미'를 부여하는데 중요하다. 또 다른 근본적인 측면은 신경 신호가 통증에 대한 인식뿐만 아니라 일련의 복잡한 반응, 즉 Melzack에 따르면, '행동 신경 매트릭스'라고 불리는 활성화로 인한 신경 내분비, 행동 및 운동 반응을 포함한다는 것이다.[376] 또한 심리적 반응은 다음과 같다. 더 이상 통증에 대한 이차적인 반응이 아니며 경험의 필수적인 부분으로 간주된다. 따라서 이러한 심리적 반응을 조절할 수 있는 통증 개입 형태의 생물학적 효과에 대한 설명이 제공된다.[370]

신체 자기 신경 매트릭스에 대한 입력은 자신의 인지, 과거 경험, 문화 학습 등과 같은 감각 변별, 인지 평가와 감정, 시상하부-뇌하수체-부신 시스템, 노르아드레날린-교감 시스템, 면역 시스템 및 모든 뇌 변연계 구조를 포함한 동기적 정서이다.

통증 신경 신호를 유발할 수 있는 다양한 자극은 다음과 같다.

1. 통각 감각 자극.
2. 대상이 통증과 관련된 비통각수용성 감각 자극.
3. 상황의 해석에 영향을 미치는 시각적 자극 또는 기타 감각적 자극.
4. 자극과 통증에 대한 인식, 통증이나 부상에 대한 두려움 사이에 환자가 설정한 관계와 같은 인지 자극.
5. 고통스러운 경험과 관련된 정서적 자극.

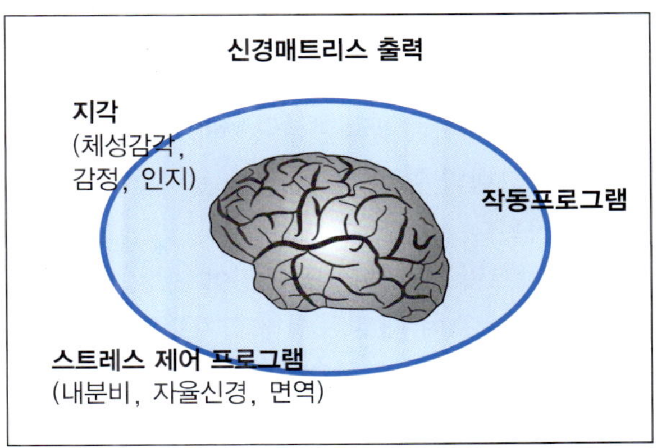

그림 11-32 ■ 신경 기질 출력은 통증 인식, 행동 프로그램 및 부하 조절 프로그램으로 나눌 수 있다.

6. 신체의 부하 조절 시스템의 활동.

이 모델의 인지 및 감정적 측면은 신경 신호의 활성화 및 통증 반응을 유발하는 통각 및 체성 감각 자극만큼 가치가 있다.

Melzack에 따르면, 신경메트릭스 반응은 통증 인식,[374,375] 행동 프로그램 및 부하 조절 프로그램으로 나눌 수 있다(**그림 11-32**).

통증 인식 프로그램은 모든 인지 평가, 감각 판별 및 정서적 동기 차원에서 전체 통증 경험을 포함한다. 행동 프로그램은 자발적 및 비자발적 운동 패턴과 행동 반응, 대처 전략 및 경험의 사회적 의사소통으로 구성된다. 부하 조절 프로그램에는 내분비계, 자율신경계, 면역계 및 아편유사제 시스템을 포함한 모든 항상성 반응이 포함된다. 따라서 신경 매트릭스의 출력 패턴은 통증 경험의 여러 차원과 동시 및 행동 차원을 생성한다.

잠재적으로 위협적인 모든 자극은 운동 보호 및 면역 신경 내분비 반응, 체성 감각 영역의 활성화, 변연 네트워크 및 인지 영역과 같은 기본 반응을 포함하여 다양한 신경 네트워크의 동시 활성화를 유발한다. '스위치' 개념은 환자가 통증을 재현하는 물리적 자극이 '원인'이 아니라 방아쇠임을 이해하는데 유용하다. 통증을 유발하는 행동이나 움직임은 단순히 개별적으로 학습된 '스위치'이다. 움직임이 어떤 식으로든 통증을 유발한다는 사실은 신체에 '상해'가 있음을 의미하지 않지만 특정 개인의 움직임은 통증 프로그램의 활성화를 유발하는 일관된 자극으로 평가된다.

신경 매트릭스 이론은 뇌 기전이 만성 통증의 기초가 될 수 있으며 새로운 형태의 치료를 제시할 수 있다고 제안한다.[375] 이 이론은 신경 매트릭스 출력이 통증을 경험할 것인지 억제할 것인지를 결정한다는 것을 확립한다. 통증 억제는 엔도르핀 및 기타 아편 유사제뿐만 아니라 감각, 판별 및 평가 과정에 의해 결정될 수 있다.

Melzack은 통증이 뇌의 항상성 조절 시스템을 교란하여 부하를 생성하고 항상성을 회복하기 위한 복잡한 프로그램을 시작하기 때문에 더 이상 순수한 감각 현상으로 간주할 수 없다고 강조했다. 통증 과정에서 부하 시스템의 역할을 인정하는 것은 만성 통증과 장애의 발달에 대한 항상성의 관점에서 새로운 이해를 제공한다. 다른 부하 요인은 항상성 회복을 목표로 하는 신경, 호르몬 및 행동 활동 프로그램을 활성화할 수 있다. 부하 반응이 계속되면 면역 체계가 억제되고 변연계(감정, 동기 및 인지 과정에서 역할을 함)가 활성화된다. 따라서 부하와 통증 인식은 겹치는 기전을 가지고 있다. 부하 조절 시스템의 장기간 활성화는 우울증뿐만 아니라 만성 통증 상태로 이어질 수 있다. 통증 그 자체가 신체적으로나 심리적으로 자기 자신에 대한 위험과 위협을 암시하는 경우 강력한 부하 요인이 될 수 있다.

신경 매트릭스 이론은 통증의 본질과 체성 감각 지각에 대한 뿌리 깊은 가정에 도전했기 때문에 통증 연구에 가장 중요한 공헌 중 하나로 간주되었다.[380] 침해수용성 입력은 통증을 유발할 수 있지만 이것이 유일한 또는 지배적인 인과 기전은 아니다. 통증은 조직 외상을 등록하는 수동적 뇌의 결과가 아니라 감각 신호 또는 기타 맥락적 단서에 대한 반응으로 주관적 경험을 형성하는 능동적 뇌의 산물이다.[380]

통증은 조직 외상을 등록하는 수동적 뇌의 결과가 아니라, 감각 신호 또는 기타 맥락적 단서에 대한 반응으로 주관적 경험을 형성하는 능동적 뇌의 산물이다.

뉴로매트릭스 개념은 통증에 전념하는 연구자와 임상의에게 매우 영향력이 있다. 통증 문헌은 '통증 매트릭스',[381,382] '통증 신경 매트릭스'[383] 또는 '통증 시그니처'와[112] 같은 의미로 보이는 다른 용어를 대중화했다. 그러나 Melzack은 신경 매트릭스를 통증에 대한 인식으로 제한하지 않고 모든 인식, 무엇보다도 자기 인식 생성의 개념으로 확장했다.[374]

Melzack은[374] 신경 매트릭스 이론에서 자기 인식에서 인식의 역할을 소개했다. 이 이론의 중요한 측면 중 하나는 신체를 다른 개인 및 환경과 다른 하나의 단위인 '자아'로 인식하는 통일된 개념이었다. Melzack은[374] 신체 자기 신경 매트릭스를 분산된 대뇌 시스템으로 정의했지만 기능적으로 통합되어 전체적으로 작동하고 다른 시간에 서로 다른 특성을 가진 하나의 단위로 신체를 느낄 수 있다. 신경 기질은 신체 자아의 해부학적 기질이 될 것이다. 자기 경험은 말초 신경계나 척수에서 생성될 수 없기 때문에 중추신경 과정에 의해 생성된다.

몸-자기 뉴로매트릭스는 지속적인 유출, 즉 신경 신호를 뇌의 영역인 '지각 신경 허브'로 투사하며, 여기서 신경 충동의 흐름이 인식의 지속적인 흐름이 된다. 신경 신호 패턴은 두 갈래로 나뉜다. 일부는 감각 신경 허브(패턴이 경험으로 변환됨)로, 다른 일부는 활동 프로그램(운동, 내분비 또는 면역 반응)을 활성화한다. Melzack에 따르면[375] 이 새로운 개념의 신경계의 4가지 구성요소는 (1) 신체-자기 신경 기질; (2) 신경특징이 생성되는 순환적 처리 및 합성; (3) 신경 신호의 흐름을 인식으로 바꾸는 지각 있는 신경 허브; 및 (4) 운동, 신경내분비 및 행동 반응을 제공하기 위한 작용 신경기질의 활성화.

Melzack이 말했듯이[384] 통증의 미래는 상향식에서 뇌 기능에서 시작하는 하향식 전략으로의 전환을 의미하며, 의식적 경험은 빠르게 성장하는 인지신경과학 및 뇌의 진화'. Chapman과 Nakamura가[385] 강조했듯이, 의식 연구는 통증 연구를 강화해야 한다. 통각과 의식과 관련된 신경 기전은 분명히 다르지만 현상적 경험으로서의 통증은 '구성된 의식의 하위집합'이다.

성숙한 유기체 모델
(The mature organism model)

이 모델은 위에 요약된 지식을 통합하여 생물학적 맥락에서 임상의와 환자 모두에게 통증에 대한 더 넓은 이해를 제공하는 데 도움이 되는 도구로 Gifford에[386] 의해 개발되었다. 이 모델은 통증 경험과 관련된 세 가지 수준을 통합한다. 입력 수준(통각 정보의 흡수); 처리 수준(중추 통증 처리); 및 출력 수준(응답의 정교화). 신체는 조직과 환경 변화 모두에서 정보를 감지하고 획득한 정보를 처리하고 인지된 공격성을 해결하기 위해 맞춤화된 반응을 준비한다.

'선형' 모델(조직 손상–중추 통증 인식) 대신 이 '원형' 모델은 통증 경험이 나머지에 미치는 영향을 결정하는 모든 수준에서 시작될 수 있는 방법을 강조한다.[84](**그림 11–33**).

모델이 강조하는 한 가지 측면은 통증과 부하 반응 사이의 밀접한 관계이다. 부하 반응 생물학은 생존과 항상성 유지를 위해 유기체를 준비시키는 생리학적 기전과 행동 전략을 분석한다. 통증은 부하 반응의 감각 구성 요소 중 하나이며, 첫 번째 적응 목적은 신체가 회복과 생존을 촉진하기 위해 행동을 수정

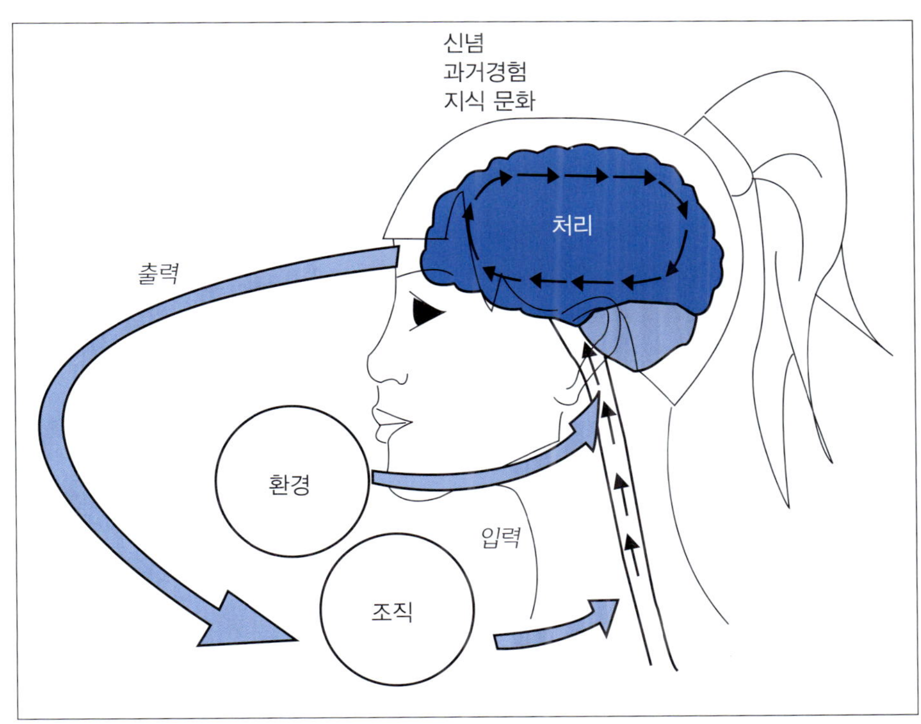

그림 11-33 ■ 성숙한 유기체 모델. 유기체는 조직과 환경 변화 모두에서 정보를 감지하고(입력), 얻은 정보를 처리하고(중앙 처리), 인지된 공격성을 처리하도록 적응된 반응을 준비한다(출력). 정보는 의식적 및 무의식적으로 처리되어 운동 활동과 자율신경계, 신경내분비계 및 신경면역 신경계의 변화를 포함하는 과거 경험 및 반응과 비교한다. Gifford에서[386] 각색. 허가를 받아 재생산.

하도록 장려하는 것이다. 통각 수용 시스템은 통증에 대한 시스템으로 설명되는 대신 내분비 및 면역 시스템과 함께 첫째로 조직 및 신경분포된 구조의 상태를 분석하는 시스템의 일부가 되고, 둘째로 적응된 운동 또는 행동 반응을 개발할 수 있는 시스템의 일부가 된다.

정보는 의식적으로든 무의식적으로든 처리되고, 과거 경험과 비교되며, 운동 활동과 자율, 신경 내분비, 신경 면역 및 운동 시스템의 변화를 포함하는 반응이 개발된다.[387]

따라서 조직 손상의 경우 성숙한 유기체의 중추신경계는 의식 및 무의식적 기억에 저장된 정보, 과거 경험 및 상황과 관련될 수 있는 성공적인 행동에 접근할 수 있으며 항상성 회복을 위한 반응을 개발하는 데 도움이 될 수 있다.[388] 조직 손상이 있거나 피험자가 이것이 가능하다고 인식하면 통증, 감정적, 운동적, 행동적 반응과 회복을 촉진하는 생리학적 반응을 일으킨다. 이러한 반응은 차례로 말초 조직에 영향을 미치고 중추신경계(CNS)의 신경가소성 변화를 결정한다.

모든 통증 경험은 세 가지 수준으로 나뉜다. 통각 정보의 흡수; 통증; 및 응답 준비. 성숙한 유기체의 모델에 기초하여 세 가지 병리생물학적 기전과 세 가지 별개의 범주의 통증을 설명할 수 있다. 입력 정보와 관련된 통증; 중앙 처리와 관련된 통증; 및 반응 시스템과 관련된 통증.

이러한 범주는 환자의 통증 유형 분석을 용이하게 한다. 통증의 원인이 되는 해부학적 구조만을 생각하는 대신, 임상 양상에서 지배적인 병리생물학적 과정이나 기전에 주의를 기울인다.[84]

- **입력 정보와 관련된 통증** – 침해수용성 입력과 관련된 통증. 이 모델은 또한 통증 반응을 유발하는 입력 능력이 상황에 따라 다르다는 것을 보여준다.
- **중추 처리와 관련된 통증** – 통증은 중추 처리의 결과이므로 통각 입력이 없거나 관련이 없다. 중앙 처리는 인지적 측면(해석, 이전 경험, 결과 평가)과 정서적(정서적 고통, 기분)에 따라 달라진다.
- **반응 시스템과 관련된 통증** – 통증은 반응 기전에 이차적이며 운동 시스템, 자율 신경계, 신경 내분비 또는 신경 면역 시스템의 손상된 반응과 관련된다. 이러한 유형의 통증의 예로는 복합 부위 통증 증후군 및 염증 및 면역 관절병증과 관련된 통증이 있다.

이러한 모든 기전이 모든 통증 경험과 상호 작용하고 발생하지만 일부 주제에서는 하나가 지배적일 것이다. 급성 통증에서 지배적인 기전은 입력 정보와 관련이 있다. 만성 통증에서 지배적 기전은 인지 및 정서적 측면이 크게 관련된 중추 처리 및 반응 기전과 관련될 수 있다.[389] 환자 평가 및 치료를 위해서는 어떤 기전이 지배적인지 결정하는 것이 중요하다.

통증, 감정 및 부하 반응
(Pain, emotions and stress response)

Chapman은[56,58,390] 정신생리학적 관점에서 통증과 부하 반응의 정서적 구성요소 사이의 관계를 발전시켰다. 이 저자가 지적한 바와 같이 많은 건강 전문가들은 감정을 주관적인 성격의 정신적 활동의 부수적인 현상으로 간주하며 신체 건강에는 거의 중요하지 않다.[392] 그러나 감정은 복잡한 생리학적 반응의 결과이며 의식적 인식은 이차적인 측면이다.

> 감정은 주로 생리적 반응이며 이차적으로 주관적이다. 객관적인 측면(자율신경계 및 신경내분비계의 활성화)과 주관적인 측면(감정)의 두 가지 측면으로 구성된다.

감정은 유해한 감각 메시지가 체성 감각 피질에 도달한 후 발생하는 통증 감각의 결과가 아니라 통증 경험의 근본적인 부분이다. 따라서 통증을 감정으로 간주하는 것이 중요하다. 따라서 통증은 개인의 생물학적 무결성에 대한 위협으로 해석된다. 통증의 감정적 구성 요소의 크기는 위협으로 인식하는 정도에 비례한다.[56-58] Moseley가 말했듯이[116] 통증은 개인에 대한 위협을 감지할 때 뇌에서 생성되므로 이를 피하기 위한 조치가 필요하다. 모든 차원의 통증이 이 목표를 지향한다.

감정은 의식에 결정적으로 개입하며 그 기능은 여러 행동 중에서 선택할 때 중요한 정보를 생성하는 것이다. 그들은 개인과 종의 보존을 위해 싸움이나 도피와 같은 필요한 행동을 개발하는 데 유용한 주관적인 정보를 제공한다.[56,58] 또한 통증에 의해 유발되는 감정은 사회적 기능을 갖는다. 감정의 외적 언어적, 몸짓, 행동적, 신체적 표현은 생존에 위협이 되는 상황에서 사회적 지지를 얻기 위한 유용한 의사소통 형태이다.

통증의 감정적 구성요소의 크기는 위협 신호로서의 인식에 비례한다.
감정은 항상성 행동을 선택하는 데 중요한 정보를 생성하기 위해 의식에 결정적으로 개입한다.

통증이 내포하는 강렬한 부정적 감정은 교감신경 및 교감부신 반응과 시상하부-뇌하수체-부신(HPA) 축의 활성화로 표현된다. 부신수질에서 아드레날린 및 기타 카테콜아민의 분비는 신경절전 교감신경 섬유의 아세틸콜린에 의해 자극된다. 척수 시상 경로 및 폰토-시상하부 경로의 활성도 시상하부-뇌하수체-부신(HPA) 축을 활성화한다.[177] 시상하부의 뇌실주위 핵의 자극은 코르티코트로핀 방출 인자(CRF)의 방출을 유발하여 시상하부-뇌하수체-부신(HPA) 축에서 코르티솔의 방출을 유발하는 복잡한 적응성 신경내분비 부하 반응을 시작한다(**그림 11-34**).[391-394]

코르티코트로핀 방출 인자(CRF)는 노르아드레날린의 방출을 유발하는 하행성 청색반점-노르아드레날린 조절 시스템을 활성화하는 신경 전달 물질이다.[54,394-396] 코티솔은 부하 반응에 필요한 높은 포도당 수준을 유지한다. 이 대응은 신체가 비상 대응을 준비하고 제한된 시간 동안 위협적인 상황에서 생존을 촉진한다. 부하 반응과 관련된 이러한 요인들은 정서적으로 불리한 경험의 기억 강화에 개입한다.[397-402]

부하 요인이 지속되면 부하 반응은 부적응이 되는데, 이는 부분적으로 글루코코르티코이드의 작용이 근본적으로 이화작용이기 때문이다. 심박수 증가와 같은 교감신경 자극 반응의 증가 및 유지는 이후 외상 후 부하 장애(PTSD)발병의 예측인자이다.[403-406]

만성 통증 증후군의 발병은 부하 반응 시스템의 조절 장애와 인지행동 요인 간의 상호 작용의 결과이다.

부적응 부하는 개인의 건강과 신체적, 정신적 웰빙을 저하시키는 신경, 내분비 및 면역 반응의 자급자족 연속이다. 따라서 만성 통증은 단독 증상이 아니라 만성 피로, 수면 장애, 신체 활동 감소, 내분비 및 면역 기능 변화, 기분 변화와 같은 다른 문제를 동반하는 경우가 많다. 부적응 부하는 빛 공포증, 소리 공포증, 냄새 공포증, 추위나 더위에 대한 불내성, 부하 불내성 등으로 표현될 수 있는 일반화된 감각 과민증 상황을 선호할 수 있다.

면역 체계는 부하 반응과 통증 인식에 중요한 역할을 한다. 부상에 따른 이차적인 면역 변화는 통증에 대한 인식을 증가시킬 뿐만 아니라 행동, 기분, 동기 및 인지에도 변화를 일으킨다. 따라서 면역 체계의 활동은 기분의 이차적 변화를 포함하여 전신적인 질병 반응에 책임이 있지만 인지 및 감정적 측면도 면역 체계에 강력한 영향을 미칠 수 있다.

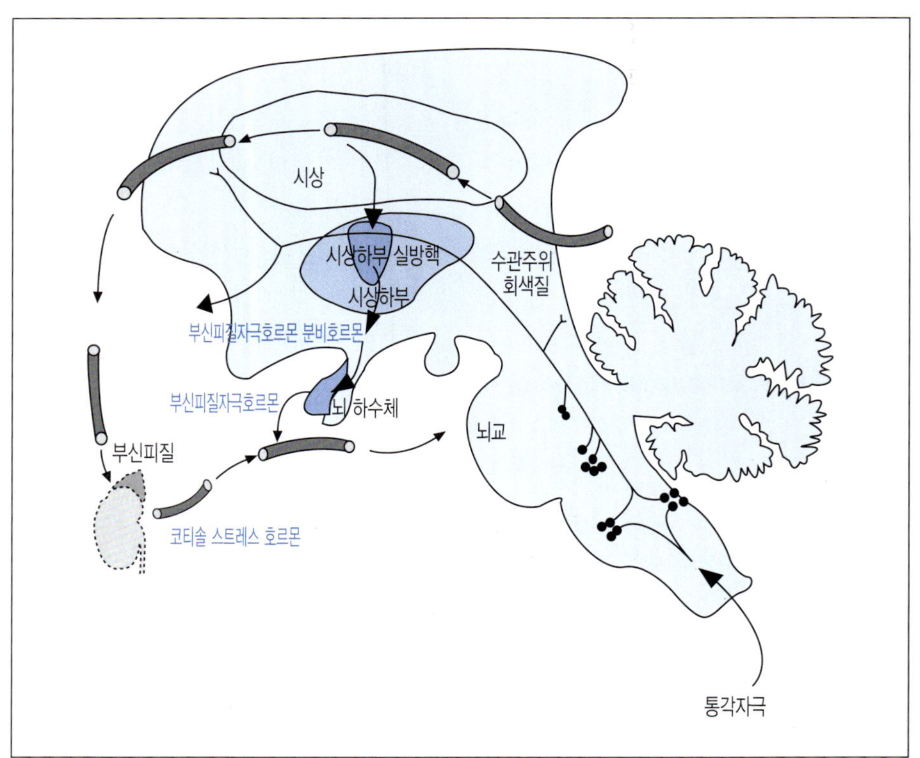

그림 11-34 ■ 신경내분비 부하 반응. 통각 정보는 연수의 다른 핵과 시상하부(PVnH)의 방실 핵에 도달하는 투영에 도달한다. 흥분은 부신피질자극호르몬분비호르몬(CRH)의 생산을 촉발하고, 이는 부신피질자극호르몬(ACTH)을 골단에서 일반 순환계로 방출하도록 자극한다. 이 호르몬은 부신피질을 자극하여 코르티코스테로이드를 일반 순환계로 방출한다. Chapman[390]에서 수정. 허가를 받아 복제.

표현의 개념과 피질체 매트릭스 THE CONCEPT OF REPRESENTATION AND THE CORTICAL BODY MATRIX

Moseley 등은[119] 다양한 신체 착시를 검토하면서 최근 '피질체 기질'이라는 개념을 개발했다. 뇌에는 우리 몸을 지도화하는 신경 표현이 있다. 이러한 표현은 신체 조직이 있는 모든 영역을 포함하여 뇌의 다른 영역에 분포되어 있다. 이러한 신체성 표현을 통해 우리 몸이 받는 모든 자극의 국소화를 인지할 수 있다. 고전적인 체세포 영역에는 일차 체성 감각 피질(S1), 이차 체성 감각 피질(S2)및 시상의 복부 후핵이 포함된다. 그러나 이러한 영역의 활성화는 의식 자극 지각에 충분하지 않다. Schubert 등이[407] 보여주듯이, 의식적 지각은 정수리 및 전두엽 피질과 같은 고차 피질 영역에 대한 입력의 추가 접근에 달려 있다. 이러한 영역은 공간선택주의와 관련되어 있으므로 의식적 지각에 주의가 필요함은 자명하다. 우리의 신체 표현은 시각적, 외수용성, 고유수용성 및 입력 정보를 인코딩하는 다양한 뇌 영역에서 정보를 지속적으로 수신한다. 따라서 이 표현은 다중감각적이며 이 모든 정보에 의해 지속적으로 변조된다.
여기에는 우리가 '함께 사는' 물건도 포함된다.

뇌에는 체성 감각 정보 외에도 신체 주변 공간을 지도화하는 신경 표현이 있다.[119] 이 '개인 주변 공간'의 표현은 신체를 기준으로 주변 환경에서 물체의 위치에 대한 정보를 제공한다. 이 표현은 즉각적인 환경의 물리적 위협으로부터 신체를 보호하기 위한 움직임의 계획 및 실행을 허용한다. 이 표현은 피질체 기질에도 포함된다. 이 개인 주변 공간 표현의 특징은 신체 매트릭스가 손 중심의 참조 프레임이 아닌 신체 중심으로 정렬된다는 것이다. 외부 공간의 오른쪽에서 자극이 발생하면 신체의 왼쪽 부분에 적용되더라도 신체 매트릭스에 '오른쪽'으로 지도화된다는 의미이다. 따라서 정상적인 표현의 변화는 신체구조보다 공간에 더 의존적일 수 있다

피질체 기질은 체성감각적일 뿐만 아니라 운동성, 감정적, 항상성적이기도 하다. 이는 유연하고 상황에 따라 달라지므로 한 순간에 우리가 느끼는 것과 다른 순간에는 근본적으로 다를 수 있다. 우리가 어떤 순간에 느끼는 것은 동시적 표현이지만, 이것은 우리가 다른 순간에 어떻게 느꼈는지, 심지어 몇 년 전에 있었던 표현을 재현할 수도 있다.

중요한 측면은 피질체 기질이 자기 인식의 인지적 측면, 즉 신체 인식과 주인의식을 담당한다는 것이다. 따라서 그것은 우리 몸의 해부학적 기질로 간주될 수 있다. 많은 뇌 영역이 후두정 피질(감각 운동 통합 및 공간 지각) 및 섬 피질(내수용성 인식, 감정적 경험, 항상성, 체온)과 같은 자기 인식 및 행동의 다감각 통합 기전에 관여한다.[119,408,409] 표상적 변화는 만성 통증 환자에서 흔히 볼 수 있는 인지, 감각 및 운동 가과실 현상을 설명할 것이다.

만성 통증의 발달: 선행 요인 및 유발 요인
DEVELOPMENT OF CHRONIC PAIN: PREDISPOSING AND TRIGGER FACTORS

통증은 인간의 고유한 경험이다. 모든 사람은 급성 통증을 경험한다. 그러나 소수의 사람들에게서만 만성 통증이 발생하고 이 중 더 적은 비율이 장애로 발전할 것이다. 만성 통증 및 통증 관련 장애의 발달에서 다양한 신체적, 심리사회적 측면이 소인 및 유발 요인으로 작용할 수 있다.

만성 통증을 예방하기 위한 조기 발견의 필요성뿐만 아니라 생리적, 심리적 요인의 존재는 많은 연구의 주제였다.[94,410-414]

생리적 소인
(Physiological predisposing factors)

생리적 소인의 존재는 유전적 변수 때문일 수 있다. 통증에 대한 민감도와 진통제에 대한 반응의 개인 간 차이에 유전적 영향이 있는 것으로 보인다.[415] 유전학은 새롭게 부상하는 분야이며 이러한 경우에 자주 발생하는 것처럼 만성 통증 분야에서 너무 많은 답변이 예상된다. 원칙적으로 유전자의 역할에 대한 정보를 제공할 수 있는 연구는 대부분 형질전환 유전자적중 생쥐를 사용하여 수행된 쌍둥이 및 동물 연구와 관련이 있다.

여러 유전자는 유전적 상호작용과 관련될 수 있지만, 유전자–환경 상호작용 및 후성유전적 변이체와도 관련될 수 있다. 200개 이상의 후보 유전자가 통증 조절에 제안되었지만, 그들 모두 중 소수만이 인간의 통증 표현형과 관련되어 있다. 제안된 것들은 카테콜라민성 시스템(COMT), 세로토닌성 및 도파민성 시스템에 관련된 유전자, 그리고 이온 채널의 발현에 관련된 유전자의 다형성을 포함한다. 몇 년 전 Jeffrey S. Mogil 그룹은[416] 통증과 관련된 유전자 데이터베이스를 출시했다(http://www.jbldesign.com/jmogil/enter.html). 현재로서는 유전자–환경, 심리적 동반 질환 및 가족 학습 측면 간의 복잡한 상호 작용으로 인해 만성 통증 증후군의 유전적 구성 요소에 대한 신뢰할 수 있는 추정을 하기가 어렵다.[417,418]

이전의 신체적, 정신적 외상
(Prior physical and psychological trauma)

아동 학대, 성적 학대 및 방치뿐만 아니라 신체적 또는 심리적인 아동기의 불리한 경험은 개인의 취약성을 증가시키고 성인기의 만성 통증을 유발하는 요인이 될 수 있다.[419-424] 학대 유형 중 남성과 여성 모두의 성적 학대는 만성 통증의 발병에 가장 큰 영향을 미친다.[423] 이 경우 골반 부위의 통증이 가장 흔한 불만이다.[425,426] 그러나 이 문제도 논란이 됐다. 문서화된 아동 학대 및 방치 사례를 기반으로 한 전향적 연구에서는 성인기의 피해와 통증 호소 사이의 관계에 대한 증거를 찾지 못했다.[427] 10년 후 이 동일한 저자들은 이 주제에 대한 장기 추적 조사에서 초기 아동기 학대 또는 방치의 결과로 인한 외상후 스트레스 장애(PTSD)의 아동기 경험이 만성 통증 발병의 중요한 예측인자임을 보여준다.[428] 따라서 증가된 만성 통증의 결정적 요인이자 예측 인자는 외상이 아니라 이와 관련된 외상후 스트레스 장애임을 이해하는 것이 중요하다.

소아기의 부하 요인은 성인기의 만성 통증을 유발할 뿐만 아니라 염증성 관절병증, 심장병, 당뇨병, 자가면역질환 등 다양한 만성질환을 유발하는 위험인자이다.[429-431] 관련된 신경생물학적 기전은 시상하부-뇌하수체-부신피질 활동의 장기적인 변화, 중추 통증 처리 기전의 민감화 및 체세포 과각성을 일으킬 수 있는 어린 시절의 높은 부하 상황에서 파생된다.[430,432-435]

따라서 통증이 있는 환자를 평가할 때 현재의 병력뿐만 아니라 환자의 통증 경험을 이해하는 데 기여할 수 있는 병전 상태 또는 이전의 신체적, 심리사회적 외상 사건과 같은 측면을 조사하는 것이 필수적이다.[431]

나중에 논의하겠지만, 환자의 주변 환경, 무엇보다 가족은 만성 통증 증후군의 발병과 직접적인 관련이 있다. 사회적, 가족적 학습과 기억은 지각과 관용, 그리고 통증과 장애의 행동을 확립하는 주요 변수이다.[414]

유발 요인(Trigger factors)

가장 중요한 신체적 및 심리사회적 유발 요인에는 증상이 시작될 때의 높은 통증 정도가 포함된다.[436] 때때로 통증은 심하지 않지만 대상에게 높은 감정적 영향을 미친다. 다른 경우에 만성 통증의 발달은 통증과 직접적으로 관련되지 않은 부수적이고 정서적인 상황으로 인해 발생한다. 오늘날 우리는 어려운 감정적 경험, 트라우마, 대인관계 갈등이 통증의 지속에 기여한다는 사실에 대한 충분한 증거를 가지고 있다.[93,437]

> 문제가 있는 정서적 경험, 트라우마 및 대인 관계 갈등은 통증의 지속에 기여한다.

이것은 부적응 중추 과민 반응에 이차적인 통증이나 복합 통증이 있는 환자에서 더욱 분명하다. 최근의 체계적인 검토는 외상성 심리적 경험과 기능적 신체 증후군의 발달 사이에 상당한 연관성이 있음을 보여주었다.[438]

통증과 개인적인 갈등
(Pain and personal conflicts)

환자가 만성 통증으로 발전한 이유를 이해하기 어려운 주요 측면은 환자의 개인 전기에 있다. 많은 통증 사례는 근본적인 개인 또는 대인 관계 갈등을 나타내며, 이러한 갈등이 나타나지 않는 한 통증 프로그램으로 안정적인 결과를 얻는 것이 거의 불가능하다. Van Houdenhove가[419] 지적했듯이 환자가 '개방'하고 '전체 이야기'를 할 수 있도록 환자와 신뢰감을 형성하고 비침입적으로 정중하게 질문하는 것이 매우 중요하다. 개인적인 성격의 문제에 대해 묻는 것은 환자의 통증 관리와 관련된 경우에만 정당화된다. 불행히도, 현재 많은 환자들은 경험에서 다양한 사회적, 심리적 또는 가족적 측면이 수행하는 역할을 이해하려고 시도하지 않고 진통제와 중재 기술만 제공받는다. 다른 경우에는 외상적 경험과 개인적 갈등이 통증의 원인이 될 수 있음을 암시하는 증거에도 불구

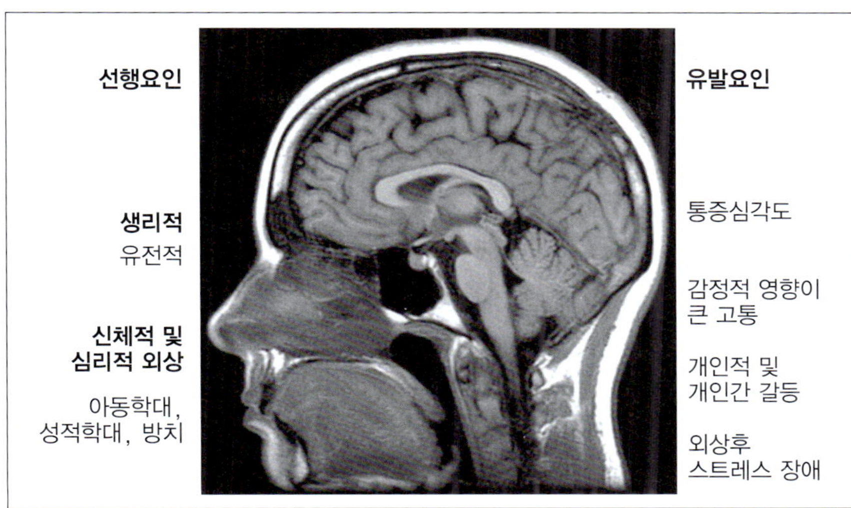

그림 11-35 ■ 만성 통증의 발달: 소인 생리적(유전적), 신체적 및 심리적 요인, 유발 요인(급성 부상 또는 질병, 개인적 갈등, 외상후 스트레스).

하고 환자를 '표준 인지-행동 접근법'으로 취급한다. 이러한 환자의 개인적인 문제를 해결하지 못하는 접근 방식은 아마도 통증과 장애를 거의 감소시키지 못할 것이다.[439]

외상후 스트레스와 통증 (Post – traumatic stress and pain)

예를 들어, 통증은 도로 교통사고, 전쟁 시나리오 목격, 고문 생존, 학대 등의 결과로 인한 외상후 스트레스 장애(PTSD)와 관련될 수 있다.[438,440,441] 예를 들어, 재향 군인의 80% 외상후 스트레스 장애가 있는 사람은 만성 통증으로 고통받는다.[442] 외상후 스트레스 장애를 특징 짓는 증상은 외상적 사건과 관련된 증상의 침입적 재경험, 기억이나 그것을 불러일으키는 상황에 대한 인지적 회피, 외상적 사건 이후 시작되거나 악화되는 인지 및 정서적 장애 및 생리적 과잉 반응이다.[443]

외상후 스트레스 장애와 만성 통증 사이의 높은 동반질병은 두 상태가 자기 영속을 촉진하는 특정 자극에 대한 선택적 주의, 회피 행동 등과 같은 유사한 기전을 공유한다는 사실에 의해 설명될 수 있다.[444] 중요하게도, 외상후 스트레스 장애는 종종 진단 기준이 실제로 충족되지 않았지만, 도로 교통 사고와 같은 외상적 사건 후에 높은 수준의 통증을 나타내는 환자에서 진단된다.

신체적 학대, 친밀한 파트너의 공격성 및 성적 학대는 심각한 심리적 고통과 관련이 있으며 앞서 언급한 바와 같이 만성 통증 및 기타 신체적, 심리적 건강 문제의 발병과 관련이 있다.[445-452] (**그림 11–35**).

통증과 심리적 측면 PAIN AND PSYCHOLOGICAL ASPECTS

다음과 같은 네 가지 이유로 다양한 심리적 측면과 만성 통증의 역할에 초점을 맞추는 것이 중요하다. 지속적인 통증은 생리학적 반응을 수정할 수 있는 일련의 신경학적 과정을 유발할 수 있다. 통증 인식은 심리적 측면에 의해 매우 수정 가능하다.[453,454] 통증 경험과 관련된 다양한 심리적 측면은 급성 통증에서[413] 만성 통증으로의 전환에서 중재자 역할을 할 수 있다. 마지막으로, 예비 심리적 상태는 '교차 감각화' 기전으로 인해 통증이 만성화될 위험을 증가시킬

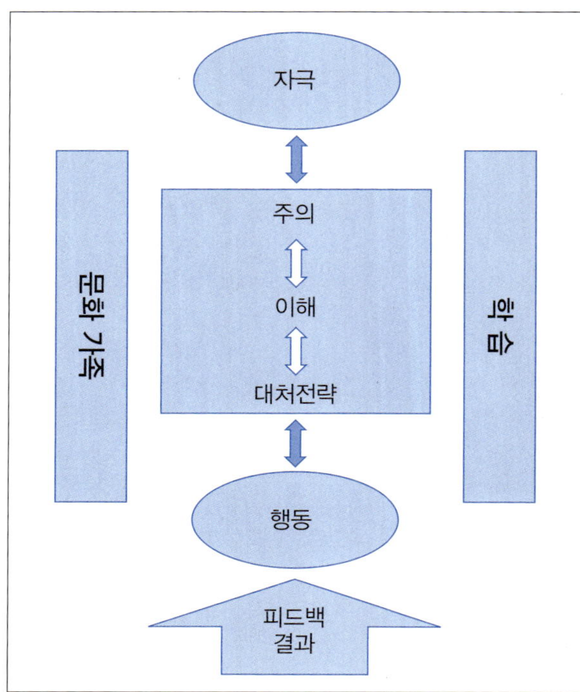

그림 11-36 ■ 만성 통증의 발달과 관련된 과정의 가능한 순서. Linton과 Shaw의 허가를 받아 복제.[94]

수 있다.[282] 예를 들어, 어린 시절 학대를 당하는 등 과거에 부하 상황을 겪었다면 민감도가 높아져 통증이 만성화될 수 있다.[430] 따라서 주의력, 신념, 감정 및 과거 경험과 같은 만성 통증의 발달에 어떤 요인이 관련되어 있는지 아는 것은 상당한 관심이 있다.

심리적 요인 및 만성 통증

- 지속적인 통증은 생리학적 반응을 수정할 수 있는 일련의 신경학적 과정을 유발할 수 있다.
- 통증에 대한 인식은 심리적인 측면에 따라 매우 다양하다.
- 통증 경험과 관련된 다양한 심리적 측면은 급성 통증에서 만성 통증으로 이행하는 과정에서 중재자 역할을 할 수 있다.
- 이전의 심리적 상태는 '교차감작' 기전에 의해 통증이 만성화될 위험을 증가시킬 수 있다.

Linton과 Shaw는[94] 만성 통증의 발달과 관련된 가능한 일련의 과정을 설명한다. 유해한 자극에 대한 초기 인식 후, 대상은 의식적 및 무의식적 인지 처리를 발달시키며, 이 과정에서 통증의 해석이 특정 통증 행동을 결정한다. 이러한 통증 행동은 이전 경험과 사회적, 문화적 학습을 기반으로 한 개인의 통증 의미 해석에 따라 결정된다(**그림 11-36**). 처리는 종종 통각 자극의 강도에 의존하지 않고 주어진 시간과 주어진 맥락에서 환자에 대한 관련성에 의존한다.

주의(Attention)

생물학적으로 관련된 자극인 통증은 주의를 요한다.[113] 주의는 잠재적인 부상에 대한 적응적 반응으로 이어지기 때문에 중요한 보호 기전이다. 특히 심한 통증이나 이전에 경험한 다른 통증과 다른 주요 경보를 생성하는 특성이 있을 때 통증을 무시하는 것은 생물학적으로 적응하는 행동이 아니다.[94] 따라서 주의의 기능은 실제 또는 잠재적 위협에 대해 적절한 행동을 하도록 동기를 부여하는 것이다.

주의력은 통증 경험의 감각적 측면과 정서적 측면 모두를 크게 조절할 수 있다[108,455,456] 주의는 자극의 강도를 조절할 뿐만 아니라 시간적 지각도 조절할 수 있다는 것이 입증되었다. Zampiniet 등은[457] 다른 자극 발병 비동기에서 무작위로 고통스러운 자극과 시각적 자극을 제시했다. 고통스러운 자극에 주의를 기울였을 때 시각적 자극을 향했을 때보다 더 일찍 일어나는 것으로 지각되는 것으로 나타났다. 이러한 현상을 '선진입 효과'라고 한다.[458]

이미 언급했듯이 주의는 주로 자극 현저성과 관련성이라는 두 가지 측면에 따라 달라진다.[86] 현저성은 상향식 주의 포착을 포함하며 자극의 참신함, 환경적 맥락 등에 따라 달라진다. 관련성은 하행 주의 제어를 포함하고 주관적 인지, 동기 등에 따라 다르다. 만성 통증이 있는 환자는 선택적 주의를 보인다.[113,459] 통증과 높은 과각성, 잠재적으로 위협적인 것으로 인식될 때 고통스러운 자극에 의존하는 주의의 정도. 지각된 위협이 클수록 주의, 두려움 및 불안이 더 커지고 따라서 통증에 대한 인식도 커진다. 이 경우 통증에 대한 주의는 피험자가 자극을 주는 생물학적 완전성에 대한 관련성 정도와 관련된 하행식 현상이다. 주의는 실제 또는 상상된 이전 경험, 경험의 재평가 및 통증의 의미에 따라 달라진다.[99]

주의 산만은 통증의 고전적인 치료 전략이다. 그러나 통증을 '산만하게'하려는 의도적인 노력은 역효과를 낼 수 있다.[460] 만성 통증 환자에게 더 유용한 전략은 과제를 수행하고 개인 목표를 달성하는 데 '참여'하는 것이다. 주의를 요하는 전략은 만성 통증 환자의 통증을 줄이는 데 도움이 될 수 있다.[461] 특히 작업에 '몰입'하는 경우 더욱 그렇다. 예로는 가상 현실 주의 산만 패러다임이 포함된다. 그러나 작업이나 활동에 더 '주의를 산만하게'하는 효과를 제공하는 것은 정서적 동기 부여이다. 주제가 즐겁고 의미 있거나 감정적으로 중요해야 한다.[106] 따라서 통증 관리 프로그램의 중요한 측면은 환자가 일상 생활에서 중요한 목표를 찾고 달성하도록 격려하고 가치 있는 활동에 참여하도록 격려하는 것이다. 이 전략은 통증에 집중하는 주의와 위협적인 것으로 인식하는 것을 크게 줄여 일상적인 수행 능력을 향상시킨다.[462]

> 통증 관리 프로그램의 중요한 측면은 환자가 일상 생활에서 중요한 목표를 추구하고 달성하고 가치 있는 활동에 참여하도록 격려하는 것이다.

지각에 대한 주의 효과는 수많은 신경 영상 연구의 주제였다. 주의력은 감각적 측면뿐만 아니라 통증의 감각적, 인지적 및 정서적 측면을 인코딩하는 여러 뇌 영역의 정서적 측면에서도 통증을 강력하게 조절할 수 있다.[108,109,113,455,456,463–465] 주의가 산만해지는 동안 수관주위 회백질(PAG), 안와전두피질 및 전대상 피질(ACC)영역과 같은 변조기 회로와 관련된 영역에서 활성화가 관찰된다.[109,466-468]

과잉 경계(Hypervigilance)

만성 통증 환자의 일반적인 특징은 과잉 경계이다. 과잉 경계는 환자가 잠재적으로 위협적인 신체 또는 환경 자극에 주의를 집중하는 경향이 있는 역기능 주의 과정이다. 과잉 경계는 통증 위협이 크고 그것을 인지하는 것에 대한 두려움이 증가하고 환자의 모든 노력이 통증을 제거하거나 통제하는 데 전적으로 집중될 때 발생한다.[469] 통증 과잉 경계는 더 큰 임상적 통증 중증도와[470] 연관되어 더 큰 장애와 환자의 삶의 질에 더 큰 영향을 미친다.[69] 우리는 과잉 경계가 의도적이지 않으므로 주의 산만 전략이 그다지 효과적이지 않을 수 있음을 인식해야 한다.[469] 과잉 경계를 다루는 가장 좋은 전략은 통증의 의미에 대한 오해를 바꾸는 것이다. 또한 치료의 목표로 통증을 줄이는 데 과도하게 초점을 맞추지 않고 보다 보람 있고 의미 있는 삶을 사는 데 중점을 두는 것도 중요하다.

예측(Anticipation)

예측은 어린 시절부터 위협을 피할 수 있게 해주는 매우 적부하가 뛰어난 기전이다. 만성 통증이 있는 대상에서는 부적응이 되고 통증과 관련된 불안과 움직임에 대한 두려움이 증가하고 통증이 심화되고 더 불쾌해진다.[471] 높은 기대는 통증을 증가시키고 통증과 관련된 뇌 영역을 활성화시켜 자생적인 악순환을 만든다.[453,454] 통증을 예상하거나 예상하면 통각 자극이 없는 경우에도 통증 관련 영역을 활성화할 수 있다. 신경 영상 연구는 대상이 고통스러운 자극을 받기 전에 일차 체성 감각(S1), 전대상 피질(ACC), 수관주위 회백질(PAG), IC 및 전두엽피질(PFC)와 같은 별개의 영역이 어떻게 활성화되는지 보여주었다.[468,472]

통증과 해석(Pain and interpretation)

인지 구성 요소는 통증의 지각과 만성에 중요한 역할을 한다. 신념은 현실에 대한 인식을 형성하고, 행동을 유지하고, 경험의 영향을 결정하고, 역사적,

문화적, 사회적 구성에 의해 매개된다. 따라서 통증에 대한 환자의 해석은 환자의 인식과 대처 행동에 큰 영향을 미친다.[58,473]

통증, 그 원인 및 결과에 대한 해석은 환자마다 크게 다르다. 주어진 주제에 대한 통증의 의미와 속성은 가족 내, 미디어 또는 의료 전문가가 제공한 정보에서 획득한다. 통증에 대한 환자의 믿음은 통증의 본질, 증상의 진행 가능성, 가장 효과적인 치료 유형, 결과 및 직장 생활, 가족 등에 미치는 영향과 같은 측면에서 다양하다. 통증의 원인에 대한 환자의 해석은 다음을 통증이 경험되는 강도를 결정한다.[96] 통증이 심각하고 위협적인 어떤 지표로 해석되면 통증에 대한 인식이 증폭된다.[103,474]

신념은 현실에 대한 인식을 형성하고 행동을 유지하며 경험의 영향을 결정하며 역사적, 문화적, 사회적 구성에 의해 매개된다.

신념은 또한 환자의 회복 또는 회복 실패에 중요하다. 따라서 어떤 경우에는 신념이 회복에 대한 강력한 장애물이 될 수 있으며 영구적인 장애로 이어질 수 있다.[475] 통증에 대한 믿음은 정확한 진단과 치료 후에 사라질 경험 자체의 결과가 아니다. 종종 이러한 부적응적 신념은 만성 통증 발달의 핵심이다.[476]

만성 통증이 있는 환자들 사이에서 가장 흔하고 근절하기 가장 어려운 해석은 초기에는 병리학적인 해석이다. 통증은 반드시 제대로 연구되지 않은 부상이나 질병의 결과이며 적절하게 해결되고 조사되지는 않았지만 불가피하게 다음을 결정한다.[477,478] 신체적 장애 또는 더 심각한 것. 병리에 대한 환자의 이전 잘못된 인식이 치료 결과를 결정한다. 예를 들어, 척추에 대한 일반적인 믿음이 있다. 척추는 보호가 필요한 취약한 구조이며, 허리 문제는 항상 복잡하며, 허리 부상은 항상 예후가 좋지 않다는 생각이다.[479]

이러한 믿음은 파국적인 생각과 부정적인 감정을 일으키며 부적응적인 두려움 회피 행동의 발달과 직장 장애, 우울증, 가족 및 사회적 관계의 변화로 이어지는 악순환의 시작에 결정적이다. 중요한 것은 신념이 환자의 질병 인식을 크게 결정한다는 것이다.[480-482] 통증은 부상을 나타내기 때문에 자신이 장애가 있고 활동을 피해야 한다는 믿음이 장애와 밀접하게 관련되어있다.[480,483-491] 따라서 동일한 임상적 실체를 가진 개인은 통증이 다르게 해석되기 때문에 상당히 다른 장애로 발전될 수 있다.[491,492]

통증 파국화(Pain catastrophizing)

파국화는 통증과 관련된 자극 및 경험에 대해 지나치게 부정적인 방향을 포함한다.[493-497] 파국주의는 통증을 위협적인 것으로 인식하고, 증상을 확대하고, 통증에 대해 곰곰이 생각하고, 무력감을 느끼고 증상을 제어할 수 없으며, 해결책에 대해 비관적으로 만든다.[494,498] 파국은 고통스러운 자극에 주의를 집중하여 지각과 강도를 높이고 강렬한 부정적인 감정적 반응을 결정한다.[499] Gracely 등의[500] 연구 섬유근육통 환자에서 우울증의 영향과 관계없이 파국화는 통증의 주의와 예상 및 통증의 정서적 측면과 관련된 뇌 영역의 활동 증가가 유의하게 연관되어 있음을 보여주었다. 따라서 파국은 주의, 기대, 감정적 반응을 증가시켜 통증 인식을 증가시킬 수 있다.[94] 부정적인 생각은 종종 통증에 계속 주의를 환기시키는 사고 바이러스처럼 침입적으로 작동한다.[501] 이것은 환자가 지적 자원을 다른 작업에 투자하기 어렵게 만들고 그리고 이러한 생각은 근절하기 어렵다.

파국적 사고는 통증, 심리적 고통 및 장애의 만성화를 예측할 수 있기 때문에 치료 시 다루어야 한다.[490,502-508]

- 통증이 부상을 수반한다는 믿음은 장애와 밀접한 관련이 있다.
- 재앙적인 생각은 통증의 만성화를 예측할 수 있기 때문에 치료 시 다루어야 한다.

통증의 정서적 영향 (Emotional impact of pain)

통증 경험에 대한 일반적인 감정은 우울증, 불안, 두려움, 분노 및 좌절이다. 통증의 정서적 영향은 약간 괴로운 것부터 상당히 압도적인 것까지 다양하다. 통증의 심각성과 정서적 영향 사이에는 직접적인 상관관계가 없다. 만성 통증이 있는 많은 환자들은 중등도의 통증을 호소하지만 절대적으로 슬픔에 압도되어 심각한 장애가 있다. 따라서 더 심한 통증이 항상 더 큰 장애와 관련이 있으며 그 반대의 경우도 마찬가지라고 추론하는 것은 잘못된 것이다. 높은 감정적 영향은 만성화의 중요한 예측인자이다. 따라서 통증의 정동적 요소는 통증의 강도와 구별될 수 있고 치료에 대한 반응은 매우 다를 수 있으므로 통증 불쾌감의 평가가 중요하다.

통증의 심각성과 정서적 영향 사이에는 직접적인 상관관계가 없다.

통증의 정서적 영향과 통증에 대한 태도는 인식을 바꾼다.[509] 임상 연구에 따르면 환자의 감정 상태와 태도는 수술 후 진통의 필요성과[510] 만성 질환과 관련된 통증에 직접적인 영향을 미친다.[509]

감정은 주로 생리적 반응이며 이차적으로 주관적이다. 객관적인 측면(자율신경계 및 신경내분비계의 활성화)과 주관적인 측면(감정)의 두 가지 측면으로 구성된다.

우울증(Depression)

만성 통증을 가진 많은 환자들은 낮은 정신 상태를 보이고 일부는 분명히 우울하다. 그들은 자존감이 매우 낮고 죄책감과 무가치함을 느낀다. 인생은 힘들고 좋은 것이 하나도 없으며 모두가 자신을 반대한다고 느낀다. 그들은 미래를 비관적이고 희망이 없다고 본다. 더 만족스러운 삶을 살고자 하는 모든 시도는 실패와 더 큰 좌절로 이어진다. Beck은 이를 자신, 세계/환경, 미래에 대한 부정적인 견해로 구성된 '우울증의 삼위일체'라고 불렀다.[511] 지역 사회 조사에 따르면 만성 통증이 있는 피험자의 약 20%가 진단 가능한 우울증을 앓고 있는 것으로 추정된다.[512] 그러나 우울증과 통증에 초점을 맞춘 문헌을 검토한 결과 만성 통증 환자의 50% 이상이 우울증 진단 기준을 충족하는 것으로 나타났다.[513] 통증과 우울증 사이의 관계는 양방향이다. 만성 통증은 새로운 우울증 에피소드를 예측하고 우울증은 새로운 만성 통증 에피소드를 유의하게 예측한다.[514] 우울증은 또한 통증 연대화의 위험 요소이며 열악한 재활 결과와 관련이 있다.[436,515]

'우울증의 삼위일체[511]

부정적인 견해 :
- 자신
- 세계/환경
- 미래

주요 문제 중 하나는 환자가 통증과 관련된 우울 증상을 가지고 있는지 또는 전문 치료가 필요한 주요 우울 장애가 있는지 여부를 확인하는 것이다. 따라서 우울증이 통증에 선행하거나 직접적으로 관련되지 않거나 통증 프로그램 개발에 중요한 장애물이 되는 대상에 대한 심리학적/정신과적 평가를 수행하는 것이 필수적이다.[516]

불안(Anxiety)

불안은 만성 통증의 또 다른 일반적인 특징이다. Beck이 기술한 불안의 부정적 3요소는 환자가 지속적으로 위험을 인식하는 것이 특징이다.[511] 환자는 위협적인 세상에서 자신이 취약하고 예측할 수 없는 미래에 직면해 있다고 믿는다. 통증은 부상과 동의어이며 시간이 지남에 따라 악화되고 가차없이 신체적 악화로 이어질 것이다. 우울증에서 일어나는 것과 유사하게, 통증과 관련된 불안을 범불안 장애와 구별하는 것이 필요하다. 일부 매우 불안한 환자의 경우 통증 프로그램을 시작하기 전이나 시작과 동시에 불안을 줄이는 전략을 가르치는 것이 필수적이다.

두려움(Fear)

공포, 통증 및 장애 사이의 관계는 Lethem 등,[517] Vlaeyen 등,[138,518] Leeuw 등,[459] Waddell 등과[519] 유사하지만 동일하지 않은 구성을 사용한 Asmundson 및 Taylor[520] 같은 여러 저자들에 의해 연구되었다. 공포와 통증의 관계는 Lethem 등이[517] "과장된 통증 인식의 공포 회피 모델"에서 처음으로 기술되었다. 몇 년 후 Kori 등이[521] Kori의 개념을 발전시켰다. 운동 공포증은 "고통스러운 부상이나 부상에 대한 취약성으로 인한 신체적 움직임 및 활동에 대한 과도하고 비합리적이며 쇠약하게하는 두려움"으로 정의되었다.[521] 운동 공포증은 급성 통증 에피소드로부터 회복의 주요 예측인자 중 하나이다.[489,522] 유사한 구조는 통증에 대한 두려움, 부상에 대한 두려움[520] 및 신체 활동에 대한 두려움을 포함하는 통증 관련 두려움이다. 밀접하게 상호 관련된 구성은 Waddell 등의 '공포 회피 신념'이다.[519]

움직임에 대한 두려움은 지속적인 근골격 통증 환자에서 장애, 사용 불능 및 우울증을 초래하는 중요한 요인으로 확인된다.[523] 두려움은 환자가 일상 생활에서 활동을 감소시키는 회피 행동을 특징으로 한다.[524] 신체 활동을 피하면 컨디션 저하 증후군이 나타나 통증을 악화시키고 우울증을 일으키며 장애를 증가시킨다.[138,488,489,519,525-533] 또한 통증이나 부상에 대한 두려움은 통증을 지속시키는 요인일 뿐만 아니라 그 과정의 초기 단계부터 만성 통증 및 장애 상황의 확립에 직접적으로 기여한다.[529,530,534,535]

통증이나 부상에 대한 두려움은 통증을 지속시키는 요인일 뿐만 아니라 그 과정의 초기 단계부터 만성 통증과 장애의 발병에 직접적으로 기여한다.

Nederhand 등은[534] 경추 부상을 입은 환자의 인지 장애(목 장애 지수)와 공포 회피 행동(운동 공포증에 대한 탬파 척도)을 측정하는 설문지를 사용하여 사고 후 1주일 동안 장기 장애를 예측할 수 있는 방법을 보여주었다.

Picavet 등은[504] 만성 요통에 대한 파국화 및 운동 공포증(움직임에 대한 두려움/공포 회피 신념)의 영향을 조사했다. 그들은 6개월의 추적 조사에서 높은 수준의 파국화 및 두려움 회피 신념이 심각한 장애가 있는 통증의 예측인자임을 보여주었다.

Zaleet 등은[536] 2013년에 발표된 통증 관련 두려움과 장애 사이의 관계에 대한 메타 분석은 강력한 긍정적 연관성이 있음을 보여준다. 따라서 통증 관련 두려움을 수정하는 것을 목표로 하는 치료는 개선된 치료 결과와 연관될 수 있다.

분노와 좌절(Anger and frustration)

만성 통증이 있는 많은 환자들은 통증에 대한 책임이 있다고 생각하거나 적절하게 치료하는 방법을 모르는 사람들에게 분노와 좌절, 때로는 적대감을 나타낸다.[537,538] 예를 들어, 책임이 있는 도로 교통 사고, 노동 사고로 통증이 이차적일 때, 또는 환자가 열악한 근무 조건 때문이라고 생각할 때, 이러한 모든 상황에서 상태의 진행은 일반적으로 매우 느리고 관련 소송 또는 재정적 보상 추구로 인해 예후가 흐려진다. 만성 통증을 이해하지 못하고 환자가 낫기를 원하지 않거나 모든 것이 시뮬레이션의 결과라고 생각할 때 환자는 분노와 좌절로 고통받을 뿐만 아니라 치료사도 고통을 받는다.

자기 효능감(Self – efficacy)

자기 효능감은 특정 상황에서 성공할 수 있는 자신의 능력에 대한 개인적인 믿음이다.[539] 만성 통증이 있는 개인은 일반적으로 자기 효능감이 매우 낮다. 그들은 통제력 상실, 무력감, 참을 수 없음 및 무의미함을 보고한다.[540] 대조적으로, 자신의 통증을 통제할

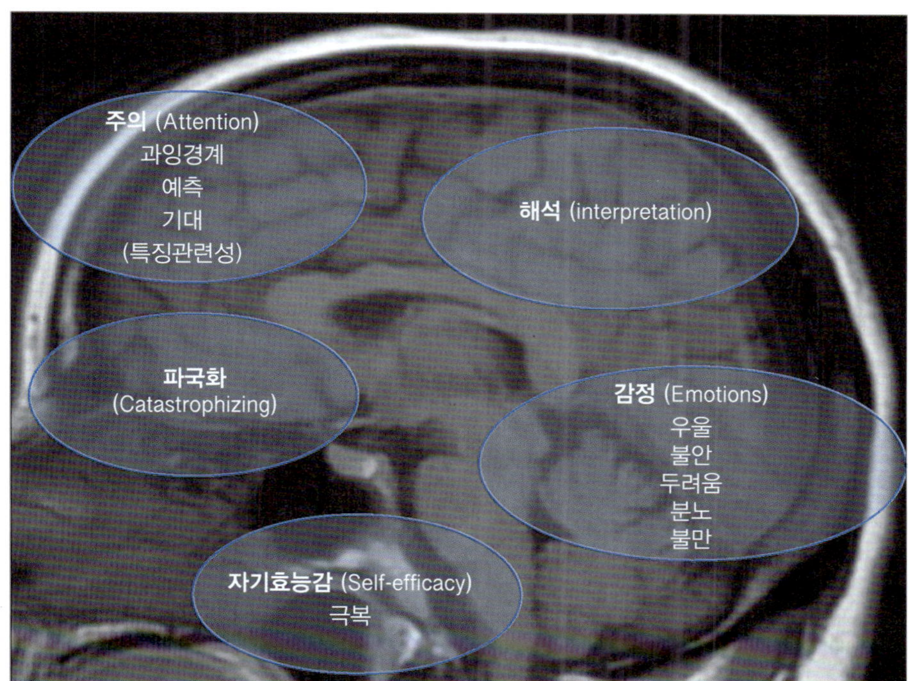

그림 11-37 ■ 만성 통증과 관련된 심리적 측면: 주의력, 해석, 파국화, 감정 및 자기 효능감.

수 있고 자신의 상황에 대한 재앙적인 생각을 피할 수 있다고 생각하는 개인은 통증과 불안을 덜 보고하고 심각한 장애가 발생하지 않았다.[541] Asghari와 Nicholas는[542] 자기 효능감이 통증의 강도, 통증 및 성격 변수를 넘어 통증 행동과 장애의 중요한 결정 요인임을 보여주었다. 낮은 자기 효능감은 부정적인 생각의 증가, 통증 내성 감소, 진통제 소비 증가 및 신체 활동 감소를 결정하고 심각한 장애로 이어진다. 낮은 자기 효능감과 움직임에 대한 두려움은 만성 통증 발병의 예후인자이다.[523,535,543,544]

Woby 등은[545] 만성 통증 환자의 인지된 통증 강도에 대한 인지 요인의 영향을 조사했다. 그들은 자기 효능감과 파국화가 통증 강도의 변화의 30%를 설명한다는 것을 관찰했다. 또한, 본 연구에서는 부하와 같은 심리적, 사회적 요인이 손상의 정도보다 만성 통증을 더 잘 예측하는 것으로 나타났다. 따라서 자기 효능감은 통증 강도와 장애 모두에 대한 특히 강력한 예측 변수이다. Menezes 등은[546] 또한 장기 통증과 자기 효능감 장애 및 움직임에 대한 두려움의 매개자로서의 중요성을 비교했다. 최근 요통이 발생한 환자를 대상으로 한 전향적 연구에 따르면 12개월 후 통증과 장애 간의 관계를 설명할 때 움직임에 대한 두려움보다 효능이 더 중요한 변수인 것으로 나타났다[546](그림 11-37).

낮은 자기 효능감과 움직임에 대한 두려움은 만성 통증의 발병에 중요한 예후인자이다.

신경 영상 연구에 따르면 자기 통제는 전대상 피질(ACC), 대뇌섬 및 SII에서 통증 강도와 통증 불안을 감소시키고 통증 관련 반응을 감소시키는 것으로 나타났다.[547] 마찬가지로 통증이 조절 가능한 것으로 인식되면 복외측 전전두엽 피질(vlPFC)의 오른쪽 앞쪽 부분과 같은 조절기 영역에서 하향식 활동이 증가한다.[218] Wiech 등은[218] 통증에 대한 지각된 통제의 진통 효과는 감정적 경험의 재평가 때문이라고 제안했다.

통증 프로그램 실패의 빈번한 원인은 환자가 자기 관리 전략을 습득하는 능력에서 낮은 자기 효능감을 보이기 때문이다. 환자가 이러한 전략을 습득하는 것의 중요성을 이해하더라도, 특히 통증이나 개인적 갈등에 대처하는 것과 관련된 행동의 변화에 대처할 수 없다고 느끼기 때문에 치료를 포기할 수 있다.[516]

대처 전략(Coping strategies)

피험자가 통증에 대처하는 방식이 장애를 크게 결정한다. 대처 스타일과 전략이 학습되고 인지적 해석과 감정적, 행동적 반응이 포함된다.[94] 환자는 회피자 또는 대면자로 분류할 수 있다. 이미 언급했듯이 회피 행동은 장애를 예측할 수 있다. 대처 전략은 적응적이거나 부적응적일 수 있다. 급성 상황에서 적응할 수 있는 통증을 피하기 위한 전략은 급성 만성 통증의 경우 부적응이 된다. 대처 전략은 능동 또는 수동으로 분류된다. '누군가 고통을 치유해 줄 사람'을 기다리거나, 통증을 유발하는 활동을 피하거나, 진통제 소비를 늘리는 것과 같은 수동 전략은 더 큰 통증, 장애 및 우울증과 관련이 있으며 만성을 예측한다.[548,549]

대조적으로, 통증에 관계없이 활동에 참여하는 것과 같은 적극적인 전략은 인식을 감소시키고 내성을 증가시키며 기분을 개선하고 정상적인 삶을 회복하는데 도움이 된다.[400] 능동적 대처는 자기효능감, 자기관리 능력, 목표를 설정하고 이를 달성하기 위해 행동하는 능력을 요구한다. 지각된 통제와 자기 효능감은 대처 능력을 높이는데 기여한다. 통증 대처 전략, 자기 효능감, 변화 준비 및 통증 수용은 통증 감소 및 통증 적응 개선과 관련이 있는 반면,[410] 파국 및 수동적 대처는 통증, 우울증 및 장애 증가와 관련이 있다.[549]

통증 대처 전략, 자기 효능감, 변화에 대한 준비 및 통증 수용은 통증 감소 및 통증 적응 개선과 관련이 있다.

대처 전략을 분류하는 흥미로운 방법은 문제 중심, 감정 중심 및 평가 중심 전략으로 구분하는 것이다.[550] 문제 중심 전략은 통증의 원인을 다루거나, 정보를 찾거나, 문제를 처리하기 위한 전략을 배우려고 시도한다. 감정 중심 전략은 산만함을 사용하고 부정적인 감정을 통제하려는 등의 감정적 영향을 줄이는 것을 목표로 한다. 감정 중심 전략은 통증의 의미와 인식을 재평가하는 것을 목표로 한다. 통증을 다른 관점에서 재해석하는 것, 예를 들어, 통증이 악화를 의미하는 것이 아니라 민감하고 과민한 중추신경계의 표시라는 것을 이해하고, 멀리서 통증을 관찰하고, 통증을 없애기 위해 어떤 희생을 치르더라도 추구하지 않거나, 통증 기억의 일관성 없는 활성화를 비웃는 것은 매우 강력한 통증 대처 전략이다

통증 행동(Pain behaviours)

모든 통증은 행동으로 표현되며 적응적이거나 부적응적일 수 있다. 부적응 통증행동이 없는 복합 만성 통증은 없다. 통증 행동은 경험과 관련된 정서적 영향을 해석하고 따라서 통증에 대한 신념, 개인의 대처 능력 및 심리적 고통을 반영한다.[100] 통증 행동은 가족과 사회적 환경에서 학습된다. 즉, 상황과 관련이 있으며 각 문화에 고유하다.

Fordyce가 언급했듯이[131] 통증은 사적인 것이 아니라 상황에 따라 조절되는 관찰 가능한 행동으로 표현된다. 피험자가 움직이는 방식, 자세와 표정, 언어적 또는 비언어적으로 통증을 설명하는 방식(한숨, 신음)은 통증에 대한 자신의 인식을 나타내는 강력한 지표이다. 통증 행동은 의사 소통의 한 형태이며 반드시 의식적이거나 의도적이라는 의미는 아니다.[551] 통증 행동의 표현은 주로 중요한 다른 사람들의 관심을 끌기 위한 것이다. 또한 후자의 반응은 통증 환자가 표현하는 통증 행동의 정도를 결정한다.

부적응 통증 행동이 없는 복합 만성 통증은 없다.

표 11-3

UAB 통증 행동 척도

	각 항목 점수 :	0	0.5	1
1.	음성불만 : 언어적	없음	간헐적	빈도
2.	음성 불만: 비언어적(신음, 신음, 헐떡임 등)	없음	간헐적	빈도
3.	다운타임(통증 때문에 누워서 보내는 시간)	없음	0–60 분	〉60 분
4.	얼굴 찡그림	없음	약하게 와/또는 드물게	심한 과/또는 자주
5.	서있는 자세	정상	약한 장애	비뚤어진
6.	운동성	보이는 장애 없음	약한 절뚝거림 과/또는 약한 장애성 걸음	눈에 띄는 절뚝걸임 과/또는 힘든 걸음걸이
7.	바디 랭귀지(쥐어짜기, 통증 부위 문지르기)	없음	간헐적	자주
8.	눈에 보이는 지지 장비의 사용(교정기, 목발, 지팡이, 가구에 기대기, TEnS 등). 장비가 처방된 경우 득점하지 않음	없음	간헐적	의존적 일상화
9.	고정된 움직임	앉거나 서기 지속	간헐적 위치 이동	일상적 이동 자세움직임
10.	약물처치	없음	처방된 비마약성 진통제 또는 심인성 약물	복용량 또는 빈도 증가 또는 마약성 또는 약물 남용에 대한 요구

0부터 10까지의 총합계점수

Richards 등으로부터 허가받아 복제[55]

통증 행동을 설명하는 가장 좋은 모델 중 하나는 두려움 회피 모델이다.[138] 이 모델은 통증 경험에 따른 파국적 해석의 중요한 역할과 그것이 두려움, 과잉 경계 및 두려움 회피 행동으로 이어지는 방법을 강조한다. 이 모델은 회피 행동이 급성 통증을 만성 통증으로 전환하는데 핵심적인 역할을 하는 방법과 그것이 만성 통증 및 장애의 중요한 예측인자인 방법을 설명한다.[459,489,504,522,531,534,544,548,552–554] 모든 통증 치료 프로그램의 핵심은 두려움 회피 행동을 수정하는 것이다.

통증 행동을 평가하기 위해 여러 도구가 사용되었다. Richards는[555] UAB(University of Alabama)의 통증 행동 척도를 개발했다. 간단한 척도이며 환자의 진행 정도를 평가하는데 사용할 수 있다(**표 11–3**).

Waddell의 비유기적 징후

통증 행동을 평가하기 위해 가장 일반적으로 사용되는 도구 중에는 많은 논란의 대상이 되는 Waddell 등이 기술한 비유기적 장후이다[556](**표 11–4**). 요통 환자의 통증 행동을 밝히기 위해 설계된 이 일련의 간단한 검사는 시뮬레이션의 징후가 아니라 통증과 관련된 심리적 부하와 두려움을 감지할 수 있다.[557] 그러나 이러한 징후는 심리적 부하 상황의 존재를 나타낼 뿐만 아니라 부적응적인 중추 감작의 징후라는 점에 유의해야 한다. '비유기적'과 같은 용어의 운이 좋지 않은 사용으로 인해 논란이 발생했을 가능성이 가장 높

표 11-4

Waddell의 비유기적 징후

압통

1. 표면적
2. 비해부학적

자극

3. 축 압박
4. 시뮬레이션된 회전

신연

5. 다리 곧게 올리기(SLR)

국소적

6. 허약
7. 감각 장애

Waddell 등으로 허가받아 사용[556]

표 11-5

경추 비유기적 징후

1. 압통

- 표피
  환자는 가볍게 만지거나 부드럽게 집었을 때 통증을 호소한다.
- 비해부학적
  환자는 심부 촉진에서 광범위하고 확장된 민감성을 호소한다. 예, 경추 외부 및 흉추 상부 영역

2. 자극

- 서 있는 동안 머리/어깨/몸통/골반의 회전. 같은 면에서 회전하면서 목의 통증을 호소한다.

3. 가동범위

- 최대경추회전
  회전이 양방향으로 정상 회전의 50% 미만이다.

4. 국소적 변화

- 감각 손실
  환자는 뿌리 또는 말초 신경의 특정 피부분절에 해당하지 않는 패턴으로 감도 상실을 보고한다.
- 근육 결손
  비해부학적 패턴의 약점. 제어 상실. 환자가 정상적인 근력을 나타내지만, 검사 시 약화를 보이는 경우에도 양성이다.

5. 과민반응

- 검사자는 검사 중 환자의 과민반응을 인지한다. 행동에는 다음이 포함된다.

1. 전체 회전 또는 느린 움직임에서 중간 정도의 경직도
2. 환부를 3초 이상 문지름
3. 해당 부위를 3초 이상 잡거나 쥐어짜는 행위
4. 움츠림
5. 한숨소리

Sobel 등의 허가를 받아 사용[558]

다. 이것은 이러한 징후를 정당화하는 생리학적 기질이 있다는 잘못된 결론으로 이어졌다. 실제로 복합 만성 요통 환자를 감지하는 데 유용할 수 있다.

Sobel 등은[558] Waddell의 모델을 따라 경추에 대한 비유기적 징후를 설명했다(**표 11-5**).

통증과 장애(Pain and disability)

만성 통증의 행동적 표현은 개인마다 크게 다르다. 일부 환자는 큰 제한 없이 생활하는 반면 다른 환자는 심각한 장애가 있다. 이러한 다양한 장애를 기반으로 Jacobson과 Mariano는 만성 통증 환자와 압도적인 만성 통증 증후군 환자를 처음으로 구분했다.[14] 전자는 최소한의 장애로 통증에 적응할 수 있는 반면, 후자는 치료할 수 없는 만성 통증을 겪고 직장 생활을 제한하는 심각한 장애가 발생하며 정서적, 사회적 관계에 상당한 영향을 미친다. 이 환자들은 일반적으로 어떤 유형의 치료에도 불응한다. 만성 통증에 대한 현재의 국제 통증 연구 협회(IASP) 정의는 지속성 통증과 만성 장애 통증 사이의 주요 임상적 차이를 확립하지 못하기 때문에 부적절하다.

장애는 일반적으로 이해되는 것처럼 신체적 악화의 결과가 아니라 생물의학적 측면과 고통스러운 경험과 관련된 모든 인지, 감정 및 사회적 구성 요소의 상호 작용의 결과이다.[551,559-561] 사실 후자는 신체적 요인보다 더 중요하다.[529] 미래의 장애를 예측할 수 있다. 통증과 장애 또는 근본적인 신체적 손상 사이에

는 비례 관계가 없다. Waddell과 Main이 보여주는 이 관계는 가정한 것보다 훨씬 약하다.[559] 지적한 바와 같이, 장애는 사회적 현상으로 보아야 한다. 그럼에도 불구하고 많은 의료 전문가들은 통증과 통증을 유발하는 신체 기능장애를 적절히 치료하면 환자의 임상 상태가 개선되고 장애가 감소한다고 확신한다. 이것은 일부 환자에서 발생할 수 있지만 대부분의 만성 통증 환자에서는 거의 발생하지 않는다.

- 통증과 장애 또는 근본적인 신체적 손상 사이에는 비례 관계가 없다.
- 통증이 감소함에도 불구하고 장애가 지속될 수 있다.
- 통증을 줄이지 않고 장애를 줄일 수 있다.

이 환자들에게서 통증의 심각성, 신체적 손상의 중요성 및 경험한 장애 사이의 분열이 관찰된다. 침해수용성 원인의 증거가 거의 또는 전혀 없는 상황에서 통증 기억이 확립되어 이러한 방식으로 통증 기억이 지속되고 표준 치료에 불응하게 된다. 이러한 만성 통증 증후군 환자들은 의료 서비스를 독점한다. 병원 치료 전문가에게 가장 자주 의존하는 환자는 신경생물학 및 생물심리사회적 관점에서만 설명할 수 있는 신체적 증상을 가진 환자이다.[16] 1차 진료에서 치료를 받는 환자 6명 중 1명 이상이 이러한 유형의 증후군을 가지고 있다.[562] 또한 특정 질병의 존재가 심리사회적 요인이 중요하지 않다는 것을 의미하지는 않는다.[79,563] 통증을 줄이지 않고 장애가 감소될 수 있는 것과 같은 방식으로, 장애는 통증의 감소에도 불구하고 영속될 수 있음을 강조해야 한다.[516] 마지막으로 실직 및 활동 감소를 포함한 장애는 환자의 태도, 신념, 감정 및 행동, 가족의 반응, 의료 종사자의 진단 및 태도, 업무 문제, 기업 정책, 재정적 보상과 소송 요청 등 다양한 심리사회적 요인에 의해 영향을 받는다.[563,564]

통증과 사회문화적 측면 (Pain and sociocultural aspects)

사회적 환경은 통증 경험과 장애 발달에 중요한 요소이다. 고용 상태, 가족, 사회 환경 및 문화와 같은 문제는 개인의 신념, 대처 전략 및 통증 행동에 영향을 미친다. 이러한 사회적 영향은 관련 행동을 강화하고 장애를 조장할 수 있다.[565] 세계보건기구(WHO)의 기능, 장애 및 건강에 대한 국제 분류에 명시된 바와 같이,[566] 장애는 개인의 속성이 아니라 복잡한 조건의 집합이며, 그 중 많은 부분이 맥락과 사회적 환경에 의해 생성된다.

가족, 직장 환경, 사회적 맥락 및 문화와 같은 사회적 환경은 통증 경험과 장애 발달에 중요한 요소이다.

통증과 가족(Pain and family)

가족은 개인의 사회화의 첫 번째 요소이며 건강, 질병의 표현 및 가족 구성원의 대처 행동에 지대한 영향을 미친다. 가족 환경은 만성 통증 증후군의 발병과 직접적인 관련이 있다. 정서적, 행동적 반응, 심지어 부모의 건강도 자녀의 통증 경험에 매우 중요한 역할을 한다. 지적된 주요 요인은 과잉보호 행동을 하고 심한 통증을 겪고 만성 통증의 병력이 있는 부모이다.[567] 만성 통증이 있는 아동의 가족은 또한 건강한 아동의 가족보다 더 낮은 수준의 기능을 보이는 경향이 있으며 갈등 수준이 높고 응집력이 낮다.

Hoftun 등은[567] 한 부모의 만성 통증은 자녀의 만성 통증 가능성을 증가시키며, 이러한 연관성은 양쪽 부모 모두 만성 통증으로 고통받을때 더욱 강해진다는 것을 보여주었다. 특히 부모가 다쳤을 때 부모의 반응을 관찰함으로써 어린이의 '통증'과 그 의미, 그리고 그에 대한 적절한 행동을 알 수 있다. Turk 등이[568] 지적한 바와 같이, '만성 통증은 가족이 가장 중요한 환자의 사회적 네트워크의 맥락에서 보아야 한다'. 특히 어린 나이에 다른 사람을 관찰하는 것은 만성 통증의 발병에 기여할 수 있다. 많은 연구에서 통증에서

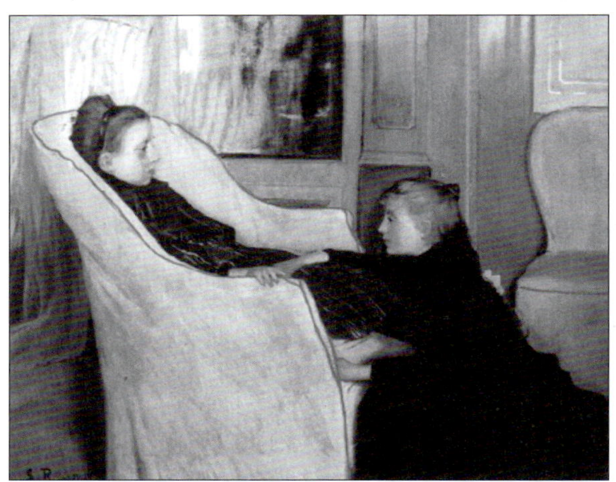

그림 11-38 ■ 가족은 환자의 역할이 책임에서 자유롭고 사회적 의무에서 벗어나 특별한 관심을 받을 가치가 있는 주체로 학습되는 환경이다. 회복기 소녀. 1893년 산티아고 루시뇰 허가를 받아 복제.

관찰적 대리 학습의 주요 역할을 보여주었다.[568-571]

만성 통증의 발달을 가장 선호하는 것으로 보이는 부모의 태도는 부모의 높은 수준의 통증과 관련된 파국화 수준의 증가 및 자녀의 활동을 제한하는 강한 경향과 관련이 있다.[572-574] 과잉보호하는 부모와 아동의 더 큰 장애 사이에는 분명한 연관성이 있다.[575,576]

가족은 또한 환자의 역할이 책임이 없는 주체이며, 사회적 의무에서 벗어나 특별한 관심을 받을 가치라고 배우는 환경이다(**그림 11-38**). Katon 등은[188a] 만성 통증 환자를 연구할 때 59.5%가 만성 통증을 가진 가까운 친척이 있음을 발견했다. Schenberg 등의[577] 연구는 류마티스 클리닉에서 본 100명의 어린이에 대해 부모의 90%가 적어도 하나의 만성 통증 증후군을 가지고 있음을 보여주었다. 또한 어린이의 통증이 심할수록 부모의 통증도 심해진다. Ottman 등은[578] (주로 어머니에게서) 친척의 두통 이력이 어린이의 두통의 존재를 예측하는 요인이라는 것을 밝혔다. 흉통, 섬유근육통 및 류마티스 관절염에 대해서도 마찬가지이다. 어린이는 부모와 동일한 통증 증후군이 발생하는 경향이 있다. Christensen과 Mortensen은[580] 재발성 복통이 있는 어린이에 대한 후속 연구에서 이러한 증상이 없는 부모의 어린이보다 조사 당시 복통을 호소한 부모의 어린이에게서 이 통증의 발생률이 더 높다는 것을 관찰했다.

Lier 등은[581] 노르웨이의 대규모 인구 기반 건강 조사의 가족 데이터를 사용하여 산모와 아버지의 만성 근골격계 통증이 성인 자손의 만성 근골격계 통증 증가와 관련이 있음을 관찰했으며 이러한 연관성은 특히 두 부모 모두 만성 근골격계 통증 질환이 있는 경우 강력했다. 이 상황은 통증 행동 및 질병의 학습 모델과 관련이 있다. *부모로부터 배운 통증 행동*의 출현은 청소년기 후반에 나타나고 성인기로 확장된다. 통증이 심한 가정에서는 그 당시 부모가 앓고 있는 것과 동일한 통증 증후군을 아이들이 보고하는 것이 일반적이다.[580]

Leonard와 Cano는[582] 만성 통증이 있는 개인의 중년 배우자 113명 중 거의 절반(48.7%)이 스스로 만성 통증을 보고했음을 보여주었다. 임상에서 우리는 모든 세대(조부모, 부모 및 자녀)의 구성원이 만성 통증으로 고통받는 실제 고통스러운 무용담을 본다.

가족 내에서 만성 통증이 있는 환자의 배우자가 중요한 역할을 한다. 배우자의 태도는 장애 정도에 상당한 영향을 미친다. 다양한 연구에 따르면 가족이 환자를 돌보는 세심한 태도는 더 높은 통증 점수와 더 큰 환자 장애와 관련이 있으며,[583-585] 통증 행동을 강화하는데 도움이 되며,[586,587] 더 높은 수준의 장애[579,584,585,588-590] 및 오피오이드 소비 증가와도[591] 관련이 있다.[591] 이 주제에 대한 검토는 Newton-John의[592] 장과 Fordyce의 재인쇄된 책의 관련 장을 참조.[593]

세심한 배우자는 더 높은 통증 점수와 더 큰 환자 장애와 관련이 있다.

배우자나 다른 가족 구성원이 통증 행동을 크게 강화하면 일반적으로 환자를 회복에 참여시키는 것이 상당히 어려워진다. 사실 가족은 치료 프로그램의 주요 방해자가 될 수도 있다.

다른 경우에는 통증이 개인 또는 대인 관계 문제를 숨긴다. 통증은 대인 관계 또는 가족 관계의 또 다른 문제에 직면하는 것을 피하기 위해 사용될 수 있다. 예를 들어, 배우자와의 원치 않는 성교를 피하기 위해 외음부 통증을 사용하는 여성. 다른 경우에 만성 통증은 대인 관계에서 복잡한 가족 관계를 안정화시키는 역할을 한다. 일부 가족의 경우 만성 통증이 있는 구성원 중 한 명을 돌보는 것이 관계를 '계속' 유지하는 유일한 방법일 수 있다. 가족 관계가 신체적 결과에 중요한 역할을 하기 때문에 치료 프로그램에 가족 관계를 포함시키는 것이 좋다.[594-596]

의료 전문가 및 사회 직업적 요인
(Health care professionals and sociooccupational factors)

주목할만한 사회적 측면에는 만성 통증 증후군의 발병에서 의료 전문가의 역할, 업무 문제, 보상 및 사회적 보호 시스템이 포함된다.[597,598] 심리사회적 요인이 환자가 경험하는 병리학적 또는 신체적 요구보다 직장 복귀 능력을 더 잘 예측한다는 충분한 증거가 있다.[412,599]

의료 전문가는 환자가 지속적으로 통증을 느끼고 결국 장애를 갖게 되는 일에 주로 책임이 있는 사람일 수 있다. 생물학적 및 심리사회적 측면을 모두 포괄하는 포괄적인 비전을 바탕으로 통증에 대한 최신 지식을 보유하는 것이 중요하다. 환자 치료의 잘 알려진 오류에는 순전히 병리역학에 기초한 통증에 대한 고전적인 설명, 의료 전문가가 환자의 문제를 극화하고 파국적인 결과를 고안할 때, 환자의 장애가 정당화될 때 등이 포함된다. 의료 전문가는 종종 이러한 잘못된 태도. 가정의와 1차 진료 물리치료사는 또한 환자가 일과 통증 사이의 관계에 대한 정보와 병가 요청 여부에 대한 권장 사항을 찾는 1차 정보원이다.

> 심리사회적 요인은 환자가 경험하는 병리학적 또는 신체적 요구보다 직장 복귀 능력을 더 잘 예측한다.

Waddell과 Burton이[561] 지적한 것처럼 일반적인 문제는 의료 전문가가 솔루션의 목표나 일부가 아니라 작업이 문제라고 잘못 생각한다는 것이다. 증상이 완전히 사라질 때까지 직장에 복귀해서는 안 된다는 믿음은 환자를 치료하는 의사, 고용주 및 사회적 보상 시스템에 의해 강화된다.[600,601] 서구 국가에서는 장기 질병이 주요 문제가 되었다는 점에 유의해야 한다.[601] 결근의 원인과 장기 또는 영구 장애의 원인을 분석한 결과 대부분의 경우 심각한 질병이 아니라 심각한 신체 기능장애의 제한된 증거가 있는 일반적인 건강 문제와 관련되어 있음을 알 수 있다.[597] 불행히도, 일차 진료 의사는 종종 직업 의학에 대한 적절한 훈련을 받지 못한다.[602] 종종 그들은 사회/직업 측면과 장기 장애 발달에 병가의 결과를 고려하지 않는다. 그들은 병가 증명서의 효과를 인식하지 못하는 것 같다. 병가 진단서는 개인을 병자와 장애자로 분류하여 병자의 역할, 병적 행동의 발달 및 장기 장애를 정당화하고 강화할 가능성이 있다.[600,603] 주치의는 관심을 가질 뿐만 아니라 환자의 활동적인 직장 생활을 유지하는 데 어느 정도 책임을 져야 한다. Waddell과 Burton이[597] 지적했듯이, 그들은 자신을 '시스템을 최대한 활용'하도록 돕는 환자의 옹호자로 생각해서는 안된다. 직장 복귀는 모든 치료 개입의 주요 목표 중 하나여야 한다.

또 다른 일반적인 실수는 치료가 완료된 후 재활을 2차 개입으로 간주하는 것이다. 이전의 모든 의료 개입이 실패한 경우, 몇 주 또는 몇 달 동안 절차를 시작한 후 회복 가능성이 낮아질 때 환자는 종종 재활을 위해 보내진다. 처음부터 모든 의료 개입은 환자의 재활을 목표로 해야 한다. 병가가 길어질수록 직장 복귀가 더 복잡해진다는 점을 명심해야 한다. 요통이 있는 환자의 경우 3~4주 후에 직장 복귀를 시도해야 한다. 12주의 병가를 초과하면 장기 장애의 위험이 높아진다.[604] 병가 기간에 대해 발견된 예후 요인에는 초기 장애 수준, 고령, 여성 성별, 사회적 기능장애 및 사회적 고립 증가, 더 무거운 작업 및 더

높은 보상받기 등이 있다.[598]

위험 요인 및 회복 장애 식별: 깃발 개념(Identification of risk factors and obstacles to recovery: the concept of flags)

만성 통증 증후군의 발병은 종종 초기 단계에서 예측할 수 있다. 만성 통증 증후군의 확립과 장애의 발달에서 심리사회적 측면의 영향을 식별하기 위해 다양한 도구가 설계되었다. 최근 수십 년 동안 플래그의 개념은 심각한 질병에 대한 위험 요인의 지표 또는 열악한 치료 반응 및 장애의 예측인자로 널리 보급되었다. '황색기'는 심리사회적 위험인자의 집합, '청색기'는 직업적 측면, '흑색기'는 사회적 맥락과 관련이 있다. '오렌지 플래그'에는 특정 치료가 필요한 정신병 또는 보다 심각한 성격 장애와 같은 정신병 위험 요소가 포함된다.

황색기의 개념은 Kendall 등에[564] 의해 개발되었다. 적신호가 조기 진단이 필요한 잠재적으로 심각한 상태를 나타내는 징후 또는 증상인 것과 같은 방식으로 만성 요통으로 인한 장애 발생과 관련된 심리사회적 위험 요인을 감지할 수 있도록 한다. 현재 급성 요통이 있는 환자가 2주에서 4주 사이에 계속 치료를 받으며 특히 직장에 복귀하지 않은 경우 황색기를 평가해야 한다. 황색기를 평가하면 만성 위험이 높은 환자를 관리하기 위한 전략을 개발할 수 있다. 더욱이, 증거는 황색기를 관리하기 위한 치료가 보다 일관된 치료 결과로 이어진다는 것을 보여준다.[413]

처음에 Kendall 등이[564] 설명한 황색기는 7가지 주요 영역을 다룬다.

1. 허리 통증에 대한 태도와 믿음
2. 행동
3. 보상
4. 진단과 치료
5. 감정
6. 가족
7. 업무

Main과 Watson은[537] **표 11–6**과 같이 황색기를 세 가지 유형으로 그룹화했다.

1. 환자의 특성들
2. 외적 요인들
3. 치료사 의존요인들

장애를 예측하는 것으로 밝혀진 요인의 예는 아래에 표시된 만성 요통에[537,563,605] 대해 설명된 요인이다.

요통이 심각하고 잠재적으로 장애를 일으킬 수 있다는 믿음.
공포 회피 행동 및 활동 수준 감소.
낮은 정신 상태와 사회적 상호 작용으로부터의 자기 배제 경향.
적극적인 치료 참여보다는 수동적 치료에 대한 확신.

표 11-6

황색기: 심리사회적 위험 요소 집합

1. 환자 성향

- 증상의 원인에 대한 잘못된 해석(통증은 부상을 의미함)
- 통증 증상이 시작될 때 높은 수준의 고통
- 격변설
- 수동적 대처
- 다른 치료사 및 치료에 대한 지속적인 검색
- 분노(원인, 통증, 의료계에 대한)
- 통증과 활동에 대한 두려움 회피

2. 외적 요인들

- 업무
- 보상/ 소송
- 가족에 의해 강화되는 통증 행동

3. 치료사의존 요인들

- 서로 다른 의사와 치료사의 모호한 진단 또는 상충되는 메시지
- 통증의 원인에 대한 불명확한 설명
- 비적합 평가와 시험
- 비현실적인 해결책의 약속
- 환자의 수동성 강화
- 약물에 전적으로 의존하거나 다른 전문의에게 가는 경우

Main과 Burton은[606] '황색기'라는 용어를 신념, 파국화, 공포, 불안 및 공포 회피 행동과 같은 심리적, 개인적 위험 요인과 회복 장애로 제한할 것을 권장했다. 따라서 사회적/직업적 요인은 '청색기' 또는 '흑색기' 범주 내에서 그룹화된다. Main과 Burton[606] 은 만성 통증 및 장애와 관련된 개인 요인을 설명했다(표 11-7). 황색기는 생각, 감정, 행동으로 분류할 수 있다(표 11-8).[606]

현재 깃발의 개념은 단순히 위험 요소를 예측하는 것이 아니라 복구의 장애물을 식별하고 불리한 결과를 피하기 위한 조치를 권장하는데 더 중점을 두고 있다. 청색기는 작업이 부하와 과도함 등을 고려하여 작업이 건강에 미치는 영향에 대한 환자의 인식과 관련이 있다. 이러한 깃발은 작업 능력 감소 및 병가 연장과 관련이 있다(표 11-9). 깃발의 개념과 실제 사용에 대한 검토를 위해 Kendall 등이[607] 권장된다.

표 11-7

만성 통증 및 장애와 관련된 개인 및 심리적 기전

- 파국화
- 통증과 장애에 대한 역기능적인 태도, 믿음, 기대
- 의료에 대한 부적절한 태도, 믿음 및 기대
- 불확실성, 불안, 두려움 회피
- 우울, 통증, 우울한 기분, 부정적인 감정
- 수동적 또는 부정적 대처 전략
- '동기' 부족 및 변화 준비
- 재활에 대한 개인적인 책임을 지지 않고 '수정'을 기다리는 노력 부족
- 질병 행동

Main 및 Burton의 허가를 받아 사용[606]

표 11-8

황색기

1. 사고

파국화

회복에 대한 부정적인 기대 통증이나 질병에 대한 과도한 우려

2. 감정

높은 수준의 통증 낮은 정신 상태 재발부상을 두려워함

3. 행동

통증행동

수동적 대처전략 치료순례

Kendall등의 허가로 사용[607]

표 11-9

청색기

- 일이 해롭고 직장으로 복귀하면 더 큰 피해를 줄 것이라는 믿음
- 업무에 대한 육체적 정신적 요구에 대한 인식
- 직업 '부하'
- 낮은 직무 만족도
- 너무 아프거나 장애가 있어 직장에 복귀할 수 없다는 믿음
- 건강 상태가 완전히 치유될 때까지 완전히 활동하거나 직장으로 복귀할 수 없거나 해서는 안 된다는 믿음
- 직장 복귀에 대한 낮은 기대
- (조기) 은퇴에 대한 믿음과 기대
- 직장에서의 사회적 지지 부족, 동료 및 고용주와의 관계
- 고용주와의 커뮤니케이션 부족

Waddell and Burton의 허가로 사용[597]

표 11-10

흑색기

- 주요 관계자(예: 직원과 고용주 또는 의료 관계자) 간의 오해 및 불일치
- 재정 및 보상 문제
- 처리 지연(예: 실수, 대기자 명단 또는 청구 수락으로 인한)
- 결근, 업무복귀에 대한 적절한 정책/실천 부족
- 부적절한 의료정보 및 업무상의 조언
- 병자인증 실습
- 선정적인 언론 보도에 대한 과잉 반응
- 부정적인 기대, 두려움 또는 신념을 가진 배우자 또는 가족
- 사회적 고립, 사회적 기능장애
- 회사에서 사용하는 도움이 되지 않는 정책/절차

Waddell and Burton[561] and Kendall 등에서[607] 허가받아 사용

흑색기는 개인이 생활하는 맥락과 관련이 있으며 직계 가족, 사회적 보상 시스템, 사회 및 노동 정책 및 문화를 포함한다[413,608](**표 11-10**). 이러한 상황적 요인은 환자나 치료사가 수정할 수 없지만 환자가 자신의 영향을 이해하고 보다 적응적인 반응을 개발할 수 있도록 식별해야 한다. 황색기, 청색기 및 흑색기가 장기 노동 장애의 위험 요소라는 증거가 있다.[413,436,598] 이러한 심리사회적 및 사회-직업적 요인의 가능성을 인식한 결과, 장애를 줄이기 위해서는 생물심리사회적 해결책이 필요하지만 재활은 신체적 측면에만 초점을 맞출 수 없고 문제의 모든 차원에 초점을 맞추게 된다는 결론에 도달했다. 의료 전문가, 산업 보건 서비스 및 고용주는 장애 예방의 핵심 역할을 한다.[607] 조기 직장 복귀라는 공통 목표와 함께 그들 사이의 의사 소통을 용이하게 하는 기전이 수립되어야 한다.

따라서 만성 통증과 장애는 의료 전문가와 의대 과정의 영향을 반영한다.[609-615] 의료 전문가, 고용주, 근로자, 보건 및 사회 정책 등 다양한 사회적 이해 관계자가 급진적으로 변화하지 않는 한 만성 통증과 장애의 유행은 거의 줄어들지 않을 것이다.

통증과 사회경제적 지위 (Pain and socioeconomic status)

만성 통증과 사회경제적 지위 사이의 관계는 잘 확립되어 있다. 교육 수준이 낮고 소득이 낮고 궁핍한 지역에서 생활하면 만성 통증 및 장애 비율이 높아진다.[412,616] 일부 저자들은 이 관계가 부하와 관련된 정신생물학적 기전에 의해 매개된다고 제안한다. 사회적 지위가 낮은 개인은 더 많은 환경적 문제를 보고하고 이를 극복하기 위한 심리사회적 자원은 더 적게 보고한다. 부정적인 결과를 기대하는 악순환, 대처 능력의 상실 및 만성 부하는 지속적인 정신생물학적 부적응 활성화로 이어질 수 있다.[617]

만성 통증 발병 위험과 가장 관련이 있는 것으로 보이는 사회적 측면: 낮은 교육 수준, 낮은 직업 기회 및 낮은 개인 개발 결정 사이의 연관성; 사회적으로 열등감. 더 높은 수준의 고통을 겪고 그리고 낮은 사회적 결속의 환경에 있는 것.[616,618,619]

만성 통증 발병 위험과 관련된 사회적 측면:

- 낮은 교육 수준
- 사회적 열등감
- 고통 수준이 높은 환경
- 낮은 사회적 결속력

문화와 통증(Culture and pain)

Clifford Geertz는[620] 문화를 인간 존재에 의미를 부여하는 상징 체계로 정의한다. 문화는 개인이 타인과의 관계, 세상과의 관계, 그리고 자신과의 관계를 이끌어갈 수 있도록 하는 의미 있는 틀을 제공한다. 문화는 인지에 개입하고 행동의 모든 측면에 침투한다. 문화는 우리가 통증과 질병을 인식하는 방식에 강력한 영향을 미치며 또한 우리가 반응하는 방식과 환경이 반응하는 방식을 결정한다.[621] 따라서 다른 문화는 매우 다른 통증의 표현과 행동을 결정한다. 통증에 대한 문화적 연구는 1950년대에 공통의 출발점에서 시작된다. 동일한 사회 집단이나 범주에 속하는 개인 간의 통증 반응의 균일성에 대한 관찰이다. 이에 따라 Zborowski의 연구는[622] 두 가지 목적으로 브롱크스에 있는 재향 군인 병원에서 103명의 환자의 통증에 대한 행동을 연구했다. 인종 그룹: 유태인, 이탈리아인, 아일랜드인 및 '노인 미국인', 즉 백인, 개신교인 및 앵글로색슨인. Zborowski의 연구의 중심 발견은 다른 인종 그룹의 구성원 사이에 통증 표현과 관리에 상당한 차이가 있다는 것이다. 그러나 이 작업은 지나친 단순화와 고정 관념의 경향으로 인해 논란의 여지가 있다.[623] 다른 저자들은 문화적 집단과 통증 사이의 관계가 사회경제적 차이로도 설명될 수 있다고 제안한다.[624] 그러나 가족, 사회 및 민족 그룹에 의해 전달되는 문화적 패턴이 통증 경험, 표현, 의사 소통, 행동 및 장애를 조절한다는 것은 부인할 수 없다.[492,625] 예를 들어, Honeyman과 Jacobs 은[626] 호주 원주민에서 남성의 1/3과 여성의 1/2이 장기간 지속되는 요통을 보고했음을 관찰했다. 그러나 요통은 건강 문제로 간주되지 않았고, 자신의 고통을 공개적으로 알리지 않았으며, 통증 및 장애 행동이 없었다. Rahim-Williams 등[627] 여러 민족 그룹에 걸쳐 통증 민감도를 평가하기 위해 실험적 통증 자극을 사용하여 연구에 대한 체계적인 문헌 검토를 수행하고 실험적 통증 인식에서 중요한 민족 그룹 차이를 발견했다.

통증은 인간 주체로서의 우리 정체성의 요소 중 하나를 형성하며 모든 사회는 이 현상과 관련하여 인지, 이해 및 행동 시스템을 명확히 한다. Otegui가 말했듯이[628] '인간 존재에 없어서는 안 되는 고통은 의미를 부여하고 설명 체계로의 재배치를 가능하게 하는 문화적 좌표를 필요로 하고 요구한다.' 통증은 그 존재를 설명하고 어떻게든 정당화하는 인과관계 체계에 포함되어야 한다. 통증에 대한 문화적 해석과 의식화된 표현은 개인이 직면해야 하는 효과적인 치료법이다. 그러나 많은 전통 사회와 많은 사회 집단의 통증은 또한 사회 구조에서 지위를 획득하는 수단이기도 한다. 많은 통과 의례, 입문 의례에는 많은 양의 고통스러운 괴로움이 수반된다.

그런 다음 통증은 개인이 그룹에 포함되도록 지원하는 신성한 경험으로 나타난다. 할례, 난절 및 문신은 한 사회 집단에서 다른 사회 집단으로 이행하는 수단이다. 통증과 신체적 변형은 높은 상징적 가치를 획득하여 시작된 구성원을 사회적으로 재정의한다. 그들은 성인 생활과 이에 수반되는 특권의 중요성을 표현한다. 통증을 집단에 합류하는 데 불가피한 것으로 간주하고 사회적 정상 패턴으로의 전환에 적응할 필요가 있다. 그룹의 기대가 좌절되면 주체는 정체성을 잃을 위험이 있다. 그것은 사회적 재생산의 특권적인 수단이다. 우리의 서구 사회에서 통증은 계속해서 사회적 기능을 가지고 있다. 문신이나 피어싱도 통과의례로 작용한다. 통증은 동일한 참조를 통해 그룹을 통합하여 사회적 의미를 얻는다. 통증은 쾌락이나 축하보다 사회적으로 더 강하게 연결된다.

통증이나 통증 관련 행동 및 장애는 역사적, 문화적, 사회적 구성에 의해 매개된다.

결론적으로 통증경험이나 통증 관련 행동 및 장애의 경험은 개인의 인지적 정교화뿐만 아니라 분리할 수 없는 역사적, 문화적, 사회적 구성에 의해 매개된다.[11,565,621,628]

통증, 근대성과 포스트모던 사회
(Pain, modernity and the postmodern society)

의학에 대한 과학적 비전이 우리 사회를 완전히 지배했기 때문에 생의학 모델은 통증의 문화적 구성에서 결정적인 역할을 했다.

통증은 항상 신경 전달 물질이나 뇌 활동이상의 문제이다.

17세기 이후 현대 사회는 통증이 인간의 행복과 복지를 위태롭게 하는 부조리한 존재 분류로 간주하기 시작했다. 과학을 통한 인류의 무한한 진보에 대한 계몽주의의 이상은 과학적 의학이 합리적인 시간 내에 통증과 질병을 종식시킬 것이라는 믿음을 가정했다. 19세기 중반부터 효과적인 진통제에 대한 접근과 마취의 점진적인 사용은 통증에 대한 사회적 태도의 변화를 의미했다. 이것은 더 이상 피할 수 없고 인간의 조건에서 떼어놓을 수 없는 것이 아니었다. 따라서 통증의 사회적 의미는 희석되는 과정을 거치기 시작했다. 통증을 무의미하게 여기는 것은 18세기 진보의 이상에서 20세기 중반의 복지문화로 가는 과정의 완성이다. 1946년 세계보건기구(WHO)는 건강을 질병이 없다는 이전 개념을 버리고 신체적, 정신적, 사회적으로 완전한 안녕 상태로 정의했다.

모든 통증이 무의미하다는 확신은 과거에는 정상

으로 여겨졌던 통증이 노동 조건이나 존재의 결과로 절대적으로 참을 수 없는 상태가 되었다고 결정했다.[629]

사소한 불편함에 대한 내성이 감소하면 개인은 생존에 내재된 양성 상태에 대해 의료 서비스를 찾게 된다.

사회적, 문화적 변화의 결과 사람들은 이전 세대보다 경미한 증상에 더 관심을 갖고 질병을 더 장애로 인식한다.[630] 최근 수십 년 동안 인구의 전반적인 건강과 기대 수명이 객관적으로 향상되었지만,[631] 인구는 자신의 건강이 좋지 않다는 잘못된 인식을 가지고 있다. 사소한 불편함에 대한 내성이 감소하면 개인은 생존에 내재된 양성 상태에 대해 의료 서비스를 찾게 된다.[632]

의료화의 문제
(The problem of medicalization)

서구 사회에서 생명의학의 패권적 지위는 일상생활의 통증과 정상적인 갈등이 단지 의학적 문제일 뿐임을 시민들에게 납득시키려 시도했다.[633-641] Morris가 말했듯이[11] '현대, 서구, 산업, 기술 관료 세계의 우리 문화는 이것이 전적으로 그리고 절대적으로 의학적 문제라고 우리를 설득하는 데 성공했다.'

서구 사회는 최근 수십 년 동안 인구의 건강을 객관적으로 개선한 결과 질병을 보고하는 사람들의 비율이 더 높아졌다는 역설을 드러낸다. 사실 건강한 사람도 '미확인 병자'라고 할 수 있다. 생의학 모델의 헤게모니와 통증의 문화적 맥락화는 의료화와 같은 바람직하지 않은 결과를 가져오고, 의원성(의료에서 발병) 형성의 현저한 증가, 통증 및 존재 자체의 어려움에 대처하는 문화적 및 개인적 능력의 상실을 초래한다.[643]

의료화는 개인의 삶에서 정상적인 상황을 의학이 개입해야 하는 병리학적 과정으로 재구성하는 것을 포함한다.[644] 따라서 슬픔이나 슬픔과 같은 개인적인 갈등의 정상적인 상황; 폐경 또는 노화와 같은 생애 단계; 또는 월경 전 불편함이나 설사와 같은 경미한 증상은 치료가 필요한 의학적 문제로 간주된다.[642] 의료화는 치료의 기반이 될 수 있는 근본적인 병리생물학이 있다는 가정하에 '질병 이름'을 만든다.[645] 의료화의 위험성은 이미 1975년 Ivan Illich가 지적한 바 있는데, 그는 '의료 시설이 건강에 대한 주요 위협이 되고 있다'고 지적했다.[646] 통증 분야의 의료화는 의인성 형성을 직접적으로 결정하며,[14] Jacobson과 Mariano가 언급한 바와 같이 독점적으로 생물의학 솔루션을 제공하는 전문가들은 무심코 문제의 상당 부분이 될 위험을 안고 있다.

생물의학 모델은 심리사회적 관점에서만 설명할 수 있는 만성 통증 증상에 신체적인 요소를 강조하는 진단이름표를 지정하여 통증의 확산을 조장한다.

생의학 모델은 심리적, 사회적 측면을 포함하는 더 넓은 관점에서만 설명할 수 있는 만성 통증 증상에 신체적인 요소를 강조하는 진단 이름표를 지정하여 통증의 확산을 조장한다.[14,635,647-631] 새로운 통증 관련 진단명이 많이 있다: 섬유근육통, 만성 피로 증후군, 다발성 화학 과민성 증후군, 만성 편타손상, 반복적 긴장 증후군, 걸프전 증후군 등 불만을 제기하여 사람들을 의료 시스템과 제약 산업에 의존하게 만든다.

서구 사회에서 개인은 다양한 만성 통증 증후군을 가질 수 있는 결과에 대한 압도적인 양의 정보에 접근할 수 있으며 대부분은 역효과이다. 이 정보는 증상을 증폭시킬 수 있는 과잉 경계를 선호할 수 있다.[652] 종종 만성 통증이 있는 피험자는 이용 가능한 의학 문헌에 따라 증상을 발전시키는 방법을 '배운다.'[648] 만성 통증 증후군이 사회적, 역사적 맥락에 따라 표현되고 이러한 의미에서 사회적 구성이라는 것은 부인할 수 없다.[651]

의료화와 관련된 사회적 변화는 다음과 같다.

건강의 새로운 개념은 질병이 없을 뿐만 아니라 소비의 개체로 웰빙의 지속적인 감각 의학은 개체의 필요를 충족시키는것이 아니라 소비의 요구를 충족시키는 것.
정책당국에 요구되는 건강상태에 대한 개인책임의 상실.
기술의학에 대한 무한한 기대 양상.
사소한 불편함에 대한 내성감소.
'생활의 어려움'에 대한 의학적 해결책을 요구하는 사회의 맥락화와 세속화.
가족수 감소, 대가족 상실 등으로 사회적 지지의 가능성 감소.[642]

질병의 모든 사회적 구성에는 의료 전문가와 과학 협회, 언론의 영향, 환자 협회, 제약 산업, 정치 및 보건 기관과 같은 많은 참여자가 포함된다. 통증 분야의 대표적인 예는 섬유근육통이다. 섬유근육통의 개념은 1977년 Smythe와 Moldofsky가[653] '섬유염 증후군의 이해에 대한 두 가지 기여'라는 단일 기사에서 비롯되었다. 이 저자들은 상쾌하지 않은 수면과 압통점과 같은 주요 기능을 기반으로 기준을 제안했다. 그러나 섬유근육통을 질병으로 규정한 것은 제약업계의 지원을 받아 1990년 미국류마티스학회에서[654] 새로운 진단명 '섬유근육통'을 만들고 진단기준을 제정한 것과 직접적인 관련이 있다. 이것은 많은 임상 및 의료 기관에 의해 섬유 근육통의 합법화와 진단의 폭발로 이어졌다.[645] 만성 통증이 있는 대상 및 지원 그룹도 질병의 구성에 관여한다[647,655,656](**그림 11-39**).

- '새로운 증후군'은 환자의 개선을 방해하는 대가로 그들의 세대에 관련된 다양한 저자에게 이익이 된다.
- 많은 만성 통증 패턴은 현실적이지만 '증후군'은 그 공식이 시대의 역사적, 사회적 맥락을 반영하는 사회적 구성 과정의 일부이다.

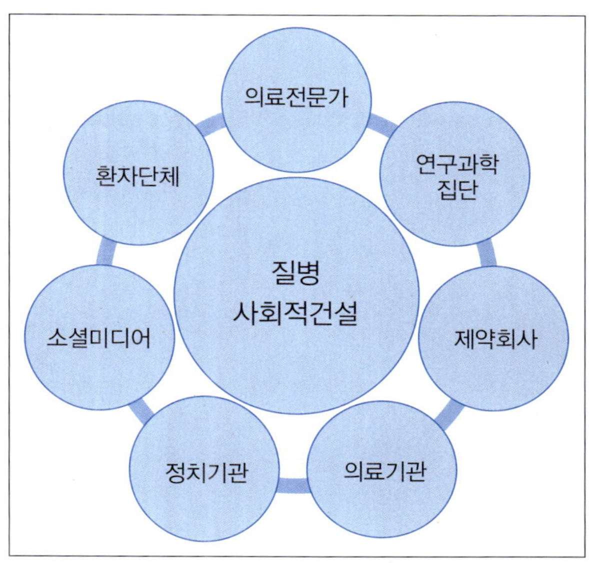

그림 11-39 ■ 질병의 모든 사회적 구성에는 의료 전문가와 과학 학회, 언론의 영향, 환자 협회, 제약 산업, 정치 및 보건 기관 등 많은 참여자가 참여한다.

의료화의 문제점 중 하나는 이른바 *질병 유포*(disease mongering)이다. 이것은 치료제를 판매하고 제공하는 시장을 확대하기 위해 질병의 경계를 넓히는 관행으로 설명될 수 있다. 제약 회사는 의사, 오피니언 리더 및 의사와 소비자 모두를 대상으로 하는 미디어의 지원을 통해 새로운 질병을 후원하고 홍보한다.[657] 피험자들에게 자신이 아플 수 있다고 확신시키는 것은 제약 산업에 막대한 수익을 창출할 수 있다. Moynihanet 등은[657] 질병 유포의 몇 가지 전략을 설명했다. 심각한 질병으로 가장하는 일부 경미한 질병, 유병률 통계가 부풀려짐, 미래 질병의 위험에 직면한 건강한 인구에 대한 우려가 생성, 위험 요소가 질병이 되며 이후에 치료가 필요할 수 있는 개인 또는 사회 문제에 대한 새로운 진단 레이블이 되는 것. 이 새로운 질병은 아직까지 용도를 찾지 못한 약물을 '배치'하는 역할을 한다.

이것은 영국 의학 저널(British Medical Journal)

의 2006년 만우절에 '과학자들이 새로운 질병을 발견했다: 동기 결핍 장애'라는 제목의 기사를 발표했을 때 Moynihan에 의해 입증되었다.[658] Moynihan은 호주 과학자들이 극도의 게으름이 의학적 근거를 가질 수 있으며 이것이 동기 결핍 장애라는 새롭고 실제적인 질병을 구성한다는 것을 발견한 방법을 설명했다. 이 질병의 주요 증상은 압도적인 무관심이다. 이 '과소 진단되고 제대로 치료되지 않은 질병'은 호주인 5명 중 1명에게 영향을 미칠 수 있으며, 상태가 호흡 동기를 감소시키기 때문에 극단적인 경우 치명적일 수 있다.

통증과 다차원 모델
PAIN AND MULTIDIMENSIONAL MODELS

만성 통증에 대한 이해는 심리적, 사회적 차원을 포함하는 통증 설명 모델의 개발과 함께 상당히 바뀌었다.[20] 고전적 모델의 전형적인 환원주의와 달리 만성 통증과 그 다양한 징후는 지각과 환자의 반응에 영향을 미치는 병태생리학적 변화, 심리적 특성 및 사회적, 문화적 요인 간의 상호 작용으로 설명된다. 생물심리사회적 패러다임은 이러한 모든 요인이 통증의 발달과 유지에 필수적이라는 점을 고려하여 이러한 모든 요인을 통합하는 것을 목표로 한다.[79] 이러한 관점에서 기질적 통증과 심인성 통증의 구분이 제거된다.

그러나 임상에서는 질병의 좁은 생물의학 모델에 집착하면서 통증이 있는 환자를 치료하는 많은 의료 전문가가 있다. 환자는 제거해야 할 증상이 있는 신체가 아니다. 환자는 통증의 경험을 형성하는 문화적, 사회적 맥락에서 생각하고 느끼고 생활하는 사람이다. 중요한 것은 미래의 장애를 예측할 때 신체적 요인보다 심리사회적 요인이 더 관련이 있다는 것이다.[529]

이러한 생물심리사회적 접근을 통해 Loeser and Black,[659] Fordyce,[130] Nolan,[660] Waddell,[81] Vlaeyen 등,[518] Gifford,[386] Main 및 Spanswick[661] 과 같은 다양한 저자들은 만성 통증의 다차원 모델을 개발했다.

Loeser의 모형

Loeser에 따르면[659,662] 고통스러운 경험은 Aδ 및 C 섬유에서 신피질에 이르는 해당 신경 기질에 의해 지원되는 4가지 계층적 수준이 있다(**그림 11-40**). 이러한 수준은 통각, 통증, 고통 및 통증 행동이다.

*통각*은 이 정보를 의식적으로 인식하기 전에 통각 자극을 감지하고 전달하는 것이다.

*고통(Pain)*은 개인이 의식적으로 인식하는 것이다. 이 수준에서 일련의 개인적, 상황적 측면이 이미 작용하고 있으며, 이것이 두 개인이 동일한 고통스러운 자극에 대해 서로 다른 반응을 나타내는 이유를 설명한다. 또한 개인은 그 당시의 감정 상태와 상황에 따라 고통을 느끼지 않거나 견딜 수 없는 통증을 경험할 수 있다. Bausbaum과 Jessell이[663] 지적한 바와 같이, 통증은 다른 감각 양상보다 더 감정적 상태와 환경적 우연성에 의해 영향을 받는다.

*고통(suffering)*은 통증이나 기타 불쾌한 감정적 상황에 의해 중추신경계(CNS)의 상위 수준에서 생

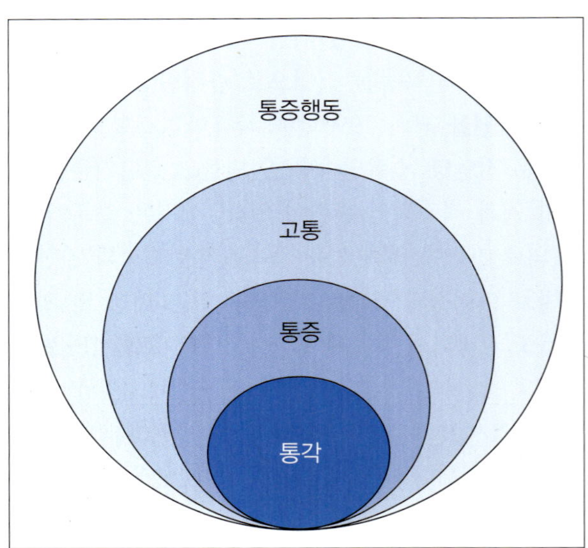

그림 11-40 ■ Loeser의 모델은 통각, 통증, 고통 및 통증행동의 4가지 계층적 수준을 설정한다.

성되는 부정적인 정서적 반응으로, 이는 다소 강렬한 부하 반응을 유발한다. 그러므로 괴로움 없는 통증과 통증 없는 괴로움이 있을 수 있다. 목적론적 관점에서 통증은 생물학적 무결성에 대한 위협으로 인식된다.[56-58] 통증은 통제력 상실, 무력감, 참을 수 없음 및 무의미함을 포함한다.[540]

*통증 행동*은 대상에서 관찰되고 통증 경험과 관련된 모든 행동 또는 외부 징후이다. 이러한 행동에는 통증을 나타내는 표정과 같이 진통제 소비; 의료 처치를 구하는 것; 휴가 요청; 그리고 가족 관계의 변화의 피험자의 고통스러운 경험에 대한 언어적 또는 비언어적 의사소통이 포함된다.

포다이스의 모델(Fordyce's model)

Fordyce는[130,131] 거의 전적으로 조작적 학습과 통증 행동에 초점을 맞춘 행동적 관점에 기반한 모델을 개발했다. Fordyce의 만성 통증에 대한 조작적 학습 이론의 적용은 만성 통증 연구 및 관리에 큰 영향을 미쳤다.[664] Fordyce는 통증 경험이 사적이고 개별적임에도 불구하고 맥락과 보강에 의해 조절되는 공개적으로 관찰 가능한 행동으로 표현된다고 강조했다. Fordyce에 따르면 고통스러운 경험에는 반응 통증과 수술적 통증 두 가지 유형이 있다. 첫 번째 유형은 조직 손상의 결과로 발생하고 고전적인 통증 모델에서 완벽하게 설명되는 모든 행동이다. 이에 반해 수술적 통증의 경우 조직 손상이 통증의 지속을 설명하는 요인으로 충분하지 못하다.

이 경우 통증 행동은 피험자의 삶에 미치는 영향, 환경적 요인 및 학습 과정에 따라 유지된다. 응답자의 통증 특성은 급성 통증의 특성인 반면 수술 통증은 만성 통증과 관련된다. Fordyce에 따르면[130,131] 손상되지 않은 유기체에서 침해수용성 자극은 거의 항상 일종의 통증 행동을 유발한다. 통증은 그 당시 활성화된 다른 자극, 취한 행동의 기분 및 인지되거나 예상되는 결과와 상호 관련된다. 학습을 가능하게 하는 다른 인지 및 감각 현상과 함께 침해수용성 자극을 처리하는 것이다.

학습은 시간이 지남에 따라 반응의 강화 또는 억제를 포함한다. 강화는 Pavlov가 설명한 고전적 조건화의 기초이다. *고전적 조건화*에서 행동은 이전 자극의 결과로 나타난다. 행동이 환경에서 작동하기 때문에 그렇게 명명된 조작적 조건화에서 학습은 나중에 일어나는 일 또는 일어날 것으로 예상되는 일에 기초하여 발생한다. 예를 들어, 통증을 나타내는 불만이나 표정은 주변 환경의 지원이나 관심의 반응을 유발할 수 있다. 조작적 조건화에서 통증 행동은 유리하거나 불리한 결과의 지속에 의해 유지되거나 감소된다.

통증에 유의미한 조작적 조건형성의 두 가지 프로파일을 구별할 수 있다: (1)긍정적 강화의 결과로 인한 행동 및 (2)부정적인 강화의 결과로 인한 도피 또는 회피 행동. 전자의 예로는 의료진의 더 많은 관심을 받는 행동과 가족의 배려하는 태도가 있다. 후자는 통증을 악화시킬 수 있으므로 활동을 방해하는 행동이다. 따라서 환자 접근은 개인의 사회적 및 가족 환경을 포함하여 자극 강화 및 제어 원칙을 사용하여 통증 행동을 수정하는 것을 목표로 한다.

통증, 장애 및 Waddell의 모델 (Pain, disability and Waddell's model)

Waddell의 모델은[81] 만성 통증과 장애 간의 관계를 강조한다. 이 모델은 Loeser가 설명한 요소를 포함하는 것 외에도 인지적 측면과 사회적 환경을 추가한다. 따라서 이 모델에 따르면 통증과 장애는 통증, 인지 구성 요소, 정서적 구성 요소, 통증 행동 및 사회적 상호 작용의 5가지 요소에 따라 달라진다(**그림 11-41**).

통증과 장애 사이에는 비례 관계가 없다

만성 통증은 극도로 심각할 수 있으므로 장애의 정도를 결정한다. 장애는 처음에는 조직 손상의 결과일 수 있지만 만성 장애로의 진행은 강력한 심리사회

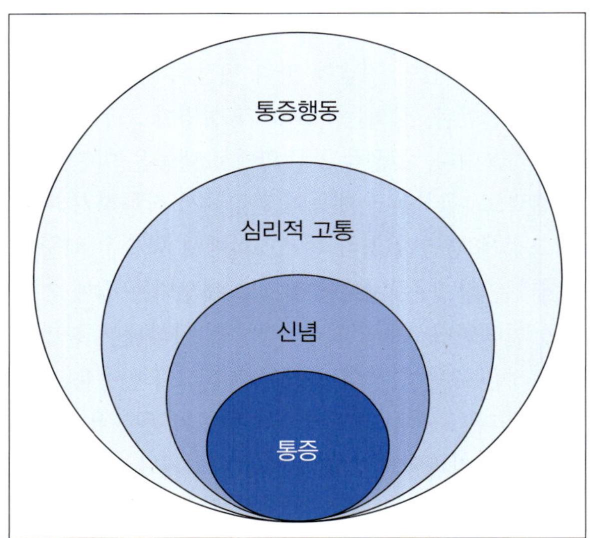

그림 11-41 ■ Waddell의 모델은 통증과 장애 간의 관계를 강조한다.

적 영향을 받는다.[561] 통증의 정도와 장애 사이에는 직접적인 상관관계가 없으므로 장애의 정도는 개인마다 다르다.

장애는 고통스러운 경험과 관련된 모든 인지적, 정서적, 사회적 구성 요소의 상호 작용의 결과이다.

Waddell의 모델은 기능, 장애 및 건강의 국제 분류의 세계보건기구(WHO) 모델에 따라 업데이트되었다[665](**그림 11-42**). 이 모델에 따른 통증은 생물학적, 심리적, 사회적 세 가지 차원이 있다. 통증과 장애는 건강 문제일 뿐만 아니라 심리적, 사회적 측면의 결과이기도 하다. 생물학적 차원은 생리적 기능장애 또는 신경 생리학적 변화와 관련이 있으며 신체 기능의 손상 및 변화로 표현된다. 심리적 차원은 신념, 정서적 고통, 대처 전략 및 통증 행동과 관련이 있으며 대상이 경험을 살아가는 방식과 활동의 제한으로 표현된다. 사회적 차원은 가족 관계, 문화 및 사회적 상호 작용과 관련이 있으며 일과 레크리에이션 및 사회적 활동의 변화로 표현된다.

공포회피행동과 블라엔의 모형

(Fear – avoidance behaviour and vlaeyen's model)

Vlaeyen과 동료들이 제안한 '인지 행동 공포 회피 모델'과 '생체내 노출 치료'는 연구자와 임상의들 사이에서 많은 관심을 받았다.[138,518,666] 이 모델의 가중치는 심리적 측면이 급성에서 만성 통증으로의 전환을 공동으로 중재하는 행동을 생성하는 방법을 설명하는 능력에 기반한다.

Vlaeyen 등은[138,518] 공포 회피 행동이 만성 통증 환자의 장애, 사용 불능 및 우울증의 확립에 주로 책임이 있음을 보여 주었다(**그림 11-43**). 이 모델은 이러한 세 가지 측면(사용하지 않음, 장애 및 부정적인

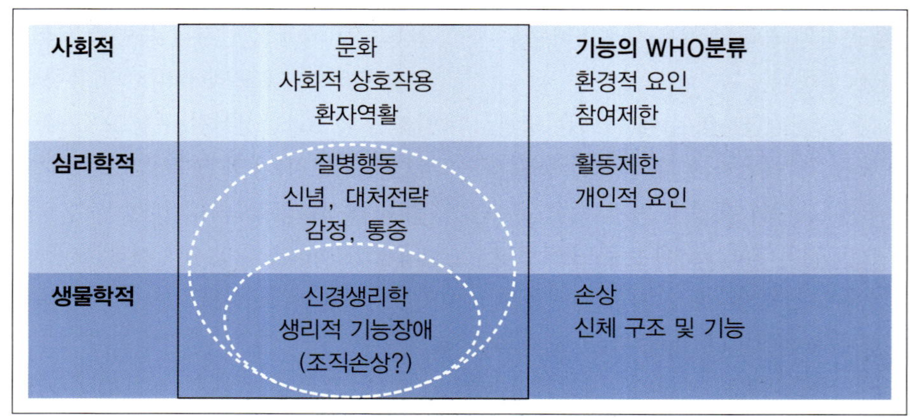

그림 11-42 ■ Waddell의 모델은 기능, 장애 및 건강에 대한 국제 분류의 세계보건기구(WHO) 모델에 따라 업데이트 되었다. Waddell과 Burton의 허가를 받아 사용.[561]

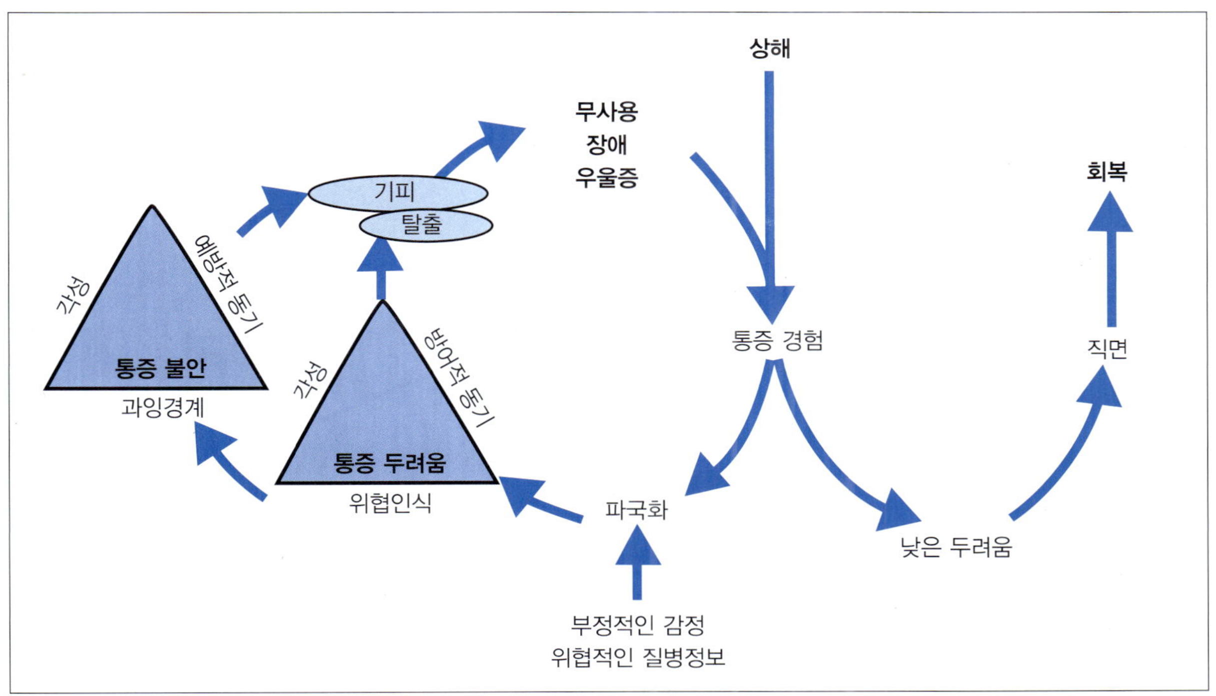

그림 11-43 ■ 공포 회피 모델. Vlaeyen and Linton(2000)의 공포-회피 모델과 Asmundson 등의 공포-불안 회피 모델을 기반(2004). Reproduced with permission from Vlaeven and Linton[138] and Asmundson G, Norton P, Vlaeyen J. Fear-avoidance models of chronic pain: an overview. In: Asmundson G, Vlaeyen J, Crombez G, eds. Understanding and treating fear of pain. Oxford: Oxford University Press; 2004. p.3-24.

감정)이 학습된 보호 행동의 결과인 방법을 설명한다. 이러한 행동에는 통증 관련 자극, 명백한 탈출 회피 행동 또는 덜 분명한 안전 행동에 대한 과도한 주의와 과잉 경계가 포함될 수 있다.

이 모델은 두 가지 가능한 대조적인 행동인 회피와 대결을 제안하고 환자의 악화에 책임이 있는 악순환을 설정한다.[667] 이 '파멸의 길'은 통증과 그 결과에 대한 파국적 사고, 부정적인 감정, 통증에 대한 두려움, 과잉 경계와 같은 부정적인 평가로 시작되어 폐용증후군, 우울증 및 무능의 확립을 결정하는 공포회피행동으로 이어진다. 통증에 대한 두려움, 과잉 경계 및 낮은 기분은 활동 내성 감소 및 통증 증폭을 결정한다.

통증에 대한 두려움과 과잉 경계가 환자의 인지능력과 교차하여 환자가 고통으로부터 주의를 돌리는 능력이 감소하여 직장, 레크리에이션 및 가족 활동을 방해하여 환자를 직장 장애, 가족 문제 및 사회적 자아-배제의 상황으로 이끈다.

무능과 기본과 스펜스윅의 모델 (Disability and main and spanswick's model)

Main과 Spanswick은[661] 만성 통증이 있는 대상에서 장애로 이어지는 다양한 측면을 다루는 모델을 개발했다. 이러한 다양한 측면은 7가지 수준으로 나눈다. (1)폐용과 악화 (2)두려움 회피 (3)우울증 (4)분노와 좌절 (5)의원성 (6)가족 (7)사회 직업적 요인. 이러한 수준은 통증이 있는 환자의 장애 발달과 관련된 다양한 측면을 반영하는 것을 목표로 한다. 이러한 각 수준은 환자의 병력에서 누적적으로 발생할 수 있다(**그림 11-44**).

환자는 이 모델에서 자신을 쉽게 인식할 수 있으므로 장애가 통증의 직접적인 결과가 아니라 여러 신

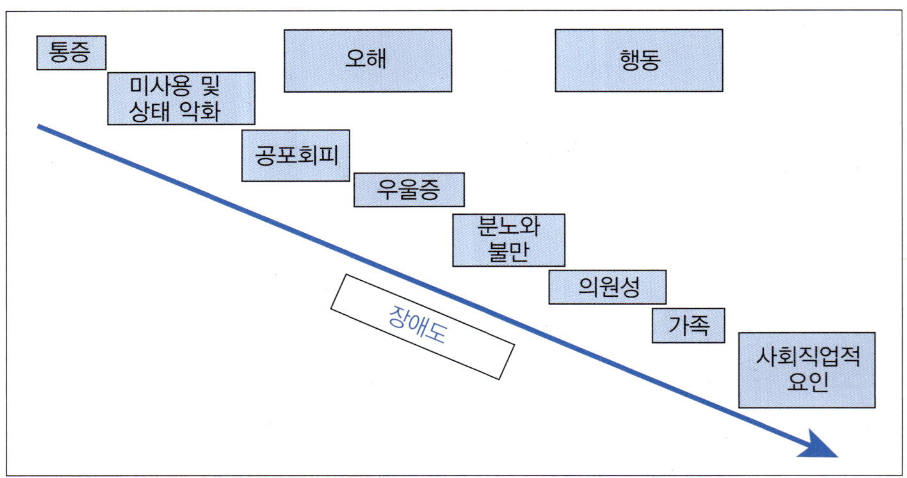

그림 11-44 ■ 통증과 장애의 주요 모델과 Spanswick 모델. Main과 Spanswick의 허가를 받아 복제.[606]

체적 및 심리사회적 요인의 상호 작용을 이해할 수 있다. 이 모델은 또한 관련된 각 요인을 다루는 치료적 관점에서 중요성을 강조한다. 첫 번째 수준은 통증이 어떻게 사용하지 않는 증후군과 컨디션 저하에 유리할 수 있는 보호된 움직임을 생성하는지 보여준다.

두 번째 수준에서는 통증과 부상 사이의 관계에 대한 환자의 잘못된 해석이 움직임에 대한 두려움과 회피 행동을 결정한다. 세 번째 수준은 통증에 대한 인식에서 우울증의 중요성과 그것이 통증과 장애 사이를 중재할 수 있는 방법을 나타낸다. 네 번째 수준은 설명과 치료를 받은 후에도 통증 완화의 부족과 관련된 만성 통증과 분노와 관련된 좌절감으로 인해 장애가 얼마나 악화되는지를 보여준다.

만성 통증에 흔히 나타나는 의원성(Iatrogenics)은 다섯 번째 수준에서 장애 발달에 크게 기여한다. 여섯 번째 수준에 있는 가족은 특히 과보호하고 세심한 경우 환자가 활동적인 삶으로 돌아가려는 시도를 강력하게 방해할 수 있다. 그리고 마지막으로 7단계인 사회 직업적 측면은 환자가 직장 생활로 복귀하는 것을 막는 주요 장벽이 될 수 있다. 심리 사회적 요인은 병리학이나 신체적 요구보다 직장 복귀 능력을 더 잘 예측한다.[599]

만성 통증? 무엇에 관한 것인가? 만성 통증 분류법의 관련성

CHRONIC PAIN? WHAT IS IT ABOUT? THE RELEVANCE OF A TAXONOMY OF CHRONIC PAIN

만성 통증을 정의하는 문제

(The problem of defining chronic pain)

앞서 언급했듯이 지난 20년 동안 통증을 고려하는 패러다임이 바뀌었다. 이 새로운 패러다임의 관련 요소는 통증의 신경생물학의 발전과 임상에 생물심리사회적 패러다임을 포함시킨 것이다.

우리가 자주 강조했듯이, 만성 통증 관리의 문제는 주로 치료에 있는 것이 아니라 만성 통증이 본질적으로 무엇인지에 대한 이해가 부족하거나 불충분한 데 있다.

연구자들과 통증 임상의들 사이에서 주요 관심 주제 중 하나는 만성 통증이다.

임상의와 연구에서 '만성 통증'이라는 용어를 사용하지만 두 가지 문제가 근본적이다. 이 용어가 실제로 의미하는 바는 무엇인가? 모든 만성 통증은 본질적으로 동일한가? 여기에서 논의된 바와 같이, 이 두 가지 질문에 대한 대답은 상당히 다를 수 있으며, 통증이 본질적으로 무엇인지에 대한 이해도 완전히 다르다. 응답이 매우 다른 치료 결정을 결정할 수 있기 때문에 이러한 질문은 절대적으로 결정적이라는 점을 강조해야 한다.

일부 저자는 여전히 통증의 지속이 항상 지속적인 침해수용성 원천을 필요로 한다고 믿는 반면, 다른 저자는 중추신경가소성 변화에 초점을 맞추고 침해수용이 관련이 없다고 믿는다. 만성 통증의 발달에서 일부 저자는 내분비 및 면역계의 변화의 역할을 강조하고, 다른 저자는 유전적 다형성의 중요성을 강조하며, 다른 저자는 마지막으로 심리적 요인에 중점을 둔다. 또한 모든 만성 통증은 존재한다는 사실만으로 종종 단일 개체로 간주된다.

그러나 통증을 중추신경계의 반응으로 인식하고 활성 통각수용원에 반드시 의존하는 것은 아니며 생물심리사회적 모델의 실행에 통합하는 것은 임상 실무에서 약간의 오해를 불러 일으켰다. 예를 들어, 일부는 병리학적 측면이 만성 통증 환자의 임상 의사결정에서 거의 중요하지 않다고 잘못 가정했다. 환자의 병리에 근거한 진단과 치료가 임상적 유용성을 제한하고 결과를 개선하는 대신 악화된다는 부당하고 정당하지 않은 믿음이 있기도 하다.[7,669] 따라서 만성 통증 환자는 질병과 반대되는 질병의 인류학적, 사회학적 구성 하에 고려되어야 한다. 심리 사회적 요인은 만성 통증 환자의 분류 및 치료에 분명히 필수적이다. 그러나 임상과 연구 모두에서 병리학적 요인의 배제를 정당화하는 주장은 현재 문헌과 호환되지 않는다. 만성 통증의 치료와 그 목적에 대한 논쟁은 관련성이 있으며 기본적으로 만성 통증 자체에 대한 해석에서 파생된다. 환자의 삶의 질을 높이는 것 외에 치료의 목표 중 하나가 통증을 없애는 것일 수 있을까? 또는 반대로 통증이 만성적일 때 이를 근절하는 것이 가능한 목표가 될 수 있을까? 만성 통증의 정의에 대한 합의의 부족은 지식의 발전과 만성 통증 치료 모두에 대한 주요 장벽이다. 만성 통증이 그 자체로 무엇인지에 대한 합의가 부족하기 때문에 연구자와 건강 전문가 모두가 결과와 임상 관찰을 비교하기가 어렵다. 다음은 만성 통증의 현재 개념에 대한 검토이다.

시간변화에 따른 만성 통증 (Chronic pain based on timeline)

만성 통증의 정의는 실용적으로 통증이 시작된 후의 기간을 기준으로 할 수 있다. 통증연구 국제학회(IASP)는 급성 통증과 만성 통증을 구분하는 기준으로 3개월을 선택했지만 연구 목적으로는 6개월이 더 좋다.[673]

만성 통증은 또한 정상적인 조직 치유 시간을 넘어 지속되는 통증으로 정의되었다.[673] 따라서 이 정의에서 만성 통증에는 활성 병리가 없거나 환자의 통증을 정당화하기에 불충분하다고 가정한다.[674] 이 정의에 따르면 조직이 완전히 치유되었음에도 불구하고 통증이 지속되는 경우 몇 주 동안 지속되는 임상 상태를 만성 통증 상태로 간주할 수 있다. 류마티스 관절염이나 골관절염과 같은 많은 만성 통증 상태에서 활성 병리가 존재하기 때문에 이 정의도 불충분하다.

복합 부위 통증 증후군(CRPS)과 같이 만성 통증으로 간주되는 일부 개체에서는 심각한 조직 변화와 말초 및 중추 감작 현상이 있다. 조직 손상과 관련이 없는 만성 편두통과 같은 다른 만성 질환이 있으며 증상은 급성 간헐적 악화와 함께 수년 동안 지속될 수 있다.

> 만성 통증은 또한 정상적인 조직 치유 시간을 넘어 지속되는 통증으로 정의되지만, 많은 만성 통증 상태에서 활동적이고 지속적인 병리가 존재한다.

부적응으로서의 만성 통증 (Chronic pain as maladaptive)

만성 통증은 생물학적 기능을 상실한 통증으로 정의되기도 한다. 이 견해에 따르면 급성 통증은 생존에 기여하고 부상을 예방하며 치유를 촉진하기 때문에 적응적이지만 만성 통증은 생물학적 기능이 없는 신경계의 병리학적 과정의 표현인 부적응적이다. Chapman과 Nakamura에[56] 따르면 만성 통증은 시간이 지남에 따라 지속되고 보호 기능을 제공하지 않으며 건강 및 기능 능력을 저하시켜 통증과 장애의 원인이 되는 심한 통증으로 간주되어야 한다. 그러나 많은 환자들이 일생 동안 통증을 경험하고 장애를 나타내지 않는다. 게다가, 모든 만성 통증이 반드시 부적응적일 필요는 없다. 어떤 경우에는 지속적인 염증성 또는 침해수용성 원인을 반영할 수 있고 심각할 필요가 없기 때문이다.

모든 만성 통증이 반드시 부적응적인 것은 아니다. 어떤 경우에는 지속적인 염증성 또는 침해수용성 원인을 반영할 수 있기 때문이다.

적응성 통증과 부적응성 통증을 구별하기 위해 미국 통증의학 아카데미는 유디니아(Eudynia)와 말디니아(Maldynia)라는 용어를 도입했다. 유디니아(Eudynia)는 침해수용 활동과 관련된 통증으로 정의되며, 따라서 근본적인 병리학적 장애의 증상이다. 말디니아(Maldynia)는 중추신경계의 변화에 따른 부적응 통증으로 간주된다. 부적응 통증은 신경계의 기능 장애의 결과이거나 통각수용원의 부적절하게 완화된 이차적 원인이다. 다시 말하지만, 말디니아(Maldynia)의 정의와 함께 문제는 통각 활동 없이 지속적인 통증의 가능성을 고려하지 않는다는 것이다. 따라서 통각과 관련이 없거나 환자의 증상을 완전히 설명할 수 없는 통증 상태를 포함하는 범주가 필요하다.

증후군으로서의 만성 통증 (Chronic pain as a syndrome)

통증 클리닉에 다니는 대부분의 환자들은 단순히 지속적인 통증을 호소하는 것이 아니라 감정적 고통이 높고 장애도 심하고 어떤 치료에도 잘 견디지 못하는 경우가 많다. 이미 1984년에 Crook과 Tunks는[679] 이러한 만성 통증 환자를 정의할 수 있는 개념적 모델로 만성 통증 증후군이라는 용어를 제안했다.

만성 통증 증후군의 개념은 여러 저자에 의해 지원되었으며 통각이 기능적 통증 증후군, 특발성 통증 증후군, 만성 통증 증후군, 설명할 수 없는 통증 증후군, 중추 감도 증후군 및 신체형 장애와 같은 환자 증상을 완전히 설명하지 못하는 임상 복합 통증 상태를 정의하기 위해 다른 이름이 사용되었다.[438,680-682]

미국의사협회(American Medical Association)는 '8D' 목록에서 만성 통증 증후군의 특징을 설명했다.

지속 시간: 통증이 정상적인 치유 시간을 넘어 지속되면 만성으로 간주된다.

극화: 환자는 비정상적인 행동을 보이고 강한 감정적 성격으로 통증을 설명하는 용어를 사용하며 신음, 찡그린 얼굴 및 어색한 자세와 같은 표현을 나타낸다.

진단 딜레마: 여러 진단이 있는 임상 검사의 광범위한 병력. 환자는 여러 진단 연구를 받았다. 진단이 모호하고 일관성이 없으며 부적절하다.

약물: 알코올 및 처방 및 비처방 약물을 포함한 의존 및 약물 남용.

의존성: 의료 전문가에 대한 의존성 및 의료에 대한 과도한 수요. 환자는 수동적 치료 방식으로 개선되기를 희망한다. 배우자와 친척에 대한 의존과 가정 및 사회적 책임의 포기.

우울증: 우울증이나 기분 저하의 일반적인 증상. 대처 능력이 떨어지고 자존감이 낮으면 자신감이 떨어지고 타인에 대한 의존도가 높아진다.

사용하지 않음: 이차적 근골격계 증상이 나타나는 낮은 신체 활동 수준. 휴식을 권장하는 것을 포함하여 의료 제공자의 부적절한 조언은 통증과 통증 행동의 순환을 영속시키는 점진적인 신체 상태 악화로 이어진다.

기능장애: 낮은 활동 수준. 휴식 권장을 포함한 의료 종사자의 부적절한 조언은 점진적인 신체 상태를 악화시키고 통증과 통증 행동의

순환을 지속시킨다.

적극적인 대처 전략의 점진적 상실은 직장, 여가 활동, 친구 및 가족을 포함한 점진적인 사회적 자기 배제를 초래한다. 증가된 고립은 활동을 삶에 필수적인 최소한으로 줄인다. 사회적 접촉이 없고 의료 시스템과 사적 재정 자원에 의해 거부된 환자는 물리적, 정서적, 사회적 및 경제적인 단어의 넓은 의미에서 장애인이 된다. 이 가이드에서는 8가지 특징 중 4가지 이상이 만성 통증 증후군의 진단을 내릴 수 있다고 생각했다.

만성 통증 증후군의 8가지 DS 특성

- 기간
- 각색
- 진단 딜레마
- 약물
- 의존
- 우울증
- 무사용
- 기능장애

만성 통증 및 중추 과민성 증후군 (Chronic pain and central sensitivity syndromes)

중추 감수성 증후군(CSS)의 개념은 이전에 '섬유근육통'이라는 용어를 옹호한 저자들에 의해 무엇보다도 새로운 조직학적 범주로 지난 수십 년 동안 옹호되었다.[682] 이 범주에는 섬유근육통, 만성 피로 증후군(CFS), 과민성 대장 증후군(IBS) 및 긴장성 두통(TTH)과 같은 만성적이고 완전히 이해되지 않은 임상 통증 상태가 포함된다.

중추 감수성 증후군의 개념을 지지하는 저자에 따르면 이러한 증후군은 중추 감작 현상, 신경 영상 기술에서 관찰되는 뇌 활동 변화, 신경 전달 물질 또는 신경 조절자의 수준 변화, 교감신경 과잉 활동 및 신경 내분비 면역계의 변화를 포함하는 질병의 객관적인 지표를 보여준다. 중추 감수성 증후군(CSS)의 대부분의 증상은 생물학적 변화, 주로 신경내분비 면역계에서 이차적일 것이며, 이는 환자의 하위 그룹에서 심리적 요인에 의해 강화될 것이다.

유사한 구조가 특발성 통증 장애로, 동일한 만성 통증 상태가 통증 증폭 및 심리적 고통 상태의 결과일 것이다.[680] 통증 증폭과 심리적 고통은 개인의 유전적 다형성 변이와 신체적 또는 정서적 부하와 같은 환경적 요인에 대한 노출에 의해 매개된다. 예를 들어, 요통이 있는 환자의 경우 심리적 및 행동적 요인에 따른 하위 그룹화 외에도 유전적 요인에 따라 그룹화할 수 있다고 제안되었다.[684] 이 모델의 한 가지 문제는 소인이 있는 심리사회적 요인을 고려하지만 유전적 요인에 대한 현재 수준의 지식이 여전히 부족한 반면 유전적 요인에 너무 많은 중요성을 부여한다는 것이다. 그것은 또한 첫째, 환자는 만성 통증에 항상 '취약'할 것이고 둘째, 통증을 근절하는 것은 거의 불가능할 것이라는 확신을 불러일으킬 수 있다.

> 중추 감도 증후군 및 특발성 통증 장애와 같은 통증 증후군의 개념에는 몇 가지 단점이 있다. 우리는 환자가 항상 만성 통증에 '취약'하고 통증을 예방하거나 근절하는 것이 거의 불가능하다고 가정할 수 있다.

질병으로서의 만성 통증 (Chronic pain as a disease)

Siddall과 Cousins는[13] 만성 통증이 자체 병리, 증상 및 징후와 같은 질병 기준을 충족하기 때문에 질병 실체로 간주되어야 한다고 제안한다. 그들은 세 가지 유형의 병리를 구별한다. 우선적으로 통각을 생성하고, 이차적으로, 중추신경계의 신경가소성 변화 및 3차, 통증 병리에 기여할 수 있는 환경 요인(심리적 및 사회적). 병리학의 '유형'에 따라 치료는 조직을 다루거나 중심 반응 또는 심리사회적 측면을 조절해야 한다. 그러나 이 구성은 신경가소성 변화 및 환경 요인의 영향과 관련된 측면을 포함하기 때문에 포괄적이지만 만성 통증이 있는 환자의 경우 호전될 수 있지만 통증은 항상 존재한다는 개념을 뒷받침하는 것으로 보인다.

이미 언급했듯이 통증에 대한 이해의 발전 중 하나는 기능적 신경 영상 기술의 개발이었다.[71-76] 따라서 일부 저자는 신경 영상 기술을 사용하여 만성 통증 환자에서 관찰되는 뇌 기능 및 구조적 변화를 기반으로 통증이 '질병'이라고 제안한다.[685] 따라서 만성 통증은 뇌의 질병으로 간주되었다.[314,686] 그러나 이러한 뇌의 변화는 시간이 지남에 따라 지속되는 통증에 대한 이차적 정상 반응일 수 있기 때문에 만성 통증의 원인이라고 할 수 없다.[687,688]

Sullivan 등은[689] 만성 통증을 뇌 질환으로 간주하는 것은 통증 연구에 부정적인 결과를 초래할 수 있지만 무엇보다도 환자 치료에 부정적인 영향을 미칠 수 있다. 주요 결과는 심리적, 개인적, 사회적 요인의 중요한 역할을 잊고 환자의 뇌에 병리학적 변화로 인한 통증을 전적으로 의학적 문제로 이해하는 것이다.[690] 다시 한 번, 그것은 과학적 측면보다는 정치적 측면이 기저에 깔려 있는 인간 경험의 의료화의 문제이다. 통증을 뇌에 영향을 미치는 문제로 해석하는 것은 또한 사람 전체에 귀속될 수 있는 것만 뇌에 귀속시키는 이른바 단순학적 오류로 이어진다.[689]

요컨대, 기능적 신경 영상은 병태생리학적 뇌 변화를 더 잘 이해하는 데 도움이 될 수 있는 도구이지만 이러한 변화에 대한 복잡한 통증 경험을 줄일 수는 없다.[691]

만성 통증과 정신 장애 진단 및 통계 매뉴얼(DSM – 5)
(Chronic pain and the DSM – 5)

만성 통증이 있는 많은 환자들은 상당한 정서적 고통을 겪고 불균형적인 통증과 장애를 보고한다. 고통받는 만성 통증 상태 중 일부는 '의학적 설명되지 않는 증상', '신체화 장애' 또는 '기능적 신체 증후군'으로 간주되었다. 따라서 그들은 미국 정신의학 협회(APA)의 정신 장애 진단 및 통계 매뉴얼(DSM–5)의 다양한 범주에 포함될 수 있다. 이 새로운 분류는 DSM–IV에 나열되고 종종 중복되는 신체화 장애, 연골 결핍증 및 통증 장애와 같은 신체형 장애 용어를 대체하기 위해 신체 증상 장애라는 용어를 설정했다.[692] 신체 증상 장애(SSD)는 매우 고통스럽거나 심각한 기능장애를 초래하는 지속적인 신체 증상(6개월 이상)과 이러한 증상에 대한 과도하고 불균형적인 생각, 감정 및 행동을 특징으로 하는 장애로 정의된다(**표 11–11**).

표 11-11

신체증상장애 진단기준(DSM-5)

A. 고통스럽거나 일상생활에 심각한 지장을 초래하는 하나 이상의 신체 증상

B. 다음 중 적어도 하나로 나타나는 신체 증상 또는 관련 건강 문제와 관련된 과도한 생각, 감정 또는 행동:
  1. 자신의 증상의 심각성에 대해 불균형하고 지속적인 생각을 한다.
  2. 건강이나 증상에 대해 지속적으로 높은 수준의 불안을 느낀다.
  3. 이러한 증상이나 건강 문제에 과도한 시간과 에너지를 할애함

C. 어느 하나의 신체 증상이 지속적으로 나타나지 않을 수 있지만 증상이 있는 상태가 지속됨.(보통 6개월 이상)

다음과 같은 경우 지정한다.

우세한 통증이 있는 경우(이전의 통증 장애): 이 지정자는 신체 증상이 주로 통증을 수반하는 개인을 위한 것이다.

지속성: 지속성 과정은 심각한 증상, 현저한 손상 및 장기간(6개월 이상)이 특징이다.

현재 심각도 지정:

경증: 기준 B에 명시된 증상 중 하나만 충족됨

중등도: 기준 B에 명시된 증상 중 2가지 이상이 충족됨

중증: 기준 B에 명시된 증상 중 2가지 이상을 충족하고 여러 가지 신체 증상(또는 매우 심각한 신체 증상 1개)이 있는 경우

미국정신의학협회에서 허가 받아 사용[712]

DSM–IV에서 이러한 장애 중 많은 부분의 주요 특징은 의학적으로 설명할 수 없는 증상이지만 신체 증상 장애(SSD)는 새로운 분류에서 다른 의학적 상

태와 연관될 수 있다. 이 범주에서 DSM-5 기준의 강조는 신체 증상에 대한 환자의 생각, 감정 및 행동이 불균형하거나 과도하다는 것이다.

이 범주의 문제는 추가 설명을 제공하지만 신체적 또는 신경 생리학적 기질 없이 '심인성 통증'의 동의어로 잘못 이해될 수 있는 정신 장애의 분류에 속한다는 것이다. 모든 지각 경험에는 명확한 생물학적 기질이 있다.

심리학적/정신의학적 분류는 관심이 있으며 심리적 및 행동적 반응의 역할, 학습의 역할, 사회적 맥락을 강조한다. 그러나 통증 경험에 내재된 신경생물학적 측면을 고려하지 않아 미흡하다. Merskey가 신체화라는 용어를 언급하면서 지적한 것처럼 위험은 "간접적으로든 '무의식적인' 동기에서든 신체 증상을 능동적으로 생성하는 것을 자동으로 의미한다." Main 등은[516] '신체화'는 환자의 통증 해석에 따라 생물학적 반응인 정상적인 현상으로 간주되어야 한다. 신체 증상 장애라는 용어는 신체화와 같은 용어에서 발생하는 것과 같은 방식으로 신체 증상에 대한 단순한 관심에서 심각한 정신 장애까지 포함할 수 있다. 정신-신체 이분법을 계속 유지하는 것은 위험을 초래한다. Sullivan이 말했듯이[690] '따라서 통증은 마음이나 몸이 아니라 마음과 몸 사이에서 발생한다.'
다시 한 번, 실용적인 관점에서 통각과 관련된 통증과 관련 통각 소스가 없는 통증을 구별할 수 있는 분류가 중요하다.

만성 통증연구 국제학회(IASP) 분류 (Chronic pain IASP classification)

통증연구 국제학회(IASP) 태스크포스는 세계보건기구(WHO)의 국제질병분류(ICD) 제11차 개정판을 위해 실용적인 만성 통증 분류를 개발했다.[694] '만성 통증'에 대한 이 새로운 국제질병분류(ICD) 범주는 3개월 이상 지속되는 지속성 또는 재발성 통증으로 정의한다. 만성 통증 장애는 7개의 그룹으로 나눈다: (1)만성 원발성 통증; (2)만성 암 통증; (3)만성 외상후 및 수술후 통증; (4)만성 신경병성 통증; (5)만성 두통 및 구강 안면 통증; (6)만성 내장 통증; 및 (7)만성 근골격계 통증.

만성 통증의 분류(IASP 태스크 포스)

- 만성 원발성 통증
- 만성 암 통증
- 만성 외상 후 및 수술 후 통증
- 만성 신경병성 통증
- 만성두통 및 구강안면 통증
- 만성 내부장기 통증
- 만성 근골격계 통증

*만성 원발성 통증*은 하나 이상의 해부학적 부위에서 3개월 이상 지속되거나 재발하는 통증으로 정의되며 심각한 정서적 고통 또는 심각한 기능장애와 관련이 있으며 다른 만성 통증 상태로 더 잘 설명할 수 없다. 예를 들어, 이 그룹에는 근골격계 또는 신경병 성 통증으로 식별할 수 없는 요통, 만성 광범위 통증, 섬유근육통 및 과민성 대장 증후군(IBS)가 포함된다. 따라서 *만성 근골격 통증*의 범주는 근골격 조직에 직접 영향을 미치는 질병 과정의 일부로 발생하는 침해수용성 또는 염증성 통증으로 제한된다. 이 그룹에는 류마티스 관절염과 같은 대사성, 감염성 및 자가면역 질환과 증상성 골관절염과 같은 구조적 또는 퇴행성 병인에 이차적인 질환이 포함된다. 통증이 명백히 근골격계이지만 만성 광범위 통증 및 비특이적 요통과 같이 그 원인이 완전히 이해되지 않은 경우에는 만성 원발성 통증 그룹에 포함되어야 한다. 이러한 구분은 두 가지 유형의 만성 통증을 구별하기 때문에 임상 환경에서 흥미롭다. 조직 손상과 관련된 만성 통증(외상 후, 수술 후, 내장, 악성 통증 등)과 세 가지 특성을 갖는 만성 원발성 통증 - 관련 통각소스 없음, 상당한 정서적 고통 및 상당한 기능장애.

만성 통증에 대한 메커니즘 기반 관점
(A mechanism – based view of chronic pain)

만성 통증은 또한 통증의 기본 메커니즘에 따라 특성화될 수 있다. 만성 통증에 대한 통증 기전 접근법은 오랜 기간 동안 통증이 지속되는 이유도 설명할 수 있다. 과거에는 병리학적 진단에 중점을 두었던 만성 근골격계 질환의 관리가 최근에는 병태생리학적 통증 기전에 대한 이해를 바탕으로 보다 폭넓은 접근 방식으로 발전했다.[47,695] 따라서 환자 관리의 주요 문제 중 하나는 관련된 지배적인 신경생리학적 기전(통각수용성, 염증성 또는 신경병성)을 식별하는 것이다.

많은 환자에서 조직에 손상이나 질병의 증거가 없기 때문에 많은 임상의와 연구자는 만성 통증이 신경병성 기원일 수 있다고 생각하게 되었다. 이것은 임상에서 섬유근육통이나 만성 요통과 같이 분류하기 어려운 모든 고통스러운 표현이 중추 신경병성 통증으로 간주되어야 함을 의미했다.[696-698] 그러나 2008년 국제 통증 연구 학회(IASP)가 채택한 신경병증성 통증의 정의는 체성 감각 시스템에 영향을 미치는 부상이나 질병의 직접적인 결과로 규정했다.[699] 이전의 1994년보다[700] 더 제한적인 이 정의는 두 가지 이점이 있다. '기능장애'와 같은 용어에 대한 혼동을 방지하고 증상이 급성 부상 또는 염증 과정에 이차적인 침해 수용 시스템의 신경가소성 변화의 표현일 때 통증을 신경병증으로 분류하지 않는다.

중추 과민성 통증 구조
(Central sensitization pain construct)

몇몇 저자들은 통각수용성, 염증성 또는 신경병성 통증 기전과 같은 고전적인 통증 기전에 추가하여 새로운 범주를 설정해야 한다고 제안했으며 이를 '*중추 과민성 통증*'으로 명명했다.[49,701-705]

중추 과민성 통증이 있는 환자를 식별하기 위한 임상 알고리즘이 최근 개발되었다.[706] 이 알고리즘은 통증의 중증도, 질병 또는 조직 손상과의 관계, 통증 및 통각과민의 분포, 감각 과민증 및 기타 임상 특징과 같은 측면을 설명한다.

이 분류에는 신경병성 통증의 배제와 침해수용성 대 중추감작성 통증의 차별적 분류의 2가지 주요 단계가 필요하다. 첫 번째 단계에서는 신경병성 통증의 국제 통증 연구 학회(IASP) 진단 기준을 사용해야 한다.[699] 두 번째 단계에서 임상의는 3가지 주요 분류 기준에 대해 환자를 선별한다. 첫 번째는 불균형한 통증을 수반하는 필수 기준으로, 통증의 심각성과 인지된 장애가 부상이나 병리의 성격과 정도에 비례하지 않음을 의미한다. 나머지 2가지 기준은 1)확산(미만)성 통증 분포, 이질통 및 통각 과민의 존재; 및 2)근골격계와 관련이 없는 감각의 과민증.

기준 1: 부상이나 병리의 성격과 정도에 비례하지 않는 통증 경험. 이 첫 번째 기준은 통증과 장애의 심각성이 주장되는 병리 또는 부상에 비례하지 않는다는 것을 의미한다.

기준 2: 미만성 통증 분포, 이질통 및 통각과민. 이 기준은 광범위하고 광범위한 신체 부위에서 통증, 이질통 및 통각과민을 언급하는 이러한 환자에서 관찰되는 공통 특징으로 간주한다. 몇 가지 예: 광범위한 통증, 전체 하지 또는 상지 통증, (추정) 1차 통각의 분절 영역 밖의 이질통/통각과민 등.

기준 1과 2가 모두 충족되면 중추 과민성 통증의 분류를 설정할 수 있다. 첫 번째 기준(불균형 통증)만 충족되고 두 번째 기준이 충족되지 않는 경우 나머지 기준에 대한 추가 선별이 필요하다.

기준 3: 근골격계와 무관한 감각의 과민성. 중추 과민성 통증이 있는 환자는 기계적 자극,[35,707,708] 냄새, 온도,[709] 전기적 자극[70,707]과 같은 다양한 자극에 대해[54,710] 일반적인 감각 과민성을 자주 보인다.[54,710] 이러한 환자의 빈번한 중추 과흥분성으로 인해 다양한 환경적 자극이 통증을 유발할 수 있다. 또한 감정적 또는 정신적 부하에 대한 부하에 대한 내성이 감소하는 경향이 있다. 이러한 증상의 단독 존재는 불안한 대상에서 일반적이며, 병전 존재가 중추 과민성 통증 발병 가능성을 배제하지는 않지만 진단에 대해 신뢰할 수 없게 만든다. 이 알고리즘은 만성 통증이 있는 환자의 모든 특징을 모두 포함하는 것이 아니라 중추 과민성 통증 식별을 용이하게 할 수 있는 특징만 포함하도록 의도되었다.

이미 제시된 알고리즘은 처음에는 흥미로운 임상 도구가 될 수 있지만 환자 경험의 임상 양상을 더 폭넓게 이해하려면 보다 포괄적인 임상 추론이 필요하다. 또한 중추감작은 섬유근육통과 같은 많은 만성 통증 증후군을 설명할 수 있는 병태생리학적 기전이기 때문에 '중추감작 통증'이라는 용어가 혼동될 수 있는 것 같다. 중추 감작은 급성 통증에서 만성 통증으로의 전환과 관련된 신경 생리학적 기전일 수 있기 때문에 중추 감작은 만성 통증과 잘못 동일시 되었다. 또한 민감도가 증가된 피험자는 더 높은 수준의 통증과 장애를 보고한다고 가정한다.[691,692,711,712] 더욱이, 많은 만성 통증 환자들은 통증의 주요 부위가 아닌 통증을 언급한다. 확실히 촉진 및 탈억제와 같은 중추 감작 메커니즘은 만성 통증의 일반적인 특징이다.[27,49,716,717]

또한 민감도가 증가된 피험자는 더 높은 수준의 통증과 장애를 보고한다고 가정한다. 확실히 촉진 및 탈억제와 같은 중추 감작 메커니즘은 만성 통증의 일반적인 특징이다.[27,49,695,696]

만성 통증이 있는 많은 환자들은 통증을 일차적 통증 부위에서 멀리 떨어뜨린다.[73,697] 따라서 이 모델에 따르면 중추 감작은 만성 통증의 핵심 신경 생리학적 기전이며 통증 감수성의 평가는 만성 통증 환자를 식별하는 유효한 마커가 될 수 있다. 따라서 최근에는 만성 통증 상태에서 중추 민감도의 변화를 확인하기 위해 원발성 손상 또는 병변 부위에서 멀리 떨어진 원격 지역의 압력 통증 역치(PPT), 정량적 감각 검사와 같은 다양한 방법이 사용되었다. 양적감각검사(QST) 및 조건 통증 조절(CPM).[34,718-721] 그러나 최근 중추 민감도의 증가가 만성 통증의 설명과 관련이 있는지에 대해 몇 가지 의구심이 제기되고 있다. 통증 역치의 차이가 평가된 환자의 심리적 고통 및 두려움 회피와 더 관련이 있을 수 있다는 가정도 있다.[713,722]

최근의 체계적인 검토에서 Hubscher 등은[53] 척추 통증이 있는 환자의 경우 통증 및 장애의 심각도와 양적감각검사(QST)로 얻은 측정값을 연결하는 일관된 증거가 없음을 보여주었다. 이 저자들은 통증과 관련된 심리적 요인과 같은 다른 많은 요인이 환자의 통증 중증도와 장애를 더 잘 설명할 수 있다고 제안한다. 여러 연구에 따르면, 통증 및 장애의 가장 중요한 예측 인자는 파국, 우울증, 불안, 통증 자기 효능감, 질병 인식 등과 관련이 있다. 또한 중추 과민 반응이 만성 통증의 발병에 중요한 역할을 할 수 있지만 어떤 경우에는 중추 통증 처리의 이러한 변화가 일차적인지 또는 장기간의 통증에 대한 이차적인지, 또는 통증 또는 그 해석에 대한 정서적 통증에 대한 이차적인지 여부는 아직 명확하지 않다.[39]

또한, 많은 만성 통증 환자가 통각과민과 이질통을 광범위하게 갖고 있지만, 이러한 특징은 골관절염 또는 류마티스 관절염과 같은 통각수용성 또는 염증성 통증을 특징으로 하는 개체에서도 관찰될 수 있다.[724-729]

- 중추 감작은 만성 통증이 있는 모든 환자에게 나타나는 것은 아니다.
- 급성 및 아급성 근골격 통증은 중추 감작 가능성을 배제하지 않는다.
- 중추 과민성은 만성 통증 상태의 차별적인 특징이 아니며 환자의 통증 및 장애 보고에 중요한 역할을 하지 않는 것 같다.

이러한 임상 상태를 가진 환자는 일반적으로 통증 감지점수(painDETECT score)와[726,730] 같은 신경병성 통증을 평가하는 척도에서 동일한 높은 점수를 나타내는 신경병성 통증에 기인하는 증상을 언급할 수 있지만, 만성 특발성 목 통증과 같은 일부 통증 상태에서는 중추 감작이 모든 환자의 특징적인 것이 나타나지 않는 것으로 보인다.[731] 따라서 중추 감작은 만성 통증 상태의 차별적인 특성이 아니며 환자의 통증 및 장애 보고에 중요한 역할을 하지 않는 것 같다.[53]

- 만성 통증이 항상 부적응적인 것은 아니다.
- 만성 통증은 지속적인 침해 수용 기전과 관련이 있을 수 있다.
- 만성 통증이 반드시 통각수용원이 부적절하게 완화된 결과이거나 신경계의 기능장애를 수반하는 것은 아니다.
- 만성 통증이 반드시 장애와 연관되는 것은 아니다.
- 만성 통증은 중추성 신경병성 통증으로 정의할 수 없다.
- 만성통증은 생물학적, 신경내분비적, 유전적 변화 등에 의한 '증후군'의 발현으로 해석될 수 없다
- 중추 과민성 통증이라는 용어는 적절한 범주가 아니다.
- 만성 통증이 반드시 중추 감작을 의미하는 것은 아니다.
- 만성 통증이 반드시 뇌 재편성을 의미하는 것은 아니다.
- 만성통증은 '뇌질환'이 아니다.
- 만성통증은 '질병'이 아니다.

복합 통증 범주(Complex pain category)

기능장애복합 통증 범주

언급한 바와 같이 신경생리학적 기전에 대한 이해는 관련된 지배적인 통증 기전을 식별하는 데 유용하다. 능동적 통각수용원에 반드시 의존하지 않는 중추 신경계의 반응으로 통증을 인식하고 생물심리사회적 모델의 실행에 통합함으로써 임상 실무에서 일부 오해를 불러일으켰다. 예를 들어, 일부는 병리학적 측면이 만성 통증 환자의 임상 의사 결정에서 거의 중요하지 않다고 잘못 가정했다.[721] 환자의 병리에 근거한 진단과 치료는 임상적 유용성이 제한적이며 결과를 개선하는 대신 악화된다는 부당하고 정당하지 않은 믿음까지 있었다.[7,722] 그러나 중추 감작은 만성 복합 통증 환자의 감별 특성이 아니기 때문에 더 적절한 용어가 필요하다. 게다가 이해. 따라서 만성 통증 환자는 질병과 반대되는 질병의 인류학적, 사회학적 구성하에 고려되어야 한다. 심리 사회적 요인은 만성 통증 환자의 분류 및 치료에 분명히 필수적이다.
그러나 임상과 연구 모두에서 병리학 적 요인의
배제를 정당화하는 주장은 현재 문헌과 호환되지
않는다.[723-725]

많은 만성 통증 상태에서 활성적이고 지속적인 통각 수용원이 존재하지만 류마티스 관절염, 골관절염 등과 같은 상태에서는 존재한다. 따라서 만성 통증이 항상 정상적인 치유 시간을 넘어서 지속되거나 항상 부적응적이라는 것을 의미하지는 않는다. 환자의 통증 문제는 이것이 활동성 질병의 결과인지 통각과 관련이 없는 비정상적인 반응의 결과인지 구별해야 한다. 따라서 관련 침해수용 입력이 없는 만성 통증(급성 통증도 동반)이 있는 사람들을 위한 새로운 범주를 포함할 필요가 있다.

Wolf는 이러한 유형의 통증에 대한 새로운 범주로 복합 통증이라는 용어를 제안했다. 복합 통증은 조직 손상, 감지 가능한 염증 또는 신경계 손상의 결과가 아닌 통증으로 정의된다.[732,733] Woolf가 말했듯이[25] '이러한 상황에서 통증은 환상적 지각, 즉 실제 유해한 자극에 의해 유발되는 것과 똑같은 품질을 갖지만 이러한 유해한 자극이 없을 때 발생하는 감각'과
동일하다.

그러나 기능적 또는 기능장애와 같은 용어는 고전적으로 '심인성 통증'으로 잘못 해석되어 왔으며 다른 한편 Wolf의 정의에서는 행동 및 심리사회적 반응과 같은 만성 복합 통증 환자에서 관찰되는 다른 많은 측면은 이 정의에 포함되지 않는다. 그런 의미에서 우리는 '복합 통증'이라는 용어를 제안한다.

복합 통증은 주장된 손상 또는 병리와 일치하지 않는 통증 중증도 및 지속 기간이 특징이며, 알려진 임상 패턴과 일치하지 않는 자연적 병력, 광범위한

통증 분포, 신경 손상 또는 질병과 관련이 없는 이질통 및 통각과민, 전신적 과민증 열, 화학, 날씨, 부하 자극 등과 같은 많은 자극은 습관적 치료에 대한 비정상적인 치료 반응을 자주 나타내며 심리적 고통, 심각한 기능장애 및 질병 행동과 관련이 있다. 복합 통증은 구심성 입력 또는 입력 없이 시작될 수 있으며 어느 정도 중추 과흥분성과 관련이 있으며 더이상 침해수용성 말초 입력이 없음에도 불구하고 지속된다.

복합 통증 특성

- 알려지지 않은 구조적 신경계 병변이나 질병 또는 활동성 말초 염증
- 부상이나 병리와 일관성이 없는 통증의 중증도 및 지속시간.
- 자연병력은 알려진 임상 패턴과 일치하지 않는다.
- 종종 광범위한 통증 분포, 이질통 및 통각과민.
- 종종 신경병증과 유사한 증상.
- 많은 자극(열, 화학, 날씨, 부하 등)에 대한 일반화된 과민증.
- 비정상적인 치료 반응.
- 심리적 고통
- 기능장애
- 질병 행동

자발적인 감전 통증, 기계적 통각과민 및 열 및 기계적 이질통과 같은 중추 과민증의 증상은 향상된 시간적 합산 및 감각 이상은 진행 중인 염증 과정 및 신경병증 통증이 있는 환자뿐만 아니라 복합 통증 상태에서도 일반적이다. 복합 통증이 있는 환자의 적절한 비율은 일부 신경병성 통증 선별 도구에서 높은 점수를 보여준다.[730] 신경병증성 통증의 이러한 일반적인 특징은 복합 통증에서도 나타날 수 있는 중추 감작 현상과 관련이 있다. 이러한 신경병증 유사 증상은 임상의가 복잡한 통증 상태에서 신경병증 요소를 믿도록 혼란스럽게 한다. 그러나 복합만성통증 환자의 중추감작 정도는 염증성 및 신경병증성 통증과 마찬가지로 매우 다양할 수 있다는 점을 강조해야 한다.

- 또한 복합 통증이 급성 통증으로 나타날 수도 있다.
- 복합 통증이 있는 환자가 최소한의 자극으로 또는 자발적으로 돌발성 통증을 나타낼 수 있는 것은 드문 일이 아니다.

Salomons 등은[734] 환자가 마취 하에서 의식의 외상적 에피소드를 겪은 후 수년 동안 지속되는 통증 플래시백을 경험한 환자의 두 사례를 보고했다. 통증은 학습된 조건 자극에 의해 활성화될 수 있는 '기억'일 수 있다. 임상 실습에서 많은 환자가 무해한 자극 후 통증 경험과 관련된 만성 통증의 발병을 보고하는 것이 일반적이다. 뇌는 통증과 관련된 자극으로 활성화될 수 있는 통시적인 통증 표현을 유지한다.

만성 통증 분류를 위한 새로운 제안 (A new proposal for chronic pain classification)

형용사 '만성'은 통증의 일시적인 질만을 정의한다. 따라서 만성 통증 경험과 관련된 다양한 측면을 더 잘 설명할 수 있는 분류가 필요하다.

국제 통증 연구 학회(IASP)는 가장 관련성이 높은 통증 증후군의 설명을 표준화하려고 시도하는 만성 통증의 다축 분류를 발표했다.

이 분류는 5개의 축에 따라 만성 통증이 있는 환자를 그룹화한다. 이 시스템은 각 만성 통증 진단에 해당하는 5자리 코드를 설정한다. 통증의 정의와 분류를 검토하기 위해 권장된다.[674]

국제 통증 연구 학회(IASP) 다차원적 통증 분류

- 1차축(Axis I): 신체 부위
- 2차축(Axis II): 비정상적인 기능이 통증을 유발할 수 있는 시스템
- 3차축(Axis III): 통증의 시간적 특성 및 발생 패턴
- 4차축(Axis IV): 통증이 시작된 이후의 강도 및

그림 11-45 ■ 모든 유형의 통증(통각수용성, 염증성, 신경병성 및 기능장애)은 급성, 아급성, 재발성 또는 만성일 수 있으며 중추 감작 정도는 모든 유형에서 매우 다양할 수 있다.

시간에 대한 환자의 진술

- 5차축(Axis V): 추정되는 병인

그러나 이 분류는 관련된 통증 기전 및 중추 과민의 정도와 같은 만성 통증의 발달에 몇 가지 중요한 측면을 통합하는 데 실패한다. 따라서 관련된 기전(통각수용성, 염증성, 신경병성 및 복합 기전)을 통합하는 통증 분류가 제안된다(**그림 11-45 및 11-57**).

이러한 모든 유형의 통증은 급성, 아급성, 재발성 또는 만성일 수 있다. 복합 통증은 만성 장애 통증을 가진 환자가 종종 경험한다. 그러나 앞서 언급한 바와 같이 복합 급성 통증은 자발적으로 나타나거나 '고통스러운 기억'의 활성화를 유발할 수 있는 신체적, 인지적 또는 정서적 자극에 따라 나타날 수 있다. 급성 통증을 말초 기전과 동일시하여 중추 감작이 부족한 것과 만성 통증을 중추 처리 기전과 동일시하는 것도 잘못이다. 중추 감작은 급성 통증의 인식에 중요한 역할을 할 수 있다. 예로는 외상 후 손상 및 염증 과정 후에 흔히 나타나는 감각 과민, 관련 통각과민 및 이질통 현상이 있다. 따라서 중추 과민성은 모든 유형의 통증에서 다소 나타날 수 있다.

- 급성 통증을 말초 기전과 동일시하고 만성 통증을 중추 처리 기전과 동일시하는 것은 잘못된 것이다.
- 중추 감작은 급성 통증을 인지하는 데 중요한 역할을 할 수 있다.
- 모든 유형의 통증(통각수용성, 염증성, 신경병성 및 복합성)은 급성, 아급성, 재발성 또는 만성일 수 있다.
- 복합만성통증 환자는 복합통증을 자주 경험한다.

시간축에 따르면 피험자가 일정 기간(약 3개월) 이상의 통증을 경험할 때마다 통증을 만성 또는 지속성 통증으로 간주할 수 있다. 그러나 환자의 통증 경험을 보다 포괄적으로 정의하고 치료 목표를 제공하기 위해서는 다른 분류학적 축을 고려해야 한다. 예를 들어, 병인을 고려하면 만성 통증이 활성 침해수용원의 결과인 경우 조직을 치료하는 것이 필수적이다. 그러나 통각이 없다면 중추적으로 생성된 통증 반응을 조절하도록 치료해야 한다.

따라서 만성 통증 경험과 관련된 다양한 측면을 더 잘 설명하기 위해 행동 및 심리사회적 측면을 포함하는 보다 광범위한 새로운 분류학적 분류가 9개의 축에 따라 통증을 고려 하는게 제안된다. 장애, 중추 감각 정도, 정서적 반응 측면에서 개인의 삶에 미치는 영향, 기능장애 질병 행동 및 관련 장애의 존재와 같은 행동 반응, 그리고 마지막으로 관련된 모든 심리사회적 측면(개인, 가족, 직장 등).

분류학적 분류의 축

- 지속성
- 병인학
- 통증 기전
- 통증 정도
- 신체 장애
- 중추감작
- 감정적 반응
- 행동 반응 및 장애
- 심리사회적 측면

통증 식별자(Pain identifiers)

관련 침해수용성 입력과 관련이 없는 통증 상태(급성 및 만성)의 임상적 식별자가 많이 필요하다. 복합 통증이 있는 환자의 경우 중추 과흥분성, 질병 행동, 심리적 고통 및 장애와 같은 다양한 측면이 임상 양상을 지배하고 치료 반응을 중재한다.

위에서 설명한 중추 감작 통증 알고리즘은 중추 감작의 징후 및 증상과 관련된 기준을 제공했다. 그러나 이미 언급했듯이 중추 감작은 복합 통증을 가진 대상을 식별하는 유일한 또는 가장 중요한 측면이 아니다. 또한 심리사회적 측면은 중추 감작의 증가보다 복합 통증의 더 나은 지표인 경우가 많다.

이러한 유형의 통증을 인식하는 것이 중요하다. 모든 유형의 통증이 침해수용원과 환자의 임상적 표현 사이에 일관성을 나타내지만 복합 통증은 그렇지 않기 때문이다. 통증의 패턴은 부상의 심각성에 비례하지 않거나 인식할 수 있는 임상 패턴과 일치하지 않다. 복잡한 통증을 식별하지 못하면 환자가 상충되는 설명을 듣고 불필요한 탐색과 비효과적인 치료를 받는 경우가 많다. 침해수용성 통증의 경우 침해수용성 원인을 치료할 필요가 있는 반면 복합 통증의 경우 중추 조절 메커니즘과 심리사회적 측면에 초점을 맞춰야 한다.

복합 통증 상태의 광범위한 평가를 위한 복합 통증 식별자 목록이 제공된다. 이것의 목적은 통각 입력과 관련이 없는 복잡한 만성 통증 상황의 인식을 촉진하는 것이다. 이러한 식별자는 다음과 같이 분류될 수 있다. 주요 식별자(통증 타임라인, 통증, 임상 패턴, 통증 관련 기능장애 및 일상 활동에 대한 불내성); 근골격계 및 동반 질환과 관련이 없는 감각 과민증과 같은 중추 과흥분성의 상태를 나타내는 이차 식별자; 확인적 식별자(진단, 신체 평가 및 치료 반응); 인지적, 정서적 측면 및 심리사회적 문제와 같은 관련 식별자(**표 11-12**).

복합 통증의 주요 특징은 징후와 증상, 알려진 부상 또는 질병 패턴 사이에 불일치가 존재한다는 것이다. 이것은 초기에 임상의가 알려진 병리학을 배제하

표 11-12
복합 통증의 식별자

주요 식별자

식별자 1: 통증 타임라인
식별자 2: 통증 및 기타 증상, 국소화 및 임상적 통증 패턴
식별자 3: 관련 기능장애의 심각도 및 일상 활동에 대한 불내성

보조 식별자

식별자 4: 근골격계와 무관한 감각의 과민성 (냄새, 밝은 빛, 소리, 맛, 높이 변동 등에 대한 과민성)
식별자 5: 동반질환

확인식별자(진단, 평가 및 치료)

식별자 6: 진단
식별자 7: 신체 평가
식별자 8: 이전 또는 진행 중인 치료에 대한 비정상적인 치료 반응

관련 식별자(개인 및 심리사회적)

식별자 9: 인지 및 정서적 측면
식별자 10: 심리사회적 문제

도록 강제한다. 특히 징후와 증상이 심각한 상태(예: 골수병증, 꼬리말, 다발신경병증, 다발성 경화증 등)에 이차적인 경우에는 더욱 그렇다. 복합 통증의 임상 양상은 만성일 뿐만 아니라 급성 또는 아급성일 수도 있다(**그림 11-46**).

식별자 1: 통증 타임라인

통증 타임라인은 인지된 임상 상태의 자연적 병력과 일치하지 않는다. 예를 들어 : 예상되는 조직 치유를 넘어 지속되는 통증, 차도 없이 3개월 이상 지속되는 통증; 수년간 지속적인 통증에 대한 불만; 계절적 또는 날씨 변화, 또는 부하를 받거나 생활에 불리한 사건과 관련된 주기적인 통증; 주기적 또는 급성 발병은 인지된 임상 상태로 설명할 수 없다.

식별자 2: 임상적 통증 표현

임상 통증 표현이 인정된 임상 상태와 일치하지 않는다. 활동성 질환이 없거나 그 중증도가 통증 강도나 장애 정도를 정당화하지 못한다는 점에서 환자의 증상이 일치하지 않는다. 첫 번째 시나리오에서 식별 가능한 조직 손상이 없음에도 불구하고 환자는 심한 통증을 호소한다. 따라서 이 기준은 섬유근육통 및 과민성 대장 증후군과 같은 상태에서 충족된다. 두 번째 시나리오에서 부상이나 병리는 이 환자가 경험한 통증과 장애를 설명하기에 충분하지 않다.

임상의가 활성 질병을 배제하고 임상 상태에 비례하거나 불균형한 것으로 간주되는 것이 무엇인지 아는 것이 분명히 중요하다.

이 기준은 통증 패턴, 통증 행동, 주관적 감각 증상, 주관적 운동 증상 및 징후 또는 증상의 무시를 다룬다. 또한, 또는 통증 대신에 일부 환자는 근육 약화 또는 마비, 무감각, 지각 이상, 감각 이상, 심지어는 신경 해부학적 분포가 타당하지 않고 병리학적으로 정당화되지 않는 마취와 같은 증상을 나타낼 수 있다. 기능장애 만성 통증이 있는 이러한 환자는 환자가 신경 병리 생리학과 양립할 수 없는 신경 증상

그림 11-46 ■ 복합 통증 식별자.

(민감성 또는 운동성)을 언급하는 전환 장애의 기준을 충족할 수도 있다.

통증 패턴

- 비해부학적 또는 분절 분포가 있는 넓은 통증 부위.
- 광범위한 통증.
- 비정형 통증 패턴
- '마비성 통증'.
- 반신의 통증, 편측 통증('편마비 통증').
- 양측성 통증/거울대칭 통증(mirror pain) (**그림 11-47**).
- 전체 하지 또는 상지 통증.
- (해부학적) 위치에 따라 다양한 통증 ('이동 통증').
- 새로운 고통스러운 상태는 결코 사라지지 않는다.
- 신체 전반에 걸친 다양한 통증 증후군의 연관성.
- 근골격계, 신경병성 및 내부장기와 같은 다른 특성의 통증을 결합한 임상 패턴.

통증 행동

- 부상이나 병리의 성격과 정도에 불균형한 통증.
- 기계적 자극의 강도에 비례하지 않는 통증.

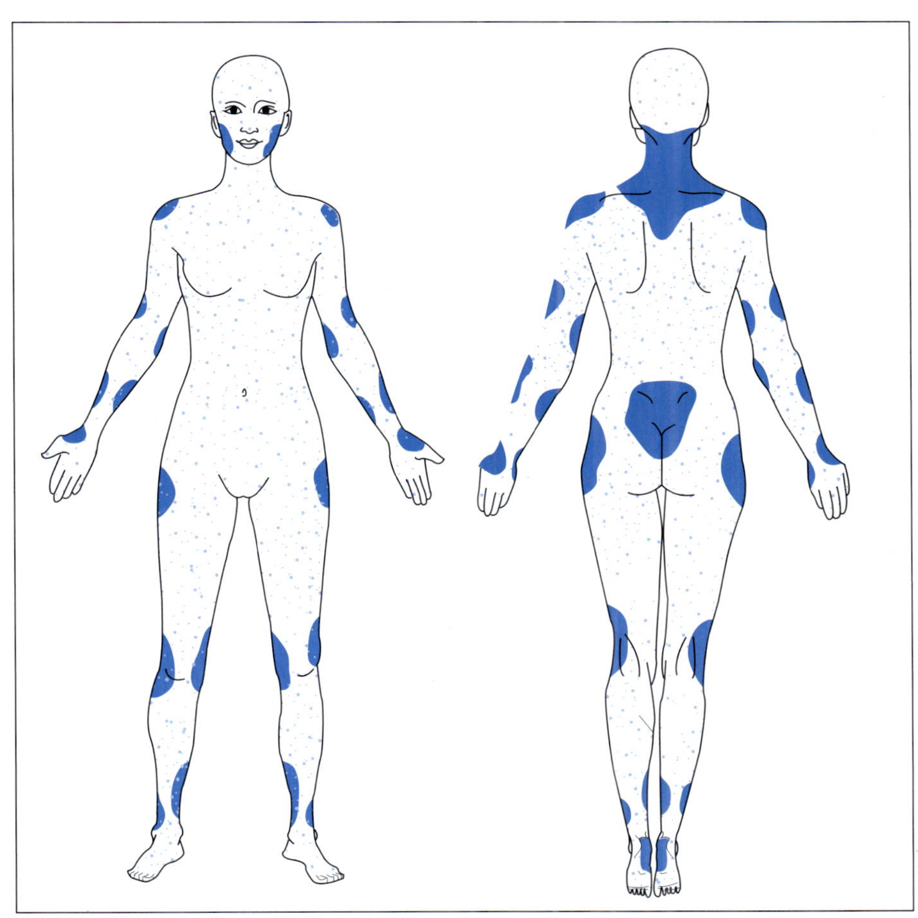

그림 11-47 ■ (A, B) 거울 통증. 거울 통증 패턴을 가진 40세 환자이다.

- 심한 통증과 과민성.
- 자발성 통증, 자극 독립 통증, 발작성 또는 돌발성 통증.
- 잠복성 통증: 자극/반응 사이에 왜곡이 있다.
- 통증은 자발적으로 나타날 수 있지만 강한 자극 후에는 나타나지 않는다.
- 통증은 알려진 원인 없이 발생하며 몇 달 또는 몇 년 동안 사라졌다가 나중에 다시 나타날 수 있다.

주관적인 감각 증상

- 일차 통각의 분절 영역 밖의 이질통.
- 주관적인 감각 저하.
- 편마비 또는 하반신마비 이질통 또는 지각과민.
- 신경학적 손상이나 질병이 없는 무감각 또는 감각이상.
- 사지 전체의 주관적인 부종의 느낌.
- 고통스러운 다발신경병증이 없는 장갑이나 양말의 저림 또는 감각이상.

주관적인 운동 증상

- '마비 통증'.
- 전체 구성의 기능적 무기력과 관련된 통증(다리 전체 또는 팔의 결함).
- 파행성 통증(신경성 파행 또는 혈관 파행 제거 후).

방치 징후 또는 증상

- 인지, 감각 또는 운동 방치의 징후 또는 증상.

식별자 3: 관련 기능장애의 심각도 및 일상 생활 활동에 대한 과민성

일상 생활 활동에 대한 관련 기능장애 및 과민증의 심각도는 조직 손상의 정도 또는 심각도에 비례하지 않는다. 많은 만성 통증 환자는 저강도 신체 활동에 대한 부작용을 보인다. 공포 회피 행동은 또한 만성 복합 통증 환자의 일반적인 특징이며 장애에 직접적으로 기여한다.[529,530,534,535] 성교 빈도 감소도 일반적이다.

일상 생활 활동 과민성은 다음과 같은 간단한 질문으로 평가할 수 있다.

- 구부려서 무게 들기(무거운 여행 가방 또는 3~4세 아동)
- 앉기(30분 미만)
- 서기(30분 미만)
- 걷기(30분 미만)
- 이동(30분 미만의 승용차나 버스)
- 저강도 일상업무 수행 어려움
- 옷 입는데 도움 필요

식별자 4: 근골격계와 무관한 감각의 과민증

복합 통증 환자는 기계적 자극,[35,707,708] 냄새, 온도[709] 및 전기적 자극과[70,707] 같은 다양한 자극에 대해 일반적인 감각 과민성을 자주 나타낸다. 일부 환자는 또한 의복에 사용되는 특정 유형의 직물, 화학 물질, 여러 약물 및 미각 대한 과민성을 나타낸다.

예를 들어, Small과 Apkarian은[735] 만성 요통이 있는 환자가 미각이 증가한다는 것을 보여준다.

근골격계와 무관한 감각의 과민증:

- 빛공포증
- 소리공포증
- 냄새공포증
- 추위 또는 더위 과민증
- 특정 옷형태 과민증
- 화학적 과민증
- 다수약물 과민증
- 미각 과민증

식별자 5: 동반질환

또 다른 중요한 추가 기준은 동반 질환이다. 복합 통증을 가진 많은 환자들은 두통, 현기증, 과민성 대장 증후군, 통증성 방광 증후군 및 만성 골반통과 같은 다른 만성 질환도 앓고 있다. 그런 다음 환자에게 다른 임상 상태에 대해 질문해야 한다. 일부 환자는 복합 통증에 해당하는 다른 임상 상태의 과거 병력을 보고한다. 따라서 발병전 통증에 대해 질문해야만 한다.

동반질환 임상 상태:

- 과민성 대장 증후군
- 통증성 방광 증후군
- 외음부통
- 배뇨통
- 두통
- 메스꺼움
- 불안정
- 비정상적 만성 불편함 또는 통증
- 알러지성 증상들

발병전 통증: 일부 환자는 복합 통증에 해당하는 다른 임상 상태의 과거 병력을 보고한다.

식별자 6: 진단

진단이 알려진 임상 패턴과 일치하지 않거나 명확한 결론을 내리지 못한다. 진단 딜레마의 역사: 환자는 여러 진단 연구를 거쳤다. 진단이 모호하고 일관성이 없으며 부적절하다. 섬유근육통(FM), 만성 피로 증후군, 과민성 대장 증후군(IBS), 편타손상 후기, 외음부 통증 등과 같은 명백한 병인학적 증거가 없는 임상 상태의 진단이 이 기준에 포함된다.

- 진단 딜레마
- 진단이 모호하거나 일관성이 없다.
- 명백한 병원성 병인학적 증거가 없는 임상 상태의 진단

식별자 7: 신체 평가

신체 평가는 인식된 임상 패턴과 양립할 수 없는 비정상적인 반응을 보여준다.

- 진통 또는 기이
- 신체 평가 과민
- 촉진 시 통증/압통의 확산/비해부학적 영역
- 갑작스런 움직임 증후
- 심한 지각과민
- 기계적 이질통
- 열감 이질통
- 해부학적이지 않은 과민증
- 염증성 없는 과한 통증
- 객관적인 강직 없이 운동 범위의 감소
- 비정상적인 이동성 패턴
- 보호된 움직임
- 신경해부학적 패턴을 따르지 않는 쇠약
- 평가 중 환자는 부적절한 임상 반응을 보인다.
  : 통증 없이 한 다리로 뛸 수 있는 동안 최소한의 도수적 검사(예, 발)를 견디지 못한다.
- 평가 중 과잉 행동들: 환부를 문지르기, 잡기, 찡그린 얼굴, 발한, 한숨.

식별자 8: 비정상적인 치료 반응

복합 통증을 가진 많은 환자들은 이전 또는 진행 중인 치료에 대해 비정상적인 치료 반응을 보인다. 이러한 전형적인 비정상적인 치료 반응은 다음과 같다. 치료에 대한 일관되지 않거나 예측할 수 없는 반응; 통각수용성 통증이 있는 환자에서 정기적으로 볼 수 있는 것 이상의 증상 악화를 포함한 다양한 치료 접근 방식에 대한 과민성.[703,736]

- 무응답자
- 치료에 대한 일관되지 않은/예측할 수 없는 반응
  어느 날 성공적인 치료 기술로 보이는 것이 다른 날에는 어떤 응답도 얻을 수 없다.

- 다양한 치료 접근법에 대한 과민감
- 이상 반응 : 치료후 증상의 현저한 악화, 피로, 메스꺼움 증상.
- 이전 통증 상태에서 치료에 대한 이상반응
- 부정적인 결과가 있는 이전 수술의 이력(수술 실패)
- '기적' 및 '대체' 치료 방식의 높은 효과
- 응급실 진료 방문
- 국소 근골격 통증 장애 환자에서 정기적으로 관찰되는 것 이상의 증상 악화를 포함하여 (새로운) 치료에 대한 반응으로 다양한 자극에 대한 과민 반응의 급성 증가

식별자 9: 인지적, 정서적, 행동적 측면

인지, 감정 및 행동 요인은 일반적으로 복잡한 통증 상태와 관련이 있다. 만성 통증이 있는 환자는 통증과 삶에 대해 종종 강박적으로 부정적이고 비관적인 생각을 나타낸다. 통증의 원인에 대한 환자의 해석은 통증을 경험하는 강도를 결정한다. 통증이 심각하고 위협적인 어떤 지표로 해석되면 통증에 대한 인식이 증폭된다.[103,474] 통증 경험에 대한 일반적인 감정은 우울증, 불안, 두려움, 분노 및 좌절이다. 그러므로 감정과 부정적인 생각은 통증에 대한 인식과 회피 행동의 발달, 그리고 마지막으로 환자의 장애에 중요한 역할을 한다. 일반적인 인지 및 정서적 요인은 통증, 파국화, 과잉 경계, 낮은 자기 효능감, 질병 인식, 통증 관련 두려움, 우울증 및 불안에 대한 잘못된 인식이다. 이러한 인지–정서적 요인은 자기 보고된 정서적 웰빙 및 신체 기능 수준의 차이를 담당하는 매개 메커니즘이 될 수 있다. 만성 복합 통증 환자는 일반적으로 불균형 장애, 두려움 회피 및 질병 행동, 성교 감소 및 사회적 자기 배제와 같은 행동 반응을 보인다.

- 통증에 대한 오해
- 과잉 경계
- 격변
- 정서적 고통
- 불안
- 쳐진 기분/우울증
- 낮은 자기효능감

식별자 10: 심리사회적 문제

다양한 심리사회적 측면이 어린 시절의 불리한 경험, 만성 통증이 있는 직계 가족, 성적 학대, 낮은 사회경제적 및 교육 수준 및 업무 관련 문제와 같은 만성 통증의 발달 및 유지에 관련될 수 있다. 따라서 복합 통증이 있는 환자를 평가할 때 현재의 병력뿐만 아니라 환자의 통증 경험을 이해하는 데 기여할 수 있는 병전 상태 및 심리 · 사회적 외상 사건과 같은 측면을 조사하는 것이 필수적이다.[431] 더욱이, 어려운 정서적 경험, 외상, 외상후 스트레스 및 대인 관계 갈등이 통증의 지속에 기여한다.[93,437] 낮은 교육 수준, 낮은 사회경제적 지위 및 보상 문제는 만성 통증 및 장애의 높은 비율과 관련이 있다.[412,616]

- 유해한 어린시절 사건
- 만성 통증이 있는 직계 가족
- 색깔 장애
- 이전 병가 이력
- 기타 상해로 인한 청구 이력
- 낮은 사회경제적 지위
- 낮은 학력
- 보상 문제

이런 환자들에서 치료의 목표는 더 이상 조직과 관련되지 않고 오히려 '통증 기억'과 기능장애 행동과 관련이 있다. 치료 전략은 '기억' 활성화를 감소시킬 수 있어야 하고 부적응적 인지, 행동, 장애 및 환자의 통증 경험과 관련된 모든 생물심리사회적 측면도 다루어야 한다.

결론 및 임상적 의미 (Conclusion and clinical implications)

생물심리사회학적 모델과 중추신경가소성 기전에 대한 지식은 복잡한 만성 통증에 대한 보다 완전한 그림을 제공한다. '만성 통증'이라는 용어는 3~6개월 이상의 통증 지속 기간만을 고려하거나 정상적인 치유 시간을 초과하여 지속되어 부적응적인 통증으로 정의하는 정의를 포함하여 매우 다른 해석을 가질 수 있다. 통각이 환자의 증상을 완전히 설명하지 못하는 임상 복합 통증 상태는 중추 과민성 증후군, 과민성 통증 장애, 특발성 통증 증후군 등과 같은 다양한 이름으로 알려진 만성 통증 증후군으로 간주된다. 이러한 경우 통증 병인이 만성 광범위 통증 및 비특이적 요통과 같이 완전히 이해되지 않은 통증연구국제학회(IASP)는 '만성 원발성 통증'이라는 용어를 제안한다.

또한 통각, 염증 또는 신경병증성 통증과 같은 고전적인 통증 기전에 추가하여 새로운 범주를 설정해야 한다는 제안이 있었으며 이를 '중추 감작성 통증'이라고 한다. 과민성 현상이 만성 통증과 관련된 메커니즘 중 하나가 될 수 있다는 사실에도 불구하고 이러한 현상은 통각 입력과 관련된 급성 통증에 존재한다. 게다가, 이 알고리즘은 만성 통증의 복잡한 경험을 이해하는 데 절대적으로 관련된 행동 및 심리사회적 측면을 포함하지 않는다. 따라서 임상에서 체성감각 식별자와 심리 사회적 식별자를 모두 통합하는 철저하고 포괄적인 분류가 필요하다. 또한 침해수용성 원인과 관련된 통증과 관련이 없거나 환자의 증상을 정당화하지 못하는 통증을 명확하게 구별할 수 있어야 한다.

'복합 통증'은 조직 손상, 감지 가능한 염증 또는 신경계 손상의 결과가 아닌 통증에 대한 더 나은 용어일 수 있다. 만성 통증의 특성을 식별하는 것이 중요하다: 침해수용성 또는 염증성, 신경병성 또는 기능장애. 적응적일 수 있다는 점을 염두에 두고 각각의 경우에 중추 감작의 역할을 결정하는 것도 중요하다. 따라서 적절한 통증 분류법은 임상 의사 결정을 개선할 가능성이 있으며 통증이 있는 환자의 진단, 치료 및 예후 모두에 중요한 결과를 가져온다.[737] 환자의 증상이 통각 수용 입력에 이차적인 경우 조직 치료가 정당화 된다. 그러나 임상 양상이 복잡한 통증과 관련된 경우 변경된 중추 처리를 조절할 수 있고 인지를 변경하고 공포 회피 행동 및 장애를 줄이는 것을 목표로 하는 전략이 필요하다.

만성 복합 통증 환자에 대한 치료 접근법 TREATMENT APPROACH TO PATIENTS WITH CHRONIC COMPLEX PAIN

제시된 치료적 접근은 주로 만성 복합 통증 환자의 관리를 목표로 한다. 그것은 많은 영향의 결과이며 교육적 치료 모델, 움직임 기반 치료, 체계적인 둔감화 기술, 피질 표현을 위한 전략, 조작적 조건화 점진적 노출 및 생체 내 노출, 인지 행동 치료, 수용 및 헌신 치료 등과 같은 인지 및 행동 접근 모델과 같은 다양한 치료 모델의 중요한 기여를 고려한다.

만성 복합 통증 환자를 위한 치료 프로그램(Treatment programme for patients with chronic complex pain)

환자에게 만성 통증 치료 프로그램을 제안하기 전에 환자의 임상 상태에 대해 경험이 풍부한 임상의의 수준 높은 평가를 수행하는 것이 중요하다.

임상의가 처음에 고려해야 하는 문제는 다음과 같다.

1. 환자의 통증과 관련된 지배적인 신경생리학적 기전(통각수용성, 염증성, 신경병성 또는 기능장애)을 확인한다. 이것은 사용할 치료 전략을 결정하는 가장 중요한 측면 중 하나이다.

2. 환자의 주요 특정 신체 장애는 무엇입니까?
3. 중추 과민반응의 정도는 어느 정도이며 중추신경계 과흥분성의 정도는 어느 정도입니까?
4. 통증에 대한 환자의 믿음이 현실과 일치합니까?
5. 환자의 행동은 적응적입니까 아니면 두려움을 피합니까?
6. 어떤 심리사회적 측면이 관련되어 있습니까?

활동적인 병리가 있는지 여부와 환자의 통증과의 상관 관계를 식별하는 것이 필요하다. 다시 한 번, 기능이상 만성 통증과 통각성, 신경병성 또는 염증성 지속성 통증을 치료적 관점에서 본질적으로 구별할 필요가 있다.

만성 복합 통증 환자의 치료는 다차원적 관점에서 접근해야 하며 인지 행동 원칙에 기초해야 한다. 개인의 반응이 자극에 반사적으로 의존하지 않고 처리에 기반하도록 내부 및 환경 정보를 지속적으로 처리한다. 이 처리에는 대상의 인지, 이전 경험, 미래 결과에 대한 고려, 맥락 및 가족 및 문화 학습이 포함된다. 정보 처리는 통증 인식에도 영향을 미칠 행동과 감정을 포함하여 운동 및 다중 시스템 반응을 결정한다. 복합 통증이 있는 환자에게는 분명히 부적응적이지만 통증은 항상 생물학적으로 일관된 반응이다. 이 부적응적 반응은 또한 인지에 의해 매개되며 개인의 손상을 악화시키는 행동을 결정한다. 따라서 인지와 행동이라는 두 가지 측면은 만성 복합 통증 환자의 치료에 매우 중요하다.

치료적으로 해결하기 위해서는 인지와 행동이 만성 복합 통증 환자에게 중요하다.

이러한 환자 관리의 첫 번째 단계는 통증에 대한 환자의 부적절한 인식을 수정하는 것을 목표로 해야 한다. 그런 의미에서 유망한 결과를 보여주는 전략 중 하나는 통증 신경생리학/신경과학 교육이라고도 하는 통증 생물학 교육이다. 두 번째 필수 전략은 생체 내 점진적 노출/생체 노출 및 신체 재활성화 프로그램을 기반으로 공포 회피 행동 및 장애를 변경하는 것을 목표로 한다.

특히 심한 통각과민 및 이질통이 있는 환자의 또 다른 흥미로운 전략은 말초 자극을 사용한 탈감작이다. 최근에는 '가상체'에 작용하여 피질 재조직에 작용하여 통증 및 감각 왜곡 현상을 줄이는 전략이 개발되었다. 마지막으로, 많은 환자에서 통증 행동과 장애를 선호하고 영속시키는 심리사회적 측면을 다루어야 한다.

만성 복합 통증 환자의 관리 전략

- 통증 신경생물학 교육
- 특정 신체적 불내성 및 장애의 치료: 생체 내 점진적 노출/생체노출 및 일반적인 신체적 재활성화
- 주변기기 둔감화 기술
- '가상신체'를 겨냥한 전략
- 관련된 심리사회적 측면의 관리

대부분의 환자에서 치료의 두 가지 초석은 통증 생물학 교육과 둔감화 획득 및 특정 장애 감소를 목표로 하는 신체 재활성화 프로그램 설계이다. 일부 치료 원칙을 설명할 수 있지만 치료는 각 개인에 따라 설계되어야 한다는 점에 유의해야 한다.

만성 통증 환자 치료의 기본

- 통증 교육
- 신체적 재활
  - 둔감화
  - 특정 불내성 치료

치료를 다루기 전에 두 가지 일반적인 개념적 오류를 염두에 두어야 한다. 첫 번째는 치료의 유일한

목표가 통증을 완화하는 것이고, 두 번째는 증상이 개선되어 환자가 정상적인 삶으로 돌아갈 수 있도록 하는 것임을 고려하는 것이다.

통증을 줄이는 것이 치료 목표 중 하나이지만, 그것이 유일한 또는 주요 목표가 되어서는 안된다. 많은 환자들이 치료를 통해 임상적으로 호전되지만 직장으로 복귀하지 않고 계속해서 장애 상태를 유지한다. 따라서 현재 임상 모델은 기능 및 삶의 질 향상에 중점을 둔다. 환자가 자신의 가치에 기반을 둔 중요한 활동으로 행동을 안내하는 것이 필수적임을 이해하는 것이 중요하다. 주목해야 할 또 다른 측면은 수동적 치료 방식이 복합 통증이 있는 환자에게 미칠 수 있는 부정적인 영향이다. 이 경우 수동적 치료는 부적절할 뿐만 아니라 역효과를 낳을 수도 있다. 왜냐하면 통증의 원인이 병리학 또는 신체 기능장애에 있다는 환자의 확신을 강화하기 때문이다. 결과에 차이를 만드는 측면은 환자 교육, 특정 신체적 불내성 및 두려움 회피 행동을 다루고 활동 수준을 높이는 것이다.

- 통증을 없애는 것이 치료의 유일한 목표는 아니다.
- 수동적 치료 방식은 역효과를 낼 수 있다.
- 목표는 환자가 직장, 가족 및 여가 활동을 재개할 수 있도록 하는 것이다.
- 모든 생물학적, 심리적, 사회적 측면을 다룰 필요가 있다.
- 통증의 정서적 영향을 줄이고 환자의 행동을 수정하는 것이 중요하다.

이 모델의 핵심 측면은 환자가 프로세스 전반에 걸쳐 적극적인 역할을 한다는 것이다. 따라서 수동적 치료 수혜자의 고전적인 역할을 수정하고 회복 과정의 주요 능동적 촉진자가 되어야 한다. 치료사는 일반적인 생물 의학적 역할과 완전히 다른 역할을 가정하여 문제의 비의료화에 참여해야 한다. 치료사는 기술을 적용하기보다는 교육자 역할을 하며 인지 및 행동 변화를 장려하고 정보를 전달하며 환자를 위한 신체 재활 및 특정 둔감화 프로그램을 설계하는 것을 목표로 한다. 이 치료사-환자 관계에서 환자의 말을 경청하고, 통증을 인정하고, 지원을 제공하고, 문제에 대한 최신 지식을 보여줌으로써 자신감을 얻는 것이 중요하다.

치료 원칙

- 환자 중심의 협력적 치료
- 치료사는 환자의 문제를 치료하는 데 참여해야만 한다.
- 문제의 개별화된 개념화
- 각 환자에 대한 특정 목표
- 환자는 통증이 치료의 일차적 목표가 아니라 정상적인 삶을 회복하는 것이 가장 중요하다는 것을 이해해야 한다.

치료사와 환자의 상호작용은 긍정적인 결과를 위해 매우 중요하다. 통제된 실험 연구에서 강화된 치료 동맹이 만성 통증 환자의 통증 강도를 조절하는 것으로 나타났다.[738] 치료적 제휴를 위해서는 많은 환자들이 '심리신체 환자', 심지어 시뮬레이터로 취급되어 왔기 때문에 만성 통증의 복잡한 차원을 알고 환자의 상황을 이해하는 전문가를 찾는 것이 필수적이이다. 환자가 항상 치료사의 지지를 받을 수 있는 따뜻하고 친근한 치료 환경을 조성하는 것이 필요하다.[739] 그러나 환자의 통증과 괴로움을 인정하는 것이 필수적이며, 처음부터 아픈 역할과 부적응적인 질병 행동을 자제해야 한다.[740]

중요한 측면은 환자가 자신의 문제를 다시 개념화해야 한다는 것이다. 집중해야 할 점은 근본적인 측면 중 하나이며 통증의 제거가 아니라 직장, 가족 및 사회 활동을 재개하는 것이다. 환자는 문제가 통증일 뿐만 아니라 장애, 가족 및 사회적 관계의 악화 등과 같은 삶의 여러 측면이라는 것을 이해해야 한다. 따라서 환자와 치료사의 문제 개념화는 동시에 일어나야 한다. 치료사가 모든 신체적, 행동적, 개인적, 사회적 차원에서 환자의 통증 문제를 '도표화'할 수 있는 것이 중요하다. 치료사는 환자에게 문제에 대한 보다 광범위하고 포괄적인 관점을 제공할 수 있어야 한다. 따라서 환자의 삶의 특정 측면을 다루는 개인화된 접근이 필요하다.

이것은 치료사와 환자가 결정을 공유하는 환자 중심의 협력 치료 모델이다. 매우 중요한 측면에는 환자의 가치, 이전 경험, 자아에 대한 인식, 세계에 대한 비전이 포함되며 환자의 통증, 자신의 기술 및 기대치가 포함된다. 치료는 환자가 회복에 적극적이고 책임감 있는 역할을 할 수 있도록 해야 한다. 프로그램의 성공을 궁극적으로 결정하는 측면은 이러한 프로그램이 환자가 통증을 관리하도록 '권한을 부여'할 수 있는지 여부이다. 즉, 환자가 동기, 가치 및 노력에 따라 자신의 대처 전략을 개발하도록 해야 한다. 또한 필요한 목표는 특히 중재적 또는 외과적 치료인 경우 증거 기반이 아닌 치료에 대해 환자를 '면역을 갖게'시키는 것이다. 높은 정서적 고통 및 수년간 장애를 가진 복합 통증이 있는 환자의 경우 치료사는 인지-행동 전략에 대한 훈련을 받아야 한다.

치료사 – 환자 관계의 중요한 측면

- 환자와 좋은 치료적 동맹을 맺는 것이 중요하다.
- 환자의 말을 경청하는 것이 중요하다.
- 환자의 통증과 고통을 인정한다.
- 환자의 의미와 통증에 대한 원인을 확인한다.
- 환자 지원을 제공
- 환자를 판단하지 않는다.
- 문제에 대한 현재 지식을 보여준다.
- 문제에 대한 환자-치료사 개념화를 일치시킨다.
- 환자가 회복에 적극적이고 책임 있는 역할을 할 수 있도록 권한을 부여한다.

치료 프로그램 계획
(Planning the treatment programme)

조정자, 중재자 및 예후 요인의 평가

만성 통증 환자의 치료는 복잡하다. 환자의 통증과 관련된 가장 관련성이 높은 측면에 맞게 치료를 조정하는 것이 중요하다. 치료를 시작하기 전에 치료 반응과 예후 인자의 매개 변수와 조절 변수를 평가하는 것이 필수적이다. 조정자는 치료 효과의 전부 또는 일부를 담당하는 변수로 정의된다. 변수가 매개변수가 되려면 치료와 결과 사이에 인과관계가 있어야 한다. 중재자는 치료 결과와 상호 작용하고 영향을 미치는 기본 특성이다.[741] 조정자는 치료가 효과적인 이유와 효과를 식별하지만 중재자는 누가 어떤 상황에서 치료가 다른 효과를 나타내는지 식별한다. 반응 조절 및 매개 변수를 식별하면 개별 환자에게 가장 적합한 치료 전략을 설계할 수 있다.

치료에 대한 기대와 동기, 장애물 및 장벽을 평가하여 환자의 통증과 관련된 다양한 요인을 평가하고 환자의 통증 경험에서 무엇이 더 결정적인지 결정해야 한다. 특히 수정 가능한 경우 이러한 모든 예후 요인을 식별하여 환자의 특성에 따라 치료를 설계하고 치료 목표로 사용할 수 있다.[742]

환자의 기대는 치료 결과의 중요한 결정 요인이다.[508,742-744] 열악한 치료 예후를 결정할 수 있는 기대와 동기는 마술적이고 빠르고 쉬운 해결책을 찾고 있고, 제3자(자녀, 배우자)에 의해 재촉 받지만 개인적으로 동기가 없는 환자 또는 문제가 무엇인지 이해하는 데 관심이 있지만 변화가 없는 환자이다.

예후적 측면 평가

- 기대와 동기
- 치료의 장애물과 장벽
- 환자의 통증과 관련된 요인
- 환자의 통증 경험에서 가장 관련성이 높은 요소

통증에 대한 뿌리 깊은 잘못된 인식, 극도로 심한 통증, 높은 불안, 통증에 대한 강박관념, 정서적, 정서적 상황, 낮은 문화 및 사회경제적 지위, 오랜 세월에 걸친 역기능 행동, 약품치료에 대한 의존 및 내성, 특히 아편류의 장기간 사용, 가족 측면, 반복되는 병가 및 높은 수준의 장애와 같은 모든 종류의 장애물과 장벽이 치료를 방해한다.

환자의 통증과 관련된 물리적 요인을 평가하여 점진적 노출 프로그램을 계획할 구체적인 신체적 과민증 및 공포 회피 행동을 결정해야 한다. 환자의 신체활동 수준, 수면의 질 및 전반적인 건강을 고려해야 한다.

중요한 문제는 인지적 측면을 평가하는 것이다. 통증에 대한 환자의 믿음은 무엇입니까? 의료 전문가로부터 받은 정보는 무엇입니까? 환자의 불안한 생각, 통증에 대한 두려움 및 미래의 기대와 같은 현실에 부합합니까? 통증에 대한 환자의 잘못된 믿음을 아는 것은 인지 개입 전에 필수적이다. 통증의 원인에 대한 부정적인 해석은 신체 증상에 주의를 집중할 수 있어 환자의 통증과 장애를 악화시킬 수 있다. 예를 들어, 척추는 취약한 구조이며 허리 부상은 심각하며 나쁜 해결책이 있다는 일반적인 믿음이다. 따라서 치료 결과를 개선하기 위해서는 처음부터 환자의 부적절한 믿음을 수정하는 것이 중요하다.[479]

치료의 장애물과 장벽

- 통증에 대한 잘못된 인식
- 통증에 대한 강박적인 생각
- 매우 심한 통증
- 정서적 및 정서적 측면: 높은 불안과 우울, 낮은 자기 효능감, 수동적 대처 스타일, 높은 과잉 경계
- 수년에 걸친 기능장애 행동
- 직업적 측면: 반복되는 병가
- 높은 수준의 장애
- 약물 치료에 대한 의존도와 내성
- 낮은 문화 및 사회경제적 지위
- 가족적 측면: 과잉 보호적인 배우자 등

관련된 정서적 측면에 관해서는 기분, 불안과 우울의 정도, 환자가 화난 경우, 자신의 상황에 대해 무언가 또는 누군가의 책임이 있다고 믿는 경우 환자의 자기 효능감이 크거나 작음, 수동적 또는 능동적 대처 능력, 과잉 경계의 정도 및 개인 특성 등을 평가할 필요가 있다. 가족 관계는 특히 배우자와 관련하여 환자의 통증과 장애에 중요한 역할을 할 수 있다.
배우자가 가혹적이거나 세심한지 확인하여 환자의 통증 행동을 강화하는 것이 필요하다.

환자의 근무 상태, 휴직 여부, 고용주 및 동료와의 관계를 파악하고 재정적 보상과 관련된 분쟁 또는 문제를 식별하고 대상자가 사회적 자기 배제 행동을 보이는지 확인하는 것이 매우 중요하다. 주로 환자의 통증 및 기능적 무능력과 관련된 심리적 요인을 관리하는 것은 환자에 대한 모든 의료 서비스 제공자의 책임의 일부여야 한다.[477]

치료 기대치는 치료 결과에 매우 중요하다. 예를 들어, 직장에 복귀할 것으로 예상하는 환자는 긍정적인 기대를 갖지 않은 환자보다 거의 50% 더 빨리 전반적인 회복을 보였다.[743] 또한 중요한 측면은 치료사의 믿음, 기대 및 태도가 환자에게 영향을 미친다는 것을 인식하는 것이다.[745,746]

초기 평가

프로그램으로 환자에게 접근하기 전에 환자의 통증이 기능장애이고 관련 활성 병리가 없다고 확신하더라도 초기 평가에는 완전한 임상 검사가 포함되어야 한다. 이 전략을 통해 우리는 환자의 초기 기대에 적응할 수 있고 환자가 통증이 기능장애이며 신체 질환을 찾기 위해 추가 조사가 필요하지 않다는 것을 환자가 이해하는 데 도움이 되는 논거를 제공할 수 있다. 환자는 자신의 신체적 기능장애가 통증을 유발하는 것이 아니라 통증 기억, 조심스러운 움직임, 공포 회피 행동, 사용 중지 및 상태 저하 등의 결과라는

것을 이해해야 한다. 환자는 또한 그들의 통증 경험 다양한 심리적, 사회적 측면을 평가할 필요성을 이해해야 한다. 그들은 적어도 처음에는 통증과 관련하여 이러한 측면의 중요한 역할을 거의 받아들이지 않는다.

데카르트적 심신 이원론의 문제 중 하나는 환자가 통증에서 중추신경계의 역할을 논의할 때 통증이 순전히 심리적인 것으로 해석된다고 생각할 수 있다는 것이다. 심리사회적 측면을 평가할 필요성은 단순히 환자에게 정서적 고통이 없고 가족 및 개인적 결과가 없는 만성 통증이 없다는 것을 설명함으로써 정당화될 수 있다. 이러한 방식으로 환자는 통증과 그 원인, 감정적 반응, 통증 행동 및 대처 스타일, 가족, 사회경제적, 직업적 측면에 대한 자신의 믿음에 대해 구체적으로 질문받는 것을 받아들일 것이다. 따라서 이상적으로는 우리가 처음에 환자에게 제공하는 관점은 통증과 관련된 심리적, 사회적 측면을 소개하기 위해 고도로 '신경생물학적'이어야 한다.

우리가 제안하는 주관적인 평가 모델은 1권의 8장에서 찾을 수 있다. 우리는 항상 주관적인 평가를 두 부분으로 나눌 것을 권장한다. 첫 번째 부분에서 임상의는 패턴 인식 기반 임상 추론을 사용하기 위해 정보를 얻는다. 이 부분에서 우리의 주요 관심은 환자의 상태에 대한 첫인상을 얻고 임상 패턴을 식별하고 고통스러운 경험이 서술적 관점에서 환자에게 무엇을 의미했는지 탐구하는 것이다. 그것은 우리에게 환자의 믿음, 기대, 감정, 맥락 및 환자에 대한 문제의 중요성에 대한 정보를 제공한다.

진단 절차 모델은 패턴 인식, 가설-연역적 추론 및 해석적 추론의 세 단계로 구성된다. 만성 복합 통증의 주요 특징 중 하나는 적절성의 원칙을 충족하지 않는다는 것이다. 이 원칙은 특정 임상 상황(무엇?)이 발생하기 위해 필요한 조건(왜?)이 충족되어야 하고 이 임상 상황이 특징적인 징후와 증상(어떻게?)으로 표현되어야 한다는 것을 설정한다. 해석적 추론은 모든 차원에서 환자에 대한 문제의 중요성을 이해하는 것을 목표로 한다. 환자의 통증 문제를 관리하려면 각 환자의 고유한 질병 경험에 대한 이해가 필요하다.[747]

주관적인 검사 및 신체 평가에서 가장 관련성이 높은 요소는 다양한 영역에서 설정되어야 한다: 임상 상태 및 중증도 및 관련 기능장애 유형, 신체 손상이 있는 경우, 통증 기전(통각수용성, 염증성, 신경병성 또는 기능장애), 중추 과민 현상, 환자의 신념(적응 또는 부적응), 환자의 행동(공포 회피 및 질병 행동) 및 관련된 심리사회적 측면. 일 또는 일상 활동의 제한(예: 운전 불능) 및 사회적 상호 작용이 필요한 활동(예: 병가로 인한 결근 또는 여가 활동 회피)과 같은 사회적 참여 및 상호 작용을 평가하는 것이 중요하다.

관련 요인 평가

- 임상상태
- 신체장애
- 통증기전(진통성, 염증성, 신경성 또는 기능장애)
- 중추감각 현상
- 환자의 신념(적응 또는 부적응)
- 환자의 행동(공포회피와 질환행동)
- 심리사회적 요인들
- 사회적 참여 및 상호작용

신체적, 심리적인 개인적 측면뿐만 아니라 가족, 직업 상태 등과 같은 사회적 및 환경적 측면도 중요하다. 이러한 개인적 및 상황적 요인은 종종 환자의 특정 임상 양상을 설명할 수 있으며, 이는 환자 관리 및 치료 결과의 핵심이다. 임상의로서 우리의 목표는 조직 손상을 '수정'하거나 환자의 신체 기능장애를 개선하는 것이 아니라 환자가 작업과 사회적 참여 및 상호 작용을 재개하도록 돕는 것이다. 따라서 우리는 모든 개인 및 상황적 요인을 알아야 하며 환자의 인지 및 행동을 평가하는 것이 필수적이다.

환자의 통증 문제를 관리하려면 각 환자의 고유한 질병 경험에 대한 이해가 필요하다. 개인적 및 상황적 요인은 종종 환자의 특정 임상 양상을 설명할 수 있으며, 이는 환자의 관리 및 치료 결과의 핵심이다.

평가를 위한 설문지

초기 평가에서는 다양한 설문지가 유용할 수 있다. 또한 치료 결과를 측정하는 데 필요하다. 그것들은 통증의 심각성과 불쾌감, 통증 위치, 환자의 인지, 감정적 기능, 신체 기능과 장애, 두려움 회피 행동, 대처 스타일, 자기 효능감 등과 같은 다양한 영역을 다루어야 한다(**표 11-13**).

통증 중증도, 불쾌감 및 통증 설명자. 통증의 중증도는 0-10 점수식 평정척도(NRS:Numerical Rating Scale) 또는 10cm 시각아날로그척도(VAS:Visual Analogue Scale)로 평가할 수 있다. 지난 주 동안의 평균, 최대 및 최소 통증으로 평가해야 한다. 개인의 통증 강도가 약 1cm(또는 1.0점) 또는 15-20% 감소하면 '최소 변화'를 나타내는 반면, 2.0-2.7점 또는 30-41% 감소하면 환자에게 더 큰 의미가 있는 것으로 간주된다.[748]

통증의 정서적 요소는 통증 강도와 구별될 수 있고 치료에 대한 반응은 매우 다를 수 있으므로 통증 불쾌감의 평가는 중요하다. 통증 불쾌감은 시각아날로그척도(VAS:Visual Analogue Scale) 및 점수식 평

표 11-13

환자 평가 척도 및 설문지

영역	척도와 설문
통증 중증도	점수식 평정척도(NRS:Numerical Rating Scale) 시각아날로그척도(VAS:Visual Analogue Scale)
통증 불만족도	점수식 평정척도(NRS:Numerical Rating Scale) 시각아날로그척도(VAS:Visual Analogue Scale)
통증 양상	
통증 위치	통증 신체지도
신체적 기능과 장애	***일반*** 간단 통증 목록[748] 간단 통증 목록[749] 간단 통증 목록 약식[749,750] 등급 만성통증계[750] 다면적 통증 목록[751] 다면적 통증 목록 상호간섭계(mPi-i).[752] 환자 특정 기능계(PSFS)[753] SF-36,[754] SF-12.[755] 등급 만성통증계[751] 다면적 통증 목록[752] 다면적 통증 목록 상호간섭계(mPi-i).[753] 환자 특정 기능계(PSFS)[754] SF-36,[755] SF-12.[756] ***특이사항*** 요통 기능장애 평가지수(ODi) 2.0[757] Roland-morris 장애도 평가서[758] 경추 장애도 평가지수(NDI)[759] Northwick Park 목통증 평가서[760]

표 11-13

환자 평가 척도 및 설문지 - 계속

영역	척도와 설문
감정적 기능성	벡(Beck) 우울척도 II (BDI–II)[760] 병원 불안–우울 척도[761] 기분상태분석(POMS)[762] 벡(Beck) 우울척도 II (BDI–II)[761] 병원 불안–우울 척도[762] 기분상태분석(POMS)[763]
통증관련 두려움	통증 설문 두려움(FPQ)[763] 통증 불안증상 척도(PASS)[764] 통증 설문 두려움(FPQ)[764] 통증 불안증상 척도(PASS)[765] 두려움회피 신념 설문(FABQ)[519] 통증척도의 두려움회피(FAPS)[765] 운동공포증의 탐파척도(TSK),[766] TSK간단버전(TSK–11) 통증척도의 두려움회피(FAPS)[766] 운동공포증의 탐파척도(TSK),[767] TSK간단버전(TSK–11).[767,768] 일일활동 사진시리즈(PHODA)[768] 통증 신념 선별도구(PBS),[769] 오레브로 근골격 통증 설문지[770] 통증과 손상 관련 척도(PAiRS).[771] 일일활동 사진시리즈(PHODA)[769] 통증 신념 선별도구(PBS),[770] 오레브로 근골격 통증 설문지[771] 통증과 손상 관련 척도(PAiRS).[772] 되돌아가기.[772,7]
파국화	통증 파국화척도[773] 통증 자가인지 척도(PSPS)[774], 통증 파국화 척도[774] 통증 자가인지척도(PSPS)[775]
대응양상	벤더비트 통증관리 목록,[775] 벤더비트 통증관리 목록[776]
자기효능감	통증 자기효능 설문지,[776] 통증 자기효능 설문지[777]
통증수용	만성통증수락설문(CPAQ),[777] 만성통증수락설문(CPAQ),[778]
치료에 대한 전체적 개선과 만족의 환자평가	환자 개선 전체 표현 척도[778] 변화 척도의 전체적평가,[779] 환자 개선 전체 표현 척도(PGI–I)[779] 변화 척도의 전체적평가[780]

정척도(NRS:Numerical Rating Scale)로 평가할 수 있으며, '불쾌하지 않음'에서 '가능한 가장 불쾌한 느낌'으로 등급이 매겨진다.

*통증 설명자*는 관련된 통증 메커니즘을 결정하는 핵심 요소 중 하나이다. 통증이 체성인지, 염증성인지, 신경병성인지 또는 기능장애인지 여부와 활성 침해수용원과 관련이 없다. 환자는 설명자를 사용하여 통증을 설명하도록 요청해야 한다. 둔함, 작열감, 찌르는 것, 발작, 압박 등으로 정의되는 통증의 질은 통증의 유형과 관련된 병태생리학적 메커니즘에 대한 관련 정보를 제공한다. 중요한 것은 많은 환자들이 체성 감각 시스템에 손상이나 질병이 없을 때 신경병성 통증의 기술어를 사용한다는 것이다. 임상의는 이러한 신경병증 유사 증상이 신경병증과 관련이 없으며 복합 통증을 가진 환자에서 매우 빈번하다는 점을 알아야 한다.

통증 위치. 환자가 통증을 호소하는 부위를 정확하게 기록하기 위해 전신지도에 그 위치를 그린다. 통증 지도는 환자가 종종 그림에 증상을 표현할 수 없기 때문에 치료사가 그릴 수 있다. 그러나 환자들에게 자신만의 증상 지도를 그리도록 요청하는 것도 흥미롭다. 일반적으로 비해부학적 분포 또는 복잡한 패턴의 광범위한 통증은 복잡한 통증을 암시할 수 있다. 환자가 증상을 설명하고 통증 지도에 기록하는 방식을 통해 치료사는 환자가 자신의 임상 상황을 어떻게 인식하는지 이해하고 종종 문제가 개인에게 미치는 정서적 영향에 관한 정보를 제공한다.

프로그램 개발 단계(Phases in the development of the programme)

통증 프로그램은 통증 교육, 특정 신체적 과민증 및 장애 치료, 말초 탈감작 기술, '가상 신체'를 목표로 하는 전략 및 관련된 심리사회적 측면의 관리로 나눌 수 있다.

통증 교육

치료의 가장 중요한 측면은 환자 교육이다. 환자가 보유한 정보는 많은 경우에 잘못된데, 계속해서 통증을 조직 손상과 연관시키기 때문이다. 문제는 이 심각한 잘못된 정보가 종종 의료 전문가와 소셜 미디어에 의해 전송된다는 것이다. 역효과가 나는 교육의 예는 요통을 유발하는 해부학적 및 생체역학적 요인이 일반적으로 환자에게 설명되는 만성 요통 환자 관리에서 요통 학교에서 일반적으로 사용되는 교육이다. 이러한 유형의 교육은 요통을 구조적 문제로 개념화하여 환자가 이러한 구조가 부상에 취약하다는 것을 이해하도록 하기 때문에 부정적인 영향을 미친다. 그것은 또한 통증과 건강 자원의 사용에 대한 주의를 증가시킨다.[781-784]

다른 교육 모델은 특정 통증 조건을 대상으로 하는 환자를 위한 소책자 형태로 개발되었다. 예를 들어, 등 책,[785] 목 책,[786] 편타손상 책[787] 및 편타손상 회복[788]이다. 이 출판물은 생물의학 모델에 기초한 전통적인 조언에 분명히 도전하고 환자가 회복에 적극적인 태도를 취하고 임상 상태를 의료화하며 적극적인 자기 관리 접근 방식을 기반으로 하도록 격려하기 위한 것이 분명하다.

핵심 메시지는 다음과 같이 요약될 수 있다. 통증이 심각한 손상을 의미하지는 않는다: 통증 개선은 일반적으로 빠르다; 기본 진통제를 사용할 수 있다; 활동을 피하면 회복이 느려진다; 간단한 운동을 하는 것이 좋다; 일상 활동 및 작업으로의 조기 복귀는 안전할 뿐만 아니라 완전한 회복에 매우 도움이 될 수 있다.[789]

통증의 신경생물학 교육. 통증 신경생물학 교육은 만성 통증 환자 관리에 있어 강력한 전략이다. Butler와 Moseley에 의해 개발되고 Butler와[84] Moseley에[116] 의해 *통증설명*(Explain Pain)에서[104] 대중화된 이 모델은 만성 통증 환자의 관리에 상당한 결과를 보여주었다. 통증 설명(EP)은 통증을 줄이기 위해 통증 생물학에 대한 환자의 이해를 변화시키는 것을 목표로 하는 교육적 중재의 범위로 정의되었다. 통증 설명(EP)는 통증 신경 생리학의 설명을 사용하여 통증 과학 및 신경 과학의 새로운 기여를 활용하여 부적응 통증 인식, 질병 인식 또는 대처 전략을 변경하고 정상적인 움직임과 활동을 추가로 도입하고 통증 및 기능장애를 줄이는 치료적 개입이다. 통증 설명(EP) 접근법의 핵심 목표는 통증에 대한 환자의 개념화를 '조직 손상 또는 질병의 표지자'에서 '신체 조직을 보호해야 하는 인지된 필요성의 표지자'로 바꾸는 것이다.[105] 통증은 근본적으로 의미에 의존하기 때문에, 인지된 위협과 보호의 필요성에 대한 반응으로 통증을 새로운 개념화하면 부적응적 통증 인지를 변화시킬 수 있을 뿐만 아니라 통증을 제어하고 관리하는 능력에 대한 환자의 인식을 향상시킬 수 있다.[790] 통증 개념화의 이러한 변화는 환자가 보다 적응적인 감

정, 운동 및 행동 관리 전략을 개발하는 데 도움이 된다. 그러나 이러한 변화가 태도와 행동으로 전환되기 위해서는 개념적 변화를 포함하는 심층적인 환자 학습이 필수적이다.[105,116]

통증 교육을 매우 강력하게 만드는 측면은 한편으로 환자의 통증 경험을 '생물학화'하는 능력이다. 통증은 심리적인 것이 아니라 신경생물학적인 설명이 있다. 한편, 중추감작과 신경가소성의 패러다임을 가정한 것으로 뇌가 '재학습'하고 둔감해지며 통증을 유발하지 않고 변화할 수 있다는 의미이다. 장애, 정서적 반응 등의 측면에서 통증의 결과를 다루는 것을 목표로 하는 다른 전략과 달리 목표는 훨씬 더 야심적이다. 즉, 통증 기억 활성화를 줄이는 것이다.

프로그램을 시작할 때 환자들은 통증이 사라지기를 바랄 뿐이지만, 앞서 언급한 바와 같이 통증이 유일한 문제가 아니라 장애, 정서적 고통, 사회적 자기 배제 등의 삶이라는 것을 설명해야 한다. 그들이 단지 '체온을 재는' 것을 방지하기 위해 관심의 초점을 바꾸는 것이 필요하다. 또한 모든 통증 행동을 제거하고 환자가 정상 생활로 돌아갈 수 있도록 치료에 초점을 맞추는 것이 좋다.

환자의 신체적 능력을 향상시키기 위한 치료적 접근과 통증 생리학 교육을 결합하면 신념에 상당한 변화가 생기고 통증이 감소하며 삶의 질이 향상된다.

통증 교육은 집중적인 일대일 세션 또는 소규모 또는 대규모 그룹을 포함하여 다양한 형식으로 제공될 수 있다. 저자가 현재 복합 통증을 가진 환자에게 사용하는 형식은 일반적으로 일주일에 한 번 배포되는 1시간 30분에 4~6회의 세션을 포함한다. 환자의 추적 관찰은 3개월과 6개월에 재치환술로 수행되며 최종적으로 1년 후에 수행된다. 첫 번째 방문 후 치료사는 환자가 기능장애 만성 통증을 겪고 있는 지와 특정 환자가 통증 프로그램을 수행할 수 있는지 여부를 이미 확인했다. 프로그램을 시작하기 전에 치료사는 프로그램이 어떻게 발전할 것인지, 치료사와 환자의 역할, 진행 상황을 평가하는 방법 및 후속 조치가 수행되는 방법을 환자에게 설명해야 한다.

프로그램의 교육 구성 요소는 통증의 신경 생리학, 신체 인식으로서의 통증, 통증 및 신체 수행, 생각, 감정 및 부적응 행동과 통증 인식 간의 관계, 그리고 마지막으로 통증 관련 심리사회적 측면에 대한 교육을 포함하는 여러 영역으로 나눈다.

이 교육 프로그램의 목적은 환자에게 통증과 중추신경계의 역할에 대한 정보를 제공하는 것이 아니라 통증에 대한 신념, 행동 및 인식의 일관된 변화를 일으키는 것이다. 그렇게 하려면 메시지가 일관성 있고 신뢰할 수 있어야 하며 환자의 통증 경험에 맞게 조정되어야 한다. 또한 웅변적으로 그리고 수사학적으로 설득력 있는 방식으로 제시되어야 한다. 환자는 각 세션에서 제시된 내용을 스스로 재생산하도록 권장되어야 한다.

첫 번째 세션은 매우 중요하다. 초기 목표는 환자가 통증 관리 프로그램을 시작하게 된 이유를 이해하는 것이다. 이 첫 번째 세션에서 우리는 그들의 통증을을 인정하고 잠재적인 통증의 원인을 확인하기 위해 더 많은 검사가 필요하지 않다는 점을 설득해야 한다. 많은 사람들이 겪는 성공적이지 못한 치료 순례는 종종 특정 의료 전문가들이 통증에 대한 최신 지식을 갖고 있지 않다는 사실과 관련이 있음을 설명해야 한다.

이 첫 번째 세션에서 주요 메시지는 통증이 실제이지만 조직 손상이나 심리적 원인의 결과가 아니라는 것이다. 기능장애 부적응 통증과 중추 감작의 개념이 소개된다. 환자는 부상과 통증 사이에 선형 관계가 없음을 이해해야 하지만 통증은 항상 해석, 맥락, 정서적 고통, 이전 경험, 학습 및 미래 결과에 대한 평가와 같은 많은 요인의 공동 상호 작용에 의해 생성되는 뇌 반응이다.

환자에게 통증과 부상 사이의 드문 관계를 설명하

기 위해 다음과 같은 많은 예를 사용할 수 있다. 환자가 전혀 고통을 느끼지 않는 심각한 부상; 이질통의 현상; 이차 통각과민 및 관련 통증; 및 환상 사지 통증.

환자는 통증이 부상의 징후가 아니라(통증이 손상을 의미하지 않음) 부적응 중추 감작의 결과임을 이해해야 한다. 환자는 중추신경계(CNS)의 신경가소성 변화가 심각한 조직 손상 없이 심각하고 지속적인 통증을 유발할 수 있음을 인식해야 한다. 중추신경계(CNS) 처리의 변화는 통증 촉진 기전의 증가뿐만 아니라 척추 상부 수준에서 중추 억제 기전의 감소, 통증 신경특징의 활성화 및 감각 및 운동 피질 표현의 변화를 유도할 수 있다.

이 현상은 실제 위협 또는 그렇게 인식되는 위협에 대한 개별적인 대응으로 보아야 한다. 통증은 행동을 목표로 하므로 모든 감각 및 정서적 차원이 부상을 예방하는 행동을 개발하는데 기여한다.[116] 기능장애 만성 통증은 뇌에 저장된 '기억'이다. 환자의 통증과 관련된 자극은 통증을 '유발'하는 것이 아니라 학습된 자극일 뿐이다. 위협에 대한 부하 반응의 표현으로서 통증 생물학에 대한 지식은 환자가 만성 통증과 관련된 심리적 요인의 역할을 이해할 수 있도록 하는 생리학적 기초를 제공한다. 환자는 또한 부적응 중추 과민증은 사용하지 않고 기능장애 운동 패턴의 확립으로 인해 기계적 부하에 대한 조직 내성을 감소시킨다는 것을 알고 있어야 한다. 환자는 또한 신경가소성의 패러다임과 통증을 지속시키는 중추 처리의 변화가 어떻게 가역적일 수 있는지 소개된다.

이 세션에서 중요한 측면은 환자가 통증 인식에 대한 믿음의 중심 역할을 이해한다는 것이다. Ellis의 ABC 모델과[791] 유사한 모델을 사용할 수 있다. 여기서 A는 통증, B는 신념, C는 결과이다. 환자는 정서적 통증과 장애(직장, 가족, 친구 등)의 측면에서 자신의 삶에서 통증(A)과 통증의 결과(C)에 대해 걱정한다. 반추하는 생각은 A와 C 사이를 계속 오가지만 B를 분석하지는 않는다. 그러나 근본적인 문제는 통증에 대한 환자의 신념에 있다(B). B는 괴로움 및 장애의 사슬(ABC)에서 중요한 연결 고리이다.

ABC 이해하기

- ABC는 통증, 괴로움, 장애의 사슬이다.
- A = 통증; B = 믿음; C = 괴로움과 장애
- 당신의 생각은 A에서 B로 가지만 B를 분석하지는 않는다.
- 진짜 적은 B다.

환자가 신념, 감정 및 기능장애 행동을 식별할 수 있도록 긍정적인 기대가 생성되어야 한다. 환자는 장애 발달에 있어 재앙적인 생각과 두려움 회피 행동의 영향을 이해해야 한다. 만성 통증의 본질을 알면 통증 경험과 관련된 위협과 감정이 감소하고 내분비, 신경 면역, 교감 및 운동 시스템과 같은 경보 및 방어 반응의 활성화도 감소한다. 통증이 환자의 삶에 미치는 영향을 줄이는 것이 중요하다. 치료 결과에 관련된 다른 인지적 요인은 움직임과 재앙에 대한 두려움 감소, 기능적 자기 효능감 증가이다. 따라서 만성 통증 환자를 치료할 때 이러한 인지 요인을 표적으로 삼는 것이 필수적이다. 궁극적인 아이디어는 통증에 대한 새로운 이해가 새로운 대처 행동과 복잡한 통증 처리의 변화를 일으킬 수 있다는 것이다.

- 환자가 만성 통증의 본질은 다차원적이며 중추 통증 처리의 변화, 신체 기능장애 및 심리 사회적 측면이 상호 작용하는 방식을 이해하는 것이 필수적이다.

두 번째 세션에서는 뉴런, 전달 및 전달 메커니즘과 같은 통증의 신경 생리학 측면, 오름 및 내림 신경로의 역할, 중추 조절 메커니즘 및 만성 통증이 중추 통증 처리의 변화와 어떻게 연관되는지를 다룬다. 인지된 위협에 대한 부적응적 뇌 반응으로서 통증의 개념을 도입하는 것이 중요하다. '묘사'는 우리의 이론을 뒷받침하는 통증 신경 영상 연구를 기반으로 구축될 수 있다.

세 번째 세션에서 환자는 지각 왜곡을 생성하는 의식에 대한 뇌의 투영으로 통증을 이해해야 하다. 통증을 지각으로 이해하면 통증에 대한 주의, 인지와 같은 다양한 측면에 의해 통증이 어떻게 조절될 수 있는지 설명하는 데 도움이 된다. 맥락에 따라 뇌가 인식을 어떻게 무시할 수 있는지에 대한 명시적인 예가 제시되어야 한다. 세 번째 세션의 목표는 환자가 만성 통증을 신체 지각의 변화를 일으킬 수 있는 기능장애 기억으로 이해하는 것이다.

이 '기능장애 기억'은 다양한 자극과 상황에 의해 활성화될 수 있다. 이 세션의 중요한 메시지는 통증과 관련된 움직임이나 자세가 직접적인 원인이 아니라 '통증 기억'을 유발할 수 있는 학습된 '스위치'로 작용한다는 것이다. 뉴로매트릭스와 가상체의 개념을 소개하고 가상체의 둔감화와 재훈련을 위한 다양한 전략을 소개한다.

네 번째 세션은 두려움 회피 행동과 신체 능력 상실 사이의 관계에 대한 환자의 이해에 중점을 둔다. 그것은 신체 활동의 감소가 사용하지 않음으로 인해 조직 내성을 감소시키는 방법을 보여준다. 그것은 기능장애 운동 패턴, 보호된 움직임을 생성하고 결국에는 컨디션 저하 증후군으로 이어질 수 있다. 이 세션은 점진적 노출 프로그램을 정당화한다.

다섯 번째 세션에서는 생각, 감정, 통증 인식과 부적응적 반응 모델 간의 관계를 다룬다. 환자는 만성 통증의 특성이 다차원적이라는 것을 인식하고 중추 통증 처리의 변화, 신체 기능장애 및 심리 사회적 측면이 상호 작용하는 방식을 이해해야 한다. 환자는 통증이 상황에 따른 것임을 이해해야 한다. 직장, 가족 및 사회적 상황은 통증의 지속성에 결정적인 영향을 미칠 수 있다.

이 세션의 근본적인 측면은 환자에게 문제의 의미와 생각, 두려움 및 행동의 정확성과 적절성을 재평가할 기회를 제공하는 것이다. 환자는 통증에 대한 자신의 의미와 해석이 어떻게 주의력을 수정하고 증폭 또는 감소시켜 통증 인식을 증가 또는 감소시킬 수 있는지 이해해야 한다. 또한 통증에 대한 해석이 어떻게 그들의 적응적 또는 부적응적 감정 및 행동 반응을 결정할 수 있는지, 따라서 통증의 정서적 영향과 장애 정도에 결정적인 역할을 한다. 환자는 잘못된 믿음, 불안, 주의, 기대, 두려움, 부하, 파국적인 생각, 기분, 자기 효능감, 자존감 및 자기 인식이 고통의 지속에 미치는 영향을 이해해야 한다.

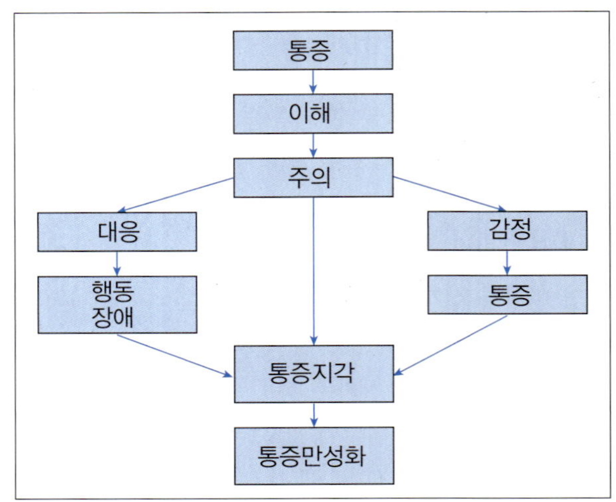

그림 11-48 ■ 환자는 잘못된 믿음, 불안, 주의, 기대, 두려움, 부하, 파국적 생각, 기분, 자기 효능감, 자존감 및 자기 인식이 통증으로 인한 지속에 미치는 영향을 이해해야 한다. 그들은 가족 학습, 이전 경험, 직업 및 사회적 맥락을 포함한 이러한 다양한 심리사회적 측면이 통증의 발달과 만성에 어떻게 영향을 미쳤는지 이해해야 한다.

마지막으로, 마지막 세션에서 환자는 통증이 삶, 직장, 개인 및 가족 관계에서 초래한 변화를 포함하여 더 넓은 관점에서 고통스러운 상황에 부여된 의미에 대해 숙고하도록 해야 한다. 또한 가족 학습, 이전 경험, 직업 및 사회적 맥락을 포함한 이러한 다양한 심리사회적 측면이 통증의 발달 및 만성에 어떻게 영향을 미쳤을 수 있는지(**그림 11-48**). 이 마지막 세션에서는 재활성화 관리도 다룬다(**표 11-14**).

실패의 빈번한 원인은 통증 프로그램이 진행되는 동안 환자가 프로그램 정보에 반대되는 병리학적 시각을 가진 다른 의료 전문가를 계속 방문하기 때문이

표 11-14	
교육 세션	
1. 문제의 그림	프로그램을 시행하는 이유 프로그램 개발 설명 치료 표적 부적응 중추 감작 및 중추신경 가소성의 개념 소개
2. 통증의 신경생리학	통증과 통각 신경세포, 시냅스, 이온 채널 오름과 내림 신경로 중추 감작: 척추 및 척추상부 변화 위협에 대한 뇌의 반응으로서의 통증 중앙 변조 메커니즘 만성 통증 및 중추 처리의 변화
3. 통증과 신체 지각	지각 왜곡으로서의 통증 지각적 기억으로서의 통증 신경 매트릭스의 개념 가상체의 개념 탈감작 전략의 역할 가상체 재훈련
4. 통증 및 신체 기능	통증 및 신체 기능 통증과 컨디션 저하 공포 회피 행동 악순환: 통증 위협적인 정보, 통증에 대한 두려움, 회피, 사용하지 않음, 장애 및 우울증
5. 통증, 생각, 감정 및 통증의 행동	생각, 감정, 통증 인식의 관계 통증, 잘못된 인식 및 치명적인 생각 생각–감정–지각–행동의 순환 사고, 감정 및 반응의 부적응 패턴 통증 및 감정: 부하, 불안, 낮은 기분, 자기 인식, 자기 효능감 및 자존감
6. 통증과 심리사회적 측면	통증과 배움 통증과 가족 측면 통증 및 직업 문제 사회적 자기 배제

다. 우리는 모든 '말초' 개입, 특히 침습적 기술에 대해 환자를 '면역'해야 한다. 이를 위해 우리는 환자에게 만성 통증에 대한 관련 최신 정보를 제공해야 한다. 환자가 '의료 순례'를 중단하고 치료의 강도를 희석시킬 수 있는 다른 전문가를 만나지 않아야 하는 통증 치료 프로그램을 시작하는데 필수적인 요구 사항이어야 한다.

부적응적 사고, 감정 및 행동에 대한 개입

많은 환자들이 통증 경험과 관련된 정신적 과정을 알지 못한다. 인지 행동 접근법은 피험자가 정보의 능동적 처리자라는 가정에 기반을 두고 있으며, 이에 따라 통증을 포함한 반응은 고정관념에 속하거나 자동적이지 않다. 중요하게, 환자는 생각, 지식, 귀인 및 기대가 통증 및 관련 생리학적 반응, 감정 및 행동을 유발하거나 조절할 수 있음을 인식해야 한다.

이러한 모든 반응은 학습, 이전 경험, 맥락, 가족 및 사회적 환경에 의해 결정된다.

만성 통증이 있는 환자는 사고, 느낌 및 반응의 부적응 패턴을 배웠다. 따라서 치료의 목표는 통증을 줄이는 것뿐만 아니라 부적응적 통증 행동을 수정하는 것이어야 하며, 이는 반드시 이러한 반응의 발달과 관련된 모든 인지, 생각 및 감정을 다루어야 한다. 환자는 자신의 고심과 인지적 해석, 불러일으킬 수 있는 감정, 통증에 대한 지각적 경험 사이의 관계를 이해해야 한다.

유용한 전략은 통증을 지속시킬 수 있는 '숨겨진 연결을 밝히는 것'일 수 있다. 이렇게 하려면 첫 주에 양식을 사용하여 환자가 하루 동안 여러 번 통증을 경험하고 어떤 자동적 사고가 촉발되는지, 나타나는 감정과 행동적으로 어떻게 반응하는지 식별해야 한다(**그림 11-49**). 환자가 통증 경험과 관련된 시각적 이미지를 기록하는 것도 흥미롭다. 환자는 이러한 모든 정신적 과정과 행동 반응이 현실에 부합하는지, 통증과 장애를 더욱 악화시키는지, 더 적응할 수 있는 다른 방법이 없는지 질문해야 한다. 일반적으로 환자가 이러한 정신적 과정과 행동 반응을 나열하는 템플릿을 하루에 여러 번 작성하는 것이 도움이 된다.

다음 주에 환자는 동일한 운동을 반복하지만 모든 생각, 시각적 이미지, 감정 및 행동 반응에 대한 적응적 반응을 개발해야 한다(**그림 11-50**). 이 운동을 통해 환자는 반응의 기초가 되는 정신적 과정을 관찰하는 법을 배우고 사고 과정에서 거리를 두는 법을 배울 수 있다. 이런 식으로 그들은 이전에 정상적이고 자동적인 것으로 여겨졌던 반응이 그렇지 않다는 것을 깨닫기 시작할 수 있다.

또한 일부 환자는 *인지적 융합* 및 *맥락으로서의 자아*와 같은 ACT 모델에서 제안한 것과 같은 사고와 자동 반응 간의 관계를 수정하는 훈련 전략을 사용하는 것이 흥미로울 수 있다. *인지적 융합* 훈련은 환자가 생각이 단지 생각일 뿐이며 반드시 '실제'로 믿어서는 안되며, 환자를 개인적으로 중요하고 의미 있는 활동에서 멀어지게 해서는 안 된다는 것을 환자가 이해하는 것을 의미한다. *맥락으로서의 자아*는 환자가 자신의 생각을 인식하고 관찰자로서 '외부에서 생각'할 수 있음을 의미한다.

생각, 감정 및 부적응 행동의 식별 **첫주**				
통증 상황	부정적 파괴적 생각들	시각적 이미지	부정적 감정들	부적응적 행동들

그림 11-49 ■ 생각, 감정 및 행동을 식별하는 양식: 첫 주.

생각, 감정 및 부적응 행동에 대한 개입 **둘째주**								
통증 상황	부정적 파괴적 생각들	대안적 적응적 생각들	시각적 이미지	대안적 시각적 이미지	부정적 감정들	대안적 적응 감정	부적응적 행동들	대안적 적응 감정

그림 11-50 ■ 생각, 감정, 행동을 식별하는 양식: 두 번째 주.

통증 프로그램의 어려움과 장애물
(Difficulties and obstacles in the pain programme)

이미 언급했듯이 통증 교육은 만성 통증 치료에서 가장 강력한 도구 중 하나이다. 그러나 이 접근 방식은 때때로 작동하지 않다. 어떤 경우에는 환자가 부상 없이 통증이 있을 수 있다는 사실을 받아들이는데 상당한 저항을 보인다. 다른 사람들은 이해하지만 아무것도 변하지 않으며 여전히 통증과 장애가 있다. 다른 경우에는 상당한 초기 개선이 이루어지지만 몇 개월 후에 모든 것이 기본 상황으로 돌아간다. 초기의 '대성공' 후에 통증이 몇 개월 후에 다시 돌아온 일부 환자 또는 다른 환자에서 변화가 없는 이유는 무엇입니까?

일부 문제는 우리가 제공하는 정보의 품질, 다른 문제는 프로그램 형식, 다른 문제는 치료사의 훈련 및 기술과 관련이 있으며, 마지막으로 다른 문제는 환자가 변경을 수행해야 하기 때문에 환자와 관련이 있다.

이미 언급했듯이 프로그램 시작부터 결과를 방해할 수 있는 *기대*와 *동기*를 *초기*에 평가하는 것이 필요하다. 일반적인 문제의 몇 가지 예는 다음과 같다.

1. 환자가 메시지를 이해하기를 거부한다. 그들은 여전히 '무언가가 있어야 한다'는 생각에 고정되어 있다.
2. 환자는 메시지를 이해하는 것처럼 보이지만 어떤 변화로도 전환되지 않는다. 학습은 피상적이어서 환자는 자신의 상황에 메시지를 '적용'할 수 없다. 그들의 대처 스타일이 분명히 수동적일 때, 그들은 여전히 마법같고 빠르고 쉬운 해결책을 찾고 있다.
3. 환자들은 다른 사람들의 권유로 프로그램을 시작하지만 실제로는 관심이 없다. 프로그램을 시작할 때 다른 것을 '시도'하지만 여전히 상충되는 메시지를 주는 다른 전문가를 방문한다.
4. 환자가 평생 통증을 겪었을 때 환자의 역할을 바꾸려는 분명한 무의식적 저항이 자주 있을 때. 자주 그들이 아픈 것이 없어지면 일부 환자에서 아프다는 것은 이차적 이득을 수반하기에 비합리적인 '공허함에 대한 두려움'이 있다.

우리는 또한 우리가 발견할 *장애물*과 *장벽*을 고려해야 하는데, 환자는 인지 장애와 높은 수준의 파국을 겪고 있고, 피험자들은 극심한 정서적 고통을 겪는다. 그들은 통증에 대해 불안하고 절망적이거나 '통증이 제발 사라지기를 원한다'거나 기분이 너무 나빠서 스스로 뭔가를 할 수 없다고 느낀다. 때때로 환자는 무언가 또는 누군가가 자신의 상황에 책임이 있다고 인식하고 화를 낸다. 환자는 수년 동안 매우 역기능적인 행동을 했을 수 있다. 그들은 종종 진통제에 의존하여 프로그램을 시작하고, 아편제에 내성을 갖게 되었고 점차적으로 끊기 위해 도움이 필요하다. 이미 언급했듯이 치료를 시작하기 전에 이러한 변수를 평가하지 않으면 어떤 결과가 얻어질지 여부를 실제로 알 수 없다.

치료사와 관련된 *어려움*도 지적해야 한다. 지식 부족이나 자신의 능력에 대한 의심으로 정보를 제시할 때의 불안함이다. 복합 통증 환자를 대상으로 한 프로그램을 실행하려면 충분히 훈련된 치료사가 필요하다고 주장해야 한다. 때로는 *통증을 설명하는 것* 외에 인지 행동 전략도 필요하다. 또한 치료사는 의사 소통 능력이 뛰어나고 우수한 치료 동맹을 맺을 수 있어야한다. 그리고 모든 치료에서와 마찬가지로 필요한 학습 곡선이 있다.

치료사가 모든 생물학적, 행동적, 개인적 및 사회적 차원에서 통증 환자의 문제를 '지도'하는 기술을 갖는 것이 중요하다. 치료사는 환자에게 문제에 대한 보다 포괄적인 관점을 제공할 수 있어야 한다. 따라서 환자의 삶의 특정 측면을 선택하여 개인화된 방식으로 제공해야 한다.

형식에 관한 어려움: 교육 프로그램은 개별적으로 또는 그룹으로 시행될 수 있다. 후자의 옵션을 선택하면 유사한 특성을 가진 구성원으로 구성된 소규모 그룹이 권장된다. 많은 환자에서 통증 교육은 거의 '즉각적인' 효과를 보인다. 그러나 다른 많은 환자들은 더 많은 시간이 필요하고 무엇보다 오래 지속되는 지원이 필요하다. 초기 개선 후에 매우 자주 통증이 강제로 다시 나타난다. 이러한 재활성화를 적절하게 처리할 수 있는 치료사가 필요하며, 발생하는 문제에 따라 다른 전략을 제공하고 프로세스 전반에 걸쳐 환자를 지원한다. 우리의 경험에 따르면 복잡한 환자는 최소 1년의 추적 관찰이 필요하다.

통증 프로그램의 어려움과 장애물

- 환자 관련:
- 환자의 기대와 동기
- 환자의 장애물과 장벽
- 치료사 관련
- 형식 관련

신체 재교육(Physical re-education)

통증 행동을 바꾸지 못한다면 통증 교육은 아무 소용이 없다. 따라서 두려움 회피 행동과 활동 과민증을 치료하는 것이 중요하다. 신체 재교육은 (1)특정 환자의 불내성을 치료하기 위한 특정 섹션과 (2) 일반적인 신체 활동 수준을 점진적으로 높이는 것을 목표로 하는 다른 비특정 섹션의 두 부분으로 나눌 수 있다. 만성 통증은 때때로 초기에 해결해야 하는 관절 경직, 비정상적인 운동 패턴 등과 같은 신체적 기능장애를 결정할 수 있다.

신체 기능장애의 치료

신체 기능장애의 치료는 기능적 재활 프로그램을 더욱 촉진하는 것을 목표로 한다. 신체 기능장애는 종종 공포 회피 행동에서 파생되며 각 개별 환자에게 고유하다. 어떤 경우에는 가장 중요한 기능장애는 관절 가동성의 상실이다. 다른 경우에는 균형 제어의 결손; 다른 사람에서는 기능장애 운동 패턴 등의 발달이 있다(**그림 11-51**). 치료는 환자의 특정 신체 기능장애에 따라 각 환자에 맞게 조정되어야 한다.

만성 또는 복합 통증이 있는 환자의 경우 증상을 줄이기 위해 수동적 치료가 정당화될 수 있지만, 능동적 기술이 더 중요하다. 따라서 치료 시작부터 환자는 주로 일상 활동을 기반으로 하는 활동적 및 기능적 운동 등 가정에서 수행할 수 있는 신체 기능장애에 대한 자가 치료 양식을 가르쳐야 한다. 목표는 환자가 통증을 통제하는 법을 배워야 한다는 것이다. 첫 번째 단계에서는 환자의 자신감을 높이고 프로세스 전반에 걸쳐 협력을 보장하기 위해 증상을 줄이는 것이 매우 중요하다. 그런 의미에서 처음에는 치료 유형에 대한 환자의 기대에 적응하고 통증의 신경 조절에 유리한 전략을 수립하는 것이 중요하다.

과민증의 특정 신체 재교육 및 치료 (Specific physical re-education and treatment of intolerance)

만성 통증의 주요 문제는 주어진 움직임, 기능적 활동 또는 자세에 대한 불내성 증후군과 관련이 있다. 이러한 불내성은 부적응적 중추 감작 및 공포 회피 행동에 이어진다.[794] 목표는 불내성을 제거하여 환자가 가능한 한 장애를 최소화하면서 직장, 사회 및 가족 활동을 재개할 수 있도록 하는 것이다. 이와 관련하여 이러한 특정 불내성을 해결하기 위한 노출 전략이 제안된다.

체계적 둔감화, 점진적 노출 및 생체 내 노출과 같은 노출 기반 방법은 수십 년 동안 인지 행동 접근법에 포함되었다. 노출 치료는 일반적으로 신체 감각, 감정적 경험 또는 특정 사회적 상황과 같이 이전에 피했던 경험과 환자의 접촉을 증가시키려고 한다.

과민증의 치료는 점진적 노출 또는 생체 내 노출의 두 가지 유형의 노출 전략을 사용하여 접근할 수

그림 11-51 ■ 기능장애 운동 패턴의 재교육.

있다. 두 전략의 근본적인 차이점은 초점과 관련이 있다. 점진적 노출의 진행은 기능적 능력과 통증에 따라 정해지지만, 생체내 노출의 초점은 일상생활의 다양한 활동이 불러일으킬 수 있는 두려움에 의해 결정된다. 이미 언급한 바와 같이, 통증 관련 두려움과 장애 사이에는 강한 긍정적인 연관성이 있다.[536] 환자는 두려움 회피 행동이 어떻게 우울증을 유발하고 장애를 증가시키는 상태 악화 증후군으로 이어지는 중요한 통증 지속 요인인지 이해해야 한다.

생체 내 노출은 환자가 통증이나 재상을 두려워하여 회피하는 일상 활동에 대한 체계적인 노출을 포함한다. 이러한 활동은 식별되어 환자의 두려움에 따라 0에서 100까지의 척도로 계층을 설정한다. 이를 위해 기능적 활동의 사진으로 구성된 PHODA 척도가 사용된다.[769] 환자는 두려움을 덜 유발하는 활동에서 가장 위험하거나 위협적인 것으로 인식하는 활동으로 진행하면서 행동 실험을 수행해야 한다. 환자는 두려움이 사라질 때까지 일상 생활의 특정 활동에 반복적으로 노출된다. 신체 활동에 대한 더 심각한 두려움을 나타내는 환자의 경우, 합리적인 주장보다 두려움이 정당하지 않다는 것을 증명하면서 직접 경험을 사는 것이 더 설득력이 있다.[667]

이 접근법의 흥미로운 측면 중 하나는 치료 운동을 사용하는 대신 일상 생활의 기능적 활동을 구체적으로 선택한다는 것이다. 기능적 목표를 설정하면 환자가 통증에 대한 관심 집중을 멈추고 일상 생활 활동을 재개하고 정상 생활로 돌아가기 위해 노력하기 시작하는 이점이 있다.

노출 프로그램을 계획할 때 환자가 Vlaeyen 등의 계획을 완료하면 매우 유용하다[518](**그림 11-52**). 재앙적인 생각, 부적절한 정보 수신, 통증에 대한 두려움 및 회피 행동이 어떻게 통증, 우울한 기분 및 장애의 악화를 책임지는 '악순환'의 시작에 책임이 있는지 이해해야 한다. 만성 통증 치료의 노출 모델을 검토하기 위해 Vlaeyen 등의[667] 책이 권장된다.

이 노출 프로그램의 필수적이고 가장 복잡한 측면은 계획이다. 점진적 노출 프로그램의 경우 활동의 기준선 수준은 통증을 유발할 수 있는 수준보다 훨씬 낮아야 한다.[104,116] 활동은 천천히 또는 더 빠르게 증

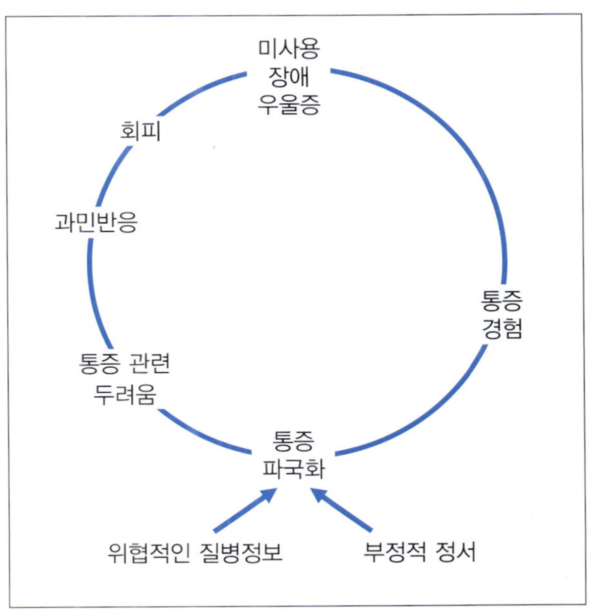

그림 11-52 ■ 노출 프로그램을 계획할 때 환자가 Vlaeyen 등의 계획에 따라 개인 통증 문제를 완료하면 매우 유용하다. Vlaeyen 등의 허가를 받아 재사용.

가할 수 있지만 항상 점진적인 방식으로 증가한다. 통증에 대해 무방비 상태이고 증상을 통제할 수 없다는 환자의 인식을 지속시키는 활동 의존적 통증 주기를 깨는 것이 중요하다. 통증은 제안된 운동이나 활동의 수행을 결정하는 매개변수가 되어서는 안된다. 노출 프로그램을 준비하는 데 있어 탁월한 은유는 Butler와 Moseley의 책 Explain Pain에 대한 '트윈픽스(Twin Peaks)' 설명이다.[104]

불내성 자세나 움직임은 점진적 노출 또는 생체내 노출로 구체적으로 다루어야 한다.

예를 들어, 환자가 앉은 자세를 견디지 못한다면 이 자세에서 시간을 점차 늘려가며 일일 프로그램을 설계한다(**그림 11-53**). 환자가 심한 불내성을 수반하는 자세나 움직임을 할 때 신경조절 기술을 사용할 수 있다. 말초 신경 조절은 둔감화를 얻기 위해 감각 입력의 조작을 의미한다. 이러한 기술의 예로는 신체 활동을 수행하는 동안 열 패치를 사용하는 것이 있다. 환자는 탈감작 전략을 사용하는 훈련을 받을 수 있다(**그림 11-54**). 치료사에 대한 의존을 피하고 의료진과의 접촉을 제한해야 한다. 자가 마사지, 뜨거운 물 목욕, 능동적 스트레칭 및 능동적 관절 가동은 환자가 유익하고 즐거운 것으로 인식하는 한 효과적일 수 있는 도구의 예이다.

신경 조절 효과가 있을 수 있는 환경적 측면도 다루어야 한다. 위의 예에서 환자는 음악을 들으면서(환경 요인의 수정 및 주의 산만 효과) 뜨거운 물(피부 구심성 증가)이 있는 욕조에 앉은 자세로 작업할 수 있다. 기분 좋은 감정 상태나 주의를 산만하게 만드는 환경 감각 자극의 사용은 통증 조절에 유리할 수 있다.[795] 때때로 불내성이 너무 심해서 점진적인 노출을 시작하기 전에 피질 표현을 목표로 하는 전략이 필요하다.

피질 표현을 위한 전략 (Strategies for cortical representation)

지적한 바와 같이 통증, 신체 지각 장애 및 피질 지도의 변화 사이에는 복잡한 상호 작용이 있다. 만성 통증 환자의 피질 재구성은 실제 신체와 가상 신체 사이의 왜곡을 나타낼 수 있다. 이 상황은 신체 고유수용성 정보가 실제 상황을 나타내지 않는다는 것을 나타내는 것처럼 보인다. 따라서 운동 활성화 패턴은 개인의 기능적 요구와 일치하지 않다.[246,248] 현재 연구에 따르면 가상 신체와 운동 반응 간의 이러한 불일치만으로도 만성 통증을 지속시킬 수 있다.[796] 이러한 발견은 통증과 지각 및 운동 장애를 줄이기 위해 피질 재구성을 역전시키는 것을 목표로 하는

시작수준	등급	주	월요일		화요일		수요일		목요일		금요일		토요일		일요일	
			G	D	G	D	G	D	G	D	G	D	G	D	G	D
4	매일 1분	1	4		5		6		7		8		9		R	
		2	10		11		12		13		14		15		R	
		3	15		16		17		18		19		20		R	
		4	20		21		22		23		24		25		R	
		5	25		26		27		28		29		30		R	

그림 11-53 ■ 앉는 것을 참지 못하는 것에 대한 치료 프로그램. G, 목표; D, 완료, R, 휴식.

치료의 사용을 지지한다.[123]

이러한 목표를 달성하기 위해 감각 입력의 흐름 조작, 점진적 노출 프로그램에 기반한 감각 및 운동 피질 표현 영역의 활성화, 움직임의 상상력, 운동 이미지 및 감각 기술 훈련과 같은 다양한 전략이 사용된다.

이 모든 전략은 가상의 몸을 자극하는 것을 목표로 한다. 목표는 피험자가 통증을 인지하는 신체 부위의 피질 표현에 작용하는 것이다. 원칙적으로, 환자가 통증을 보고하는 영역에 대해 비통각수용성 구심성 입력을 증가시키는 기술은 신경조절제 효과를 가질 수 있는데, 이는 대상체가 통증을 인지하는 신체 부위의 피질 표현에서 신경가소성 변화가 발생하기 때문이다. 이는 피험자가 스스로 구축한 신체 이미지에서 통증을 인지하고 있음을 시사한다.

통증이 유발되지 않는 한 '통증 기억'의 일부인 요소의 활성화 덕분에 더 강렬한 신경 조절 효과를 얻을 수 있다. 이것은 앞에서 설명한 점진적 노출 프로그램의 기초를 구성한다. 그러나 심한 통증과 현저한 감각 과민증이 있는 피험자의 경우 점진적인 노출이 '통증 프로그램'을 부적절하게 재활성화 할 수 있다. 일부 과목에서는 움직임에 대한 상상조차도 통증과 조직의 영양 변화를 유발할 수 있다.[288] 이러한 임상 상황을 초기에 해결하기 위해 상상된 움직임, 거울 이미지, 측면 인식 및 2점 식별 훈련을 사용한 재교육과 같은 감각 재훈련에 기반한 다양한 전략이 제안되었다.[14,797-802]

이러한 기술의 기본 메커니즘은 완전히 알려져 있지 않다. 통증 및 기타 증상의 개선은 운동 반응과 감각 정보 간의 조화, 거울 뉴런의 활성화 및 피질 운동 회로의 점진적인 활성화에 기인할 수 있다고 제안된다.

상상의 움직임은 실제 움직임과 동일한 피질 네트워크를 활성화하는 것으로 알려져 있다. 이들은 Gallese 등에[803] 의해 기술된 '거울 신경세포(mirror neurons)' 시스템과 관련이 있다고 제안되었다. 이 연구

그림 11-54 ■ 공을 사용한 운동으로 앉은 자세에 대한 불내성의 둔감화.

자들은 원숭이의 피질 활동을 분석하면서 전운동 피질의 신경세포 그룹이 행동을 수행할 때뿐만 아니라 동일한 행동을 수행하는 다른 원숭이를 볼 때도 활성화된다는 것을 발견했다. 신경세포는 마치 거울에 비친 것처럼 그들이 관찰하고 있는 활동을 반영했다. 따라서 이러한 유형의 신경세포는 행동이 발달하는 동안과 다른 개인이 수행하는 동일한 행동을 관찰하는 동안 모두 활성화된다.

따라서 우리가 다른 개인의 행동을 관찰할 때, 그 행동을 수행하는 동안 자발적으로 활성화되는 것과 동일한 '잠재적 운동 행동'이 뇌에서 유발된다. 이 신경세포를 통해 우리는 '지식' 덕분에 다른 개인의 운동 행동의 의도를 해석할 수 있다. 이 지식은 우리가 관찰하는 움직임에 의도적인 의미를 즉시 부여할 수 있게 해준다. 따라서 이러한 메타 표현이 없다면 우리는 다른 사람들의 행동의 목적을 이해할 수 없을 것이다.[804] 이러한 신경 회로는 또한 공감 행동의 기초이다.[805] 거울 신경세포는 기본적으로 운동 기능을

하는 브로카 영역에 가까운 후두 및 측두 시각 피질 영역과 하두정엽과 하전두엽 피질에 위치한 두 개의 피질 영역으로 구성된 복잡한 네트워크를 형성한다.

상상된 움직임

목표는 환자가 통증을 인지하는 사지 또는 신체 부위의 움직임을 상상하는 것이다. 이미 언급했듯이 상상의 움직임은 실제 움직임과 유사한 피질 네트워크를 활성화할 수 있으므로 통증을 유발하지 않고 감각 운동 가상 신체에 접근할 수 있다. 과민 반응이 심한 경우 전체 동작으로 이를 수행하기 전에 동작 구성 요소를 상상하기 시작하는 것이 좋다.

거울 이미지를 사용한 재교육/가상 재교육

거울 이미지를 사용한 재교육(거울 상자 요법)은 환자가 거울을 통해 이 움직임이 어떻게 반영되는지 관찰하는 동안 영향을 받은 쪽의 반대쪽 팔다리를 가동하는 것을 포함하며, 이는 영향을 받은 팔다리의 가동을 시각적으로 시뮬레이션 한다(**그림 11-55**).

시각 거울 이미지 피드백은 운동 반응을 감각 정보와 조화시키고 시각 처리 영역과 밀접한 관련이 있는 전운동 피질을 활성화할 수 있기 때문에 환자의 증상을 개선한다고 제안되었다.[244,797,806-809] 또한 거울 이미지 치료는 움직임에 대한 노출의 결과로 보호 반응을 감소시키고 고통받는 구성원의 활동 결과로 피질 재구성을 촉진할 가능성이 있다.[275]

그림 11-55 ■ 거울 치료 연습.

거울상자치료는 I형 복합부위 통증증후군(SDR-CI; Syndrome douloureux régional complex CI),[805,806,809-812] 복합부위 통증증후군 II형(CRPS II V STE),[812] 상완 신경총 박리 후 통증, 힘줄 이식 및 말초 신경 복구 후 재활, 환상 사지 통증[813] 및 편측마비의 운동 장애 치료에 효과적인 것으로 입증되었다. 편마비 후 회복, 복합부위 통증증후군 II형(CRPS II V STE), 상완 신경총 박리 후 통증, 힘줄 이식 및 말초신경 복구 후 재활, 환상 사지 통증,[814] 편마비 후 운동 회복.

현재 시각 피드백 방식과 동일한 원리를 기반으로 하는 가상 현실 및 증강 현실 시스템이 사용되기 시작하여 유망한 결과를 보여주고 있다.[801,802] 예를 들어, *가상 현실 거울 시각적 피드백*(VRMVF)는 가상 현실 기술을 사용하여 고통받지 않는 구성원의 활동을 거울에 복제한다. 이 가상 환경에서는 증강 현실을 사용하여 점진적으로 어려운 일련의 작업을 추가할 수 있다. 거울치료와 가상현실을 이용한 재교육의 높은 효율성은 피질 고유수용성 표상 발달에서 시각 정보가 체성 감각 정보보다 우세하기 때문에 설명할 수 있다.[815-818]

편측성 인식

이 치료 전략은 거울 이미지를 사용한 재교육과 관련된 메커니즘과 동일한 메커니즘에 의존하는 것으로 보인다. 사진이나 컴퓨터 화면에 보이는 신체 부위의 이미지가 왼쪽인지 오른쪽인지를 인식하는 것이다(**그림 11-56**). 다양한 연구에 따르면 사지에 통증이 있는 피험자는 통증을 인식하는 이미지에 해당하는 이미지를 볼 때 더 많은 시간이 필요하고 더 많은 실수를 한다.[275] 또한 편측성 인식의 어려움과 통증

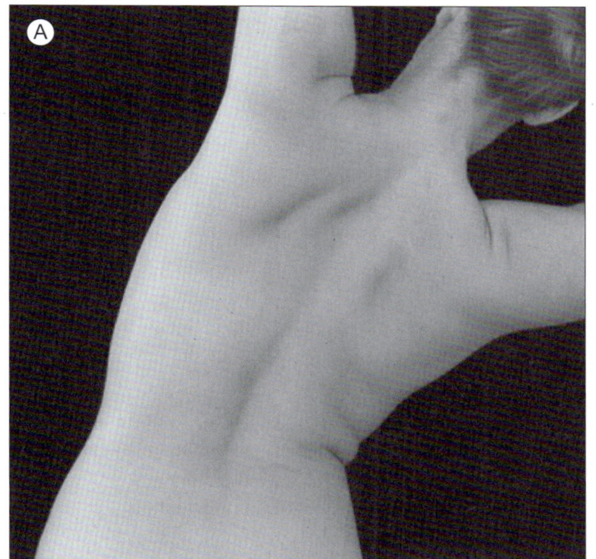

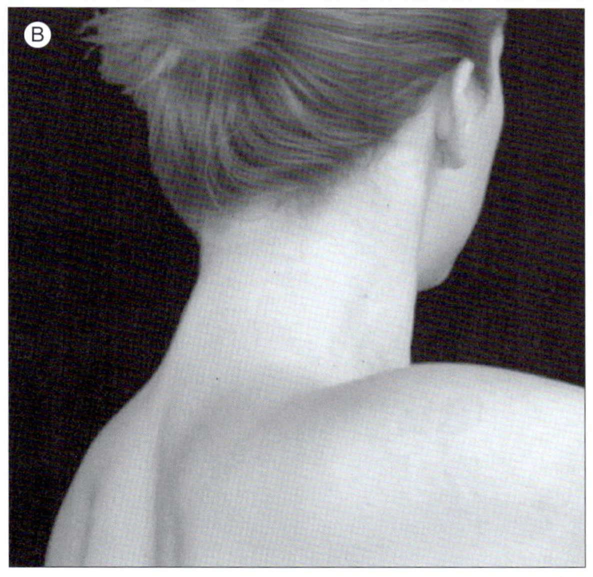

그림 11-56 ■ 차등 운동 사진. 요추(A)와 경추(B).

의 지속시간 및 강도 사이에는 상관관계가 있다.[275]

Moseley는[818] 측면성, 상상된 움직임 및 거울 상자 요법의 조합을 기반으로 하는 단계별 운동 영상(GMI)이라는 치료 프로토콜을 개발했다. 단계별 운동 영상(GMI)는 I형 복합부위 통증증후군(SDRCI) 환자에게 효과적임이 입증되었다. Moseley는[819] 측면성, 상상된 움직임 및 거울상자 요법의 조합을 기반으로 등급 운동 영상(GMI)이라는 치료 프로토콜을 개발했다. 단계별 운동 영상(GMI)는 Daly와 Bialocerkowski가[821] 수행한 복합부위 통증증후군 1형(CRPS1) 치료에서 물리치료의 효능에 대한 체계적인 개정을 통해 I형 복합부위 통증증후군(SDRCI)[797-799,818-820] 및 환상 사지 통증[819] 환자에게 효과적인 것으로 입증되었다. 흥미롭게도 이러한 기술 조합의 효과는 환자가 다른 순서로 훈련될 때 손실되며,[799] 이는 그 효과가 감각 또는 운동 피질 네트워크의 적절한 순차적 활성화에 달려 있음을 시사한다.

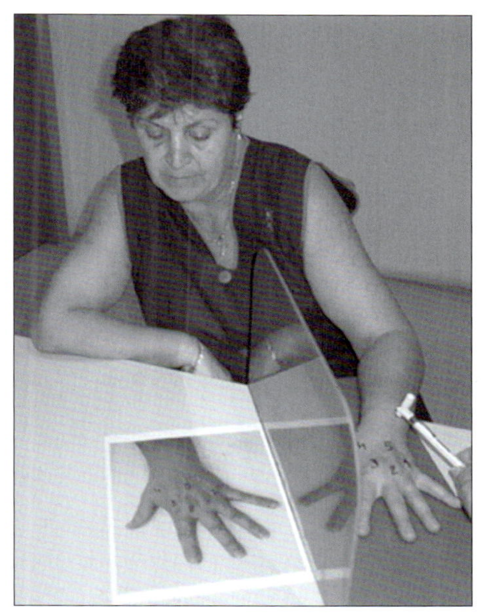

그림 11-57 ■ 감각 식별 훈련.

감각 판별 훈련

만성 통증이 있는 피험자는 통증이 있는 신체 부위의 피부에 가해지는 자극의 위치와 특성을 구별하지 못한다.[822] 이러한 감각 기술의 감소와 통증 강도 사이에도 관계가 있다. 분명히 이 변경은 만성 통증과 관련된 S1의 피질 재구성에서 파생된다.[248] 피질 재조직의 강도는 통증 강도 및 감각 식별 감소와 관련이 있다.[278]

감각 구별을 치료적으로 사용한 최초의 작품 중 하나는 Flor 등의[823] 이 연구는 환상 사지 통증이 있는 절단 환자의 상지에서 수행되었다. 포이에 8개의 전극을 놓고 2주 동안 매일 90분씩 단기간 전기자극을 가하였다. 환자는 자극 위치와 빈도를 구별해야 한다. 그 결과 감각 변별 훈련이 환상 사지 통증을 개선시켰고, 이러한 개선은 S1의 재구성의 정상화와 관련이 있음을 보여주었다.

Moseley 등은[125] 복합부위통증증후군(CRPS) 환자를 대상으로 한 연구에서 촉각 자극에 대한 감각 식별 재훈련의 효과를 비교했다. 이 연구는 또한 감각 분별 재훈련이 만성 통증을 감소시킬 수 있음을 보여준다. 이 결과는 피부 자극만으로 얻어지는 것이 아니다(**그림 11-57**). 결론적으로, '가상신체'의 재교육 전략은 일부 만성 통증 개체의 치료에서 비침습적 진통제 대안으로서 엄청난 잠재력을 가지고 있다.

물리적 재활성화

과민증의 특정 치료 외에도 스포츠 또는 기타 신체 활동을 선택하여 일반적으로 활동 수준의 점진적인 증가가 환자에게 제안된다. 환자의 삶의 요구 사항에 따라 어떤 신체 활동을 수행해야 하는지 분석해야 한다. 따라서 모든 활동은 환자에게 의미 있는 특정 기능적 목표를 달성하는 것을 목표로 해야 한다. 기계적 부하에 대한 점진적인 적응을 촉진하기 위해 신체 활동은 여가적 요소와 연관되거나 환자에게 쾌적한 환경에서 수행되어야 한다(**그림 11-58**). 환자가 지루하거나 불쾌하다고 생각하는 운동이나 활동은 피해야 한다.

신체 활동의 이점은 체력 향상 뿐만 아니라 신념에 미치는 영향에서도 발생한다. 조언과 정보만으로는 믿음의 변화를 얻기가 매우 어렵다. 통증과 관련된 믿음과 행동의 변화를 일으키는 것은 교육과 관련된 신체적 수행의 성공 경험이다.[824,825] 자기 효능감에 대한 인식의 개선은 통증 행동에 매우 강력한 영향을 미칠 수 있다. 전달되어야 할 가장 중요한 메시지는 활동 수준의 점진적인 증가가 통증의 점진적인 감소로 이어진다는 것이다[826](**그림 11-59**).

- 신체 활동의 이점은 체력 향상뿐 아니라 신념에 미치는 영향에서도 발생한다.
- 자기 효능감에 대한 인식은 통증 행동과 통증 인식에 매우 강력한 영향을 미칠 수 있다.

마지막으로, 환자는 모든 통증 행동을 제거해야 함을 이해해야 한다. 통증에 대한 모든 불평을 무시하고 무시하는 것은 이러한 행동의 부정적인 강화로 사용될 수 있다. 긍정적 강화는 진행 상황을 인식하고 강조하는 것이다. 환자가 궁극적으로 자신의 동기, 가치 및 노력에 따라 회복에 전념하면 결과를 얻을 수

그림 11-58 ■ 신체적 회복을 위해 여가적 요소를 결합한 활동을 선택해야 합니다. Julia Grecos 스페인 무용단. Marta Rubio의 의례.

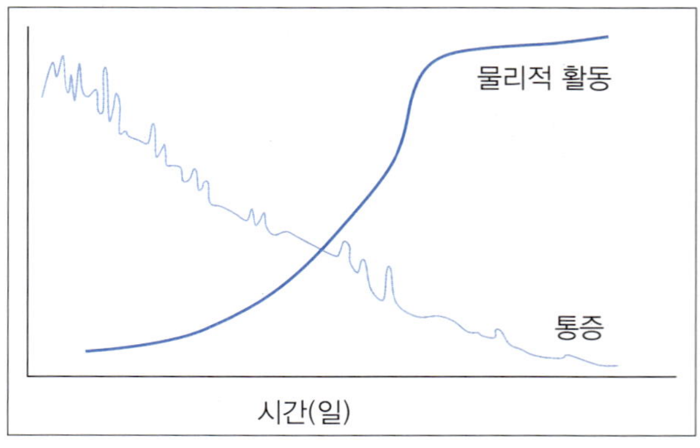

그림 11-59 ■ 전달되어야 할 가장 중요한 메시지는 활동 수준의 점진적인 증가가 통증의 점진적인 감소로 이어진다는 것이다.

있다는 것을 환자가 이해하는 것이 중요하다. 이상적인 상황은 환자가 치료사보다 앞서 있다는 것을 관찰하고 메시지가 일관되고 자신의 상황과 동일하다는 것을 이해하면서 그렇게 하도록 지시받기 전에 행동 변화를 시도하고 활동을 시작하는 것이다.

특정 활동 외에도 환자가 사회적 상호 작용 및 여가 활동을 재개하도록 권장해야 한다. 사회적 자기 배제는 우울한 기분과 우울 증상을 선호한다. 가족의 협력이 피험자의 회복에 중요한 요소가 될 수 있으므로 이 과정에 가족이 참여해야 한다. 그들은 환자가 기능적 개선을 인식하도록 돕고 운동 및 제안된 활동을 하도록 격려할 수 있다. 가족 구성원이 문제를 인식하지 못하면 치료를 방해할 수 있다.

프로그램이 끝나면 치료사와 환자는 수행한 작업을 요약하고 달성된 목표를 평가해야 한다. 달성해야 할 최종 결과를 염두에 두고 해당 연도 동안 환자의 활동 프로그램을 논의해야 한다. 재평가 날짜를 예약해야 한다. 때로는 처음부터 끝까지 치료 과정을 반영하는 짧은 에세이를 작성하는 것이 환자에게 긍정적일 수 있다.

> 우리는 기능장애 신경계가 아니라 삶의 역사, 어린 시절, 가족 관계 및 특정 성격 특성을 가진 사람을 다루고 있다는 것을 이해하는 것이 중요하다.

프로그램의 성공을 궁극적으로 결정하는 측면은 환자가 통증을 관리할 수 있도록 지원하는지 여부이다. 치료사는 환자가 실제적이고 기능적인 기술뿐만 아니라 장애 상황을 되돌릴 수 있는 인지 및 정서적 기술을 습득하도록 도와야 한다. 불안과 우울증 증상을 줄이고, 자신감과 자기 효능감을 향상시키고, 환자가 중요한 기능 활동을 회복하도록 돕고, 직장 복귀를 촉진하고 사회적 관계를 회복하고, 마지막으로 환자를 치료해야 한다. 중요한 측면은 환자가 자신의 가치에 따라 삶의 중요한 목표를 달성하도록 목표를 안내하는 것이 중요하다는 것을 이해한다는 것이다.

결론 CONCLUSION

복합 만성 통증은 관절, 근육 또는 신경 기능장애의 결과가 아니라 부적응 중추 감작에서 파생된다. 이미 언급한 바와 같이 만성 통증은 상당한 피질 신경가소성 변화를 일으킨다. 최근 수십 년 동안 중추 부적응 신경 가소성에 작용하는 새로운 방법이 탐색되고 있다. 신경계 기능의 회복과 통증의 개선은 감각 및 운동 피질 표현의 정상화, 인지 구조 조정, 암시 등을 사용한 혐오 감정 반응과 관련된 영역의 활성화 감소를 필요로 한다. 만성 통증 환자의 치료는 다음과 같아야 한다. 만성 통증과 관련된 신경가소성, 신체적, 심리사회적 변화의 압축을 기반으로 한다. 치료의 목표는 환자의 장애와 관련된 모든 신경생물학적 및 심리사회적 요소와 관련되어야 한다. 통증 신경생물학 교육은 노출 프로그램과 관련하여 우수한 치료 결과를 얻을 수 있는 효과적인 전략으로 제시되고 있다.

만성 통증, 변경된 신체 인식 및 변경된 피질 표현 사이의 밀접한 관계는 통증을 줄이고 인식을 정상화하고 운동 기능을 회복하기 위해 '뇌를 재배치한다' 하는 것을 목표로 하는 치료를 정당화한다. 현재, 치료하기 어려운 복잡한 통증 상황을 제어하기 위한 유망한 결과와 함께 새로운 전략이 탐색되고 있다.

환자는 잘못된 믿음과 두려움 회피 행동을 인식하고 수정할 수 있는 만성 통증 치료에 전문 임상의가 필요하며, 신체적 재조정을 선호하는 감각 왜곡 현상을 역전시키는 프로그램을 수립하고 환자의 통증을 독립적으로 관리해야 한다. 만성 통증의 병태생리학 및 생물심리사회적 접근에 대한 새로운 지식을 통해 만성 통증 및 동반 장애를 더 잘 이해할 수 있으며 보고된 기능장애뿐만 아니라 이를 앓고 있는 환자를 평가하고 치료할 수 있다. 통증 신경생물학 교육을 노출 프로그램 및 전반적인 신체 회복과 연관시키는 치료는 좋은 치료 결과를 생성할 수 있다. 그것은 많은 비참하고 고통스러운 삶을 근본적으로 변화시킬 수 있다. 그러나 가능한 한 많은 수의 환자에서 치료 접근 방식의 효과를 높이는 방법에 대한 추가 연구를 수행해야 한다.

참고문헌

1. Breivik H, et al. Survey of chronic pain in Europe: prevalence, impact on daily life, and treatment. Eur J Pain 2006;10(4):287–333.
2. Vos T, et al. Years lived with disability (YLDs) for 1160 sequelae of 289 diseases and injuries 1990-2010: a systematic analysis for the Global Burden of Disease Study 2010. Lancet 2012;380(9859):2163–96.
3. Macfarlane G, Jones G, McBeth J. Epidemiology of pain. In: McMahon S, Koltzenburg M, editors. Wall and Melzack's Textbook of Pain. Philadelphia.: Elsevier Churchill Livingstone; 2006. p. 1199–214.
4. Bendtsen L. Central sensitization in tension-type headache–possible pathophysiological mechanisms. Cephalalgia 2000; 20(5):486–508.
5. Wolfe F, et al. The prevalence and characteristics of fibromyalgia in the general population. Arthritis Rheum 1995;38(1): 19–28.
6. Bevan S, et al. Fit For Work? Musculoskeletal Disorders in the European Workforce. London: The Work Foundation; 2009.
7. Deyo RA, et al. Overtreating chronic back pain: time to back off? J Am Board Fam Med 2009;22(1):62–8.
8. Martin BI, et al. Trends in health care expenditures, utilization, and health status among US adults with spine problems, 19972006. Spine 2009;34(19):2077–84.
9. Pizzo PA, Clark NM. Alleviating suffering 101–pain relief in the United States. N Engl J Med 2012;366(3):197–9.
10. Loeser JD. What is chronic pain? Theor Med 1991;12(3):213–25.
11. Morris DB. The Culture of Pain. University California Press; 1991.
12. Bonica J. General considerations of chronic pain. In: Bonica J, editor. The Management of Pain. Lea & Febiger; 1990.
13. Siddall PJ, Cousins MJ. Persistent pain as a disease entity: implications for clinical management. Anesth Analg 2004;99(2):510–20, table of contents.
14. Jacobson L, Mariano AJ. Consideraciones generales sobre el dolor crónico. In: Loeser JD, editor. Bonica Terapéutica del Dolor. Mexico DC: McGraw-Hill Interamericana; 2003.
15. Haldeman S. North American Spine Society: failure of the pathology model to predict back pain. Spine 1990;15(7):718–24.
16. Reid S, et al. Medically unexplained symptoms in frequent attenders of secondary health care: retrospective cohort study. BMJ 2001;322(7289):767.
17. Gore DR, Sepic SB, Gardner GM. Roentgenographic findings of the cervical spine in asymptomatic people. Spine 1986;11(6):521–4.
18. Gore DR, et al. Neck pain: a long-term follow-up of 205 patients. Spine 1987;12(1):1–5.
19. Weisberg MB, Clavel AL Jr. Why is chronic pain so difficult to treat? Psychological considerations from simple to complex care. Postgrad Med 1999;106(6):141–2, 145-8, 157-60; passim.
20. Torres-Cueco R. El problema del dolor crónico: abordaje biopsicosocial. In: Perez J, Fernandez J, editors. Fisioterapia y Dolor XV Jornadas de. Escuela Universitaria de Fisioterapia ONCE Madrid; 2005. p. 102–24.
21. Torres-Cueco R. La fisioterapia y el dolor: un cambio de modelo necesario y urgente [Editorial]. Cuestiones de fisioterapia 2011;40(2):85–6.
22. Torres-Cueco R. Dolor Miofascial Crónico: Patofisiología y aproximación terapéutica. Fisioterapia 2005;27(2):87–95.
23. Melzack R, Wall PD. Pain mechanisms: a new theory. Science 1965;150(699):971–9.
24. Latremoliere A, Woolf CJ. Central sensitization: a generator of pain hypersensitivity by central neural plasticity. J Pain 2009;10(9):895–926.
25. Woolf CJ. Central sensitization: implications for the diagnosis and treatment of pain. Pain 2011;152(3 Suppl.):S2–15.
26. Price DD, Staud R. Neurobiology of fibromyalgia syndrome. J Rheumatol Suppl 2005;75:22–8.
27. Van Oosterwijck J, et al. Evidence for central sensitization in chronic whiplash: a systematic literature review. Eur J Pain 2013;17(3):299–312.
28. Staud R. Evidence for shared pain mechanisms in osteoarthritis, low back pain, and fibromyalgia. Curr Rheumatol Rep 2011;13(6):513–20.
29. Torres-Cueco R. Chronic low back pain: Biopsychosocial approach and physical therapy, in 6th Interdisciplinary World Congress on Low Back & Pelvic Pain Diagnosis and Treatment. The Balance between Research and Clinic. Barcelona 2007.
30. Roussel NA, et al. Central sensitization and altered central pain processing in chronic low back pain: fact or myth? Clin J Pain 2013;29(7):625–38.
31. Cagnie B, et al. Central sensitization in fibromyalgia? A systematic review on structural and functional brain MRI. Semin Arthritis Rheum 2014;44(1):68–75.
32. Graven-Nielsen T, Arendt-Nielsen L. Assessment of mechanisms in localized and widespread musculoskeletal pain. Nat Rev Rheumatol 2010;6(10):599–606.
33. Jull G, et al. Does the presence of sensory hypersensitivity influence outcomes of physical rehabilitation for chronic whiplash?–A preliminary RCT. Pain 2007;129(1–2):28–34.
34. Daenen L, et al. Dysfunctional pain inhibition in patients with chronic whiplash-associated disorders: an experimental study. Clin Rheumatol 2013;32(1):23–31.
35. Sterling M, et al. Pressure pain thresholds in chronic whiplash associated disorder: further evidence of altered central pain processing. J Musculoskelet Pain 2002;10:69–81.
36. Sterling M, et al. Sensory hypersensitivity occurs soon after whiplash injury and is associated with poor recovery. Pain 2003;104(3):509–17.
37. Herren-Gerber R, et al. Modulation of central hypersensitivity by nociceptive input in chronic pain after whiplash injury. Pain Med 2004;5(4):366–76.
38. Bruehl S. An update on the pathophysiology of complex regional pain syndrome. Anesthesiology 2010;113(3):713–25.
39. Kaya S, et al. Central sensitization in urogynecological chronic pelvic pain: a systematic literature review. Pain Physician 2013;16(4):291–308.
40. Ferreira Gurian MB, et al. Reduction of Pain Sensitivity is Associated with the Response to Treatment in Women with Chronic Pelvic Pain. Pain Med 2014.

41. Yang CC, et al. Pain sensitization in male chronic pelvic pain syndrome: why are symptoms so difficult to treat? J Urol 2003;170(3):823–6, discussion 826-7.
42. Brawn J, et al. Central changes associated with chronic pelvic pain and endometriosis. Hum Reprod Update 2014;20(5):737–47.
43. Sadownik LA. Etiology, diagnosis, and clinical management of vulvodynia. Int J Womens Health 2014;6:437–49.
44. Desmeules J, et al. Central pain sensitization, COMT Val158Met polymorphism, and emotional factors in fibromyalgia. J Pain 2014;15(2):129–35.
45. Staud R, Spaeth M. Psychophysical and neurochemical abnormalities of pain processing in fibromyalgia. CNS Spectr 2008;13(3 Suppl. 5):12–17.
46. Staud R. Evidence of involvement of central neural mechanisms in generating fibromyalgia pain. Curr Rheumatol Rep 2002;4(4):299–305.
47. Arendt-Nielsen L, Graven-Nielsen T. Central sensitization in fibromyalgia and other musculoskeletal disorders. Curr Pain Headache Rep 2003;7(5):355–61.
48. Staud R, et al. Enhanced central pain processing of fibromyalgia patients is maintained by muscle afferent input: a randomized, double-blind, placebo-controlled study. Pain 2009;145(1–2):96–104.
49. Meeus M, Nijs J. Central sensitization: a biopsychosocial explanation for chronic widespread pain in patients with fibromyalgia and chronic fatigue syndrome. Clin Rheumatol 2007;26(4):465–73.
50. Fernandez-Carnero J, et al. Widespread mechanical pain hypersensitivity as sign of central sensitization in unilateral epicondylalgia: a blinded, controlled study. Clin J Pain 2009;25(7):555–61.
51. Lluch E, et al. Evidence for central sensitization in patients with osteoarthritis pain: A systematic literature review. Eur J Pain 2014.
52. Van de Ven TJ, John Hsia HL. Causes and prevention of chronic postsurgical pain. Curr Opin Crit Care 2012;18(4):366–71.
53. Hubscher M, et al. Relationship between quantitative sensory testing and pain or disability in people with spinal pain-a systematic review and meta-analysis. Pain 2013;154(9):1497–504.
54. McLean SA, et al. The development of persistent pain and psychological morbidity after motor vehicle collision: integrating the potential role of stress response systems into a biopsychosocial model. Psychosom Med 2005;67(5):783–90.
55. Chapman CR. The psychophysiology of pain. In: Fishman S, Ballantyne J, Rathmell J, editors. Bonica's Management of Pain. Philadelphia.: Wolters Kluwer Lippincott Williams & Wilkins; 2010. p. 375–88.
56. Chapman CR, Nakamura Y. A passion of the soul: an introduction to pain for consciousness researchers. Conscious Cogn 1999;8(4):391–422.
57. Donaldson GW, et al. Pain and the defense response: structural equation modeling reveals a coordinated psychophysiological response to increasing painful stimulation. Pain 2003;102(1–2):97–108.
58. Chapman CR, Gavrin J. Suffering: the contributions of persistent pain. Lancet 1999;353(9171):2233–7.
59. Torpy DJ, Chrousos GP. The three-way interactions between the hypothalamic-pituitary-adrenal and gonadal axes and the immune system. Baillieres Clin Rheumatol 1996;10(2):181–98.
60. O'Connor KA, et al. Peripheral and central proinflammatory cytokine response to a severe acute stressor. Brain Res 2003;991(1–2):123–32.
61. Chrousos GP. The stress response and immune function: clinical implications. The 1999 Novera H. Spector Lecture. Ann N Y Acad Sci 2000;917:38–67.
62. Watkins LR, Maier SF. The pain of being sick: implications of immune-to-brain communication for understanding pain. Annu Rev Psychol 2000;51:29–57.
63. Maier SF. Bi-directional immune-brain communication: Implications for understanding stress, pain, and cognition. Brain Behav Immun 2003;17(2):69–85.
64. Maier SF, Watkins LR. Cytokines for psychologists: implications of bidirectional immune-to-brain communication for understanding behavior, mood, and cognition. Psychol Rev 1998;105(1):83–107.
65. Watkins LR, Maier SF. Immune regulation of central nervous system functions: from sickness responses to pathological pain. J Intern Med 2005;257(2):139–55.
66. Johnson EO, et al. Mechanisms of stress: a dynamic overview of hormonal and behavioral homeostasis. Neurosci Biobehav Rev 1992;16(2):115–30.
67. Melzack R, et al. Central neuroplasticity and pathological pain. Ann N Y Acad Sci 2001;933:157–74.
68. Koelbaek Johansen M, et al. Generalised muscular hyperalgesia in chronic whiplash syndrome. Pain 1999;83(2): 229–34.
69. Lidbeck J. Central hyperexcitability in chronic musculoskeletal pain: a conceptual breakthrough with multiple clinical implications. Pain Res Manag 2002;7(2):81–92.
70. Banic B, et al. Evidence for spinal cord hypersensitivity in chronic pain after whiplash injury and in fibromyalgia. Pain 2004;107(1–2):7–15.
71. Apkarian AV, et al. Imaging the pain of low back pain: functional magnetic resonance imaging in combination with monitoring subjective pain perception allows the study of clinical pain states. Neurosci Lett 2001;299(1–2):57–60.
72. Gracely RH, et al. Functional magnetic resonance imaging evidence of augmented pain processing in fibromyalgia. Arthritis Rheum 2002;46(5):1333–43.
73. Giesecke T, et al. Evidence of augmented central pain processing in idiopathic chronic low back pain. Arthritis Rheum 2004;50(2):613–23.
74. Jensen KB, et al. Evidence of dysfunctional pain inhibition in Fibromyalgia reflected in rACC during provoked pain. Pain 2009;144(1–2):95–100.
75. Kong J, et al. Exploring the brain in pain: activations, deactivations and their relation. Pain 2010;148(2):257–67.
76. Gracely RH, Ambrose KR. Neuroimaging of fibromyalgia. Best Pract Res Clin Rheumatol 2011;25(2):271–84.
77. Davis KD, Moayedi M. Central mechanisms of pain revealed through functional and structural MRI. J Neuroimmune Pharmacol 2013;8(3):518–34.
78. Engel GL. The need for a new medical model: a challenge for biomedicine. Science 1977;196(4286):129–36.
79. Main CJ, Richards HL, Fortune DG. Why put new wine in old bottles: the need for a biopsychosocial approach to the assessment, treatment, and understanding of unexplained and explained symptoms in medicine. J Psychosom Res 2000;48(6):511–14.
80. Melzack R, Wall P. The Challenge of Pain. Penguin Books

Ltd; 1996.

81. Waddell G. 1987 Volvo award in clinical sciences. A new clinical model for the treatment of low-back pain. Spine 1987;12(7):632–44.
82. Torres-Cueco R. Aproximación biopsicosocial del dolor crónico y de la fibromialgia. In: Salvat IS, editor. Fisioterapia del Dolor Miofascial y de la Fibromialgia. Sevilla: Universidad Internacional de Andalucía; 2009. p. 78–110.
83. Merskey H, Bogduk N. Classification of chronic pain: descriptions of chronic pain syndromes anda definitions of pain terms. 2nd ed. Seattle, WA: IASP Press; 1994.
84. Butler D. The Sensitive Nervous System. Adelaide: Noigroup Publications; 2000.
85. Watt-Watson J, Siddall PJ, Carr E. Interprofessional pain education: the road to successful pain management outcomes. Pain Manag 2012;2(5):417–20.
86. Legrain V, et al. Cognitive aspects of nociception and pain: bridging neurophysiology with cognitive psychology. Neurophysiol Clin 2012;42(5):325–36.
87. Flor H, Turk D. Basic concepts of pain. In: Flor H, Turk D, editors. Chronic Pain. A integrated biobehavioral approach. Seattle.: IASP press; 2011. p. 3–23.
88. Nijs J, Van Houdenhove B. From acute musculoskeletal pain to chronic widespread pain and fibromyalgia: application of pain neurophysiology in manual therapy practice. Man Ther 2009;14(1):3–12.
89. Lee MC, Mouraux A, Iannetti GD. Characterizing the cortical activity through which pain emerges from nociception. J Neurosci 2009;29(24):7909–16.
90. Osborn J, Derbyshire SW. Pain sensation evoked by observing injury in others. Pain 2010;148(2):268–74.
91. Derbyshire SW, et al. Cerebral activation during hypnotically induced and imagined pain. Neuroimage 2004;23(1):392–401.
92. Raij TT, et al. Brain correlates of subjective reality of physically and psychologically induced pain. Proc Natl Acad Sci USA 2005;102(6):2147–51.
93. Lumley MA, et al. Pain and emotion: a biopsychosocial review of recent research. J Clin Psychol 2011;67(9):942–68.
94. Linton SJ, Shaw WS. Impact of psychological factors in the experience of pain. Phys Ther 2011;91(5):700–11.
95. Ramachandran V, Blakeslee S. Phantoms in the Brain. Probing the mysteries of the human mind. New York: HarperCollins Publishers; 1999.
96. Arntz A, Claassens L. The meaning of pain influences its experienced intensity. Pain 2004;109(1–2):20–5.
97. Moseley GL, Arntz A. The context of a noxious stimulus affects the pain it evokes. Pain 2007.
98. Turk DC. Understanding pain sufferers: the role of cognitive processes. Spine J 2004;4(1):1–7.
99. Wiech K, Ploner M, Tracey I. Neurocognitive aspects of pain perception. Trends Cogn Sci 2008;12(8):306–13.
100. Jensen MP, et al. Patient beliefs predict patient functioning: further support for a cognitive-behavioural model of chronic pain. Pain 1999;81(1–2):95–104.
101. Stroud MW, et al. The relation between pain beliefs, negative thoughts, and psychosocial functioning in chronic pain patients. Pain 2000;84(2–3):347–52.
102. Ramirez-Maestre C, Esteve R, Lopez AE. Cognitive appraisal and coping in chronic pain patients. Eur J Pain 2008;12(6): 749–56.
103. Van Damme S, et al. Is distraction less effective when pain is threatening? An experimental investigation with the cold pressor task. Eur J Pain 2008;12(1):60–7.
104. Butler D, Moseley G. Explain Pain. Adelaide: Noigroup Publications; 2003.
105. Moseley GL, Butler DS. 15 Years of Explaining Pain - The Past, Present and Future. J Pain 2015.
106. Van Damme S, et al. Keeping pain in mind: a motivational account of attention to pain. Neurosci Biobehav Rev 2010;34(2):204–13.
107. Hofbauer RK, et al. Cortical representation of the sensory dimension of pain. J Neurophysiol 2001;86(1):402–11.
108. Bushnell MC, et al. Imaging pain in the brain: The role of the cerebral cortex in pain perception and modulation. J Musculoskelet Pain 2002;10(1–2):59–72.
109. Valet M, et al. Distraction modulates connectivity of the cingulo-frontal cortex and the midbrain during pain–an fMRI analysis. Pain 2004;109(3):399–408.
110. Fecteau JH, Munoz DP. Salience, relevance, and firing: a priority map for target selection. Trends Cogn Sci 2006;10(8):382–90.
111. Wall PD. Pain and the placebo response. Ciba Found Symp 1993;174:187–211, discussion 212-6.
112. Tracey I, Mantyh PW. The cerebral signature for pain perception and its modulation. Neuron 2007;55(3):377–91.
113. Eccleston C, Crombez G. Pain demands attention: a cognitiveaffective model of the interruptive function of pain. Psychol Bull 1999;125(3):356–66.
114. Sanders SH. Chronic pain: conceptualization and epidemiology. Ann Behav Med 1985;7:3–5.
115. Price DD. Psychological and neural mechanisms of the affective dimension of pain. Science 2000;288(5472):1769–72.
116. Moseley GL. A pain neuromatrix approach to patients with chronic pain. Man Ther 2003;8(3):130–40.
117. Favril L, et al. Shifting attention between the space of the body and external space: electrophysiological correlates of visualnociceptive crossmodal spatial attention. Psychophysiology 2014;51(5):464–77.
118. Legrain V, et al. The pain matrix reloaded: a salience detection system for the body. Prog Neurobiol 2011;93(1):111–24.
119. Moseley GL, Gallace A, Spence C. Bodily illusions in health and disease: physiological and clinical perspectives and the concept of a cortical 'body matrix. Neurosci Biobehav Rev 2012;36(1):34–46.
120. Neugebauer V, et al. Forebrain pain mechanisms. Brain Res Rev 2009;60(1):226–42.
121. Lotze M, Moseley GL. Role of distorted body image in pain. Curr Rheumatol Rep 2007;9(6):488–96.
122. Pleger B, et al. Patterns of cortical reorganization parallel impaired tactile discrimination and pain intensity in complex regional pain syndrome. Neuroimage 2006;32(2):503–10.
123. Lewis JS, et al. Body perception disturbance: a contribution to pain in complex regional pain syndrome (CRPS). Pain 2007;133(1–3):111–19.
124. Wand BM, et al. Cortical changes in chronic low back pain: current state of the art and implications for clinical practice. Man Ther 2011;16(1):15–20.
125. Moseley GL, Zalucki NM, Wiech K. Tactile discrimination, but not tactile stimulation alone, reduces chronic limb pain. Pain 2008;137(3):600–8.
126. Moriarty O, McGuire BE, Finn DP. The effect of pain on

cognitive function: a review of clinical and preclinical research. Prog Neurobiol 2011;93(3):385–404.

127. Berryman C, et al. Evidence for working memory deficits in chronic pain: a systematic review and meta-analysis. Pain 2013;154(8):1181–96.
128. Berryman C, et al. Do people with chronic pain have impaired executive function? A meta-analytical review. Clin Psychol Rev 2014;34(7):563–79.
129. Kirby ED, et al. Basolateral amygdala regulation of adult hippocampal neurogenesis and fear-related activation of newborn neurons. Mol Psychiatry 2011.
130. Fordyce W. Behavioral Methods for Chronic Pain and Illness. San Luis: Mosby; 1976.
131. Fordyce W. Dolor aprendido: dolor como función conductual. In: Loeser JD, editor. Bonica Terapéutica del Dolor. Mexico: McGraw-Hill Interamericana; 2003. p. 575–81.
132. Flor H. The functional organization of the brain in chronic pain. Prog Brain Res 2000;129:313–22.
133. Flor H. Painful memories. Can we train chronic pain patients to 'forget' their pain? EMBO Rep 2002;3(4):288–91.
134. Apkarian AV. Pain perception in relation to emotional learning. Curr Opin Neurobiol 2008;18(4):464–8.
135. Apkarian AV, Baliki MN, Geha PY. Towards a theory of chronic pain. Prog Neurobiol 2009;87(2):81–97.
136. Flor H. New developments in the understanding and management of persistent pain. Curr Opin Psychiatry 2012;25(2):109–13.
137. Zaman J, et al. Associative fear learning and perceptual discrimination: A perceptual pathway in the development of chronic pain. Neurosci Biobehav Rev 2015;51:118–25.
138. Vlaeyen JW, Linton SJ. Fear-avoidance and its consequences in chronic musculoskeletal pain: a state of the art. Pain 2000;85(3):317–32.
139. Meulders A, Vansteenwegen D, Vlaeyen JW. The acquisition of fear of movement-related pain and associative learning: a novel pain-relevant human fear conditioning paradigm. Pain 2011;152(11):2460–9.
140. Lorenz J, Tracey I. Brain correlates of psychological amplification of pain. In: Mayer E, Bushnell M, editors. Functional pain syndromes: presentation and pathophysiology. Seattle: IASP PRESS; 2009. p. 385–401.
141. Schaible HG. Peripheral and central mechanisms of pain generation. Handb Exp Pharmacol 2007;177:3–28.
142. Apkarian AV, et al. Human brain mechanisms of pain perception and regulation in health and disease. Eur J Pain 2005;9(4):463–84.
143. Kandel ER, Schwartz J, Jesell T, editors. Principios de Neurociencia. 4a ed. Madrid: McGraw-Hill Interamericana; 2000.
144. Woolf C, Salter M. Plasticity and pain: role of the dorsal horn. In: McMahon S, Koltzenburg M, editors. Wall and Melzack's Textbook of Pain. Philadelphia: Elsevier Churchill Livingstone; 2006. p. 91–105.
145. Woolf CJ, Salter MW. Neuronal plasticity: increasing the gain in pain. Science 2000;288(5472):1765–9.
146. Mannion RJ, Woolf CJ. Pain mechanisms and management: a central perspective. Clin J Pain 2000;16(3 Suppl.):S144–56.
147. Arendt-Nielsen L, Fernandez-de-Las-Penas C, Graven-Nielsen T. Basic aspects of musculoskeletal pain: from acute to chronic pain. J Man Manip Ther 2011;19(4):186–93.
148. Mifflin KA, Kerr BJ. The transition from acute to chronic pain: understanding how different biological systems interact. Can J Anaesth 2014;61(2):112–22.
149. Coombes BK, Bisset L, Vicenzino B. Thermal hyperalgesia distinguishes those with severe pain and disability in unilateral lateral epicondylalgia. Clin J Pain 2012;28(7): 595–601.
150. Staud R, et al. Abnormal sensitization and temporal summation of second pain (wind-up) in patients with fibromyalgia syndrome. Pain 2001;91(1–2):165–75.
151. Vikman KS, Kristensson K, Hill RH. Sensitization of dorsal horn neurons in a two-compartment cell culture model: wind-up and long-term potentiation-like responses. J Neurosci 2001;21(19):RC169.
152. Li J, Simone DA, Larson AA. Windup leads to characteristics of central sensitization. Pain 1999;79(1):75–82.
153. Eide PK. Wind-up and the NMDA receptor complex from a clinical perspective. Eur J Pain 2000;4(1):5–15.
154. Bennett GJ. Update on the neurophysiology of pain transmission and modulation: focus on the NMDA-receptor. J Pain Symptom Manage 2000;19(1 Suppl.):S2–6.
155. Graven-Nielsen T, Arendt-Nielsen L. Peripheral and central sensitization in musculoskeletal pain disorders: an experimental approach. Curr Rheumatol Rep 2002;4(4):313–21.
156. Wall PD, Woolf CJ. Muscle but not cutaneous C-afferent input produces prolonged increases in the excitability of the flexion reflex in the rat. J Physiol 1984;356:443–58.
157. Mense S. The pathogenesis of muscle pain. Curr Pain Headache Rep 2003;7(6):419–25.
158. Neugebauer V, Li W. Differential sensitization of amygdala neurons to afferent inputs in a model of arthritic pain. J Neurophysiol 2003;89(2):716–27.
159. Wei F, Zhuo M. Potentiation of sensory responses in the anterior cingulate cortex following digit amputation in the anaesthetised rat. J Physiol 2001;532(Pt 3):823–33.
160. Yezierski RP, et al. Excitotoxic spinal cord injury: behavioral and morphological characteristics of a central pain model. Pain 1998;75(1):141–55.
161. Woolf CJ. Central sensitization: uncovering the relation between pain and plasticity. Anesthesiology 2007;106(4):864–7.
162. Watkins LR, et al. "Listening and "talking to neurons: implications of immune activation for pain control and increasing the efficacy of opioids. Brain Res Rev 2007;56(1):148–69.
163. Ji RR, et al. Possible role of spinal astrocytes in maintaining chronic pain sensitization: review of current evidence with focus on bFGF/JNK pathway. Neuron Glia Biol 2006;2(4):259–69.
164. Ji RR, Berta T, Nedergaard M. Glia and pain: is chronic pain a gliopathy? Pain 2013;154(Suppl. 1):S10–28.
165. Ji RR, Suter MR. p38 MAPK, microglial signaling, and neuropathic pain. Mol Pain 2007;3:33.
166. Kawasaki Y, et al. Cytokine mechanisms of central sensitization: distinct and overlapping role of interleukin-1beta, interleukin-6, and tumor necrosis factor-alpha in regulating synaptic and neuronal activity in the superficial spinal cord. J Neurosci 2008;28(20):5189–94.
167. Watkins LR, Milligan ED, Maier SF. Glial activation: a driving force for pathological pain. Trends Neurosci 2001;24(8): 450–5.
168. Watkins LR, Milligan ED, Maier SF. Glial proinflammatory

cytokines mediate exaggerated pain states: implications for clinical pain. Adv Exp Med Biol 2003;521:1–21.
169. Wieseler-Frank J, Maier SF, Watkins LR. Glial activation and pathological pain. Neurochem Int 2004;45(2–3):389–95.
170. Hansson E. Could chronic pain and spread of pain sensation be induced and maintained by glial activation? Acta Physiol (Oxf) 2006;187(1–2):321–7.
171. Uceyler N, Sommer C. Cytokine-related and histological biomarkers for neuropathic pain assessment. Pain Manag 2012;2(4):391–8.
172. Milligan ED, et al. Spinal glia and proinflammatory cytokines mediate mirror-image neuropathic pain in rats. J Neurosci 2003;23(3):1026–40.
173. Loggia ML, et al. Evidence for brain glial activation in chronic pain patients. Brain 2015.
174. Newman HM, Stevens RT, Apkarian AV. Direct spinal projections to limbic and striatal areas: anterograde transport studies from the upper cervical spinal cord and the cervical enlargement in squirrel monkey and rat. J Comp Neurol 1996;365(4):640–58.
175. Gauriau C, Bernard JF. A comparative reappraisal of projections from the superficial laminae of the dorsal horn in the rat: the forebrain. J Comp Neurol 2004;468(1):24–56.
176. Braz JM, et al. Parallel "pain pathways arise from subpopulations of primary afferent nociceptor. Neuron 2005;47(6):787–93.
177. Willis WD, Westlund KN. Neuroanatomy of the pain system and of the pathways that modulate pain. J Clin Neurophysiol 1997;14(1):2–31.
178. Fields H, Basbaum A, Heinricher M. Central nervous system mechanisms of pain modulation. In: McMahon S, Koltzenburg M, editors. Wall and Melzack's Textbook of Pain. Philadelphia.: Elsevier Churchill Livingstone; 2006. p. 125–42.
179. Salter MW. The neurobiology of central sensitization. J Musculoskelet Pain 2002;10(1–2):23–33.
180. Millan MJ. Descending control of pain. Prog Neurobiol 2002;66(6):355–474.
181. Suzuki R, Rygh LJ, Dickenson AH. Bad news from the brain: descending 5-HT pathways that control spinal pain processing. Trends Pharmacol Sci 2004;25(12):613–17.
182. Zambreanu L, et al. A role for the brainstem in central sensitisation in humans. Evidence from functional magnetic resonance imaging. Pain 2005;114(3):397–407.
183. Porreca F, Ossipov MH, Gebhart GF. Chronic pain and medullary descending facilitation. Trends Neurosci 2002;25(6): 319–25.
184. Yarnitsky D. Role of endogenous pain modulation in chronic pain mechanisms and treatment. Pain 2015;156(Suppl. 1):S24–31.
185. Le Bars D, Dickenson AH, Besson JM. Diffuse noxious inhibitory controls (DNIC). I. Effects on dorsal horn convergent neurones in the rat. Pain 1979;6(3):283–304.
186. Bouhassira D, et al. Involvement of the subnucleus reticularis dorsalis in diffuse noxious inhibitory controls in the rat. Brain Res 1992;595(2):353–7.
187. Lima D, Almeida A. The medullary dorsal reticular nucleus as a pronociceptive centre of the pain control system. Prog Neurobiol 2002;66(2):81–108.
188. Yarnitsky D, et al. Recommendations on terminology and practice of psychophysical DNIC testing. Eur J Pain 2010;14(4): 339.
188a. Katon W, Egan K, Miller D. Chronic pain: lifetime psychiatric diagnoses and family history. Am J Psychiatry 1985; 142(10):1156–60.
189. Daenen L, et al. Changes in Pain Modulation Occur Soon After Whiplash Trauma but are not Related to Altered Perception of Distorted Visual Feedback. Pain Pract 2013.
190. Yarnitsky D, et al. Prediction of chronic post-operative pain: pre-operative DNIC testing identifies patients at risk. Pain 2008;138(1):22–8.
191. Wilder-Smith OH, et al. Patients with chronic pain after abdominal surgery show less preoperative endogenous pain inhibition and more postoperative hyperalgesia: a pilot study. J Pain Palliat Care Pharmacother 2010;24(2):119–28.
192. Yarnitsky D. Conditioned pain modulation (the diffuse noxious inhibitory control-like effect): its relevance for acute and chronic pain states. Curr Opin Anaesthesiol 2010;23(5): 611–15.
193. Nir RR, et al. Cognitive manipulation targeted at decreasing the conditioning pain perception reduces the efficacy of conditioned pain modulation. Pain 2012;153(1):170–6.
194. Cormier S, Piche M, Rainville P. Expectations modulate heterotopic noxious counter-stimulation analgesia. J Pain 2013; 14(2):114–25.
195. Goodin BR, et al. The association of greater dispositional optimism with less endogenous pain facilitation is indirectly transmitted through lower levels of pain catastrophizing. J Pain 2013;14(2):126–35.
196. Goodin BR, et al. Testing the relation between dispositional optimism and conditioned pain modulation: does ethnicity matter? J Behav Med 2013;36(2):165–74.
197. Millan MJ. The induction of pain: an integrative review. Prog Neurobiol 1999;57(1):1–164.
198. Lumb BM. Hypothalamic and midbrain circuitry that distinguishes between escapable and inescapable pain. News Physiol Sci 2004;19:22–6.
199. Bingel U, et al. Somatotopic organization of human somatosensory cortices for pain: a single trial fMRI study. Neuroimage 2004;23(1):224–32.
200. Mouraux A, et al. A multisensory investigation of the functional significance of the "pain matrix. Neuroimage 2011; 54(3):2237–49.
201. Lorenz J, Hauck M. Supraspinal mechanisms of pain and nociception. In: Fishman S, Ballantyne J, Rathmell J, editors. Bonica's Management of Pain. Philadelphia.: Wolters Kluwer Lippincott Williams & Wilkins; 2010. p. 61–73.
202. Nagai M, Kishi K, Kato S. Insular cortex and neuropsychiatric disorders: a review of recent literature. Eur Psychiatry 2007;22(6):387–94.
203. Brooks JC, Tracey I. The insula: a multidimensional integration site for pain. Pain 2007;128(1–2):1–2.
204. Craig AD. How do you feel–now? The anterior insula and human awareness. Nat Rev Neurosci 2009;10(1):59–70.
205. Craig AD. How do you feel? Interoception: the sense of the physiological condition of the body. Nat Rev Neurosci 2002; 3(8):655–66.
206. Vogt BA. Pain and emotion interactions in subregions of the cingulate gyrus. Nat Rev Neurosci 2005;6(7):533–44.
207. Lorenz J, Tracey I. Brain correlates of psychological amplification of pain. In: Mayer EA, Bushnell MC, editors. Functional Pain Syndromes: presentation and pathophysiology. Seattle: IASP Press; 2009.
208. Bush G, Luu P, Posner MI. Cognitive and emotional influences in anterior cingulate cortex. Trends Cogn Sci

2000;4(6):215–22.
209. Neugebauer V, et al. The amygdala and persistent pain. Neuroscientist 2004;10(3):221–34.
210. Simons LE, et al. The human amygdala and pain: evidence from neuroimaging. Hum Brain Mapp 2014;35(2):527–38.
211. O'Doherty JP, et al. Neural responses during anticipation of a primary taste reward. Neuron 2002;33(5):815–26.
212. Bechara A, et al. Double dissociation of conditioning and declarative knowledge relative to the amygdala and hippocampus in humans. Science 1995;269(5227):1115–18.
213. Bingel U, et al. Subcortical structures involved in pain processing: evidence from single-trial fMRI. Pain 2002;99(1–2):313–21.
214. Zola SM, et al. Impaired recognition memory in monkeys after damage limited to the hippocampal region. J Neurosci 2000;20(1):451–63.
215. Miller EK, Cohen JD. An integrative theory of prefrontal cortex function. Annu Rev Neurosci 2001;24:167–202.
216. Lorenz J, Minoshima S, Casey KL. Keeping pain out of mind: the role of the dorsolateral prefrontal cortex in pain modulation. Brain 2003;126(Pt 5):1079–91.
217. Lorenz J, et al. A unique representation of heat allodynia in the human brain. Neuron 2002;35(2):383–93.
218. Wiech K, et al. Anterolateral prefrontal cortex mediates the analgesic effect of expected and perceived control over pain. J Neurosci 2006;26(44):11501–9.
219. Burgmer M, et al. Cerebral mechanisms of experimental hyperalgesia in fibromyalgia. Eur J Pain 2012;16(5): 636–47.
220. Iannetti GD, et al. Determinants of laser-evoked EEG responses: pain perception or stimulus saliency? J Neurophysiol 2008;100(2):815–28.
221. Mouraux A, Iannetti GD. Nociceptive laser-evoked brain potentials do not reflect nociceptive-specific neural activity. J Neurophysiol 2009;101(6):3258–69.
222. Shackman AJ, et al. The integration of negative affect, pain and cognitive control in the cingulate cortex. Nat Rev Neurosci 2011;12(3):154–67.
223. Downar J, et al. A cortical network sensitive to stimulus salience in a neutral behavioral context across multiple sensory modalities. J Neurophysiol 2002;87(1):615–20.
224. Downar J, Mikulis DJ, Davis KD. Neural correlates of the prolonged salience of painful stimulation. Neuroimage 2003;20(3):1540–51.
225. Moayedi M. All roads lead to the insula. Pain 2014; 155(10):1920–1.
226. Davis KD, et al. Human anterior cingulate cortex neurons encode cognitive and emotional demands. J Neurosci 2005;25(37):8402–6.
227. Uddin LQ. Salience processing and insular cortical function and dysfunction. Nat Rev Neurosci 2015;16(1):55–61.
228. Apkarian AV. The brain in chronic pain: clinical implications. Pain Manag 2011;1(6):577–86.
229. Baliki MN, et al. Chronic pain and the emotional brain: specific brain activity associated with spontaneous fluctuations of intensity of chronic back pain. J Neurosci 2006;26(47): 12165–73.
230. Sawamoto N, et al. Expectation of pain enhances responses to nonpainful somatosensory stimulation in the anterior cingulate cortex and parietal operculum/posterior insula: an event-related functional magnetic resonance imaging study. J Neurosci 2000;20(19):7438–45.
231. Deus J, et al. Resonancia magnética funcional de la respuesta cerebral al dolor en pacientes con diagnóstico de fibromialgia. Psiq Biol 2006;13(2):39–46.
232. Pujol J, et al. Mapping brain response to pain in fibromyalgia patients using temporal analysis of FMRI. PLoS ONE 2009;4(4):e5224.
233. Burgmer M, et al. Altered brain activity during pain processing in fibromyalgia. Neuroimage 2009;44(2):502–8.
234. Burgmer M, et al. Fibromyalgia unique temporal brain activation during experimental pain: a controlled fMRI Study. J Neural Transm 2010;117(1):123–31.
235. Parks EL, et al. Brain activity for chronic knee osteoarthritis: dissociating evoked pain from spontaneous pain. Eur J Pain 2011;15(8):843 e1–14.
236. Hashmi JA, et al. Shape shifting pain: chronification of back pain shifts brain representation from nociceptive to emotional circuits. Brain 2013;136(Pt 9):2751–68.
237. Schweinhardt P, et al. An fMRI study of cerebral processing of brush-evoked allodynia in neuropathic pain patients. Neuroimage 2006;32(1):256–65.
238. Schweinhardt P, et al. Investigation into the neural correlates of emotional augmentation of clinical pain. Neuroimage 2008;40(2):759–66.
239. Castren E. Is mood chemistry? Nat Rev Neurosci 2005;6(3):241–6.
240. Chen R, Cohen LG, Hallett M. Nervous system reorganization following injury. Neuroscience 2002;111(4):761–73.
241. Flor H, Birbaumer N. Phantom limb pain: cortical plasticity and novel therapeutic approaches. Curr Opin Anaesthesiol 2000;13(5):561–4.
242. Wall JT, Xu J, Wang X. Human brain plasticity: an emerging view of the multiple substrates and mechanisms that cause cortical changes and related sensory dysfunctions after injuries of sensory inputs from the body. Brain Res Brain Res Rev 2002;39(2–3):181–215.
243. Flor H. Cortical reorganisation and chronic pain: implications for rehabilitation. J Rehabil Med 2003;41(Suppl.):66–72.
244. Moseley L. Gifford L, editor. Making sense of "S1 mania - Are things really that simple?,. Falmouth: CNS Press; 2006.
245. Juottonen K, et al. Altered central sensorimotor processing in patients with complex regional pain syndrome. Pain 2002;98(3):315–23.
246. Maihofner C, et al. Patterns of cortical reorganization in complex regional pain syndrome. Neurology 2003;61(12): 1707–15.
247. Schwenkreis P, Maier C, Tegenthoff M. Functional imaging of central nervous system involvement in complex regional pain syndrome. AJNR Am J Neuroradiol 2009;30(7):1279–84.
248. Flor H, et al. Phantom-limb pain as a perceptual correlate of cortical reorganization following arm amputation. Nature 1995;375(6531):482–4.
249. Flor H, et al. Cortical reorganization and phantom phenomena in congenital and traumatic upper-extremity amputees. Exp Brain Res 1998;119(2):205–12.
250. Knecht S, et al. Plasticity of plasticity? Changes in the pattern of perceptual correlates of reorganization after amputation. Brain 1998;121(Pt 4):717–24.
251. Grusser SM, et al. The relationship of perceptual phenomena and cortical reorganization in upper extremity amputees. Neuroscience 2001;102(2):263–72.
252. Karl A, et al. Reorganization of motor and somatosensory

cortex in upper extremity amputees with phantom limb pain. J Neurosci 2001;21(10):3609–18.
253. Flor H, Nikolajsen L, Staehelin Jensen T. Phantom limb pain: a case of maladaptive CNS plasticity? Nat Rev Neurosci 2006;7(11):873–81.
254. Flor H, et al. Extensive reorganization of primary somatosensory cortex in chronic back pain patients. Neurosci Lett 1997;224(1):5–8.
255. Janig W, Baron R. Complex regional pain syndrome is a disease of the central nervous system. Clin Auton Res 2002;12(3):150–64.
256. Swart CM, Stins JF, Beek PJ. Cortical changes in complex regional pain syndrome (CRPS). Eur J Pain 2009;13(9): 902–7.
257. Maihofner C, Seifert F, Markovic K. Complex regional pain syndromes: new pathophysiological concepts and therapies. Eur J Neurol 2010;17(5):649–60.
258. Pleger B, et al. Mean sustained pain levels are linked to hemispherical side-to-side differences of primary somatosensory cortex in the complex regional pain syndrome I. Exp Brain Res 2004;155(1):115–19.
259. Yang TT, et al. Sensory maps in the human brain. Nature 1994;368(6472):592–3.
260. Maihofner C, et al. Mislocalization of tactile stimulation in patients with complex regional pain syndrome. J Neurol 2006;253(6):772–9.
261. McCabe CS, et al. Referred sensations in patients with complex regional pain syndrome type 1. Rheumatology (Oxford) 2003;42(9):1067–73.
262. Moseley GL. Distorted body image in complex regional pain syndrome. Neurology 2005;65(5):773.
263. Soler MD, et al. Referred sensations and neuropathic pain following spinal cord injury. Pain 2010;150(1):192–8.
264. Schwenkreis P, et al. Bilateral motor cortex disinhibition in complex regional pain syndrome (CRPS) type I of the hand. Neurology 2003;61(4):515–19.
265. Krause P, Forderreuther S, Straube A. TMS motor cortical brain mapping in patients with complex regional pain syndrome type I. Clin Neurophysiol 2006;117(1): 169–76.
266. Maihofner C, et al. The motor system shows adaptive changes in complex regional pain syndrome. Brain 2007;130(Pt 10):2671–87.
267. Gieteling EW, et al. Cerebral activation during motor imagery in complex regional pain syndrome type 1 with dystonia. Pain 2008;134(3):302–9.
268. Flor H, Diers M, Andoh J. The neural basis of phantom limb pain. Trends Cogn Sci 2013;17(7):307–8.
269. Moseley GL. Widespread brain activity during an abdominal task markedly reduced after pain physiology education: fMRI evaluation of a single patient with chronic low back pain. Aust J Physiother 2005;51(1):49–52.
270. Moseley GL, Gandevia SC. Sensory-motor incongruence and reports of 'pain. Rheumatology (Oxford) 2005;44(9):1083–5.
271. McCabe CS, et al. Simulating sensory-motor incongruence in healthy volunteers: implications for a cortical model of pain. Rheumatology (Oxford) 2005;44(4):509–16.
272. Frettloh J, Huppe M, Maier C. Severity and specificity of neglect-like symptoms in patients with complex regional pain syndrome (CRPS) compared to chronic limb pain of other origins. Pain 2006;124(1–2):184–9.
273. Kerkhoff G. Spatial hemineglect in humans. Prog Neurobiol 2001;63(1):1–27.
274. Galer BS, Jensen M. Neglect-like symptoms in complex regional pain syndrome: results of a self-administered survey. J Pain Symptom Manage 1999;18(3):213–17.
275. Moseley GL. Why do people with complex regional pain syndrome take longer to recognize their affected hand? Neurology 2004;62(12):2182–6.
276. Moseley GL, Gallagher L, Gallace A. Neglect-like tactile dysfunction in chronic back pain. Neurology 2012;79(4):327–32.
277. Moseley GL, Parsons TJ, Spence C. Visual distortion of a limb modulates the pain and swelling evoked by movement. Curr Biol 2008;18(22):R1047–8.
278. Maihofner C, et al. Cortical reorganization during recovery from complex regional pain syndrome. Neurology 2004;63(4):693–701.
279. Pleger B, et al. Sensorimotor retuning [corrected] in complex regional pain syndrome parallels pain reduction. Ann Neurol 2005;57(3):425–9.
280. Mercier C, Sirigu A. Training with virtual visual feedback to alleviate phantom limb pain. Neurorehabil Neural Repair 2009;23(6):587–94.
281. Moseley GL, Flor H. Targeting cortical representations in the treatment of chronic pain: a review. Neurorehabil Neural Repair 2012;26(6):646–52.
282. Simons LE, Elman I, Borsook D. Psychological processing in chronic pain: a neural systems approach. Neurosci Biobehav Rev 2014;39:61–78.
283. Ji RR, et al. Central sensitization and LTP: do pain and memory share similar mechanisms? Trends Neurosci 2003;26(12):696–705.
284. Kim JJ, Jung MW. Neural circuits and mechanisms involved in Pavlovian fear conditioning: a critical review. Neurosci Biobehav Rev 2006;30(2):188–202.
285. Price TJ, Inyang KE. Commonalities between pain and memory mechanisms and their meaning for understanding chronic pain. Prog Mol Biol Transl Sci 2015;131: 409–34.
286. Mansour AR, et al. Chronic pain: the role of learning and brain plasticity. Restor Neurol Neurosci 2014;32(1):129–39.
287. Acerra NE, Moseley GL. Dysynchiria: watching the mirror image of the unaffected limb elicits pain on the affected side. Neurology 2005;65(5):751–3.
288. Moseley GL. Imagined movements cause pain and swelling in a patient with complex regional pain syndrome. Neurology 2004;62(9):1644.
289. Castellanos FX, Cortese S, Proal E. Connectivity. Curr Top Behav Neurosci 2014;16:49–77.
290. Melzack R. Pain–an overview. Acta Anaesthesiol Scand 1999;43(9):880–4.
291. Deco G, et al. Key role of coupling, delay, and noise in resting brain fluctuations. Proc Natl Acad Sci USA 2009;106(25):10302–7.
292. Raichle ME, Mintun MA. Brain work and brain imaging. Annu Rev Neurosci 2006;29:449–76.
293. Zhang D, Raichle ME. Disease and the brain's dark energy. Nat Rev Neurol 2010;6(1):15–28.
294. Biswal B, et al. Functional connectivity in the motor cortex of resting human brain using echo-planar MRI. Magn Reson Med 1995;34(4):537–41.
295. Raichle ME, et al. A default mode of brain function. Proc Natl Acad Sci USA 2001;98(2):676–82.
296. Gusnard DA, Raichle ME. Searching for a baseline: functional imaging and the resting human brain. Nat Rev Neurosci 2001;2(10):685–94.

297. Buckner RL, Andrews-Hanna JR, Schacter DL. The brain's default network: anatomy, function, and relevance to disease. Ann N Y Acad Sci 2008;1124:1–38.
298. Greicius MD, et al. Functional connectivity in the resting brain: a network analysis of the default mode hypothesis. Proc Natl Acad Sci USA 2003;100(1):253–8.
299. Baliki MN, et al. Beyond feeling: chronic pain hurts the brain, disrupting the default-mode network dynamics. J Neurosci 2008;28(6):1398–403.
300. Weissman-Fogel I, et al. Abnormal cortical activity in patients with temporomandibular disorder evoked by cognitive and emotional tasks. Pain 2011;152(2):384–96.
301. Kucyi A, Salomons TV, Davis KD. Mind wandering away from pain dynamically engages antinociceptive and default mode brain networks. Proc Natl Acad Sci USA 2013;110(46): 18692–7.
302. Behrens TE, Sporns O. Human connectomics. Curr Opin Neurobiol 2012;22(1):144–53.
303. Van Essen DC, et al. The Human Connectome Project: a data acquisition perspective. Neuroimage 2012;62(4):2222–31.
304. Craddock RC, et al. Imaging human connectomes at the macroscale. Nat Methods 2013;10(6):524–39.
305. Legrain V, et al. A neurocognitive model of attention to pain:behavioral and neuroimaging evidence. Pain 2009;144(3):230–2.
306. Menon V. Salience Network. In: Toga A, editor. Brain Mapping: An Encyclopedic Reference. Academic Press: Elsevier.; 2015. p. 597–611.
307. Wager TD, et al. Placebo-induced changes in FMRI in the anticipation and experience of pain. Science 2004;303(5661): 1162–7.
308. Smith SM, et al. Tract-based spatial statistics: voxelwise analysis of multi-subject diffusion data. Neuroimage 2006;31(4):1487–505.
309. Hutton C, et al. A comparison between voxel-based cortical thickness and voxel-based morphometry in normal aging. Neuroimage 2009;48(2):371–80.
310. Apkarian AV, et al. Chronic back pain is associated with decreased prefrontal and thalamic gray matter density. J Neurosci 2004;24(46):10410–15.
311. Apkarian AV, et al. Chronic pain patients are impaired on an emotional decision-making task. Pain 2004;108(1–2): 129–36.
312. Dick BD, et al. Disruption of cognitive function in fibromyalgia syndrome. Pain 2008;139(3):610–16.
313. Schmidt-Wilcke T, et al. Affective components and intensity of pain correlate with structural differences in gray matter in chronic back pain patients. Pain 2006;125(1–2):89–97.
314. Kuchinad A, et al. Accelerated brain gray matter loss in fibromyalgia patients: premature aging of the brain? J Neurosci 2007;27(15):4004–7.
315. Lutz J, et al. White and gray matter abnormalities in the brain of patients with fibromyalgia: a diffusion-tensor and volumetric imaging study. Arthritis Rheum 2008;58(12): 3960–9.
316. Burgmer M, et al. Decreased gray matter volumes in the cingulo-frontal cortex and the amygdala in patients with fibromyalgia. Psychosom Med 2009;71(5):566–73.
317. Wood PB, et al. Changes in gray matter density in fibromyalgia: correlation with dopamine metabolism. J Pain 2009;10(6):609–18.
318. Robinson ME, et al. Gray matter volumes of pain-related brain areas are decreased in fibromyalgia syndrome. J Pain 2011;12(4):436–43.
319. McCrae CS, et al. Fibromyalgia patients have reduced hippocampal volume compared with healthy controls. J Pain Res 2015;8:47–52.
320. Geha PY, et al. The brain in chronic CRPS pain: abnormal gray-white matter interactions in emotional and autonomic regions. Neuron 2008;60(4):570–81.
321. Davis KD, et al. Cortical thinning in IBS: implications for homeostatic, attention, and pain processing. Neurology 2008;70(2):153–4.
322. Seminowicz DA, et al. Regional gray matter density changes in brains of patients with irritable bowel syndrome. Gastroenterology 2010;139(1):48–57 e2.
323. As-Sanie S, et al. Changes in regional gray matter volume in women with chronic pelvic pain: a voxel-based morphometry study. Pain 2012;153(5):1006–14.
324. Rocca MA, et al. Brain gray matter changes in migraine patients with T2-visible lesions: a 3-T MRI study. Stroke 2006;37(7):1765–70.
325. Valfre W, et al. Voxel-based morphometry reveals gray matter abnormalities in migraine. Headache 2008;48(1): 109–17.
326. Kim JH, et al. Regional grey matter changes in patients with migraine: a voxel-based morphometry study. Cephalalgia 2008;28(6):598–604.
327. Schmidt-Wilcke T, et al. Subtle grey matter changes between migraine patients and healthy controls. Cephalalgia 2008;28(1):1–4.
328. Schmitz N, et al. Frontal lobe structure and executive function in migraine patients. Neurosci Lett 2008;440(2):92–6.
329. Schmitz N, et al. Attack frequency and disease duration as indicators for brain damage in migraine. Headache 2008;48(7):1044–55.
330. Schmidt-Wilcke T, et al. Gray matter decrease in patients with chronic tension type headache. Neurology 2005;65(9):1483–6.
331. Schmidt-Wilcke T, Hierlmeier S, Leinisch E. Altered regional brain morphology in patients with chronic facial pain. Headache 2010;50(8):1278–85.
332. Younger JW, et al. Chronic myofascial temporomandibular pain is associated with neural abnormalities in the trigeminal and limbic systems. Pain 2010;149(2):222–8.
333. Gerstner G, et al. Changes in regional gray and white matter volume in patients with myofascial-type temporomandibular disorders: a voxel-based morphometry study. J Orofac Pain 2011;25(2):99–106.
334. de Lange FP, et al. Gray matter volume reduction in the chronic fatigue syndrome. Neuroimage 2005;26(3):777–81.
335. Villarreal G, et al. Reduced hippocampal volume and total white matter volume in posttraumatic stress disorder. Biol Psychiatry 2002;52(2):119–25.
336. Schweinhardt P, Bushnell MC. Pain imaging in health and disease–how far have we come? J Clin Invest 2010;120(11):3788–97.
337. Park DC, et al. Cognitive function in fibromyalgia patients. Arthritis Rheum 2001;44(9):2125–33.
338. Obermann M, et al. Gray matter changes related to chronic posttraumatic headache. Neurology 2009;73(12):978–83.
339. Valet M, et al. Patients with pain disorder show gray-matter loss in pain-processing structures: a voxel-based morphometric study. Psychosom Med 2009;71(1):49–56.
340. Jensen KB, et al. Overlapping structural and functional brain

changes in patients with long-term exposure to fibromyalgia pain. Arthritis Rheum 2013;65(12):3293–303.

341. Rodriguez-Raecke R, et al. Brain gray matter decrease in chronic pain is the consequence and not the cause of pain. J Neurosci 2009;29(44):13746–50.
342. Gwilym SE, et al. Thalamic atrophy associated with painful osteoarthritis of the hip is reversible after arthroplasty: a longitudinal voxel-based morphometric study. Arthritis Rheum 2010;62(10):2930–40.
343. Luerding R, et al. Working memory performance is correlated with local brain morphology in the medial frontal and anterior cingulate cortex in fibromyalgia patients: structural correlates of pain-cognition interaction. Brain 2008;131(Pt 12):3222–31.
344. Matharu MS, et al. No change in the structure of the brain in migraine: a voxel-based morphometric study. Eur J Neurol 2003;10(1):53–7.
345. Hsu MC, et al. No consistent difference in gray matter volume between individuals with fibromyalgia and age-matched healthy subjects when controlling for affective disorder. Pain 2009;143(3):262–7.
346. Tracey I. Nociceptive processing in the human brain. Curr Opin Neurobiol 2005;15(4):478–87.
347. McEwen BS, Gianaros PJ. Central role of the brain in stress and adaptation: links to socioeconomic status, health, and disease. Ann N Y Acad Sci 2010;1186:190–222.
348. Wood PB. Variations in brain gray matter associated with chronic pain. Curr Rheumatol Rep 2010;12(6):462–9.
349. Gianaros PJ, et al. Prospective reports of chronic life stress predict decreased grey matter volume in the hippocampus. Neuroimage 2007;35(2):795–803.
350. Schweinhardt P, et al. Increased gray matter density in young women with chronic vulvar pain. Pain 2008;140(3):411–19.
351. Blankstein U, et al. Altered brain structure in irritable bowel syndrome: potential contributions of pre-existing and diseasedriven factors. Gastroenterology 2010;138(5):1783–9.
352. Moayedi M, et al. Contribution of chronic pain and neuroticism to abnormal forebrain gray matter in patients with temporomandibular disorder. Neuroimage 2011;55(1):277–86.
353. Walther K, et al. Anti-inflammatory drugs reduce age-related decreases in brain volume in cognitively normal older adults. Neurobiol Aging 2011;32(3):497–505.
354. Younger JW, et al. Prescription opioid analgesics rapidly change the human brain. Pain 2011;152(8):1803–10.
355. Rodriguez-Raecke R, et al. Structural brain changes in chronic pain reflect probably neither damage nor atrophy. PLoS ONE 2013;8(2):e54475.
356. Dolman AJ, et al. Phenotype matters: the absence of a positive association between cortical thinning and chronic low back pain when controlling for salient clinical variables. Clin J Pain 2014;30(10):839–45.
357. Munoz M, Esteve R. Reports of memory functioning by patients with chronic pain. Clin J Pain 2005;21(4):287–91.
358. Oosterman JM, et al. Memory functions in chronic pain: examining contributions of attention and age to test performance. Clin J Pain 2011;27(1):70–5.
359. Etherton JL, et al. Pain, malingering, and performance on the WAIS-III Processing Speed Index. J Clin Exp Neuropsychol 2006;28(7):1218–37.
360. Dick BD, Rashiq S. Disruption of attention and working memory traces in individuals with chronic pain. Anesth Analg 2007;104(5):1223–9, tables of contents.
361. Glass JM. Review of cognitive dysfunction in fibromyalgia: a convergence on working memory and attentional control impairments. Rheum Dis Clin North Am 2009;35(2):299–311.
362. Verdejo-Garcia A, Perez-Garcia M. Profile of executive deficits in cocaine and heroin polysubstance users: common and differential effects on separate executive components. Psychopharmacology (Berl) 2007;190(4):517–30.
363. Schiltenwolf M, et al. Evidence of specific cognitive deficits in patients with chronic low back pain under long-term substitution treatment of opioids. Pain Physician 2014;17(1):9–20.
364. Apkarian AV, Hashmi JA, Baliki MN. Pain and the brain: specificity and plasticity of the brain in clinical chronic pain. Pain 2011;152(3 Suppl.):S49–64.
365. Farmer MA, Baliki MN, Apkarian AV. A dynamic network perspective of chronic pain. Neurosci Lett 2012;520(2):197–203.
366. Bushnell MC, et al. Effect of environment on the long-term consequences of chronic pain. Pain 2015;156(Suppl. 1):S42–9.
367. Baliki MN, Baria AT, Apkarian AV. The cortical rhythms of chronic back pain. J Neurosci 2011;31(39):13981–90.
368. Coderre TJ, et al. Contribution of central neuroplasticity to pathological pain: review of clinical and experimental evidence. Pain 1993;52(3):259–85.
369. Melzack R. Recent concepts of pain. J Med 1982;13(3):147–60.
370. Melzack R. From the gate to the neuromatrix. Pain 1999;Suppl 6:S121–6.
371. Melzack R. Gate Control Theory. On the evolution of pain concepts. Pain Forum 1996;5(1):128–38.
372. Melzack R, Casey K. Sensory, motivational and central control determinants of pain. In: Kenshalo D, editor. The skin senses. Springfield.: Charles C Thomas; 1968. p. 423–39.
373. Melzack R. Phantom limbs and the concept of a neuromatrix. Trends Neurosci 1990;13(3):88–92.
374. Melzack R. Evolution of the neuromatrix theory of pain. The prithvi raj lecture: presented at the third world congress of world institute of pain, barcelona 2004. Pain Pract 2005;5(2):85–94.
375. Melzack R. Pain and the neuromatrix in the brain. J Dent Educ 2001;65(12):1378–82.
376. Melzack R. Pain: past, present and future. Can J Exp Psychol 1993;47(4):615–29.
377. Eisenberger NI, Lieberman MD, Williams KD. Does rejection hurt? An FMRI study of social exclusion. Science 2003;302(5643):290–2.
378. Singer T, et al. Empathy for pain involves the affective but not sensory components of pain. Science 2004;303(5661):1157–62.
379. Raij TT, et al. Strength of prefrontal activation predicts intensity of suggestion-induced pain. Hum Brain Mapp 2009;30(9):2890–7.
380. Chapman CR. Neuromatrix theory Do we need it? Pain Forum 1996;5(2):139–42.
381. Tracey I. Imaging pain. Br J Anaesth 2008;101(1):32–9.
382. Tracey I, Johns E. The pain matrix: reloaded or reborn as we image tonic pain using arterial spin labelling. Pain 2010;148(3):359–60.
383. Derbyshire SW. Exploring the pain "neuromatrix". Curr Rev

Pain 2000;4(6):467–77.
384. Melzack R. The future of pain. Nat Rev Drug Discov 2008;7(8):629.
385. Chapman CR, Nakamura Y. Consciousness, Complexity, and Causality. Concerns and Conundrums. Pain Forum 1999;8(3):136–8.
386. Gifford L. The mature organism model. In: Gifford L, editor. Topical issues in pain 1. Falmouth: CNS Press; 1998. p. 45–56.
387. Jones M, Rivett D. Introduction to clinical reasoning. In: Jones M, Rivett D, editors. Clinical reasoning for manual therapist. Philadelphia.: Elsevier Butterworth-Heinemann; 2004. p. 3–24.
388. Gifford L, Thacker M, Jones M. Physiotherapy and pain. In: McMahon S, Koltzenburg M, editors. Wall and Melzack's Textbook of Pain. Philadelphia: Philadelphia; 2006. p. 603–17.
389. Gifford L. Tissue and input related mechanisms. In: Gifford L, editor. Topical issues in pain 1. Falmouth: CNS Press; 1998. p. 57–65.
390. Chapman CR. Aspectos psicofisiológicos del dolor. In: Loeser JD, editor. Bonica Terapútica del Dolor. Mexico: McGraw-Hill Interamericana; 2003. p. 555–74.
391. Stratakis CA, Chrousos GP. Neuroendocrinology and pathophysiology of the stress system. Ann N Y Acad Sci 1995;771:1–18.
392. Feldman S, Conforti N, Weidenfeld J. Limbic pathways and hypothalamic neurotransmitters mediating adrenocortical responses to neural stimuli. Neurosci Biobehav Rev 1995;19(2):235–40.
393. McLean SA, et al. Cerebrospinal Fluid Corticotropin-Releasing Factor Concentration is Associated with Pain but not Fatigue Symptoms in Patients with Fibromyalgia. Neuropsychopharmacology 2006.
394. Charmandari E, Tsigos C, Chrousos G. Endocrinology of the stress response. Annu Rev Physiol 2005;67:259–84.
395. Chrousos GP. Stressors, stress, and neuroendocrine integration of the adaptive response. The 1997 Hans Selye Memorial Lecture. Ann N Y Acad Sci 1998;851:311–35.
396. Habib KE, Gold PW, Chrousos GP. Neuroendocrinology of stress. Endocrinol Metab Clin North Am 2001;30(3):695–728, vii-viii.
397. Pitman RK. Post-traumatic stress disorder, hormones, and memory. Biol Psychiatry 1989;26(3):221–3.
398. McGaugh JL, et al. Involvement of the amygdaloid complex in neuromodulatory influences on memory storage. Neurosci Biobehav Rev 1990;14(4):425–31.
399. McGaugh JL, Roozendaal B. Role of adrenal stress hormones in forming lasting memories in the brain. Curr Opin Neurobiol 2002;12(2):205–10.
400. Roozendaal B. Stress and memory: opposing effects of glucocorticoids on memory consolidation and memory retrieval. Neurobiol Learn Mem 2002;78(3):578–95.
401. Delahanty DL, et al. Initial urinary epinephrine and cortisol levels predict acute PTSD symptoms in child trauma victims. Psychoneuroendocrinology 2005;30(2):121–8.
402. Nugent NR, Christopher NC, Delahanty DL. Initial physiological responses and perceived hyperarousal predict subsequent emotional numbing in pediatric injury patients. J Trauma Stress 2006;19(3):349–59.
403. Shalev AY, et al. Prospective study of posttraumatic stress disorder and depression following trauma. Am J Psychiatry 1998;155(5):630–7.
404. Shalev AY, et al. A prospective study of heart rate response following trauma and the subsequent development of posttraumatic stress disorder. Arch Gen Psychiatry 1998;55(6):553–9.
405. Cohen H, et al. Prevalence of post-traumatic stress disorder in fibromyalgia patients: overlapping syndromes or posttraumatic fibromyalgia syndrome? Semin Arthritis Rheum 2002;32(1):38–50.
406. Zatzick DF, et al. Reevaluating the association between emergency department heart rate and the development of posttraumatic stress disorder: A public health approach. Biol Psychiatry 2005;57(1):91–5.
407. Schubert R, et al. Now you feel it–now you don't: ERP correlates of somatosensory awareness. Psychophysiology 2006;43(1):31–40.
408. Azanon E, et al. The posterior parietal cortex remaps touch into external space. Curr Biol 2010;20(14):1304–9.
409. Macaluso E, Maravita A. The representation of space near the body through touch and vision. Neuropsychologia 2010;48(3):782–95.
410. Keefe FJ, et al. Psychological aspects of persistent pain: current state of the science. J Pain 2004;5(4):195–211.
411. Gauthier N, et al. Investigating risk factors for chronicity: the importance of distinguishing between return-to-work status and self-report measures of disability. J Occup Environ Med 2006;48(3):312–18.
412. Young Casey C, et al. Transition from acute to chronic pain and disability: a model including cognitive, affective, and trauma factors. Pain 2008;134(1–2):69–79.
413. Nicholas MK, et al. Early identification and management of psychological risk factors ("yellow flags) in patients with low back pain: a reappraisal. Phys Ther 2011;91(5):737–53.
414. Flor H, Turk D. Psychobiological mechanisms in chronic pain. In: Flor H, Turk D, editors. Chronic Pain. A integrated biobehavioral approach. Seattle.: IASP press; 2011. p. 89–136.
415. Kim H, Clark D, Dionne RA. Genetic contributions to clinical pain and analgesia: avoiding pitfalls in genetic research. J Pain 2009;10(7):663–93.
416. Lacroix-Fralish ML, Ledoux JB, Mogil JS. The Pain Genes Database: An interactive web browser of pain-related transgenic knockout studies. Pain 2007;131(1–2):3 e1–4.
417. Schur EA, et al. Feeling bad in more ways than one: comorbidity patterns of medically unexplained and psychiatric conditions. J Gen Intern Med 2007;22(6):818–21.
418. Levy RL, et al. Irritable bowel syndrome in twins: heredity and social learning both contribute to etiology. Gastroenterology 2001;121(4):799–804.
419. Van Houdenhove B. Listening to CFS: why we should pay more attention to the story of the patient. J Psychosom Res 2002;52(6):495–9.
420. Paras ML, et al. Sexual abuse and lifetime diagnosis of somatic disorders: a systematic review and meta-analysis. JAMA 2009;302(5):550–61.
421. Tietjen GE, et al. Childhood maltreatment and migraine (part I). Prevalence and adult revictimization: a multicenter headache clinic survey. Headache 2010;50(1):20–31.
422. Saariaho TH, et al. Early maladaptive schemas in Finnish adult chronic pain patients and a control sample. Scand J Psychol 2011;52(2):146–53.
423. Hart-Johnson T, Green CR. The impact of sexual or physical abuse history on pain-related outcomes among blacks

and whites with chronic pain: gender influence. Pain Med 2012;13(2):229–42.
424. Symes L, et al. The association of pain severity and pain interference levels with abuse experiences and mental health symptoms among 300 mothers: baseline data analysis for a 7-year prospective study. Issues Ment Health Nurs 2013;34(1):2–16.
425. Lampe A, et al. Chronic pelvic pain and previous sexual abuse. Obstet Gynecol 2000;96(6):929–33.
426. Harlow BL, Stewart EG. Adult-onset vulvodynia in relation to childhood violence victimization. Am J Epidemiol 2005;161(9):871–80.
427. Raphael KG, Widom CS, Lange G. Childhood victimization and pain in adulthood: a prospective investigation. Pain 2001;92(1–2):283–93.
428. Raphael KG, Widom CS. Post-traumatic stress disorder moderates the relation between documented childhood victimization and pain 30 years later. Pain 2011;152(1):163–9.
429. Von Korff M, et al. Childhood psychosocial stressors and adult onset arthritis: broad spectrum risk factors and allostatic load. Pain 2009;143(1–2):76–83.
430. Nicolson NA, et al. Childhood maltreatment and diurnal cortisol patterns in women with chronic pain. Psychosom Med 2010;72(5):471–80.
431. Miller-Graff LE, et al. Victimization in childhood: General and specific associations with physical health problems in young adulthood. J Psychosom Res 2015;79(4):265–71.
432. Van Houdenhove B. Psychosocial stress and chronic pain. Eur J Pain 2000;4(3):225–8.
433. Van Houdenhove B, et al. Victimization in chronic fatigue syndrome and fibromyalgia in tertiary care: a controlled study on prevalence and characteristics. Psychosomatics 2001;42(1):21–8.
434. Van Houdenhove B, Egle UT. Comment on Raphael, K.G., Widom, C.S., Lange, G., Childhood victimization and pain in adulthood: a prospective investigation, PAIN 92 (2001) 283293. Pain 2002;96(1–2):215–16, author reply 216-7.
435. Poleshuck EL, et al. Contributions of physical and sexual abuse to women's experiences with chronic pelvic pain. J Reprod Med 2005;50(2):91–100.
436. Sullivan MJ, et al. Integrating psychosocial and behavioral interventions to achieve optimal rehabilitation outcomes. J Occup Rehabil 2005;15(4):475–89.
437. Van Houdenhove B, Egle U, Luyten P. The role of life stress in fibromyalgia. Curr Rheumatol Rep 2005;7(5):365–70.
438. Afari N, et al. Psychological trauma and functional somatic syndromes: a systematic review and meta-analysis. Psychosom Med 2014;76(1):2–11.
439. Williams AC, Eccleston C, Morley S. Psychological therapies for the management of chronic pain (excluding headache) in adults. Cochrane Database Syst Rev 2012;(11):CD007407.
440. Liedl A, Knaevelsrud C. Chronic pain and PTSD: the Perpetual Avoidance Model and its treatment implications. Torture 2008;18(2):69–76.
441. Hinton DE, et al. The 'multiplex model' of somatic symptoms: application to tinnitus among traumatized Cambodian refugees. Transcult Psychiatry 2008;45(2):287–317.
442. Shipherd JC, et al. Veterans seeking treatment for posttraumatic stress disorder: what about comorbid chronic pain? J Rehabil Res Dev 2007;44(2):153–66.
443. Diagnostic and Statistical Manual of Mental Disorders. 5th ed. American Psychiatric Association; 2013.
444. Liedl A, et al. Support for the mutual maintenance of pain and post-traumatic stress disorder symptoms. Psychol Med 2010;40(7):1215–23.
445. Latthe P, et al. Factors predisposing women to chronic pelvic pain: systematic review. BMJ 2006;332(7544):749–55.
446. Greco LA, Freeman KE, Dufton L. Overt and relational victimization among children with frequent abdominal pain: links to social skills, academic functioning, and health service use. J Pediatr Psychol 2007;32(3):319–29.
447. Weaver TL. Impact of rape on female sexuality: review of selected literature. Clin Obstet Gynecol 2009;52(4):702–11.
448. Wuest J, et al. Abuse-related injury and symptoms of posttraumatic stress disorder as mechanisms of chronic pain in survivors of intimate partner violence. Pain Med 2009;10(4):739–47.
449. Tietjen GE, et al. Childhood maltreatment and migraine (part III). Association with comorbid pain conditions. Headache 2010;50(1):42–51.
450. Taft C, Schwartz S, Liebschutz JM. Intimate partner aggression perpetration in primary care chronic pain patients. Violence Vict 2010;25(5):649–61.
451. Luce H, Schrager S, Gilchrist V. Sexual assault of women. Am Fam Physician 2010;81(4):489–95.
452. Ulirsch JC, et al. Pain and somatic symptoms are sequelae of sexual assault: results of a prospective longitudinal study. Eur J Pain 2014;18(4):559–66.
453. Johnston NE, Atlas LY, Wager TD. Opposing effects of expectancy and somatic focus on pain. PLoS ONE 2012;7(6): e38854.
454. Atlas LY, Wager TD. How expectations shape pain. Neurosci Lett 2012;520(2):140–8.
455. Legrain V, et al. Attentional modulation of the nociceptive processing into the human brain: selective spatial attention, probability of stimulus occurrence, and target detection effects on laser evoked potentials. Pain 2002;99(1–2):21–39.
456. Villemure C, Bushnell MC. Cognitive modulation of pain: how do attention and emotion influence pain processing? Pain 2002;95(3):195–9.
457. Zampini M, et al. 'Prior entry' for pain: attention speeds the perceptual processing of painful stimuli. Neurosci Lett 2007;414(1):75–9.
458. Spence C, Parise C. Prior-entry: a review. Conscious Cogn 2010;19(1):364–79.
459. Leeuw M, et al. The Fear-Avoidance Model of Musculoskeletal Pain: Current State of Scientific Evidence. J Behav Med 2006.
460. McCracken LM, Turk DC. Behavioral and cognitive-behavioral treatment for chronic pain: outcome, predictors of outcome, and treatment process. Spine 2002;27(22):2564–73.
461. Wiech K, et al. Modulation of pain processing in hyperalgesia by cognitive demand. Neuroimage 2005;27(1):59–69.
462. Schrooten MG, et al. Nonpain goal pursuit inhibits attentional bias to pain. Pain 2012;153(6):1180–6.
463. Bushnell MC, et al. Pain perception: is there a role for primary somatosensory cortex? Proc Natl Acad Sci USA 1999;96(14):7705–9.
464. Spence C, et al. Selective attention to pain: a psychophysical investigation. Exp Brain Res 2002;145(3):395–402.
465. Lorenz J, Garcia-Larrea L. Contribution of attentional and cognitive factors to laser evoked brain potentials.

Neurophysiol Clin 2003;33(6):293–301.
466. Tracey I, et al. Imaging attentional modulation of pain in the periaqueductal gray in humans. J Neurosci 2002;22(7):2748–52.
467. Petrovic P, et al. Pain-related cerebral activation is altered by a distracting cognitive task. Pain 2000;85(1–2):19–30.
468. Bantick SJ, et al. Imaging how attention modulates pain in humans using functional MRI. Brain 2002;125(Pt 2):310–19.
469. Crombez G, Van Damme S, Eccleston C. Hypervigilance to pain: an experimental and clinical analysis. Pain 2005;116(1–2): 4–7.
470. Herbert MS, et al. Pain hypervigilance is associated with greater clinical pain severity and enhanced experimental pain sensitivity among adults with symptomatic knee osteoarthritis. Ann Behav Med 2014;48(1):50–60.
471. Song GH, et al. Cortical effects of anticipation and endogenous modulation of visceral pain assessed by functional brain MRI in irritable bowel syndrome patients and healthy controls. Pain 2006;126(1–3):79–90.
472. Porro CA, et al. Does anticipation of pain affect cortical nociceptive systems? J Neurosci 2002;22(8):3206–14.
473. Flor H, Turk DC. Chronic back pain and rheumatoid arthritis: predicting pain and disability from cognitive variables. J Behav Med 1988;11(3):251–65.
474. Asmundson GJ, Hadjistavropoulos HD. Is high fear of pain associated with attentional biases for pain-related or general threat? A categorical reanalysis. J Pain 2007;8(1):11–18.
475. DeGood DE, Kiernan B. Perception of fault in patients with chronic pain. Pain 1996;64(1):153–9.
476. DeGood D, Tait R. Assessment of pain beliefs and coping. In: Turk D, Melzack R, editors. Handbook of Pain Assessment. New York.: Guilford Press; 2001. p. 320–45.
477. Main CJ, Watson PJ. Psychological aspects of pain. Man Ther 1999;4(4):203–15.
478. Main CJ, Foster N, Buchbinder R. How important are back pain beliefs and expectations for satisfactory recovery from back pain? Best Pract Res Clin Rheumatol 2010;24(2):205–17.
479. Darlow B, et al. Easy to Harm, Hard to Heal: Patient Views About the Back. Spine 2015;40(11):842–50.
480. Petrie KJ, Jago LA, Devcich DA. The role of illness perceptions in patients with medical conditions. Curr Opin Psychiatry 2007;20(2):163–7.
481. van Wilgen P, et al. Physical therapists should integrate illness perceptions in their assessment in patients with chronic musculoskeletal pain; a qualitative analysis. Man Ther 2014;19(3):229–34.
482. Gehrt TB, et al. The Role of Illness Perceptions in Predicting Outcome After Acute Whiplash Trauma: A Multicenter 12-month Follow-up Study. Clin J Pain 2015;31(1):14–20.
483. Jensen MP, et al. Relationship of pain-specific beliefs to chronic pain adjustment. Pain 1994;57(3):301–9.
484. Peters ML, Vlaeyen JW, Weber WE. The joint contribution of physical pathology, pain-related fear and catastrophizing to chronic back pain disability. Pain 2005;113(1–2):45–50.
485. Swinkels-Meewisse EJ, et al. Psychometric properties of the Tampa Scale for kinesiophobia and the fear-avoidance beliefs questionnaire in acute low back pain. Man Ther 2003;8(1):29–36.
486. Turner JA, Mancl L, Aaron LA. Pain-related catastrophizing: a daily process study. Pain 2004;110(1–2):103–11.
487. Sullivan MJ, Lynch ME, Clark AJ. Dimensions of catastrophic thinking associated with pain experience and disability in patients with neuropathic pain conditions. Pain 2005;113(3):310–15.
488. Gheldof EL, et al. Pain and pain-related fear are associated with functional and social disability in an occupational setting: evidence of mediation by pain-related fear. Eur J Pain 2006;10(6):513–25.
489. Swinkels-Meewisse IE, et al. Acute low back pain: pain-related fear and pain catastrophizing influence physical performance and perceived disability. Pain 2006;120(1–2):36–43.
490. Vervoort T, et al. Catastrophic thinking about pain is independently associated with pain severity, disability, and somatic complaints in school children and children with chronic pain. J Pediatr Psychol 2006;31(7):674–83.
491. Lame IE, et al. Quality of life in chronic pain is more associated with beliefs about pain, than with pain intensity. Eur J Pain 2005;9(1):15–24.
492. Kleinman A, et al. Pain as Human Experience: An Introduction. In: Good MD, et al., editors. Pain as Human Experience An Anthropological perspective. Oxford: University of California Press; 1992.
493. Sullivan MJ, et al. Catastrophizing, pain, and disability in patients with soft-tissue injuries. Pain 1998;77(3):253–60.
494. Sullivan MJ, et al. Theoretical perspectives on the relation between catastrophizing and pain. Clin J Pain 2001;17(1): 52–64.
495. Edwards RR, et al. Catastrophizing as a mediator of sex differences in pain: differential effects for daily pain versus laboratory-induced pain. Pain 2004;111(3):335–41.
496. Crombez G, et al. The effects of catastrophic thinking about pain on attentional interference by pain: no mediation of negative affectivity in healthy volunteers and in patients with low back pain. Pain Res Manag 2002;7(1):31–9.
497. Roelofs J, et al. The role of fear of movement and injury in selective attentional processing in patients with chronic low back pain: a dot-probe evaluation. J Pain 2005;6(5):294–300.
498. Edwards RR, et al. Catastrophizing and pain in arthritis, fibromyalgia, and other rheumatic diseases. Arthritis Rheum 2006;55(2):325–32.
499. Sullivan MJ, et al. Path model of psychological antecedents to pain experience: experimental and clinical findings. Clin J Pain 2004;20(3):164–73.
500. Gracely RH, et al. Pain catastrophizing and neural responses to pain among persons with fibromyalgia. Brain 2004;127(Pt 4):835–43.
501. Eccleston C, et al. Worry and chronic pain patients: a description and analysis of individual differences. Eur J Pain 2001;5(3):309–18.
502. Severeijns R, et al. Pain catastrophizing predicts pain intensity, disability, and psychological distress independent of the level of physical impairment. Clin J Pain 2001;17(2):165–72.
503. Lee H, et al. How does pain lead to disability? A systematic review and meta-analysis of mediation studies in people with back and neck pain. Pain 2015;156(6):988–97.
504. Picavet HS, Vlaeyen JW, Schouten JS. Pain catastrophizing and kinesiophobia: predictors of chronic low back pain. Am J Epidemiol 2002;156(11):1028–34.
505. Linton SJ, et al. The role of depression and catastrophizing in musculoskeletal pain. Eur J Pain 2011;15(4):416–22.
506. Wertli MM, et al. Catastrophizing-a prognostic factor for

outcome in patients with low back pain: a systematic review. Spine J 2014;14(11):2639–57.
507. Goubert L, Crombez G, Van Damme S. The role of neuroticism, pain catastrophizing and pain-related fear in vigilance to pain: a structural equations approach. Pain 2004;107(3): 234–41.
508. Bostick GP, et al. Predictive capacity of pain beliefs and catastrophizing in Whiplash Associated Disorder. Injury 2013;44(11):1465–71.
509. Schanberg LE, et al. The relationship of daily mood and stressful events to symptoms in juvenile rheumatic disease. Arthritis Care Res 2000;13(1):33–41.
510. Yang JC, et al. Preoperative Multidimensional Affect and Pain Survey (MAPS) scores predict postcolectomy analgesia requirement. Clin J Pain 2000;16(4):314–20.
511. Beck AT. Cognitive Therapy and the Emotional Disorders. New York: International University Press; 1979.
512. McWilliams LA, Cox BJ, Enns MW. Mood and anxiety disorders associated with chronic pain: an examination in a nationally representative sample. Pain 2003;106(1–2):127–33.
513. Bair MJ, et al. Depression and pain comorbidity: a literature review. Arch Intern Med 2003;163(20):2433–45.
514. Tunks ER, Crook J, Weir R. Epidemiology of chronic pain with psychological comorbidity: prevalence, risk, course, and prognosis. Can J Psychiatry 2008;53(4):224–34.
515. Sullivan MJ, et al. Initial depression severity and the trajectory of recovery following cognitive-behavioral intervention for work disability. J Occup Rehabil 2006;16(1):63–74.
516. Main C, Sullivan M, Watson P. Pain Management. Practical applications of the biopsychosocial perspective in clinical and occupational settings. 2nd ed. Philadelphia Churchill Livingstone: ELSEVIER; 2008.
517. Lethem J, et al. Outline of a Fear-Avoidance Model of exaggerated pain perception–I. Behav Res Ther 1983;21(4):401–8.
518. Vlaeyen JW, et al. Fear of movement/(re)injury in chronic low back pain and its relation to behavioral performance. Pain 1995;62(3):363–72.
519. Waddell G, et al. A Fear-Avoidance Beliefs Questionnaire (FABQ) and the role of fear-avoidance beliefs in chronic low back pain and disability. Pain 1993;52(2):157–68.
520. Asmundson GJ, Taylor S. Role of anxiety sensitivity in pain-related fear and avoidance. J Behav Med 1996;19(6): 577–86.
521. Kori S, Miller R, Todd D. Kinisiophobia: a new view of chronic pain behavior. Pain Manag 1990;3:35–43.
522. George SZ, Beneciuk JM. Psychological predictors of recovery from low back pain: a prospective study. BMC Musculoskelet Disord 2015;16:49.
523. Soderlund A, Asenlof P. The mediating role of self-efficacy expectations and fear of movement and (re)injury beliefs in two samples of acute pain. Disabil Rehabil 2010;32(25): 2118–26.
524. Turk DC, Robinson JP, Burwinkle T. Prevalence of fear of pain and activity in patients with fibromyalgia syndrome. J Pain 2004;5(9):483–90.
525. Bortz WM 2nd. The disuse syndrome. West J Med 1984;141(5):691–4.
526. Philips HC. Avoidance behaviour and its role in sustaining chronic pain. Behav Res Ther 1987;25(4):273–9.
527. Council JR, et al. Expectancies and functional impairment in chronic low back pain. Pain 1988;33(3):323–31.
528. Bennett RM, Jacobsen S. Muscle function and origin of pain in fibromyalgia. Baillieres Clin Rheumatol 1994;8(4): 721–46.
529. Burton AK, et al. Psychosocial predictors of outcome in acute and subchronic low back trouble. Spine 1995;20(6):722–8.
530. Klenerman L, et al. The prediction of chronicity in patients with an acute attack of low back pain in a general practice setting. Spine 1995;20(4):478–84.
531. Buer N, Linton SJ. Fear-avoidance beliefs and catastrophizing: occurrence and risk factor in back pain and ADL in the general population. Pain 2002;99(3):485–91.
532. Grotle M, et al. Fear-avoidance beliefs and distress in relation to disability in acute and chronic low back pain. Pain 2004;112(3):343–52.
533. Gheldof EL, et al. The differential role of pain, work characteristics and pain-related fear in explaining back pain and sick leave in occupational settings. Pain 2005;113(1–2): 71–81.
534. Nederhand MJ, et al. Predictive value of fear avoidance in developing chronic neck pain disability: consequences for clinical decision making. Arch Phys Med Rehabil 2004;85(3): 496–501.
535. Wertli MM, et al. The role of fear avoidance beliefs as a prognostic factor for outcome in patients with nonspecific low back pain: a systematic review. Spine J 2014;14(5):816–36 e4.
536. Zale EL, et al. The relation between pain-related fear and disability: a meta-analysis. J Pain 2013;14(10):1019–30.
537. Main C, Watson P. The distressed and angry low back pain patient. In: Gifford L, editor. Topical issues in pain 3. Falmouth: CNS Press; 2002. p. 175–92.
538. Nisenzon AN, et al. The role of anger in psychosocial subgrouping for patients with low back pain. Clin J Pain 2014;30(6):501–9.
539. Bandura A. Self-efficacy: toward a unifying theory of behavioral change. Psychol Rev 1977;84(2):191–215.
540. Flor H, Birbaumer N, Turk D. The psichobiology of chronic pain. Advances en Behaviour Research and Therapy 1990;12:47–84.
541. Jensen MP, et al. Coping with chronic pain: a critical review of the literature. Pain 1991;47(3):249–83.
542. Asghari A, Nicholas MK. Pain self-efficacy beliefs and pain behaviour. A prospective study. Pain 2001;94(1):85–100.
543. Arnstein P. The mediation of disability by self efficacy in different samples of chronic pain patients. Disabil Rehabil 2000;22(17):794–801.
544. Asenlof P, Soderlund A. A further investigation of the importance of pain cognition and behaviour in pain rehabilitation: longitudinal data suggest disability and fear of movement are most important. Clin Rehabil 2010;24(5):422–30.
545. Woby SR, et al. The relation between cognitive factors and levels of pain and disability in chronic low back pain patients presenting for physiotherapy. Eur J Pain 2007;11(8):869–77.
546. Costa Lda C, et al. Self-efficacy is more important than fear of movement in mediating the relationship between pain and disability in chronic low back pain. Eur J Pain 2011;15(2):213–19.
547. Salomons TV, et al. Perceived controllability modulates the neural response to pain. J Neurosci 2004;24(32):7199–203.
548. Linton SJ. A review of psychological risk factors in back

and neck pain. Spine 2000;25(9):1148–56.
549. Flor H, Turk D. Chronic Pain. A integrated biobehavioral approach. Seattle: IASP press; 2011.
550. Weiten W, et al. Psychology Applied to Modern Life: Adjustment in the 21st Century. 9th ed. Cengage Learning; 2008.
551. Waddell G, et al. Chronic low-back pain, psychologic distress, and illness behavior. Spine 1984;9(2):209–13.
552. George SZ, Bialosky JE, Donald DA. The centralization phenomenon and fear-avoidance beliefs as prognostic factors for acute low back pain: a preliminary investigation involving patients classified for specific exercise. J Orthop Sports Phys Ther 2005;35(9):580–8.
553. Swinkels-Meewisse IE, et al. Fear of movement/(re)injury predicting chronic disabling low back pain: a prospective inception cohort study. Spine 2006;31(6):658–64.
554. Swinkels-Meewisse IE, et al. Fear-avoidance beliefs, disability, and participation in workers and non-workers with acute low back pain. Clin J Pain 2006;22(1):45–54.
555. Richards JS, et al. Assessing pain behavior: the UAB Pain Behavior Scale. Pain 1982;14(4):393–8.
556. Waddell G, et al. Nonorganic physical signs in low-back pain. Spine 1980;5(2):117–25.
557. Main CJ, Waddell G. Behavioral responses to examination. A reappraisal of the interpretation of "nonorganic signs. Spine 1998;23(21):2367–71.
558. Sobel JB, et al. Cervical nonorganic signs: a new clinical tool to assess abnormal illness behavior in neck pain patients: a pilot study. Arch Phys Med Rehabil 2000;81(2):170–5.
559. Waddell G, Main CJ. Assessment of severity of low back disorders. Acta Orthop Belg 1987;53(2):269–71.
560. Ahern DK, et al. Correlation of chronic low-back pain behavior and muscle function examination of the flexion-relaxation response. Spine 1990;15(2):92–5.
561. Waddell G, Burton AK. Concepts of rehabilitation for the management of low back pain. Best Pract Res Clin Rheumatol 2005;19(4):655–70.
562. de Waal MW, et al. Somatoform disorders in general practice: prevalence, functional impairment and comorbidity with anxiety and depressive disorders. Br J Psychiatry 2004;184:470–6.
563. Watson P, Kendall N. Assessing psychosocial yellow flags. In: Gifford L, editor. Topical issues in pain 2. Falmouth: CNS Press; 1998. p. 111–29.
564. Kendall N, Linton S, Main C. Guide to assessing psychosocial yellow flags in acute low back pain: Risk factors for long-term disabilty and work loss. Wellington: Accident Rehabilitation & Compensation Insurance Corporation of New Zealand and the National Health Committee; 1997.
565. Gonzalez-Anleo J. Sociología del Dolor. In: Dou A, editor. El Dolor. Madrid: UPCO; 1992. p. 338.
566. OMS, Clasificación Internacional del Funcionamiento, de la Discapacidad y de la Salud. 2001: Ministerio de Trabajo y Asuntos Sociales. Secretaría General de Asuntos Sociales. Instituto de Migraciones y Servicios Sociales (IMSERSO).
567. Hoftun GB, Romundstad PR, Rygg M. Association of parental chronic pain with chronic pain in the adolescent and young adult: family linkage data from the HUNT Study. JAMA Pediatr 2013;167(1):61–9.
568. Turk DC, Flor H, Rudy TE. Pain and families. I. Etiology, maintenance, and psychosocial impact. Pain 1987;30(1):3–27.
569. Rickard K. The occurrence of maladaptive health-related behaviors and teacher-rated conduct problems in children of chronic low back pain patients. J Behav Med 1988;11(2):107–16.
570. Goubert L, et al. Learning about pain from others: an observational learning account. J Pain 2011;12(2):167–74.
571. Helsen K, et al. Observational learning and pain-related fear: an experimental study with colored cold pressor tasks. J Pain 2011;12(12):1230–9.
572. Goubert L, et al. Parental emotional responses to their child's pain: the role of dispositional empathy and catastrophizing about their child's pain. J Pain 2008;9(3):272–9.
573. Caes L, et al. Parental catastrophizing about child's pain and its relationship with activity restriction: the mediating role of parental distress. Pain 2011;152(1):212–22.
574. Goubert L, et al. The impact of parental gender, catastrophizing and situational threat upon parental behaviour to child pain: a vignette study. Eur J Pain 2012;16(8):1176–84.
575. Sieberg CB, Williams S, Simons LE. Do parent protective responses mediate the relation between parent distress and child functional disability among children with chronic pain? J Pediatr Psychol 2011;36(9):1043–51.
576. Logan DE, Simons LE, Carpino EA. Too sick for school? Parent influences on school functioning among children with chronic pain. Pain 2012;153(2):437–43.
577. Schanberg LE, et al. Family pain history predicts child health status in children with chronic rheumatic disease. Pediatrics 2001;108(3):E47.
578. Ottman R, Hong S, Lipton RB. Validity of family history data on severe headache and migraine. Neurology 1993;43(10): 1954–60.
579. Fillingim RB, Edwards RR, Powell T. Sex-dependent effects of reported familial pain history on recent pain complaints and experimental pain responses. Pain 2000;86(1–2):87–94.
580. Christensen MF, Mortensen O. Long-term prognosis in children with recurrent abdominal pain. Arch Dis Child 1975;50(2):110–14.
581. Lier R, Nilsen TI, Mork PJ. Parental chronic pain in relation to chronic pain in their adult offspring: family-linkage within the HUNT Study, Norway. BMC Public Health 2014;14:797.
582. Leonard MT, Cano A. Pain affects spouses too: personal experience with pain and catastrophizing as correlates of spouse distress. Pain 2006;126(1–3):139–46.
583. Flor H, Kerns RD, Turk DC. The role of spouse reinforcement, perceived pain, and activity levels of chronic pain patients. J Psychosom Res 1987;31(2):251–9.
584. Romano JM, et al. Chronic pain patient-spouse behavioral interactions predict patient disability. Pain 1995;63(3):353–60.
585. Kerns RD, et al. The role of marital interaction in chronic pain and depressive symptom severity. J Psychosom Res 1990;34(4):401–8.
586. Flor H, Turk DC, Rudy TE. Relationship of pain impact and significant other reinforcement of pain behaviors: the mediating role of gender, marital status and marital satisfaction. Pain 1989;38(1):45–50.
587. Romano JM, Jensen MP, Turner JA. The Chronic Pain Coping Inventory-42: reliability and validity. Pain 2003;104(1–2):65–73.
588. Romano JM, et al. Sequential analysis of chronic pain behaviors and spouse responses. J Consult Clin Psychol 1992;60(5):777–82.

589. Schwartz L, Jensen MP, Romano JM. The development and psychometric evaluation of an instrument to assess spouse responses to pain and well behavior in patients with chronic pain: the Spouse Response Inventory. J Pain 2005;6(4): 243–52.
590. Raichle KA, Romano JM, Jensen MP. Partner responses to patient pain and well behaviors and their relationship to patient pain behavior, functioning, and depression. Pain 2011;152(1):82–8.
591. Cunningham JL, et al. Associations between spousal or significant other solicitous responses and opioid dose in patients with chronic pain. Pain Med 2012;13(8):1034–9.
592. Newton-John T. When helping does not help: responding to pain behaviours. In: Gifford L, editor. Topical issues in Pain 2. Falmouth: CNS Press; 2000.
593. Attention and social responsiveness. In: Main CJ, et al., editors. Fordyce's Behavioral Methods for Chronic Pain and Illness. IASP Press.; 2015. p. 367–403.
594. Swift CM, Reed K, Hocking C. A new perspective on family involvement in chronic pain management programmes. Musculoskeletal Care 2014;12(1):47–55.
595. Keefe FJ, et al. Effects of spouse-assisted coping skills training and exercise training in patients with osteoarthritic knee pain: a randomized controlled study. Pain 2004;110(3):539–49.
596. Cano A, Leonard M. Integrative behavioral couple therapy for chronic pain: promoting behavior change and emotional acceptance. J Clin Psychol 2006;62(11):1409–18.
597. Waddell G, Burton A. Concepts of Rehabilitation for the Management of Common Health Problems. London: The Stationery Office; 2004.
598. Steenstra IA, et al. Prognostic factors for duration of sick leave in patients sick listed with acute low back pain: a systematic review of the literature. Occup Environ Med 2005;62(12):851–60.
599. Marhold C, Linton SJ, Melin L. Identification of obstacles for chronic pain patients to return to work: evaluation of a questionnaire. J Occup Rehabil 2002;12(2):65–75.
600. Anema JR, et al. Ineffective disability management by doctors is an obstacle for return-to-work: a cohort study on low back pain patients sicklisted for 3-4 months. Occup Environ Med 2002;59(11):729–33.
601. Waddell G, Aylward M. Models of sickness and disability. Applied to common health problems. London: Royal Society of Medicine Press; 2010.
602. Wynn PA, et al. Undergraduate occupational health teaching in medical schools–not enough of a good thing? Occup Med (Lond) 2003;53(6):347–8.
603. Beaumont D. Rehabilitation and retention in the workplace–the interaction between general practitioners and occupational health professionals: a consensus statement. Occup Med (Lond) 2003;53(4):254–5.
604. Frank JW, et al. Disability resulting from occupational low back pain. Part II: What do we know about secondary prevention? A review of the scientific evidence on prevention after disability begins. Spine 1996;21(24):2918–29.
605. Main CJ, Williams AC. Musculoskeletal pain. BMJ 2002;325(7363):534–7.
606. Main CJ, Burton AK. Economic and occupational influences on pain and disability. In: Main C, Spanswick C, editors. Pain Management: An Interdisciplinary Approach. Edinburgh.: Churchill Livingstone; 2000. p. 63–87.
607. Kendall B. Main, & Watson Tackling Musculoskeletal Problems: A Guide for Clinic and Workplace - Identifying Obstacles Using the Psychosocial Flags Framework. Norwick: TSO; 2009.
608. Shaw WS, et al. Early patient screening and intervention to address individual-level occupational factors ("blue flags) in back disability. J Occup Rehabil 2009;19(1): 64–80.
609. Ferrari R, Russell AS. Development of persistent neurologic symptoms in patients with simple neck sprain. Arthritis Care Res 1999;12(1):70–6.
610. Cassidy JD, et al. Effect of eliminating compensation for pain and suffering on the outcome of insurance claims for whiplash injury. N Engl J Med 2000;342(16):1179–86.
611. Houben RM, et al. Health care providers' attitudes and beliefs towards common low back pain: factor structure and psychometric properties of the HC-PAIRS. Clin J Pain 2004;20(1):37–44.
612. Houben RM, et al. Health care providers' orientations towards common low back pain predict perceived harmfulness of physical activities and recommendations regarding return to normal activity. Eur J Pain 2005;9(2):173–83.
613. Houben RM, et al. Do health care providers' attitudes towards back pain predict their treatment recommendations? Differential predictive validity of implicit and explicit attitude measures. Pain 2005;114(3):491–8.
614. Coudeyre E, et al. General practitioners' fear-avoidance beliefs influence their management of patients with low back pain. Pain 2006;124(3):330–7.
615. Poiraudeau S, et al. Outcome of subacute low back pain: influence of patients' and rheumatologists' characteristics. Rheumatology (Oxford) 2006;45(6):718–23.
616. Bonathan C, Hearn L, Williams AC. Socioeconomic status and the course and consequences of chronic pain. Pain Manag 2013;3(3):159–62.
617. Kristenson M, et al. Psychobiological mechanisms of socioeconomic differences in health. Soc Sci Med 2004;58(8): 1511–22.
618. Steptoe A, Feldman PJ. Neighborhood problems as sources of chronic stress: development of a measure of neighborhood problems, and associations with socioeconomic status and health. Ann Behav Med 2001;23(3):177–85.
619. Roth RS, Geisser ME. Educational achievement and chronic pain disability: mediating role of pain-related cognitions. Clin J Pain 2002;18(5):286–96.
620. Geertz G. The Interpretation of Cultures. New York: Basic Books Inc; 1973.
621. Kleinman A. Patients and healers in the context of culture: an exploration of the borderland between anthropology, medicine, and psychiatry. Berkeley: University of California Press; 1980.
622. Zborowski M. Cultural Components in Responses to Pain. J Soc Issues 1952;8(4):16–30.
623. Gooberman-Hill R. Ethnographies of pain: culture, context and complexity. Br J Pain 2015;9(1):32–5.
624. Stanaway FF, et al. Back pain in older male Italian-born immigrants in Australia: the importance of socioeconomic factors. Eur J Pain 2011;15(1):70–6.
625. Bates MS, Rankin-Hill L. Control, culture and chronic pain. Soc Sci Med 1994;39(5):629–45.
626. Honeyman PT, Jacobs EA. Effects of culture on back pain in Australian aboriginals. Spine 1996;21(7):841–3.
627. Rahim-Williams B, et al. A quantitative review of ethnic group differences in experimental pain response: do biology,

psychology, and culture matter? Pain Med 2012;13(4):522–40.

628. Otegui R. Factores socioculturales del dolor y el sufrimiento. In: Perdiguero E, Comelles J, editors. Medicina y Cultura. Estudios entre la antropología y la medicina. Barcelona: Bellaterra; 2000.
629. Le Breton D. Antropología del Dolor. Ed Seix Barral; 1999. 630. Barsky AJ. The paradox of health. N Engl J Med 1988;318(7): 414–18.
630. DALYs, G.B.D., et al. Global, regional, and national disabilityadjusted life years (DALYs) for 306 diseases and injuries and healthy life expectancy (HALE) for 188 countries, 1990-2013:
631. quantifying the epidemiological transition. Lancet 2015.
632. Barsky AJ, Borus JF. Somatization and medicalization in the era of managed care. JAMA 1995;274(24):1931–4.
633. Chodoff P. The medicalization of the human condition. Psychiatr Serv 2002;53(5):627–8.
634. Wildes KW. Medicalization and social ills. America (NY) 1999;180(11):16–18.
635. Hadler NM. "Fibromyalgia and the medicalization of misery. J Rheumatol 2003;30(8):1668–70.
636. Nye RA. The evolution of the concept of medicalization in the late twentieth century. J Hist Behav Sci 2003;39(2): 115–29.
637. Conrad P, Leiter V. Medicalization, markets and consumers. J Health Soc Behav 2004;45(Suppl.):158–76.
638. Kalanithi P. The medicalization of personality: mind-body relations in scientific culture. Princet J Bioeth 2001;4:46–63.
639. Conrad P. The shifting engines of medicalization. J Health Soc Behav 2005;46(1):3–14.
640. Filc D. The medical text: between biomedicine and hegemony. Soc Sci Med 2004;59(6):1275–85.
641. Thomas-MacLean R, Stoppard JM. Physicians' constructions of depression: inside/outside the boundaries of medicalization. Health (London) 2004;8(3):275–93.
642. Orueta R, et al. Medicalización de la vida (I). Rev Clin Med Fam 2003;4:150–61.
643. Moynihan R, Smith R. Too much medicine? BMJ 2002;324(7342):859–60.
644. Maturo A. Medicalization: current concept and future directions in a bionic society. Mens Sana Monogr 2012;10(1): 122–33.
645. Hadler NM, Greenhalgh S. Labeling woefulness: the social construction of fibromyalgia. Spine 2005;30(1):1–4.
646. Illich I, Némesis médica: la expropiación de la salud. 1975, Barcelona Barral Editores.
647. Page L, Wessely S. Medically unexplained symtoms: exacerbating factors in the doctor-patient encounter. J R Soc Med 2003;96:223–7.
648. Hadler NM, Ehrlich GE. Fibromyalgia and the conundrum of disability determination. J Occup Environ Med 2003;45(10):1030–3.
649. Hazemeijer I, Rasker JJ. Fibromyalgia and the therapeutic domain. A philosophical study on the origins of fibromyalgia in a specific social setting. Rheumatology (Oxford) 2003;42(4):507–15.
650. Ehrlich GE. Pain is real; fibromyalgia isn't. J Rheumatol 2003;30(8):1666–7.
651. Hadler NM, Greenhalgh S. Labeling woefulness: the social construction of fibromyalgia. Spine 2005;30(1):1–4.
652. Ferrari R, Schrader H. The late whiplash syndrome: a biopsychosocial approach. J Neurol Neurosurg Psychiatry 2001;70(6):722–6.
653. Smythe HA, Moldofsky H. Two contributions to understanding of the "fibrositis syndrome. Bull Rheum Dis 1977;28(1):928–31.
654. Wolfe F, et al. The American College of Rheumatology 1990 Criteria for the Classification of Fibromyalgia. Report of the Multicenter Criteria Committee. Arthritis Rheum 1990;33(2):160–72.
655. Bentall RP, et al. Predictors of response to treatment for chronic fatigue syndrome. Br J Psychiatry 2002;181:248–52.
656. Friedberg F, Leung DW, Quick J. Do support groups help people with chronic fatigue syndrome and fibromyalgia? A comparison of active and inactive members. J Rheumatol 2005;32(12):2416–20.
657. Moynihan R, Heath I, Henry D. Selling sickness: the pharmaceutical industry and disease mongering. BMJ 2002;324(7342):886–91.
658. Moynihan R. Scientists find new disease: motivational deficiency disorder. BMJ 2006;332(7544):745.
659. Loeser JD, Black RG. A taxonomy of pain. Pain 1975;1(1):81–4.
660. Nolan M. Pain: the experience and its expression. Clin Manage 1990;10(22).
661. Main C, Spanswick C. Pain management: An interdisciplinary approach. Edinburgh: Churchill Livingstone; 2000.
662. Loeser J. Perspectives on pain. In: Turner P, editor. Clinical Pharmacy and therapeutics. London.: Macmillan; 1980. p. 313–16.
663. Bausbaum AI, Jessell TM. La percepción del dolor. In: Kandel ER, Schwartz JH, Jessell TM, editors. Principios de Neurociencia. Mc Graw-Hill Interamericana; 2001.
664. Gatzounis R, et al. Operant learning theory in pain and chronic pain rehabilitation. Curr Pain Headache Rep 2012;16(2):117–26.
665. Waddell G. The Back Pain Revolution. 2 ed. London: Churchill Livingstone; 2004.
666. Vlaeyen JW, Linton SJ. Fear-avoidance model of chronic musculoskeletal pain: 12 years on. Pain 2012;153(6):1144–7.
667. Vlaeyen J, et al. Pain-Related Fear. Exposure treatment of chronic pain. Seattle: IASP press; 2012.
668. Weiner BK. Spine update: the biopsychosocial model and spine care. Spine 2008;33(2):219–23.
669. Pransky G, Buchbinder R, Hayden J. Contemporary low back pain research - and implications for practice. Best Pract Res Clin Rheumatol 2010;24(2):291–8.
670. Jull G, Moore A. Hands on, hands off? The swings in musculoskeletal physiotherapy practice. Man Ther 2012;17(3):199–200.
671. Ford JJ, Hahne AJ. Pathoanatomy and classification of low back disorders. Man Ther 2013;18(2):165–8.
672. Hancock M, et al. MRI findings are more common in selected patients with acute low back pain than controls? Eur Spine J 2012;21(2):240–6.
673. Merskey H, Bogduk N. Part III: Pain Terms, A Current List with Definitions and Notes on Usage. In: Classification of Chronic Pain: Descriptions of chronic pain syndromes and definitions of pain terms. Seattle: IASP Press; 1994.
674. Turk DC, Okifuji A. Pain terms and taxonomies of pain. In: Fishman SM, Ballantyne J, Rathmell J, editors. Bonica's Management of Pain. Wolters Kluwer Lippincott Willams & Wilkins; 2010. p. 13–23.

675. Dickinson BD, et al. Maldynia: pathophysiology and management of neuropathic and maladaptive pain–a report of the AMA Council on Science and Public Health. Pain Med 2010;11(11):1635–53.
676. Dubois MY, Gallagher RM, Lippe PM. Pain medicine position paper. Pain Med 2009;10(6):972–1000.
677. Gallagher RM, Fraifeld EM. Vision and purpose: AAPM members lead national initiative to improve pain care, education, and training. Pain Med 2010;11(2):154–7.
678. Gallagher RM. Chronification to maldynia: biopsychosocial failure of pain homeostasis. Pain Med 2011;12(7): 993–5.
679. Crook J, Tunks E. Defining the "chronic pain syndrome: An epidemiological method. Pain 1984;18:S121.
680. Diatchenko L, et al. Idiopathic pain disorders–pathways of vulnerability. Pain 2006;123(3):226–30.
681. Addison RG. Chronic pain syndrome. Am J Med 1984;77(3A):54–8.
682. Yunus MB. Central sensitivity syndromes: a new paradigm and group nosology for fibromyalgia and overlapping conditions, and the related issue of disease versus illness. Semin Arthritis Rheum 2008;37(6):339–52.
683. Doege T, Houston T. Guides to the evaluation of permanent impairment. 4 ed. Chicago: American Medical Association; 1993.
684. Huijnen IP, et al. Subgrouping of low back pain patients for targeting treatments: evidence from genetic, psychological, and activity-related behavioral approaches. Clin J Pain 2015;31(2):123–32.
685. Phillips K, Clauw DJ. Central pain mechanisms in chronic pain states–maybe it is all in their head. Best Pract Res Clin Rheumatol 2011;25(2):141–54.
686. Borsook D, Sava S, Becerra L. The pain imaging revolution: advancing pain into the 21st century. Neuroscientist 2010;16(2):171–85.
687. May A. Chronic pain may change the structure of the brain. Pain 2008;137(1):7–15.
688. Tracey I, Bushnell MC. How neuroimaging studies have challenged us to rethink: is chronic pain a disease? J Pain 2009;10(11):1113–20.
689. Sullivan MD, et al. What does it mean to call chronic pain a brain disease? J Pain 2013;14(4):317–22.
690. Sullivan MD. Finding pain between minds and bodies. Clin J Pain 2001;17(2):146–56.
691. Cohen M, Quintner J, Buchanan D. Is chronic pain a disease? Pain Med 2013;14(9):1284–8.
692. American, Psychiatric, and Association. Diagnostic and Statistical Manual of Mental Disorders DSM-5. Arlington; 2013.
693. Merskey H. Pain disorder, hysteria or somatization? Pain Res Manag 2004;9(2):67–71.
694. Treede RD, et al. A classification of chronic pain for ICD-11. Pain 2015.
695. Woolf CJ, et al. Towards a mechanism-based classification of pain? Pain 1998;77(3):227–9.
696. Backonja MM. Defining neuropathic pain. Anesth Analg 2003;97(3):785–90.
697. Bennett MI, et al. Can pain can be more or less neuropathic? Comparison of symptom assessment tools with ratings of certainty by clinicians. Pain 2006;122(3):289–94.
698. Bennett MI, et al. Using screening tools to identify neuropathic pain. Pain 2007;127(3):199–203.
699. Treede RD, et al. Neuropathic pain: redefinition and a grading system for clinical and research purposes. Neurology 2008;70(18):1630–5.
700. Merskey H, Bogduk N. Classification of Chronic Pain: Descriptions of chronic pain syndromes and definitions of pain terms. 2nd ed. Seattle: IASP Press; 1994.
701. Smart KM, et al. The reliability of clinical judgments and criteria associated with mechanisms-based classifications of pain in patients with low back pain disorders: a preliminary reliability study. J Man Manip Ther 2010;18(2):102–10.
702. Smart KM, et al. The Discriminative validity of "nociceptive, "peripheral neuropathic, and "central sensitization as mechanisms-based classifications of musculoskeletal pain. Clin J Pain 2011;27(8):655–63.
703. Nijs J, Van Houdenhove B, Oostendorp RA. Recognition of central sensitization in patients with musculoskeletal pain: Application of pain neurophysiology in manual therapy practice. Man Ther 2010;15(2):135–41.
704. Smart KM, et al. Self-reported pain severity, quality of life, disability, anxiety and depression in patients classified with 'nociceptive', 'peripheral neuropathic' and 'central sensitisation' pain. The discriminant validity of mechanisms-based classifications of low back (+/-leg) pain. Man Ther 2012;17(2):119–25.
705. Nijs J, et al. Low back pain: guidelines for the clinical classification of predominant neuropathic, nociceptive, or central sensitization pain. Pain Physician 2015;18(3):E333–46.
706. Nijs J, et al. Applying modern pain neuroscience in clinical practice: criteria for the classification of central sensitization pain. Pain Physician 2014;17(5):447–57.
707. Desmeules JA, et al. Neurophysiologic evidence for a central sensitization in patients with fibromyalgia. Arthritis Rheum 2003;48(5):1420–9.
708. Meeus M, et al. Evidence for generalized hyperalgesia in chronic fatigue syndrome: a case control study. Clin Rheumatol 2010;29(4):393–8.
709. Kasch H, et al. Reduced cold pressor pain tolerance in nonrecovered whiplash patients: a 1-year prospective study. Eur J Pain 2005;9(5):561–9.
710. Martenson ME, Cetas JS, Heinricher MM. A possible neural basis for stress-induced hyperalgesia. Pain 2009;142(3):236–44.
711. Nielsen LA, Henriksson KG. Pathophysiological mechanisms in chronic musculoskeletal pain (fibromyalgia): the role of central and peripheral sensitization and pain disinhibition. Best Pract Res Clin Rheumatol 2007;21(3):465–80.
712. Staud R, Rodriguez ME. Mechanisms of disease: pain in fibromyalgia syndrome. Nat Clin Pract Rheumatol 2006;2(2):90–8.
713. Kamper SJ, et al. Relationship between pressure pain thresholds and pain ratings in patients with whiplash-associated disorders. Clin J Pain 2011;27(6):495–501.
714. Sterling M. Testing for sensory hypersensitivity or central hyperexcitability associated with cervical spine pain. J Manipulative Physiol Ther 2008;31(7):534–9.
715. Scott D, Jull G, Sterling M. Widespread sensory hypersensitivity is a feature of chronic whiplash-associated disorder but not chronic idiopathic neck pain. Clin J Pain 2005;21(2): 175–81.
716. Kosek E, et al. Evidence of different mediators of central inflammation in dysfunctional and inflammatory pain - Interleukin-8 in fibromyalgia and interleukin-1 beta in rheumatoid arthritis. J Neuroimmunol 2015;280:49–55.

717. O'Neill S, et al. Generalized deep-tissue hyperalgesia in patients with chronic low-back pain. Eur J Pain 2006.
718. Staud R, Robinson ME, Price DD. Temporal summation of second pain and its maintenance are useful for characterizing widespread central sensitization of fibromyalgia patients. J Pain 2007;8(11):893–901.
719. Imamura M, et al. Changes in pressure pain threshold in patients with chronic nonspecific low back pain. Spine 2013;38(24):2098–107.
720. Pavlakovic G, Petzke F. The role of quantitative sensory testing in the evaluation of musculoskeletal pain conditions. Curr Rheumatol Rep 2010;12(6):455–61.
721. Blumenstiel K, et al. Quantitative sensory testing profiles in chronic back pain are distinct from those in fibromyalgia. Clin J Pain 2011;27(8):682–90.
722. Sjors A, et al. An increased response to experimental muscle pain is related to psychological status in women with chronic non-traumatic neck-shoulder pain. BMC Musculoskelet Disord 2011;12:230.
723. Edwards RR, et al. Pain, catastrophizing, and depression in the rheumatic diseases. Nat Rev Rheumatol 2011;7(4):216–24.
724. Kosek E, Ordeberg G. Lack of pressure pain modulation by heterotopic noxious conditioning stimulation in patients with painful osteoarthritis before, but not following, surgical pain relief. Pain 2000;88(1):69–78.
725. Kosek E, Ordeberg G. Abnormalities of somatosensory perception in patients with painful osteoarthritis normalize following successful treatment. Eur J Pain 2000;4(3):229–38.
726. Gwilym SE, et al. Psychophysical and functional imaging evidence supporting the presence of central sensitization in a cohort of osteoarthritis patients. Arthritis Rheum 2009;61(9):1226–34.
727. Arendt-Nielsen L, et al. Sensitization in patients with painful knee osteoarthritis. Pain 2010;149(3):573–81.
728. Leffler AS, et al. Somatosensory perception and function of diffuse noxious inhibitory controls (DNIC) in patients suffering from rheumatoid arthritis. Eur J Pain 2002;6(2):161–76.
729. Vladimirova N, et al. Pain Sensitisation in Women with Active Rheumatoid Arthritis: A Comparative Cross-Sectional Study. Arthritis 2015;2015:434109.
730. Hochman JR, et al. Neuropathic pain symptoms on the modified painDETECT correlate with signs of central sensitization in knee osteoarthritis. Osteoarthritis Cartilage 2013;21(9):1236–42.
731. Malfliet A, et al. Lack of evidence for central sensitization in idiopathic, non-traumatic neck pain: a systematic review. Pain Physician 2015;18(3):223–36.
732. Woolf CJ. What is this thing called pain? J Clin Invest 2010;120(11):3742–4.
733. Costigan M, Scholz J, Woolf CJ. Neuropathic pain: a maladaptive response of the nervous system to damage. Annu Rev Neurosci 2009;32:1–32.
734. Salomons TV, et al. Pain flashbacks in posttraumatic stress disorder. Clin J Pain 2004;20(2):83–7.
735. Small DM, Apkarian AV. Increased taste intensity perception exhibited by patients with chronic back pain. Pain 2006;120(1–2):124–30.
736. Smart KM, et al. Clinical indicators of 'nociceptive', 'peripheral neuropathic' and 'central' mechanisms of musculoskeletal pain. A Delphi survey of expert clinicians. Man Ther 2010;15(1):80–7.
737. Smart K, Doody C. The clinical reasoning of pain by experienced musculoskeletal physiotherapists. Man Ther 2007;12(1):40–9.
738. Fuentes J, et al. Enhanced therapeutic alliance modulates pain intensity and muscle pain sensitivity in patients with chronic low back pain: an experimental controlled study. Phys Ther 2014;94(4):477–89.
739. Di Blasi Z, et al. Influence of context effects on health outcomes: a systematic review. Lancet 2001;357(9258):757–62.
740. Huibers MJ, Wessely S. The act of diagnosis: pros and cons of labelling chronic fatigue syndrome. Psychol Med 2006;36(7):895–900.
741. Kraemer HC, et al. Mediators and moderators of treatment effects in randomized clinical trials. Arch Gen Psychiatry 2002;59(10):877–83.
742. Carroll LJ, et al. Recovery in whiplash-associated disorders: do you get what you expect? J Rheumatol 2009;36(5):1063–70.
743. Ozegovic D, Carroll LJ, David Cassidy J. Does expecting mean achieving? The association between expecting to return to work and recovery in whiplash associated disorders: a population-based prospective cohort study. Eur Spine J 2009; 18(6):893–9.
744. Kongsted A, et al. Expectation of recovery from low back pain: a longitudinal cohort study investigating patient characteristics related to expectations and the association between expectations and 3-month outcome. Spine 2014;39(1):81–90.
745. Daykin AR, Richardson B. Physiotherapists' pain beliefs and their influence on the management of patients with chronic low back pain. Spine 2004;29(7):783–95.
746. Turner JA, Holtzman S, Mancl L. Mediators, moderators, and predictors of therapeutic change in cognitive-behavioral therapy for chronic pain. Pain 2007;127(3):276–86.
747. Higgs J, Burn A, Jones M. Integrating clinical reasoning and evidence-based practice. AACN Clin Issues 2001;12(4):482–90.
748. Dworkin RH, et al. Interpreting the clinical importance of treatment outcomes in chronic pain clinical trials: IMMPACT recommendations. J Pain 2008;9(2):105–21.
749. Cleeland CS, Ryan KM. Pain assessment: global use of the Brief Pain Inventory. Ann Acad Med Singapore 1994;23(2):129–38.
750. Mendoza T, et al. Reliability and validity of a modified Brief Pain Inventory short form in patients with osteoarthritis. Eur J Pain 2006;10(4):353–61.
751. Von Korff M, et al. Grading the severity of chronic pain. Pain 1992;50(2):133–49.
752. Turk DC, Rudy TE. Toward an empirically derived taxonomy of chronic pain patients: integration of psychological assessment data. J Consult Clin Psychol 1988;56(2):233–8.
753. Kerns RD, Turk DC, Rudy TE. The West Haven-Yale Multidimensional Pain Inventory (WHYMPI). Pain 1985;23(4):345–56.
754. Westaway MD, Stratford PW, Binkley JM. The patient-specific functional scale: validation of its use in persons with neck dysfunction. J Orthop Sports Phys Ther 1998;27(5):331–8.
755. Ware JE Jr, Sherbourne CD. The MOS 36-item short-form health survey (SF-36). I. Conceptual framework and item

selection. Med Care 1992;30(6):473–83.
756. Ware J Jr, Kosinski M, Keller SD. A 12-Item Short-Form Health Survey: construction of scales and preliminary tests of reliability and validity. Med Care 1996;34(3):220–33.
757. Roland M, Fairbank J. The Roland-Morris Disability Questionnaire and the Oswestry Disability Questionnaire. Spine 2000;25(24):3115–24.
758. Roland M, Morris R. A study of the natural history of back pain. Part I: development of a reliable and sensitive measure of disability in low-back pain. Spine 1983;8(2):141–4.
759. Vernon H, Mior S. The Neck Disability Index: a study of reliability and validity. J Manipulative Physiol Ther 1991;14(7):409–15.
760. Leak AM, et al. The Northwick Park Neck Pain Questionnaire, devised to measure neck pain and disability. Br J Rheumatol 1994;33(5):469–74.
761. Beck AT, Steer RA, Brown GK. Manual for Beck Depression Inventory-II. San Antonio: TX: Psychological Corporation; 1996.
762. Zigmond AS, Snaith RP. The hospital anxiety and depression scale. Acta Psychiatr Scand 1983;67(6):361–70.
763. McNair D, Lorr M, Droppleman L. Profile of Mood States. San Diego: CA: Educational and Industrial Testing Service; 1971.
764. McNeil DW, Rainwater AJ 3rd. Development of the Fear of Pain Questionnaire–III. J Behav Med 1998;21(4):389–410.
765. McCracken LM, Zayfert C, Gross RT. The Pain Anxiety Symptoms Scale: development and validation of a scale to measure fear of pain. Pain 1992;50(1):67–73.
766. Crowley D, Kendall A. Development and initial validation of a questionnaire for measuring fear-avoidance associated with pain: the fear-avoidance of pain scale. J Musculoskelet Pain 1999;7(3):3–19.
767. Miller R, Kori S, Todd D. The Tampa Scale. USA: Tampa, Fla; 1991.
768. Woby SR, et al. Psychometric properties of the TSK-11: a shortened version of the Tampa Scale for Kinesiophobia. Pain 2005;117(1–2):137–44.
769. Kugler K, Wijn J, Geilen M. The Photograph Series of Daily Activities (PHODA). The Netherlands, Amsterdam: Heerlen; 1999.
770. Sandborgh M, Lindberg P, Denison E. Pain belief screening instrument: Development and preliminary validation of a screening instrument for disabling persistent pain. J Rehabil Med 2007;39(6):461–6.
771. Linton SJ, Hallden K. Can we screen for problematic back pain? A screening questionnaire for predicting outcome in acute and subacute back pain. Clin J Pain 1998;14(3):209–15.
772. Riley JF, Ahern DK, Follick MJ. Chronic pain and functional impairment: assessing beliefs about their relationship. Arch Phys Med Rehabil 1988;69(8):579–82.
773. Hill JC, et al. Comparison of stratified primary care management for low back pain with current best practice (STarT Back): a randomised controlled trial. Lancet 2011;378(9802): 1560–71.
774. Sullivan M, Bishop S, Pivik J. The Pain Catastrophizing Scale: development and validation. Psychol Assess 1995;7(4): 524–32.
775. Tang NK, Salkovskis PM, Hanna M. Mental defeat in chronic pain: initial exploration of the concept. Clin J Pain 2007;23(3):222–32.
776. Brown GK, Nicassio PM. Development of a questionnaire for the assessment of active and passive coping strategies in chronic pain patients. Pain 1987;31(1):53–64.
777. Nicholas MK. The pain self-efficacy questionnaire: Taking pain into account. Eur J Pain 2007;11(2):153–63.
778. McCracken LM, Vowles KE, Eccleston C. Acceptance of chronic pain: component analysis and a revised assessment method. Pain 2004;107(1–2):159–66.
779. Guy W. ECDEU assessment manual for psychopharmacology (DHEW Publication No. ADM 76–338). Washington, DC: US Government Printing Office; 1976.
780. Kamper SJ, Maher CG, Mackay G. Global rating of change scales: a review of strengths and weaknesses and considerations for design. J Man Manip Ther 2009;17(3):163–70.
781. Linton SJ, Kamwendo K. Low back schools. A critical review. Phys Ther 1987;67(9):1375–83.
782. Cohen JE, et al. Group education interventions for people with low back pain. An overview of the literature. Spine 1994;19(11):1214–22.
783. Koes BW, et al. The efficacy of back schools: a review of randomized clinical trials. J Clin Epidemiol 1994;47(8):851–62.
784. Gross AR, et al. Patient education for mechanical neck disorders. Cochrane Database Syst Rev 2000;(2):CD000962.
785. Roland M, et al. The Back Book. 2nd ed. TSO The Stationery Office; 2002.
786. Waddell G. The Neck Book. TSO The Stationery Office; 2004.
787. Burton K, McClune T, Waddell G. The Whiplash Book. 2002.
788. Jull G. The Whiplash Injury Recovery. The University of Queensland; 2005.
789. McClune T, Burton AK, Waddell G. Evaluation of an evidence based patient educational booklet for management of whiplash associated disorders. Emerg Med J 2003;20(6):514–17.
790. Moseley GL, Nicholas MK, Hodges PW. A randomized controlled trial of intensive neurophysiology education in chronic low back pain. Clin J Pain 2004;20(5):324–30.
791. Ellis A. Rational Emotive Behavior Therapy: It Works for Me - It Can Work for You. New York: Prometheus Books; 2009.
792. Van Damme S, Crombez G, Eccleston C. Disengagement from pain: the role of catastrophic thinking about pain. Pain 2004;107(1–2):70–6.
793. Woby SR, Roach NK, Watson PJ. Outcome following a physiotherapist-led intervention for chronic low back pain: the important role of cognitive processes. Physiotherapy 2008;94:115–24.
794. Crombez G, et al. Pain-related fear is more disabling than pain itself: evidence on the role of pain-related fear in chronic back pain disability. Pain 1999;80(1–2):329–39.
795. Malenbaum S, et al. Pain in its environmental context: implications for designing environments to enhance pain control. Pain 2008;134(3):241–4.
796. Moseley G. Motor control in chronic pain: new ideas for effective intervention. In: Vleeming A, Mooney V, Stoeckart R, editors. Movement, Stability & Lumbopelvic Pain. Edinburgh.: Churchill Livingstone ELSEVIER; 2007. p. 513–25.
797. Acerra NE, Souvlis T, Moseley GL. Stroke, complex regional pain syndrome and phantom limb pain: can

commonalities direct future management? J Rehabil Med 2007;39(2):109–14.
798. Moseley GL. Graded motor imagery is effective for longstanding complex regional pain syndrome: a randomised controlled trial. Pain 2004;108(1–2):192–8.
799. Moseley GL. Is successful rehabilitation of complex regional pain syndrome due to sustained attention to the affected limb? A randomised clinical trial. Pain 2005;114(1–2):54–61.
800. Ramachandran VS, Rogers-Ramachandran D. Synaesthesia in phantom limbs induced with mirrors. Proc Biol Sci 1996;263(1369):377–86.
801. Murray CD, et al. Immersive virtual reality as a rehabilitative technology for phantom limb experience: a protocol. Cyberpsychol Behav 2006;9(2):167–70.
802. Murray CD, et al. Can immersive virtual reality reduce phantom limb pain? Stud Health Technol Inform 2006;119:407–12.
803. Gallese V, et al. Action recognition in the premotor cortex. Brain 1996;119(Pt 2):593–609.
804. Rizzolatti G, Sinigaglia C. Mirror neurons and motor intentionality. Funct Neurol 2007;22(4):205–10.
805. Harris JC. Social neuroscience, empathy, brain integration, and neurodevelopmental disorders. Physiol Behav 2003;79(3):525–31.
806. McCabe CS, et al. A controlled pilot study of the utility of mirror visual feedback in the treatment of complex regional pain syndrome (type 1). Rheumatology (Oxford) 2003;42(1):97–101.
807. Liepert J, et al. Treatment-induced cortical reorganization after stroke in humans. Stroke 2000;31(6):1210–16.
808. Garry MI, Loftus A, Summers JJ. Mirror, mirror on the wall: viewing a mirror reflection of unilateral hand movements facilitates ipsilateral M1 excitability. Exp Brain Res 2005;163(1):118–22.
809. Funase K, et al. Increased corticospinal excitability during direct observation of self-movement and indirect observation with a mirror box. Neurosci Lett 2007;419(2):108–12.
810. McCabe CS, Haigh RC, Blake DR. Mirror visual feedback for the treatment of complex regional pain syndrome (type 1). Curr Pain Headache Rep 2008;12(2):103–7.
811. Karmarkar A, Lieberman I. Mirror box therapy for complex regional pain syndrome. Anaesthesia 2006;61(4):412–13.
812. Vladimir Tichelaar YI, et al. Mirror box therapy added to cognitive behavioural therapy in three chronic complex regional pain syndrome type I patients: a pilot study. Int J Rehabil Res 2007;30(2):181–8.
813. Selles RW, Schreuders TA, Stam HJ. Mirror therapy in patients with causalgia (complex regional pain syndrome type II) following peripheral nerve injury: two cases. J Rehabil Med 2008;40(4):312–14.
814. Chan BL, et al. Mirror therapy for phantom limb pain. N Engl J Med 2007;357(21):2206–7.
815. Graziano MS. Where is my arm? The relative role of vision and proprioception in the neuronal representation of limb position. Proc Natl Acad Sci USA 1999;96(18):10418–21.
816. Ro T, et al. Visual enhancing of tactile perception in the posterior parietal cortex. J Cogn Neurosci 2004;16(1):24–30.
817. Moseley GL, Gallace A, Spence C. Is mirror therapy all it is cracked up to be? Current evidence and future directions. Pain 2008;138(1):7–10.
818. Lundborg G, Rosen B. Hand function after nerve repair. Acta Physiol (Oxf) 2007;189(2):207–17.
819. Moseley GL. Graded motor imagery for pathologic pain: a randomized controlled trial. Neurology 2006;67(12): 2129–34.
820. Priganc VW, Stralka SW. Graded motor imagery. J Hand Ther 2011;24(2):164–8, quiz 169.
821. Daly AE, Bialocerkowski AE. Does evidence support physiotherapy management of adult Complex Regional Pain Syndrome Type One? A systematic review. Eur J Pain 2009;13(4):339–53.
822. Moseley GL. I can't find it! Distorted body image and tactile dysfunction in patients with chronic back pain. Pain 2008;140(1):239–43.
823. Flor H, et al. Effect of sensory discrimination training on cortical reorganisation and phantom limb pain. Lancet 2001;357(9270):1763–4.
824. Dolce JJ, et al. Exercise quotas, anticipatory concern and selfefficacy expectancies in chronic pain: a preliminary report. Pain 1986;24(3):365–72.
825. Vlaeyen JW, et al. The treatment of fear of movement/(re) injury in chronic low back pain: further evidence on the effectiveness of exposure in vivo. Clin J Pain 2002;18(4):251–61.
826. Fordyce W, et al. Pain complaint–exercise performance relationship in chronic pain. Pain 1981;10(3):311–21.

색인

INDEX